ACCESO GRATIS *a la Lectura en la Nube*

Para visualizar el libro electrónico en la nube de lectura envíe junto a su nombre y apellidos una fotografía del código de barras situado en la contraportada del libro y otra del ticket de compra a la dirección:

ebooktirant@tirant.com

En un máximo de 72 horas laborables le enviaremos el código de acceso con las instrucciones de acceso

LAS ARMAS AUTÓNOMAS LETALES:
UN DESAFÍO PARA EL DERECHO INTERNACIONAL HUMANITARIO, LOS DERECHOS HUMANOS, LA SEGURIDAD Y EL DESARME INTERNACIONALES

Procedimiento de selección de originales, ver página web:

www.tirant.net/index.php/editorial/procedimiento-de-seleccion-de-originales

LAS ARMAS AUTÓNOMAS LETALES:
UN DESAFÍO PARA EL DERECHO INTERNACIONAL HUMANITARIO, LOS DERECHOS HUMANOS, LA SEGURIDAD Y EL DESARME INTERNACIONALES

MILTON JOSÉ MEZA RIVAS

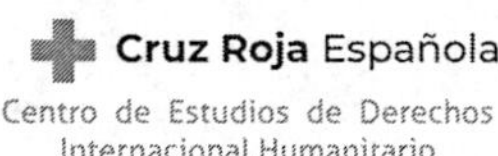

tirant lo blanch
Valencia, 2022

En caso de erratas y actualizaciones, la Editorial Tirant lo Blanch publicará la pertinente corrección en la página web www.tirant.com.

© TIRANT LO BLANCH
EDITA: TIRANT LO BLANCH
C/ Artes Gráficas, 14 - 46010 - Valencia
TELFS.: 96/361 00 48 - 50
FAX: 96/369 41 51
Email:tlb@tirant.com
www.tirant.com
Librería virtual: www.tirant.es
DEPÓSITO LEGAL: V- 558-2022
ISBN: 978-84-1113-757-7
MAQUETA: Disset Ediciones

Si tiene alguna queja o sugerencia, envíenos un mail a: *atencioncliente@tirant.com*. En caso de no ser atendida su sugerencia, por favor, lea en *www.tirant.net/index.php/empresa/politicas-de-empresa* nuestro procedimiento de quejas.

Responsabilidad Social Corporativa: http://www.tirant.net/Docs/RSCTirant.pdf

AGRADECIMIENTOS

Llevar a cabo esta obra representó para mí un esfuerzo y una dedicación personal muy importantes. Los aportes contenidos en ella no los hubiera podido alcanzar sin la participación de personas que me apoyaron a lo largo de toda la investigación. Por lo tanto, es importante para mí aprovechar este espacio para expresarles mis agradecimientos.

De manera especial y sincera, agradezco a los profesores Dr. Antonio Madrid Pérez y Dr. Jordi Bonet Pérez por haber aceptado prologar este libro. Al principio, el camino no fue fácil, pero con el tiempo formamos un buen equipo de trabajo. Ambos me impulsaron a seguir adelante dirigiendo mi tesis doctoral de la cual se deriva la presente obra y, en momentos personales muy complejos, estuvieron allí siempre para escucharme y aconsejarme.

También he de expresar mi agradecimiento a la Facultad de Derecho de la Universidad de Barcelona (en adelante, UB) por: (a) haberme honrado al nombrarme su representante ante las discusiones internacionales sobre las tecnologías emergentes en el área de los sistemas de armas autónomas letales en el contexto de la conferencia sobre ciertas armas convencionales; y (b) por apoyarme económicamente, en el marco del programa académico «2017 LERU PhD Exchange Scheme», para realizar una estancia académica en la Universidad de Ginebra, Suiza. Todo ello fue clave para desarrollar con excelencia académica gran parte de la investigación hoy reflejada en este libro.

Asimismo, agradezco a la profesora Dra. Maite López-Sánchez (UB) por haberme ayudado a comprender aspectos relacionados con las ciencias de la computación y que fueron esenciales para entender y reflexionar de manera interdisciplinar el objeto de estudio de esta obra. También agradezco al profesor Dr. Marco Sassòli (Universidad de Ginebra) por haberme facilitado herramientas y recursos académicos importantes que fueron útiles para profundizar mi investigación.

Igualmente, agradezco al Prof. Dr. José Luis Rodríguez-Villasante y Prieto y al Dr. Joaquín López Sánchez (Secretario Técnico del Centro de Estudios de Derecho Internacional Humanitario y Derechos Humanos de Cruz Roja Española —en adelante, CEDIH—) el apoyo que me han brindado para lograr que esta publicación sea una realidad como parte de la colección de obras promovidas por la Cruz Roja Española para el estudio y la investigación del derecho internacional humanitario. Asimismo, agradezco a la Prof. Dra. Concepción Escobar Hernández, Directora del CEDIH, por haber hecho la presentación institucional del presente libro.

Finalmente, aprovecho la ocasión para agradecer a mis padres, hermana y sobrino por el cariño y apoyo que siempre me han brindado.

RESUMEN

En la actualidad, la inteligencia artificial y la robótica afectan a casi todos los aspectos de la vida humana. Ante ese panorama, la rápida evolución de las nuevas tecnologías armamentísticas militares está planteando desafíos jurídicos muy significantes, sobre todo cuando se trata del diseño y uso de armas altamente tecnológicas y sofisticadas que, por su naturaleza, pueden llevar a cabo procesos complejos de focalización (selección y ataque de objetivos, específicamente) con poco —o ningún— nivel de control humano significativo en sus funciones.

Así, a través de un análisis cualitativo, transversal, interdisciplinar y prospectivo esta monografía examina las implicaciones jurídicas que trae consigo la investigación, el desarrollo y el uso de los sistemas de armas autónomas letales en los conflictos armados internacionales. A tal efecto, se propone una definición del campo de trabajo, se determina el marco jurídico aplicable y, del mismo modo, se abordan las discusiones internacionales que hoy en día existen acerca del valor estratégico y los potenciales retos que representan las tecnologías emergentes en el área de las armas autónomas en el contexto de los derechos humanos, el derecho internacional humanitario, la seguridad y el desarme internacionales.

Palabras clave: sistemas de armas autónomas letales, autonomía, decisión, responsabilidad, control humano significativo, derecho internacional humanitario, robótica, inteligencia artificial.

ABSTRACT

At present, artificial intelligence and robotics affect almost every aspect of human life. Given that panorama, the rapid evolution of new military weapons technologies poses very significant legal challenges, especially when it comes to designing and using highly technological and sophisticated weapons that, by their nature, can carry out complex targeting processes (selection and attack of targets, specifically) with just a little –or no– level of meaningful human control over their functions.

Thus, through a qualitative, transversal, interdisciplinary and prospective analysis, this monograph explores the legal implications of research, development and use of lethal autonomous weapons systems in international armed conflicts. For this purpose, a definition of the field of work is proposed, the applicable legal framework is determined and, in the same way, the international discussions that exist today about the strategic value and the potential challenges of emerging technologies in the area of autonomous weapons in the context of human rights, international humanitarian law, international security and disarmament are addressed.

Keywords: lethal autonomous weapons systems, autonomy, decision, responsibility, meaningful human control, international humanitarian law, robotics, artificial intelligence.

RESUM

En l'actualitat, la intel·ligència artificial i la robòtica afecten gairebé tots els aspectes de la vida humana. Davant aquest panorama, la ràpida evolució de les noves tecnologies armamentístiques militars està plantejant desafiaments jurídics molt significants, sobretot quan es tracta del disseny i de l'ús d'armes altament tecnològiques i sofisticades que, per la seva naturalesa, poden dur a terme processos complexos de focalització (selecció i atac d'objectius, específicament) amb poc —o ningún— nivell de control humà significatiu en les seves funcions.

Així les coses, a través d'una anàlisi qualitativa, transversal, interdisciplinar i prospectiu aquesta monografia examina les implicacions jurídiques que porta amb si la investigació, el desenvolupament i l'ús dels sistemes d'armes autònomes letals en els conflictes armats internacionals. A aquest efecte, es proposa una definició del camp de treball, es determina el marc jurídic aplicable i, de la mateixa manera, s'aborden les discussions internacionals que avui dia hi ha sobre el valor estratègic i els potencials reptes que representen les tecnologies emergents en el àrea de les armes autònomes en el context dels drets humans, el dret internacional humanitari, la seguretat i el desarmament internacionals.

Paraules clau: sistemes d'armes autònomes letals, autonomia, decisió, responsabilitat, control humà significatiu, dret internacional humanitari, robòtica, intel·ligència artificial.

PRESENTACIÓN

Si el Derecho Internacional Humanitario (en adelante DIH) es, hoy en día, un sector claramente consolidado del Derecho Internacional e identificado esencialmente con los Convenios de Ginebra de 1949 y sus Protocolos Adicionales, ello no significa que el mismo haya quedado petrificado con la adopción de dichos instrumentos. Por el contrario, el DIH está sometido a una innegable evolución fuertemente ligada a la nueva realidad de los conflictos armados y, en especial, a la aparición de nuevas tecnologías de guerra que pueden afectar a la regulación de los medios y métodos de combate. De hecho, la posibilidad de la aparición de nuevas armas ha formado parte del imaginario internacional y ha sido expresamente contemplada por el Protocolo I de 1977, Adicional a los Convenios de Ginebra, cuyo artículo 36 establece que cada Estado Parte que estudie desarrolle, adquiera o adopte una nueva arma o nuevos medios o métodos de combate tendrá la obligación de determinar si su empleo, en ciertas condiciones o en todas las circunstancias, estaría prohibido por el DIH.

Por tanto, no resulta posible afirmar de modo rotundo que el DIH contenga una laguna absoluta respecto de las nuevas armas. Lo que no impide, sin embargo, que nos encontremos ante el hecho de que la irrupción de nuevas tecnologías aplicadas a los conflictos armados suscite -cada vez más- nuevos interrogantes y desafíos referidos a la incidencia que los nuevos tipos de armas pueden tener en la aplicación, respeto y garantía del DIH en la conducción de las hostilidades durante los conflictos armados contemporáneos. En este contexto se ha de situar precisamente el intenso debate que se está produciendo en torno a los sistemas de armas autónomas letales, en los que las funciones críticas de selección de objetivos y ataque pueden ser activadas por el propio sistema, sin una intervención personal (humana) que realice la valoración de su conformidad con las normas humanitarias. La negativa incidencia que este tipo de armamento podría tener sobre la protección de la población civil, así como la especial problemática de la determinación de la responsabilidad por la violación del DIH como consecuencia del empleo de las armas autónomas, constituyen dos de los ejes esenciales del proceso de cuestionamiento internacional del uso de las mismas. Ello explica que los foros sobre desarme que operan en la Oficina de las Naciones Unidas en Ginebra estén ocupándose de este tipo de armas desde hace varios años y que el Comité Internacional de la Cruz Roja haya incluido esta cuestión en la lista de temas que requieren de un tratamiento y respuesta urgentes.

El libro que tengo el placer de presentar forma parte del debate sobre las armas autónomas y contribuye notablemente a clarificar cuestiones de gran importancia relacionadas con las mismas. La calidad e interés del libro se ha visto notablemente favorecida por la extensa experiencia de su autor, el abogado venezolano Milton José Meza Rivas, que ha venido desempeñando notables funciones como abogado y diplomático representante de su país en distintos foros internacionales. Y que, en la actualidad, es consultor del Centro Internacional Suizo para el Diálogo Humanitario (Instituto Henry Dunant) y representante de la Universidad de Barcelona en el Grupo de Expertos Gubernamentales sobre tecnologías emergentes, dentro del área de los sistemas de armas autónomas letales (SAAL) en la Convención sobre ciertas armas convencionales (CCW).

La obra tiene su origen en la tesis doctoral del autor del libro, que fue dirigida por los profesores Jordi Bonet Pérez y Antonio Madrid Pérez, y que, bajo el título El desarrollo y el uso de los sistemas de armas autónomas letales en los conflictos armados internacionales, fue defendida en la Universidad de Barcelona en 2019, obteniendo la máxima calificación de Sobresaliente cum laude. La Monografía que ahora ve la luz con el título Las armas autónomas letales: Un desafío para el derecho internacional humanitario, los derechos humanos, la seguridad y el desarme Internacional, forma parte de la extensa colección de obras (18 libros hasta este momento) promovida por el Centro de Estudios de Derecho Internacional Humanitario (CEDIH) de la Cruz Roja Española para el estudio e investigación del DIH y editados desde el año 2000 por Tirant Lo Blanch, dentro de sus Monografías de alta calidad en la investigación jurídica. En esta presentación, queremos reiterar una vez más nuestra gratitud a la editorial Tirant Lo Blanch por su sensibilidad y extensa colaboración en las publicaciones sobre DIH promovidas por nuestra institución.

Desde la óptica de la Cruz Roja Española, la oportunidad del libro que ahora presentamos responde a varias consideraciones. En primer lugar, la actualidad del tema, destacando el gran interés dedicado al mismo por las Naciones Unidas a través de las periódicas reuniones de expertos intergubernamentales de las Altas Partes Contratantes de la CCW (Convención sobre prohibiciones o restricciones del empleo de ciertas armas convencionales que puedan considerarse excesivamente nocivas o de efectos indiscriminados, Ginebra, 1980); así como los trabajos recientes del CICR. En segundo lugar, la ausencia en España de obras y estudios relevantes sobre el análisis jurídico de los sistemas de armas autónomas letales (SAAL), por lo que su publicación viene a cubrir una laguna importante en la doctrina sobre la materia. Y por último, pero no por ello menos importante, el hecho de que se trata de una obra de madurez de su autor, experto en los SAAL y cuya cualificación se ha visto reforzada por su trabajo como representante de la Universidad de Barcelona en las reuniones de expertos intergubernamentales convocadas por las Naciones Unidas sobre los sistemas de armas autónomas letales.

El trabajo que ahora ve la luz tiene una excelente estructura en la que, después de proponer una definición del campo de trabajo de los SAAL y el marco jurídico aplicable, se abordan las discusiones internacionales existentes acerca del valor estratégico y los potenciales retos que representan las tecnologías emergentes en el área de las armas autónomas, dentro del contexto de los Derechos Humanos, el DIH, la seguridad internacional y el desarme. El núcleo duro de la publicación se concreta en las implicaciones jurídicas del desarrollo y uso de los SAAL y, finalmente, en la responsabilidad y la rendición de cuentas por la comisión de violaciones del DIH a través de los SAAL en los conflictos armados internacionales. Además, conviene destacar que, sin perder la perspectiva jurídica, la obra tiene un acusado carácter interdisciplinario, contribuyendo al estudio de la materia desde el punto de vista de la inteligencia artificial, la robótica, las tecnologías emergentes de valor estratégico, la seguridad internacional y el desarme. A la cuidada bibliografía, se añade un glosario de términos de gran utilidad práctica.

Al exponer, a través de un análisis cualitativo, transversal, interdisciplinar y prospectivo, las implicaciones jurídicas que suscitan la investigación, el desarrollo y el uso de los sistemas de armas autónomas letales en los conflictos armados internacionales, el autor realiza una aportación importante al cumplimiento del DIH, en lo relativo a la conducción de las hostilidades y medios actuales de combate. Ello le permite ofrecer conclusiones de notable interés, entre las que cabe destacar –en primer lugar- la siguiente premisa que el autor califica de fundamental: las obligaciones del Derecho Internacional de los Conflictos Armados (o Derecho Internacional Humanitario) jamás serán aplicables directamente a las máquinas como sujetos destinatarios de estas. A lo que añade que cualquier reflexión jurídica sobre el uso de tecnologías emergentes en el área de los SAAL debe hacerse bajo un enfoque antropocéntrico, con afortunada referencia a la Cláusula Martens. Para el autor, las armas autónomas, en sí mismas, no tienen por qué ser consideradas ilegales si cumplen con las normas básicas del DIH (los principios de distinción, de proporcionalidad y de precaución en el ataque, la prohibición de no dar cuartel y la protección de las personas fuera de combate). A tal efecto, concluye que los Estados deberán establecer restricciones a la autonomía en las funciones de estos sistemas de armas, de tal forma que se garantice el ejercicio de un control humano significativo, efectivo o apropiado sobre las tareas del arma autónoma, en especial sobre la supervisión humana y la capacidad de intervenir y desactivar el SAAL una vez que ha sido desplegado, definiendo requisitos técnicos sobre la previsibilidad y la fiabilidad del sistema e imponiendo restricciones operativas en la ejecución de cualquier ataque armado llevado a cabo por el sistema autónomo.

Nos encontramos, pues, ante una obra de gran interés y calidad, caracterizada por su naturaleza sistemática y por la exhaustiva presentación de las distintas posiciones doctrinales, pero también de las no menos importantes posiciones mantenidas por los Estados y por el Comité Internacional de la Cruz Roja, que se ven completadas con propuestas que no deben ser desconocidas para el progreso futuro del DIH y otras normas humanitarias. Por todo ello, la publicación de la obra que hoy tengo el honor de presentar constituye una buena noticia tanto para los profesionales del Derecho Internacional Público como para el resto del mundo académico y, en particular, para el Movimiento Internacional de la Cruz Roja y de la Media Luna Roja y de otras organizaciones humanitarias.

Al recomendar la lectura de este libro, que sin duda se convertirá en un referente en la materia, expresamos nuestra enhorabuena y gratitud a su autor, valioso colaborador de la Cruz Roja Española, deseándole un brillante futuro profesional y académico.

Madrid, 30 de septiembre de 2021

CONCEPCIÓN ESCOBAR HERNÁNDEZ
Directora del CEDIH de Cruz Roja Española

ABREVIATURAS

AGNU	Asamblea General de las Naciones Unidas
AI	Artificial intelligence
AI HLG	High-level expert group on artificial intelligence / Grupo de alto nivel sobre IA
AIV	Advisory Council on International Affairs
APEC	Asia-Pacific Economic Cooperation / Foro de Cooperación Económica Asia-Pacífico
API	Protocolo adicional I a los convenios de Ginebra de 1949, del año 1977
APII	Protocolo adicional II a los convenios de Ginebra de 1949, del año 1977
AW	Autonomous weapons
BOE	Boletín Oficial del Estado español
CAVV	Advisory Committee on Issues of Public International Law
CCW	Convention on certain conventional weapons / Convención sobre ciertas armas convencionales
CDI	Crimen de derecho internacional (*)
CEDH	Convenio Europeo de Derechos Humanos
CEO	Chief Executive Officer / Director Ejecutivo
CIA	Central Intelligence Agency
CICR	Comité Internacional de la Cruz Roja

CIJ	Corte Internacional de Justicia
CNAS	Center for a New American Security
CPI	Corte Penal Internacional
C-RAM	Counter rocket, artillery, and mortar
CSBA	Center for Strategic and Budgetary Assessments
CSKR	Campaign to stop killer robots / Campaña contra los robots asesinos
CSS	Common smart submunition
CTBT	Comprehensive Nuclear-Test-Ban Treaty / Tratado de Prohibición Completa de los Ensayos Nucleares
DARPA	Defense Advanced Research Projects Agency / Agencia de Proyectos de Investigación Avanzados de Defensa
DICA	Derecho de los conflictos armados
DIDH	Derecho internacional de los derechos humanos
DIH	Derecho internacional humanitario
DIHC	Derecho internacional humanitario consuetudinario
DIP	Derecho internacional público
DIPenal	Derecho internacional penal
DOD	United States Department of Defense / Departamento de Defensa de los Estados Unidos de América
DSB	Defense Science Board
EAD1e	First edition of the ethically aligned design
EADv1	First version of the ethically aligned design

EADv2	Second version of the ethically aligned design
ECC	Empresa criminal conjunta
ECOSOC	United Nations Economic and Social Council / Consejo Económico y Social de las Naciones Unidas
EDA	European Defence Agency / Agencia Europea de Defensa
EDF	European Defence Fund / Fondo Europeo de Defensa
EDIDP	European Defence Industrial Development Programme / Programa de Desarrollo Industrial de la Defensa Europea
EE.UU.	Estados Unidos de América
EGE	European Group on Ethics in Science and New Technologies / Grupo Europeo de Ética en la Ciencia y las Nuevas Tecnologías
ELP	Ejército de Liberación Popular
ENMOD	Environmental Modification Convention
FAW	Fully autonomous weapon. Also applies in plural. / arma totalmente-completamente autónoma. Aplica también en plural.
FAWS	Fully autonomous weapon systems / Sistemas de armas totalmente-completamente autónomas
GEG	Grupo de expertos gubernamentales
GPV	Gosudarstvennaia programma vooruzheniia / Programa de armamento estatal ruso
HRW	Human Rights Watch
I+D+i	Investigación, desarrollo e innovación

IA	Inteligencia artificial
ICC	International Criminal Court
ICRAC	International Committee for Robot Arms Control / Comité Internacional para el Control de Armas Robóticas
ICRC	International Committee of the Red Cross
ICTR	Tribunal Penal Internacional para Ruanda
ICTY	International Criminal Tribunal for the former Yugoslavia / Tribunal Penal Internacional para al Antigua Yugoslavia
IEEE	Institute of Electrical and Electronics Engineers / Instituto de Ingeniería Eléctrica y Electrónica
IEEE	Instituto Español de Estudios Estratégicos – aplicable según el contexto.
IHL	International humanitarian law
ILC	International Law Commission / Comisión de Derecho Internacional
IPRAW	International panel on the regulation of autonomous weapons / Panel internacional sobre la regulación de armas autónomas
LAR	Lethal autonomous robots / robots autónomos letales
LAWS	Lethal autonomous weapons systems
LAW	Lethal autonomous weapons / armas autónomas letales
MANTIS	Modular, automatic, and network-capable targeting and interception system / Sistema modular,

	automático, y de interceptación e identificación de redes
MCDC	Multinational Capability Development Campaign / Campaña multinacional de desarrollo de capacidades
MIT	Massachusetts Institute of Technology / Instituto de Tecnología de Massachusetts
NATO	North Atlantic Treaty Organization
NTP	Nuclear Non-Proliferation Treaty / Tratado de No Proliferación Nuclear
OACI	Organización de Aviación Civil Internacional
ONG	Organización no gubernamental (*)
ONU	Organización de las Naciones Unidas
OTAN	Organización del Tratado del Atlántico Norte
PESCO	Permanent Structured Cooperation / Cooperación Estructurada Permanente
RMA	Revolution in military affairs / Revolución en los asuntos militares
RPA	Remotely piloted aircraft / aeronave pilotada remotamente
RPAS	Remotely piloted aircraft system / Sistema de aeronave pilotada remotamente
RT	Russia Today
SAAL	Sistemas de armas autónomas letales
SIPRI	Stockholm International Peace Research Institute / Instituto Internacional de Estudios para la Paz de Estocolmo

SPS	Science for Peace and Security / Ciencia para la paz y la seguridad
STC	NATO – Science and Technology Committee / OTAN – Comité de la Ciencia y la Tecnología
STO	NATO – Science and Technology Organization / OTAN – Organización de la Ciencia y la Tecnología
UAS	Unmanned Aircraft System / Sistema de aeronaves no tripuladas
UAV	Unmaned aerial vehicle / Vehículo aéreo no tripulado
UCAS-D	Demostración del Sistema Aéreo de Combate No Tripulado
UB	Universidad de Barcelona
UE	Unión Europea
UN	The United Nations
UNGA	United Nations General Assembly / Asamblea General de las Naciones Unidas
UNIDIR	United Nations Institute for Disarmament Research / Instituto de las Naciones Unidas para la Investigación de Desarme
UNODA	United Nations Office for Disarmament Affairs / Oficina de Asuntos de Desarme de las Naciones Unidas
UNTOC	United Nations Convention against Transnational Organized Crime / Convención de las Naciones Unidas contra la Delincuencia Organizada Transnacional
USA	The United States of America
ZHET	ICT4Peace Foundation and the Zurich Hub for Ethics and Technology

PRÓLOGO

Nos satisface prologar esta obra, tanto por su calidad como por nuestra estima hacia el autor. Este libro es el resultado del proceso de elaboración de la tesis doctoral que Milton José Meza Rivas leyó y defendió en la UB, obteniendo la calificación de *cum laude*. Durante estos años, la actividad intelectual y organizativa del autor ha potenciado a la UB como espacio de investigación jurídica de ámbito internacional sobre el uso de los «sistemas de armas autónomas letales». Como codirectores que hemos acompañado al autor en una parte de su maduración intelectual durante estos años, ha sido un placer haber compartido expectativas, conocimientos y dificultades con el Dr. Milton José Meza Rivas.

Las armas autónomas letales es un libro que era necesario en el ámbito de investigación jurídica hispanohablante. La inmensa mayoría de la bibliografía especializada está disponible en lengua inglesa. El hecho de disponer de un texto excelentemente documentado, y con una exposición y argumentación actualizada, contribuirá sin duda a enriquecer la formación y el debate transversal sobre el diseño y el uso de las armas autónomas letales.

Las armas autónomas con capacidad letal representan un incipiente vector disruptivo en el terreno de la disponibilidad armamentística. Lo que hace décadas tomó la forma de ciencia ficción que nos llegaba en forma de cómic o de película, en los últimos años se ha confirmado como una realidad. La disrupción que introduce la tecnología aplicada a las armas autónomas augura transformaciones significativas de los escenarios en que pueden desarrollarse los conflictos armados —particularmente, el autor focaliza su investigación en su potencial incidencia en los conflictos armados de carácter internacional—. No deja de ser este hecho un reflejo más de la factibilidad disruptiva de la inteligencia artificial (en adelante, IA) y de la robótica, que, en principio, se proyecta sobre casi todos los aspectos de la vida humana, incluidas las acciones que subyacen en la idea comúnmente comprensible de hacer la guerra.

La persona que se acerque a esta obra podrá seguir el ejercicio de análisis documentado y contrastado que sigue el autor. En ocasiones, tendrá la sensación de estar inmerso en la letra pequeña, pero central, del debate internacional. La mera aproximación a la delimitación de qué son los «sistemas de armas autónomas letales» ya puede resultar más que interesante para hacernos una idea de hasta dónde llega la proyección disruptiva de esta tecnología. Si a esto se suma la presentación y tratamiento de los dilemas técnicos y morales acerca de qué significa decidir cuando hablamos del uso de la violencia que son capaces de ejercer estas armas o cómo afrontar la determinación de si la operatividad de las armas autónomas letales debe supeditarse a un control humano significativo por imperativo moral (pero también, por extensión, jurídico), el libro adquiere un interés evidente.

El autor toma como eje central de su reflexión el ejercicio del control humano y las cuestiones legales y éticas vinculadas a esta cuestión. Este es un aspecto capital de la obra, bajo la que pivotan el resto de las cuestiones jurídicas que a lo largo de la misma planteadas por su autor. Es indudable que la irrupción de las armas autónomas letales presenta proyecciones económicas, geoestratégicas y de gobernanza global. En combinación con estas implicaciones, este libro aborda cuáles han de ser los límites razonables del uso de nuevas armas letales (considerando los escenarios en que tradicionalmente el ser humano/soldado aparece aún como pieza esencial del conflicto armado), qué repercusiones tienen sobre la seguridad y, también, qué tipo de regulación existe y, en su caso, debería existir para someter a control la proliferación, el comercio y el uso de estas armas.

El autor ha construido un texto que permite al lector acceder a conocimiento técnico preciso acerca del debate existente en torno a nociones como «autonomía de la máquina» o «capacidad de decisión». Resulta altamente clarificador entender cómo distintos especialistas utilizan estas expresiones para referirse a procesos distintos. Para el derecho internacional humanitario, el derecho internacional de los derechos humanos y las reglas jurídicas sobre desarme, que son las disciplinas en la que se sitúa el autor, estas cuestiones son de enorme importancia.

El texto que tienen en sus manos es una aproximación compleja y multidimensional, que ha sido desarrollada con meticulosidad, pasión y honestidad. No se elude ningún tema sustancial, por mucho que sea difícil y que no siempre todos los extremos y argumentos provocadores que señala sean compartidos completamente. Es importante reseñar, a título de ejemplo, que incorpora reflexiones muy interesantes sobre los aspectos jurídicos que puedan derivarse de la atribución de responsabilidad y de la rendición de cuentas por la comisión de violaciones del derecho internacional humanitario como consecuencia del empleo de las armas autónomas letales en ocasión de conflictos armados de carácter internacional; cuestión sumamente compleja, atendiendo a los distintos niveles de decisión confluyentes en el uso de un arma autónoma letal.

Esta meticulosidad, pasión y honestidad llevan al autor a comprender que una obra sobre un vector disruptivo emergente no está completa, desde la perspectiva político–jurídica, sin una alusión a las discusiones que se están llevando a cabo en el marco de la Organización de las Naciones Unidas. El estudio de este debate tiene gran relevancia por tratarse de un proceso regulador dirigido a crear modelos de regulación, pero también porque permite identificar cuáles son los principales problemas jurídicos existentes, y cuáles son las diversas posiciones de los Estados y de los actores de la sociedad civil. Esta parte del libro resulta altamente sugerente ya que muestra cómo un proceso regulatorio que es previo o cuando menos coetáneo al mismo desarrollo y progresiva implantación de las armas letales que constituyen su objeto; esto es otro de los motivos por los que esta obra resulta apasionante.

En resumen, se trata de una obra necesaria que hace prospectiva de un futuro cercano y de las realidades político-jurídicas que lo caracterizan; descontada la idea fuerza de que, por supuesto, las armas autónomas letales van a seguir siendo desarrolladas.

ANTONIO MADRID PÉREZ
JORDI BONET PÉREZ

Índice

Introducción

El poder cada vez mayor de las ciencias de la computación es, sin lugar a duda, una de las características definitorias de los tiempos actuales. El desarrollo de la IA y la robótica, concretamente, afectan a casi todos los aspectos de la vida humana, ofreciendo grandes ventajas y planteando serias amenazas en la sociedad. Esta nueva realidad plantea desafíos al derecho, a la política y a la economía, por lo que están llamados a encontrar alternativas que ofrezcan seguridad y garantía de que las computadoras en general respetarán, y no menoscabarán, el goce efectivo de los derechos de todos los seres humanos.

Ante ese panorama, el objeto de estudio de esta investigación se dirige a analizar las implicaciones jurídicas que trae consigo la investigación, el desarrollo y el uso de los sistemas de armas autónomas letales (en adelante, SAAL[1]) en conflictos armados internacionales. A tal efecto, se elaborará una definición del campo de trabajo, se determinará el marco jurídico aplicable y, del mismo modo, se abordarán las discusiones internacionales sobre valor estratégico y los potenciales desafíos que representan las tecnologías emergentes en el área de los SAAL en el contexto de los derechos humanos, la seguridad internacional y el desarme.

Para comprender la trascendencia de este objeto de estudio, vale la pena tener en cuenta lo siguiente: las armas autónomas son un tipo de tecnología armamentista que, en la actualidad, está siendo sometida al escrutinio internacional. Desde hace casi una década, varios Estados, organismos internacionales, organizaciones no gubernamental-

---

1 *Lethal autonomous weapon systems* (LAWS, por sus siglas en inglés). Otros términos han sido comúnmente usados para referirse a este tipo de tecnología avanzada. Por ejemplo, sistemas de armas completamente autónomos (*fully autonomous weapon systems* —FAWS—), armas autónomas (*autonomous weapons* —AW—), armas robóticas (*robot weapons*), armas letales autónomas (*lethal autonomous weapons* —LAW—), robots autónomos letales (*lethal autonomous robots* —LAR—), robots asesinos (*killer robots*) o sistemas autónomos (*autonomous systems*) y sistemas no tripulados armados (*weaponised unmanned systems* —WUS—). No obstante, a los efectos de la presente investigación, todos estos términos podrán ser empleados de manera intercambiable, sin que ello desdibuje el sentido propio del objeto de estudio de esta investigación.

es (en adelante, ONG) e instituciones académicas discuten dentro y fuera del Sistema de Naciones Unidas el impacto que traen consigo las tecnologías emergentes en el área de las armas autónomas, sobre todo para la seguridad internacional y el desarme, así como para el respeto a la dignidad humana. La razón de ello es que una parte importante de la comunidad internacional entiende que los SAAL son sistemas altamente sofisticados que, si bien no existen aún, proyectan dudas, riesgos y peligros dado que son armas dotadas de avances en IA y robótica aplicada al área militar, de seguridad y de defensa, por lo que, una vez activadas, podrían seleccionar y atacar objetivos con poco —o ningún— control humano de por medio.

Lo paradójico de todo ello es que, en realidad, aquellos que debaten sobre los SAAL muchas veces no conocen a ciencia cierta lo que es este tipo de tecnología, por lo que a veces son las preocupaciones, las dudas o las malinterpretaciones, en lugar de los hechos, las que priman en las discusiones sobre estos sistemas. Todo esto hace que, en la actualidad, haya quienes consideren que las armas autónomas son una innovación tecnológica que no solo supondría una actualización de los tipos de armamento a desplegar en conflictos armados sino, además, un cambio de quienes las despliegan.

Esta obra deriva de una tesis doctoral que fue presentada, defendida y depositada por el autor en el año 2020 en el marco del programa de doctorado de derecho y ciencia política de la Facultad de Derecho de la Universidad de Barcelona (España), cuyo contenido obtuvo la máxima calificación académica excelente *cum laude*. Se trata de una investigación que, a efectos de la presente publicación, fue sometida a un proceso de revisión, adaptación y actualización de sus datos, que ha sido pensado y estructurado de tal manera que permita desmitificar muchas de las cuestiones que giran en torno al debate internacional sobre las armas autónomas, aclarando, por un lado, conceptos básicos vinculados a los SAAL (como la autonomía, la automatización, el control humano significativo, la responsabilidad, entre otros) y, por otro, contextualizando el marco jurídico aplicable a estos sistemas. Todo ello servirá, desde luego, para evidenciar jurídicamente si las armas autónomas representan un cambio sustancial, cualitativo y potencialmente peligroso e ilegal de los paradigmas en el manejo de los medios o los métodos de combate, en donde máquinas, y no humanos, pasarían a determinar por sí mismas cuándo, cómo y dónde se debe llevar a cabo un ataque en un conflicto armado internacional.

Es importante destacar, además, que el análisis jurídico que se ofrecerá a lo largo de esta monografía dejará de lado cualquier referencia directa a los conflictos armados sin carácter internacional, y se enfocará solamente en los conflictos armados internacionales. Las razones de ello son dos:

Por un lado, la investigación se ha desarrollado a la par de las reuniones internacionales que sobre los SAAL se están llevando a cabo en la Convención sobre Ciertas Armas Convencionales (en adelante, CCW, por las siglas en inglés de *Convention on Certain Conventional Weapons*)[2] en el marco del Sistema de Naciones Unidas. En ese sentido, la evolución y la riqueza de esas discusiones han contribuido al encaminamiento y la definición de los objetivos de esta investigación. Teniendo en cuenta ese aspecto, de momento, dicho debate se ha centrado en abordar únicamente las implicaciones que traen consigo las tecnologías emergentes en el área de las armas autónomas según los propósitos y objetivos de la CCW, un tratado internacional vinculado prioritariamente al estudio de los asuntos relacionados con las armas convencionales usadas (o utilizables) principalmente en conflictos armados internacionales —aunque, formalmente, no de manera excluyente—. Esta priorización se debe, fundamentalmente, a intereses políticos y dinámicas propias de las respectivas políticas exteriores de la mayoría de los miembros de ese organismo internacional.

Por otro lado, en los últimos años, aunque las diferencias del derecho internacional aplicable a estas clases de conflictos armados parecieran que se han reducido, lo cierto es que no se han extinguido del todo en relación con el derecho internacional humanitario (en adelante, DIH). Por lo tanto, vinculando este aspecto con el argumento anterior, esta investigación centra su análisis solo en el impacto que el uso de los SAAL representa ante las normas que rigen el conflicto armado internacional. Esto permite además ampliar el espectro de es-

---

2 Nombre completo del tratado: «Convención sobre prohibiciones o restricciones del empleo de ciertas armas convencionales que puedan considerarse excesivamente nocivas o de efectos indiscriminados», también conocida como la Convención sobre Ciertas Armas Convencionales. Para una mayor aproximación acerca de la CCW véase el quinto apartado del capítulo 2 de esta monografía.

tudio y, de esa manera, reflexionar en profundidad sobre los matices, las especificidades que engloba el uso de estas armas autónomas en conflictos armados entre Estados, conflictos en los que los desequilibrios de poder, los intereses políticos y geoestratégicos se evidencian a su máxima expresión. No obstante, muchos de los análisis jurídicos que se expondrán en esta investigación podrán ser extensibles, *mutatis mutandi*, a los conflictos armados no internacionales.

Precisado lo anterior, es importante destacar además que los motivos que justifican la elección del objeto de estudio de esta investigación se sintetizan en dos aspectos esencialmente relevantes.

En primer lugar, porque en la actualidad no existen estudios que, de manera global y pragmática, ofrezcan un análisis jurídico de todo el recorrido que ha tenido del debate sobre los SAAL, y sitúen en él cuáles son realmente los aspectos que diferenciarían a estos sistemas de cualquier otra arma convencional y, a partir de ahí, examinen objetivamente si en realidad las armas autónomas son una tecnología armamentística que podría entorpecer el cumplimiento efectivo por parte de los Estados del DIH. Así pues, esta investigación puede servir de herramienta académica para detectar y examinar las implicaciones jurídicas que las armas autónomas realmente representan y, a través de sus conclusiones, daría luces de cómo estas podrían ser abordadas y, en su caso, jurídicamente resueltas. El estudio además se plantea bajo un enfoque pragmático, en tanto que hace referencia a datos concretos y ciertos que demuestran el estado real de la investigación y el desarrollo de estos armamentos autónomos a nivel global.

En segundo lugar, durante años, y debido a mi experiencia profesional, he tenido un interés especial sobre las implicaciones jurídicas que traen consigo las tecnologías emergentes en el área de los SAAL. En concreto, a inicios de la segunda década del presente siglo, trabajé como diplomático de mi país (Venezuela) ante las oficinas de la Organización de Naciones Unidas (en adelante, ONU) en la ciudad de Ginebra, Suiza. Desde esa época, tuve la oportunidad de seguir muy de cerca todas las cuestiones relacionadas con los avances científicos y tecnológicos actuales y sus posibles efectos en las iniciativas relacionadas con la seguridad internacional, el desarme, los derechos humanos y el DIH, un campo de trabajo y estudio del que se derivó gran parte del debate internacional que hoy existe acerca de las armas autónomas. Además, desde 2016 y hasta el 2019, representé a la UB, en calidad de observador, ante las discusiones sobre los SAAL en el marco de la CCW, lo cual me permitió profundizar y especializar aún más mis conocimientos en la materia.

Las hipótesis sobre las que se va a trabajar en esta investigación se pueden sintetizar del siguiente modo:

1. Los SAAL son un tipo de tecnología armamentista que, en la actualidad, no existe. Sin embargo, su diseño y desarrollo se ha convertido en una prioridad para muchos Estados a nivel internacional. Muestra de ello son las grandes inversiones de recursos financieros que muchos Gobiernos hoy hacen para impulsar, cada vez más, la investigación y el desarrollo de las tecnologías emergentes en el área de las armas autónomas.
2. No existe unanimidad dentro de la comunidad internacional acerca de qué son los SAAL. Cualquier aproximación conceptual hecha por expertos estatales, organismos internacionales, ONG e instituciones académicas evidencia una gran diferencia de enfoques y puntos de vista acerca de las implicaciones jurídicas que trae consigo el uso de las armas autónomas en conflictos armados internacionales.
3. El DIH es el marco jurídico más idóneo para regular la investigación, el desarrollo y el uso de los SAAL en conflictos armados y, en particular, en conflictos armados internacionales. No obstante, el establecimiento de directrices generales o manuales de buenas prácticas sobre el uso pacífico de las ciencias de la computación y el límite a su aplicación en el área militar, de seguridad y de defensa, sería clave para prevenir muchos de los riesgos que hoy en día se les adjudican a las armas autónomas.
4. Las armas autónomas, en sí mismas, no tienen por qué ser consideradas ilegales. Lo difícil está en su uso, sobre todo a la hora de cumplir con los requerimientos básicos del DIH, especialmente, con los principios de distinción, de proporcionalidad y de precaución.
5. Los SAAL son objetos, instrumentos de combate. Por lo tanto, conforme al derecho internacional aplicable, no pueden considerarse agentes morales.

6. Cualquier reflexión jurídica sobre el uso de las tecnologías emergentes en el área de los SAAL en conflictos armados internacionales debe hacerse bajo un enfoque antropocéntrico, que pivote siempre en torno a la idea del «control humano» sobre las funciones autónomas del arma letal.

La metodología empleada en esta investigación es cualitativa, con especial incidencia en el análisis jurídico del objeto de estudio. Dicho método implica, principalmente, la búsqueda, colección, sistematización y análisis de fuentes de información y conocimiento documental, concretamente, libros, artículos, ensayos y obras colectivas académicas especializadas en diferentes áreas del conocimiento (derecho, ciencias políticas, ciencias militares, relaciones internacionales, ética jurídica, IA, robótica, entre otras), instrumentos jurídicos internacionales, manuales, estudios monográficos oficiales, leyes, declaraciones políticas de Estados y documentos de trabajo, especialmente aquellos que se han originado durante los años en que se han llevado a cabo las discusiones internacionales sobre los SAAL en la CCW.

Uno de los rasgos centrales del método de investigación elegido, y que a su vez ha significado un gran desafío en toda la investigación, es su carácter transversal. Evidentemente, las tecnologías emergentes en el área de los SAAL, hoy por hoy, son un tema apasionante y complejo que, por su naturaleza, demanda una perspectiva reflexiva que surque, principalmente, tres grandes campos temáticos: el derecho, la IA y la robótica. Esto ha hecho que, al final, la exposición vertida en esta investigación ofrezca un análisis en esa línea, con enfoque amplio y prospectivo, que abrace diferentes opiniones y perspectivas que, sobre las armas autónomas, son manejadas de manera diferente en distintas profesiones (ingenieros, abogados, diplomáticos, políticos, sociólogos, antropólogos, pacifistas, etc.). Además, el marco normativo aplicable al uso potencial de las armas autónomas en conflictos armados internacionales ha servido de elemento clave y vehicular para articular la interdisciplinariedad de esta investigación, de manera que un repertorio variado de disciplinas pueda tener un punto de convergencia a la hora de aclarar las implicaciones jurídicas que pueden tener estos sistemas.

Condicionada por el método aplicado, la sistemática de este trabajo se divide a su vez en siete capítulos bien diferenciados, aunque complementarios entre sí, cuyo orden expositivo ha sido cuidadosamente planteado bajo una secuencia lógica y ordenada de acuerdo con el objeto de estudio.

Así, en el capítulo uno se plantean algunas ideas generales acerca de qué son los drones, cómo se han convertido en el arma de combate de moda de muchos Estados; pero, sobre todo, cuál es su vinculación real con los SAAL. Después se propone una definición de trabajo que se adoptará en esta investigación acerca de las armas autónomas, elaborada desde una aproximación funcional, en la que la autonomía, la letalidad y el control humano son unos de sus principales criterios diferenciadores. Por último, se finaliza explicando el marco normativo que se deberá tener en cuenta a la hora de reflexionar sobre los desafíos y los riesgos que representa el uso de armas autónomas en conflictos armados internacionales.

El capítulo dos hace referencia a las primeras discusiones en el Sistema de Naciones Unidas sobre el impacto de los SAAL en el contexto de los derechos humanos, la seguridad internacional y el desarme. En ese sentido se abordan los informes que, sobre las armas autónomas, han sido emitidos por la Relatoría Especial sobre ejecuciones extrajudiciales, sumarias o arbitrarias del Consejo de Derechos Humanos de la ONU. Finalmente, se hace referencia a los resultados de la reunión anual de 2013 de las Altas Partes contratantes de la CCW, en la que los Estados parte aprobaron el establecimiento de un espacio de discusiones exclusivamente abocado al análisis del impacto de las tecnologías emergentes en el área de los SAAL. Asimismo, se explica cuáles son los principales desafíos que existen para que la comunidad internacional pueda discutir a nivel multilateral acerca de las tecnologías emergentes en el ámbito de las armas autónomas.

En el capítulo tres se detallan los principales avances científicos y tecnológicos armamentistas que están vinculados a los SAAL, o que al menos pueden ser considerados precursores en el desarrollo de estos sistemas de armas. Para ello se hace un estudio de casos respecto de los principales países y organismos internacionales que, hoy en día, invierten grandes recursos en la investigación, el desarrollo y la innovación de tecnologías de gran valor a nivel estratégico militar. Luego se analiza el contenido de la nueva agenda internacional de desarme de Naciones Unidas, en la que la Secretaría General de ese foro hace hincapié en cómo, durante los últimos años, los Gobiernos del mundo han destinado billones de dólares en gastos militares y, en ese sentido, subraya que es prioritario salvar a la humanidad a través, entre otros medios, de la regulación de las nuevas armas tecnológicas —en las que se incluyen las armas autónomas—.

El capítulo cuatro examina, por un lado, la potencial afectación a la seguridad internacional y el desarme en virtud de los avances científicos y tecnológicos vinculados a los SAAL. Por otro lado, analiza algunos datos concretos, relativos a proyectos reales de investigación, desarrollo e innovación de tecnología armamentista que demuestran que los SAAL no son una ficción, sino una realidad. Esto será útil para reforzar la tesis de esta investigación acerca de cuán importante es que a nivel académico, político y jurídico internacional se siga debatiendo sobre todas las implicaciones, riesgos y peligros que podrían traer consigo estas innovaciones armamentísticas militares. Al final, el epígrafe culmina su abordaje dando cuenta de las principales iniciativas internacionales impulsadas por distintas instituciones de la sociedad civil en contra de los SAAL.

En el capítulo cinco se hace referencia, por un lado, a cuáles han sido las principales posiciones oficiales, argumentos y propuestas de los participantes en las reuniones oficiosas de expertos sobre los SAAL celebradas en la CCW. Después, por otro lado, explica cuál es el estado y el grado de desarrollo en que se encuentra el debate actual sobre las armas autónomas, luego de que los Estados parte de ese foro internacional, en 2016, hubieran decidido establecer un grupo de expertos gubernamentales (en adelante, GEG) sobre las tecnologías emergentes en el área de las armas autónomas; grupo que, por ahora, ha celebrado hasta este año tres períodos de reuniones de trabajo.

El capítulo seis analiza las potenciales implicaciones jurídicas que plantearían el desarrollo y el uso de los SAAL en conflictos armados internacionales. A tal efecto, este epígrafe inicia las reflexiones abordando las repercusiones y los desafíos que pueden representar las armas autónomas para la debida aplicación de las normas sustantivas del DIH. Finaliza su estudio analizando las particularidades que pueden implicar estos sistemas a la hora de que tengan que ser jurídicamente revisados conforme al artículo 36 del Protocolo Adicional I[3] (en adelante, API, por las siglas en inglés de *Additional Protocol I*).

En el capítulo siete se examina si las armas autónomas podrían representar algún impacto (negativo o positivo) para el cumplimiento de los principios contenidos en la cláusula Martens (a saber, el principio de humanidad y de los dictados de la conciencia pública). Después se exponen los marcos jurídicos más destacados por la doctrina acerca de cómo se debería rendir cuentas y, de ser procedente, atribuir responsabilidad cuando se cometan violaciones al DIH a través del uso de armas autónomas. En ese sentido, analiza, por un lado, si es posible aplicar el régimen o marco de responsabilidad penal individual cuando el arma autónoma se utiliza en conflictos armados internacionales y, luego, a través de esta se comete alguna grave violación al DIH. Por otro lado, el capítulo aborda el concepto de responsabilidad de mando y examina su posible aplicabilidad al uso de los SAAL. Finalmente, el epígrafe explora en qué medida es posible aplicar el régimen jurídico de la responsabilidad estatal por los hechos internacionalmente ilícitos que sean cometidos a través de armas autónomas.

Todas las fuentes de información y de conocimiento se han obtenido, fundamentalmente, en las bibliotecas de las Facultades de Derecho, Filosofía, Geografía e Historia, Economía y Empresa de la UB; la biblioteca de la Facultad de Derecho de la Universidad de Ginebra y la biblioteca del Graduate Institute of International and Development Studies. Asimismo, los objetivos de esta investigación se han desarrollado bajo un enfoque internacional, sobre todo gracias a los aportes obtenidos en el marco de una estancia académica de un mes de estudio que realicé en la ciudad de Ginebra, Suiza, en el marco del programa académico 2017 LERU PhD Exchange Scheme, bajo la supervisión de Marco Sassòli, profesor de Derecho Internacional en la Universidad de Ginebra y director de la Academia de Derecho Internacional Humanitario y Derechos Humanos de Ginebra.

---

3 Protocolo Adicional I (API) a los Convenios de Ginebra de 1949 relativo a la protección de las víctimas de los conflictos armados internacionales, 1977, disponible en: *https://www.icrc.org/es/document/protocolo-i-adicional-convenios-ginebra-1949-proteccion-victimas-conflictos-armados-internacionales-1977*, fecha de revisión: 03/06/2019, *véase artículo 36*.

Es meritorio destacar además que varias actividades que complementaron el proceso de elaboración de esta investigación (a saber, publicaciones y seminarios internacionales), se dieron con motivo del proyecto titulado «Sistemes d'armes autònomes letals: els reptes de l'adopció d'una regulació internacional sobre ús, control operatiu i disponibilitat per empreses privades», correspondiente al año académico 2017-2018, bajo el auspicio del Institut Català Internacional per la Pau. Gracias a este tipo de acciones académicas se crearon espacios de encuentro entre expertos internacionales de diferentes áreas del conocimiento (derecho, ciencias de la computación, ética, pacifismo, humanitarismo, relaciones internacionales, ciencias militares, entre otras) para que, en la Facultad de Derecho de la UB, se pudiera abordar los retos que plantean la investigación, el desarrollo y el uso de los SAAL en conflictos armados internacionales. Estas discusiones fueron clave a la hora de hacer un mapeo de las ventajas y los peligros que realmente representan las armas autónomas hoy en día, y que fueron abordados después a lo largo de esta investigación.

Por todo lo anterior, la presente obra se publica con la intención de ofrecer a su lector un estudio pormenorizado sobre un tema indudablemente novedoso y polémico. Su desarrollo argumental se basa en una amplia bibliografía disponible al mes de cierre de su última revisión y edición, a saber, septiembre de 2021. El texto abre cuestiones importantes muchas de las cuales siguen pendientes de resolución. Por eso el tema de los SAAL, por ahora, no puede considerarse un caso cerrado. Solo queda esperar que el contenido de este libro suscite el suficiente interés en la comunidad académica y científica especializada de tal manera que sus aportaciones contribuyan a enriquecer el debate internacional sobre las promesas y los desafíos que las armas autónomas letales representan para el derecho internacional humanitario, los derechos humanos, la seguridad y el desarme internacionales.

Septiembre, 2021.

Capítulo 1. El uso de SAAL en conflictos armados internacionales: definición del campo de trabajo y del marco jurídico aplicable

El derecho, junto a la política, se encuentran inmersos cada vez más en cuestiones marcadas de un componente científico-tecnológico[4]. La investigación, el desarrollo, la innovación y el uso de tecnologías emergentes de alta sofisticación representan una fuente inagotable de escenarios complejos, llenos de incertidumbres, con niveles de riesgo importantes, cuya aminoración o intensificación puede ser alcanzada a través de acuerdos y decisiones políticas, jurídicas, económicas, sociales y éticas tomadas por agentes tecnocientíficos[5].

A lo largo de la historia la tecnología ha sido desarrollada muchas veces con fines creativos y beneficiosos para la vida. Sin embargo, también existen casos en los que ese avance tecnológico ha surgido con miras a alcanzar objetivos destructivos y nocivos para la propia humanidad[6].

Lo que pudiera parecer una posible contradicción en realidad lo que representa es el carácter ambivalente de las tecnologías[7], en tan-

4 Esteve Pardo, J., *El desconcierto del Leviatán. Política y derecho ante las incertidumbres de la ciencia*, Madrid, Marcial Pons, 2009.

5 Agentes tecnocientíficos son aquellos individuos (científicos, ingenieros, técnicos, empresarios, industriales, políticos y, en muchos casos, militares) que se aglutinan en torno a programas interdisciplinarios e interprofesionales de investigación, como parte de una alianza estratégica común que les permita alcanzar en pocos años grandes avances en el conocimiento, hitos tecnológicos e innovaciones. Cada uno de esos agentes está interesado en el conocimiento científico, pero desde muy diferentes perspectivas. Al respecto, Echeverría, J., *La revolución tecnocientífica*, Madrid, Fondo de Cultura Económica de España, 2003.

6 Por ejemplo, la bomba atómica, las armas químicas y biológicas, entre otras. Llandres Cuesta, B., «El desafío de la integración de los RPAS», *IEEE*, 11/9/2015 [en línea], disponible en: *http://www.ieee.es/Galerias/fichero/docs_opinion/2015/DIEEEO98-2015_DesafioIntegracion_RPAS_BorjaLLandres.pdf*, fecha de revisión: 31/05/2016.

7 A los efectos de la presente monografía se usarán de manera intercambiable los términos genéricos «tecnología», «sistema», «máquina» o «dispositivo» para referirse a cualquier producto final que resulte de un proceso de investigación, desarrollo e innovación tecnológica.

to que una innovación tecnológica puede ser presentada como una promesa de progreso para la sociedad, aunque, dependiendo de su uso y de sus impactos (deseados o no deseados), pueda llegar a traducirse en un cúmulo de peligros o amenazas en contra de los seres humanos. Por ello, los riesgos que involucran la investigación, el desarrollo y la innovación tecnológica deben ser siempre sopesados, vigilados y controlados por los Estados, bajo un enfoque interdisciplinar y prospectivo, muchas veces con el apoyo del resto de la comunidad internacional debido a los riesgos globales que dichas tecnologías pueden implicar[8].

Esta manera de percibir el avance tecnológico, de comprender sus beneficios y correlativos riesgos, simboliza una línea de pensamiento dominante que entiende que aquello que nos proporciona más poder, autonomía y aparente libertad, también puede transformarnos en seres débiles, inseguros y sujetos a una dependencia lastimosa[9].

La intrínseca ambivalencia de las tecnologías se extiende al estudio, el desarrollo, la adquisición o la adopción de nuevas armas, medios o métodos de guerra en la esfera militar, de seguridad y defensa. Esta forma de entender el progreso tecnológico deriva de experiencias traumáticas del pasado: gran parte de la evolución del conocimiento humano está vinculada a los avances en el arte de la guerra, los cuales proveen a los Estados que invierten en esos desarrollos de herramientas armamentísticas y demás equipos militares necesarios para alcanzar, sobre todas las cosas, la imposición de su voluntad sobre el enemigo[10].

Históricamente, la investigación y el desarrollo militar, de seguridad y de defensa han sido impulsados para obtener tecnologías que permitan una mayor protección y poderío bélico a los Estados. Esto ha permitido que ciertos prototipos armamentísticos, otrora consid-

---

8 Meza, M., «Los sistemas de armas completamente autónomos: un desafío para la comunidad internacional en el seno de las Naciones Unidas» (documento de trabajo), *IEEE*, núm. 85/2016 [en línea], disponible en: *http://www.ieee.es/Galerias/fichero/docs_opinion/2016/DIEEEO85-2016_SistemasArmas_ONU_MiltonMeza.pdf*, fecha de revisión: 07/05/2019.

9 Cózar, J. M. de, *Tecnología, civilización y barbarie*, Barcelona, Anthropos, 2002.

10 Ortega García, J., «Capítulo Sexto: armas de tecnología avanzada», Madrid, IEEE, 2011 (Cuaderno de estrategia, 153).

erados parte de libros y películas de ciencia ficción, hoy lleguen a ser una realidad[11]. Diversos sistemas de armamento militar se están desarrollando en el mundo con funciones cada vez más autónomas, sometidas a niveles cuando menos «cuestionables», de control humano significativo, a pesar de que ello pueda generar escenarios complejos, llenos de incertidumbre, peligros, riesgos y desafíos que el derecho y la política están llamados a solucionar[12].

Por ello, algunos investigadores se han dado a la tarea de analizar prospectivamente, no solo en nuestras universidades sino también en foros internacionales[13], los impactos, los retos y los desafíos jurídicos, éticos y morales que traen consigo la investigación, la innovación y la utilización de tecnologías militares emergentes, especialmente cuando se trata del desarrollo y del despliegue de sistemas de armas autónomas[14].

---

[11] En el primer tercio del siglo xx, las máquinas con ciertas funciones automatizadas eran poco comunes en los campos de batalla y prácticamente inexistentes en las ciudades. Sin embargo, hoy es muy habitual el uso de sistemas aéreos, terrestres o navales no tripulados como armas de seguimiento, vigilancia, control y ataque. Para más datos, North Atlantic Treaty Organization, *The Secretary General's Annual Report 2015* (informe), Bruselas, 07/01/2016 [en línea], disponible en: *http://www.nato.int/nato_static_fl2014/assets/pdf/pdf_2016_01/20160128_SG_AnnualReport_2015_en.pdf*, fecha de revisión: 31/05/2019; Jonas, A., McCann, E. y Thomas, M., *Urban geography: A critical introduction*, Oxford (Reino Unido), Wiley Blackwell, 2015; y Riola Rodríguez, J. M., *La situación actual de las tecnologías de doble uso*, Madrid, IEEE, 2014 (Cuaderno de Estrategia, 169).

[12] Meza, M., «Los sistemas de armas completamente autónomos: un desafío para la comunidad internacional en el seno de las Naciones Unidas», *op. cit.*

[13] Reuniones informales de expertos sobre sistemas de armas autónomas letales, celebradas en el marco de la Convención sobre prohibiciones o restricciones del empleo de ciertas armas convencionales que puedan considerarse excesivamente nocivas o de efectos indiscriminados. Para más información, Convención sobre Ciertas Armas Convencionales, suscrita el 10/10/1980 [en línea], disponible en: *https://www.unog.ch/80256EE600585943/(httpPages)/4F0DEF093B4860B-4C1257180004B1B30?OpenDocument*, fecha de revisión: 07/05/2019.

[14] Las implicaciones morales y éticas que trae consigo el uso de los SAAL no son un eje central de la presente investigación. Sin embargo, a lo largo de esta investigación se harán algunas referencias obligatorias y puntuales en las que expertos en el área de ética, derecho, IA y robótica sostienen que esas armas autónomas, por definición, representan la ausencia de control humano sobre el uso de la fuerza y, por ende, ponen en riesgo el cumplimiento del derecho internacional vi-

Esta labor de estudio parte de una premisa general: los SAAL (a menudo conocidos como drones en el lenguaje periodístico y coloquial), tal y como se explicará en detalle a lo largo del presente capítulo, son tecnologías avanzadas que, aunque no existen aún de manera plena, sí que pueden llegar a desarrollarse en el futuro. La iniciativa de su abordaje en el seno de Naciones Unidas se da, por un lado, gracias a esfuerzos diplomáticos y, por otro, a campañas de concienciación social impulsadas por actores de la sociedad civil (ONG[15], especialistas en ciencias computacionales, líderes de la industria, expertos en derecho, medicina y ética) que, en su mayoría, pretenden reflexionar

---

gente. Esto, en sí mismo, acrecienta las preocupaciones morales y éticas respecto de estas armas. Con relación a la cuestión ética y moral fundamental en contra de los SAAL, hay quienes llegan a afirmar que el uso de las armas autónomas incumple *per se* los principios de la humanidad y los dictados de la conciencia pública, porque son sistemas que conllevan que la toma de decisiones humanas sobre cualquier operación militar sea sustituida o reemplazada efectivamente por procesos controlados por las computadoras que integran esas armas, con lo cual, las decisiones de vida o muerte quedarían entonces transferidas a los SAAL, lo que desvalorizaría sin más la dignidad humana de aquellas personas que estén a merced de la fuerza letal de esas máquinas mortíferas autónomas. Para una mayor aproximación a estos asuntos, *Ethics and autonomous weapon systems: An ethical basis for human control?* (documento de trabajo del Comité Internacional de la Cruz Roja), núm. CCW/GGE.1/2018/WP.5, 29 de marzo de 2018, Palacio de las Naciones (reunión de expertos sobre los SAAL en la CCW, celebrada en Ginebra de 9-13 de abril de 2018) [en línea], disponible en: *https://www.unog.ch/80256EDD006B8954/(httpAssets)/42010361723DC854C1258264005C3A7D/$file/CCW_GGE.1_2018_WP.5+ICRC+final.pd*, fecha de revisión: 03/05/2019; Leveringhaus, A., *Ethics and autonomous weapons*, Oxford (Reino Unido), Palgrave Macmillan, 2016; Singer, P., *Wired for war. The robotics revolution and conflict in the 21st Century*, Nueva York, Penguin Books, 2009; Sparrow, R., «Killer robots», *Journal of Applied Philosophy*, vol. 24, 2009, núm. 1, pp. 62-77; Krishnan, A., *Killer robots. Legality and ethicality of autonomous weapons*, Londres, Routledge, 2009; Instituto de las Naciones Unidas para la Investigación del Desarme, *The weaponization of increasingly autonomous technologies: considering ethics and social values* (boletín de investigación), núm. 3, 2015 [en línea], disponible en: *http://www.unidir.org/en/publications/the-weaponization-of-increasingly-autonomous-technologies-considering-ethics-and-social-values*, fecha de revisión: 31/07/2019. Para una mayor aproximación acerca del sentido y el alcance con el cual se emplea la palabra «decisión» en los argumentos propios de la presente investigación, véase el primer apartado del capítulo 7 de esta monografía.

15 Esta abreviatura será validad, de manera indistinta, tanto en plural como en singular.

acerca de los desafíos que estos sistemas traen consigo, siempre bajo una perspectiva interdisciplinar y prospectiva que no solo aprecie los peligros que representaría renunciar al progreso, sino además que promueva una investigación, desarrollo e innovación militar armamentista que comprendan y garanticen el pleno respeto del DIH y del Derecho Internacional de los Derechos Humanos (en adelante, DIDH).

Así las cosas, desde hace casi una década las armas autónomas han venido siendo objeto de debate profundo en Naciones Unidas. Como luego se verá en capítulos posteriores, todo ello ha potenciado el estudio preventivo y crítico de la innovación militar en instituciones académicas, y ha motivado el replanteamiento de políticas de desarrollo armamentista por parte de autoridades estatales en muchos países, para que valoren los efectos que los SAAL pueden tener frente a la seguridad y estabilidad global, comprendiendo así la necesidad de no incrementar desequilibrios de poder y, sobre todo, de no resentir la capacidad de defensa militar de los Estados[16].

Ahora bien, teniendo en cuenta este panorama, es importante iniciar la exposición de esta investigación planteando algunas ideas generales acerca de qué son los drones, cómo se han convertido en el arma de combate de moda de muchos Estados; pero, sobre todo, cuál es su vinculación real con los SAAL. Esto permitirá contextualizar el debate y precisar algunas nociones que son básicas para, luego, explicar algunas de las principales aproximaciones conceptuales de la comunidad internacional acerca de los SAAL, las cuales reflejarán las diferencias sustanciales de enfoque que existen entre los Estados, varios organismos internacionales y actores de la sociedad civil al momento de abordar el impacto que traen consigo las tecnologías emergentes en el área de las armas autónomas.

Después, como uno de los ejes centrales de esta investigación, se propondrá el sentido y el alcance de la definición de trabajo que se adoptará en esta investigación acerca de los SAAL, elaborada desde una perspectiva funcional en la que la autonomía, la letalidad y el control humano serán algunos de sus principales criterios diferenciadores. Por último, se finalizará explicando el marco normativo que

---

16 Cózar, J. M. de, *Tecnología, civilización y barbarie*, *op. cit.*

se deberá tener en cuenta a la hora de reflexionar sobre los desafíos y los riesgos que representa el uso de armas autónomas en conflictos armados internacionales.

1.1. Los drones: el arma de moda para las ejecuciones extrajudiciales, sumarias o arbitrarias[17]

Como se indicó al inicio de este capítulo, a menudo en muchos medios de comunicación, miembros de la academia y demás expertos de instituciones en general tienden a confundir los SAAL con los drones, y viceversa. Por lo tanto, el presente apartado tiene como objetivo explicar qué son este tipo de artefactos aéreos, cómo ha sido el inicio y desarrollo de su uso en los campos de batalla, para luego abordar cuál es su vinculación real con los SAAL. Todo esto permitirá poder ir perfilando algunas nociones básicas que, en capítulos posteriores, serán útiles para poder reflexionar acerca de la legalidad de las armas autónomas en conflictos armados internacionales.

1.1.1. ¿Qué son los drones?

Los avances científicos y tecnológicos han contribuido en los últimos años al progreso de la aviación, permitiendo la aparición de nuevos usuarios del espacio aéreo que reciben diversos nombres, a saber: drones, sistemas de aeronaves pilotadas remotamente (en adelante, RPAS, por las siglas en inglés de Remotely Piloted Aircraft Systems) o incluso sistemas de aeronaves no tripuladas (en adelante, UAV, por las siglas en inglés de Unmaned Aerial Vehicle).

Según la Organización de Aviación Civil Internacional (en adelante, OACI), los RPAS son un tipo de avión pilotado a distancia, cuya estación piloto remota asociada, los enlaces de comando y control requeridos, así como cualquier otro componente son tal y como se

---

17 Para una aproximación sobre la evolución histórica de los drones, Nolin, P. C., *Unmanned Aerial Vehicles: Opportunities and Challenges for the Alliance* (Informe especial de la OTAN), núm. 157 STC 12 E rev. 1, 19/11/2012 [en línea], disponible en: *https://www.nato-pa.int/document/2012-157-stc-12-e-rev-1-uavs-special-report-nolin*, fecha de revisión: 30/07/2019.

especifica en el tipo del diseño[18]. La OACI ha identificado además tres categorías principales de RPAS, a saber: militar, gubernamental no-militar[19] y civil[20]. Todos los tipos de RPAS, junto a los aviones autónomos y los aviones modelo son un subconjunto de los sistemas de aviones no tripulados (en adelante, UAS, por las siglas en inglés de Unmanned Aircraft System).

El término UAS abarca así todas las aeronaves que vuelan sin un piloto a bordo y que operan como parte de un sistema más grande. No obstante, las aeronaves autónomas se diferencian de las RPAS en que no permiten la intervención de un piloto humano para realizar el vuelo previsto; mientras que los aviones modelo se distinguen más por su uso recreativo[21].

Por su parte, Estados Unidos de América (en adelante, EE.UU.)[22] solo hace uso de la terminología *Unmanned Aircraft* para referirse a los drones. Las autoridades estadounidenses definen este tipo de vehículos como una aeronave que no lleva un operador humano y es capaz de volar con o sin control remoto humano. A su vez, entienden que un UAS es un sistema cuyos componentes incluyen el equipo, la red computacional y el personal necesarios para controlar un avión no tripulado.

---

18 OACI, *Remotely piloted aircraft system (RPAS) concept of operations (CONOPS) for international IFR operations*, 2017 [en línea], disponible en: *https://www.icao.int/safety/ua/documents/rpas%20conops.pdf*, fecha de revisión: 04/04/2019.

19 Vuelos estatales (Policía, aduanas, guardias fronterizos, guardacostas) y vuelos no estatales (Protección Civil, bomberos).

20 Aviación general (operadores corporativos) y operaciones especializadas (publicidad, observación, inspección, inspección de patrullas, agricultura, extinción de incendios, tala/silvicultura, fotografía/TV/cine, búsqueda y rescate).

21 Los aviones modelo son un tipo de avión no tripulado de tamaño pequeño o, en el caso de modelos a escala, una réplica de un avión existente o imaginario. Los aviones modelo se dividen en dos grupos básicos: los que vuelan y los que no vuelan. Estos últimos se denominan modelos estáticos, de exhibición o de estantería.

22 Gobierno de los Estados Unidos de Norteamérica, *Doctrine for the Armed Forces of the United States, the DOD Dictionary of Military and Associated Terms (DOD Dictionary)*, 2019 [en línea], disponible en: *https://www.jcs.mil/Portals/36/Documents/Doctrine/pubs/dictionary.pdf*, fecha de revisión: 04/04/2019.

La Organización del Tratado del Atlántico Norte (en adelante, OTAN)[23] solo hace referencia al término «aviones pilotados de manera remota» (en adelante, RPA, por las siglas en inglés de Remotely Piloted Aircraft)[24]. Según esta organización, los RPA son un tipo de vehículos aéreos no tripulados que son controlados desde una estación piloto remota, por un piloto que ha sido entrenado y certificado según los mismos estándares que un piloto de un avión tripulado.

Ahora bien, la Comisión Europea[25], por su lado, hace uso del término RPAS, y los define como aquellos aviones que se encuentran bajo el control de un piloto al mando a distancia para todo el vuelo en condiciones normales y movimientos en tierra.

En el caso español, hasta 2014 las Fuerzas Armadas utilizaban de manera intercambiable los términos RPAS y UAV. Sin embargo, tras la aprobación en 2015 del «Plan Director de RPAS» del Ministerio de Defensa, las autoridades militares, de seguridad y defensa españolas pasaron a hacer uso solo de la denominación «sistemas de aeronaves pilotadas remotamente» o RPAS para referirse a este tipo de vehículos, ello en línea con los términos utilizados por la OACI y la OTAN. Este plan define a los RPAS como aquella «plataforma aérea, que podrá ser de ala fija, ala rotatoria o de aerostato»[26]. Así, un sistema

---

23 También conocida como NATO, por las siglas en inglés de North Atlantic Treaty Organization, es una alianza militar intergubernamental compuesta por 29 países —europeos y norteamericanos—, regida por el Tratado del Atlántico Norte firmado el 4 de abril de 1949. Su sistema de trabajo identifica la defensa colectiva, la gestión de crisis y la seguridad cooperativa como las tres tareas esenciales o tres pilares básicos. Se puede consultar la página web de la organización en: *https://www.nato.int*, fecha de revisión: 22/04/2019.

24 North Atlantic Treaty Organization, *NATO glossary of terms and definitions*, núm. AAP-06, 2018 [en línea], disponible en: *https://standard.di.mod.bg/pls/mstd/MSTD.blob_upload_download_routines.download_blob?p_id=281&p_table_name=d_ref_documents&p_file_name_column_name=file_name&p_mime_type_column_name=mime_type&p_blob_column_name=contents&p_app_id=600*, fecha de revisión: 04/04/2019.

25 Grupo directivo europeo sobre los RPAS, *Roadmap for the integration of civil Remotely-Piloted Aircraft Systems into the European Aviation System* (informe final), junio de 2013 [en línea], disponible en: *https://uvs-international.org/wp-content/uploads/2016/04/European-RPAS-Roadmap_130620.pdf*, fecha de revisión: 04/04/2019, *véase página 5*.

26 Dirección General de Armamento y Material del Ministerio de Defensa de España, *Plan Director de RPAS. Remotely piloted Aircraft Systems*, Madrid,

RPAS se compone de varias aeronaves que son capaces de configurarse para transportar distintas cargas útiles.

Por su parte, el Real Decreto Ley núm. 1036/2017, del 15 de diciembre, por el que se regula en España la utilización civil de las aeronaves pilotadas por control remoto, explica y define a los drones de la siguiente manera:

> «El concepto de aeronave sin piloto o, en términos actuales, vehículos aéreos no tripulados o UAV (por las siglas en inglés de Unmanned Aerial Vehicle), ha venido siendo interpretado por la comunidad internacional como comprensivo de las aeronaves que vuelan sin un piloto a bordo, y que pueden, o bien ser controladas plenamente por el piloto remoto, aeronaves pilotadas por control remoto, o bien estar programadas y ser completamente autónomas, aeronaves autónomas en terminología de la OACI».

Finalmente, los RPAS tienen numerosas aplicaciones civiles, comerciales y militares. Van desde sistemas baratos, comercialmente disponibles, que caben en la palma de la mano y tienen una autonomía de minutos, hasta grandes sistemas militares, con un peso máximo de despegue considerable y una autonomía de vuelo de decenas de horas[27]. En el campo de seguridad y defensa, estos sistemas pueden

---

Ministerio de Defensa, 2015 [en línea], disponible en: *http://www.defensa.gob.es/Galerias/dgamdocs/plan-director-RPAS.pdf*, fecha de revisión: 04/04/2019, *véase página 11*.

27 Hay analistas que consideran que las repercusiones económicas de la tecnología de los drones son tan favorables para los Estados que han llegado a las naciones más empobrecidas y se han abierto camino en sus conflictos. Por ello, no sorprendería que los drones puedan llegar a representar un potencial cambio de las reglas de juego tendiente a una guerra permanente, sobre todo a medida que los costos de estas armas continúen cayendo rápidamente y aumenten en paralelo sus capacidades y tecnología. Muestra de esta tendencia disruptiva se puede observar en la clara ventaja decisiva que tuvo Azerbaiyán sobre las fuerzas armenias en el conflicto de Nagorno-Karabaj de 2020 (también conocida como la segunda guerra del Alto Karabaj), una ventaja en gran medida atribuible al arsenal azerbaiyano de drones "suicidas" kamikazes baratos. Durante este conflicto, expertos informaron el uso del Orbitador israelí 1K y del Harop, que son municiones merodeadoras que se autodestruyen al impactar. Se trata de armas que son desplegables por un ser humano en una región geográfica específica, pero finalmente tienen la capacidad de seleccionar objetivos sin intervención humana físicamente directa. El éxito de Azerbaiyán con estas armas proporcionó

llegar a tener cabezas de combate integradas en sus fuselajes, cuyos diseños les permite usarse una o más veces. No obstante, dada la naturaleza del conflicto que corresponda, varias fuerzas castrenses también usan vehículos terrestres, submarinos y de superficie teledirigidos no tripulados, junto a los RPAS[28].

1.1.2. Los drones en los campos de batalla: inicio y desarrollo de su uso militar

Las aeronaves no tripuladas, tanto en forma de aviones como de helicópteros, han venido siendo utilizadas por Gobiernos desde hace

---

un precedente convincente de cómo los sistemas económicos y con un grado considerable de autonomía en varias de sus funciones pueden permitir que los ejércitos sin una fuerza aérea avanzada compitan en el campo de batalla. El resultado ha sido un aumento de la demanda de estos sistema en todo el mundo. Al respecto, *véase* ScienceDuuude, «Automating Death and Destruction. The future of drones, robots, AI, and humanity», *Medium,* 10/12/2020 [en línea], disponible en: *https://medium.com/datadriveninvestor/automating-death-and-destruction-816d9f824683*, fecha de revisión: 21/01/2021; Shaw, I., « Predator Empire: The Geopolitics of US Drone Warfare», *School of Geographical and Earth Sciences, The University of Glasgow,* 2013, pp. 1-24, disponible en: *http://www.unice.fr/crookall-cours/iup_geopoli/docs/predator-drones.pdf*, fecha de revisión: 21/01/2021, *véanse las páginas 16 y 17*; United World International, «Drones after Karabakh: The age of permanent war is coming», *uwidata,* 11/01/2021 [en línea], disponible en: *https://uwidata.com/15106-drones-after-karabakh-the-age-of-permanent-war-is-coming/*, fecha de revisión: 21/01/2021; Bajema, N., «To Protect Against Weaponized Drones, We Must Understand Their Key Strengths», *IEEE Spectrum,* 24/05/2021 [en línea], disponible en: *https://spectrum.ieee.org/robotics/military-robots/to-protect-against-weaponized-drones-we-must-understand-their-key-strengths*, fecha de revisión: 01/07/2021; Frantzman, S., «Israeli drones in Azerbaijan raise questions on use in the battlefield», *The Jerusalem Post,* 01/10/2020 [en línea], disponible en: *https://www.jpost.com/middle-east/israeli-drones-in-azerbaijan-raise-questions-on-use-in-the-battlefied-644161*, fecha de revisión: 01/07/2021; y, Iddon, P., «These Israeli Weapons Systems Can Go A Long Way On The Modern Battlefield», *Forbes,* 28/04/2021 [en línea], disponible en: *https://www.forbes.com/sites/pauliddon/2021/04/28/these-israeli-systems-can-give-their-operator-a-decisive-edge-on-the-modern-battlefield/?sh=238b30ca13df*, fecha de revisión: 01/07/2021.

28 Secretaría General de la Onu, *Informe del Secretario General de la ONU, António Guterres* (documento de trabajo), núm. A/73/177, 17/07/2013 [en línea], disponible en: *https://undocs.org/es/a/73/177*, fecha de revisión: 29/04/2019, *véase página 5.*

más de un siglo[29]. Hay autores que consideran que la Primera Guerra Mundial es el punto de partida para estudiar la historia de los UAS y su uso en conflictos armados[30].

Sin embargo, otros afirman que ya existían influencias importantes en el área que se remontan a los años 1860 y la guerra civil estadounidense. Según expertos e historiadores, durante el conflicto de secesión, la Unión y la Confederación intentaron lanzar globos aerostáticos cargados de dispositivos incendiarios, con la esperanza de que se deslizaran sobre las líneas enemigas y explotaran en el impacto con las tiendas de municiones de sus enemigos, matando así a las tropas cercanas y destruyendo infraestructuras críticas[31].

Sea cual fuere el punto de inicio que se tome, lo innegable es que los desarrollos tecnológicos que se dieron en la Primera Guerra Mundial fueron los que mostraron mayores características similares a los RPAS de hoy, tanto en el sentido físico como operacional.

En 1916, tan solo trece años después de que los hermanos Wright hicieran el primer vuelo a motor, prolongado y verificado en el mundo, ya el Ejército y la Marina de EE.UU. estaban trabajando en el diseño de aviones sin piloto, basados en el mecanismo del primer avión automático existente en la historia, a saber, el *Hewitt-Sperry Automatic Airplane*, una especie de torpedo aéreo que realizó su primer vuelo en 1917[32].

Este, y otros primeros aviones automáticos, no se construyeron para regresar a una base de operaciones, sino para servir como bombas voladoras o, como se conocería en el lenguaje de hoy, una suerte de «misiles de cruceros». Una vez lanzados, estos dispositivos seguían una trayectoria recta sin cambiar de dirección. La distancia a volar se

---

29 *Ibid.*

30 Jordán, J. y Baqués, J., *Guerra de drones. Política, tecnología y cambio social en los nuevos conflictos*, Madrid, Biblioteca Nueva, 2014, *véanse páginas 15-16.*

31 Galliot, J., *Military robots. Mapping the moral landscape*, Surrey (Reino Unido), Ashgate, 2015, *véase página 20*; y Crabtree, J., *On air defense*, Westport, Connecticut (EE.UU.), Praeger, 1994, *véase página 2.*

32 Jordán, J. y Baqués, J., *Guerra de drones. Política, tecnología y cambio social en los nuevos conflictos, op. cit., véanse páginas 15-16.*

programaba antes del inicio del vuelo, contando un número de rotaciones de la hélice o utilizando un temporizador[33].

Tras la Primera Guerra Mundial el avance de la tecnología de radio aumentó. Esto permitió que se hicieran intentos para controlar a distancia los aviones sin piloto, y además facilitó la posibilidad de transmitir datos del sensor de la aeronave a un piloto u operador externo. Con ello se desarrollaron tecnologías para el aterrizaje automático, que inicialmente sirvieron para asistir a las tripulaciones que aterrizaban aeronaves cuando la visibilidad era limitada.

Ahora bien, es importante destacar que la idea de cargar aviones convencionales con explosivos para guiarlos y estrellarlos por control remoto no cosechó resultados convincentes en la Segunda Guerra Mundial. Esto hizo que, durante años, los aviones no tripulados destinados para tal fin perdieran importancia estratégica militar.

Por ello, el gran salto cualitativo en la investigación, el desarrollo y la innovación de este tipo de vehículos aéreos se dio más adelante, en la década de los cincuenta, y ya en el plano operativo en los años sesenta, sobre todo con motivo de la guerra de Vietnam[34]. En esa época, los aviones no tripulados fueron utilizados masivamente por EE.UU., principalmente para llevar a cabo misiones de reconocimiento sin desgastar innecesariamente a la tripulación en la cabina.

Años después, Israel fue otro de los países que usó también vehículos aéreos no tripulados, no solo para misiones de reconocimiento, sino además como trampas de radar en contra de las defensas aéreas de las fuerzas de sus oponentes. Esto se dio particularmente en la guerra del Líbano de 1982. El Gobierno israelí modificó su estrategia militar, y en su lugar, elaboró un nuevo enfoque castrense basado en la supresión de las defensas aéreas enemigas. Siguiendo ese criterio, numerosos drones israelíes fueron dirigidos hacia el valle libanés de la Bekaa, donde Siria tenía desplegadas y camufladas poderosas baterías antiaéreas y lanzaderas de misiles tierra-aire, un arsenal que hasta ese

---

33 Pearson, L., «Developing the flying bomb», *The Naval History and Heritage Command*, sin fecha [en línea], disponible en: *https://www.history.navy.mil/content/dam/nhhc/research/histories/naval-aviation/naval-aviation-in-world-war-i/pdfs/ww1-10.pdf*, fecha de revisión: 04/04/2019.

34 Jordán, J. y Baqués, J., *Guerra de drones. Política, tecnología y cambio social en los nuevos conflictos*, *op. cit.*, *véase página 20.*

momento no había podido ser localizado por el Gobierno de Israel[35]. Una vez que los aviones no tripulados israelíes entraron en el espacio aéreo sirio, y fueron detectados por los radares de la zona, todas las baterías y las lanzaderas se activaron, revelando así información de inteligencia que era clave para la fuerza aérea de Israel.

Ahora bien, a partir de los años ochenta también se comenzaron a utilizar los vehículos aéreos no tripulados dotados de armamento y desplegados en zonas de combate. Estos modelos se conocen como los primeros prototipos, cuando menos incipientes, de drones de combate.

A pesar de que la idea de incorporar armas a aviones no tripulados ya había sido propuesta en la década de 1940, no fue sino hasta el inicio de la guerra entre Irán e Iraq en los años ochenta cuando las autoridades iraníes decidieron equipar uno de sus primeros aviones no tripulados (el *Mohajer*[36]*) con granadas propulsadas por cohetes, todo ello con la intención de que sus dispositivos tuvieran capacidad de fuego de aire a tierra*[37].

Aunque este tipo de aeronave no tripulada fue desarrollada para proporcionar vigilancia e inteligencia, las Fuerzas Armadas de Irán consideraron igualmente necesario dotarla de armamento para redu-

---

35 Montoya, R., *Drones, la muerte por control remoto*, Madrid, Akal, 2014, *véase página 22.*

36 Global Security, *Mohajer (UAV)* (ficha técnica) [en línea], disponible en: *https://www.globalsecurity.org/military/world/iran/mohajer.htm*, fecha de revisión: 05/04/2019; Dreazen, Y., «The next Arab-Israeli war will be fought with drones. Hezbollah, weaponized robots, and a future that's already here», *The New Republic*, 27/03/2014 [en línea], disponible en: *https://newrepublic.com/article/117087/next-arab-israeli-war-will-be-fought-drones*, fecha de revisión: 05/04/2019; y Groll, E., «Iran is deploying drones in Iraq. Wait, What? Iran has drones?», *Foreign Policy*, 25/06/2014 [en línea], disponible en: *https://foreignpolicy.com/2014/06/25/iran-is-deploying-drones-in-iraq-wait-what-iran-has-drones/*, fecha de revisión: 05/04/2019.

37 Karock, U., «Drones: Engaging in debate and accountability», *Departamento de Política de la Dirección General de Políticas Externas de la Comisión Europea*, DG EXPO/B/PolDep/Note/2013_144, 2013, pp. 491-497 [en línea], disponible en: *http://www.europarl.europa.eu/meetdocs/2014_2019/documents/sede/dv/sede210915policyinsightdrones_/sede210915policyinsightdrones_en.pdf*, fecha de revisión: 04/04/2019; y Ripley, T., *Middle East air power in the 21st Century*, Barnsley (Reino Unido), Pen & Sword Books, 2010, *véase página 90.*

cir, en la medida de lo posible, las bajas de sus soldados, y con ello evitar que sus tropas caminaran hacia las emboscadas que sus oponentes iraquíes les tenían preparadas.

Ahora bien, la razón práctica por la que solo a partir de esta época se comenzaron a utilizar drones armados en zonas de combate se debe a que ningún Estado había podido antes superar los desafíos tecnológicos, el retiro del piloto y la separación del combatiente del avión.

Es cierto que, durante la guerra de Vietnam, EE.UU. trató de armar un modelo de vehículo aéreo no tripulado (el *Ryan Model 147*), una variante del *Ryan Firebee* que en la década de 1950 fue uno de los drones más utilizados. Sin embargo, esta idea no superó la fase de pruebas, sobre todo porque en ese entonces, con la pérdida del avión de reconocimiento *U2* tripulado sobre la Rusia soviética y Cuba en la década de 1960, las innovaciones tecnológicas de la época se enfocaron más en el equipamiento de drones con cámaras de alta calidad y sensores electrónicos que les permitieran realizar misiones de reconocimiento políticamente sensibles[38].

Una vez que estalla la guerra de los Balcanes, el Departamento de Defensa estadounidense puso en marcha un proyecto para desarrollar un vehículo aéreo no tripulado con alcance superior a mil millas y con capacidad de vuelo ininterrumpido de más de 24 horas. Sin embargo, debido a la lenta maquinaria burocrática del Pentágono, el proyecto no tuvo avances. Por ello, esta iniciativa pasó a manos de la Agencia Central de Inteligencia de los Estados Unidos de América (en adelante, CIA, por las siglas en inglés de Central Intelligence Agency) quien, con apoyo de la empresa General Atomics[39], llegó a crear el dron *Gnat-750*[40]. *Sin embargo, la entonces nueva aeronave adolecía de se-*

---

[38] Jordán, J. y Baqués, J., *Guerra de drones. Política, tecnología y cambio social en los nuevos conflictos, op. cit., véase página 39*; Galliot, J., *Military robots. Mapping the moral landscape, op. cit., véase página 20*; y Crabtree, J., *On air defense, op. cit., véase página 22.*

[39] Compañía privada con sede en San Diego, California, EE.UU., que fabrica vehículos aéreos no tripulados, y que ha vendido equipos militares por valor de casi tres mil millones de dólares en los últimos 15 años.

[40] Jordán, J. y Baqués, J., *Guerra de drones. Política, tecnología y cambio social en los nuevos conflictos, op. cit., véase página 35.*

rios problemas técnicos y no tenía la capacidad de operar fácilmente cuando había mal tiempo.

Esto hizo que el Pentágono siguiera con su apuesta de financiar paralelamente el desarrollo de un dron de largo alcance. Partiendo de los avances que ofrecía la investigación e innovación del *Gnat-750*, el Pentágono invirtió recursos importantes en su mejora, lo cual permitió alcanzar el diseño exitoso del *RQ-1 Predator*.

El *Predator*, como modelo genérico, es un vehículo principalmente de reconocimiento y adquisición de objetivos de alcance intermedio. En lugar de ventanas, soporte vital, sistemas de expulsión, etc., lleva sofisticadas cámaras y radares para ver a través de la bruma atmosférica y un láser para apuntar objetivos. El *Predator* generalmente se lanza desde una pista normal y puede ser supervisado o controlado desde lejos a través de comunicaciones satelitales y una cápsula de control similar a una cabina de mando. Sus variantes han sido utilizadas en misiones de combate en Afganistán, Bosnia, Iraq, Libia, Pakistán, Serbia, Somalia y Yemen, entre otros lugares[41].

El desarrollo de este dron fue muy importante para el Gobierno de EE.UU. Representó el paso previo para alcanzar el diseño y la creación de otro modelo bastante operativo, el *MQ-9 Reaper*. Este nuevo dron es el primer vehículo aéreo no tripulado diseñado específicamente para el combate. Posee un tamaño y capacidad de carga bélica mucho mayor que el *RQ-1 Predator*, lo cual le permite ser un «cazador-asesino» muy efectivo. Debido a su diseño, es un dron que puede volar dos veces más alto y mucho más rápido que un *Predator*[42].

---

41 Galliot, J., *Military robots. Mapping the moral landscape*, *op. cit.*, *véase página 20*; y Crabtree, J., *On air defense*, *op. cit.*, *véase página 26*.

42 Otro tipo de dron letal que también fue utilizado en la época del *MQ-9 Reaper* fue el *Predator MQ-1B*. Su primer vuelo se llevó a cabo en 1994, y fue diseñado para proporcionar información persistente de inteligencia, vigilancia y reconocimiento, aunque combinado con una capacidad de matar. Estaba equipado con misiles *Hellfire AGM-114*, siendo así, en opinión de varios expertos, el primer sistema de aeronaves no tripuladas en el mundo dotado con armas. Al respecto, Cavallaro, J., Sonnenberg, S. y Knuckey, S., *Living under drones. Death, injury, and trauma to civilians. From US drone practices in Pakistan*, Stanford y Nueva York, Stanford Law School y NYU School of Law, Global Justice Clinic, 2012 [en línea], disponible en: *https://www-cdn.law.stanford.edu/wp-content/*

Aunque con el tiempo las aeronaves no tripuladas o pilotadas remotamente fueron mejoradas cada vez más en muchas de sus características y funciones técnico-operativas[43]*, lo cierto es que el Predator* y el *Reaper* han pasado a ser los modelos de RPAS con más notoriedad a nivel global, sobre todo por su efectividad a la hora de ser utilizados como armas de un Estado para ejecutar asesinatos selectivos de presuntos «terroristas»[44].

Esta funcionalidad armamentista de los drones, aun y cuando fue desarrollada en épocas tempranas, se ha hecho más habitual debido a su vinculación operativa en misiones planeadas como parte de la «guerra contra el terror»[45], una campaña global diseñada e impulsada por EE.UU., apoyada por miembros de la OTAN y otros aliados inter-

uploads/2015/07/Stanford-NYU-Living-Under-Drones.pdf, fecha de revisión: 06/04/2019, *véase página 9*.

43 El éxito del *Reaper*, por ejemplo, ha favorecido el desarrollo del dron *Avenger*, especialmente diseñado para operar en el marco de guerras híbridas, asimétricas o no convencionales. Otro modelo también impulsado por EE.UU. es el *X-47B*, un modelo que fue precedido por el *X-47A Pegasus*.

44 A pesar de la controversia que rodea la práctica de los «asesinatos selectivos», actualmente no existe una definición comúnmente aceptada. Un exasesor legal del Comité Internacional de la Cruz Roja sugirió que este tipo de asesinatos denotan «el uso de la fuerza letal atribuible a un sujeto de derecho internacional con la intención, la premeditación y la deliberación de matar a personas seleccionadas individualmente que no están en el cuerpo físico/custodia de quienes los atacan». Melzer, N., *Targeted killing in International Law*, Oxford, Oxford University Press, 2009, *véase página 5*.

45 Al respecto, Gómez Isa, F., «Los ataques armados con drones en derecho internacional», *Revista Española de Derecho Internacional*, vol. lxvii, 2015, núm. 1, pp. 61-92, disponible en: *http://dx.doi.org/10.17103/redi.67.1.2015.1.02*

nacionales, y que surgió después de los atentados del 11 de septiembre de 2001 (en adelante, 11S)[46].

Después de los ataques del 11S, el Gobierno de George W. Bush[47] declaró formalmente una «guerra contra el terror», lo cual involucraba la puesta en marcha de operaciones militares encubiertas y secretas, nuevas leyes de seguridad, esfuerzos para bloquear la financiación del terrorismo, y más. En el marco de esta campaña, Bush pidió a otros Estados que se unieran a la lucha para erradicar el terrorismo,

---

, fecha de revisión: 31/07/2019, *véanse páginas 63-66*. Para una mayor aproximación sobre este tema, Aguiar, P., Alcalde, J., Baqués, J. y otros, *El arma de moda: impacto del uso de los drones en las relaciones internacionales y el derecho internacional contemporáneo*, Barcelona, Institut Català Internacional per la Pau, 2014, disponible en: *http://icip.gencat.cat/web/.content/continguts/publicacions/arxius_icip_research/ICIP_RESEARCH-4_WEB.pdf,* fecha de revisión: 31/07/2019; y Gutiérrez Espada, C. y Cervell Hortal, M. J., «Sistemas de armas autónomas, drones y Derecho internacional», *Revista del Instituto Español de Estudios Estratégicos*, 2013, núm. 2, pp. 27-57, disponible en*: http://revista.ieee.es/article/view/338*, fecha de revisión: 31/07/2019.

46 Estos atentados han sido denominados comúnmente como 9/11, 11-S u 11S. Según el Gobierno estadounidense, dichos actos fueron planeados y ejecutados por miembros de la red yihadista Al Qaeda. Para saber más datos sobre estos atentados, *vid.*: Comisión Nacional sobre Ataques Terroristas de los Estados Unidos de Norteamérica, *The 9/11 Commission Report*, 2004 [en línea], disponible en: *https://www.9-11commission.gov/report/911Report.pdf,* fecha de revisión: 07/04/2019. Este informe ofrece el relato oficial de los eventos que llevaron a cabo los ataques terroristas del 11 de septiembre de 2001, y fue preparado a solicitud del expresidente de los EE.UU., George W. Bush, y del Congreso. Ahora bien, el relato, bajo la lupa de expertos críticos en el área, tiene vacíos en lugares donde los detalles deberían haber sido más contundentes. Las críticas al informe sugieren que líderes importantes de la nación estadounidense contaron historias que se desgastan cuando se comparan con otros informes de testigos oculares, investigaciones privadas o, simplemente, teniendo en cuenta los dictados del sentido común. Según los más fervientes críticos del tema, la Comisión se encargó de la tarea de investigar todo aquello que rodea el 11S con la única intención de ocultar hechos en lugar de desenterrar la verdad. Muchas críticas y reflexiones se pueden encontrar en la extensa bibliografía especializada. Sin embargo, vale la pena sugerir el siguiente texto ya que contiene un análisis bastante amplio sobre el tema: Griffin, J., *The 9/11 Commission report: Omissions and distortions*, Northampton (Reino Unido), Olive Branch Press, 2004.

47 Presidente 43.º de EE.UU.

afirmando en su discurso de manera categórica, «o estás con nosotros o estás con los terroristas»[48].

Muchos Gobiernos se unieron luego a esta campaña, a menudo adoptando leyes nuevas y más duras, levantando protecciones jurídicas de larga data e intensificando el trabajo policial y de inteligencia. Sus premisas, por mucho que han sido cuestionadas por especialistas, académicos y políticos, lo cierto es que se han mantenido incólumes durante las dos Administraciones inmediatamente posteriores a la del expresidente Bush: el período presidencial de Barack Obama[49] y Donald Trump[50].

Críticos consideran que la campaña de «guerra contra el terror» ha sido realmente una ideología del miedo y de represión, que crea enemigos y promueve la violencia en lugar de mitigar los actos de terror y fortalecer la seguridad. Esta campaña se ha convertido con demasiada frecuencia en una excusa para que muchos Gobiernos repriman a los grupos de oposición y hagan caso omiso del derecho internacional y las libertades civiles[51].

---

48 Para saber más sobre el contenido y estructura de esta declaración de guerra en contra del terrorismo, así como sobre los efectos geopolíticos que desde su inicio han impactado la paz y seguridad internacionales, vale la pena ver el análisis contenido en la siguiente tesis de investigación: Solheim, S., *Either you are with us, or you are with the terrorists. A discourse analysis of President George W. Bush's declared war on terrorism*, Tromsø (Noruega), Universitetet I Tromsø, 2006.

49 Presidente 44.° de EE.UU. El expresidente Obama siguió con la puesta en marcha de esta doctrina de guerra contra el terror, pese a que en muchos de sus discursos señalara que su país no podía seguir luchando contra el terrorismo manteniendo al país en una guerra perpetua. Esa guerra, como todas, tenía que terminar. Sin embargo, la historia demostró otra cosa en su gestión. Al respecto, Gordillo, J. L., «Los límites de la guerra contra el terrorismo», en *Anuario de Movimientos Sociales 2013*, Vizcaya, Fundación Betiko, 2014, disponible en *http://fundacionbetiko.org/wp-content/uploads/2014/02/LOS-L%C3%8DMITES-DE-LA-GUERRA-CONTRA-EL-TERRORISMO.pdf*, fecha de revisión: 06/04/2019.

50 Presidente 45.° de EE.UU.

51 Teniendo en cuenta que la campaña de «guerra contra el terror» ha sido ampliamente desarrollada, reflexionada y, sobre todo, criticada por expertos militares en seguridad y defensa, pacifistas, políticos, entre otros, resulta complejo proponer una bibliografía que contenga los principales referentes en el área. Sin embargo, para ahondar más sobre los enfoques reflexivos y críticos de la campaña se recomienda ver: Gordillo, J. L., «La guerra contra el terrorismo en perspecti-

Esta campaña inoculó en el imaginario colectivo de la humanidad una sensación de miedo, de desolación y de terror generalizado que se fue acrecentando a medida que iban sucediendo más atentados terroristas en distintas ciudades del mundo. Esto hace que los Estados planteen a sus ciudades como auténticas zonas de guerra[52].

Así pues, muchos Gobiernos se ven en la «emergencia» de redirigir gran parte de sus recursos para el rediseño de los espacios urbanos, y permitir en sus ciudades la ejecución de políticas de seguridad preventiva, desplegando vigilancia electrónica, recopilando información de inteligencia, ejecutando operaciones de contrainsurgencia y control de las poblaciones civiles, todo con el fin de minimizar los riesgos de ataques a la seguridad nacional, que otrora eran de impacto local y que hoy adquieren una dimensión más global.

Esta militarización de las áreas urbanas eleva drásticamente los niveles de desintegración del espacio que separa la política de lo castrense, haciendo que los ciudadanos lleguen a aceptar, o incluso a considerar necesaria, la presencia de doctrinas militares dentro de la lógica de la vida urbana cotidiana.

---

va», en Brunet, P., Gordillo, J. L., Lleixà, J., Mojal, X. y Ortega, P. (auts.), *Pau i desarmament. És una guerra? Gihadisme i terrorismo*, Barcelona, Centre Delàs d'Estudis per la Pau, 2018, disponible en: *http://www.centredelas.org/images/INFORMES_i_altres_PDF/PD_2_TerrorismeIGihadisme_web_CAT.pdf*, fecha de revisión: 06/04/2019; Brands, H. y Feaver, P., «After ISIS: U.S. political-military strategy in the global war on terror», *Center for Strategic and Budgetary Assessments (CSBA)*, 2017 [en línea], disponible en: *https://csbaonline.org/uploads/documents/After_ISIS_US_Politico-Military_Strategy_in_the_Global_War_on_Terror.pdf*, fecha de revisión: 06/04/2019; y Bonet Pérez, J., «El Tribunal Europeo de Derechos Humanos y la existencia de una amenaza excepcional en el Reino Unido tras los atentados del 11-S de 2001: ¿Continuidad o evolución en su jurisprudencia frente a la violencia terrorista?», *Revista General de Derecho Europeo*, vol. 19, 2009, núm. 3, pp. 1-42.

52 Por ejemplo, en Madrid, Londres, Mumbai, Túnez, Nairobi, Kuwait, Abuya, Suruç, Saná, Ankara, Beirut, Bamako, Al Arish, Kabul, Tel Aviv, Pathankot, Bagdad, Estambul, Damasco, Abiyán, Bruselas, Dacca, Múnich, El Cairo, Sehwan, París, San Petersburgo, Estocolmo, Mánchester, Yakarta Oriental, Manila, Teherán, Jerusalén, Hamburgo, Barcelona, Moscú, Edmonton, Marsella, Mogadiscio, Nueva York, Melbourne, Uagadugú, Viena, Toronto, Jolo, Utrecht (por tan solo enunciar algunos de los sitios en los que se han producido, hasta ahora, atentados terroristas).

La presencia de aspectos tecnológicos e ideas castrenses en el espacio civil contribuye a que las personas comiencen a normalizar la reorganización doméstica del espacio de sus ciudades para que en ellas se pongan en marcha políticas estatales que pasan, por ejemplo, por el levantamiento de muros fronterizos, la multiplicación de puntos de controles biométricos y el uso de vehículos no tripulados controlados remotamente destinados a la vigilancia aérea[53].

Todo ello conlleva que parte de la opinión pública tienda a aceptar, e incluso justificar, el uso de los RPAS armados no solo como instrumentos para ejecutar acciones militares estatales en el marco de la guerra contra el terrorismo, sino además como armas que pueden ser utilizadas en el marco de operaciones planeadas y dirigidas por las fuerzas de seguridad y del orden público de cada Estado[54].

---

53 Meza, M., «Graham, Stephen. Cities under siege. The new military urbanism. (Londres: Editorial verso, 2010)» [recensión], *Cuadernos Electrónicos de Filosofía del Derecho*, 2016, núm. 34, pp. 336-345, *véanse páginas 336-338*.

54 Teniendo en cuenta que la mayoría de los desarrollos y los usos de RPAS destinados para ejecuciones extrajudiciales, sumarias o arbitrarias, o incluso para ejecutar misiones militares, de seguridad y de defensa, se han llevado a cabo por EE.UU., resulta interesante ver cómo, con el pasar de los años, la sociedad estadounidense ha venido aceptando y apoyando cada vez más la ejecución de tales prácticas. Dicha inferencia se basa en los resultados de encuestas nacionales que fueron hechas en ese país. Más información al respecto en: Brown, A. y Newport, F., «In U.S., 65% support drone attacks on terrorists abroad. Less than half of Americans are closely following news on drones», *Gallup*, 25/03/2013 [en línea], disponible en: *https://news.gallup.com/poll/161474/support-drone-attacks-terrorists-abroad.aspx*, fecha de revisión: 06/04/2019; y Pew Research Center, «Public Continues to Back U.S. Drone Attacks», *Pew Research Center*, 28/05/2015 [en línea], disponible en: *https://www.people-press.org/2015/05/28/public-continues-to-back-u-s-drone-attacks/*, fecha de revisión: 06/04/2019. No obstante, hay expertos que critican la autenticidad de esas encuestas. Al respecto, *vid.*: Schneider, J. y MacDonald, J., *US public support for drone strikes. When do Americans prefer unmanned over manned platforms?*, Washington, Center for a New American Security, 2016 [en línea], disponible en: *https://s3.amazonaws.com/files.cnas.org/documents/CNAS-Report-DronesandPublicSupport-Final2.pdf?mtime=20160929153710*, fecha de revisión: 06/04/2019; y Cohen, G., *Origins of U.S. public opinion for drone strikes: the intersection of elite rhetoric, media coverage, and american public opinion, 2000-2015* (tesis doctoral), Universidad de Miami, 2018, disponible en: Open Access Dissertations (núm. 2068), *https://scholarlyrepository.miami.edu/cgi/viewcontent.cgi?article=3092&context=oa_dissertations*, fecha de revisión: 06/04/2019.

Antaño, por ejemplo, los miembros de los cuerpos y fuerzas de seguridad de muchos Estados consideraban que las áreas públicas destinadas a las actividades de recreación eran meros espacios de distracción y esparcimiento. Hoy, en los tiempos de la guerra contra el terrorismo, esas áreas pasan a ser además los nuevos campos de batalla en los que se destina el uso de una nueva generación de drones miniaturizados útiles para la ejecución de actividades policiales y de control urbano[55]. Es una tendencia irreversible que legitima cada vez más el despliegue estatal de una continua y automatizada guerra contrainsurgente, en la que enjambres de guerreros robotizados equipados con sensores avanzados y comunicados entre sí podrán trabajar intensamente en la proyección a distancia de un poder destructivo, de inteligencia y de control represivo e indiscriminado sobre grupos irregulares insertos en las sociedades[56].

La narrativa que legitima la robotización militar y policial es muy simple: los Estados pueden afectar el conjunto de libertades básicas de los ciudadanos (por ejemplo, el derecho a la privacidad) en tanto que

---

55 Bejamin, M., *Las guerras de los drones. Matar por control remoto*, Barcelona, Anagrama, 2014, *véase página 51*.

56 Graham, S., *Cities under siege. The new military urbanism*, Londres, Verso, 2010, disponible en: *https://libcom.org/files/Graham,%20Stephen%20-%20Cities%20Under%20Siege.%20The%20New%20Military%20Urbanism_0.pdf*, fecha de revisión: 07/04/2019. Para entender de manera más gráfica los grandes riesgos que trae consigo esta perspectiva de ir robotizando cada vez más el espacio urbano con instrumentos de alta tecnología de guerra moderna, *Slaughterbots* (vídeo), disponible en: *https://autonomousweapons.org/slaughterbots/*, fecha de revisión: 07/04/2019. Hay expertos que piensan que este tipo de tecnología de enjambres de armas autónomas ya existe. Por ende, consideran que la comunidad internacional debería aprobar una moratoria inmediata sobre el desarrollo, despliegue y uso de armas letales autónomas dirigidas contra personas, combinado ello con el compromiso de negociar un tratado permanente. Asimismo, plantean la necesidad que los Estados lleguen a acuerdos que faciliten la verificación y el cumplimiento de las limitaciones de diseño de las armas pilotadas de forma remota que impidan la conversión del software a una operación autónoma, así como las normas de la industria para evitar armar "ilícitamente" y a gran escala drones civiles. Al respecto, véase: Russell, S., Aguirre, A., Javorsky, E. y Tegmark, M., «Lethal Autonomous Weapons Exist; They Must Be Banned», *IEEE Spectrum*, 16/06/2021 [en línea], disponible en: *https://spectrum.ieee.org/automaton/robotics/military-robots/lethal-autonomous-weapons-exist-they-must-be-banned*, fecha de revisión: 01/07/2021.

sea útil para garantizar una mayor seguridad en la sociedad. Ese discurso se une además a tres argumentos que, tradicionalmente, sirven para justificar el uso estatal de los RPAS: por un lado, el despliegue militar y policial de estos sistemas no implica una amenaza física para sus operadores humanos, ya que son aeronaves que se encuentran, generalmente, a miles de kilómetros de distancia del teatro de operaciones. Esto permite que nuestros oficiales puedan liberarse de la carga de tener que poner en riesgo sus vidas e integridad personal. Por otro lado, los RPAS tienden a ser más precisos —y a menudo más efectivos— que aquellas armas ordinarias y tradicionales que sí son tripuladas. Y finalmente, las misiones ejecutadas a través de RPAS gozan de mayor flexibilidad, resistencia y persistencia[57].

Bajo esa perspectiva, la «guerra contra el terror» ha servido entonces de caldo de cultivo perfecto para que varios Estados y compañías privadas militares, de seguridad y defensa justifiquen sus millonarias inversiones en la investigación, desarrollo e innovación de los RPAS, habida cuenta de que son herramientas efectivas para llevar a cabo misiones de espionaje, de seguimiento y, muchas veces, de ejecuciones extrajudiciales, sumarias o arbitrarias.

Durante la campaña de la OTAN en Kosovo en 1999, las Fuerzas Armadas de la Alianza ya habían pensado en la utilidad de atar un misil a un UAV que llevara a un *Predator* dotado de misiles *Hellfire*. Sin embargo, no es sino hasta el año 2001 cuando por primera vez fue disparado un misil desde un dron para ejecutar un ataque. Este hecho sucedió en Afganistán, menos de un mes después de los ataques del 11S[58].

La CIA, por su parte, ya había volado drones no armados sobre Afganistán desde el año 2000. Sin embargo, por razones operativas y estratégicas, decidió armarlos poco después de los ataques del 11S.

---

57 Saura, J., «On the implications of the use of drones in international law», *Journal of International Law and International Relations*, vol. 12, 2016, núm. 1, pp. 120-150, *véase página 126*.

58 Cole, C., Dobbing, M. y Hailwood, A., «Convenient Killing. Armed Drones and the "Playstation" Mentality», *Fellowship of Reconciliation*, 2010, [en línea], disponible en: *https://dronewarsuk.files.wordpress.com/2010/10/conv-killing-final.pdf*, fecha de revisión: 06/04/2019, *véanse páginas 6 y 7*.

Ello se debió a que muchos de esos aviones serían utilizados después en la guerra aérea en contra de los talibanes a finales de 2001.

En esa época, la CIA no había utilizado aún ningún avión no tripulado para un motivo distinto que no fuera el de solo dar apoyo militar. Sin embargo, en febrero de 2002, el organismo de inteligencia llevó a cabo una operación de asesinato haciendo uso de un RPAS (misiones conocidas como *targeted drone killing*). La misión fue ejecutada en una antigua base de muyahidines llamada Zhawar Kili, y la hicieron por separado de cualquier acción militar en curso[59]. En ese caso, los operadores del RPAS que actuaron en la operación reconocieron con posterioridad al ataque que, cuando estaban haciendo labores de espionaje en la zona, se toparon con tres personas cuyas características eran similares a las de individuos cuyos nombres estaban en la lista de terroristas que manejaban. Así, estos oficiales, basados en su mera presunción, decidieron eliminar a los tres individuos.

Lo más interesante de este caso es que los militares que operaron el RPAS nunca afirmaron que las personas asesinadas hubieran estado armadas (incluyendo a un hombre que era el más alto de los tres afganos y que los oficiales supusieron que era Osama Bin Laden)[60]. Tiempo después los operadores admitieron que aquel «hombre alto» no era Bin Laden y, pese a ello, siguieron insistiendo en que el ataque sí había sido ejecutado legítimamente[61].

De cualquier forma, hechos como estos demuestran que el uso de RPAS armados en operaciones militares estatales se ha vuelto muy popular en el seno de las máximas instituciones gubernamentales militares, de seguridad y de defensa en distintos países. En 2010, por ejemplo, más de 40 Estados —entre los que están EE.UU., Israel, Ru-

---

59 Sifton, J., *Violence all around*, Cambridge y Londres, Harvard University Press, 2015, *véase página 75*.

60 Fue un terrorista yihadista de origen saudí, miembro de la familia bin Laden y conocido por ser el fundador de la red terrorista Al Qaeda, aquella que, según la Administración del expresidente estadounidense George W. Bush, fue la que planeó y ejecutó los atentados del 11S.

61 Vogel, S. y Pincus, W., «Weather obstructing survey of missile strike site», *Washington Post*, 08/02/2002 [en línea], disponible en: *https://www.washingtonpost.com/archive/politics/2002/02/08/weather-obstructing-survey-of-missile-strike-site/33f741d3-4d10-4a78-a5b8-5fb023df37f3/?noredirect=on&utm_term=.405a5ed204ef*, fecha de revisión: 06/04/2019.

sia, China, Turquía, India, Irán, Reino Unido o Francia— ya apostaban por la inversión, el desarrollo y la innovación en el área de aeronaves no tripuladas para usos castrenses y de seguridad[62].

Por ello, empresas especializadas del sector militar industrial[63] consideran que la I+D+i[64] de RPAS es un área provechosa en expansión propia del negocio de la guerra y que ofrece gran rentabilidad. Informes especializados señalan, por ejemplo, que los mercados de EE.UU., Europa, Asia y Pacífico, Oriente Medio, África y Latinoamérica, marcan al día de hoy una previsión de aumento de inversión y de tecnología militar de vehículos aéreos no tripulados que en 2027 superará los 7000 millones de dólares estadounidenses, aproximadamente[65].

Todo esto demuestra que los drones siguen siendo el arma de moda por excelencia en el mercado armamentista global del siglo xxi, en virtud de los beneficios estratégicos, operativos y tácticos que estos ofrecen, muchos de los cuales han sido referidos en párrafos previos. Incluso hay quienes llegan a afirmar que estos vehículos aéreos son una de las innovaciones tecnológicas armamentistas más útiles para lograr alcanzar en cualquier conflicto armado un equilibrio entre el

---

62 Alston, P., *Informe del entonces relator especial sobre ejecuciones extrajudiciales, sumarias o arbitrarias Philip Alston*, Consejo de Derechos Humanos de las Naciones Unidas, núm. A/HRC/14/24/Add.6, 28/10/2010 [en línea], disponible en: *https://undocs.org/en/A/HRC/14/24/Add.6*, fecha de revisión: 06/04/2019, *véase párrafo 27.*

63 Entre las cuales están, por ejemplo, Boeing Company, AeroVironment Inc., Lockheed Martin LMT, Northrop Grumman Corporation, Huntington Ingalls Industries, TransDigm Group Inc., Leídos, Raytheon Company, General Dynamics Corporation, etc.

64 Acrónimo de investigación, desarrollo e innovación.

65 ASD Reports, *Global Military UAV-Market and Technology Forecast to 2027*, núm. ASDR-478950, febrero 2019 [en línea], disponible en: *https://www.asdreports.com/ASDR-478950*, fecha de revisión: 06/04/2019; y Cózar, C., «El ejército de los drones: Defensa apuesta por el negocio de los 127.000 M», *El español*, 09/05/2018 [en línea], disponible en: *https://www.elespanol.com/economia/empresas/20180509/ejercito-drones-defensa-apuesta-negocio/305720474_0.html*, fecha de revisión: 06/04/2019.

principio de humanidad y de necesidad militar conforme al DIH y el DIDH[66].

Sin embargo, hay quienes consideran todo lo contrario, y afirman que las nuevas tecnologías armamentistas lo que hacen es exacerbar el conflicto en vez de aminorarlo. Muchos lo hacen pensando en las experiencias que hoy ofrecen los RPAS armados con propósitos militares, de seguridad y defensa, un antecedente que sin duda afecta al debate acerca de los SAAL. Así las cosas, esta tendencia en el desarrollo armamentista del siglo XXI puede llegar a representar la reducción, nunca antes vista, de las barreras para matar individuos, desarrollando en algunos operadores humanos una mentalidad asesina al estilo PlayStation, y en otros produciéndoles mayores niveles de trauma en zona de conflicto que los propios pilotos regulares[67].

Si esta tendencia fuere irreversible, la cuestión más compleja sería qué sucederá cuando ya no se hable de sistemas armamentísticos en los que la automatización solo asiste a la conducta individual de los seres humanos en un conflicto, sino que además podríamos toparnos con armas verdaderamente autónomas que, sin control humano de por medio, seleccionen objetivos y tomen la decisión de disparar contra ellos sin más.

---

66 Bajo esta perspectiva, los drones armados son tecnologías que permiten a los Estados cumplir con las reglas tradicionales de la guerra y se exige que sus fuerzas deban siempre elegir los medios menos destructivos para alcanzar a un objetivo concreto —tal y como lo hacen hoy aquellos que están a favor de los misiles y las municiones guiadas de precisión, por ejemplo—. Se trata de un enfoque que ha calado bastante en la comunidad internacional. Según la base de datos de *World of Drones*, aproximadamente más de tres docenas de países alrededor del mundo tienen hoy drones armados. Aunque se trata de datos genéricos, ofrecen una fotografía del panorama actual. Al respecto, *véase* Rabkin, J. y Yoo, J., *Striking power. How cyber, robots, and space weapons change the rules of war*, Nueva York, Encounter Books, 2017, *véase página 147*; y New America, «Who Has What: Countries with Armed Drones», *World of Drones,* 2021 [en línea], disponible en: *https://www.newamerica.org/international-security/reports/world-drones/who-has-what-countries-with-armed-drones/*, fecha de revisión: 21/01/2021.

67 Saura, J., «On the implications of the use of drones in international law», *op. cit.*, *véase página 126*; Cole, C., Dobbing, M. y Hailwood, A., «Convenient Killing. Armed Drones and the "Playstation" Mentality», *op. cit.*, *véase página 4*; y Alston, P., *Informe del entonces relator especial sobre ejecuciones extrajudiciales, sumarias o arbitrarias Philip Alston*, *op. cit.*, *véase párrafo 84*.

1.1.3. La vinculación entre los RPAS y los SAAL

Una vez explicado qué son los drones y cómo ha evolucionado su uso en los campos de batalla, es hora de explicar cuál es la relación existente entre estos dispositivos y los SAAL.

Lo primero que se debe destacar es que los desarrollos en el campo de las ciencias de la computación no solo han facilitado el incremento del uso de los drones. Estos avances han permitido también la creación de muchas más herramientas altamente tecnológicas, con propósitos militares y/o civiles, que hoy forman parte de la vida diaria de muchas personas. Algunos ejemplos de ello son los coches «autónomos», los drones para actividades deportivas o recreativas, la IA utilizada para el manejo del *big data* y, de cierta manera, los SAAL.

Aunque algunas de estas innovaciones se encuentran bastante integradas en el lenguaje social actual, en realidad su funcionamiento y manera de operar siguen siendo un interrogante para muchos. Hay quienes incluso pueden llegar a confundir términos como RPAS o drones —por ejemplo—, intercambiándolos erróneamente con expresiones como «sistemas autónomos», «sistemas remotamente controlados», «sistemas tecnológicos», «sistemas armamentistas», «vehículos aéreos no tripulados», «robots autónomos no tripulados» o simplemente «robots». Sin embargo, ninguno de ellos debe considerarse exactamente igual a otro[68].

Estas complejidades y confusiones técnicas y terminológicas hacen que los avances tecnológicos vinculados a los sistemas de armas militares autónomos, automáticos o automatizados se constituyan en un *totum revolutum* difícil de comprender, un asunto inextricable, controversial, polémico, lleno de incertidumbres y de riesgos, muchas veces problemático a la hora de ser estudiado o debatido, sobre todo, a nivel internacional. Concretamente los RPAS y los SAAL son el ejemplo tipo de todo esto.

Como se verá en secciones posteriores, el debate internacional en el Sistema de Naciones Unidas acerca de las armas autónomas se

---

68 Williams, A. P. y Scharre, P. D. (eds.), *Autonomous systems. Issues for defence policymakers*, La Haya, NATO Communications and Innovations Agency, 2015, disponible en: *https://www.act.nato.int/images/stories/media/capdev/capdev_02.pdf*, fecha de revisión: 07/04/2019, *véanse páginas 27, 28 y 84*.

originó formalmente como un asunto tecnológico más derivado de los debates que, desde hace años, se están dando en ese organismo multilateral acerca del uso de los drones y su impacto a la efectividad del DIH y el DIDH. Esto se hizo evidente cuando, a inicios de esta década, muchas instituciones venían condenando el despliegue de RPAS armados para llevar a cabo ejecuciones extrajudiciales, sumarias o arbitrarias; unas tecnologías aéreas altamente dosificadas que se proyectaban en pocos años a ser cada vez más autónomas en sus funciones críticas (selección y ataque de objetivos, específicamente)[69].

Debido a lo anterior resulta común que hoy en día, aunque cada vez más con menos frecuencia, se confunda la palabra dron como si fuera un sinónimo de la expresión «arma autónoma». En realidad, no es así. Los RPAS representan el antecedente más polémico e inmediato a la investigación, el desarrollo y la innovación de esos sistemas autónomos[70]. Ello significa que un arma autónoma está dotada de tecnología de alto nivel que, desde hace muchos años, ya viene usándose en el desarrollo y la innovación de los vehículos no tripulados.

Concretamente, en las dos últimas décadas, el uso de drones dotados de armamento ha sido clave para el desarrollo de lo que hoy se conoce como SAAL, un asunto significativo en las agendas globales sobre seguridad, defensa y derechos humanos, tal y como se verá en los capítulos posteriores. Todo ello se debe a que hoy los RPAS se encuentran en la lista de los artefactos más operativos y estratégicos del arsenal armamentista de muchos Estados, y no solo están para

---

69 En opinión de expertos, los drones, así como los SAAL, son tecnologías que tienen implicaciones importantes y sensibles, sobre todo para la salvaguarda y el respeto a la dignidad humana. Al respecto, Alston, P., *Informe provisional del entonces relator especial sobre ejecuciones extrajudiciales, sumarias o arbitrarias del Consejo de Derechos Humanos de las Naciones Unidas, Philip Alston*, núm. A/65/321, 23/08/2010 [en línea], disponible en: *https://undocs.org/es/A/65/321*, fecha de revisión: 08/04/2019, *véase párrafo 17*.

70 Aunque hoy en día muchas aplicaciones tecnológicas en el área de los SAAL derivan también del desarrollo de vehículos marinos y terrestres no tripulados, es innegable que los RPAS se han convertido en el principal referente de las preocupaciones que parte de la comunidad internacional plantea, de manera prospectiva, acerca de las armas autónomas.

quedarse, sino que además pueden ser parte —en un futuro no muy lejano— de nuevas tecnologías como los SAAL[71].

Hay quienes piensan que las aeronaves no tripuladas representan un ejemplo más de la gran despersonalización del uso de la fuerza armada[72], el paso previo a la futura sustitución o reemplazo del hombre por las máquinas en el uso de la fuerza armada en conflictos armados; cambio paradigmático que se producirá fundamentalmente cuando se desarrollen y utilicen en las nuevas conflictividades del siglo XXI sistemas de armas con altos gados de autonomía en sus funciones críticas (a saber, selección y ataque de objetivos estratégicos).

Sin embargo, por ahora, es importante tener presente que los drones en concreto, por mucho que puedan ser cuestionables, no son necesariamente un arma ilegal *per se*. Los RPAS, al ser únicos en su especie, requieren una cuidadosa regulación acerca de su uso, sobre todo cuando permiten a un Estado desplegar (es decir, mover sus fuerzas dentro o fuera de un área operacional) la fuerza letal de largo alcance, y con ello cruzar fácilmente sus fronteras para seleccionar, espiar, neutralizar o atacar objetivos que se hallen geográficamente en otro país. En lo que va de siglo, el número y tipo de sistemas aéreos robotizados ha aumentado a un ritmo sorprendente; un desarrollo y uso exponencial que no solo se destina al campo militar sino, además, a áreas que están bajo la supervisión y/o control exclusivo de las fuerzas de seguridad y orden público correspondientes.

---

71 Cortright, D., Fairhurst, R. y Wall, K. (eds.), *Drones and the future of armed conflict. Ethical, Legal and Strategic Implications*, Chicago, University of Chicago Press, 2017, *véase página vii.*

72 Por ejemplo, Singer, P., *Wired for war. The robotics revolution and conflict in the 21st Century*, *op. cit.*, *véase página 179 y ss., aunque con especial énfasis en la página 319*; Human Rights Watch and Harvard Law School's International Human Rights Clinic, *Losing Humanity: The Case against Killer Robots*, EE.UU., Human Rights Watch, 2012 [en línea], disponible en: *https://www.hrw.org/sites/default/files/reports/arms1112_ForUpload.pdf*, fecha de revisión: 02/05/2019, *véase página 40*; y Heyns, C., *Informe del Relator Especial sobre las ejecuciones extrajudiciales, sumarias o arbitrarias, Christof Heyns* (informe), Consejo de Derechos Humanos de las Naciones Unidas, núm. A/HRC/23/47, 09/03/2013 [en línea], disponible en: *https://undocs.org/es/A/HRC/23/47*, fecha de revisión: 04/04/2019, *véase párrafo 57.*

La velocidad, el alcance, las capacidades y la automatización de los RPAS están aumentando considerablemente. Las tecnologías sin manipulador que ya están en uso, o aquellas que se encuentran en las últimas etapas de su desarrollo, pueden controlarse a distancia para realizar tareas de diversa índole, tanto en aire, mar o tierra. Además, como se señaló en epígrafes anteriores, estos dispositivos pueden dotarse de armas potentes que luego serían utilizables contra objetivos predefinidos en el marco de operaciones militares, de seguridad y de defensa.

Esta tendencia hacia una revolución tecnocientífica que apuntala el desarrollo de sistemas aéreos, marinos o terrestres armados, con altos grados de autodeterminación y autosuficiencia en la ejecución de sus funciones críticas, promete un futuro lleno de riesgos e incertidumbres en el que será posible disponer de tecnología especializada para fabricar SAAL, robots que podrían ser capaces de detectar a personas y matarlas con una mínima participación humana, o sin necesidad de un control o una autorización procedentes directamente de seres humanos.

Este escenario abre la puerta hacia umbrales muy peligrosos, zonas difusas y terrenos insospechados en los que prácticas muy cuestionadas hoy (como los asesinatos selectivos ejecutados a través de RPAS) podrían llegar a ser más comunes y despiadadas en el futuro con el desarrollo y uso de armas autónomas. Es cierto que ningún Gobierno ha declarado que planee construir armas totalmente autónomas (en adelante, FAW, por las siglas en inglés de Fully Autonomous Weapons[73]). Sin embargo, también lo es que muy pocos países han renunciado formalmente a hacerlo.

---

[73] HRW siempre hace uso de la expresión «armas totalmente/completamente autónomas» en lugar de SAAL, porque dicho término lo utiliza para referirse tanto a las *human-out-of-the-loop weapons* (sistemas que son capaces de seleccionar objetivos y dirigir su fuerza sin ninguna intervención o interacción humana) como a las *human-on-of-the-loop weapons* (sistemas que pueden seleccionar objetivos y dirigir su fuerza bajo la supervisión de un operador humano que tiene el poder de intervenir y paralizar los ataques). Estas últimas, aunque técnicamente sí tienen un humano en el bucle, HRW las considera igualmente *human-out-of-the-loop weapons* ya que en ellas la supervisión humana es muy limitada. Para más información, Human Rights Watch, «Killer robots», *Human Rights Watch*, 2010 [en línea], disponible en: *https://www.hrw.org/topic/arms/killer-robots*,

Desde 2015, por ejemplo, más de 90 países y grupos no estatales ya tienen en su arsenal armamentista diferentes modelos de vehículos aéreos no tripulados altamente tecnificados[74]. Hoy, parte de estos drones se controlan de forma remota, y con el tiempo sus próximas versiones probablemente incorporarán mayor grado de autonomía en sus funciones críticas (selección y ataque de objetivos sin control humano significativo, por ejemplo).

Ante ese escenario, expertos reivindican el valor positivo de que en una misión existan suficientes comunicaciones para mantener a un humano en el circuito[75]. La experiencia del uso de los drones lleva a entender que los seres humanos sí que pueden actuar como dispositivos a prueba de fallos y son lo suficientemente flexibles como para responder a una amplia gama de situaciones, algo que no necesariamente sería posible alcanzar en el futuro a través del despliegue de máquinas autónomas.

---

fecha de revisión: 02/05/2019; y Human Rights Watch, «Review of the 2012 US Policy on Autonomy in Weapons Systems. US Policy on Autonomy in Weapons Systems is First in the World», *Human Rights Watch*, 15/04/2013 [en línea], disponible en: *https://www.hrw.org/news/2013/04/15/review-2012-us-policy-autonomy-weapons-systems*, fecha de revisión: 02/05/2019.

74 Zwijnenburg, W. y Postma, F., *Unmanned ambitions. Security implications of growing proliferation in emerging military drone markets*, Utrecht (Países Bajos), Pax for Peace, 2018, disponible en: *https://www.paxforpeace.nl/media/files/pax-report-unmanned-ambitions.pdf*, fecha de revisión: 30/07/2019, *véase página 6*; Sayler, K., *A world of proliferated drones: A technology primer*, Washington, Center for a New American Security, 2015 [en línea], disponible en: *https://www.files.ethz.ch/isn/191911/CNAS%20World%20of%20Drones_052115.pdf*, fecha de revisión 30/07/2019, *véase página 8*; y Frew, J., *Drone Wars. The Next Generation. An overview of new armed drone operators*, Oxford (Reino Unido), Drone Wars UK, 2018 [en línea], disponible en: *https://dronewarsuk.files.wordpress.com/2018/05/dw-nextgeneration-web.pdf*.

75 En el futuro, si estas comunicaciones llegaran a cerrarse durante una operación en la que se usen SAAL, las propias armas aéreas, terrestres y marinas no tripuladas y altamente autónomas podrían defenderse por sí mismas de cualquier ataque en su contra y sin participación humana. Scharre, P., *Autonomous weapons and operational risk. Ethical autonomy project*, Washington, Center for a New American Security, 2016 [en línea], disponible en: *https://s3.amazonaws.com/files.cnas.org/documents/CNAS_Autonomous-weapons-operational-risk.pdf?mtime=20160906080515*, fecha de revisión: 08/04/2019.

A medida que la robótica militar avanza, los Gobiernos del mundo deberían ponderar cuidadosamente los beneficios y los riesgos de emplear armas cada vez más autónomas. Un ejemplo de ello lo vemos desde hoy en el desarrollo y la innovación de los RPAS, sobre todo cuando son usados en misiones de asesinatos selectivos como parte de la campaña de «guerra contra el terror». Es cierto que parte de esta alta tecnología puede, hasta cierto punto, ser beneficiosa para la humanidad, en tanto que permite salvar la vida de civiles o limitar las bajas entre miembros del personal militar y/o policial de un país. Además, técnicamente no tienen por qué ser ilegales habida cuenta de que hoy los drones no actúan por sí solos, siempre hay un humano en el circuito de selección y ataque llevado a cabo por el arma adherida al RPAS.

Los mayores peligros con respecto al uso de los drones probablemente surjan cuando ya no se hable únicamente de vehículos aéreos no tripulados altamente automatizados utilizados para la ejecución de operaciones militares, sino también de drones con altos grados de autonomía en sus funciones críticas (selección y ataque de objetivos, por ejemplo), los cuales una vez activados podrán ejecutar sus tareas con poco o ningún control humano significativo de por medio sobre estos. Ante ese escenario, el rápido crecimiento de esos tipos de drones suscitará más que nunca graves preocupaciones en la comunidad internacional, especialmente si se trata de tecnologías con capacidad mortífera que, con el tiempo, serán cada vez más autónomas.

Por ello, desde hace años, este avance tecnológico armamentista ha estado sometido a exámenes críticos por especialistas en derechos humanos y DIH. Incluso, en tiempos más recientes, se han incorporado al debate filósofos, expertos en ética, robótica e IA, así como también abogados, militares, políticos y diplomáticos. Como se verá en las próximas secciones, todo esto ha hecho que la discusión internacional sobre las nuevas tecnologías emergentes militares, de seguridad y de defensa —en especial aquellas que se encuentran en el área de los SAAL—, se centre actualmente en cuestiones legales, técnicas, morales y éticas, bajo una perspectiva interdisciplinar y prospectiva.

Hay quienes pueden llegar a preguntarse si los sistemas de armas autónomas simbolizan la siguiente evolución de la «guerra a control remoto»[76]; si significan la siguiente revolución en los asuntos militares (en adelante, RMA, por las siglas en inglés de Revolution Military Affairs)[77] —tras la pólvora y las armas nucleares—[78]; o si, incluso, representan un cambio sustancial en el arte de la guerra, en donde máquinas, y no humanos, pasarían a determinar cuándo, cómo y dónde se debe tomar la vida de alguien en el marco de un conflicto[79].

Sea cual fuere la posición —a favor o en contra— que se tome acerca de los RPAS y su uso en conflictos armados, lo cierto es que son sistemas que están sometidos al escrutinio internacional. Como se verá en el próximo apartado, de ese debate tan complejo acerca de las ventajas y los riesgos actuales que representan los drones para el DIH y el DIDH derivan las discusiones que hoy existen en el Sistema de Naciones Unidas acerca de las tecnologías emergentes en el área de los SAAL. Gran parte de todo este debate responde además a la tradicional dicotomía entre la necesidad del desarrollo y el avance tecnológico, por un lado, y el miedo natural a los cambios que estos representan, por el otro.

---

76 Un tipo de guerra principalmente iniciada a través de los RPAS. Anderson, K. y Waxman, M., *Law and Ethics for Robots Soldiers* (documento de investigación), Policy Review, 2012; Columbia Public Law Research Paper núm. 12-313; American University, WCL Research Paper núm. 2012-32 [en línea], disponible en: *https://papers.ssrn.com/sol3/papers.cfm?abstract_id=2046375*, fecha de revisión: 08/04/2019, *véase página 5*.

77 En la esfera militar, las RMA representan un cambio de paradigma, muchas veces influenciado por la entrada de las tecnologías de la información, así como también por el impacto real de la robótica. En suma, la RMA es la introducción de una nueva tecnología u organización, que a su vez crea un nuevo modelo de enfrentamiento armado y de guerras victoriosas. Singer, P., *Wired for war. The robotics revolution and conflict in the 21st Century, op. cit., véase página 179 y ss., aunque con especial énfasis en la página 181*; y Jordán, J., «Innovación y revolución en los asuntos militares: una perspectiva no convencional», *GESI*, 09/06/2014 [en línea], disponible en: *http://www.seguridadinternacional.es/?q=es/content/innovaci%C3%B3n-y-revoluci%C3%B3n-en-los-asuntos-militares-una-perspectiva-no-convencional*, fecha de revisión: 19/04/2019.

78 Singer, P., *Wired for war. The robotics revolution and conflict in the 21st Century, op. cit., véase página 179 y ss., aunque con especial énfasis en la página 203*.

79 Meier, M., «The strategic implications of lethal autonomous weapons», en Ohlin, J. D. (ed.), *Research handbook on remote warfare*, Nothampton (EE.UU.), Edward Elgar, 2017, cap. 14, *véanse páginas 443 y 444*; y Jordán, J. y Baqués, J., *Guerra de drones. Política, tecnología y cambio social en los nuevos conflictos, op. cit., véase página 137*.

Así las cosas, es importante tener presente lo siguiente: en los últimos años, con el progreso de la robótica, la IA y otras tecnologías, la investigación, el desarrollo y el uso de plataformas militares —o policiales— no tripuladas ha avanzado rápidamente, y el armamentismo de cualquier tecnología relacionada ha causado preocupación humanitaria. Como producto de ese desarrollo tecnológico se han sentado las bases científicas para la creación de armas cada vez más autónomas. Esto conlleva a que parte del discurso actual sobre el peligro, la incertidumbre o la esperanza que algunos pueden tener acerca de los RPAS armados y su potencial uso en operaciones militares y policiales, sea trasplantable al debate interdisciplinar y prospectivo acerca de los SAAL[80].

Por ende, las reflexiones vinculadas a la automatización y el alto nivel tecnológico de una máquina, sistema o *software* —llámese vehículo aéreo, marino o terrestre, o incluso un algoritmo de guerra—, representan el paso previo, un antecedente inmediato, a la investigación y el desarrollo de las tecnologías emergentes en el área de los SAAL. De ahí que, para algunos expertos, la vinculación de los RPAS con las armas autónomas haya hecho que el debate de los drones armados quede en segundo plano, y sean ahora los robots autónomos letales el tema que lidere las discusiones multilaterales dentro del Sistema de Naciones Unidas sobre los avances científicos y tecnológicos y su potencial afectación a la seguridad internacional y el desarme, en tanto que los SAAL son vistos como la próxima generación armamentista que podría socavar seriamente la capacidad del ordenamiento jurídico internacional[81].

---

80 *Position Paper* (documento de trabajo de China), núm. CCW/GGE.1/2018/WP.7, 11/04/2018, Palacio de las Naciones (reunión de expertos sobre los SAAL en la CCW, celebrada en Ginebra de 9-13 de abril de 2018) [en línea], disponible en: *https://www.unog.ch/80256EDD006B8954/(httpAssets)/E42AE83BDB-3525D0C125826C0040B262/$file/CCW_GGE.1_2018_WP.7.pdf*, fecha de revisión: 04/04/2019.

81 Heyns, C., *Informe del Relator Especial sobre las ejecuciones extrajudiciales, sumarias o arbitrarias, Christof Heyns*, *op. cit.*, *véase página 23*. Muestra de esta tendencia en el debate internacional sobre el impacto de las tecnologías emergentes en el área de los SAAL la podemos ver en un informe publicado en marzo de 2021 por el grupo de expertos sobre Libia establecido en 2011 por el Consejo de Seguridad de la ONU, en donde se reporta un ataque aéreo en Libia, ejecutado en la primavera de 2020 por un dron STM Kargu-2 (de fabricación turca),

Teniendo en cuenta este contexto, a continuación, se abordarán las principales aproximaciones conceptuales que, hoy en día, se manejan en la comunidad internacional acerca de los SAAL. Esa sección dará una radiografía de cuán complejo es poder elaborar una única definición de trabajo acerca de estos sistemas, sobre todo, por los diferentes enfoques que la mayoría de los Estados, organizaciones internacionales, instituciones académicas y no gubernamentales interesadas en este tema tienen a la hora de abordar las implicaciones legales, políticas y estratégicas que traen consigo las tecnologías emergentes en el área de las armas autónomas.

1.2. Aproximaciones conceptuales de la comunidad internacional acerca de los SAAL

Hoy en día no existe un concepto unívoco sobre los SAAL. Una de las razones de ello es porque muchos expertos, políticos, diplomáticos, académicos no poseen una comprensión general del término «autonomía», especialmente cuando entran en juego aspectos relacionados con la IA y la robótica[82]. Sin embargo, para intentar hacer

---

desplegado por el Gobierno de Acuerdo Nacional de Libia contra las fuerzas del Ejército Nacional Libio. Dicho informe identificó a ese dron como un sistema de arma sin humanos conocidos en el circuito, en tanto que fue programado para atacar objetivos sin requerir la conectividad de datos entre el operador y la munición, produciéndose así "una verdadera capacidad de disparar, olvidar y encontrar" objetivos militares. Según la ficha descriptiva del STM Kargu-2, se trataría de un vehículo aéreo no tripulado con la capacidad de llevar a cabo un "golpe" autónomamente y de forma precisa con un daño colateral mínimo. Al respecto, veáse: Majumdar, L., Aoun, A., Badawy, D., de Alburquerque, L., Marjane, Y. y Wilkinson, A. *Final report of the Panel of Experts on Libya established pursuant to Security Council resolution 1973 (2011)*, Consejo de Seguridad de las Naciones Unidas, núm. S/2021/229, 08/03/2021 [en línea], disponible en: *https://documents-dds-ny.un.org/doc/UNDOC/GEN/N21/037/72/PDF/N2103772.pdf?OpenElement*, fecha de revisión: 01/07/2021, *véase la página 17 y anexo 30*; y, STM, *KARGU* (ficha técnica), sin fecha [en línea], disponible en: *https://www.stm.com.tr/en/kargu-autonomous-tactical-multi-rotor-attack-uav*, fecha de revisión: 01/07/2021.

82 Es importante tener en cuenta que, durante la presente investigación, el abordaje sobre el tema de los SAAL se referirá principalmente a los sistemas armamentísticos, toda vez que son el objeto central de estudio. Sin embargo, dada la naturaleza altamente tecnológica de estos sistemas, muchos de los argumentos plantea-

una aproximación sobre el concepto, se puede partir de su origen etimológico.

La expresión «sistemas de armas autónomas» es de origen militar anglosajón. Su principal criterio definitorio viene dado por el adjetivo *autonomous*, que según el diccionario de Cambridge comprende todo aquello «que se gobierna a sí mismo o es independiente para tomar sus propias decisiones» (*self-governing* o *independent*)[83]. Por su parte, en la categoría de ciencia, tecnología, matemática y computación, es definido como un sistema abstracto o red física independiente de, o no está sujeta a, influencias o controles externos[84].

Científicos especialistas en el conocimiento humano y de las máquinas advierten que la «autonomía» es un término que no debe ser entendido de manera unidimensional[85]. Por el contrario, el concepto deriva de dos palabras griegas («auto» —*self*— y «nomo» —*governance*—) y posee dos sentidos propios: por un lado, *self-sufficiency* (autosuficiencia), referido a la capacidad de cuidarse a sí mismo, o lo

---

dos en esta investigación abarcarán de manera referencial-sustancial asuntos que son propios de los debates acerca de los beneficios, los riesgos y las implicaciones que traen consigo las innovaciones tecnológicas potencialmente precursoras de las armas autónomas (llámese también «tecnologías emergentes en el área de los SAAL»). Esto significa que, a lo largo de esta investigación, será necesario referir y analizar bajo este contexto el contenido de las iniciativas, las propuestas o las posiciones de Estados, ONG y la sociedad civil en general acerca del uso militar de la IA y la robótica, porque al final son ciencias de la computación que —entre otras— resultan necesarias para el desarrollo de las armas autónomas *per se*. Al respecto, Surber, R., *Artificial intelligence: Autonomous technology (AT), lethal autonomous weapons systems (LAWS) and peace time threats*, Zúrich, ICT4 Peace Foundation y Zurich Hub for Ethics and Technology, 2018 [en línea], disponible en: *https://ict4peace.org/wp-content/uploads/2018/02/2018_RSurber_AI-AT-LAWS-Peace-Time-Threats_final.pdf*, fecha de revisión: 02/04/2019.

83 Cambridge Dictionary [en línea], disponible en: *https://dictionary.cambridge.org/es/diccionario/ingles/autonomous*, fecha de revisión: 04/04/2019.

84 Meza, M., «Los sistemas de armas completamente autónomos: un desafío para la comunidad internacional en el seno de las Naciones Unidas», *op. cit.*

85 Bradshaw, J., Hoffman, R., Johnson, M. y Woods, D., «The seven deadly myths of "autonomous systems"», *IEEE Intelligent Systems*, vol. 28, 2013, núm. 3, pp. 54-61, disponible en: *http://www.jeffreymbradshaw.net/publications/IS-28-03-HCC_1.pdf*, fecha de revisión: 31/05/2016.

que es igual, a la condición o estado de quien se basta a sí mismo[86]; y, por otro *self-directedness* (autodirección), entendido como el atributo de estar libre de todo control externo.

Este enfoque bidimensional evoca la idea según la cual la independencia de un control externo no implica en sí misma la autosuficiencia de una máquina. Tampoco la programación de sus funciones autónomas garantiza que un sistema autónomo pueda operar de manera autodirigida. Por ello, un balance apropiado entre *autosuficiencia* y *autodirección* es crucial a la hora de diseñar una máquina autónoma, máxime cuando sus funciones y capacidades van conectadas a su vez con la responsabilidad derivada de sus resultados, una responsabilidad que, en principio, es atribuible a los humanos[87]. Nótese que solo las personas humanas que hayan delegado su propia autoridad en un «autómata» serían quienes podrían responder por los errores cometidos por este.

Por ende, expertos en asuntos de ética en las ciencias y las nuevas tecnologías[88] entienden que un sistema será «autónomo» cuando pueda aprender a realizar tareas sin dirección o sin supervisión humana. Estos dispositivos pueden manifestarse como sistemas robóticos de alta tecnología o como *softwares* inteligentes (por ejemplo, los *bots*[89]). *Muchos de ellos se lanzan al mundo sin supervisión y pueden lograr cosas que sus diseñadores o propietarios no podían predecir desde un inicio.*

---

86 Concepto de «autosuficiencia» según la Real Academia Española, *http://dle.rae.es/?id=4VBSiPq*, fecha de revisión: 31/05/2016.

87 Capítulo 7 de esta monografía.

88 Grupo Europeo de Ética en la Ciencia y las Nuevas Tecnologías, *Statement on artificial intelligence, robotics and «autonomous» systems*, Bruselas, Comisión Europea, marzo de 2018 [en línea], disponible en: *https://ec.europa.eu/research/ege/pdf/ege_ai_statement_2018.pdf*, fecha de revisión: 25/04/2019.

89 Programa informático que efectúa automáticamente tareas repetitivas a través de Internet, cuya realización por parte de una persona sería imposible o muy tediosa. Es un *software* que sirve para comunicarse con el usuario, imitando un comportamiento humano (aunque a veces sea el de un humano de pocas palabras). Haj-Saleh, A., «Qué son exactamente los "bots" y cómo funcionan», *Revista electrónica GQ*, 05/03/2017 [en línea], disponible en: *https://www.revistagq.com/noticias/tecnologia/articulos/que-son-exactamente-los-bots-y-como-funcionan/25633*, fecha de revisión: 03/04/2019.

Una primera distinción que es importante realizar es que autonomía —como criterio diferenciador de los SAAL— no es lo mismo que *automatización*. Un sistema automático tiene salidas preprogramadas y predecibles, que se corresponden con un conjunto de entradas conocidas posibles. En cambio, respecto de la consecución de sus objetivos, un sistema autónomo utiliza un algoritmo para responder a entradas imprevistas, de maneras que no pueden predecirse específicamente o que, en algunos casos, ni siquiera pueden comprenderse. Si bien los sistemas automáticos pueden consistir solo en *hardware*, para crear un sistema autónomo se requiere alguna forma de *software* (aunque no siempre basta con eso), incluido aquel que incorpore elementos de IA[90].

En esa dirección, aunque con ciertos matices, se puede hallar en el área militar alguna aproximación conceptual acerca de los SAAL[91]. Hay quienes los definen como aquellos sistemas que pueden llevar a cabo una misión con intervención humana limitada o sin ella, y que son capaces de lograr su autopropulsión, procesar la información obtenida de su entorno o incluso responder de manera independiente. Son armas que pueden pasar de semiautónomas a completamente autónomas dependiendo del grado de implicación de la actividad humana en el circuito de operación de la máquina. Su carácter de letalidad varía en función de la misión, por lo que algunas pueden ser autónomas y operar de manera no letal (como sucede, por ejemplo, en las plataformas de vigilancia o de reconocimiento)[92].

---

90 Secretaría General de la Onu, *Informe del Secretario General de la ONU, António Guterres*, *op. cit.*, *véanse páginas 4 y 6*.

91 Guetlein, M., «Lethal autonomous weapons - ethical and doctrinal implications», *Departamento Conjunto de Operaciones Militares de la Escuela Naval de EE UU*, febrero de 2005 [en línea], disponible en: *https://apps.dtic.mil/dtic/tr/fulltext/u2/a464896.pdf*, fecha de revisión: 31/05/2019, *véase página* 2; y O'Connell, M. E., «Banning autonomous killing. The legal and ethical requirement. That humans make near-time lethal decisions», en Evangelista, M. y Shue, H. (eds.), *Way of bombing. Changing ethical and legal norms, from flying fortresses to drones*, Ithaca (EE.UU.), Cornell University Press, 2014, pp. 224-236, *véanse páginas 226-229*.

92 El atributo de letalidad en los SAAL es un asunto que será abordado con más detalle en capítulos posteriores. Sin embargo, por ahora merece la pena destacar que, según el exrelator especial sobre las ejecuciones extrajudiciales, sumarias o arbitrarias de Naciones Unidas, Christof Heyns, los «sistemas de armas

Una definición similar a la anteriormente planteada la viene utilizando desde 2012 EE.UU. Según el Departamento de Defensa estadounidense, dicha tecnología debe ser entendida como un sistema de armas que, una vez activado, puede seleccionar y atacar objetivos sin necesidad de intervención por parte de un operador humano. Esto incluye aquellos sistemas de armas autónomas que son supervisados por humanos y que están diseñados para permitir que los operadores puedan anular su acción, aún y cuando tengan la habilidad de seleccionar y atacar objetivos sin intervención humana tras su activación[93].

Reino Unido, por su parte, los define como un grupo especial de tecnologías emergentes cuyo nivel de operatividad es «completamente autónomo»[94]. Tales sistemas tendrían la capacidad de entender, interpretar y aplicar al más alto nivel el efecto global del uso de la fuerza armada. Para ello, el sistema debería basarse en la comprensión precisa de aquello que un comandante tenga la intención de hacer y,

---

autónomas» deben ser entendidos como un término genérico. Por ende, solo se les podría adherir el adjetivo «letal» cuando su uso se limite a los conflictos armados. Sin embargo, advierte que con el tiempo será cada vez más común observar este tipo de tecnología, con capacidad incluso letal, siendo utilizada por las fuerzas y cuerpos de seguridad de los Estados, aunque —probablemente— con la intención de evitar la muerte de humanos. Heyns, C., *Autonomous weapon systems: Human rights and ethical issues* (conferencia), Palacio de las Naciones (Ginebra: «Meeting of High Contracting Parties to the Convention on Certain Conventional Weapons», 14 de abril de 2016) [en línea], disponible en: *http://www.reachingcriticalwill.org/images/documents/Disarmament-fora/ccw/2016/meeting-experts-laws/statements/heyns.pdf*, fecha de revisión: 31/05/2016.

93 Departamento de Defensa de los Estados Unidos de Norteamérica, *Autonomy in Weapons Systems* (directiva), núm. 30009.09, 21/11/2012, actualizada el 08/05/2017 [en línea], disponible en: *https://www.esd.whs.mil/Portals/54/Documents/DD/issuances/dodd/300009p.pdf*, fecha de revisión: 31/07/2019; y Congressional Research Service (Congreso de los Estados Unidos), *Defense Primer: U.S. Policy on Lethal Autonomous Weapon Systems*, Congreso de los Estados Unidos de Norteamérica, marzo de 2019 [en línea], disponible en: *https://fas.org/sgp/crs/natsec/IF11150.pdf*, fecha de revisión: 31/07/2019.

94 *Statement to the Informal Meeting of Experts on Lethal Autonomous Weapons Systems* (documento del Reino Unido), sin número ni fecha (presentado a la reunión del GEG sobre los SAAL en la CCW celebrada en Ginebra de 11-15 de abril de 2016), [en línea] disponible en:

http://www.unog.ch/80256EDD006B8954/(httpAssets)/44E4700A0A8CED0EC1257F940053FE3B/$file/2016_LAWS+MX_Towardaworkingdefinition_Statements_United+Kindgom.pdf, fecha de revisión: 31/05/2016.

más aún, de las razones que soportan dicho propósito. Desde ese conocimiento, y partiendo de una percepción sofisticada de su entorno y del contexto en el que estuviera operando la máquina autónoma, el sistema podría ser capaz de tomar —o revertir—, sin supervisión humana, todas las acciones destinadas para lograr un fin dado en una misión militar.

Suiza sugiere, sin embargo, una «definición de trabajo» menos extensa, aunque con una estructura muy bien justificada: estos sistemas de armas serían capaces de llevar a cabo tareas bajo el gobierno del DIH, en reemplazo parcial o total de un humano en el uso de la fuerza armada, y muy particularmente durante el ciclo de determinación de un objetivo[95]. Así, la Confederación Helvética reconoce que la «autonomía» de un SAAL debe ser entendida como un amplio espectro tecnológico[96] que va desde las limitadas funciones autónomas de los sistemas ya existentes, a aquellas que son propias de los sistemas autónomos del futuro cuyo nivel de sofisticación será mucho mayor.

Autoridades y expertos del Gobierno canadiense apoyan la perspectiva suiza[97]. En su opinión, resulta más útil pensar la autonomía de un SAAL como un «espectro» que está ligado estrechamente a la tecnología y a las capacidades de un sistema, al entorno operativo y

---

95 Wollenmann, R., *A purpose-oriented working definition for autonomous weapons systems* (carta del Gobierno de Suiza presentada ante la reunión informal del grupo de expertos gubernamentales en sistemas letales de armas autónomas en la CCW, celebrada en Ginebra el 12 de abril de 2016) [en línea], disponible en: *http://www.unog.ch/80256EDD006B8954/(httpAssets)/A204A142AD3E3E29C1257F9B004FB74B/$file/2016.04.12+LAWS+Definitions_as+read.pdf*, fecha de revisión: 31/05/2016.

96 Instituto de las Naciones Unidas para la Investigación del Desarme, *Framing discussions on the weaponization of increasingly autonomous technologies,* documento de investigación núm. 1, Ginebra, 2014 [en línea], disponible en: *http://www.unidir.ch/files/publications/pdfs/framing-discussions-on-the-weaponization-of-increasingly-autonomous-technologies-en-606.pdf*, fecha de revisión: 23/05/2019.

97 Gobierno de Canadá, «Canadian Food for Thought Paper: Mapping Autonomy» (documento de trabajo de Canadá) sin número ni fecha, Palacio de las Naciones (reunión de expertos sobre los SAAL en la CCW, celebrada en Ginebra de 11-15 de abril de 2016), 2016 [en línea], disponible en: *http://www.unog.ch/80256EDD006B8954/(httpAssets)/C3EFCE5F7BA8613B-C1257F8500439B9F/$file/2016_LAWS+MX_CountryPaper+Canada+FFTP1.pdf*, fecha de revisión: 31/05/2016.

a la tarea elegida. En ese sentido, entienden que la evaluación subjetiva de las capacidades de una máquina debe hacerse teniendo en cuenta las exigencias de la misión, del medio ambiente y del sistema mecánico: cuanta menos ayuda necesite el SAAL, más autónomo ha de parecer.

Para Francia[98] las armas autónomas, en términos generales, son un tipo de tecnología armamentística que podría ser capaz de moverse libremente, adaptarse a su ambiente y llevar a cabo la selección de objetivos y el lanzamiento de efectores letales bajo la autoridad total de la IA. Dichos sistemas solo podrían llegar a operar (es decir, adaptarse y optimizar su comportamiento) en aquel universo que hubiera sido definido previamente por sus diseñadores/programadores.

Por su parte, España distingue entre diferentes niveles de automatización, categorizándolas además entre ofensivas y defensivas, y enfatizando en la necesidad de separarlas de cualquier proyección que implique el uso de fuerza letal. En ese sentido, el Gobierno español ha venido remarcando lo siguiente: «Partiendo de la premisa [...] de la no existencia en este momento de ningún SAAL operativo en ningún Estado, entendemos que estos sistemas deberían distinguirse de los

---

98 *Cartographie des developpements techniques* (documento de trabajo presentado por Francia), sin número ni fecha, Palacio de las Naciones (reunión de expertos sobre los SAAL en la CCW, celebrada en Ginebra de 11-15 de abril de 2016) [en línea], disponible en: *http://www.unog.ch/80256EDD006B8954/(httpAssets)/FAC3FC270C9E918EC1257F8F003FF520/$file/2016_LAWSMX_CountryPaper_France+MappingofTechnicalDevelopments.pdf*, fecha de revisión: 31/05/2016. Francia, con el pasar del tiempo, ha ido reubicando varios de los elementos relacionados con su posición sobre el mapeo conceptual de los SAAL. En ese sentido Francia, con el objeto de evitar confusiones terminológicas entre los "sistemas de armas letales autónomas" y aquellos sistemas de armas que actualmente se operan de forma remota, automatizan o usan IA como apoyo a la toma de decisiones humanas, entiende a los SAAL como sistemas totalmente autónomos, es decir, aquellos sistemas capaces de definir o alterar el marco de su misión, sin validación humana, y que utilizan fuerza letal sin ningún tipo de control o supervisión humana. Al respecto, véase: Ministerio de Defensa de Francia, *opinion on the integration of autonomy into lethal weapon systems,* Comité de Ética de Defensa, abril de 2021 [en línea], disponible en: *https://www.defense.gouv.fr/content/download/613450/10268422/Defence%20ethics%20committee%20-%20Opinion%20on%20the%20integration%20of%20autonomy%20into%20lethal%20weapon%20systems.pdf*, fecha de revisión: 09/05/2021, *véanse las páginas 14 y 15.*

sistemas defensivos dotados de gran automatismo, evitando una definición de SAAL muy generalista que pusiera en entredicho capacidades actuales en el ejercicio legítimo del derecho de autodefensa»[99].

---

[99] Pese a la cautela del gobierno de España acerca del tema de las tecnologías emergentes en el área de los SAAL, pareciera que su apuesta por el desarrollo armamentista altamente tecnificado sigue siendo una prioridad para ese país. Prueba de ello, el Ministerio de Defensa español ha publicado en diciembre de 2020 una nueva estrategia de I+D+i (la tercera de ese departamento), conocida como Estrategia de Tecnología e Innovación para la Defensa (en lo adelante, ETID), que estará en vigor hasta el año 2025. Esta nueva ETID está coordinada por primera vez con la Estrategia Española Ciencia, Tecnología e Innovación (EECTI 2021-2027), y tiene como primer objetivo contribuir al desarrollo de las capacidades militares necesarias, aportando soluciones avanzadas que proporcionen ventaja y superioridad tecnológica al país; y de segundo, continuar con el desarrollo de «*una base tecnológica e industrial relevante que garantice a España la libertad de acción industrial que permita obtener y mejorar las capacidades*» de sus Fuerzas Armadas. Lo novedoso del ETID respecto a las dos versiones anteriores (2010 y 2015) es que: por un lado, combina el planeamiento de la Defensa con el de la base tecnológica industrial, un enfoque encaminado a que las empresas que conforman la industria en el área orienten de forma efectiva y eficaz su inversión en I+D+i, conociendo los requisitos y necesidades tecnológicas futuras de las Fuerzas Armadas españolas; y, por otro, apuesta por una mayor colaboración en el ámbito de la I+D+i con otros actores nacionales, como la industria, e internacionales, a través de los marcos en los que participa España, para favorecer los avances en tecnologías de uso dual, «*logrando beneficiosos efectos multiplicadores que solo se producen al abordar retos tecnologías de alta complejidad industrial*». Al respecto, véase: Herraiz, J., *Intervención del Embajador de España D. Julio Herraiz, Delegado ante la Conferencia de Desarme* (carta), 11/04/2016 [en línea] disponible en: *https://www.unog.ch/80256EDD006B8954/(httpAssets)/11D5559FF34EE280C1257F9A004436F3/$file/2016_LAWS+MX_GeneralExchange_Statements_Spain.pdf*, fecha de revisión: 02/04/2019; *Comentarios de España sobre la implementación nacional de los principios rectores de los SAAL,* julio de 2020 [en línea], disponible en: *https://documents.unoda.org/wp-content/uploads/2020/07/20200706-Spain.pdf*, fecha de revisión: 21/01/2021; *Comentarios de España sobre "possible consensus recommendations in relation to the clarification, consideration and development of aspects of the normative and operational framework on emerging technologies in the area of lethal autonomous weapons systems"*, junio de 2021 [en línea], disponible en: *https://documents.unoda.org/wp-content/uploads/2021/06/Spain1.pdf*, fecha de revisión: 01/07/2021; Carrasco, B., «El Ministerio de Defensa elabora nueva estrategia de I+D+i hasta 2025 », *infodefensa*, 03/12/2020 [en línea], disponible en: *https://www.infodefensa.com/es/2020/12/03/noticia-ministerio-defensa-elabora-nueva-estrategia.html*, fecha de revisión: 21/01/2021; y, Ministerio de Defensa del Reino de España, *Estrategia de Tecnología e Innovación para*

Bajo este enfoque España entiende que la autonomía puede servir para capacidades muy diferentes en los sistemas de armas, incluida la movilidad, focalización, inteligencia, interoperabilidad y gestión de la salud. Algunas de ellas pueden no plantear riesgos éticos o legales significativos (por ejemplo, la navegación), mientras que otras, como la focalización de objetivos, tal vez sí. Por ello, España sugiere que las discusiones sobre los SAAL se centren más en reflexionar sobre las capacidades autónomas relevantes para los principios del DIH, en lugar de entrar a analizar en su conjunto todas las variables o los componentes subyacentes en los sistemas armamentísticos *per se*.

Italia hace una distinción entre sistemas altamente automatizados y SAAL. El primero se basaría en criterios preprogramados por los operadores humanos, quienes determinarían el tipo de objetivo a atacar, el área geográfica de actuación y la cantidad de tiempo destinada para la misión. Estos sistemas podrían tener altos grados de autonomía en muchas funciones, incluso algunas críticas, pero su comportamiento y acciones pueden seguir siendo atribuidas a un operador humano que, en definitiva, es quien estaría obligado a rendir cuentas. En cambio, los SAAL son sistemas con decisiones autónomas basadas en sus propias reglas y aprendizaje, y que se pueden adaptar a cambios del entorno independiente de cualquier preprogramación hecha por un humano. Un sistema de arma autónomo podría, en definitiva, seleccionar objetivos y decidir cuándo hacer uso de la fuerza armada, lo cual hace que su actuación se encuentre más allá del control humano[100].

Países Bajos, por su parte, hace una distinción entre «arma autónoma» (en la que los humanos juegan un rol crucial en el circuito más amplio de control humano) y un arma completamente autónoma

---

la Defensa ETID-2020, Dirección General de Armamento y Material, Subdirección General de Planificación, Tecnología e Innovación, Madrid, diciembre de 2020, [en línea], disponible en: *https://publicaciones.defensa.gob.es/estrategia-de-tecnologia-e-innovacion-para-la-defensa-etid-2020-libros-pdf.html*, fecha de revisión: 04/02/2021.

100 *Towards a working definition of LAWS* (documento presentado por Italia), sin número ni fecha, Palacio de las Naciones (reunión de expertos sobre los SAAL en la CCW, celebrada en Ginebra de 11-15 de abril de 2016) [en línea], disponible en: *https://www.unog.ch/80256EDD006B8954/(httpAssets)/06A06080E6633257C1257F9B002BA3B9/$file/2016_LAWS_MX_towardsaworkingdefinition_statements_Italy.pdf*, fecha de revisión: 02/04/2019.

(aquella en la que los humanos están más allá del circuito más amplio, por lo que el control humano ya no desempeña ningún papel). En ese sentido, para el Gobierno holandés las armas autónomas son armas que, sin intervención humana, seleccionan y atacan objetivos que coinciden con ciertas características predefinidas, después de que una decisión humana fuera la que determinó *prima facie* el despliegue del arma para llevar a cabo un ataque que, una vez lanzado, no puede ser detenido por ninguna intervención humana[101]. En ese escenario, la persona que opera el arma autónoma no sabe qué objetivo específico será atacado, aunque el tipo de objetivo sí esté preprogramado. Un arma solo es autónoma si las funciones críticas para usar una fuerza potencialmente letal, a saber, «selección de objetivo» y «combate de objetivo», se realizan de forma autónoma, manteniendo a los humanos fuera del circuito de determinación de objetivos.

Los argumentos ofrecidos por el Gobierno de Países Bajos resultan particularmente interesantes. Por un lado, asumen que durante el uso y el despliegue de un «arma autónoma» los humanos ejercen control sobre esta en todo el circuito más amplio del ciclo de focalización o determinación de objetivos (*wider loop*[102]), ya que los humanos desempeñan dentro de ese ciclo un papel prominente relativo a la programación de las características de los objetivos que se van a comprometer y en la decisión de desplegar el arma en sí[103]. Sin embargo, en opinión del Gobierno holandés, las armas cuando son totalmente

---

101 *The Netherlands opening statement* (documento presentado por Países Bajos), sin número ni fecha, Palacio de las Naciones (reunión de expertos sobre los SAAL en la CCW, celebrada en Ginebra de 11-15 de abril de 2016) [en línea], disponible en: *https://www.unog.ch/80256EDD006B8954/(httpAssets)/FC2E59B32F14D791C1257F920057CAE6/$file/2016_LAWS+MX_GeneralExchange_Statements_Netherlands.pdf*, fecha de revisión: 02/04/2019.

102 Advisory Council on International Affairs y del Advisory Committee on Issues of Public International Law of the Netherlands, *Autonomous Weapon Systems. The Need for Meaningful Human Control*, núm. 97 AIV/núm. 26 CAVV, octubre de 2015 [en línea], disponible en: *https://aiv-advice.nl/download/606cb3b1-a800-4f8a-936f-af61ac991dd0.pdf, fecha de revisión: 08/04/2019.*

103 Países Bajos considera que algunos sistemas ya existentes poseen modelos de armas autónomas. Por ejemplo, *Harpy*, un sistema de armas autónomo, diurno/nocturno, útil en todo tipo de climas, «de disparo y olvido», que puede ser lanzado desde un vehículo terrestre detrás de la zona de batalla o desde lanzadores ubicados en barcos o portaaviones.

autónomas pasan a ser un sistema que tiene la capacidad de aprender, de formular sus propias reglas de conducta y adaptarse independientemente a los cambios en su entorno. Son sistemas «autoconscientes», que no existen en la actualidad, pero que por definición estarían más allá del control humano, ya que estas máquinas serían programadas para realizar todo el proceso de selección de manera autónoma, desde la formulación del objetivo militar hasta la determinación del momento y el lugar de su despliegue.

En septiembre de 2018, el Parlamento Europeo también se pronunció sobre los SAAL[104]. En su resolución define estos sistemas como armas que carecen de un control humano significativo sobre las funciones críticas de selección y ataque de objetivos individuales. En ese sentido, afirman que, al parecer, un número desconocido de países, industrias financiadas con fondos públicos e industrias privadas están investigando y desarrollando diferentes tipos de SAAL, que van desde misiles capaces de seleccionar objetivos, hasta máquinas de aprendizaje con habilidades cognitivas para decidir quién, cuándo y dónde debe luchar. Además, el Parlamento Europeo, sin dar una explicación al respecto, entiende que los sistemas automatizados, operados a distancia y teleoperados no deben considerarse como SAAL[105].

Ahora bien, para el Ministerio de Defensa ruso un «sistema de armas autónomo» es una pieza de equipo técnico no tripulado, que no es una munición y que está diseñado para realizar tareas militares y de apoyo bajo el control remoto de un operador, de forma autónoma o utilizando la combinación de estos métodos. También los diferencia de los «sistemas de armas semiautónomas», en tanto que estos últimos se corresponden más con un tipo de equipo militar robótico que

104 Parlamento Europeo, *Resolución, de 12 de septiembre de 2018 sobre «autonomous weapon systems»*, núm. 2018/2752(RSP), 12/09/2018 [en línea], disponible en: *http://www.europarl.europa.eu/sides/getDoc.do?pubRef=-//EP//NONSGML+TA+P8-TA-2018-0341+0+DOC+PDF+V0//EN*, fecha de revisión: 03/04/2019.

105 No obstante, de los debates en los que se aprobó esta resolución del Parlamento se podría inferir que, tal vez, la razón de excluir a los sistemas automatizados, operados a distancia y teleoperados del área de los SAAL se debe a que las armas autónomas comprenden un nivel mucho mayor de autosuficiencia y autodirección que aquellos sistemas en los que el humano sí está involucrado en el circuito (*in/on the loop*) para ejercer control en las funciones del arma en sí.

sí requiere la participación y/o intervención de un operador. El Gobierno ruso precisa además que, en su opinión, un «vehículo submarino no tripulado autónomo» es aquel que realiza las tareas de acuerdo con un programa establecido sin la participación o involucramiento directo del operador; mientras que las «naves espaciales autónomas» son aquellas naves automáticas o tripuladas capaces de funcionar con una eficiencia establecida dentro del período de su existencia activa sin gestión de ayudas terrestres[106].

Por su parte, China considera que los SAAL deben entenderse solo como «sistemas de armas letales totalmente autónomos». En su opinión, una definición de los SAAL debería incluir, entre otras características, las siguientes: a) la letalidad, esto es, que el sistema tiene suficiente carga útil y que sus medios son claramente letales; b) la autonomía, a saber, la ausencia de intervención y control humanos sobre el sistema durante todo el proceso de ejecución de una tarea; c) la imposibilidad de terminación, es decir, que una vez iniciado el sistema, no exista manera de poder paralizarlo; d) que el sistema sea de efecto indiscriminado, ya que el dispositivo debería ejecutar la tarea de matar y mutilar, independientemente de las condiciones, los escenarios y los objetivos; y d) que el sistema tenga la capacidad de evolución, lo que significa que a través de la interacción con el entorno, el dispositivo podría aprender de forma autónoma, expandir sus funciones y capacidades de manera que supere las expectativas humanas[107].

---

106 Para el Gobierno ruso, las definiciones que manejan no son aplicables a las municiones no guiadas, a las controladas por un operador humano (por ejemplo, municiones guiadas por láser o municiones guiadas por cable), a las minas, ni a las municiones no explotadas. *Russia's Approaches to the Elaboration of a Working Definition and Basic Functions of Lethal Autonomous Weapons Systems in the Context of the Purposes and Objectives of the Convention* (documento de trabajo de la Federación Rusa), núm. CCW/GGE.1/2018/WP.6, 04/04/2018, Palacio de las Naciones (reunión de expertos sobre los SAAL en la CCW, celebrada en Ginebra de 9-13 de abril de 2018) [en línea], disponible en: *https://www.unog.ch/80256EDD006B8954/(httpAssets)/FC3CD73A32598111C1258266002F6172/$file/CCW_GGE.1_2018_WP.6_E.pdf*, fecha de revisión: 04/04/2019.

107 *Position Paper* (documento de trabajo de China), *op. cit.*

Human Rights Watch (en adelante, HRW)[108] considera que un sistema de armas completamente autónomo es aquel que tiene la capacidad de seleccionar y atacar objetivos sin intervención humana significativa. Dicha tecnología implica que el humano no está dentro del circuito o bucle de determinación de objetivos, por lo que el soldado humano dejaría de controlar y supervisar el uso de la fuerza armada que despliegue la máquina. Esto representa un escenario peligroso, que va más allá de lo que actualmente ocurre con los drones o vehículos aéreos no tripulados que, aunque ya generan grandes riesgos, sí se encuentran operados y controlados remotamente por un humano. En suma, para HRW, los SAAL —aunque aún no existen— responden a una tecnología cuya total autonomía contraviene las reglas básicas del DIH y del DIDH.

Para el Comité Internacional de la Cruz Roja (en adelante, CICR) estos sistemas son un tipo de arma que puede autónomamente ejecutar funciones críticas de selección (es decir, búsqueda, detección, identificación, localización y selección) y de ataque (uso de la fuerza armada en contra de, neutralizar, dañar o destruir a) de objetivos sin intervención humana[109]. Tendrían la habilidad de aprender y/o adap-

---

108 Human Rights Watch, «Mind the gap: the lack of accountability for killer robots», *Human Rights Watch*, abril de 2015 [en línea], disponible en: *https://www.hrw.org/sites/default/files/reports/arms0415_ForUpload_0.pdf*, fecha de revisión: 02/05/2019.

109 Bajo este enfoque, el CICR entiende que los SAAL, después de su activación o lanzamiento inicial por parte de una persona, se autoinicia o desencadena un ataque en respuesta a la información que recibe del entorno a través de sensores y sobre la base de un «perfil de objetivo» generalizado. Esto significa —en opinión del CICR— que el usuario no elige, ni siquiera conoce, los objetivos específicos y el momento preciso y/o la ubicación de la aplicación —o aplicaciones— de la fuerza resultante(s). al respecto, véase: Comité Internacional de la Cruz Roja, *Views of the International Committee of the Red Cross on autonomous weapon system* (informe), Palacio de las Naciones (reunión de expertos sobre los SAAL en la CCW, celebrada en Ginebra de 11-15 de abril de 2016) [en línea], disponible en: *http://www.unog.ch/80256EDD006B8954/(httpAssets)/B3834B2C62344053C1257F9400491826/$file/2016_LAWS+MX_CountryPaper_ICRC.pdf*, fecha de revisión: 31/05/2016; Davison, N., «A legal perspective: autonomous weapon systems under international humanitarian law», *UNODA Occasional Papers*, 2017, núm. 30 [en línea], disponible en: *https://www.icrc.org/en/download/file/65762/autonomous_weapon_systems_under_international_humanitarian_law.pdf*, fecha de revisión: 10/06/2019; y, Comité Interna-

tar su funcionamiento en respuesta a las circunstancias cambiantes del entorno en el que se despliegan, por lo que su uso podría reflejar un cambio cualitativo de los paradigmas en la conducción de las hostilidades[110].

Según el ICT4Peace Foundation and the Zurich Hub for Ethics and Technology (en adelante, ZHET)[111], un SAAL es aquel que, una vez activado, y con la ayuda de sensores y algoritmos computacionales intensos, puede identificar, buscar, seleccionar y atacar objetivos sin mayor intervención humana. Son sistemas de armas que, por necesidad operativa militar, pueden funcionar una vez que se rompen los enlaces de comunicación con los humanos.

De las propuestas terminológicas indicadas anteriormente se puede colegir una muestra representativa del esfuerzo que viene haciendo la comunidad internacional para intentar conceptualizar los SAAL. En ellas se recogen aspectos compartidos por unos y rechazados por otros. Sin embargo, basados en la categorización hecha por el SIPRI[112] en 2017, *grosso modo* podemos agrupar estas definiciones en tres grandes categorías:

---

cional de la Cruz Roja, *Proposal for consensus recommendations in relation to the clarification, consideration and development of aspects of the normative and operational framework* (documento de trabajo), Nro. CCW/GGE.1/2021/WP.6, 27 de septiembre de 2021, presentado ante el quinto período de reuniones de la GEG sobre los SAAL en la CCW, celebrada en los meses de agosto, septiembre, octubre y diciembre de 2021 en la ciudad de Ginebra (Suiza), [en línea], disponible en: *https://undocs.org/ccw/gge.1/2021/wp.6*, fecha de revisión: 30/09/2021.

110 Comité Internacional de la Cruz Roja, *International humanitarian law and the challenges of contemporary armed conflicts* (informe), núm. 31IC/11/5.1.2, octubre de 2011, Centro Internacional de Conferencias de Ginebra (Ginebra, «31st International Conference of the Red Cross and Red Crescent», 28 de noviembre-1 diciembre de 2011), [en línea], disponible en: *http://e-brief.icrc.org/wp-content/uploads/2016/08/4-international-humanitarian-law-and-the-challenges-of-contemporary-armed-conflicts.pdf*, fecha de revisión: 31/05/2016.

111 Surber, R., *Artificial intelligence: Autonomous technology (AT), lethal autonomous weapons systems (LAWS) and peace time threats*, *op. cit.*

112 Boulanin, V. y Verbruggen, M., *Mapping the development of autonomy in weapon systems*, Estocolmo, Stockholm International Peace Research Institute, 2017, disponible en: *https://www.sipri.org/sites/default/files/2017-11/siprireport_map-*

La primera categoría consiste en definiciones que se articulan en torno a la naturaleza de la relación de comando y control humano-máquina. Aquí podríamos incluir la definición respaldada por EE.UU. Esta categoría podría abarcar también la definición propuesta por HRW, de la cual, por cierto, se ha hecho eco desde un primer momento la Oficina de la Relatoría Especial sobre ejecuciones extrajudiciales, sumarias o arbitrarias del Consejo de Derechos Humanos de Naciones Unidas[113].

La segunda categoría incluye definiciones que se basan más en parámetros de capacidad. La definición de Reino Unido, por ejemplo, define un «sistema de armas autónomas» como un sistema que es capaz de comprender un nivel más alto de intención y dirección. A partir de esta comprensión y percepción de su entorno, tal sistema puede tomar las medidas apropiadas para lograr un estado deseado. Así, bajo esta categoría, un SAAL sería capaz de decidir un curso de acción, a partir de una serie de alternativas, sin depender de la supervisión y el control de los humanos, aunque estos puedan estar presentes.

La tercera categoría comprende aquellas definiciones que están estructuradas en términos más jurídicos, y ponen énfasis en la naturaleza de las tareas que los sistemas realizan de manera autónoma. Un claro ejemplo de este enfoque se observa en la definición empleada por el CICR, que presenta a las armas autónomas como aquellas que tienen «autonomía» en sus «funciones críticas», es decir, en la selección y el ataque de objetivos sin intervención humana. La definición de trabajo de Suiza también gira en torno a esta categoría, ya que describe los «sistemas de armas autónomas» como aquellos capaces de realizar tareas gobernadas por el DIH, en reemplazo parcial o total de un ser humano en el uso de la fuerza armada, especialmente en el ciclo de determinación de un objetivo, aunque establece explícitamente que esto no debe limitarse necesariamente solo al circuito de focalización.

---

ping_the_development_of_autonomy_in_weapon_systems_1117_1.pdf, fecha de revisión: 03/04/2019.

113 Heyns, C., *Informe del Relator Especial sobre las ejecuciones extrajudiciales, sumarias o arbitrarias, Christof Heyns*, *op. cit.*

Esta clasificación de definiciones de los SAAL es propuesta como una herramienta práctica de estudio, aunque difícilmente pueda llegar a cubrir todas las definiciones existentes. De todas formas, lo más evidente es que gran parte del discurso de hoy gira en torno a un concepto que hasta ahora carece de un consenso. Las concepciones actuales de los SAAL varían enormemente. En un extremo del espectro tenemos propuestas de definición que entienden los SAAL como el componente altamente automatizado de un arma ya existente. Por otro, es una plataforma capaz de detectar, aprender y lanzar ataques contra objetivos sin participación humana.

Ahora bien, sea cual fuere la definición que se tome, lo que resulta claro es que el encuadre del discurso mayoritario sobre los SAAL a nivel internacional se restringe principalmente al ámbito armamentístico, excluyendo la mirada hacia el resto de las funciones que tienen muchas de las tecnologías subyacentes en esos sistemas y que, *a priori*, para algunos pueden parecer inofensivas, aunque en realidad su uso puede representar un campo lleno de riesgos e incertidumbres[114].

---

[114] El impacto de las ciencias de la computación en el desarrollo armamentista de hoy no es algo nuevo. Las últimas tecnologías disruptivas que emergen del ámbito comercial y que conciernen a la defensa y seguridad de los Estados abarcan la computación avanzada, el análisis del *big data*, la IA, la autonomía y la robótica. En el área militar, sobre todo, algunas son consideradas tecnologías per se, y otras como capacidades que ciertas tecnologías podrían brindar a los futuros combatientes. De hecho, como se verá a lo largo de esta obra, ciertas capacidades, como la autonomía, ya están operativas desde hace décadas en las guerras. Sin embargo, esta combinación de tecnologías y capacidades militares, a veces, puede obstaculizar debates similares al de los SAAL. Por ello, algunos autores sugieren el empleo de un nuevo término, «guerra algorítmica», que tal vez podría ser más útil para describir y discutir los conceptos militares más recientes y que son impulsados por el avance de la tecnología. Los algoritmos son una secuencia de instrucciones y reglas que usan las máquinas para resolver problemas. Transforman los *inputs* en *outputs* y, como tales, son la piedra fundamental conceptual y técnica de las tecnologías emergentes en el área de los SAAL. Por tanto, los algoritmos pueden convertirse en la piedra angular conceptual y técnica de las guerras futuras. Un ejemplo de ello pueden ser los algoritmos de programación y autoaprendizaje cuyo uso en la guerra —y dependiendo del contexto— puede implicar también una serie de desafíos y peligros bastante significativos en el marco del derecho internacional aplicable. Lewis, D., Blum, G. y Modirzadeh, N., «War-algorithm accountability», 8/2016 [en línea], disponible en: *https://papers.ssrn.com/sol3/papers.cfm?abstract_id=2832734*, fecha de revisión: 03/04/2019; y Layton, P., «Algorithmic Warfare. Applying Artificial Intel-

De todas formas, teniendo en cuenta los informes de agencias oficiales estatales e instituciones académicas especializadas en la materia, podrían utilizarse una serie de atributos e interpretaciones para, al menos, caracterizar las tecnologías emergentes en el ámbito de los SAAL. Entre ellos figuran los siguientes:

- Son un sistema que, después de su activación y sin estar subordinado a la cadena de mando, funciona sin control humano.
- Son capaces de comprender intenciones y direcciones a un nivel superior, y de tomar las medidas apropiadas eligiendo su línea de acción sin depender de la supervisión y el control de un ser humano, aunque estos puedan seguir estando presentes como espectadores.
- Pueden llevar a cabo tareas que son regidas por el DIH, y las hacen en apoyo parcial o total del ser humano en el empleo de la fuerza, especialmente cuando se trata del ciclo de selección de objetivos.
- Son un sistema que, después de haber sido lanzado o desplegado, asume un complejo modo de autoaprendizaje adaptativo.
- Tienen, además, capacidad de adaptación que le permite navegar a través de un entorno complejo, redefiniendo escenarios y enfoques.
- Se basan en normas que les permiten pasar a funcionar en modo autónomo.
- Son un sistema capaz de seleccionar y atacar objetivos sin intervención humana, o sea, podría iniciar por sí solo un ataque.
- Son considerados medios técnicos no tripulados, distintos de las municiones, diseñados para llevar a cabo tareas de combate y apoyo con total autonomía, es decir, sin la participación de un operador.

---

ligence to Warfighting», *National Library of Australia,* 2018, pp. 1-76 [en línea], disponible en: *https://airpower.airforce.gov.au/APDC/media/PDF-Files/Contemporary%20AirPower/AP33-Algorithmic-Warfare-Applying-Artificial-Intelligence-to-Warfighting.pdf*, fecha de revisión: 21/01/2021, *véanse páginas 1, 2, 21, 28, 41 y 65.*

- Por tanto, son un sistema de armas que puede actuar de forma autónoma para producir efectos (letales) en un objetivo y a su vez pueden intervenir de manera autónoma en la detección y selección de dichos objetivos antes de atacarlos. El nivel de autonomía puede variar desde los niveles básicos de automatización en ciertas funciones o tareas, hasta los sistemas completamente autónomos que realizan toda una gama de actividades sin control humano directo, pasando por una escala intermedia en la que las funciones autónomas son cada vez más numerosas y el control humano va disminuyendo a medida que la autonomía aumenta[115].

1.3. *Definición de trabajo de los SAAL bajo un enfoque funcional centrado en el control humano*

Como se verá en detalle a lo largo de esta investigación, actualmente se discute en una pluralidad de foros nacionales e internacionales acerca del impacto que trae consigo el uso de SAAL en los conflictos armados del siglo XXI. A menudo, expertos que apoyan o cuestionan la investigación, el desarrollo y el uso de estos sistemas plantean argumentos sobre aspectos jurídicos, morales y éticos[116]. Sin

---

115 Como se verá en capítulos posteriores, cualquier discusión sobre los SAAL a menudo puede sacar a relucir otros elementos más que también son centrales en el debate y que aún están sin resolver. Por ejemplo, puede plantearse la cuestión de si las armas autónomas representan en definitiva una delegación formal de los humanos en las máquinas sobre la toma de decisiones acerca de quién debe morir o vivir en los campos de batalla, o también quién debe al final ser el responsable por los daños o los crímenes del derecho internacional cometidos a través de estos sistemas, etc.

116 Por ejemplo, *Ethics and autonomous weapon systems: An ethical basis for human control?* (documento de trabajo del Comité Internacional de la Cruz Roja), *op. cit.*; Leveringhaus, A., *Ethics and autonomous weapons*, *op. cit.*; Singer, P., *Wired for war. The robotics revolution and conflict in the 21st Century*, *op. cit.*; Sparrow, R., «Killer robots», *op. cit.*; Krishnan, A., *Killer robots. Legality and ethicality of autonomous weapons*, *op. cit.*; e Instituto de las Naciones Unidas para la Investigación del Desarme, *The weaponization of increasingly autonomous technologies: considering ethics and social values*, documento de investigación, núm. 3, 2015 [en línea], disponible en: *http://www.unidir.org/en/publications/the-weaponization-of-increasingly-autonomous-technologies-considering-ethics-and-social-values*, fecha de revisión: 31/07/2019.

embargo, hoy son pocos los Estados que tienen disposiciones legales específicas con respecto a estas tecnologías armamentísticas.

Habida cuenta de ello, los opositores a estos sistemas cabildean por una prohibición preventiva, en tanto que consideran que los SAAL no podrían jamás cumplir con los principios del DIH (en especial, los principios de proporcionalidad, distinción, necesidad militar y precaución)[117]. Otros, incluso, no llegan a declarar explícitamente que las armas autónomas son ilegales, pero igual sí plantearían su deseo de una moratoria al menos hasta que las discusiones internacionales actuales conduzcan a un acuerdo regulatorio sobre estos sistemas a nivel internacional[118].

En contraste, algunos expertos sostienen que no se requiere ninguna ley especial que regule los SAAL[119], porque el derecho existente

---

[117] Por ejemplo, una coalición mundial de la sociedad civil está haciendo campaña para una prohibición preventiva de los «robots asesinos». Al respecto, la página web *Stop Killer Robots*, disponible en: *https://www.stopkillerrobots.org*, fecha de revisión 03/08/2019; y Human Rights Watch and Harvard Law School's International Human Rights Clinic, *Losing Humanity: The Case against Killer Robots*, *op. cit.*

[118] Por ejemplo, Heyns, C., *Informe del Relator Especial sobre las ejecuciones extrajudiciales, sumarias o arbitrarias, Christof Heyns*, *op. cit.*, *véase párrafos 35, 108 y 113*; Biontino, M., *Informe de la reunión oficiosa de expertos de 2016 sobre sistemas de armas autónomas letales (SAAL)* (informe), núm. CCW/CONF.V/2, 10/06/2016 (presentado por el embajador alemán, en su condición de presidente de la reunión de expertos, ante la reunión anual de 2014 de las Altas Partes contratantes de la CCW sobre los SAAL) [en línea], disponible en: *https://undocs.org/es/CCW/CONF.V/2*, fecha de revisión: 07/05/2019, *véase párrafos 21 y 58*; y Grupo de Expertos Gubernamentales sobre las tecnologías emergentes en el ámbito de los sistemas de armas autónomas letales, *Informe del período de sesiones de 2018*, núm. CCW/GGE.1/2018/3, 23/10/2018 [en línea], disponible en: *https://undocs.org/es/CCW/GGE.1/2018/3*, fecha de revisión: 06/05/2019, *véase párrafo 48*.

[119] Por ejemplo, Bowcott, O., «UK opposes international ban on developing "killer robots"», *The Guardian*, 2015 [en línea], disponible en: *https://www.theguardian.com/politics/2015/apr/13/uk-opposes-international-ban-on-developing-killer-robots*, fecha de publicación: 13/04/2015; Grupo de Expertos Gubernamentales sobre las tecnologías emergentes en el ámbito de los sistemas de armas autónomas letales, *Informe del período de sesiones de 2018*, *op. cit.*, *véase párrafo 28*; y Liu, H., «Categorization and legality of autonomous and remote weapons systems», *International Review of the Red Cross*, vol. 94, 2012, núm. 886, pp. 627-652, disponible en: *https://www.icrc.org/en/doc/resources/docu-*

es más que suficiente para ello. También están quienes hacen las veces de «retadores» de una prohibición preventiva al sostener que, dada la falta de conocimiento sobre la IA y la robótica aplicadas al área armamentista militar, sería prematuro prohibir toda una categoría de armas que luego, tal vez, sería más precisa y/o salve más vidas de soldados en operación que lo que pudieran hacer los humanos. Asimismo, hay quienes enfatizan las ventajas de una mayor autonomía en las armas, porque ello multiplicaría el poder de combate, reduciría los riesgos que enfrentan las fuerzas militares de los países, liberaría al personal para realizar tareas más complejas en la guerra y reduciría costos importantes. En ese sentido, rechazan cualquier prohibición de los SAAL por considerarla «equivocada», argumentando que serían más apropiadas restricciones más limitadas o medidas no jurídicamente vinculantes (como orientación sobre revisiones legales, mejores prácticas o un manual de interpretación del DIH, por ejemplo)[120].

Teniendo en cuenta todo este panorama, en el presente apartado se plantearán algunas reflexiones con el objeto de esbozar una definición de trabajo acerca de los SAAL y del mismo modo se contextualizará el marco jurídico aplicable en aquellas situaciones en las que se usen esos sistemas para ejecutar ataques armados. La fijación de ambos aspectos permitirá situar cuál es la perspectiva de análisis que en esta investigación se planteará, sobre todo a la hora de analizar las potenciales implicaciones legales que trae consigo el uso de armas autónomas en conflictos armados internacionales.

---

ments/article/review-2012/irrc-886-liu.htm, fecha de revisión: 10/04/2019, *véase página 629*. Para una compilación de las posiciones de algunos Estados en este sentido, Lewis, D., Blum, G. y Modirzadeh, N., «War-algorithm accountability», *op. cit.*, *véanse páginas 150 y ss.*

120 Anderson, K., Reisner, D. y Waxman, M., «Adapting the Law of Armed Conflict to Autonomous Weapon Systems», *International Law Studies of the Stockton Center*, vol. 90, 2014, pp. 386-411, *véase página 395*; y Schmitt, M. y Thurnher, J., «"Out of the loop": Autonomous weapon systems and the law of armed conflict», *Harvard National Security Journal*, vol. 4, 2013, núm. 231, pp. 231-281, disponible en: *https://papers.ssrn.com/sol3/papers.cfm?abstract_id=2212188*, fecha de revisión: 05/06/2019, *véase página 233*.

1.3.1. ¿Qué son los SAAL? Una propuesta de aproximación funcional

De la sección anterior se entiende claramente que, en la actualidad, no existe unanimidad de criterios conceptuales acerca de los SAAL. Habida cuenta de ello, probablemente pudiera parecer prematuro, por ahora, apuntar a una definición definitiva de estos sistemas que busque trazar una línea divisoria entre aquellos que podrían ser deseables, aceptables o inaceptables conforme al derecho internacional. Sin embargo, a efectos de esta investigación, es clave desarrollar —al menos como herramienta de trabajo— una definición a partir de los elementos sobre los que existe consenso entre los expertos y las agencias estatales (o no estatales) que trabajan sobre las implicaciones del diseño y uso de armas autónomas.

De la lista de definiciones sobre los SAAL que, hasta ahora, han sido abordadas en este capítulo, un aspecto en común subyace siempre: la autonomía de la máquina es el foco del debate. Es un criterio diferenciador de estos sistemas cuyo sentido y alcance es relativo de por sí, ya que puede entenderse de manera diferente bajo un enfoque político, filosófico o puramente técnico[121].

Políticamente, la autonomía es a menudo referida como la capacidad de una comunidad política para gobernarse a sí misma[122]. En

---

121 Krishnan, A., *Killer robots. Legality and ethicality of autonomous weapons*, *op. cit.*, *véase página 43, 44 y 45*; Instituto de las Naciones Unidas para la Investigación del Desarme, *Framing discussions on the weaponization of increasingly autonomous technologies*, *op. cit.*; Jacobson, B. R., «Lethal autonomous weapons systems: mapping the GGE debate», *Policy Papers and Briefs*, 2017, núm. 8 [en línea], disponible en: *https://www.diplomacy.edu/sites/default/files/Policy_papers_briefs_08_BRJ.pdf*, fecha de revisión: 23/05/2019, *véase página* 2; y Comité Internacional de la Cruz Roja, *Autonomous weapon systems. Implications of increasing autonomy in the critical functions of weapons* (informe), (reunión de expertos celebrada en Versoix, Suiza, de 15-16 de marzo de 2016) [en línea], disponible en: *https://www.icrc.org/en/publication/4283-autonomous-weapons-systems*, fecha de revisión: 04/05/2019, *véanse páginas 8 y* 9.

122 Para más información acerca de qué se entiende como autonomía desde un sentido político, Gagnon, A. y Keating, M. (eds.), *Political autonomy and divided societies: Imagining democratic alternatives in complex settings*, Londres, Palgrave Macmillan, 2012 (Comparative Territorial Politics); y Lindley, R., *Autonomy*, Londres, Pelgrave Macmillan, 1986.

un sentido filosófico, la autonomía generalmente es descrita como la capacidad de un agente para determinar sus propias acciones, lo que significa que se le puede otorgar una dimensión ética. En la ética kantiana, por ejemplo, la autonomía es la condición necesaria para que un agente sea moral, y su base se encuentra en la razón, a saber, la capacidad de un agente para limitar sus propias acciones de acuerdo con las leyes autodidactas[123].

En un contexto técnico, la autonomía de una máquina significa que tiene la capacidad de operar y ejecutar tareas sin *input* o sin supervisión. Una máquina autónoma es capaz de realizar una determinada función por sí sola sin la necesidad de un operador humano que esté actuando a través de la máquina. Por lo general, el autómata tiene que actuar conforme a un conjunto de instrucciones que se le dan de alguna forma, por ejemplo, a través del *software* o interacciones de programación computacional con el ambiente[124]. La autonomía de una máquina o sistema es, a diferencia del sentido filosófico, no una cuestión de ser o no ser, sino más bien una cuestión en una escala móvil en donde a menor necesidad de intervención y supervisión humana en el desarrollo de sus funciones existirá una mayor autonomía.

Esto significa que la autonomía de la máquina —en un sentido técnico puro— implica que el operador humano se vuelve innecesario hasta cierto punto, aunque su existencia —por muy difusa que pueda parecer en determinadas circunstancias— no conlleva necesariamente concluir que existe una autonomía moral, o incluso política, de las máquinas. En ese sentido, la autonomía habrá de ser entendida como la capacidad de un sistema para «decidir» algo sin la ayuda de otro agente[125], especialmente en relación con sus capacidades propias[126] y de integración.

---

123 Suksi, M., *Autonomy: Applications and implications*, Dordrecht (Países Bajos), Kluwer Law International, 1998; y Carvajal, J., *Moral, derecho y política en Immanuel Kant*, Cuenca, Ediciones de la Universidad de Castilla de la Mancha, 1999.

124 Boulanin, V. y Verbruggen, M., *Mapping the development of autonomy in weapon systems*, *op. cit.*, *véanse páginas 5 y 6*.

125 Para una aproximación sobre el sentido y alcance del concepto de «decidir» que aquí se emplea, véase el primer apartado del capítulo 7 de esta monografía.

126 A saber: a) adquisición de datos a través de sensores e interpretación de esa data para extraer información y conocimiento; b) determinación y planificación de

Así, por un lado, habrá una autonomía operativa relacionada con el procesamiento de datos para construir representaciones básicas, como modelos de terreno, y para controlar el movimiento/acción, por ejemplo, para evitar obstáculos; y por otro, existirá una autonomía de «decisión» relacionada más con el razonamiento sobre la percepción y la acción, para evaluar situaciones complejas y tomar decisiones no triviales. Si bien la autonomía operativa ya está presente en los sistemas existentes, la autonomía decisional requerirá algún tipo de razonamiento por parte de las máquinas que sería muy difícil de lograr[127].

Ahora bien, a medida que el tema de los robots autónomos se vuelve más recurrente en el discurso de los filósofos que apuestan por una visión ética de la cuestión, aumenta cada vez más la confusión sobre los SAAL, sobre todo, cuando sí son sometidos a un debate público interdisciplinar. Como se podrá ver en los próximos capítulos de esta investigación, las discusiones internacionales sobre las armas autónomas en Naciones Unidas han demostrado como a lo largo de las ciencias de la computación, el derecho, la ética, la moral, la sociología, las ciencias políticas, entre otras, la autonomía es considerada de diversas maneras[128].

---

un curso de acción para lograr un objetivo o reaccionar ante eventos; c) acción y movimiento en el mundo real a través de activadores; d) comunicación con operadores, usuarios u otras máquinas; y, e) aprender a mejorar las representaciones mundiales o el desempeño de la acción desde la experiencia. Al respecto, Chatila, R., *Autonomous Weapon Systems: technological issues and recommendations* (conferencia), Universidad de Barcelona (Barcelona: «Regulación de los sistemas de armas autónomas: implicaciones legales y éticas en el contexto de una sociedad global», 18 de junio de 2018) [en línea], disponible en: *https://uboc.ub.edu/portal/Play/8e8df1d55a984d059542867532b686c01d*, fecha de revisión: 04/05/2019, *véase a partir del minuto 00:20:00.*

127 Biontino, M., *Technical Issues–Summary* (resumen), Palacio de las Naciones (Ginebra, «Convention on Certain Conventional Weapons. Expert Meeting Lethal Autonomous Weapons Systems [LAWS]», 13-16 de mayo de 2014) [en línea], disponible en: *https://www.unog.ch/80256EDD006B8954/(httpAssets)/6035B96DE2BE0C59C1257CDA00553F03/$file/Germany_LAWS_Technical_Summary_2014.pdf*, *véase página 1.*

128 Crootof, R., «The killer robots are here: Legal and policy implications», *Cardozo Law Review*, vol. 36, 2015, pp. 1837-1915, disponible en: *https://www.researchgate.net/publication/288825550_The_Killer_Robots_Are_Here_Legal_and_Policy_Implications*, fecha de revisión: 03/08/2019, *véase página 1844*; y

Muchas veces, expertos de distintas áreas del conocimiento entienden de manera diferente cuándo una máquina o una función de esta podría ser vista —o no— como autónoma. Por ejemplo, como se destacó en apartados anteriores, hay quienes definen la autonomía como una relación de comando y control humano-máquina, en donde el sistema: a) requiere de un *input* del humano durante algún estadio de la ejecución de una tarea (*human-in-the-loop*); b) puede operar independientemente, aunque siempre esté bajo la supervisión de un humano, que podrá intervenir ante cualquier imprevisto de la máquina (*human-on-the-loop*); c) tiene la capacidad de operar completamente por sí mismo basado en códigos preprogramados por los humanos y en donde estos no están en posición de poder intervenir (*human-out-of-the-loop*)[129]; o incluso, d) puede decidir de acuerdo con las reglas que aprende o crea por sí mismo y, además, puede —o no— molestarse en dejar que los humanos sepan qué es lo que hace conforme a esas reglas (*human-beyond-the-wider-loop*)[130].

Lang, J., van Munster, R. y Schott, R. M., «Failure to define killer robots means failure to regulate them. States disagree on definition of lethal autonomous weapons», *Danish Institute for International Studies*, 02/02/2018 [en línea], disponible en: *https://www.diis.dk/en/research/failure-to-define-killer-robots-means-failure-to-regulate-them*, fecha de revisión: 03/08/2019.

129 Scharre, P. y Horowitz, M., *An introduction to autonomy in weapon systems*, Washington, Center for a New American Security, 2015 [en línea], disponible en: *https://www.files.ethz.ch/isn/188865/Ethical%20Autonomy%20Working%20Paper_021015_v02.pdf*, fecha de revisión: 21/05/2019, *véanse páginas 5 y 6*; Scharre, P., *The Terminator and the Roomba: What is autonomy?* (presentación, vídeo), Facultad de Derecho (Barcelona: «Sense and scope of autonomy in emerging military and security technologies», 27 de febrero de 2017) [en línea], disponible en: *http://uboc.ub.edu/portal/Play/2f6fd071941e4f72a0d2dc32feda825b1d* y *http://uboc.ub.edu/portal/Play/f246bfa7809f4113ad1f68e6608354cf1d*, fecha de revisión: 21/05/2019; y Hughes, J. y Meza, M., *Autonomy in future military and security technologies: Implications for law, peace, and conflict*, Lancaster, The Richardson Institute, 2018.

130 Welsh, S., «Machines with guns: Debating the future of autonomous weapons systems», *The Conversation*, 12/04/2015 [en línea], disponible en: *https://theconversation.com/machines-with-guns-debating-the-future-of-autonomous-weapons-systems-39795*, fecha de revisión: 21/05/2019. También hay quienes emplean el concepto *sliding autonomy* para referirse a sistemas que pueden transitar de ida y vuelta entre la semiautonomía y la autonomía total, según la complejidad de la misión, los entornos operativos externos y las limitaciones jurídicas y políticas. Al respecto, Heger, F. y Singh, S., *Sliding autonomy*

Según este enfoque, la palabra *loop* comprende el circuito o proceso de toma de decisiones para seleccionar y comprometer objetivos. Es un término que puede vincularse tanto a los procesos más críticos (seleccionar y comprometer objetivos) que las armas podrían llevar a cabo de manera autónoma (el *narrow loop*), así como al proceso más amplio de selección de objetivos en el que los humanos juegan también un papel decisivo (el *wider loop*). Bajo esa perspectiva, antes de que se lleve a cabo la selección o el involucramiento de un objetivo específico, un humano ya ha decidido previamente utilizar el arma en cuestión. Esta decisión de usar y/o desplegar el arma forma parte del proceso de focalización o determinación de objetivo (*targeting process*) que incluye otras tareas más como la formulación de los objetivos, su selección, la elección de las armas y la planificación de la implementación de la fuerza[131].

Luego están aquellos que definen la autonomía en función de la complejidad del sistema o nivel de sofisticación del proceso de toma de decisión de la máquina[132]. Este enfoque, más tecnocientífico que el

---

for complex coordinated multi-robot tasks: Analysis & experiments (conferencia), University of Pennsylvania (Philadelphia: «Robotics: Science and Systems», 16-19 de agosto de 2006), disponible en: *http://www.roboticsproceedings.org/rss02/p03.pdf*, fecha de revisión: 21/05/2019; y Dias, M., Kannan, B. y Browing, B., *Sliding autonomy for peer-to-peer human-robot teams*, Pittsburgh, Robotics Institute, 2008, disponible en: *https://www.researchgate.net/publication/251798804_Sliding_Autonomy_for_Peer-To-Peer_Human-Robot_Teams1*, fecha de revisión: 21/05/2019, *véase página 3*.

131 De acuerdo con el modelo de selección de objetivos de la OTAN, este proceso consta de seis pasos principales: (1) los objetivos finales del Estado y del comandante; (2) el desarrollo de los *targets* y la priorización de estos; (3) el análisis de las capacidades; (4) la decisión del comandante y la asignación de la fuerza; (5) la planificación de la misión y la ejecución de la fuerza; (6) la evaluación. Para más información al respecto, *Autonomous Weapon Systems. The Need for Meaningful Human Control* (posición oficial del Advisory Council on International Affairs y del Advisory Committee on Issues of Public International Law del Gobierno de Países Bajos), *op. cit.*; y Roorda, M., «NATO's targeting process: ensuring human control over (and lawful use of) "autonomous" weapons», en Williams, A. P. y Scharre, P. D. (eds.), *Autonomous systems. Issues for defence policymakers*, La Haya, NATO Communications and Innovations Agency, 2015, disponible en: *https://www.act.nato.int/images/stories/media/capdev/capdev_02.pdf*, fecha de revisión: 21/05/2019, *véanse páginas 152-168*.

132 Por ejemplo, Williams, A., «Defining autonomy in systems: challenges and solutions», Williams, A. P. y Scharre, P. D. (eds.), *Autonomous systems. Issues for de-*

anterior, relaciona la autonomía con la capacidad real de un sistema para ejercer control sobre su propio comportamiento y lidiar con las incertidumbres en su entorno operativo.

Desde este punto de vista, las palabras «automático», «automatizado» y «autónomo» se utilizan a menudo para referirse a un espectro de complejidades en las máquinas. La etiqueta «automático», por ejemplo, se usa generalmente para referirse a sistemas que tienen respuestas mecánicas muy simples a la información sensorial y los procedimientos predefinidos, y cuyo funcionamiento no puede acomodar incertidumbres del entorno operativo[133]. El término «automatizado» a menudo es utilizado para referirse a sistemas más complejos que están basados en reglas[134]. Así, un sistema automatizado está programado para seguir lógicamente un conjunto predefinido de reglas con el fin de proporcionar un resultado; su *output* será predecible si se conoce el conjunto de reglas bajo las cuales el sistema opera.

Por su parte, un sistema «autónomo» puede comprender un nivel superior de intención y dirección[135]. A partir de esta comprensión y percepción de su entorno, el sistema puede tomar las medidas adecuadas para lograr un estado deseado. Este puede decidir un curso de acción, a partir de varias alternativas, sin depender de la supervisión ni del control de los humanos, aunque estos puedan tener aún cierto grado —aunque muy bajo— de implicación/intervención en el circuito de actuación del sistema (por ejemplo, supervisando el arma).

---

fence policymakers, La Haya, NATO Communications and Innovations Agency, 2015, disponible en: *https://www.act.nato.int/images/stories/media/capdev/capdev_02.pdf*, fecha de revisión: 21/05/2019, *véanse páginas 152-168*.

133 Casos de dispositivos automáticos en el mundo civil incluyen tostadoras y termostatos mecánicos. En el mundo militar, los *tripwires* y las minas serían otros ejemplos.

134 Automóviles de conducción automatizada y termostatos programables modernos son ejemplos de tales sistemas.

135 Un ejemplo de aquellos países que apuestan por este tipo de enfoque lo podemos ver en la posición oficial de Reino Unido acerca de los sistemas de armas autónomas. Al respecto, Ministerio de Defensa del Reino Unido, *Joint Doctrine Publication 0-30.2 Unmanned Aircraft Systems*, Wiltshire, Development, Concepts and Doctrine Centre, 2017 [en línea], disponible en: *https://assets.publishing.service.gov.uk/government/uploads/system/uploads/attachment_data/file/673940/doctrine_uk_uas_jdp_0_30_2.pdf*, fecha de revisión: 21/05/2019, *véanse páginas 11, 14 y 40-45*.

Así las cosas, su actividad general podrá ser predecible, pero las acciones individuales que realice la máquina probablemente no[136].

El problema de este enfoque es que no hay límites claros entre los grados de complejidad de un «sistema automático», un «sistema automatizado» y un «sistema autónomo». Incluso, por ejemplo, hay quienes usan la palabra «inteligente» para referirse a cualquiera de los sistemas anteriores, por lo que es muy común que diferentes personas puedan estar en desacuerdo sobre cómo llamar a cualquiera de esos sistemas[137]. Hay máquinas que pueden hacer frente a las variaciones en su entorno y ejercer control sobre sus acciones, y son descritas indistintamente como «automáticas» o «autónomas». Hay quien puede ver la diferencia en términos de grado de autogobierno, entendiendo a los sistemas autónomos simplemente como formas más complejas e inteligentes que los sistemas automatizados[138].

Por último, se encuentran aquellos que definen la autonomía respecto de los tipos de funciones que se hacen autónomamente dentro de un sistema[139]. Es un criterio funcional que entiende a la autonomía de acuerdo con los tipos de tareas que son ejecutadas a nivel de subsistemas y funciones. Este enfoque es perfectamente compatible con los anteriores, aunque entre ellos sigan siendo independientes. Esta dimensión de la autonomía reconoce que la relación de comando y control hombre-máquina, y el nivel de sofisticación de la capacidad de toma de decisiones de una máquina, son asuntos importantes y

---

136 Williams, A. P. y Scharre, P. D. (eds.), *Autonomous systems. Issues for defence policymakers*, *op. cit.*, *véanse páginas 33 y 34*.

137 Etzioni, A. y Etzioni, O., «Pros and cons of autonomous weapons systems», *Army University Press*, 2018 [en línea], disponible en: *https://www.armyupress.army.mil/Portals/7/military-review/Archives/English/pros-and-cons-of-autonomous-weapons-systems.pdf*, fecha de revisión: 04/08/2019, *véase página 75*.

138 Mindell, D. A., *Our robots, ourselves: Robotics and the myths of autonomy*, Nueva York, Viking, 2015, *véase página 12*; y Boulanin, V. y Verbruggen, M., *Mapping the development of autonomy in weapon systems*, *op. cit.*, *véase página 6*.

139 Instituto de las Naciones Unidas para la Investigación del Desarme, *Framing discussions on the weaponization of increasingly autonomous technologies*, Ginebra, 2014 [en línea], disponible en: *http://www.unidir.ch/files/publications/pdfs/framing-discussions-on-the-weaponization-of-increasingly-autonomous-technologies-en-606.pdf*, fecha de revisión: 23/05/2019, *véanse páginas 2-4*.

deben ser tomados en cuenta, sobre todo porque pueden variar de una función a otra[140].

Algunas tareas pueden requerir un nivel mayor de autogobierno que otras, mientras que el control humano puede ejercerse en algunas funciones, pero en otras no, todo ello dependiendo de la complejidad de la misión y del entorno operativo externo, así como de las restricciones reglamentarias correspondientes. Obviamente, algunas funciones en los sistemas de armas pueden hacerse autónomas, y en sí mismo no tiene por qué presentar riesgos éticos, jurídicos o estratégicos significativos (por ejemplo, cuando la navegación o el transporte son autónomos). En cambio, otras funciones pueden ser una fuente de mayor preocupación cuando son altamente autónomas (por ejemplo, en el proceso de focalización —selección y ataque de objetivos estratégicos—)[141].

Hoy en día, a pesar de los avances de la robótica y las ciencias de la computación, no existen todavía máquinas que operen con una capacidad verdaderamente autónoma, sin ningún tipo de *input* humano. Así pues, bajo esta perspectiva funcional, aunque un sistema tenga muchas funciones autónomas no significa que deba considerarse autónomo por definición. En ese caso, lo correcto es hablar de armas dotadas de autonomía en sus funciones. Por ejemplo, siguiendo este enfoque, un «coche autónomo» puede conducir desde el punto A al punto B por sí solo, pero una persona todavía elige el destino final, y potencialmente incluso la ruta. En este supuesto, el «coche autónomo» podría ser operacionalmente autónomo con respecto a algunas

---

140 Como se señaló en secciones anteriores, para una mayor aproximación acerca del sentido y el alcance con el cual se emplea la palabra «decisión» en los argumentos propios de la presente investigación, véase el primer apartado del capítulo 7 de esta monografía.

141 Multinational Capability Development Campaign, *Focus Area «Role of Autonomous Systems in Gaining Operational Access. Policy guidance autonomy in defence systems»*, Norfolk (EE.UU.), 29/10/2014 [en línea], disponible en: *https://innovationhub-act.org/sites/default/files/u4/Policy%2520Guidance%2520Autonomy%2520in%2520Defence%2520Systems%2520MCDC%25202013-2014%2520final.pdf*, fecha de revisión: 21/05/2019, *véanse páginas 10-12.*

de sus funciones, pero no con relación a la totalidad de la máquina en sí[142].

Teniendo en cuenta lo anterior, la presente investigación hace uso de este enfoque funcional para elaborar su definición de trabajo preliminar sobre los SAAL que permita examinar de una manera más flexible los desafíos planteados por la autonomía en esos sistemas de armas. En lugar de asumir la autonomía como un espacio lineal que va de lo humano a la máquina, lo útil es entenderla como un amplio espectro con respecto a cada una de las funciones específicas que esta posea[143].

Así las cosas, a efectos de la presente investigación, los SAAL son *armas con capacidad mortífera que pueden ejecutar por sí mismos funciones ofensivas y/o defensivas en todo el ciclo de focalización*[144], *en reemplazo parcial o total de un ser humano, especialmente en las tareas de seleccionar* (buscar, detectar, identificar, localizar o rastrear) *y/o comprometer* (utilizar la fuerza para neutralizar, impedir, dañar o eliminar/matar) *objetivos*. Esta definición de trabajo pretende ser inclusiva, ya que representa una amplia gama de configuraciones del arma y permite una reflexión más diferenciada basada en el cumplimiento del marco jurídico internacional vigente, sin perjuicio de que en el futuro se puedan desarrollar respuestas reguladoras más novedosas y/o apropiadas que las actuales.

Uno de los primeros aspectos a resaltar de la definición propuesta es que en ella no se emplea la palabra «sistema». La razón de ello es práctica. A lo largo de la presente investigación se podrá observar co-

---

142 Scharre, P. y Horowitz, M., *An introduction to autonomy in weapon systems*, *op. cit.*, *véase página 7.*

143 International Panel on the Regulation of Autonomous Weapons (IPRAW), *Focus on the Human-Machine Relation in LAWS* (informe), núm. 3, Berlín, 2018 [en línea], disponible en: *https://www.ipraw.org/wp-content/uploads/2018/03/2018-03-29_iPRAW_Focus-On-Report-3.pdf*, fecha de revisión: 21/05/2019, *véanse páginas 9 y 10.*

144 El alcance de la expresión «funciones ofensivas y/o defensivas» debe entenderse en el sentido expuesto en el artículo 49 (1), el cual define «ataques» como «actos de violencia contra el adversario, sean *ofensivos* o *defensivos*» (cursiva nuestra). Al respecto, Protocolo Adicional I (API) a los Convenios de Ginebra de 1949 relativo a la protección de las víctimas de los conflictos armados internacionales, *op. cit.*

mo la mayoría de los expertos que participan en el debate internacional sobre las tecnologías emergentes en el área de los SAAL, en realidad, se refieren a estas armas autónomas haciendo uso de expresiones diferentes como, por ejemplo, *lethal autonomous weapon systems* (en adelante, LAWS), sistemas de armas completamente autónomos (*fully autonomous weapon systems* —en adelante, FAWS—), armas autónomas (*autonomous weapons* —en adelante, AW—), armas robóticas (*robot weapons*), armas letales autónomas (*lethal autonomous weapons* —en adelante, LAW—), robots autónomos letales (*lethal autonomous robots* —en adelante, LAR—), o robots asesinos (*killer robots*), entre otras.

Esta variedad de expresiones denota una falta de unanimidad en la comunidad internacional acerca de si se debe emplear —o no— la palabra «sistema» a la hora de hacer referencia a los SAAL. No así sucede, por ejemplo, con las palabras «arma», «autónomo» o, como veremos más adelante, el término «letal», que sí son comunes en el lenguaje de aquellos que reflexionan acerca de las potenciales implicaciones legales que trae consigo el uso de las AW. El porqué de ello se debe a que los Estados, las organizaciones internacionales, las ONG, las instituciones académicas y demás actores clave de la sociedad civil que participan en el debate sobre los SAAL, hoy solo plantean sus argumentos con relación a los beneficios, las preocupaciones, los riesgos y/o los peligros que puede implicar el despliegue de estas armas en conflictos armados internacionales, sobre todo con respecto al cumplimiento de los principios del DIH y el DIDH que los Estados deben garantizar cada vez que hagan uso de su arsenal bélico para llevar a cabo operaciones militares.

Lo cierto es que esas implicaciones están vinculadas, de una u otra manera, a la naturaleza autónoma y la capacidad letal del arma, y no así respecto de si el SAAL es una combinación de materiales y equipos armamentísticos, reunidos para desempeñar una o más funciones operacionales[145]. Por ende, la definición de trabajo que aquí se

---

145 Según el *Diccionario de Términos Militares y Asociados* del Departamento de Defensa de EE.UU., un sistema de armas es una combinación de una o más armas con todos los equipos, materiales, servicios, personal y medios de entrega y despliegue relacionados (si corresponde) necesarios para la autosuficiencia. Al respecto, Gobierno de los Estados Unidos de Norteamérica, *Doctrine for the*

ofrece emplea solo la palabra «arma» ya que es un término mucho más genérico, y se formula de tal forma que no prejuzgue el futuro desarrollo de la discusión internacional sobre los SAAL. No obstante, como se advirtió a inicios de esta investigación, muchas de las expresiones diferentes referidas *supra* se utilizarán de manera indistinta e intercambiable a la hora de tratar el tema de las AW, sin que ello desdibuje el sentido propio de la definición de trabajo propuesta en esta investigación.

Con relación a la palabra «arma» es importante plantear además algunas consideraciones importantes en el contexto de la definición de trabajo aquí propuesta. A menudo, la palabra «arma» es vinculada al uso, uso previsto o propósito de diseño de la capacidad relevante de esta[146]. Por ejemplo, la decisión de usar un libro o una planta para causar daño a un adversario convierte a estos objetos por naturaleza inofensivos en un arma en virtud del uso. Por otro lado, la colección de una serie de piedras con la intención de usarlas en el futuro para causar daño a un adversario, de manera similar, convierte esos objetos en armas antes de su uso real. Asimismo, diseñar un objeto para que pueda ser usado para causar lesiones o daños en el curso de un conflicto armado convertirá a ese objeto en un arma.

Armed Forces of the United States, the DOD Dictionary of Military and Associated Terms (DOD Dictionary), *op. cit.*, *véase página 324*. Por otro lado, según la *Enciclopedia de Derecho de las Armas* de la Academia de Derecho Internacional Humanitario y Derechos Humanos de Ginebra, un sistema de armas es un dispositivo o conjunto coordinado de dispositivos u objetos que consta de una o más armas y un medio de entrega, así como equipos y materiales integrales. Un sistema de armas se distingue de un arma porque, aunque incorpora una o más armas en muchos casos, también puede usarse para otros fines distintos a matar, herir, desorientar o amenazar a una persona o infligir daño a un objeto físico. Al respecto, Geneva Academy of International Humanitarian Law and Human Rights, *Enciclopedia de Derecho de Armas de la Academia de Derecho Internacional Humanitario y Derechos Humanos de Ginebra* [en línea], disponible en: *http://www.weaponslaw.org/glossary/weapons-system*, fecha de revisión: 03/08/2019.

146 Boothby, W. H., «Weapons under the law of military operations», en Gill, T. y Fleck, D. (eds.), *The handbook of the International Law of Military Operations*, Londres, 2.ª edición, Oxford University Press, 2015, pp. 307-331, *véanse páginas 333 y 334*.

Por lo tanto, habida cuenta de lo anterior, «arma» debe ser entendida como un dispositivo, sistema, munición, implemento, sustancia, objeto o pieza de equipo que se usa, que está destinado a usarse, o que ha sido diseñado para usarse como un medio para aplicar alguna capacidad ofensiva o defensiva, generalmente causando lesión o daño a una parte adversa en un conflicto armado[147]. En ese sentido, la definición de SAAL hace referencia al arma misma y a los componentes necesarios para su funcionamiento, incluidas las tecnologías nuevas, avanzadas o emergentes, que pueden conducir al desarrollo de armas o sistemas de armas y tener implicaciones significativas en los planos jurídico y político[148].

Ahora bien, de manera general el efecto destructivo, dañino o perjudicial de un arma generalmente —pero no necesariamente— es resultado del impacto físico[149]. Sin embargo, en los términos en que ha sido elaborada la definición de SAAL, la palabra «arma» deberá ser entendida como un medio de guerra de efecto cinético, sobre todo en

---

147 Así pues, un arma es un medio de guerra utilizado en operaciones de combate que es capaz de causar lesiones o la muerte de personas; o daño o la destrucción de objetos. Al respecto, Boothby, W. H., *Weapons and the Law of armed conflict*, Nueva York, 2.ª edición, Oxford University Press, 2016, *véase la página 4*.

148 Lawand, K., *Guía para el examen jurídico de las armas, los medios y los métodos de guerra nuevos medidas para aplicar el artículo 36 del protocolo adicional de 1977*, Ginebra, Comité Internacional de la Cruz Roja, 2006 [en línea], disponible en: *https://www.icrc.org/es/doc/assets/files/other/icrc_003_0902.pdf*, fecha de revisión: 09/08/2019, *véase página 8*.

149 Es importante tener presente este aspecto, ya que, con la evolución de los conflictos del siglo xxi la guerra cibernética (*Cyber Warfare*) es cada vez más común, y es lógico que algunos autores piensen que una pieza de *malware* (programa maligno) cibernético —por ejemplo— que se use, diseñe o pretenda usar para causar daños o lesiones a la parte adversa en un conflicto armado también pueda considerarse como un arma. Incluso, hay autores que son del criterio de que las cuestiones de las armas autónomas deberían ser reflexionadas también tomando en consideración su impacto en el ciberespacio. Para una mayor aproximación acerca de este asunto, Schmitt, M., *Tallinn manual on the International Law applicable to cyber warefare*, Cambridge (EE.UU.), Cambridge University Press, 2013, *véase regla 43*; Boothby, W. H., «Methods and means of cyber warfare», *International Law Studies US Naval War College*, vol. 89, 2013, pp. 387-405, disponible en: *https://digital-commons.usnwc.edu/cgi/viewcontent.cgi?referer=https://www.google.com/&httpsredir=1&article=1035&context=ils*, fecha de revisión: 11/06/2019; y Lewis, D., Blum, G. y Modirzadeh, N., «War-algorithm accountability», *op. cit.*, *véanse páginas 48 y 49*.

razón a su capacidad letal; aspecto que será analizado detalladamente en el próximo apartado ya que es clave para comprender después la evolución de la discusión internacional sobre los SAAL.

Por otro lado, tal y como se indicará más adelante, al contextualizarse el derecho aplicable al uso de SAAL en conflictos armados internacionales, es común que se hallen textos especializados que se refieran a los SAAL en términos de «arma», «medio» y/o «método» de guerra. Por ejemplo, generalmente las AW son consideradas, fundamentalmente, como un tipo de arma o medio de guerra. Sin embargo, hay quienes afirman que los SAAL, a la hora de ser desplegados, pueden incluso llegar a ser vistos como un método de guerra, sobre todo debido a su diseño y a las circunstancias de su uso en concreto[150].

---

150 Como se verá en capítulos posteriores, hay quienes consideran que, en el futuro, cuando se desplieguen enjambres de drones o "microdrones" con funciones críticas (selección y ataque de objetivos, por ejemplo) altamente autónomos para focalizar a un objetivo en un área específica, esto en su conjunto podría llegar a considerarse un método de guerra en toda regla. La proliferación de enjambres de este tipo repercutiría en toda la comunidad mundial, en tanto que podrán convertirse en métodos extremadamente útiles y estratégicos para los Estados (y, consecuencialmente, para los actores no estatales también) a la hora de llevar a cabo ataques armados. El peligro de todo esto es que, a su vez, se conviertan en una tentación de sistemas de lanzamiento altamente efectivos para armas prohibidas a través de sensores ambientales integrados y tácticas de armas mixtas (por ejemplo, combinándolas con armas convencionales), lo cual pone en riesgo la aplicación efectiva de las normas que prohíben internacionalmente el uso de ciertas armas. A esto se suma el hecho de que, en el marco de cualquier relación combatiente-arma a la hora de llevar a cabo una misión o ataque, métodos de guerra de este tipo demanden un nivel de interoperabilidad nunca visto en el que se acreciente el riesgo de cometer daños imprevistos en contra de civiles (personas y objetos) o, incluso, la escalada del conflicto en sí. Al respecto, Schmitt, M. y Thurnher, J., «"Out of the loop": Autonomous weapon systems and the law of armed conflict», *op. cit.*, *véase página 271*; Bothmer, F. von, *Missing Man: Contextualising Legal Reviews for Autonomous Weapon Systems* (disertación para obtener el título de doctor en Filosofía en Derecho), San Galo, Universidad de St. Gallen, School of Management, Economics, Law, Social Sciences and International Affairs, 2018 [en línea], disponible en: *http://www1.unisg.ch/www/edis.nsf/SysLkpByIdentifier/4804/$FILE/dis4804.pdf*, fecha de revisión 08/08/2019, *véanse páginas 33 y 34*; y, Kallenborn, Z., «Meet the future weapon of mass destruction, the drone swarm», *The Bulletin*, 05/04/2021 [en línea], disponible en: *https://thebulletin.org/2021/04/meet-the-future-weapon-of-mass-destruction-the-drone-swarm/*, fecha de revisión: 07/05/2021.

De cualquier forma, es importante aclarar que estos tres conceptos, aunque estén muy vinculados entre sí, en realidad tienen características particulares que los diferencian uno del otro. El primero y el segundo («arma» y «medio») hacen referencia a los armamentos propiamente dichos, mientras que el último («método») se utiliza más para significar categorías generales de operaciones de combate (tácticas, técnicas y procedimientos del conflicto armado[151]), es decir, la manera en que se usan las armas.

Ahora bien, al igual que sucede con el uso de la palabra «sistema» a la hora de hacer referencia a los SAAL (ver la explicación dada en párrafos previos), por razones prácticas, los términos «arma», «medio» y «método» de guerra se utilizarán a lo largo de esta investigación de manera indistinta e intercambiable, sin que ello tergiverse el sentido real que cada uno de ellos tiene[152]. Esto significa que, cuando

---

[151] Daoust, I., Coupland, R. y Ishoey, R., «New wars, new weapons? The obligation of States to assess the legality of means and methods of warfare», *International Review of the Red Cross*, vol. 84, 2002, núm. 846, pp. 359-361, disponible en: *https://www.icrc.org/en/doc/assets/files/other/345_364_daoust.pdf*, fecha de revisión: 08/09/2019, *véase página 352*.

[152] Como se indicó en párrafos previos, los términos «armas» y «medios» de guerra tienen entre sí matices que los pueden llegar a diferenciar mutuamente. Las armas, por ejemplo, tienen un sentido más amplio de lo que se entiende como armamento, mientras que la frase «medios de guerra» se refiere más a todas las armas, plataformas de armas y equipos asociados utilizados directamente para entregar la fuerza durante las hostilidades. Boothby, W. H., *Weapons and the Law of armed conflict*, *op. cit.*, *véase la página 5*; y The Program on Humanitarian Policy and Conflict Research at Harvard University, *Commentary on the HPCR manual on international law applicable to air and missile warfare*, Nueva York, Cambridge University Press, 2010, disponible en: *https://georgetown.instructure.com/files/900391/download?download_frd=1*, fecha de revisión: 03/08/2019, *véase página 41*. Sin embargo, aun teniendo en cuenta estos matices, a efectos de la definición de SAAL aquí propuesta, es útil hacerse eco de aquellos que consideran que, en sentido amplio, no hay razón para pensar que un «arma» debe diferir de los «medios de guerra». Por lo tanto, como señala Justin McClelland, ambas expresiones podrán emplearse —al menos a efectos prácticos— como sinónimas. En ese sentido, a efectos de esta investigación, «arma», «medio» y «método» de guerra podrán leerse juntos. De esa manera, un SAAL podrá abarcar aquellos equipamientos armamentísticos que tienen un impacto directo en la capacidad ofensiva de la fuerza a la que pertenecen. Al respecto, McClelland, J., «The review of weapons in accordance with Article 36 of Additional Protocol I», *International Review of the Red Cross*, vol. 85, 2003,

aquí se empleen las palabras «arma», «medio» y «método» de guerra, se hará teniendo muy en cuenta siempre tanto el sentido y el alcance de cada término, como el contexto de análisis de cada uno de los ejes centrales que se abordan en esta investigación, sobre todo cuando se trate de reflexionar acerca de las implicaciones legales que trae consigo el uso de SAAL en conflictos armados internacionales.

Por otro lado, es importante destacar también que la definición propuesta no ha sido concebida para distinguir solo aquellos SAAL cuyas funciones con autonomía podrían considerarse jurídicamente objetables o que, de otro modo, podrían requerir una regulación adicional. En realidad, el enfoque del concepto es mucho más amplio e incluyente. En un extremo del espectro de la autonomía vinculada a las funciones específicas de los sistemas que abarca esta definición, se pueden hallar algunas subcategorías de sistemas que probablemente no tienen ningún problema jurídico, mientras que en el otro extremo se podrían encontrar otras que sí podrían llegar a considerarse inaceptables desde una perspectiva jurídica. Por lo tanto, dado su carácter preliminar, esta definición de trabajo ha de evolucionar en su especificidad a medida que el debate internacional sobre SAAL avance constructivamente.

1.3.2. La «letalidad» como un criterio diferenciador de los SAAL: ¿error o acierto en la definición de trabajo propuesta?

Hay expertos que consideran que el elemento de letalidad, aunque es de particular relevancia en cualquier ciclo de focalización, no debería considerarse conceptualmente como un requisito previo de los SAAL, toda vez que esa cualidad no es una característica definitoria de ningún sistema de armas, sea este autónomo o de otro tipo[153].

---

núm. 850, pp. 397-415, disponible en: *https://www.icrc.org/en/doc/assets/files/other/irrc_850_mcclelland.pdf*, fecha de revisión: 03/08/2019, *véase página 405*.

153 Por ejemplo, *A «compliance-based» approach to Autonomous Weapon Systems* (documento de trabajo de Suiza), núm. CCW/GGE.1/2017/WP.9, 10/11/2017, Palacio de las Naciones (reunión de expertos sobre los SAAL en la CCW, celebrada en Ginebra de 13-17 de noviembre de 2017) [en línea], disponible en: *https://www.unog.ch/80256EDD006B8954/(httpAssets)/6B80F9385F6B505FC12581D4006633F8/$file/2017_GGEonLAWS_WP9_Switzerland.pdf*, fe-

Según esta perspectiva, lo idóneo con los SAAL sería alcanzar un entendimiento más inclusivo del concepto, construir una definición de estos sistemas que cubra también aquellos medios y métodos de guerra que no necesariamente causen la muerte física, pero cuyos efectos sí pueden limitarse a producir, por ejemplo, lesiones físicas graves que no sean la muerte, la destrucción de objetos, o de efectos no cinéticos como radares o sistema de armas autónomas capaces de llevar a cabo ciberataques. Así pues, bajo este enfoque, todo instrumento que cause lesiones menos letales a personas, o daños a objetos, seguirá siendo un arma y, como tal, podrá considerarse, aunque sea en ciertas circunstancias, un instrumento potencialmente letal.

A pesar de los razonamientos antes expuestos, la presente investigación asume una perspectiva diferente basada en los siguientes argumentos:

- La letalidad, tal como se expresa en la definición propuesta, implica de manera significativa que los Estados garanticen la aplicación y el respeto de todas las normas relativas a la investigación, el desarrollo y la utilización de SAAL.
- Está claro que el término «letal», como característica, debería ser examinado más a fondo a la luz de la noción fundamental del uso de la fuerza armada en conflictos armados, la cual entraña de por sí obligaciones jurídicas en virtud del derecho internacional que son independientes de la letalidad. Evidentemente, la autonomía en la ejecución de esa fuerza se puede encontrar principalmente en la conducción de operaciones militares que, normalmente, van dirigidas a resultados letales. Así pues, teniendo en cuenta esta realidad y considerando el objeto de la presente investigación, resulta lógico que la definición propuesta se refiera a los SAAL, especialmente cuando las

---

cha de revisión: 22/05/2019; y *Categorizing lethal autonomous weapons systems - A technical and legal perspective to understanding LAWS* (documento de trabajo de Finlandia y Estonia), núm. CCW/GGE.2/2018/WP.2, 24/08/2018, Palacio de las Naciones (reunión de expertos sobre los SAAL en la CCW, celebrada en Ginebra de 27-31 de agosto de 2018) [en línea], disponible en: *https://www.unog.ch/80256EDD006B8954/(httpAssets)/FD148A6783DAC304C12582F30032F633/$file/2018_GGE+LAWS_August_Working+Paper_Estonia+and+Finland.pdf*, fecha de revisión: 22/05/2019.

reflexiones aquí presentadas son atinentes a las implicaciones legales por el uso de esos sistemas en conflictos armados internacionales[154].

- La capacidad mortífera de los SAAL no excluye la posibilidad de que estos sistemas posean otras características diferentes que —debido al grado de autonomía en ellas— podrían ser beneficiosas o perjudiciales para el cumplimiento de los principios básicos del DIH y el DIDH[155]. La letalidad solo significa que el SAAL tiene una carga útil suficiente para que sus medios sean letales[156]. Por ende, aunque el sistema esté dotado de armas con

---

154 En esa misma línea de pensamiento se encuentra el exrelator de la ONU, Christof Heyns. Al respecto, Heyns, C., *Autonomous weapon systems: Human rights and ethical issues* (conferencia), *op. cit.*

155 Por ejemplo, la capacidad de ejecutar un ciclo de focalización, con la intención final de aplicar una fuerza para neutralizar un objetivo sin ninguna intervención humana; poder cambiar al modo no letal sin ninguna intervención humana, cuando los objetivos militares eran otros; la imposibilidad de interrumpir, interferir o desactivar el modo autónomo en el sistema; la capacidad de que el sistema pueda llegar a redefinir su misión u objetivo sin ningún *input* humano. *Documento de trabajo de Bélgica, Irlanda y Luxemburgo,* sin título ni número ni fecha, Palacio de las Naciones (reunión de expertos sobre los SAAL en la CCW, celebrada en Ginebra de 25-29 de marzo de 2019) [en línea], disponible en: *https://www.unog.ch/80256EDD006B8954/(httpAssets)/36CE9B9E-072FA0AAC12583C5004D9DD8/$file/LAWS+-+Food+for+Thought+Paper+-BEL-IRL-LUX.pdf*, fecha de revisión: 22/05/2019, *véase página 2*.

156 Como se destacó en capítulos anteriores, hay Estados que consideran crucial el abordaje de lo «letal» como característica de los SAAL, ya que la noción de «letalidad» va de la mano, incluso, con la noción de intencionalidad. Un ejemplo de esto es Bélgica, que considera que la decisión de utilizar SAAL con el objetivo específico de matar, es decir, el uso previsto con consecuencias letales —o no— está bajo la autoridad humana, ya sea política y/o militar. Ahora bien, el nivel de autonomía de los SAAL en la toma de decisiones letales presupone así una definición clara de la división de autoridad entre la humana y la de la máquina. Así, bajo esta perspectiva, el ser humano estaría limitado en el proceso de toma de decisiones (solo seguiría siendo el creador del proceso letal) y el «resultado» (es decir, la implementación de efectos letales) lo llevaría a cabo la máquina, lo cual sería potencialmente impredecible para el agente humano. Al respecto, *Towards a definition of lethal autonomous weapons systems* (documento de trabajo de Bélgica), núm. CCW/GGE.1/2017/WP.3, 07/11/2017, Palacio de las Naciones (reunión de expertos sobre los SAAL en la CCW, celebrada en Ginebra de 13-17 de noviembre de 2017) [en línea], disponible en: *https://undocs.org/en/ccw/gge.1/2017/WP.3*, fecha de revisión: 09/05/2019.

capacidad mortífera, ello no impide que posea otras funciones no letales[157]. Ya sea en un caso u otro, los SAAL deberán ser sometidos igualmente a una revisión profunda y exhaustiva, tal y como debería haber sucedido con el resto de armas, medios y métodos de guerra hoy disponibles en cualquier Estado conforme a lo expresado en el derecho internacional vigente[158].

- Además, incluir sistemas de armas autónomas no letales como parte de los SAAL, no solo ampliaría innecesariamente el alcance de las reglas nacionales e internacionales que les sean aplicables, sino además llevaría a que muchos Estados (especialmente aquellos que invierten en el desarrollo de tecnologías militares autónomas) abandonasen cualquier iniciativa de discusión internacional que pretenda regular o prohibir en general todos los sistemas de armas autónomas, sobre todo bajo el argumento de que ese tipo de discusiones tan abstractas serían ineficaces y, en el peor de los casos, pondrían en riesgo el progreso científico que es clave para que esos países fortalezcan sus capacidades militares, de seguridad y de defensa[159].

---

157 *Position Paper* (documento de trabajo de China), *op. cit.*

158 Evidentemente esta regla de revisión jurídica de las armas aplica también para aquellos nuevos medios o métodos de guerra del futuro que, aun no siendo SAAL, igual deben cumplir con el derecho internacional vigente. Protocolo Adicional I (API) a los Convenios de Ginebra de 1949 relativo a la protección de las víctimas de los conflictos armados internacionales, *op. cit.*, *véase artículo 36.* Para una aproximación mayor acerca de las obligaciones que trae consigo la revisión jurídica de las nuevas armas, medios y métodos de guerra establecida en el artículo 36 del API, Lawand, K., *Guía para el examen jurídico de las armas, los medios y los métodos de guerra nuevos medidas para aplicar el artículo 36 del protocolo adicional de 1977*, *op. cit.*

159 *Possible outcome of 2019 Group of Governmental Experts and future actions of international community on Lethal Autonomous Weapons Systems* (documento de trabajo de Japón), núm. CCW/GGE.1/2019/WP.1, 22/03/2019, Palacio de las Naciones (reunión de expertos sobre los SAAL en la CCW, celebrada en Ginebra de 25-29 de marzo de 2019 y del 20 al 21 de agosto de 2019) [en línea], disponible en: *https://www.unog.ch/80256EDD006B8954/(httpAssets)/B0F30B3F69F5F2EEC12583C8003F3145/$file/CCW_+GGE+.1_+2019_+WP3+JAPAN.pdf*, fecha de revisión: 23/05/2019.

1.3.3. El «control humano» como un criterio diferenciador de los SAAL

La definición de trabajo de los SAAL propuesta en esta investigación parte de una premisa fundamental: el grado de autonomía en las funciones de esos sistemas será proporcional al nivel de control humano que se ejerza sobre ellas. Esto significa que, a mayor autonomía en las funciones del sistema, menor sería el control humano que puede ser ejercido sobre estas y, por ende, el nivel de reemplazo del ser humano en la ejecución de las tareas aumentará. Por el contrario, a menor autonomía en las funciones del sistema, mayor será el control humano ejercido en estas y, por tanto, la posibilidad de reemplazo del ser humano disminuirá. Es un enfoque conceptual que toma en cuenta el papel del ser humano en el proceso de focalización y en la interfaz hombre-máquina, proporcionando una hoja de ruta valiosa para profundizar en la comprensión de todas las preocupaciones y desafíos que pueden plantear los SAAL.

Gran parte de la comunidad académica y científica considera que un cierto nivel de control humano sobre la ejecución de cualquier ataque en un conflicto armado es inherente al cumplimiento de las reglas de distinción, proporcionalidad y precaución exigidas por el DIH, sobre todo cuando esos ataques son llevados a cabo mediante un SAAL[160]. Ese control podría tomar varias formas y operar en diferentes etapas del ciclo de vida del sistema armamentístico. Ello pasa por su ejercicio en la fase de desarrollo y programación del SAAL, de despliegue y utilización, incluida la decisión del comandante u operador de usar o activar el sistema, así como en la etapa de funcionamiento durante la ejecución de todo el proceso de focalización, especialmente a la hora de seleccionar y comprometer objetivos.

Teniendo en cuenta todo ello, igual surge una duda a la hora de reflexionar acerca de los SAAL: ¿hasta qué punto se debería considerar suficiente el grado de control humano ejercido sobre una máquina autónoma para asumir que se ha cumplimentado satisfactoriamente

---

160 Comité Internacional de la Cruz Roja, *Views of the International Committee of the Red Cross on autonomous weapon system* (informe), *op. cit.*, *véanse páginas 5 y 6*. Para una mayor aproximación sobre el sentido y alcance de los principios básicos del DIH, véase el capítulo 6 de esta monografía.

con el estándar mínimo, necesario y/o deseable desde un punto de vista jurídico? Dar respuesta a esta pregunta dependerá del enfoque operacional que se tome.

El Departamento de Defensa de EE.UU., por ejemplo, considera que el elemento clave en la interacción hombre-máquina en el desarrollo, el despliegue y el uso de las tecnologías emergentes en el área de los SAAL pasa por que estos sistemas sean diseñados de tal manera que permitan a los comandantes y operadores ejercitar niveles apropiados de juicio humano sobre el uso de la fuerza armada. Esto refleja una decisión deliberada del Gobierno estadounidense de «permitir que las armas estén programadas para tomar "decisiones" relacionadas con el proceso de focalización»[161].

Ahora bien, según han expresado las autoridades de ese país en diferentes textos oficiales, el requerimiento de que se cumplan estándares apropiados de juicio humano sobre el uso de la fuerza armada no significa que la máquina deba estar programada para realizar por sí misma evaluaciones de DIH (por ejemplo, si alguna persona u objeto es un objetivo militar). Más bien, la idea sería garantizar que todas las formas de automatización y autonomía en las armas puedan usarse adecuadamente en operaciones militares[162].

Teniendo en cuenta la imprecisión y generalidad de esos argumentos, hay autores que consideran que la omisión de cualquier explicación clara sobre el alcance de ese modelo de control humano probablemente se debe a una decisión deliberada y estratégica del Gobierno estadounidense para permitir que el tiempo pase y la tecnología armamentística autónoma estadounidense se desarrolle mucho más antes

---

161 Departamento de Defensa de los Estados Unidos de Norteamérica, *Autonomy in Weapons Systems* (directiva), *op. cit.*, *véase página 2.*

162 *Human-Machine Interaction in the Development, Deployment and Use of Emerging Technologies in the Area of Lethal Autonomous Weapons Systems* (documento de trabajo de EE.UU.), núm. CCW/GGE.2/2018/WP.4, 28/08/2018, Palacio de las Naciones (reunión de expertos sobre los SAAL en la CCW, celebrada en Ginebra de 25 al 31 de agosto de 2018) [en línea], disponible en: *https://www.unog.ch/80256EDD006B8954/(httpAssets)/D1A2BA4B7B71D29FC12582F6004386EF/$file/2018_GGE+LAWS_August_Working+Paper_US.pdf*, fecha de revisión: 12/05/2019.

de que esos estándares sean definidos de manera precisa[163]. Basados en esas críticas, algunos expertos, Estados e instituciones no gubernamentales se decantan más por un enfoque diferente que garantice la existencia de un «control humano significativo» en el uso de la fuerza armada letal[164] en los siguientes términos:

El filósofo Peter Asaro, por ejemplo, considera que un verdadero control requiere de la suficiente oportunidad para que los supervisores humanos puedan llevar a cabo razonamientos y deliberaciones morales antes de utilizar la fuerza violenta a través de SAAL[165]. Por su parte, el científico Noel Sharkey subraya que este tipo de control humano significativo requiere que un comandante u operador tenga un conocimiento contextual y situacional sobre el área que será objeto de un ataque específico, y esté plenamente disponible para percibir y reaccionar ante cualquier cambio o situación inesperada. En ese sentido, deberán existir en el sistema mecanismos que permitan a los humanos suspender o abortar rápidamente el ataque correspondiente[166].

---

163 Igualmente, esos autores subrayan que la frase «niveles apropiados de juicio humano sobre el uso de la fuerza» en sí misma puede que no represente el ejercicio de algún juicio humano cierto. Al respecto, Saxon, D., «A human touch: autonomous weapons, DoD Directive 3000.09 and the interpretation of "appropriate levels of human judgment over the use of force"», en Bhuta, N., Beck, S., Geib, R., Liu, G.-Y. y Kreb, C. (eds.), *Autonomous weapons systems. Law, ethics, policy*, Cambridge (EE.UU.), Cambridge University Press, 2016, *véase página 186.*

164 En esta línea, por ejemplo, Instituto de las Naciones Unidas para la Investigación del Desarme, *Framing discussions on the weaponization of increasingly autonomous technologies*, *op. cit.*, *véanse páginas 9 y 10.*

165 Asaro, P., «Ethical issues raised by autonomous weapon systems», en *Autonomous weapon systems technical, military, legal and humanitarian aspects: Informe de* la *reunión de expertos celebrada en Ginebra*, Comité Internacional de la Cruz Roja (Ginebra, 26-28 de marzo de 2014), disponible en: *https://www.icrc.org/en/document/report-icrc-meeting-autonomous-weapon-systems-26-28-march-2014*, fecha de revisión: 23/05/2019, *véase página 50.*

166 Sharkey, N., *Sin título* (presentación de PowerPoint), Sheffield Centre for Robotics (Sheffield, «Reunión informal de expertos sobre los SAAL de la CCW», 13-16 de mayo de 2014) [en línea], disponible en: *https://www.unog.ch/80256EDD006B8954/(httpAssets)/78C4807FEE4C27E5C-1257CD700611800/$file/Sharkey_MX_LAWS_technical_2014.pdf*, fecha de revisión: 23/05/2019, *véase diapositivas 9 y 10.* Por su parte, el Center for a New American Security (en adelante, CNAS) opina que los tres componentes esenciales para el control humano significativo deberían ser los siguientes: a) que los operadores humanos tomen decisiones informadas y conscientes sobre

La idea del «control humano significativo» sobre los SAAL representa la autonomía como un «diseño coactivo» o «interdependencia humano-máquina». Este es un modelo de control diferente, en tanto que intenta aprovechar e integrar las diferentes fortalezas de los humanos y las máquinas para maximizar el rendimiento de los sistemas en sí. Bajo esa perspectiva se da prioridad al refuerzo del trabajo en equipo humano-máquina, y en ese sentido se reduce la autonomía en los SAAL a ser una herramienta para lograr objetivos particulares. Así las cosas, a medida que las tecnologías autónomas mejoren, la interdependencia entre humanos y máquinas irá acrecentándose también[167].

Este nuevo enfoque sobre el control humano, en su nivel más básico, se desarrolla a partir de dos ideas fundamentales: por un lado, una máquina que aplica fuerza y opera sin ningún control humano debe considerarse inaceptable. Por otro lado, el hecho de que un humano simplemente presione un botón de disparo en respuesta a las indicaciones de una computadora, sin claridad cognitiva o conocimiento de la situación, no representa, en sentido sustancial, el ejercicio de un control humano suficiente[168].

---

el uso de armas; b) que posean además información suficiente para garantizar la legalidad de la acción que estén tomando, dado que son los que saben cuál es el objetivo, el arma y el contexto de la acción; y, c) que el arma esté diseñada y probada, y los operadores humanos estén apropiadamente capacitados para garantizar así un control efectivo sobre el uso de esa arma. Al respecto, Scharre, P. y Horowitz, M., «Meaningful human control in weapon systems: a primer», Washington, Center for a New American Security, 2015 [en línea], disponible en: *https://s3.amazonaws.com/files.cnas.org/documents/Ethical_Autonomy_Working_Paper_031315.pdf?mtime=20160906082316*, fecha de revisión: 23/05/2019, *véase página 4*.

167 Saxon, D., «A human touch: autonomous weapons, DoD Directive 3000.09 and the interpretation of "appropriate levels of human judgment over the use of force"», *op. cit.*, *véanse páginas 201-204*.

168 Roff, H. M. y Moyes, R., *Meaningful human control, artificial intelligence and autonomous weapons* (*briefing paper*), Palacio de las Naciones (reunión de expertos sobre los SAAL en la CCW, celebrada en Ginebra de 11-15 de abril de 2016) [en línea], disponible en: *http://www.article36.org/wp-content/uploads/2016/04/MHC-AI-and-AWS-FINAL.pdf*, fecha de revisión: 23/05/2019.

En razón de lo anterior, un control humano significativo debería integrarse a través de mecanismos que operen antes, durante y después del uso de un SAAL en conflictos armados. Desde el desarrollo de AW, pasando por su uso, y hasta llegar a la etapa de rendición de cuentas *ex post facto*, cada fase deberá darse forma y condicionarse junto a las otras para asegurar en su conjunto un verdadero control humano.

Para que se pueda hablar del ejercicio de un verdadero control humano significativo sobre los SAAL, el mismo debe ejercerse:

a. *Antes* del inicio de las hostilidades, ya que los sistemas de armas siempre están diseñados, comercializados y adquiridos como herramientas para lograr ciertos fines humanos, y reconociendo que los sistemas de armas autónomas (al igual que el resto de las armas) pueden producir resultados no deseados[169], es de esperar que el control humano se ejerza durante los procesos de diseño y desarrollo del arma.

b. *Durante* la conducción de las hostilidades, fundamentalmente, a nivel de la ejecución de cualquier ataque en concreto. Aquí, el control humano se ejerce cuando los comandantes seleccionan sistemas de armas (en este caso SAAL) de entre aquellos que, previamente, fueron sometidos a un control humano en su diseño, comercialización y adquisición, para luego poder aplicarlos a contextos específicos. Evidentemente, los criterios de «cómo» y «por qué» se eligen esos contextos son producto de la recopilación de información y toma de decisiones humanas[170] que son propias de procesos más amplios[171]. Ahora

---

169 Dado que los SAAL son una tecnología emergente, existen muchas incertidumbres sobre los riesgos involucrados en su desarrollo futuro. Por lo tanto, en capítulos posteriores se podrá evidenciar como cualquier análisis sobre las implicaciones jurídicas relacionadas con el uso de estos sistemas en conflictos armados, indudablemente, deberá abordar cuestiones relativas a la «predictibilidad», la «fiabilidad» y la «transparencia» del arma autónoma frente al control humano, más o menos sustantivo, ejercido sobre esta.

170 Como se señaló en secciones anteriores, para una mayor aproximación acerca del sentido y el alcance con el cual se emplea la palabra «decisión» en los argumentos propios de la presente investigación, véase el primer apartado del capítulo 7 de esta monografía.

171 Basados en el modelo de selección de objetivos de la OTAN ya referido en secciones previas, estos procesos constan generalmente de seis pasos principales:

bien, generalmente hay tres niveles asociados con la acción militar: el táctico, el operativo y el estratégico. El control humano significativo sobre los «ataques», en concreto, reside en el nivel táctico de los conflictos armados.

c. El último estadio de ejercicio del control humano sobre los SAAL se relaciona con la rendición de cuentas. Generalmente, la fase previa y posterior a las hostilidades están conceptual y prácticamente vinculadas, toda vez que para que exista una correcta rendición de cuentas y la ulterior atribución de responsabilidad a que hubiere lugar, el sistema armamentístico deberá, sobre la base de su tecnología, estar diseñado con miras a que esa rendición de cuentas se pueda cumplir.

Habida cuenta de lo anterior, es innegable que el concepto de «control humano significativo» proporciona un enfoque útil para discutir el uso de armas tecnológicas cada vez más autónomas. Sin embargo, no representa una solución a todas las cuestiones técnicas, jurídicas,

---

(1) los objetivos finales del Estado y del comandante; (2) el desarrollo de los *targets* y la priorización de estos; (3) el análisis de las capacidades; (4) la decisión del comandante y la asignación de la fuerza; (5) la planificación de la misión y la ejecución de la fuerza; (6) la evaluación. Para más información al respecto, *Autonomous Weapon Systems. The Need for Meaningful Human Control* (posición oficial del Advisory Council on International Affairs y del Advisory Committee on Issues of Public International Law del Gobierno de Países Bajos), *op. cit.*; Roorda, M., «NATO's targeting process: ensuring human control over (and lawful use of) "autonomous" weapons», *op. cit.*, *véanse páginas 152-168*; *Chair's summary of the discussion on agenda item 6 (a) 9 and 10 April 2018, agenda item 6 (b) 11 April 2018 and 12 April 2018, agenda item 6 (c) 12 April 2018, and agenda item 6 (d) 13 April 2018* [en línea], disponible en: *https://www.unog.ch/80256EDD006B8954/(httpAssets)/DF486EE2B556C8A6C125827A00488B9E/$file/Summary+of+the+discussions+during+GGE+on+LAWS+April+2018.pdf*, *véanse páginas 4-7*; *Human Machine Touchpoints: The United Kingdom's perspective on human control over weapon development and targeting cycles* (documento de trabajo de Reino Unido), núm. CCW/GGE.2/2018/WP.1, 8 de agosto de 2018, Palacio de las Naciones (reunión de expertos sobre los SAAL en la CCW, celebrada en Ginebra de 27-31 de agosto de 2018) [en línea], disponible en: *https://www.unog.ch/80256EDD006B8954/(httpAssets)/050CF806D90934F5C12582E5002EB800/$file/2018_GGE+LAWS_August_Working+Paper_UK.pdf*, fecha de revisión: 23/05/2019, *véanse páginas 2-5*.

morales y éticas que los SAAL pueden plantear[172]. Aunque muchos de sus argumentos profundizan el análisis de factores vinculados al control humano sobre los SAAL, igual siguen sin resolver otras cuestiones cruciales vinculadas al uso de estos sistemas en conflictos armados[173].

Por ejemplo: ¿debería ejercerse el control humano sobre todo el sistema armamentístico, o quizás solo sobre las funciones críticas de selección y ataque de objetivos?; independientemente de si se usa —o no— un SAAL, ¿la idoneidad del control humano sobre el arma debería examinarse en función de las características particulares de cada ataque individual?; a final de cuentas, ¿el control humano ha de variar dependiendo del rol que tenga el comandante o el operador humano en todo el ciclo de vida del sistema? (es decir, si el comandante que determina las reglas de combate, el que ordena un ataque en particular, y el individuo que implementa esa orden ejercen tres tipos de controles diferentes entre sí).

Cuando se trata de la investigación, el desarrollo y el uso de un SAAL, los humanos pueden asumir la posición de comandantes, operadores, compañeros de equipo, un objetivo propio del sistema o simplemente un civil. Cada uno de estos roles implica diferentes tipos de interacción desde los humanos hacia las máquinas que van desde el control físicamente directo a la supervisión externa, meras reacciones ante el ataque ejecutado por el arma autónoma, hasta la definición de instrucciones propiamente dadas al sistema mediante la programación algorítmica.

Habida cuenta de lo anterior, la definición de trabajo sobre los SAAL propuesta en esta investigación tiene muy en cuenta toda esta realidad. Como se indicó en párrafos anteriores, el grado de au-

---

172 Instituto de las Naciones Unidas para la Investigación del Desarme, *The weaponization of increasingly autonomous technologies: considering how meaningful human control might move the discussion forward,* documento de investigación, núm. 2, Ginebra, 2014 [en línea], disponible en: *http://www.unidir.ch/files/publications/pdfs/considering-how-meaningful-human-control-might-move-the-discussion-forward-en-615.pdf*, fecha de revisión: 23/05/2019, *véase página 4*.

173 Crootof, R., «A meaningful floor for "Meaningful Human Control"», *Temple International & Comparative Law Journal*, vol. 30, 2016, pp. 53-62, disponible en: *https://papers.ssrn.com/sol3/papers.cfm?abstract_id=2705560*, fecha de revisión: 23/05/2019, *véanse páginas 56-58*.

tonomía en las tareas de estos sistemas se debe analizar en función del grado de control humano que en ellos se pueda ejercer. Ello significa que al disminuir el control humano sobre el arma aumenta proporcionalmente el nivel de reemplazo del ser humano por parte de la máquina en la ejecución de las funciones del sistema.

Por tanto, el control humano, sea cual fuere el adjetivo o nombre sucedáneo que se le dé luego, siempre será considerado el límite correlativo natural a la autonomía en las funciones de los SAAL, un control que deberá existir durante el desarrollo, la activación y la operación de estos (siguiendo la línea del control humano significativo explicado en párrafos previos). Así pues, el ejercicio de ese control se podrá dar de diferentes maneras y en distintas etapas. Por ello, las elecciones de diseños deliberados en esos sistemas autónomos serán cruciales para permitir a los operadores, los compañeros de equipo y los comandantes de misiones mantener los niveles deseados y apropiados de control en la ejecución de las tareas planeadas. En ese sentido, al igual que el International Panel on the Regulation of Autonomous Weapons (en adelante, IPRAW) y otras instituciones más[174], la presente investigación llega a la misma conclusión de que dos tipos de control humano deben existir en un SAAL:

Por un lado, está el *control a través del diseño*, enfocado en la necesaria presencia de un *hardware* y un *software* específicos que permitan a un operador humano ejercer control durante toda la operación del sistema. Este tipo de control requiere la existencia de «[...] instrumentos específicos en la interfaz humano-máquina y procedimientos relevantes programados en el proceso del sistema que per-

---

174 Por ejemplo, el CICR. Al respecto, Comité Internacional de la Cruz Roja, *Statement of the International Committee of the Red Cross (ICRC) Agenda item 5(a) – An exploration of the potential challenges posed by emerging technologies in the area of lethal autonomous weapon systems to international humanitarian law* (declaración), (presentada ante la reunión del grupo de expertos gubernamentales en sistemas letales de armas autónomas en la CCW, celebrada en Ginebra, de 25-29 de marzo de 2019) [en línea], disponible en: *https://www.unog.ch/80256EDD006B8954/(httpAssets)/5C76B1301CEC4BE6C12583CC002F6A15/$file/CCW+GGE+LAWS+ICRC+statement+agenda+item+5a+26+03+2019.pdf*, fecha de revisión: 24/05/2019, *véase página 3*.

mitan una intervención humana»[175]. El *control a través del diseño* admite la posibilidad de verificar pruebas de sondeo para ilustrar y evaluar el estado y las acciones del SAAL en los diferentes pasos del ciclo de focalización. Por otro lado, está el *control en el uso*, un modo de intervención que implica el mantenimiento del control humano sobre el SAAL durante la planeación, la ejecución y la operación de sus tareas o funciones.

Ambos modelos son interdependientes entre sí. La combinación de los dos tipos de controles humanos representa la elección de un diseño sólido que crea limitaciones técnicas deliberadas sobre el rango o efecto del sistema y sus funciones. El control en el diseño, ejercido en la etapa de desarrollo del SAAL, proporciona un medio para establecer y testear las medidas de intervención humana en el uso del sistema. No obstante, asegurar el control humano en el uso del sistema, especialmente en las etapas de activación y de operación, es crucial para que realmente se pueda garantizar el cumplimiento de las normas internacionales sobre la conducción de hostilidades[176].

---

175 International Panel on the Regulation of Autonomous Weapons (IPRAW), *Focus on the Human-Machine Relation in LAWS* (informe), *op. cit.*, *véanse páginas 14 y 15*. También véase International Panel on the Regulation of Autonomous Weapons (IPRAW), *Building Blocks for a Regulation on LAWS and Human Control. Updated Recommendations to the GGE on LAWS* (informe), Berlín, julio de 2021 [en línea], disponible en: *https://www.ipraw.org/wp-content/uploads/2021/07/iPRAW-Report_Building-Blocks_July2021.pdf*, fecha de revisión: 30/09/2021, *págs. 17, 18 y 19*.

176 Para el CICR, el control humano ejercido solo en la etapa de desarrollo (*control a través del diseño*) no será suficiente para garantizar el cumplimiento del DIH en el uso de un SAAL para ejecutar ataques en conflictos armados internacionales. Como se podrá ver más adelante, una de las razones válidas para esta investigación viene dada por la naturaleza intrínsecamente variable e impredecible de los entornos operativos del mundo real. El control humano, y el juicio que este involucra, deben estar próximos al uso de la fuerza en un ataque específico, y no pueden ser sustituidos o reemplazados por el *control a través del diseño*. Al respecto, Comité Internacional de la Cruz Roja, *Statement of the International Committee of the Red Cross (ICRC) Agenda item 5(a) – An exploration of the potential challenges posed by emerging technologies in the area of lethal autonomous weapon systems to international humanitarian law* (declaración), *op. cit.*, *véase página 3*. En esa misma línea, Human Rights Watch, «Making the case the dangers of killer robots and the need for a preemptive ban», *Human Rights Watch*, diciembre de 2016 [en línea], disponible en: *https://www.hrw.org/*

La interdependencia entre ambos modelos de control exige además que el humano tenga la habilidad para entender la situación o el contexto general, que conozca el estado de funcionamiento del SAAL y del entorno en el cual será desplegada esa máquina, porque solo así se garantizará que el humano tenga las herramientas necesarias para intervenir apropiadamente, si fuere necesario, en la ejecución de la tarea correspondiente. En ese sentido, se comparte plenamente el criterio del CICR al señalar que:

> «[...] las consideraciones legales pueden exigir algunas restricciones similares a la autonomía en los sistemas de armas, de modo que [...] se mantenga el control humano, en particular con respecto a: la supervisión humana y la capacidad de intervenir y desactivar; los requisitos técnicos de predictibilidad y fiabilidad (incluidos los algoritmos que sean utilizados); y las restricciones operativas sobre la tarea para la cual se usa el arma, el tipo de objetivo, el entorno operativo, el plazo de operación y el alcance del movimiento en un área [...]»[177].

---

sites/default/files/report_pdf/arms1216_web.pdf, fecha de revisión: 02/05/2019, *véanse páginas 38-40.*

177 Además del texto citado, un informe de junio de 2020, elaborado conjuntamente por el CICR y SIPRI, sugiere que los elementos del control humano se operacionalicen e implementen en los SAAL una vez que se determine exactamente qué abarcan los conceptos «humano» y «control». Para ello, ambas instituciones proponen que se sigan cuatro parámetros planteados en modo pregunta: a). ¿*Quién* es (quiénes son) el humano (los humanos) que está (están) al mando? ¿El operador que utiliza directamente el SAAL, el comandante a cargo del ataque, las personas en la estructura más amplia del comando y control de la misión, o una combinación de todos estos individuos? Desde una perspectiva ética, un usuario es cualquier ser humano involucrado en la decisión de usar —y el uso real de— un SAAL. La capacidad del usuario para ejercer influencia sobre el uso de estos sistemas es la base de su obligación moral. Así, desde un punto de vista operativo, los usuarios son parte de una cadena de comando y control humano más amplia, en la que se toman decisiones de focalización. Por lo tanto, en la práctica, el requisito general aplicable es que todos los usuarios mantengan un cierto nivel de control humano sobre el uso de un SAAL y sus efectos; b) ¿*Qué* es lo que está bajo el control humano? ¿el SAAL en su conjunto, las funciones críticas de selección y ataque a los objetivos, o las consecuencias del ataque en sí? Efectivamente el uso del SAAL en un ataque específico y las consecuencias de ese ataque. Ello es así, habida cuenta que lo que está en juego es la capacidad de los usuarios del sistema para reducir o compensar, a través de medidas de control humano, la impredecibilidad inherente que introduce en las consecuencias del

ataque la autonomía en las funciones críticas del SAAL empleado; c)*¿Cuándo* se debe ejercer el control humano? ¿únicamente hasta el punto de activación del SAAL, o también durante su funcionamiento? El informe reconoce que, a lo largo de las discusiones internacionales sobre los SAAL, ha habido una tendencia a considerar cinco fases clave donde se podrían implementar medidas para el control humano —como un proceso lineal— en el desarrollo, despliegue y uso de un SAAL. Esas fases son: fase 0. Estudio o investigación previa y desarrollo: cuando se identifican los requisitos técnicos para el SAAL; fase 1. Investigación y desarrollo: cuando se determinan las características técnicas del SAAL; fase 2. Adquisición: cuando el SAAL pasa por pruebas y evaluación, validación y verificación, y revisión legal final; fase 3. Implementación: abarca desde el momento de implementar la capacitación del usuario y los procedimientos operativos estándar para el SAAL, hasta el momento de la planificación de la misión (es decir, definir los objetivos, sus perfiles y las reglas de participación) para su uso; fase 4. Uso; comienza con la activación del SAAL hasta que el ataque se completa, aborta o finaliza; fase 5. Posterior al uso: implica la evaluación de los efectos del SAAL para generar lecciones que se puedan aplicar en el futuro. De acuerdo con ambas instituciones, la autonomía en las funciones críticas es la que hace que el uso de un SAAL sea único en comparación con otros sistemas de armas. Por tanto, el foco prioritario y fundamental respecto al «cuándo» debe estar en la fase 4 (uso de un SAAL en un ataque específico), sobre todo a la hora de evaluar las medidas de control necesarias desde un punto de vista legal, ético y operativo; y, finalmente, d) *¿Cómo* se debe ejercer el control humano? ¿Qué forma debe tomar el control? De acuerdo con este informe, habrá de ejercerse determinando el tipo y grado de control humano que sea requerido en la práctica. Para ello, según el informe, debe analizarse, caso por caso, tres categorías generales de control posibles: a) aquél ejercido sobre los parámetros del sistema de armas a usar (limitando el tipo de objetivo, restringiendo el alcance espacial y temporal de la operación y controlando los efectos de las armas, y estableciendo y respetando requisitos de seguridad); b) el que se ejerce sobre el entorno en que se usaría el SAAL (manteniendo la comprensión de la situación, excluyendo a las personas y los objetos protegidos, y declarando y haciendo cumplir las zonas de exclusión, barreras físicas y/o advertencias); y, c) aquel ejercido a través de la interacción hombre-máquina (asegurando la supervisión humana sobre el sistema, garantizando la capacidad humana de intervenir y desactivar el mismo, y capacitando al usuario para que comprenda el comportamiento del SAAL y sus limitaciones). Al respecto *Ethics and autonomous weapon systems: An ethical basis for human control?* (documento de trabajo del Comité Internacional de la Cruz Roja), *op. cit.*, *véase página* 22; Boulanin, V., Davison, N., Goussac, N. y Peldán, M., *Limits on Autonomy in Weapon Systems,* Estocolmo, Stockholm International Peace Research Institute, 2020, [en línea], disponible en: *https://www.icrc.org/en/document/limits-autonomous-weapons#:~:text=Limits%20on%20Autonomy%20in%20Weapon%20Systems%3A%20Identifying%20Practical%20Elements%20of,legal%2C%20ethical%20and%20operational%20concerns*, fecha de revisión 21/01/2021, *véanse las páginas 26 y ss.*; y Grupo de Expertos

Por todo ello, la definición de trabajo de los SAAL propuesta en esta investigación lleva implícita la idea del *control humano* en sus dos modelos interdependientes —como categoría analítica— (es decir, a través del diseño y del uso de los sistemas en la ejecución de cualquier ciclo de focalización), como característica esencial de su interfaz humano-máquina.

Esto significa que, en el marco de desarrollo de una misión en la que se implemente un SAAL, los sensores, los procesadores, los *softwares* y los activadores de la máquina deberán estar manifiestamente subordinados al control humano[178]. Por tanto, las órdenes o las guías de focalización deben ser transmitidas por los humanos a las máquinas con capacidad colectiva de comprometer un objetivo, sobre todo para monitorear y ejercer autoridad y control sobre la ejecución de su misión[179]. En ese sentido, las reglas de enfrentamiento, operación y uso de esos sistemas, así como la planeación y la ejecución de las misiones *per se*, deberán ser validadas siempre por los operadores

---

Gubernamentales sobre las tecnologías emergentes en el ámbito de los sistemas de armas autónomas letales, *Informe del período de sesiones de 2018, op. cit., véase página 14.*

178 *Human-Machine Interaction in the Development, Deployment and Use of Emerging Technologies in the Area of Lethal Autonomous Weapons Systems* (documento de trabajo de Francia), núm. CCW/GGE.2/2018/WP.3, 28/08/2018, Palacio de las Naciones (reunión de expertos sobre los SAAL en la CCW, celebrada en Ginebra de 27-31 de agosto de 2018) [en línea], disponible en: *https://www.unog.ch/80256EDD006B8954/(httpAssets)/2E16E59C0AB73F2FC12582F30055113C/$file/2018_GGE+LAWS_August_Working+Paper_France.pdf*, fecha de revisión: 03/05/2019, *véase página 2.*

179 La conclusión inicial del panel es que una definición potencial y una regulación de los SAAL deberían considerar múltiples aspectos: un mayor enfoque y análisis de los contextos de aplicación, la relación con las autoridades de comando humano y las limitaciones a la evaluación algorítmica. Así, cualquier descripción conceptual de esos sistemas deberá tener en cuenta tres elementos funcionales: a) sensores que perciben el entorno y otros que estimulan lo que el sistema necesita para reaccionar también; b) un conjunto de *hardware* y *software* de computadoras que evalúen la data colectada acerca del entorno y los planes en curso de acción; y, c) los activadores o mecanismos que manipulen el entorno o el sistema dentro de este. International Panel on the Regulation of Autonomous Weapons (IPRAW), *Focus on technology and application of autonomous weapons* (informe), núm. 1, 2017 [en línea], disponible en: *https://www.ipraw.org/wp-content/uploads/2017/08/2017-08-17_iPRAW_Focus-On-Report-1.pdf*, fecha de revisión: 21/05/2019, *véanse páginas 10-12.*

humanos a quienes de antemano les corresponderá estar habilitados apropiadamente para tal fin[180].

1.4. Marco jurídico aplicable al uso de SAAL en conflictos armados internacionales

Tras haberse elaborado y, ulteriormente, explicado el sentido y el alcance de la definición de trabajo sobre los SAAL adoptada en esta investigación, es momento ahora de contextualizar el marco jurídico aplicable al uso de estas AW en conflictos armados internacionales. Así pues, es significativo recordar, en primer término, que los SAAL, como cualquier otra arma o medio de guerra, debe someterse a normas jurídicas nacionales e internacionales que regulen su potencial investigación, desarrollo, testeo, innovación y ulterior fabricación, producción, comercialización, transferencia, almacenamiento, despliegue y uso.

---

180 Esta habilitación exige que el operador humano se empodere de toda la información contextual posible (cómo funciona el arma, lugar de despliegue de esta, planeación de la misión, etc.). Esto podría reducir el sesgo de automatización en el uso de SAAL, es decir, la propensión a que el humano favorezca o confíe más en las sugerencias dadas por el sistema autónomo, e ignore la información contradictoria que tenga disponible por sí mismo y sin apoyo del sistema, incluso si esta última fuere la correcta. Este sesgo existe porque los humanos siempre tienden a pensar que la máquina hace —o sabe hacer— mejor cualquier tarea que ellos mismos, justificados en la idea de que la máquina ha sido diseñada por ingenieros muy inteligentes, y además posee una gran masa de datos (*big data*) que un humano jamás podría manejar. Por tanto, una manera de disminuir el sesgo de automatización es que el humano tenga conciencia de cómo trabaja el SAAL, cuáles son las circunstancias, las probabilidades y los peligros que subyacen cuando haga uso de esa tecnología tan sofisticada. Para más información al respecto, Chatila, R., *Autonomous Weapon Systems: technological issues and recommendations* (conferencia), *op. cit.*, *véase a partir del minuto 00:28:59*; Mosier, K., Sktika, L. Heers, S. y Burdik, M., «Automation bias: Decision making and performance in high-tech cockpits», *International Journal of Aviation Psychology*, vol. 8, 1998, núm. 1, pp. 47-63, disponible en: *https://www.researchgate.net/publication/11805395_Automation_Bias_Decision_Making_and_Performance_in_High-Tech_Cockpits*, fecha de revisión: 27/05/2019; y Mouloua, M. y Parasuraman, R., *Automation and human performance - theory and applications*, Boca Ratón (EE.UU.), CRC Press, 2009 (Human Factors in Transportation Series).

Parte de ese marco normativo proviene de fuentes diversas, mayormente relativas al derecho internacional del desarme[181], la protección internacional de la persona humana, las leyes de combate, los manuales militares, de seguridad y de defensa, entre otras. Sin embargo, el marco jurídico de referencia que se aplicará en esta investigación comprende más un grupo de normas jurídicas diferentes, denominado por la doctrina como «derecho internacional armamentista», el cual admite la posibilidad de que los Estados puedan recurrir a las tecnologías armamentísticas (armas y medios) y métodos de combate para usar legítima y legalmente su fuerza militar en las hostilidades[182].

A nivel conceptual, es importante dejar claro que el derecho internacional armamentista no es una rama formal del derecho internacional. En realidad, es una propuesta doctrinal muy útil para esta investigación, porque permite comprender mejor la naturaleza jurídica de todo el marco jurídico aplicable a la investigación, el desarrollo, la

---

181 Se refiere a las reglas o normas del derecho internacional que aplica al desarme, el control de armas y la no proliferación. Muchas de esas normas se encuentran mayormente incluidas en tratados, convenciones, o son aplicadas en normas de derecho internacional consuetudinario, que podrían contener provisiones o prohibiciones, o regular la reducción, limitación, control y destrucción de armas. Al respecto, Kierulf, J., *Disarmament under International Law*, Quebec, McGill-Queen's University Press, 2016, *véase página 6*.

182 Actualmente no existe una única definición de «conflicto armado»; a menudo el término se usa como sinónimo de «hostilidades». Incluso el API cuando hace referencia a medios y métodos siempre añade las expresiones «de guerra», «de combate» o «de ataque» indistintamente. Teniendo en cuenta toda esta confusión terminológica, a los efectos de la presente investigación se emplearán las expresiones «hostilidades» y «conflictos armados» como sinónimas, entendiendo que son hostilidades desarrolladas durante el conflicto armado, en el que debe existir un recurso a la fuerza armada entre los Estados, o violencia armada prolongada entre las autoridades gubernamentales y los grupos armados organizados o entre dichos grupos dentro de un Estado. Para más información sobre esta definición de «conflicto armado», Tribunal Penal Internacional para la Antigua Yugoslavia (TPIY), *El Fiscal vs. Dusko Tadić a/k/a «DULE»* (Decision on the defence motion for interlocutory appeal on jurisdiction), Caso núm. IT-94-1-T (2 de octubre de 1995), disponible en: *http://www.icty.org/x/cases/tadic/acdec/en/51002.htm*, fecha de revisión: 31/08/2019, *véase párrafos 66-70*; y Crowe, J. y Weston-Scheuber, K., *Principles of International Humanitarian Law*, Gloucestershire (Reino Unido), Edward Elgar, 2013, *véanse páginas 10-14*.

innovación y el uso de SAAL en conflictos armados internacionales[183]. Así las cosas, sus normas se nutren del Derecho Internacional de los Conflictos Armados (en adelante, DICA), un marco jurídico mucho más amplio que abarca temas que son clave en derecho internacional, especialmente relativos a las reglas de ataque a objetivos militares, la protección de víctimas y de los miembros de las Fuerzas Armadas que están fuera de combate, la protección de los bienes culturales en la guerra y la prohibición del uso de la fuerza armada y sus excepciones[184].

---

183 El derecho internacional armamentista, de momento, no se considera una rama formal y específica del derecho internacional de los conflictos armados (DICA). Sin embargo, sí que se nutre de las normas del DICA para alcanzar su focalización no formal. En ese sentido, dicha expresión «derecho internacional armamentista» se utilizará en la presente investigación con fines académicos y operativos. Su ámbito abarca un conjunto de normas jurídicas que se encuentran individualmente dispersas a lo largo del DICA, y sirve como mero instrumento operativo de sistematización jurídica para analizar jurídicamente los asuntos que conciernen a la investigación, el desarrollo, la innovación y la mejora de armas, métodos o medios destinados a ser usados en conflictos armados.

184 Es importante tener en cuenta que a finales del siglo xix y en la primera mitad del siglo xx el DIH se fue desarrollando por dos vías paralelas y diferentes. Una relativa al derecho de las armas, los métodos y los medios de guerra condensada en varios tratados que fueron negociados en La Haya (Países Bajos), por lo cual llegó a conocérsele como «Derecho de La Haya» o «de las conductas de hostilidades». Luego están aquellas normas jurídicas que protegen a las víctimas de los conflictos armados, adoptadas principalmente en la ciudad de Ginebra (Suiza), lo que hizo que se las conociera como «Derecho de Ginebra». Sin embargo, la negociación de los Protocolos Adicionales a los Convenios de Ginebra de 1949 (Comité Internacional de la Cruz Roja, «Protocolos Adicionales I y II de los Convenios de Ginebra», *International Committee of the Red Cross*, 1/1/2009 [en línea], disponible en: *https://www.icrc.org/es/doc/resources/documents/misc/additional-protocols-1977.htm*, fecha de revisión: 07/05/2019) contribuyó a la unificación de ambos cuerpos o vías jurídicas, por lo que ahora dichas distinciones solo poseen un interés histórico y académico en lugar de ser vistas como dos ramas del DIH jurídica, categórica y específicamente diferenciadas. No obstante, esta referencia histórica resulta pertinente para entender el significado de la terminología que algunos Estados e instituciones (públicas y privadas) emplean en sus documentos y que evoca directamente a esa diferenciación entre «Derecho de La Haya» y «Derecho de Ginebra» (probablemente por razones más prácticas o de interés instrumental-pedagógico-académico), incluso cuando tratan de reflexionar jurídicamente acerca de los SAAL.

A su vez, las obligaciones del derecho internacional armamentista se derivan, principalmente, del DIH, el cual tiene como objetivo el establecimiento de un balance entre necesidad militar y consideraciones humanitarias (algo clave a tener en cuenta cuando se reflexiona sobre las implicaciones jurídicas que plantean el desarrollo y el uso de SAAL en conflictos armados internacionales)[185]. Por ende, el derecho internacional armamentista —en virtud del DIH— busca garantizar la protección de la persona humana bajo un enfoque diferente a lo que podría suceder con el DIDH. Por ejemplo, cuando a través de operaciones militares se elimina a personas conforme al DIH no tienen por qué considerarse privaciones arbitrarias del derecho humano a la vida.

Ahora bien, lo anterior no significa que el DIDH deje de tener sentido durante las hostilidades[186]. Al contrario, el DICA/DIH y el DIDH

---

185 Es importante precisar que el DICA y el DIH, aunque puedan parecer cien por cien equivalentes, en realidad no lo son, toda vez que el DICA incluye además por su parte todo un campo normativo relacionado con la prohibición del uso de la fuerza armada y sus excepciones (lo que se conocía antes como *ius ab bellum*). Aparte de esto, ambos cuerpos normativos son considerados por la doctrina como marcos jurídicos «gemelos», prácticamente con el mismo significado, en tanto que son cuerpos de derecho internacional consuetudinario y se basan en tratados destinados a proteger, principalmente, a los civiles en tiempos de conflicto armado (internacional o no internacional). Además, tanto el DICA como el DIH representan un delicado equilibrio de dos valores: la necesidad militar —que reconoce que los Estados tienen un interés legítimo en las medidas que les dan una ventaja militar en un conflicto armado— y el valor de la humanidad —que atempera la necesidad de preocuparse por la seguridad de los civiles, los objetos civiles, los tesoros culturales y el medio ambiente—. Al respecto, Schmitt, M., «Military necessity and humanity in International Humanitarian Law: Preserving the delicate balance», *Virginia Journal of International Law*, vol. 50, 2010, núm. 4, pp. 795-839, disponible en: *https://papers.ssrn.com/sol3/papers.cfm?abstract_id=1600241*, fecha de revisión: 05/06/2019; Margulies, P., «Making autonomous weapons accountable: Command responsibility for computer-guided lethal force in armed conflicts», en Ohlin, J. D. (ed.), *Research handbook on remote warfare*, Nothampton (EE.UU.), Edward Elgar, 2017, pp. 405-442, *véanse páginas 407 y 408*; y Solis, G., *The Law of armed conflict: International Humanitarian Law in war*, Nueva York, Cambridge University Press, 2010, *véanse páginas 20-26*.

186 *Legal Consequences of the Construction of a Wall in the Occupied Palestinian Territory*, Advisory Opinion, I. C. J. Reports 2004, documento núm. A/ES-10/273 (13/07/2004), p. 136, disponible en: *https://www.icj-cij.org/files/adviso-*

(que nutren al derecho internacional armamentista) son cuerpos normativos internacionales que se pueden aplicar simultáneamente y deben conciliarse entre sí. Esto significa que, durante situaciones de conflicto armado, cualquier ejercicio de autoridad o poder por parte de los Estados deberá regirse siempre por las normas del DIDH, aunque estas deberían interpretarse y aplicarse de una manera que tenga en cuenta las normas del DICA/DIH[187].

Este enfoque interpretativo se encuentra presente a lo largo de todo el análisis jurídico contenido en este capítulo. En ese sentido, el DIDH es concebido aquí como un conjunto normativo que permite el uso de fuerza letal contra cualquier persona cuando esto sea absolutamente necesario para un propósito legítimo preestablecido[188], mientras que el DICA/DIH prohíben los ataques directos contra ciertas categorías de personas en términos absolutos, es decir, incluso en caso de «necesidad absoluta» para un fin legítimo[189]. Por ello, aunque el DIDH sea lo suficientemente flexible como para tener en cuenta las dificultades prácticas que los Estados pueden encontrar al hacer uso de

---

ry-opinions/advisory-opinions-2004-es.pdf, fecha de revisión: 05/08/2019, *véase párrafos 105 y 106*.

187 Brehm, M., «Defending the boundary. Constraints and requirements on the use of autonomous weapon systems under International Humanitarian and Human Rights Law», *Academy Briefing*, 2017, núm. 9 [en línea], disponible en: *https://www.geneva-academy.ch/joomlatools-files/docman-files/Briefing9_interactif.pdf*, fecha de revisión: 09/08/2019, *véanse páginas 23-26*.

188 Ese propósito preestablecido implica en sí mismo una posición del destinatario del uso de la fuerza letal.

189 En circunstancias excepcionales, incluidos los conflictos armados, los Estados pueden adoptar medidas que les eximen de sus obligaciones en materia de derechos humanos, siempre que se cumplan condiciones concretas según lo establecido en el artículo 4 del Pacto Internacional de Derechos Civiles y Políticos (Oficina del Alto Comisionado de Naciones Unidas, *Pacto Internacional de Derechos Civiles y Políticos*, 16/12/1966 [en línea], disponible en: *https://www.ohchr.org/SP/ProfessionalInterest/Pages/CCPR.aspx*, fecha de revisión: 05/06/2019). Asimismo, en el contexto del Convenio Europeo de Derechos Humanos (CEDH), el uso de la fuerza debe ser absolutamente necesario (indispensable, inevitable) y estrictamente proporcional al logro de un objetivo legítimo. Al respecto, *McCann y otros c. el Reino Unido* (GS), núm. 18984/91, TEDH 1995 (27/09/1995), disponible en: *http://iusgentium.ufsc.br/wp-content/uploads/2017/08/Texto-Cmpl-McCANN-AND-OTHERS-v-UK.pdf*, fecha de revisión: 05/06/2019, *véase párrafo 148*.

SAAL en conflictos armados internacionales conforme al DICA/DIH, igual no deja de ser un marco normativo que busque salvaguardar a la humanidad y proteger a las víctimas de la violencia armada, incluso mediante la imposición de restricciones al uso de la fuerza armada[190].

Teniendo en cuenta todo este contexto, es importante destacar que dentro del derecho internacional armamentista se distinguen a su vez dos grupos de provisiones reglamentarias que también serán abordadas en este capítulo: por un lado, las normas sustantivas que engloban tanto el derecho de las armas (*weapons law/law of weaponry*) —concernientes a la legalidad o no de cualquier tipo de arma particular como tal— como el derecho de focalización (*targeting law/law of targeting*) —relativo a la legalidad de la forma en que se utilizan dichas armas en el manejo de las hostilidades—[191]; y, por otro, la norma procedimental sobre la revisión jurídica de las nuevas armas, medios y métodos de guerra establecida en el artículo 36 del API[192].

En los próximos capítulos se reflexionará acerca de las implicaciones que traen consigo los SAAL frente a la aplicación de cada una de estas reglas (sustantivas y procedimental). Sin embargo, considerando lo desafiante que puede ser resumir la totalidad de las leyes relativas a las armas, medios y métodos de guerra, en este estudio nos limitaremos a profundizar el análisis en las reglas que, probablemente, sean de mayor relevancia para la investigación, el desarrollo y el uso de estos sistemas autónomos en conflictos armados internacionales.

Otro aspecto importante a destacar en la presente sección es que el análisis jurídico que se ofrecerá a lo largo de esta investigación se centrará exclusivamente en las implicaciones jurídicas que traen consigo el desarrollo y el uso de SAAL solo en conflictos armados internacio-

---

190 Esta protección hacia la humanidad no es exclusiva del DIDH. El DIH, dada su especialidad, protege aún más al ser humano en tiempos de guerra.

191 Básicamente, el *Weapons Law* prohíbe ciertas armas o tecnologías asociadas y restringe las circunstancias en las que se pueden usar legalmente otras armas o tecnologías. No obstante, aquellas armas o tecnologías a las que no se aplican estas prohibiciones o restricciones pueden ser usadas legalmente por los Estados en conflictos armados, siempre que cumplan las normas del *Targeting Law*.

192 Protocolo Adicional I (API) a los Convenios de Ginebra de 1949 relativo a la protección de las víctimas de los conflictos armados internacionales, *op. cit.*, *véase artículo 36*.

nales, dejándose de lado cualquier referencia directa a las hostilidades sin carácter internacional. Las razones de ello son las siguientes:

En primer término, hay una justificación jurídico-material. Tal y como se explicó en apartados anteriores, la presente investigación se ha desarrollado a la par de las reuniones internacionales que sobre los SAAL se están llevando a cabo en la CCW[193]. En ese sentido, la evolución y la riqueza de esas discusiones han contribuido al encaminamiento y la definición de los objetivos de esta investigación. Teniendo en cuenta ese aspecto, de momento, dicho debate se ha centrado en abordar únicamente las implicaciones que traen consigo las tecnologías emergentes en el área de los SAAL según los propósitos y objetivos de la CCW, un tratado internacional vinculado prioritariamente al estudio de los asuntos relacionados con las armas convencionales usadas (o utilizables) principalmente en conflictos armados internacionales —aunque, formalmente, no de manera excluyente—[194]. Esta priorización se debe, fundamentalmente, a intereses políticos y dinámicas propias de las relaciones internacionales de la mayoría de los miembros de ese organismo internacional[195].

---

193 Para una aproximación más acerca de la CCW véase el último apartado del capítulo 2 de esta monografía.

194 En su forma originalmente aprobada, la CCW solo aplicaba a situaciones de conflictos armados internacionales. Sin embargo, teniendo en cuenta que muchos conflictos hoy suceden dentro de las fronteras de un país, los Estados parte de ese tratado internacional acordaron enmendar el artículo 1 del texto de la Convención para que se aplique también a situaciones de conflictos armados no internacionales. Esta enmienda, aunque entró en vigor el 18 de mayo de 2004, no ha sido suscrita y ratificada por todas las Altas Partes contratantes de la CCW. Así, para los Estados que no han ratificado la extensión del alcance (enmienda del artículo 1), los protocolos en los que ese Estado sea parte seguirán aplicándose solo en los conflictos armados internacionales. Convención sobre Ciertas Armas Convencionales, *enmienda al artículo 1*, [en línea], disponible en: *https://www.unog.ch/80256EDD006B8954/(httpAssets)/B20A03F-9D7163A5BC12571DC0064F843/$file/AMENDED+ARTICLE+1.pdf*, fecha de revisión: 07/05/2019.

195 Esta afirmación se basa en una apreciación del propio investigador en virtud de su experiencia y de los datos obtenidos en las reuniones del GGE sobre los SAAL en el seno de la CCW a las que asistió como representante de la Universidad de Barcelona. Para más información sobre esta y otras opiniones del investigador relacionadas con el tema, Meza, M., «Los sistemas de armas completamente autónomos: un desafío para la comunidad internacional en el seno de

Así las cosas, las Altas Partes contratantes de la CCW entienden que los conflictos armados internacionales son, estrictamente, un tipo de hostilidad que impacta directamente a dos o más Estados y ello, sin duda alguna, implica una diversidad de riesgos o amenazas a la paz y seguridad internacionales[196]. Por ende, cualquier reflexión acerca de aquellos sistemas cuyo uso se destine a este tipo de conflictividades encaja mejor en los objetivos y propósitos originarios de la CCW. En cambio, los conflictos armados no internacionales, aunque tengan cierta trascendencia trasnacional, en realidad involucran intereses y relaciones de poder de dimensión nacional en los que la comunidad internacional no puede fácilmente (o simplemente no quiere) entrar en virtud del principio de soberanía que ampara las políticas militares, de seguridad y defensa de cada Estado[197]. Dicho principio se convierte así en una suerte de muro de protección (cuando menos

---

las Naciones Unidas», *op. cit.*; y Meza, M., «Los sistemas de armas autónomos: crónica de un debate internacional y prospectivo dentro de Naciones Unidas» (documento de trabajo), *IEEE*, núm. 41/2018, 2018 [en línea], disponible en: *http://www.ieee.es/Galerias/fichero/docs_opinion/2018/DIEEEO41-2018_SistArmas_Autonomos_NNUU_MiltonMeza.pdf*, fecha de revisión: 07/05/2019.

196 Doctrina especializada subclasifica los conflictos internacionales en tres tipos: a) los interestatales, cuando la lucha o enfrentamiento es entre dos o más Estados; b) los internacionales por extensión —generalmente vinculados a las guerras de liberación nacional de pueblos que actúan en ejercicio de su derecho a la autodeterminación—; y, c) situaciones de ocupación —total o parcial— bélica del territorio de un Estado por parte de otro Estado. Al respecto, Rodríguez-Villasante, J., «Ámbito de aplicación del derecho internacional humanitario. Tipología y delimitación de los conflictos armados», en Rodríguez-Villasante, J. y López Sánchez, J. (coords.), *Derecho Internacional humanitario*, Madrid, 3.ª edición, Tirant lo Blanch, 2017, pp. 151-190, *véase la página 126*.

197 Un conflicto no internacional se interpreta como una situación en la que hay enfrentamientos evidentes entre fuerzas o grupos armados organizados dentro del territorio de un Estado. Este tipo de hostilidad no incluye meros disturbios y tensiones internas, como actos aislados y esporádicos de violencia o de naturaleza similar. Al respecto, Boothby, W. H., *Weapons and the Law of armed conflict*, *op. cit.*, *véanse páginas 320 y 321*; y Rodríguez-Villasante, J., «Ámbito de aplicación del derecho internacional humanitario. Tipología y delimitación de los conflictos armados», *op. cit.*, *véanse páginas 127-130*. Hay quienes piensan, además, que se considera que un conflicto sin carácter internacional será toda hostilidad armada que ocurra dentro del territorio de un solo Estado y en el cual las Fuerzas Armadas de ningún otro Estado están involucradas contra el Gobierno central.

formal) frente a la potencial intromisión extranjera de parte de la comunidad internacional en los asuntos internos de cada Estado[198].

En un segundo término, y no menos importante, existe otro argumento, aunque puramente jurídico. Desde la filosofía jurídica hay quienes podrían argumentar que no existe una razón lógica y racional para seguir manteniendo una distinción entre el derecho internacional armamentista que se aplica a los conflictos armados internacionales y aquel que gobierna las hostilidades durante un conflicto armado no internacional. Incluso algunos expertos podrían llegar a preguntarse por qué sería legítimo exponer individuos que se hayan en una guerra civil a mecanismos de daño o lesión cuyo despliegue podría (o ya ha sido) considerado inaceptable para cualquier guerra entre Estados[199].

Sin embargo, en los últimos años, aunque las diferencias del derecho internacional aplicable a estas clases de conflictos armados parecieran que se han reducido, lo cierto es que no se han extinguido del todo en relación con el derecho internacional armamentista. Ejemplos de esas diferencias todavía se pueden encontrar, entre otros, en la regulación internacional relativa a las balas expansivas, en la extensión del alcance de la CCW o en el Convenio de modificación ambiental (cuando el medio ambiente sea usado como un arma)[200], por tan solo

---

198 Capella, J., *Entrada en la barbarie*, Madrid, Trotta, 2007; Carrillo, J., *Soberanía del Estado y Derecho internacional*, Madrid, Tecnos, 1969; Hinsley, F., *Sovereignty*, Cambridge (EE.UU.), 2.ª edición, Cambridge University Press, 1986; Pisarello, G., *Constitucionalismo, mundialización y crisis del concepto de soberanía: algunos efectos en América Latina y en Europa*, Alicante, Servicio de Publicaciones de la Universidad de Alicante, 2000; y, Zolo, D., *La justicia de los vencedores: de Nuremberg a Bagdad*, Madrid, Trotta, 2007.

199 Boothby, W. H., «Differences in the Law of Weaponry When Applied to Non-International Armed Conflicts», en Watking, K. y Norris, J. (eds.), *Non-international armed conflict in the Twenty-First Century*, Luton (Reino Unido), Military Bookshop, 2012, pp. 197-210 (International Law Studies, 88), disponible en: *https://digital-commons.usnwc.edu/cgi/viewcontent.cgi?referer=https://www.google.com/&httpsredir=1&article=1060&context=ils*, fecha de revisión: 04/06/2019.

200 Convención sobre la prohibición de utilizar técnicas de modificación ambiental con fines militares u otros fines hostiles (ENMOD, por las siglas en inglés de Environmental Modification Convention), *Convention on the Prohibition of Military or Any Other Hostile Use of Environmental Modification Techniques,* 1978 [en línea], disponible en: *http://www.cruzroja.es/principal/*

nombrar algunos casos puntuales e ilustrativos. Ahora bien, teniendo en cuenta todo ello, la pregunta clave que aún persiste es: ¿tiene sentido que esas diferencias sigan existiendo? Evidentemente, dar solución a esta pregunta es algo que se escapa del objeto de la presente investigación.

Empero, lo que sí se puede advertir desde ya es que las reglas del derecho internacional armamentista «tradicional» probablemente tardarán tiempo en desarrollarse específicamente en relación con los conflictos armados no internacionales. Son los Estados quienes al final determinarán la respuesta adecuada a toda esta cuestión a través de los procesos de creación del derecho internacional que, como se indicó *supra*, ya muestran señales de una tendencia hacia la búsqueda de una convergencia completa normativa.

Mientras tanto, ha de tenerse en cuenta que, al menos, varios principios básicos del derecho internacional armamentista son aplicables de manera general a ambos tipos de conflictos armados. En ese sentido, los análisis legales que se expondrán en esta investigación podrán ser extensibles, *mutatis mutandi*, a los conflictos armados no internacionales.

Una vez precisado lo anterior, es importante destacar que el derecho internacional armamentista, como categoría jurídico-conceptual, servirá de base normativa referencial-instrumental para el análisis que en esta monografía se hará sobre las implicaciones jurídicas del desarrollo y del uso de SAAL en conflictos armados internacionales. En ese mismo sentido, será útil para complementar, no solo las reflexiones que se expondrán en esta investigación acerca de las principales propuestas doctrinales relativas a los regímenes de responsabilidad jurídica aplicables por la comisión de violaciones al DIH realizadas a través de SAAL en conflictos armados, sino también el abordaje que se hará sobre el impacto que estos sistemas pueden llegar a tener frente a las disposiciones contenidas en la cláusula Martens (principio de humanidad y dictados de la conciencia pública)[201].

---

documents/1750782/1851920/Conve_tecnicas_modificacion_ambiental.pdf/e4e14837-93b2-4206-9551-09c05032f20c, fecha de revisión: 04/06/2019.

201 La cláusula Martens forma parte del derecho de los conflictos armados desde que apareciera, por primera vez, en el Preámbulo de la Convención II de La Haya de 1899. *Convención II de La Haya de 1899 relativo a las leyes y costumbres*

Para finalizar este apartado, es importante destacar que todas las reflexiones interdisciplinares y prospectivas que aquí se ofrecerán en la presente investigación no se harán en confrontación a un referente hipotético idealizado de cómo estos sistemas deberían ejecutar sus funciones autónomas[202]. En lugar de ello, la habilidad de usar los SAAL según el marco jurídico internacional aplicable se evaluará en comparación con el estándar de comportamiento que cualquier ser humano combatiente debería tener conforme al DIH. Esta precisión es crucial, toda vez que solo los seres humanos son sujetos de reglas legales, por lo que cualquier argumento, inferencia o suposición planteada en esta investigación se hará desde un enfoque antropocéntrico[203].

---

de la guerra terrestre [en línea], disponible en: *http://www.cruzroja.es/principal/documents/1750782/1851920/II_convenio_de_la_haya_de_1899.pdf/960c50ec-3f1f-45f0-898d-333790694de9*, fecha de revisión: 04/06/2019. Para una aproximación mayor sobre la cláusula Martens, véase el primer apartado del capítulo 7 de esta monografía.

202 Heyns, C., *Informe del Relator Especial sobre las ejecuciones extrajudiciales, sumarias o arbitrarias, Christof Heyns*, *op. cit.*, *véase párrafo 63*; Lin, P., Bekey, G. y Abney, K., «Robots in war: Issues of risk and ethics», en Capurro, R. y Nagenborg, M. (eds.), *Ethics and robotics*, Heidelberg (Alemania), IOS Press, 2009, pp. 49-67, disponible en: *https://digitalcommons.calpoly.edu/cgi/viewcontent.cgi?referer=https://www.google.com/&httpsredir=1&article=1010&context=phil_fac*, fecha de revisión: 22/06/2019, *véanse páginas 50 y 51*; y Schmitt, M. y Thurnher, J., «"Out of the loop": Autonomous weapon systems and the law of armed conflict», *op. cit.*, *véase página 247*.

203 Una de las consecuencias propias de los principios contenidos en la cláusula Martens, según Theodor Meron, es que refuerzan el enfoque antropocéntrico («homocéntrico», según el autor) del DIH, el cual a su vez es la columna vertebral del derecho internacional armamentista. Al respecto, Meron, T., *The humanization of International Law*, Leiden (Países Bajos), Martinus Nijhoff, 2006, disponible en: *http://www.corteidh.or.cr/tablas/r32567.pdf*, fecha de revisión: 04/08/2019, *véase página 28*.

Capítulo 2. Primeras discusiones en el Sistema de Naciones Unidas sobre el impacto de los SAAL en el contexto de los derechos humanos, la seguridad internacional y el desarme

Como se ha visto hasta ahora, el debate sobre las AW está plagado de imprecisiones terminológicas sustanciales. Todo esto pasa no solo por la falta de definiciones claras en la comunidad internacional acerca de qué son estos sistemas, sino además por el uso erróneo que a veces se le da a ciertas palabras, expresiones y conceptos que están vinculados a otros desarrollos armamentísticos para referirse directamente a los SAAL. Como se explicó en el capítulo anterior, un ejemplo de toda esta realidad es el trato que a veces se les da incluso a los drones, comparándolos o identificándolos erróneamente con las AW.

Pese a todo ello, las AW no dejan de seguir recibiendo la atención de gran parte de la comunidad científica, política y diplomática a nivel internacional, en virtud de los peligros que estas podrían representar. A su alrededor subyace un debate rico en planteamientos cuyos argumentos pueden ser esperanzadores o preocupantes para expertos en diversas áreas del conocimiento: robótica, IA, ingeniería, derecho, filosofía, relaciones internacionales, mercado y comercio internacional, sociología, ciencias políticas, militares y de seguridad, entre otras. Esto hace que su abordaje sea bastante complicado[204].

Teniendo en cuenta este panorama, en este capítulo se hará referencia a los principales hechos que han marcado concretamente el origen y el desarrollo de las discusiones sobre los SAAL a nivel internacional, sobre todo haciendo hincapié en cómo surgió el debate sobre ellos en el Sistema de Naciones Unidas. Para ello, se expondrán los principales antecedentes del debate multilateral acerca de las AW, lo cual será útil

---

204 Tumin, Z., Oelstrom, T., Fritzson, A. y Mechling, J., *Unmanned and Robotic Warfare: Issues, Options And Futures* (Summary of Harvard Executive Session of June 2008), 2008 [en línea], disponible en: *https://www.academia.edu/3465074/UNMANNED_AND_ROBOTIC_WA_RF_A_RE_Issues_Options_And_Futures?auto=download*

para comprender en capítulos posteriores la importancia y el estado de la cuestión en las discusiones internacionales actuales, sobre todo en lo que tiene que ver con los impactos, los desafíos y/o los retos que dichos sistemas plantean al derecho internacional vigente.

Así las cosas, se dará inicio a este capítulo abordando los informes clave que, sobre las AW, han sido emitidos por la Relatoría Especial sobre ejecuciones extrajudiciales, sumarias o arbitrarias del Consejo de Derechos Humanos de la ONU. En dichos textos se podrá observar cómo todo este asunto interdisciplinar y prospectivo sobre los SAAL devino como parte de la larga lista de preocupaciones que, dentro y fuera de la ONU, ya se avizoraban acerca del impacto del uso de los RPAS para la ejecución de operaciones militares, de seguridad y de defensa. Igualmente se hará mención a las primeras sesiones de la Primera Comisión de la Asamblea General de la ONU en las que los Estados trataron los temas vinculados a las AW.

(«2008 Harvard Session»), fecha de revisión: 09/04/2019; Arkin, R., *Governing lethal behaviour in autonomous robots*, Boca Ratón: CRC Press, 2009; Asaro, P., «How just could a robot war be?», *Cybersophe*, sin fecha [en línea], disponible en: *http://cybersophe.org/writing/Asaro%20Just%20Robot%20War.pdf*, fecha de revisión 09/04/2019; Boothby, W. H., *Weapons and the Law of armed conflict*, *op. cit.*; Borenstein, J., «The Ethics of Autonomous Military Robots», *Studies in Ethics, Law and Technology*, vol. 2, 2008, núm. 1, art. 2 [en línea], disponible en: *http://www8.cs.umu.se/kurser/5DV173/VT17/Downloads/References/Military%20Robots%20Exercise/The%20Ethics%20of%20Autonomous%20Military%20Robots%202008.pdf*, fecha de revisión 09/04/2019; Sharkey, N., «Automated killers and the computing profession», *Computer Journal*, vol. 40, 2007, núm. 11, pp. 123-124; Sharkey, N., «Death strikes from the sky: The calculus of proportionality», *IEEE Technology and Society*, vol. 28, 2009, núm. 1, pp. 16-19, disponible en: *http://www.sevenhorizons.org/docs/Sharkey-DeathStrikesfromtheSky.pdf*, fecha de revisión: 09/04/2019; Sparrow, R., «Robotic weapons and the future of war», en Wolfendale, J. y Tripodi, P. (eds.), *New wars and new soldiers: Military ethics in the contemporary World*, Surrey (Reino Unido): Ashgate, 2011, pp. 117-133, disponible en: *https://mini-symposium-tokyo.info/robotic-weapons.pdf*, fecha de revisión: 09/04/2019; Sparrow, R., «Predators or plowshares? Arms control of robotic weapons», *IEEE Technology and Society*, vol. 28, 2009, núm. 1, pp. 25-29, disponible en: *http://www.sevenhorizons.org/docs/SparrowPredatorsorPlowshares.pdf*, fecha de revisión: 09/04/2019; y Lin, P., Bekey, G. y Abney, K., *Autonomous military robotics: Risk, ethics, and design*, San Luis Obispo, California Polytechnic State University, 2008 [en línea], disponible en: *http://ethics.calpoly.edu/ONR_report.pdf*, fecha de revisión: 09/04/2019.

Finalmente, se hará referencia a los resultados de la reunión anual de 2013 de las Altas Partes contratantes de la convención sobre prohibiciones o restricciones del empleo de ciertas armas convencionales que puedan considerarse excesivamente nocivas o de efectos indiscriminados, también conocida como la CCW, en la que los Estados parte aprobaron el establecimiento de un espacio de discusiones exclusivamente abocado al análisis del impacto de las tecnologías emergentes en el área de los SAAL. Asimismo, se explicará cuáles son los principales desafíos que existen para que la comunidad internacional pueda plantearse discutir a nivel multilateral acerca de las tecnologías emergentes en el ámbito de los SAAL dentro de la CCW.

2.1. *Informes de la Relatoría Especial sobre ejecuciones extrajudiciales, sumarias o arbitrarias de 2010 y 2013*

En los últimos 15 años, aproximadamente, el público ha sido consciente de los problemas que implica la autonomía en los sistemas de armas. Sin embargo, parte de la información disponible proviene a veces de representaciones sensacionalistas producto del mal manejo de medios de comunicación cuya narrativa induce al error, tergiversando el sentido y el alcance de términos científicos básicos y, a veces, evocando historias que son bastante hollywoodienses[205].

Tradicionalmente, los científicos, los soldados y los responsables políticos de la vida real muchas veces pueden verse influenciados por los relatos de la ciencia ficción. Sin embargo, hay autores que consideran que los cambios tecnológicos innovadores (y más en el área armamentista) se están produciendo tan rápidamente que los creadores de aquel mundo imaginario están tomando cada vez más préstamos del real para dar contenido a sus historias y libretos[206].

Es cierto que el nivel de progreso existente en la investigación, el desarrollo y la innovación armamentista de hoy es muy alto, tanto así que puede resultar impactante, abrumador e inimaginable para gran

---

205 Meier, M., «The strategic implications of lethal autonomous weapons», *op. cit.*, *véanse páginas 443 y 444*; y Jordán, J. y Baqués, J., *Guerra de drones. Política, tecnología y cambio social en los nuevos conflictos*, *op. cit.*, *véase página 443*.

206 Singer, P., *Wired for war. The robotics revolution and conflict in the 21st Century*, *op. cit.*, *véase página 169*.

parte de la sociedad actual del siglo XXI. Sin embargo, la realidad es que aún no hemos llegado a la etapa en la que un conflicto esté dominado por computadoras que tomen decisiones propias acerca de la vida o la muerte de alguien y sin el involucramiento de un ser humano[207]. La razón por la que esto aún no ha ocurrido se debe, entre otras cosas, a que el desarrollo potencial de un sistema de arma letal completamente autónomo no solo plantea desafíos jurídicos, sociales y políticos sino, además, cuestiones morales y éticas.

Todo este panorama ha sido ampliamente expuesto por la Relatoría Especial sobre ejecuciones extrajudiciales, sumarias o arbitrarias del Consejo de Derechos Humanos de la ONU, en algunos de sus documentos oficiales emitidos en 2010 y 2013. Como se verá a continuación, dichos informes advierten una serie de riesgos y preocupaciones jurídicos, sociales, políticos, éticos y morales producto del desarrollo y potencial uso de SAAL en conflictos armados, en tanto que plantean a estos sistemas como un tipo de armamento altamente tecnificado que puede llegar a tener la capacidad operativa de tomar decisiones muy delicadas sobre el destino, la vida y la integridad personal o patrimonial de un ser humano.

2.1.1. Informes Alston

A finales de la primera década del presente siglo, varias inquietudes relacionadas con la robótica armada y su uso militar fueron puestas sobre la mesa en Naciones Unidas. Esto sucedió a raíz de un par de informes publicados en 2010 por la Relatoría Especial del Consejo de Derechos Humanos de la ONU sobre ejecuciones extrajudiciales, sumarias y arbitrarias, entonces a cargo de Philip Alston, en los que por primera vez ofrece reflexiones acerca de la importancia de las nuevas tecnologías —sobre todo aquellas dotadas de capacidad mortífera y sometidas a niveles mínimos de control humano— para hacer frente al problema de los *asesinatos selectivos*, así como de la impunidad generalizada propia de ese fenómeno. Este hecho marcó un antes y

---

[207] Como se señaló en secciones anteriores, para una mayor aproximación acerca del sentido y el alcance con el cual se emplea la palabra «decisión» en los argumentos propios de la presente investigación, véase el primer apartado del capítulo 7 de esta monografía.

un después en las discusiones que hasta ese entonces existían acerca de los SAAL[208].

La Relatoría sobre ejecuciones extrajudiciales, sumarias o arbitrarias forma parte de la categoría de procedimientos (públicos) especiales temáticos de la otrora Comisión de Derechos Humanos, hoy conocida como Consejo de Derechos Humanos[209]. Dada su naturaleza, es un mecanismo que solo se ocupa de un cierto tipo de violaciones que ocurren a escala mundial, y no así de situaciones generales relativas a la protección de derechos humanos en países particulares[210]. Actualmente, las situaciones que la Relatoría debe examinar incluyen —*inter alia*— los actos y las omisiones de los representantes estatales que constituyen una violación del reconocimiento general del derecho a la vida consagrado en la Declaración Universal de los Derechos Humanos y el Pacto Internacional sobre los derechos civiles y políticos[211].

---

208 Alston, P., *Informe provisional del entonces relator especial sobre ejecuciones extrajudiciales, sumarias o arbitrarias del Consejo de Derechos Humanos de las Naciones Unidas, Philip Alston*, *op. cit.*; y Alston, P., *Informe del entonces relator especial sobre ejecuciones extrajudiciales, sumarias o arbitrarias Philip Alston*, *op. cit.*

209 La Comisión de Derechos Humanos de Naciones Unidas fue una comisión del Consejo Económico y Social (ECOSOC), creada el 12 de agosto de 1947, y asistía en funciones a la Oficina del Alto Comisionado de Naciones Unidas para los Derechos Humanos. Duró varios años en funcionamiento. Sin embargo, fue disuelta en 2006 y sustituida por el hoy vigente Consejo de Derechos Humanos.

210 Para una mayor aproximación acerca de qué son los procedimientos especiales temáticos del Consejo de Derechos Humanos (antes, Comisión de Derechos Humanos), Gutter, J., *Thematic procedures of the United Nations Commission on Human Rights and International Law: In search of a sense of community*, Amberes y Oxford, Intersentia, 2006 (School of Human Rights Research, 21); y Nolan, A., Freedman, R. y Murphy, T., *The United Nations special procedures system*, Leiden, Brill-Nijhoff, 2017 (Nottingham Studies on Human Rights, 6).

211 Oficina del Alto Comisionado de Naciones Unidas, *Ejecuciones Extrajudiciales, Sumarias o Arbitrarias* (hoja informativa), núm. 11 (Rev.1), sin fecha, [en línea], disponible en: *https://www.ohchr.org/Documents/Publications/FactSheet11rev.1en.pdf*, fecha de revisión: 10/04/2019. Para más información sobre el trabajo de esta relatoría, Oficina del Alto Comisionado de Naciones Unidas, *Special Rapporteur on extrajudicial, summary or arbitrary executions*, sin fecha [en línea], disponible en: *https://www.ohchr.org/en/issues/executions/pages/srexecutionsindex.aspx*, fecha de revisión: 10/04/2019.

Durante su ejercicio como relator, Alston fue uno de los expertos de la ONU que emitió por primera vez varios informes en los que advirtió que las armas no tripuladas existentes no estaban diseñadas para apoyar la investigación retroactiva de actos ilegales[212]. En su caso, destacó la polémica legalidad que rodea la práctica de los «asesinatos selectivos», sobre todo cuando son ejecutados con RPAS armados por parte de Gobiernos de Occidente y en distintas zonas del mundo[213]. En ese sentido, señaló que los asesinatos selectivos realizados a través de ataques con aviones no tripulados en el territorio de otros Estados son cada vez más comunes y siguen siendo muy preocupantes[214].

Según estos informes, la utilización de drones para llevar a cabo un ataque en el marco de un conflicto armado no debería ser considerada ilegal *per se*. Ello es así ya que un misil disparado desde un avión no es diferente de cualquier otra arma de uso común, incluyendo un arma disparada por un soldado o un helicóptero de combate que dispare misiles.

En opinión de Alston, el tema de los drones solo se complicaría en caso de que se usaran esos aviones no tripulados para llevar a cabo asesinatos selectivos en contextos que estén fuera de un conflicto armado. Un ataque de esa magnitud, probablemente, representaría un exceso en el uso de la fuerza armada del Estado, lo que dificultaría aceptar que su legalidad pueda ser total.

Ahora bien, teniendo en cuenta todos los argumentos éticos, morales, jurídicos y estratégicos que son pertinentes a la hora de reflexionar sobre el impacto de las tecnologías en el aumento de ejecuciones extrajudiciales, sumarias o arbitrarias a nivel mundial, Alston indicó

---

212 Entre los años 2004 y 2010, Alston ejerció funciones de relator especial de la ONU sobre ejecuciones extrajudiciales, sumarias o arbitrarias. Sobre comentarios acerca de sus posturas, *Autonomous Weapon Systems. The Need for Meaningful Human Control* (posición oficial del Advisory Council on International Affairs y del Advisory Committee on Issues of Public International Law del Gobierno de Países Bajos), *op. cit.*, *véase página 36*.

213 Liu, H., «Categorization and legality of autonomous and remote weapons systems», *op. cit.*, *véanse páginas 643 y 644*.

214 Alston, P., «Statement by Professor Philip Alston, Special Rapporteur on Extrajudicial, Summary or Arbitrary Executions», *Consejo de Derechos Humanos de la ONU*, sin fecha [en línea], disponible en: *https://www.un.org/webcast/unhrc/11th/statements/Alston_STMT.pdf*, fecha de revisión: 10/04/2019.

de manera reiterada que, aunque la utilización de robots mortíferos en el contexto de una guerra no carece de precedentes[215], lo cierto es que su desarrollo y utilización han aumentado significativamente a partir del 11S, sobre todo tras las guerras de Afganistán e Iraq. De acuerdo a su investigación, expertos militares han llegado a afirmar que desde hace años las conflictividades del siglo XXI están sirviendo de laboratorios en tiempo real para lograr un extraordinario desarrollo de la guerra con robots[216].

En ese sentido, Alston siempre reiteró en calidad de relator que los derechos humanos y el DIH establecen estándares diseñados para proteger o minimizar el daño a los civiles, y limitar además al uso de la fuerza armada por parte de los militares, la Policía u otras fuerzas de seguridad de los Estados. Así, cuando los Estados violan estos límites, pueden ser internacionalmente responsables de los errores cometidos, y a los funcionarios ejecutores de la violación puede atribuírseles la responsabilidad penal individual[217].

Bajo esa perspectiva queda claro que cuando los robots son operados por control remoto de soldados y la decisión final de usar la fuerza letal también es tomada por humanos, la responsabilidad individual y de comando por el daño causado resulta menos difícil

---

215 Véase el primer apartado del capítulo 1 de esta monografía.

216 Tumin, Z., Oelstrom, T., Fritzson, A. y Mechling, J., *Unmanned and Robotic Warfare: Issues, Options And Futures* (Summary of Harvard Executive Session of June 2008), *op. cit.*, *véase página* 2; y Alston, P., *Informe del entonces relator especial sobre ejecuciones extrajudiciales, sumarias o arbitrarias Philip Alston, op. cit.*, *véase párrafo 21*.

217 Así pues, ambos marcos normativos internacionales se basan en la premisa fundamental de vincular a los Estados y a las personas para que a ambos sea posible exigirles rendición de cuentas por sus errores. Varios de estos argumentos fueron señalados por Alston en informes que presentó en los años 2004 y 2006. Al respecto, véase Alston, P., *Civil and political rights, including the questions of disappearances and summary executions: Report of the Special Rapporteur on extrajudicial, summary or arbitrary executions* (informe), UN Doc E/CN.4/2005/7, 22/12/2004 [en línea], disponible en: *https://undocs.org/E/CN.4/2005/7*, fecha de revisión: 08/08/2019; Alston, P., *Interim report of the Special Rapporteur on extrajudicial, summary or arbitrary executions* (informe), A/61/311, 05/09/2006 [en línea], disponible en: *https://undocs.org/en/A/61/311*, fecha de revisión: 08/08/2019.

de aplicar y de determinar[218]. El problema está en si se dota al arma de un nivel de autonomía que le permita seleccionar y atacar (o neutralizar) un objetivo sin participación humana en el circuito. Llegar a ese punto significaría abrir una caja de Pandora llena de peligros, dudas e incertidumbres.

En opinión de Alston, a medida que aumenta la automatización, los marcos de responsabilidad estatal e individual se vuelven cada vez más difíciles de aplicar. En caso de que los humanos alcancemos a diseñar una autonomía total en las máquinas, la situación se tornaría más polémica, compleja y prometería una larga lista de preguntas muy difíciles de resolver.

Por ejemplo, si un robot mata a civiles y con ello viola el derecho internacional aplicable, ¿quién sería el responsable?; ¿el programador que diseñó el *software* que gobierna las acciones del robot, cualquier oficial militar que haya aprobado la programación, un comandante humano asignado a la responsabilidad de ese robot, o un soldado que podría haber supervisado la máquina pero optó por no hacerlo?; ¿qué pasa si el asesinato se atribuye a algún tipo de mal funcionamiento en el sistema?; en este último caso, ¿el Gobierno que implementó el robot sería el responsable?, ¿o el ingeniero principal, el fabricante, o la persona que tuvo la responsabilidad final de la programación?, ¿alguien más?; ¿qué nivel de supervisión necesita tener un ser humano sobre un robot para que se considere el responsable de las acciones ejecutadas por la máquina en cuestión?; ¿hay situaciones en las que sería apropiado concluir que ninguna persona debería ser responsabilizada por lo que haga una máquina, a pesar de que las acciones ilegales de ese robot hubieran provocado la muerte de civiles o daños a la propiedad de terceros?[219].

---

218 Alston, P., *Informe provisional del entonces relator especial sobre ejecuciones extrajudiciales, sumarias o arbitrarias del Consejo de Derechos Humanos de las Naciones Unidas, Philip Alston*, *op. cit.*, *véase párrafo 33*; y Alston, P., «Lethal robotic technologies: the implications for human rights and International Humanitarian Law», *Journal of Law, Information & Science*, vol. 21, 2012, núm. 2, pp. 35-60.

219 Alston, P., *Informe provisional del entonces relator especial sobre ejecuciones extrajudiciales, sumarias o arbitrarias del Consejo de Derechos Humanos de las Naciones Unidas, Philip Alston*, *op. cit.*, *véase párrafo 34*; y Alston, P., «Lethal

Se trata de preocupaciones que, para el 2010, ya eran planteadas por la Relatoría y que actualmente siguen siendo pertinentes, aunque con cierta relativización[220]. Como hoy, el desarrollo armamentista de ese entonces no estaba tan avanzado como para afirmar que ya existían FAWS a disposición de los Estados. Las tecnologías de armas robóticas que más se utilizan desde esa época siguen siendo los sistemas operados a distancia por control de los humanos. No obstante, los avances de la época ya mostraban la tendencia hacia un nuevo tipo de tecnología —hoy vigente— con un nivel de automatización que —aunque limitado— es mucho más desarrollado, en tanto que ya no están sometidos sin más al control directo de un operador, sino que también pueden ser programados para despegar, desplazarse y/o aterrizar por sí mismos y solo bajo supervisión a cargo de un humano[221]. En estos sistemas armados que, desde entonces, ya disponen de capacidad mortífera, la elección del blanco y la decisión de disparar corren a cargo de los seres humanos. En esas máquinas siempre existe un control de manejo humano, ya que la determinación de usar la fuerza letal le corresponde al operador y a la cadena de mando, no a la máquina en sí, tal y como ocurre con cualquier otro tipo de arma.

No obstante, la Relatoría reconoce que esas tecnologías son cada vez más avanzadas. Advierte que la industria militar, de seguridad y de defensa está invirtiendo muchos recursos en la investigación activa para lograr el desarrollo de capacidades relacionadas con la IA que permitan a la máquina adoptar decisiones por sí misma. Según Alston, expertos de muchos Estados están trabajando en diseñar máquinas o sistemas con capacidad totalmente autónoma que permitan a vehículos aéreos no tripulados, por ejemplo, adoptar o poner en práctica

---

robotic technologies: the implications for human rights and International Humanitarian Law», *op. cit.*

220 Para una aproximación mayor acerca de la responsabilidad y la rendición de cuentas por la comisión de violaciones al DIH realizadas a través de SAAL en conflictos armados internacionales, véase el capítulo 7 de esta monografía.

221 Alston, P., *Informe provisional del entonces relator especial sobre ejecuciones extrajudiciales, sumarias o arbitrarias del Consejo de Derechos Humanos de las Naciones Unidas, Philip Alston*, *op. cit.*, *véase párrafo 24*. En este apartado, Alston categoriza a los RPAS *Predator*, *Reaper* o el *Harpy* israelí como ejemplos tipo de sistemas semiautomatizados.

decisiones complejas que pasen por la selección y eventual ataque de objetivos humanos[222].

Afirmaciones como estas inquietan a muchos especialistas en el área. Hay quienes defienden el hecho de que los robots nunca deberían ser totalmente autónomos, dado que no sería ético permitir que máquinas maten autónomamente, en tanto que ello imposibilitaría alcanzar una clara atribución de responsabilidad en los humanos por la muerte o el daño ocasionado por un autómata[223]. Sin embargo, autores como Ronald Arkin afirman todo lo contrario, en tanto que consideran que en el futuro no solo será posible, sino además deseable, el diseño y la implementación de prototipos que sirvan de asesores de responsabilidad (o reguladores éticos) para el uso en sistemas autónomos capaces de comprometer letalmente algún objetivo[224]. En su opinión, los robots, y no los humanos, son mucho más adecuados a la hora de tomar decisiones, ya que un sistema autónomo carece de emociones —como el odio o el pánico, por ejemplo— que solo enturbian los procesos de toma de decisiones objetivas y racionales[225].

---

222 Alston, P., *Informe provisional del entonces relator especial sobre ejecuciones extrajudiciales, sumarias o arbitrarias del Consejo de Derechos Humanos de las Naciones Unidas, Philip Alston, op. cit., véase párrafo 28.*

223 Comité Internacional para el Control de Armas Robóticas [ICRAC por sus siglas en inglés, *International Committee for Robot Arms Control*], página web, disponible en: *https://www.icrac.net/*, fecha de revisión: 11/04/2019.

224 Arkin, R., *Governing lethal behaviour in autonomous robots, op. cit., véase página 127*; y Arkin, R., Wager, A. y Duncan, B., *Responsibility and lethality for unmanned systems: ethical pre-mission responsibility advisement*, GVU Technical Report GIT-GVU-09-01, GVU Center, Instituto de Tecnología de Georgia, 2009 [en línea], disponible en: *https://pdfs.semanticscholar.org/0335/45a014cdc2ba527b591ad7b2d912f1db8d86.pdf?_ga=2.212694996.1132308187.1554996212-894390214.1554996212*, fecha de revisión: 11/04/2019.

225 Este argumento tiene consecuencias: si técnicamente fuere posible programar un SAAL para que cumpla las normas del DIH de una manera más precisa y estricta que los seres humanos, podríamos estar ante un panorama en el que sea obligatorio usar SAAL en vez de otras armas convencionales, tal y como los grupos de derechos humanos a veces sostienen que es mejor la utilización de bombas inteligentes que aquellas que tienen efectos indiscriminados. Herbach, J., «Into the caves of steel: Precaution, cognition and robotic weapon systems under the International Law of armed conflict», *Amsterdam Law Forum*, vol. 4, 2012, núm. 3, pp. 3-20, disponible en: *http://amsterdamlawforum.org/article/view/277/458*, fecha de revisión: 12/04/2019, *véanse páginas 14 y ss.*

No obstante, un argumento como el de Arkin, aparentemente «positivo» y en favor de los SAAL, también tiene sus detractores. La ausencia de miedo, cansancio, o de cualquier sugestión que se interponga entre la máquina y la misión asignada también puede ser peligrosa. La falta de empatía, de compasión o la incapacidad de resolver situaciones que no estén estrictamente programadas, quizás de modo intuitivo, convierte al robot en un arma de doble filo que, además, puede que no se llegue a saber realmente cómo podrá reaccionar y si, al final, su desempeño llegará a satisfacer las exigencias derivadas del DIH[226].

En cualquier caso, Alston entiende que —de una u otra forma— existen preocupaciones acerca de los SAAL que requieren un examen más profundo en el seno de Naciones Unidas. Por ello, reconoce que, históricamente, las novedades tecnológicas han superado en demasía los debates sobre las consecuencias humanitarias y en materia de derechos humanos del desarrollo de tecnologías de robots mortíferos y, en ese sentido, termina su mandato recomendando:

- Que la Oficina del Alto Comisionado de Naciones Unidas para los Derechos Humanos constituya un grupo de expertos en tecnología de la información y las comunicaciones, entidades humanitarias y de derechos humanos con experiencia en la utilización de nuevas tecnologías y representantes pertinentes del sector privado, para que se ocupe, entre otros asuntos, de examinar las aplicaciones existentes y posibles de las nuevas tecnologías en los derechos humanos y los obstáculos a su utilización en la práctica.
- Que la Secretaría General de ese órgano multilateral constituya a su vez un grupo integrado por representantes militares y civiles de los Estados, autoridades destacadas en relación con los derechos humanos y el derecho humanitario, especialistas en filosofía y ética, científicos y promotores para asesorar sobre la adopción de medidas y directrices encaminadas a:

---

226 Jordán, J. y Baqués, J., *Guerra de drones. Política, tecnología y cambio social en los nuevos conflictos*, *op. cit.*, *véase página 139*; y Davis, D., «Who decides: Man or machine?», *Armed Forces Journal*, 01/11/2007 [en línea], disponible en: *http://armedforcesjournal.com/who-decides-man-or-machine/*, fecha de revisión: 14/04/2019.

- o Analizar urgentemente las repercusiones jurídicas, éticas y morales del desarrollo y la utilización de las tecnologías de los robots, especialmente, aunque no de manera exclusiva, en el caso de sus usos para la guerra.
- o Fomentar la adopción de medidas dinámicas para conseguir que las tecnologías robóticas se utilicen de la mejor manera posible con respecto a su capacidad de promover un cumplimiento más eficaz de las normas internacionales de derechos humanos y del DIH.
- o Examinar qué enfoques podrían adoptarse para lograr que esas tecnologías se ajustaran a los requisitos aplicables en materia de derechos humanos y derecho humanitario, lo que entraña: a) que todo sistema de armas sin manipulador o robotizadas se someta a las mismas o incluso mejores normas de seguridad que todo sistema comparable con manipulador; b) establecer disposiciones para probar la fiabilidad y el funcionamiento de la tecnología antes de su despliegue; y, c) incluir sistemas de grabación y otra tecnología que permita una investigación eficaz de los presuntos usos ilícitos de la fuerza y depurar responsabilidades al respecto.
- o Evaluar la necesidad de lograr una mayor uniformidad en las definiciones en lo concerniente a los tipos de tecnología que se están desarrollando, la necesidad de realizar estudios empíricos para comprender mejor las repercusiones de las tecnologías para los derechos humanos y la cuestión fundamental de si debería permitirse la plena automatización de la fuerza mortífera.

2.1.2. Informe Heyns

El otrora relator especial sobre ejecuciones extrajudiciales, sumarias o arbitrarias, Christof Heyns, presentó en mayo de 2013 un informe[227] en el que reiteró y reforzó los argumentos y las propuestas

---

227 Heyns, C., *Informe del Relator Especial sobre las ejecuciones extrajudiciales, sumarias o arbitrarias, Christof Heyns*, *op. cit.*; y Consejo de Derechos Humanos en la ONU, 9.ª reunión del 23.º período ordinario de sesiones (vídeo), Ginebra, 30

que hizo Alston en 2010. El texto reconoce la existencia de razones sólidas suficientes para considerar con prudencia la posible introducción de SAAL en el área militar, de seguridad y de defensa, en tanto que son sistemas que pueden traer consigo efectos importantes y duraderos sobre los valores sociales, incluyendo la protección de la estabilidad y la seguridad internacionales. Además destaca que, al igual que los vehículos aéreos de combate no tripulados y los asesinatos selectivos, los LAR representan motivos de preocupación respecto a la protección de la vida y la integridad de las personas, todo ello a tenor de lo previsto en el DIDH y el DIH.

El informe advierte al mismo tiempo que la mera posibilidad de un futuro en el que las armas tengan el poder de decidir sobre la vida y la muerte de los seres humanos es una fuente inagotable de presagios negativos, llenos de peligros, riesgos, preocupaciones e incertidumbres. Así, el efecto acumulativo de las normas internacionales de derechos humanos conduce a una incompatibilidad fundamental entre los valores constitutivos de ese régimen de derechos y el uso de SAAL[228].

Según la Relatoría, historia ha demostrado que cuando la tecnología proporciona a un Estado —por ejemplo— una ventaja muy clara sobre su adversario, a menudo se olvidan las intenciones iniciales que llevaron a los expertos de dicho Estado a crear esa tecnología, por muy nobles que hayan podido ser. Da igual si la innovación proviene del campo civil o militar. En consecuencia, si se llega a un punto en el que resulta necesario reforzar el marco jurídico internacional para que la comunidad internacional pueda de manera preventiva protegerse de presiones futuras, entonces debe hacerse, sobre todo, cuando todavía es posible.

---

de mayo de 2013 [en línea], disponible en: *http://webtv.un.org/meetings-events/human-rights-council/watch/clustered-id-on-executions-and-idps-9th-meeting-23rd-regular-session-of-human-rights-council/2419860355001#full-text*

228 Heyns, C., *Autonomous weapons systems and human rights law* (presentación), Palacio de las Naciones (Ginebra: «Convention on Certain Conventional Weapons», 13-16 de mayo de 2014), disponible en: *https://www.unog.ch/80256EDD006B8954/(httpAssets)/DDB079530E4FFDDBC1257CF3003FFE4D/$file/Heyns_LAWS_otherlegal_2014.pdf*, fecha de revisión: 11/04/2019, *véase página 5*.

Así pues, el informe hace un llamado oficial a todos los Estados a que decreten y apliquen moratorias nacionales sobre el desarrollo (ensayo, producción, montaje, transferencia, adquisición, despliegue y empleo) de SAAL, hasta que exista un marco normativo que los regule. Parte de los argumentos que soportan ese llamado reconocen que la tecnología moderna tiende a agrandar la distancia entre los usuarios de las armas y la fuerza letal que estas proyectan; y los SAAL son un ejemplo perfecto de ello. En ese sentido, los robots letales completamente autónomos, en caso de que se llegaren a incorporar al arsenal militar y de seguridad de los Estados, agregarían una nueva dimensión a ese distanciamiento, toda vez que son sistemas que podrían seleccionar y atacar objetivos por sí mismos. Este panorama representa sin más un quiebre total de los paradigmas del arte de la guerra, en tanto que el ser humano no solo estaría lejos de la acción cinética, sino que además estaría excluido del circuito de la toma de decisión de matar y de su ejecución.

Así las cosas, para Heyns, los drones y los robots militares en general no suponen simplemente una RMA —como lo pudo haber sido en su momento el descubrimiento de la pólvora o las armas nucleares—. El desarrollo de la robótica es gradual, por naturaleza, lo que implica una continuidad considerable entre las tecnologías militares y las no militares. Es decir, las tecnologías robóticas —incluso aquellas potenciadas con IA— pueden tener aplicaciones tanto civiles como militares, y ser destinadas al uso con fines letales o no letales[229]. Además, los SAAL en particular, a diferencia de las anteriores revoluciones militares, deben entenderse como dispositivos complejos constituidos con distintas combinaciones de tecnologías subyacentes polivalentes y de doble uso. Por ende, no solo representan una actualización, innovación o modernización de los tipos de armas de hoy, sino también un cambio de identidad de quienes las emplean. En ese sentido, con los SAAL, la distinción entre «arma» y «guerrero» se esfumaría, ya que

---

[229] Para saber más sobre cómo las ciencias de la computación podrían llegar a ser una revolución estratégica comparable, hasta cierto punto, con la vinculada al desarrollo de las bombas nucleares, Payne, K., «Artificial intelligence: A revolution in strategic affairs?», *Survival*, vol. 60 2018, núm. 5, pp. 7-32, disponible en: *https://www.tandfonline.com/doi/pdf/10.1080/00396338.2018.1518374?needAccess=true*, fecha de revisión: 20/04/2019, *véanse páginas 7 y 8*.

son sistemas en los que las propias máquinas tendrían la capacidad de adoptar decisiones autónomas acerca de su propia utilización[230].

El informe reconoce igualmente una serie de dificultades o desafíos que son propios del debate a la hora de intentar reflexionar sobre este tipo de tecnología aún inexistente. Por un lado, entiende que, para definir un SAAL, es necesario distinguir entre lo que es «autónomo» y lo que es «automático» (o automatizado), toda vez que son términos que en el contexto de la robótica pueden ser engañosos de por sí. Por otro, reconoce que la tecnología pertinente en el área se está desarrollando a un ritmo exponencial y, comparándolo con la situación de hoy, la plena autonomía en las máquinas acabará representando, en un plazo de diez años, una implicación, presencia y participación del ser humano muy inferior a las actuales[231].

Bajo ese enfoque, si un SAAL no puede llegar a diferenciar con absoluta claridad entre combatientes, beligerantes y civiles, su empleo sería ilegal *per se*, ya que el sistema contravendría uno de los principios básicos del DIH, a saber, el principio de distinción.

De igual forma sucede con otro pilar del DIH, el principio de proporcionalidad. Es una de las normas más difíciles de este cuerpo normativo, ya que desde antes de que se lleve a cabo un ataque, exige que se evalúe el daño que pueda causarse a la población civil en relación con la ventaja militar anticipada y prevista en la operación. Esta evaluación anticipada debe ser adaptada a cada caso en concreto, en tanto que incluye una valoración en tiempo real del contexto —en ti-

---

230 Montoya, R., *Drones, la muerte por control remoto*, *op. cit.*, *véase página 112.*

231 Heyns hace esta proyección basándose en la idea de la «singularidad» expuesta por Peter Singer. La «singularidad» es un término astrofísico que significa un estado en el que las cosas pasan a ser radicalmente diferentes a las viejas reglas superadas y del que virtualmente nada sabemos. En ese sentido, cuando a veces decimos que algo «no pasará en cientos de años», lo cierto es que hablamos de tiempos más cortos a lo literal, ya que es una afirmación que debe ser interpretada conforme a la tasa, el rango o la dimensión del tiempo que hoy se maneja. Entonces, para Singer las actuales tasas de duplicación llevan a pensar que el mundo de hoy, por ejemplo, está experimentando más cambios tecnológicos en tan solo casi dos décadas —lo que llevamos de siglo—, que todo lo que se avanzó en el siglo xx entero. Singer, P., *Wired for war. The robotics revolution and conflict in the 21st Century*, *op. cit.*, *véase página 99 y ss.*

empo, modo y lugar—, así como de todas las circunstancias (políticas, físicas, técnicas, estratégicas, etc.) pertinentes.

Al respecto, Heyns señala en su informe lo siguiente:

> «[...] la proporcionalidad implica una capacidad de discernimiento propia del ser humano. Las interpretaciones jurídicas imperantes de la norma se basan explícitamente en conceptos como "sentido común", "buena fe" y la "norma del jefe militar razonable". Queda por determinar en qué medida esos conceptos pueden traducirse en programas informáticos actualmente o en el futuro [...]»[232].

Por tanto, la complejidad tecnológica de los SAAL, así como lo difuso del espectro de niveles a los que probablemente podría acceder para adoptar decisiones relativas al uso de la fuerza armada, comportan un vacío potencial en lo que se refiere a la rendición de cuentas y la atribución de responsabilidades por cualquier daño ilegal causado. Según Heyns, los SAAL son sistemas que corren el peligro de ser pirateados o falsificados, y en caso de que ello sucediera podría ser difícil atribuirles después la responsabilidad jurídica a alguien por el mal funcionamiento de la máquina, máxime cuando no estaría claro quién podría haber sido la persona que controlaba realmente al SAAL en el momento del ataque[233]. Además, los LAR en general corren el peligro de poder averiarse o tener un desperfecto que los lleve a comenzar a atacar a los humanos de manera indiscriminada[234].

Por todo ello, la Relatoría deja claro que el poder de decisión siempre debe corresponder a los seres humanos. Además, basado en las disposiciones contenidas en la cláusula Martens[235], advierte que ex-

---

232 Heyns, C., *Informe del Relator Especial sobre las ejecuciones extrajudiciales, sumarias o arbitrarias, Christof Heyns* (informe), *op. cit.*, *véase párrafo 72.*

233 Schroeder, T., *Lethal autonomous weapon systems in future conflicts*, s. l., s. e., 2017, *véanse páginas 56 y 57.*

234 Lin, P., Abney, K. y Bekey, G., *Robot ethics: the ethical and social implications of robotics*, Cambridge (EE.UU.), The MIT Press, 2012 (Intelligent Robotics and Autonomous Agents series), *véase página 361.*

235 La cláusula Martens forma parte del derecho internacional de los conflictos armados desde que apareciera, por primera vez, en el Preámbulo del II Convenio de La Haya de 1899 relativo a las leyes y costumbres de la guerra terrestre. El problema que aún subsiste hoy es que no hay una interpretación oficial de la cláusula. La cláusula ha demostrado ser un medio eficaz para hacer frente

cluir al humano de la toma de decisiones conlleva el riesgo de que no pueda aplicarse el principio de humanidad[236]. Si se llegare a presumir que los SAAL puedan llegar a cumplir con el DIH, y que incluso se pueda llegar a comprobar que estos sistemas podrían salvar vidas, igual subsiste una interrogante acerca de si no es intrínsecamente erróneo permitir que autómatas decidan por sí mismos a quién deben matar y cuándo hacerlo.

El desarrollo y la utilización de sistemas de armas letales completamente autónomos no solo crean un vacío en las formas de atribuir responsabilidad jurídica por su uso —y los eventuales daños que el arma ocasione—, sino además comporta un vacío de responsabilidad moral. Este enfoque se fundamenta en la creencia de que solo los seres humanos son quienes deben tomar la decisión de emplear la fuerza

---

a la rápida evolución de la tecnología militar. Es una norma consuetudinaria que tiene, por lo tanto, un estatuto normativo que regula por derecho propio la conducta del Estado y, en ese sentido, funciona independientemente de las demás normas de derecho internacional que no forman parte de un tratado específico. Los principios del derecho internacional a los que se hace referencia en la cláusula dimanan de: a) las costumbres establecidas entre las naciones civilizadas (denominadas «usos establecidos» en el art. 1.2 del API); b) las leyes de la humanidad (denominadas «principios de humanidad» en el art. 1.2 del API); y, c) las exigencias de la conciencia pública (denominadas «dictados de la conciencia pública» en el art. 1.2 del API). Protocolo Adicional I (API) a los Convenios de Ginebra de 1949 relativo a la protección de las víctimas de los conflictos armados internacionales, *op. cit.*, *véase artículo 1.2*; Preámbulos de las Convenciones de La Haya de 1899 y 1907; Convención de La Haya relativa a las leyes y usos de la guerra terrestre y su anexo: Reglamento sobre las leyes y costumbres de la guerra terrestre (Convención II de La Haya); *Legality of the Threat or Use of Nuclear Weapons*, Advisory Opinion, I. C. J. Reports 1996, p. 226, disponible en: *https://www.icj-cij.org/files/case-related/95/095-19960708-ADV-01-00-EN.pdf*, fecha de revisión: 14/04/2019; Ticehurst, R., «The advisory opinion of the International Court of Justice on the legality of the threat or use of nuclear weapons», *War Studies Journal*, vol. 2, 1996, núm. 1, pp. 107-118; Ticehurst, R., «La cláusula de Martens y el derecho de los conflictos armados», *Revista Internacional de la Cruz Roja*, 1997 [en línea], disponible en: *https://www.icrc.org/es/doc/resources/documents/misc/5tdlcy.htm*, fecha de revisión: 14/04/2019; y Mujezinović, K., Guldahl, C. y Nystuen, G. (eds.), *Searching for a «Principle of Humanity» in International Humanitarian Law*, Cambridge (EE.UU.), Cambridge University Press, 2013, *véanse páginas 3-9*.

236 Para una aproximación mayor sobre la cláusula Martens, véase el primer apartado del capítulo 7 de esta monografía.

letal y, de tal manera, interiorizar el coste de la vida que se pierda en un conflicto, como parte de un proceso deliberativo de interacción humana. Asentir lo contrario significaría entonces entrar en un proceso que deshumanice aún más los conflictos armados.

Finalmente, Heyns aprovecha su informe para invitar a la Oficina del Alto Comisionado para los Derechos Humanos a que, con carácter prioritario, convocara un grupo de alto nivel sobre LAR, integrado por expertos en distintos campos, como el derecho, la robótica, la informática, las operaciones militares, la diplomacia, la gestión de conflictos, la ética y la filosofía. Este grupo, en opinión de la Relatoría, tendría como misión facilitar un diálogo internacional de base amplia, cuyo mandato incluiría, entre otros elementos, lo siguiente: a) un balance de los adelantos técnicos relacionados con los SAAL; b) una evaluación de las cuestiones jurídicas, éticas y políticas relacionadas con este tipo de robots letales; c) una propuesta de marco que permita a la comunidad internacional abordar de manera efectiva todas las cuestiones relacionadas con los SAAL, y formular recomendaciones sustantivas y de procedimiento concretas; d) evaluar la idoneidad o las deficiencias de los marcos jurídicos internacional y nacional actuales que sean aplicables a los SAAL. El grupo debería publicar un informe en el plazo de un año contado a partir de su creación.

2.2. Sesiones de la Primera Comisión de la Asamblea General de Naciones Unidas

Tras la presentación de los informes de 2010 y 2013 elaborados por la Relatoría Especial sobre ejecuciones extrajudiciales, sumarias o arbitrarias del Consejo de Derechos Humanos de Naciones Unidas, comenzó a tomar impulso la preocupación acerca de los SAAL como un tema urgente a debatir dentro de ese foro multilateral. Tan es así que, en el primer semestre del 2013, la Junta Consultiva en Asuntos de Desarme de la Secretaría General de la ONU[237], en el marco de la

---

[237] La Junta Consultiva en Asuntos de Desarme del secretario general de la ONU fue establecida en 1978. Tiene el mandato de asesorar al secretario general de la ONU sobre asuntos relacionados con la limitación de armas y el desarme, incluidos los estudios e investigaciones en esa área dentro del Sistema de Naciones Unidas. Sus períodos de sesiones se llevan a cabo en cooperación con el resto de

celebración de su 59.° y 60.° período de sesiones, centró sus deliberaciones en dos temas sustantivos importantes: a) las relaciones entre las zonas libres de armas nucleares y su función en el fomento de la seguridad regional y mundial, y b) las consecuencias de las nuevas tecnologías para el desarme y la seguridad[238].

Como resultado del trabajo hecho en ambos períodos de sesiones, la Junta Consultiva elaboró un informe final para la aprobación de la Secretaría General de la ONU[239], en el que recomendó, entre otros aspectos, que:

---

los órganos que —en unión a la Junta— conforman la Oficina de Asuntos de Desarme de la ONU. Dichas entidades son: a) *La Primera Comisión*, titulada «Desarme y Seguridad Internacional», que se ocupa de temas relacionados con el desarme, los desafíos globales y las amenazas a la paz que afectan a la comunidad internacional, y busca soluciones a los retos en el régimen de seguridad internacional. Es el principal órgano deliberativo en la Asamblea General sobre cuestiones de desarme y asuntos conexos de seguridad internacional. Ha desempeñado su función a través de una variedad de organismos *ad hoc*, incluidos grupos de expertos gubernamentales, grupos de trabajo de composición abierta y conferencias; b) *La Comisión de Desarme*, restablecida en 1952 como órgano deliberativo y subsidiario de la Asamblea General, con la función de considerar y hacer recomendaciones sobre diversos problemas en el campo del desarme; c) *La Conferencia de Desarme*, basada en los diversos órganos de negociación que habían funcionado desde 1962; es reconocida como el único foro multilateral de negociación de desarme, de tamaño limitado y que toma sus decisiones por consenso; y, d) *El Instituto de Naciones Unidas para la Investigación del Desarme (UNIDIR)*, una institución autónoma con el fin de emprender una investigación independiente sobre el desarme y los problemas relacionados, en particular, con las cuestiones de seguridad internacional.

238 Desde su creación, la Junta siempre se ha esforzado en examinar y formular recomendaciones sobre una serie de avances científicos y tecnológicos que pueden tener consecuencias para la seguridad y el desarme. Entre ellos están la IA, las aeronaves armadas no tripuladas, el nexo entre las armas de destrucción en masa, la ciberseguridad y el terrorismo, y las tecnologías de verificación, y más recientemente los sistemas armamentísticos autónomos. Habida cuenta de esa trayectoria, la Junta mantuvo un intercambio activo de puntos de vista en sus dos períodos de sesiones de 2013 y durante el intervalo transcurrido entre períodos de sesiones, especialmente en relación al segundo tema de su programa de trabajo relativo a «las consecuencias de las nuevas tecnologías para el desarme y la seguridad».

239 Junta Consultiva en Asuntos de Desarme de la ONU, *Informe del Secretario General*, núm. A/68/206, 26/07/2013 (para el Sexagésimo Octavo período de sesiones de la Asamblea General de la ONU) [en línea], disponible en: *https://undocs.org/A/68/206*, fecha de revisión: 15/04/2019.

- Naciones Unidas se ocupase de las consecuencias de las nuevas tecnologías y su rápida evolución para la paz y la seguridad internacionales, y sugirió que el secretario general de ese foro tomara esta cuestión en sus manos para:
  - o Poner énfasis en los posibles peligros inherentes de los sistemas de armas cuyo desempeño en acción esté determinado por algoritmos informáticos;
  - o Alentar las iniciativas dirigidas a promover una mayor transparencia en esta esfera; y,
  - o Tomar nota también del valor que pueden tener las nuevas tecnologías al servicio de la paz y la seguridad.
- El secretario general considerara, por un lado, la posibilidad de encargar un estudio integral que analizase en profundidad las nuevas tendencias tecnológicas y los aspectos jurídicos, éticos y de otro tipo del desarrollo, la proliferación y la utilización de una tecnología armamentística cada vez más autónoma[240]; y, por otro, promoviera iniciativas coordinadas en el marco de un foro como la CCW[241] que faciliten —por ejemplo— el establecimiento de un diálogo intergubernamental sobre las nuevas tecnologías en el marco de Naciones Unidas[242].

Meses después, en octubre de 2013, la Primera Comisión de la Asamblea General de Naciones Unidas celebró su 68.º período de sesiones. En esa oportunidad, varias delegaciones de Estados miembros discutieron sobre las implicaciones que traen consigo las tecnologías emergentes en los temas de desarme y de seguridad[243]. En dichas ses-

---

240 UNIDIR y otros centros de estudio e investigación debían formar parte también de esa iniciativa.

241 El nombre completo en español es «Convención sobre prohibiciones o restricciones del empleo de ciertas armas convencionales que puedan considerarse excesivamente nocivas o de efectos indiscriminados», del año 1980.

242 Esta iniciativa tenía como objetivo primario determinar la posible necesidad de adoptar medidas de desarme dirigidas a los sistemas totalmente autónomos que puedan desarrollarse en el futuro.

243 Al finalizar la sesión de 2013 de la Primera Comisión de la Asamblea General de Naciones Unidas, un total de 30 Estados se habían pronunciado públicamente sobre las «armas totalmente autónomas» en Naciones Unidas. Estos países fueron: Argelia, Austria, Argentina, Bielorrusia, Brasil, China, Costa Rica, Cuba, Ecuador, Egipto, Francia, Alemania, Grecia, India, Indonesia, Irán, Irlanda,

iones también participaron representantes de ONG y de la sociedad civil en general.

Durante las discusiones relativas al bloque temático de las «armas convencionales»[244], algunos países hicieron comentarios relacionados con las «armas totalmente autónomas» e instaron a otros Estados a considerar y articular públicamente el inicio de un debate internacional sobre los nuevos desafíos que implican los SAAL[245]. Habida cuenta de ello, la delegación francesa aprovechó la oportunidad para realizar consultas sobre el tema para ver si se podía agregar este tema a la agenda de discusión de la siguiente reunión de la CCW. Hechas las consultas oficiosas pertinentes, Jean-Hugues Simon-Michel, entonces embajador y representante permanente de Francia ante la Conferencia de Desarme, señaló que su país presidiría la reunión

---

Japón, México, Marruecos, Países Bajos, Nueva Zelanda, Pakistán, Rusia, Sierra Leona, Sudáfrica, Suecia, Suiza, Reino Unido y EE.UU.

244 Calendario indicativo de los bloques temáticos a tratar por la Primera Comisión, y que se vinculan a los temas del programa de trabajo del 68.º período de sesiones de la Asamblea General, específicamente relacionados al desarme y a la seguridad internacional (temas 89 a 107, y 122). Primera Comisión de la Asamblea General de las Naciones Unidas, *Action on draft resolutions and decisions under disarmament and international security agenda items (items 89 to 107 and 122)*, programa de trabajo del 68.º período de sesiones de la Asamblea General, núm. A/C.1/68/CRP.3, de 18/10/2013 [en línea], disponible en: *https://www.un-.org/en/ga/first/68/PDF/CRP.3%20Programme%20for%20action.pdf*, fecha de revisión: 16/04/2019.

245 Dicha petición lo hicieron en seguimiento de las conclusiones y las sugerencias hechas por la Relatoría Especial sobre ejecuciones extrajudiciales, sumarias o arbitrarias del Consejo de Derechos Humanos en los informes de 2010 y 2013, además de considerar cada una de las recomendaciones presentadas por la Junta Consultiva en Asuntos de Desarme en el Informe núm. A/68/206, de 26 de julio de 2013. Ahora bien, aunque el debate informal sobre los SAAL se dio por primera vez dentro de la ONU en foros relacionados con el campo de los derechos humanos (competencia propia de la Tercera Comisión de la Asamblea General de ese organismo internacional), fue gracias a la iniciativa de la exalta representante de la ONU para Asuntos de Desarme, Angela Kane, que el tema se pasó a las deliberaciones de la Primera Comisión (sobre Desarme y Seguridad Internacional). Kane, A., *Lethal autonomous weapons systems: Can the international community agree on an approach?* (conferencia), Oxford Uehiro Centre for Practical Ethics (Nueva York, 16-18 mayo de 2018), disponible en: *https://vcdnp.org/wp-content/uploads/2018/09/Carnegie-Conference-May-2018.pdf*, fecha de revisión: 19/04/2019.

de los Estados Parte de la CCW que se celebraría en Ginebra (Suiza) los días 14 y 15 de noviembre de 2013. Igualmente, destacó que la CCW es un foro único que reúne expertos diplomáticos, humanitarios, jurídicos y militares, siendo así un espacio en el que converge una pluralidad de enfoques que los Estados tendrían que aprovechar[246]. Por ello, exhortó a la comunidad internacional a mirar hacia el futuro para manejar nuevos problemas y enfrentar así los desafíos que implican los LAR, un asunto clave que, para ese entonces, ya se planteaba como una cuestión fundamental que podría representar a un cambio de posicionamiento del humano en los procesos de toma de decisión acerca de utilizar —o no— la fuerza letal. Francia reconoció y advirtió que esas discusiones serían difíciles habida cuenta de la diversidad de problemas y retos éticos, jurídicos, operativos y técnicos que plantean. Sin embargo, manifestó su intención de promover en la reunión de los Estados parte de la CCW de noviembre de 2013 su inclusión en la agenda de trabajo de ese foro para 2014.

---

246 Durante el diálogo interactivo celebrado en el Consejo de Derechos Humanos de la ONU el 30 de mayo de 2013, en el que fue presentado el informe núm. A/HRC/23/47 de la Relatoría Especial sobre ejecuciones extrajudiciales, sumarias o arbitrarias, las delegaciones de Francia y Brasil —cada una de manera independiente— fueron las únicas representaciones que, para ese entonces, sugirieron que el foro idóneo para abordar los temas relacionados con los SAAL era la CCW. Al respecto, *Declaración formal de la delegación de Brasil*, diálogo interactivo celebrado en el Consejo de Derechos Humanos de la ONU, en el que fue presentado el informe núm. A/HRC/23/47 de la Relatoría especial sobre ejecuciones extrajudiciales, sumarias o arbitrarias, 30 de mayo de 2013 [en línea], disponible en: *http://stopkillerrobots.org/wp-content/uploads/2013/05/HRC_Brazil_09_30May2013.pdf*, última fecha de revisión: 15/04/2019; y *Declaración formal de la delegación de Francia*, diálogo interactivo celebrado en el Consejo de Derechos Humanos de la ONU, en el que fue presentado el informe núm. A/HRC/23/47 de la Relatoría especial sobre ejecuciones extrajudiciales, sumarias o arbitrarias, 30 de mayo de 2013 [en línea], disponible en: *http://stopkillerrobots.org/wp-content/uploads/2013/05/HRC_France_10_30May2013.pdf*, última fecha de revisión: 15/04/2019. No obstante, el 30 de octubre de 2013, el Gobierno francés volvió a ratificar su postura ante la Primera Comisión de la Asamblea General de la ONU mediante la declaración de Jean-Hugues Simon-Michel, embajador y representante permanente de Francia ante la Conferencia de Desarme; *Declaración de Francia ante la Primera Comisión de la Asamblea General de la ONU*, 30 de octubre de 2013 [en línea], disponible en: *https://onu.delegfrance.org/30-October-2013-General-Assembly*, fecha de revisión: 15/04/2019.

Siete delegaciones acompañaron la propuesta francesa: a) Grecia, quien manifestó su firme compromiso con la CCW y sus protocolos, e indicó que ese foro es el más apropiado para abordar el tema de la robótica autónoma letal[247]; b) Japón reconoció que en la comunidad internacional existe un creciente interés en los temas relacionados con FAW. En ese sentido, consideró útil y positivo que se comenzara a discutir sobre los elementos básicos relacionados con esas armas, incluida su definición en la CCW que podría proporcionar un lugar apropiado para abordar estos problemas con otros Estados interesados y la sociedad civil[248]; c) Países Bajos advirtió que el posible desarrollo de los sistemas de robots autónomos letales plantea muchas cuestiones jurídicas, éticas y políticas. En ese sentido, confirmó su intención de participar activamente en las discusiones que sobre los SAAL promoviera la delegación francesa en el marco de la CCW[249]; d) Pakistán, por su lado, advirtió que los LAR son otra tendencia perturbadora en el desarrollo de nuevos tipos de armas convencionales que, junto a los drones armados ya existentes, podrían ser usados para causar asesinatos indiscriminados de civiles. Por tanto, manifestó su conformidad en abordar el desarrollo de los SAAL en todos los foros internacionales que fueran pertinentes, incluyendo la CCW[250]; e) Suiza reconoció que

---

247 *Declaración de Grecia ante el cuarto grupo sobre «Armas convencionales» de la Primera Comisión de la Asamblea General de la ONU*, sin fecha [en línea], disponible en: *http://reachingcriticalwill.org/images/documents/Disarmament-fora/1com/1com13/statements/29Oct_Greece.pdf*, fecha de revisión: 15/04/2019.

248 *Declaración de Japón ante la Conferencia de Desarme en la Primera Comisión de la Sexta sesión de la Asamblea General de la ONU*, en el debate temático sobre «Armas convencionales», 29 de octubre de 2013 [en línea], disponible en: *http://www.reachingcriticalwill.org/images/documents/Disarmament-fora/1com/1com13/statements/29Oct_Japan.pdf*, fecha de revisión: 15/04/2019.

249 *Declaración de Países Bajos*, Conferencia de Desarme, con motivo del sexagésimo octavo período de sesiones de la Asamblea General en la Primera Comisión y ante un debate temático sobre armas convencionales, 28 de octubre de 2013 [en línea], disponible en: *http://reachingcriticalwill.org/images/documents/Disarmament-fora/1com/1com13/statements/29Oct_Netherlands.pdf*, fecha de revisión: 15/04/2019.

250 *Declaración de Pakistán ante las Naciones Unidas*, en el Debate General de la Primera Comisión (68 período de sesiones de la Asamblea General de las Naciones Unidas) en Ginebra, 16 de octubre de 2013 [en línea], disponible en:

las nuevas tecnologías están cambiando la guerra, por lo que muchos desafíos se ciernen en el horizonte, y uno de ellos son los SAAL. Por lo tanto, reconoció la necesidad de que existiera un diálogo intergubernamental sobre ese tema, y en ese sentido manifestó su plena disposición a participar activamente en las discusiones que sobre los SAAL se den en el futuro dentro y fuera de la CCW[251]; f) Reino Unido manifestó su conformidad en discutir todas las cuestiones relacionadas con la robótica autónoma letal dentro del ámbito de los expertos de la CCW, y señaló su intención de aportar los conocimientos y la experiencia que tuvieran en esa área[252]; y, g) la delegación de EE.UU. declaró su interés en el establecimiento de un programa de trabajo de la CCW que, para 2014, permitiera —entre otros asuntos— llevar a cabo una discusión informal y exploratoria entre los Estados sobre las

---

http://www.reachingcriticalwill.org/images/documents/Disarmament-fora/1com/1com13/statements/16Oct_Pakistan.pdf, fecha de revisión: 15/04/2019.

251 *Declaración de Suiza*, 68.° período de sesiones de la Asamblea General, Primera Comisión, en el debate temático sobre armas convencionales, Nueva York, 28 de octubre de 2013 [en línea], disponible en: *http://reachingcriticalwill.org/images/documents/Disarmament-fora/1com/1com13/statements/29Oct_Switzerland.pdf*, fecha de revisión: 15/04/2019.

252 Probablemente Reino Unido sea uno de los países que más tiene para aportar al debate de los SAAL, al menos en razón de su amplia trayectoria en la inversión estatal en el área de la investigación, el desarrollo y la innovación armamentística altamente tecnificada a través el empleo de las ciencias de la computación. Prueba de ello, en noviembre de 2020, el Ministerio de Defensa de ese país hizo pública su intención de invertir 24.1 mil millones de libras esterlinas, aproximadamente, durante los próximos cuatro años —incluyendo el 2021— para transformar las fuerzas armadas de Reino Unido y apoyar su influencia global. El gobierno británico pretende usar esos fondos, entre otros asuntos, para crear una nueva agencia de IA para desarrollar sistemas tecnológicos de alto nivel, incluidos los vehículos autónomos, drones de enjambre y sistemas de concienciación del campo de batalla de vanguardia. La financiación también la utilizará para crear una fuerza cibernética nacional para proteger a los británicos de los ciberataques. *Declaración sobre armas convencionales emitida por el Reino Unido*, 68.ª Comisión de la UNGA, Nueva York, 28 de octubre de 2013 [en línea], disponible en: *http://www.reachingcriticalwill.org/images/documents/Disarmament-fora/1com/1com13/statements/29Oct_UK.pdf*, fecha de revisión: 15/04/2019, y Ministerio de Defensa de Reino Unido, *Defence secures largest investment since the Cold War* (comunicado de prensa), Londres, 19/11/2020 [en línea], disponible en: *https://www.gov.uk/government/news/defence-secures-largest-investment-since-the-cold-war*, fecha de revisión: 21/01/2021.

implicaciones jurídicas, políticas y tecnológicas asociadas con las armas letales totalmente autónomas, centrándose principalmente en un debate interdisciplinar enriquecido por profesionales con experiencia técnica, militar e internacional en DIH[253].

Las opiniones destacadas anteriormente demuestran cómo, desde ese entonces, varios de los Estados parte considerados «influyentes» en los debates de la ONU comenzaron a tomar muy en cuenta todo el asunto relacionado con las tecnologías emergentes en el área de los SAAL, afirmando cuán útil sería se pudieran abordar todas estas cuestiones bajo una perspectiva multilateral, con perspectiva de paz, garantía y protección del DIH y el DIDH. Habita cuenta de ello, a continuación se detallará cómo los consensos alcanzados en las sesiones de la Primera Comisión de la Asamblea General de Naciones Unidas, al final, labraron el camino para que meses después los Estados parte de la CCW aprobaran el inicio de las discusiones informales acerca de los SAAL en ese foro multilateral.

2.3. *Reunión anual de 2013 de las Altas Partes contratantes de la CCW*

Los días 15 y 16 de noviembre de 2013, las Altas Partes contratantes de la CCW celebraron su reunión anual bajo un formato dividido en cuatro sesiones plenarias[254]. En la primera sesión, las delegaciones confirmaron el nombramiento como presidente de Jean-Hugues Simon-Michel, embajador de Francia. Asimismo, las delegaciones estatales recibieron un mensaje del entonces secretario general de Naciones Unidas, Ban Ki-moon, a través del cual reafirmó su apoyo al trabajo de la CCW y, particularmente, exhortó a los Estados

---

253 *Declaración de los Estados Unidos de América*, 68.ª Discusión Temática de la Primera Comisión de la AGNU sobre Armas Convencionales, 28 de octubre de 2013 [en línea], disponible en: *http://reachingcriticalwill.org/images/documents/Disarmament-fora/1com/1com13/statements/29Oct_US.pdf*, fecha de revisión: 15/04/2019.

254 Altas partes contratantes de la CCW, *Programa de trabajo provisional,* aprobado en la reunión anual celebrada en Ginebra el 14-15 de noviembre de 2013, núm. CCW/MSP/2013/2, de 02/09/2013 [en línea], disponible en: *https://documents-dds-ny.un.org/doc/UNDOC/GEN/G13/627/61/PDF/G1362761.pdf?OpenElement*, fecha de revisión: 17/04/2019.

a mantenerse muy atentos a las implicaciones que traen consigo las nuevas armas emergentes y sus tecnologías. En ese sentido, animó a los allí presentes a participar en el diálogo sobre los aspectos relacionados con los SAAL que se llevaría a cabo durante la reunión, y que serviría para comprender el impacto potencialmente humanitario de estos sistemas y considerar además los desafíos que ellos representan en el contexto del DIH y la CCW[255].

Desde un inicio, la reunión marcó como línea estratégica de sus sesiones garantizar la continuidad del debate internacional que sobre los SAAL se estaba dando en el seno de la ONU. Gran parte de ello se debió a las consultas informales organizadas previamente por el embajador Jean-Hughes, las cuales animaron a los Estados a expresar su interés por seguir las discusiones sobre este tema en la CCW. En todo caso, Francia presentó un borrador de mandato de trabajo para la continuidad de las discusiones sobre los SAAL en el marco de la CCW[256].

Algunos Estados, en particular India, China y Cuba, dieron comentarios y sugerencias acerca de ese borrador de mandato. India, en concreto, solicitó que en ese texto se agregaran las palabras «en el contexto de los objetivos y propósitos de la CCW». Cuba pidió eliminar toda referencia a «tecnologías emergentes», aunque luego fue rechazado por las delegaciones de Israel y EE.UU. Esto, a su vez, llevó a que la delegación china sugiriera agregar la palabra «existentes» a la expresión «tecnologías emergentes». Por su parte, China, Rusia y Bielorrusia sugirieron cambios en las fechas para las discusiones

---

255 Ki-moon, B., *Mensaje del ex secretario general de las Naciones Unidas, Ban Ki-moon, a las Altas Partes contratantes de la CCW* (reunión anual del 2013, al que dio lectura el entonces director de la Subdivisión de Ginebra de la Oficina de Asuntos de Desarme de las Naciones Unidas, Jarmo Sareva) [en línea], disponible en: *https://www.unog.ch/80256EDD006B8954/(httpAssets)/B713D-4C966D13D36C1257CE8003BDB92/$file/DGS_MSP_GenStatement_2013.pdf*, fecha de revisión: 17/04/2019.

256 El lunes 11 de noviembre de 2013, faltando dos días para el inicio de la reunión de las Altas Partes contratantes de la CCW, el embajador francés distribuyó a las delegaciones de los Estados parte un borrador de mandato para celebrar una reunión informal de expertos de tres días (aunque después se extendió a cuatro días) para discutir las cuestiones relacionadas con las tecnologías emergentes en el área de los SAAL. Según el texto, el presidente debía presentar un informe de las discusiones a la reunión de los Estados parte de la CCW en 2014.

informales. Al final, salvo la propuesta india, ninguna de las sugerencias de las delegaciones estatales fue acogida por el pleno, sobre todo porque hacían referencia a diferencias terminológicas, conceptuales y/o de enfoque que podían ser subsanadas en reuniones futuras.

En declaraciones enviadas a la CCW, varios Estados subrayaron la necesidad de mantenerse al día con los desarrollos tecnológicos emergentes y considerar las implicaciones de estos para el derecho internacional, especialmente en el campo del DIH. Aunque algunas de esas delegaciones destacaron la complejidad que significa abordar el tema de los SAAL, la mayoría enfatizó en la necesidad de mejorar la comprensión de las implicaciones políticas, militares, técnicas, éticas y humanitarias de tales armas[257].

Una vez celebradas las sesiones programadas, la reunión finalizó aprobando por consenso la propuesta de mandato impulsada por Francia. Asimismo, los Estados decidieron que el embajador Simon-Michel, entonces presidente de la sesión anual de 2013 de la CCW, convocara en 2014 una reunión oficiosa de expertos de cuatro días de duración, del 13 al 16 de mayo, para examinar las cuestiones relativas a las nuevas tecnologías en el ámbito de los SAAL en el contexto de los objetivos y los propósitos de la CCW. Asimismo, acordó que el presidente debía presentar un informe de esas discusiones ante la reunión anual de 2014 de las Altas Partes contratantes de la CCW, en el que reflejase todos los debates celebrados[258].

---

257 La mayoría de los Estados que hicieron declaraciones en directo en la reunión de la CCW, a saber, Austria, Australia, Bielorrusia, Bélgica, Canadá, China, Croacia, Cuba, Egipto, Unión Europea, Francia, Ghana, Grecia, Alemania, Santa Sede, India, Irlanda, Israel, Italia, Japón, México, Marruecos, Países Bajos, Pakistán, Filipinas, Lituania, República de Corea, España, Suecia, Suiza, Turquía, Ucrania, Reino Unido y EE.UU., expresaron su apoyo a la idea de una reunión informal de expertos para abordar el tema de los SAAL. *Declaraciones hechas por los Estados Parte de la CCW*, reunión anual de los Estados Parte de CCW, Ginebra, 14-15 de noviembre de 2013 [en línea], disponibles en: *https://www.unog.ch/unog/website/disarmament.nsf/(httpPages)/fb0c58380d75a460c125831300392d34?OpenDocument&ExpandSection=3%2C1#_Section3*, fecha de revisión: 17/04/2019.

258 Altas partes contratantes de la CCW, *Informe final,* aprobado en la reunión anual celebrada en Ginebra el 14-15 de noviembre de 2013, núm. CCW/MSP/2013/10, de 16/12/2013 [en línea], disponible en: *https://undocs.org/es/CCW/MSP/2013/10*, fecha de revisión: 17/04/2019.

La decisión marcó el inicio de una nueva etapa de discusiones —más profundas e interdisciplinares— acerca de los SAAL. La urgencia con que se dio este acuerdo fue producto de la rápida evolución que venía teniendo el debate sobre los SAAL en otros foros del Sistema de Naciones Unidas. Tan solo seis meses habían pasado desde que el tema hubiera sido planteado por la Relatoría Especial sobre ejecuciones extrajudiciales, sumarias o arbitrarias en su informe presentado en mayo de 2013 ante el Consejo de Derechos Humanos de la ONU. Desde entonces, los Estados miembro acordaron iniciar conversaciones internacionales exploratorias sobre cómo y dónde poder abordar este tema.

El ritmo veloz y el gran interés sobre las cuestiones relativas a los SAAL parecieron muy prometedores. La importancia de iniciar un debate formal y estructurado dentro de la ONU se basó en las inquietudes, los riesgos y los desafíos políticos, militares, jurídicos, estratégicos y morales que estos sistemas representan, sobre todo respecto de la seguridad internacional y el desarme.

La decisión de llevar a cabo discusiones informales sobre las tecnologías emergentes en el área de los SAAL en el marco de la CCW fue vista como una oportunidad idónea para que los gobiernos más poderosos del mundo pudieran tener conversaciones sustantivas y formular políticas realistas sobre los aspectos técnicos, jurídicos y éticos vinculados a la investigación, el desarrollo y la innovación de sistemas de armas autónomas. No obstante, como se verá a continuación, existen desafíos que la comunidad internacional debe superar progresivamente a la hora de abordar, sobre todo a nivel multilateral, todas las implicaciones que trae consigo el uso de AW en conflictos armados internacionales.

2.4. Desafíos para reflexionar acerca de las tecnologías emergentes en el ámbito de los SAAL

Uno de los mayores retos para establecer leyes, protocolos o tratados que regulen la investigación, el desarrollo y la innovación de las armas es, precisamente, definir aquello que se pretende reglamentar o prohibir. Hay autores que afirman que la «cuestión de las definiciones» es a menudo crucial para la elaboración de leyes y convenciones internacionales[259]. Este problema disminuye, o se acrecienta, en función del tipo de sistema armamentístico que se trate, sobre todo cuando sus características pueden variar dependiendo de un modelo u otro.

No obstante, es importante destacar también que, a lo largo de la historia, no todas las armas reguladas por un instrumento internacional han sido definidas de manera explícita o exhaustiva en el propio instrumento. Por ejemplo, ni el tratado de no proliferación de las armas nucleares[260] ni el tratado de prohibición completa de los ensayos nucleares[261] definen lo que son las armas nucleares. Tampoco la Convención de armas biológicas[262] define las armas biológicas. En consecuencia, una definición explícita no es necesariamente una condición previa *sine qua non* para aprobar las medidas que regulen una categoría de armas.

En aquellos tratados de armamentos que sí contienen esas definiciones explícitas lo que más se resalta son los diferentes aspectos de las armas en cuestión, muchas veces haciendo referencia a la categoría más grande de estas, o a la familia de objetos a la que pertenecen. Por

---

259 Federal Foreign Office, *Lethal Autonomous Weapons Systems. Technology, Definition, Ethics, Law & Security*, Berlín, Division Conventional Arms Control, Gobierno de Alemania, 2016, *véanse páginas 250 y ss.*

260 *Tratado sobre la no proliferación de las armas nucleares*, Asamblea General de la ONU, resolución núm. A/RES/2373(XXII), del 12/06/1968 (abierto a la firma el 01/07/1968), disponible en: *https://undocs.org/es/A/RES/2373(XXII)&Lang=S*, fecha de revisión: 25/04/2019.

261 Asamblea General de la Onu, *Resolución A/RES/50/245*, del 17/09/1996, aprobada en el quincuagésimo período de sesiones de la Asamblea General de la ONU [en línea], disponible en: *https://undocs.org/A/RES/50/245*, fecha de revisión: 04/05/2019. ; y *Tratado de Prohibición Completa de los Ensayos Nucleares (TPCE) y texto sobre el establecimiento de una Comisión Preparatoria de la Organización del Tratado de Prohibición Completa de los Ensayos Nucleares*, Viena, Comisión Preparatoria de la Organización del Tratado de Prohibición Completa de los Ensayos Nucleares, 1996 [en línea], disponible en: *https://www.ctbto.org/fileadmin/user_upload/legal/treaty_text_Spanish.pdf*, fecha de revisión: 04/05/2019.

262 *Convención sobre la Prohibición del Desarrollo, la Producción y el Almacenamiento de Armas Bacteriológicas (Biológicas) y Toxínicas y sobre su Destrucción*, Oficina de Asuntos de Desarme de Naciones Unidas, 1972 [en línea], disponible en *https://www.un.org/disarmament/es/adm/armas-biologicas/*, fecha de revisión: 24/07/2019.

ejemplo, una mina antipersonal es un tipo de «mina»[263]; una «arma trampa» es un tipo de «artefacto o material»[264]; una «munición en racimo» es un tipo de «munición convencional»[265], y así sucesivamente.

A veces, esas definiciones están escritas de tal manera que pueden crear lagunas para ciertas armas existentes, una labor no del todo accidental que permite a algunos países retener en sus inventarios subtipos de armamentos que, en otras circunstancias, podrían haber sido incluidos en la definición explícita aprobada finalmente en el tratado. También, la búsqueda de excepciones conceptuales puede hacer que sea más fácil que más países firmen una reglamentación o prohibición internacional, algo que también puede llegar a ser problemático si la tecnología sigue evolucionando[266].

En el caso de los sistemas de armas autónomas, el asunto de las definiciones ha sido uno de los principales quebraderos de cabeza para los funcionarios y expertos que asisten anualmente a las discusiones sobre las tecnologías emergentes en el área de los SAAL en el marco de la CCW. Tras varios años de haberse iniciado esos debates, aún está pendiente la aprobación de alguna definición de trabajo sobre esos sistemas, o cuando menos una caracterización de estos para promover un entendimiento común sobre conceptos y características

263 *Convención sobre la prohibición del empleo, almacenamiento, producción y transferencia de minas antipersonales y sobre su destrucción*, Asamblea General de Naciones Unidas, 1997 (en vigor el 1/03/1999) [en línea], disponible en: *https://www.unog.ch/80256EDD006B8954/(httpAssets)/B9A95DEB6541532BC12571C7002E56DA/$file/Convencion_d_Ottawa_Espanol.pdf*, fecha de revisión: 04/05/2019, *véase artículo 2.*

264 *Protocolo sobre Prohibiciones o Restricciones del Empleo de Minas, Armas Trampa y Otros Artefactos*, enmienda de 3 de mayo de 1996 (Protocolo II según fue enmendado el 3 de mayo de 1996), disponible en: *https://www.icrc.org/es/doc/resources/documents/misc/treaty-1980-cccw-protocol-2-amended-1996-5tdl6g.htm*, fecha de revisión: 04/05/2019, *véase artículo 2.*

265 *Convención sobre Municiones en Racimo*, Comité Internaciones de la Cruz Roja, 30/05/2008 (en vigor el 01/08/2010) [en línea], disponible en: *https://www.icrc.org/es/doc/assets/files/other/icrc_003_0961.pdf*, fecha de revisión: 04/05/2019, *véase artículo 2.*

266 Scharre, P., *Army of none: Autonomous weapons and the future of war*, Londres, WW Norton & Co, 2018, *véanse páginas 342 y 343.*

relevantes para los objetivos y propósitos de la CCW, una señal de cuán poco han progresado los países en la materia.

Sin embargo, entidades como HRW no comparten esta apreciación[267]. Según esta organización no gubernamental, ya existe suficiente acuerdo internacional sobre los elementos centrales de las FAW para proceder a las negociaciones en la CCW. Perderse en los detalles de una definición sin determinar primero los objetivos de las negociaciones sería improductivo. En su criterio, sería más eficiente decidir sobre las prohibiciones o restricciones que se impondrán en la categoría general de armas y luego detallar exactamente a qué armas deberían aplicarse esas prohibiciones o restricciones. Por lo tanto, en opinión de HRW, la comunidad internacional debe centrarse más en articular los objetivos, el alcance y las obligaciones de un instrumento futuro. La definición jurídica final de FAW se podría negociar en una etapa posterior.

A diferencia de lo expuesto por HRW, el estado actual del debate sobre los SAAL en la CCW refleja muchas veces discusiones especulativas divorciadas de la realidad, especialmente por la falta de comprensión general sobre qué son SAAL y cuáles son sus funciones básicas. Está claro que examinar esas tecnologías desde las perspectivas jurídica y ética siempre será un problema por la falta de un conjunto uniforme de definiciones de términos clave como «autónomo», «autonomía» o «robots». Los contenidos de esos términos varían mucho en el mundo académico, entre los militares de los diferentes Estados, así como entre el personal de la industria civil y de defensa[268].

En las discusiones de la CCW hay quienes consideran que un SAAL no debe confundirse con otras tecnologías o dispositivos armamentísticos, tales como: a) algún sistema con funciones de control manual, autodestrucción o autodesactivación; b) sistemas tecnológicamente avanzados, pero sin autonomía; c) sistemas con cierto grado de autonomía, como los de armas de proximidad, que atacan de forma autónoma a los objetivos entrantes basándose en parámetros

---

267 Human Rights Watch, «Making the case the dangers of killer robots and the need for a preemptive ban», *op. cit.*, *véanse páginas 42-45*.

268 Alston, P., *Informe provisional del entonces relator especial sobre ejecuciones extrajudiciales, sumarias o arbitrarias del Consejo de Derechos Humanos de las Naciones Unidas, Philip Alston*, *op. cit.*, *véanse páginas 19 y 20 y párrafo 32.*

claramente definidos; d) un sistema basado en normas que está sujeto a una clara cadena de mando y control; y, e) los sistemas capaces de aprender y que además ofrecen opciones[269].

Otros imaginan las AW como sistemas robóticos simples que pueden buscar en un área amplia y atacar a los objetivos por sí mismos. Tales armas, aunque podrían construirse hoy, en muchos entornos sería difícil que cumplan con el DIH. Para algunos, «arma autónoma» es incluso un término más general que se aplica a cualquier tipo de misil o arma que utiliza la autonomía de cualquier manera, lo cual, en opinión de ciertos autores, representa una perspectiva errónea que al final terminará siendo infundada, puesto que ese tipo de armamentos genéricos ya existe desde hace más de setenta años[270].

En ausencia de un léxico común, los países pueden tener desacuerdos acalorados al hablar de cosas completamente diferentes. Por ejemplo, como se destacó en el capítulo 1 de esta monografía, hay expertos gubernamentales y académicos que equiparan la «autonomía» con los sistemas de autoaprendizaje y adaptación, lo cual puede ser engañoso ya que, aunque son avances tecnológicos hoy posibles, lo cierto es que todavía no han sido incorporados plenamente a las armas. Otros, al escuchar el término «armas autónomas», visualizan sin más la existencia de máquinas con una inteligencia a nivel humano, algo que es poco probable que ocurra en el corto plazo, además de que si sucediera ello plantearía una serie de problemas éticos y morales[271].

---

269 Grupo de Expertos Gubernamentales sobre las tecnologías emergentes en el ámbito de los sistemas de armas autónomas letales, *Informe del período de sesiones de 2018, op. cit., véanse páginas 12 y 13.*

270 Scharre, P., *Army of none: Autonomous weapons and the future of war, op. cit., véase página 346.*

271 Al respecto, Human Rights Watch, «Heed the call a moral and legal imperative to ban killer robots», *Human Rights Watch*, agosto de 2018 [en línea], disponible en: *https://www.hrw.org/sites/default/files/report_pdf/arms0818_web.pdf*, fecha de revisión: 03/05/2019 *Ethics and autonomous weapon systems: An ethical basis for human control?* (documento de trabajo del Comité Internacional de la Cruz Roja), *op. cit.*; e Instituto de las Naciones Unidas para la Investigación del Desarme, *The weaponization of increasingly autonomous technologies: considering ethics and social values, op. cit.*

Por su parte, algunos especialistas pueden llegar a pensar que la letalidad es una característica esencial de los SAAL, mientras que otros considerarían que el término «letal» —como característica— debería examinarse más a fondo a la luz de la noción fundamental del *uso de la fuerza armada*, la cual entraña obligaciones jurídicas en virtud del derecho internacional que son totalmente independientes de la letalidad[272]. Según esta última perspectiva, si se hace hincapié en la letalidad al momento de hablar de SAAL, tal vez no se llegue a abordar las lesiones de efectos no letales a las personas o los daños a los objetos protegidos por el DIH que puedan cometerse a través de AW. Esto abarcaría incluso funciones cruciales como la interacción de los SAAL para apoyar la toma de decisiones no letales de otros sistemas.

Todo lo anterior, en su conjunto, representa el preámbulo de una serie de retos y dificultades a la hora de poder abordar los SAAL en el marco de la CCW. A esto se unen otras series de desafíos también importantes.

2.4.1. Dudas sobre la inexistencia de los SAAL

Como se indicó en el capítulo 1 de esta obra, la ciencia ficción siempre ha impulsado las especulaciones, mitos y falsas realidades acerca de la investigación, el desarrollo y la innovación de los sistemas de armas con altos grados de autonomía en sus funciones. Esto, junto a las diferencias conceptuales y de enfoque que muchos Estados y expertos en el área manejan hoy, ha hecho imposible que dentro de la comunidad científica y académica haya unanimidad sobre si los SAAL realmente existen.

Donde sí que hay un acuerdo dentro de la comunidad internacional es en que los sistemas de armas totalmente autónomas no existen aún, sobre todo porque para que ello suceda se necesitaría antes que los científicos logren aplicar en las AW avances muy sofisticados en el área de la IA y la robótica que todavía no han sido alcanzados (por ejemplo, la superinteligencia). Así pues, los sistemas armamentísti-

---

272 Al respecto, Heyns, C., *Autonomous weapons systems and human rights law* (presentación), *op. cit.*, *véanse páginas 1 y 2*. No obstante, para una mayor aproximación acerca de la letalidad como una de las características definitorias de los SAAL, véase el tercer apartado del capítulo 1 de esta monografía.

cos con completa autonomía representan un caso hipotético de innovación tecnológica con ausencia total de control humano sobre el arma en sí[273].

Todo este panorama se torna todavía más complejo, ya que aun cuando hoy no existen los sistemas completamente autónomos, sí que se pueden encontrar ciertos tipos de armas dotadas de diferentes niveles de autonomía importantes que, para muchos Estados y ONG, ya implican riesgos y preocupaciones para la sociedad en general[274]. Es lo que algunos refieren como los avances tecnológicos armamentísticos que son precursores de las FAW del mañana[275].

Esto ha llevado a que algunos países se vean en la necesidad de sugerir la exclusión de los sistemas de armas automatizados y semiautónomos actualmente existentes del objeto de debate en la CCW[276].

---

273 Muchas veces la expresión «sistemas de armas completamente autónomos» es usada dentro de la comunidad internacional para referirse, y de cierta manera conceptualizar, sesgadamente a los SAAL. Sin embargo, como se indicó en los primeros capítulos de esta monografía, y como luego se analizará con mayor profundidad en secciones posteriores relativas al análisis jurídico de los SAAL, las armas totalmente autónomas son una de las tantas opciones de desarrollo armamentista que pueden darse a lo largo del amplio espectro de posibilidades que abarca la autonomía en las funciones de cualquier sistema de armas.

274 Como se puede ver en los epígrafes anteriores, hoy en día existen RPAS militares (aéreos, terrestres, marinos y submarinos) con niveles de autonomía en las funciones de despegue, maniobrabilidad, adaptación a diferentes condiciones climáticas, evasión de obstáculos, posicionamiento, etc. Sin embargo, no hay un arma totalmente autónoma que sea un referente comparativo para que la comunidad internacional pueda decir: «esto es lo que se debe regular o prohibir». Es normal que dicha situación genere inseguridad en muchos Estados, especialmente cuando se trata de evaluar la posibilidad de proscribir desarrollos científicos en los que, muchas veces, están invirtiendo cuantiosos recursos.

275 Human Rights Watch and Harvard Law School's International Human Rights Clinic, *Losing Humanity: The Case against Killer Robots*, *op. cit.*; *Position Paper* (documento de trabajo de China), *op. cit.*; Federal Foreign Office, *Lethal Autonomous Weapons Systems. Technology, Definition, Ethics, Law & Security*, *op. cit.*, *véase página 60*; y Surber, R., *Artificial intelligence: Autonomous technology (AT), lethal autonomous weapons systems (LAWS) and peace time threats*, *op. cit.*, *véanse páginas 9 y 11*.

276 Por ejemplo, *Russia's Approaches to the Elaboration of a Working Definition and Basic Functions of Lethal Autonomous Weapons Systems in the Context of the Purposes and Objectives of the Convention* (documento de trabajo de la Federación Rusa), *op. cit.*

Mientras tanto, otros opinan que esos sistemas sí entran en la categoría de las tecnologías emergentes en el área de los SAAL, por lo que la apuesta de las discusiones en la CCW debe girar en torno a la búsqueda de la mejor manera de abordarlos, para luego regularlos o prohibirlos. Como réplica a ese contrargumento, algunas delegaciones diplomáticas afirman que lo político ha de enmarcar siempre las discusiones, y en ese sentido debe impulsar las definiciones y las características conexas de los SAAL, y no al revés[277].

Por otra parte, hay quienes afirman que la falta prototipos de SAAL no debería ser un desafío a la discusión que se lleva a cabo en la CCW. En ese sentido, invocan la existencia de algunos precedentes en los que la comunidad internacional alcanzó acuerdos internacionales en los que estableció una prohibición preventiva de posibles tipos de armas que para entonces eran inexistentes. Por ejemplo, organizaciones como HRW o la campaña contra los robots asesinos (en adelante, CSKR, por las siglas en inglés de *Campaign to Stop Killer Robots*) a menudo citan el Protocolo CCW IV sobre Armas Láser Cegadoras como un modelo a seguir para llegar a la prohibición de los SAAL, ya que es un documento internacional vinculante que terminó aprobándose antes de que hubieran sido desarrolladas las armas láser cegadoras.

Sin embargo, esta tesis podría resultar un tanto cuestionable, toda vez que la definición contenida en ese protocolo no prohíbe las armas láser *per se*, sino un caso muy específico de su empleo: causar ceguera permanente. Por ello, algunas delegaciones estatales rechazan este tipo de argumentos que hacen referencia a casos en los que fueron prohibidas algunas armas, o cierto uso de ellas, como un precedente para la toma de medidas preventivas prohibitivas o restrictivas contra los SAAL en el seno de la CCW, sistemas complejos de los que tan solo existen comprensiones aproximadas[278].

277 Grupo de Expertos Gubernamentales sobre las tecnologías emergentes en el ámbito de los sistemas de armas autónomas letales, *Informe del período de sesiones de 2018*, *op. cit.*, *véase página 14*.

278 *Examination of various dimensions of emerging technologies in the area of lethal autonomous weapons systems, in the context of the objectives and purposes of the Convention* (documento de trabajo de la Federación Rusa), núm. CCW/GGE.1/2017/WP.8, 10 de noviembre de 2017, Palacio de las Naciones (re-

2.4.2. Falta de claridad acerca de qué puede ser un arma autónoma

Como se ha destacado a lo largo de esta investigación, el debate actual sobre las AW a menudo es susceptible de acoger argumentos y afirmaciones categóricas hechas por oficiales, académicos, abogados y científicos que ensombrecen el camino hacia el alcance de acuerdos claros, lógicos y pragmáticos en el área. Muchas veces las discusiones sobre los SAAL en la CCW se tornan maniqueas, con respuestas de «blanco y negro» acerca de cómo las máquinas se comportarán y cómo su comportamiento podrá ser gobernado y estabilizado. Es una tendencia a buscar la distinción entre las fronteras reales de las capacidades tecnológicas y los escenarios hipotéticos que abarcan una diversidad de visiones futuras acerca de la robótica y la IA[279].

Desde los primeros documentos de reflexión que iniciaron las discusiones sobre los SAAL en el marco de la CCW, siempre fueron planteándose preguntas técnicas acerca de cuáles son las tecnologías que contribuyen, o podrían contribuir, a la autonomía letal en las armas. Este enfoque ha conducido el debate en un bucle de dispersión en el universo de lo tecnológico. Es cierto que los avances de las ciencias de la computación son necesarios para alcanzar el desarrollo de SAAL, pero llevar esas discusiones a un plano de reflexión —aunque sea general— sobre la investigación, el desarrollo y la innovación de la robótica y la IA abre un mundo de peligros, riesgos, incertidumbres y desafíos que desgastan el trabajo de la CCW.

Los SAAL, dado su alto nivel de autonomía, son sistemas dotados de las ciencias de la computación, por lo cual, la IA y la robótica han de ser disciplinas abordadas de manera transversal cuando se quiera estudiar todo lo que tiene que ver con las AW. A esta situación se suma un desafío importante, y es cómo abordar el tema de los SAAL tenien-

---

unión de expertos sobre los SAAL en la CCW, celebrada en Ginebra de 13-17 de noviembre de 2017) [en línea] disponible en: *https://admin.govexec.com/media/russia.pdf*, fecha de revisión: 04/07/2021.

279 Bhuta, N., Beck, S. y Geib, R., «Present futures: concluding reflections and open questions on autonomous weapons systems», en Bhuta, N., Beck, S., Geib, R., Liu, G.-Y. y Kreb, C. (eds.), *Autonomous weapons systems. Law, ethics, policy*, Cambridge (EE.UU.), Cambridge University Press, 2016, pp. 347-383, *véanse páginas 351-353*.

do en cuenta además el principio de uso dual de las tecnologías emergentes. La dificultad de hacer una distinción clara entre los desarrollos civiles y militares de los sistemas autónomos basados en las mismas tecnologías sigue siendo un obstáculo esencial en la discusión de la CCW. Las características del desarrollo de la robótica y la IA generalmente dificultan su regulación, especialmente en el ámbito del control de armamentos. Es difícil establecer criterios inequívocos, dada la naturaleza gradual del desarrollo de las ciencias de la computación que luego terminan siendo de uso dual[280].

Para poder responder a las amenazas actuales y futuras, las Fuerzas Armadas deben continuar innovando. Por eso hacen uso de las últimas tecnologías. Como norma, las tecnologías civiles de doble uso se desarrollan antes de las aplicaciones militares. Las tecnologías emergentes como la nanotecnología, la ciencia cognitiva y la IA desempeñan un papel clave en el desarrollo y uso de los sistemas de armas[281]. Por ello existe una continuidad considerable entre las tecnologías militares y las no militares. Una misma plataforma robótica puede tener aplicaciones tanto civiles como castrenses, y además puede desplegarse con capacidad letal y no letal.

---

280 Heyns, C., *Informe del Relator Especial sobre las ejecuciones extrajudiciales, sumarias o arbitrarias, Christof Heyns*, *op. cit.*, *véase párrafo 48*.

281 Al respecto, véase: Anderson, K., Reisner, D. y Waxman, M., «Adapting the Law of Armed Conflict to Autonomous Weapon Systems», *op. cit.*, *véase página 391*; y, *Autonomous Weapon Systems. The Need for Meaningful Human Control* (posición oficial del Advisory Council on International Affairs y del Advisory Committee on Issues of Public International Law del Gobierno de Países Bajos), *op. cit.*, *véanse páginas 5, 46, 47 y 53*. Prueba de ello lo podemos ver, por ejemplo, el Bug Dron, uno de los modelos estadounidenses más vendidos en el 2020 que ha sido desarrollado por BAE Systems, en colaboración con UAVTEK, un dron nano tipo «insecto» útil para funciones de vigilancia. Con un peso de solo 196 gramos, estos vehículos aéreos no tripulados tienen aproximadamente el tamaño de un teléfono inteligente. Tienen una autonomía de 2 kilómetros y una duración de batería de hasta 40 minutos. Incluso, con un tamaño tan pequeño, el dron puede funcionar a 80 kilómetros por hora de velocidad del viento y tiene una cámara de alta resolución que podrá llegar a tener capacidades de detección de infrarrojos., Newsroom, «Collaborating with UAVTEK to develop nano 'Bug' drone», *BAE Systems,* 2020 [en línea], disponible en: *https://www.baesystems.com/en/collaborating-with-uavtek-to-develop-nano-bug-drone*, fecha de revisión: 21/01/2021.

Por ende, prevenir la existencia de sistemas de armas totalmente autónomas o conducir el desarrollo de los SAAL requeriría regular la investigación. Desafortunadamente, esa labor no será nada fácil de lograr. Muchas de las tecnologías involucradas en las armas robóticas son de «doble uso». Gran parte de la investigación que se lleva a cabo en los departamentos de ciencias de la computación e ingeniería en las universidades sobre cómo jugar al *soccer robot*, tecnología de reconocimiento de patrones, aprendizaje automático, elaboración de redes neuronales más sofisticadas, o la robótica de búsqueda y rescate, tienen obvias aplicaciones militares[282].

Así las cosas, cualquier régimen de control de armas plausible destinado a incluir la investigación sobre los SAAL deberá ser capaz de delinear una categoría de investigación prohibida sin capturar gran parte de la investigación sobre IA y robótica que se lleva a cabo en las universidades con fines legítimos y pacíficos. Finalmente, a todo este *totum revolutum* se le une otra dificultad más, y es que el principio de doble uso de las capacidades de un SAAL puede darse tanto en una función de su *software* como de su *hardware*. Esto significa que dos sistemas de armas autónomas con los mismos motores, hidráulica, armamento y sensores pueden tener capacidades muy diferentes dependiendo de su programación algorítmica.

---

[282] Muestra de ello, la Agencia de Proyectos de Investigación Avanzados de Defensa de EE.UU. (en adelante, DARPA, por sus siglas en inglés *Defense Advanced Research Projects Agency*) ha lanzado en 2018 un programa especial sobre la nueva generación de neurotecnologías no quirúrgicas (N3) que está financiado proyectos cuyo objetivo es desarrollar interfaces cerebro-máquina bidireccionales de alto rendimiento que permitirían la tecnología necesaria para diversas aplicaciones de seguridad nacional, como el control de vehículos aéreos no tripulados y sistemas activos de defensa cibernética, o el trabajo en equipo con sistemas informáticos, todo con el fin de realizar múltiples tareas con éxito durante misiones militares complejas. Esto permitiría que la interacción hombre-máquina llegue a una escala muy superior a la que es posible hoy. Mas información al respecto en También, ver Emondi, A., «Next-Generation Nonsurgical Neurotechnology», *Defense Advanced Research Projects Agency (DARPA)*, 2021 [en línea], disponible en: *https://www.darpa.mil/program/next-generation-nonsurgical-neurotechnology*, fecha de revisión: 21/01/2021. Sparrow, R., «Predators or plowshares? Arms control of robotic weapons», *op. cit.*, *véanse páginas 28 y 29*.

Cualquier algoritmo que se expresa en un código de computadora, que se efectúa a través de un sistema construido y que es capaz de operar en relación con un conflicto armado, termina siendo una tecnología de doble uso que debe ser regulada. Muchas veces esos algoritmos «usados para la guerra» parecen ser un ingrediente clave de lo que discuten la mayoría de las personas y Estados cuando abordan los SAAL en la CCW. Por ello, hay expertos que expanden el alcance de sus reflexiones críticas y humanitarias más allá de las armas convencionales (por más importantes que sean). En la actualidad, las capacidades tecnológicas rara vez están limitadas para ser utilizadas solo como armas tradicionales (tanques, misiles, pistolas, metralletas, drones), hay otras funciones de guerra que involucran una autonomía derivada algorítmicamente y que, en opinión de esos expertos, también deben considerarse para una regulación[283].

2.4.3. La complejidad de un enfoque prospectivo acerca de los SAAL

Las nuevas tecnologías han transformado el mundo del siglo XXI. Eso es algo innegable. Sin embargo, la comunidad de derechos humanos, y en particular del DIH, parece resuelta a permanecer enraizada en el siglo XX[284]. Las metodologías de foros como la ONU han tendido a estar dominadas por la mentalidad de ir a remolque de las circunstancias. En ellos frecuentemente se da por sentado que únicamente deben considerarse nuevos enfoques acerca de un tema solo después de que se haya puesto claramente de manifiesto que los enfoques existentes ya no resultaban adecuados para ello. Sin embargo, esta situación ha venido cambiando positivamente, aunque de manera particularmente lenta.

Muestra de ello se puede ver en el debate sobre las tecnologías emergentes en el área de los SAAL en el marco de la CCW. Una vez que el asunto cogió fuerza en 2013 dentro de Naciones Unidas, las

---

283 Lewis, D., Blum, G. y Modirzadeh, N., «War-algorithm accountability», *op. cit.*, *véanse páginas 9 y 10*.

284 Alston, P., *Informe provisional del entonces relator especial sobre ejecuciones extrajudiciales, sumarias o arbitrarias del Consejo de Derechos Humanos de las Naciones Unidas, Philip Alston, op. cit.*, véase *página 24 y párrafos 45 y 46*.

discusiones han venido arrojando algunos progresos importantes. No obstante, dada la naturaleza de lo que allí se discute, el programa de trabajo se proyecta largo y difícil.

Como con cualquier tecnología que revolucione el uso de fuerza letal, poco puede saberse sobre los riesgos potenciales de los SAAL antes de su desarrollo[285]. Esto, *a priori*, podría dificultar la formulación de una respuesta apropiada en el seno de la CCW. Sin embargo, esperar a que el desarrollo tecnológico avance para que podamos contar con la disponibilidad real de estos sistemas tampoco es la mejor opción, ya que dicho escenario probablemente haría ilusorio cualquier esfuerzo encaminado a establecer un control jurídico internacional apropiado sobre esas armas.

Esto ha hecho que la comunidad internacional apueste más por la primera opción. Los Estados han asumido que el momento más propicio para afrontar todas las preocupaciones relacionadas con la investigación, el desarrollo, la innovación y el uso de SAAL es ahora. Actualmente existe una oportunidad colectiva para hacer una pausa y abordar de manera proactiva los riesgos que se derivan del empleo de LAR.

Ciertamente, uno de los problemas típicos en cualquier discusión sobre tecnologías emergentes es lo difícil que resulta prever de manera prospectiva cómo se pueden usar estas armas en guerras futuras, en qué condiciones y en qué medida. Algunos imaginan que las AW son más fiables y precisas que los humanos, lo cual abriría la aparente posibilidad de toparnos con guerras más humanas habida cuenta de la reducción de las bajas civiles. Otros, por el contrario, imaginan a los SAAL como la peor calamidad, ya que serían máquinas de muerte que atacarían despiadadamente a multitudes[286].

A pesar de lo difícil que resulta teorizar y profetizar al mismo tiempo, la comunidad internacional sigue apostando por examinar las implicaciones del desarrollo potencial, el despliegue y el uso posterior de SAAL. Estos sistemas plantean cuestiones políticas, militares, tec-

---

285 Heyns, C., *Informe del Relator Especial sobre las ejecuciones extrajudiciales, sumarias o arbitrarias, Christof Heyns*, *op. cit.*, *véase párrafos 33 y 34.*

286 Scharre, P., *Army of none: Autonomous weapons and the future of war*, *op. cit.*, *véase página 346.*

nológicas, jurídicas, éticas y humanitarias, por lo que son de naturaleza intrínsecamente compleja. Aunque los SAAL no sean aún una realidad en el campo de batalla, los Estados de la CCW igualmente apuestan por que sea ahora —y no mañana— el momento clave para desarrollar una comprensión compartida de los desarrollos reales y potenciales en este dominio, de los desafíos que estos sistemas plantearían si fueran implementados, y desarrollar además definiciones y conceptos comúnmente entendidos con respecto al alcance de este tema[287].

Al igual que los Gobiernos, la sociedad civil apuesta por este enfoque. ONG, parte de la industria y la academia en general aplauden que los Estados sean prospectivos y no solo reactivos frente a «los desastres». Un futuro instrumento internacional que regule o prohíba los SAAL sería el logro importante en la vida de la CCW, ya que tendría un impacto humanitario tremendamente positivo, y lo mejor de todo, de efecto preventivo[288].

Por tanto, es imprescindible que la comunidad internacional supere todos los desafíos, haga un balance de la situación actual y conduzca el proceso de discusiones sobre los SAAL en el marco de la CCW de una manera responsable y pragmática, para así poder afrontar racionalmente la situación y, si es necesario, regular la tecnología a medida que se desarrolle[289].

---

287 *Declaración oficial de Suiza*, reunión del período de sesiones del 2013 de las Altas Partes contratantes en la CCW, celebrada el 14-15 de noviembre de 2013, en Ginebra [en línea], disponible en: *https://www.unog.ch/80256EDD006B8954/(httpAssets)/4F3832326C7026C1C1257CE500358B17/$file/Switzerland_MSP_GenStatement_2013.pdf*, fecha de revisión: 04/05/2019.

288 Human Rights Watch, *Declaración de Steve Goose* (reunión del período de sesiones del 2013 de las Altas Partes contratantes en la CCW, celebrada en Ginebra, de 14-15 de noviembre de 2013) [en línea] disponible en: *https://www.unog.ch/80256EDD006B8954/(httpAssets)/D01802CA8C91E410C-1257CE500389173/$file/NGOHRW_MSP_GenStatement_2013.pdf*, fecha de revisión: 04/05/2019.

289 Heyns, C., *Informe del Relator Especial sobre las ejecuciones extrajudiciales, sumarias o arbitrarias, Christof Heyns*, *op. cit.*, *véase párrafos 33 y 34*.

2.5. *La idoneidad de la CCW para debatir sobre los SAAL*

Una de las cuestiones que algunos se pudieran plantear es por qué los Estados, varias organizaciones internacionales e instituciones académicas y no gubernamentales consideran idóneo para debatir todos los asuntos relacionados con las tecnologías emergentes en el área de los SAAL el marco de los objetivos y propósitos de la CCW. La razón se debe a la naturaliza y trayectoria de su mandato.

La CCW se creó tras las discusiones durante la década de los setenta para reafirmar y desarrollar el DIH (un proceso que llevó además a la adopción de los Protocolos Adicionales de 1977[290] a los Convenios de Ginebra de 1949[291]). Es un tratado internacional que, junto a tres

---

290 En 1977 se aprobaron dos Protocolos Adicionales a los cuatro Convenios de Ginebra de 1949. Estos instrumentos refuerzan la protección que se confiere a las víctimas de los conflictos internacionales (Protocolo I) y de los conflictos no internacionales (Protocolo II), y fijan límites a la forma en que se libran las guerras (lo que se conoce como «Derecho de La Haya» que rige la conducción de las hostilidades). En 2005, fue aprobado un tercer Protocolo Adicional, que establece un emblema distintivo adicional, el cristal rojo, que tiene el mismo estatuto internacional que los emblemas de la Cruz Roja y de la Media Luna Roja. Para más información, Comité Internacional de la Cruz Roja, «Protocolos adicionales I y II de los Convenios de Ginebra», *op. cit.*

291 Son el conjunto de los cuatro convenios internacionales que regulan el DIH —también conocido como «Derecho de Ginebra»—, aprobados todos el 12 de agosto de 1949, cuyo propósito es limitar la barbarie de los conflictos armados. Estos convenios son: a) Primera Convención, para aliviar la suerte que corren los heridos y los enfermos de las Fuerzas Armadas en campaña; b) Segunda Convención, que protege, durante la guerra, a los heridos, los enfermos y los náufragos de las Fuerzas Armadas en el mar; c) Tercera Convención, relativa al trato debido a los prisioneros de guerra; y d) Cuarta Convención, relativa a la protección debida a las personas civiles en tiempo de guerra. Junto a esos cuatro instrumentos fue aprobado también «el artículo 1 común» que establece la obligación de respetar y hacer respetar los Convenios de Ginebra de 1949 en todas las circunstancias; el «artículo 2 común» que establece que esos Convenios se aplican para todos los casos de conflictos entre varios países, mientras exista al menos uno que los haya ratificado; y el «artículo 3 común», una suerte de miniconvenio dentro de los Convenios, que contiene las normas esenciales de aquellos, aunque en un formato condensado y cuyas reglas son aplicables a los conflictos armados no internacionales. Comité Internacional de la Cruz Roja, «Los Convenios de Ginebra de 1949 y sus Protocolos adicionales», *International Committee of the Red Cross*, 1/1/2014 [en línea], en: *https://www.icrc.org/es/*

protocolos anexos[292], fue adoptado el 10 de octubre de 1980 y abierto a la firma por un año a partir del 10 de abril de 1981. Un total de 50 Estados firmaron la Convención, con lo cual entró en vigor el 2 de diciembre de 1983[293]. Tiempo después, de conformidad con el artículo 8, párrafo 3 (b) de la CCW, fueron negociados y adoptados el Protocolo IV sobre Armas Láser Cegadoras (el 13 de octubre de 1995[294]) y el Protocolo V sobre restos explosivos de guerra (el 28 de noviembre de 2003[295]).

El propósito de la CCW es la restricción del uso de ciertos tipos concretos de armas que causan a los combatientes lesiones excesivas o sufrimientos innecesarios, o que afectan a los civiles de manera indiscriminada. Su estructura se adoptó incluyendo sus protocolos anexos, para asegurar de esta manera su flexibilidad en el futuro. La convención en sí solo contiene disposiciones generales. Todas las prohibiciones o restricciones del empleo de ciertas armas o sistemas de armas son objeto de los Protocolos anexos.

---

document/los-convenios-de-ginebra-de-1949-y-sus-protocolos-adicionales, fecha de revisión: 07/05/2019.

292 Los tres protocolos iniciales son: *Protocolo I de la Convención sobre Ciertas Armas Convencionales sobre fragmentos no localizables*, disponible en: *https://www.unog.ch/80256EDD006B8954/(httpAssets)/DF84B4D8659283DAC12571DE005B93C5/$file/Protocol+I.pdf*, fecha de revisión: 09/08/2019; *Protocolo II de la Convención sobre Ciertas Armas Convencionales sobre prohibiciones o restricciones del empleo de uso de minas, armas trampa y otros artefactos*, disponible en: *https://www.unog.ch/80256EDD006B8954/(httpAssets)/7607D6493EAC5819C12571DE005BA57D/$file/PROTOCOL+II.pdf*, fecha de revisión: 09/08/2019; y *Protocolo III Convención sobre Ciertas Armas Convencionales sobre prohibiciones o restricciones del empleo de armas incendiarias*, disponible en: *https://www.unog.ch/80256EDD006B8954/(httpAssets)/B409BC0DCFA0171CC12571DE005BC1DD/$file/PROTOCOL+III.pdf*, fecha de revisión: 02/05/2019.

293 Convención sobre Ciertas Armas Convencionales, información oficial, *op. cit.*

294 *Protocolo IV de la Convención sobre Ciertas Armas Convencionales sobre láseres cegadores,* disponible en: *https://www.unog.ch/80256EDD006B8954/(httpAssets)/8463F2782F711A13C12571DE005BCF1A/$file/PROTOCOL+IV.pdf*, fecha de revisión: 07/05/2019.

295 *Protocolo V de la Convención sobre Ciertas Armas Convencionales sobre los restos explosivos de guerra*, disponible en: *https://www.unog.ch/80256EDD006B8954/(httpAssets)/5484D315570AC857C12571DE005D6498/$file/Protocol+on+Explosive+Remnants+of+War.pdf*, fecha de revisión: 07/05/2019.

En su forma originalmente aprobada, la CCW se aplicaba solo a situaciones de conflictos armados internacionales. Teniendo en cuenta el hecho de que la mayoría de los conflictos hoy en día suceden dentro de las fronteras de un Estado, los Estados parte de la CCW acordaron enmendar el artículo 1 del texto de la Convención para que se aplicase también a situaciones de conflictos armados no internacionales. Esta enmienda entró en vigor el 18 de mayo de 2004.

Los momentos más importantes de trabajo en la CCW son sus reuniones anuales o las conferencias de revisión que se celebran cada cinco años. En ambos eventos cualquier Alta Parte contratante puede proponer un mandato o tema para su consideración por la CCW. Desafortunadamente, desde la época de su creación, la CCW ha sido criticada en varias ocasiones por haber dado respuestas inadecuadas a cuestiones apremiantes de preocupación humanitaria[296]. Muchas veces, luego de acordar un mandato concreto de trabajo (un proceso que además puede durar años), las deliberaciones en la CCW tienden a comenzar lentamente, con un par de años de reuniones de grupos de expertos informales, seguidas de más años de negociaciones.

El trabajo de la CCW debe estar respaldado por un sentido de urgencia y aplomo, sobre todo cuando se trata de abordar cuestiones relativas a las innovaciones tecnológicas armamentísticas del siglo

---

[296] Por ejemplo, hay quienes consideran que la Primera Conferencia de Examen de la CCW fracasó en su labor a la hora de abordar el impacto humanitario de las minas terrestres antipersona (adoptó un protocolo enmendado débil). Tal situación llevó al Proceso de Ottawa que creó luego el Tratado sobre la prohibición de minas antipersona de 1997. Algo similar ocurrió en la Tercera Conferencia de Examen de la CCW de 2006, en donde no llegó a buen puerto el intento de abordar las implicaciones que traían consigo las municiones en racimo, lo cual llevó al Proceso de Oslo en el que luego se creó la Convención sobre municiones en racimo de 2008. En la Cuarta Conferencia de Examen en 2011, la CCW tuvo otro fracaso al no adoptar un programa de trabajo en su informe final y, desde entonces, no había podido realizar una nueva labor sustantiva hasta noviembre de 2013 cuando aprueba las discusiones —aún hoy vigentes— sobre las tecnologías emergentes en el área de los SAAL. Para más comentarios al respecto, Campaign to Stop Killer Robots, *The Convention on Conventional Weapons and Fully Autonomous Weapons* (documento de antecedentes), sin número, 26/09/2013 [en línea], disponible en: *http://stopkillerrobots.org/wp-content/uploads/2013/09/KRC_BackgrounderCCW_26Sep2013.pdf*, fecha de revisión: 07/05/2019.

XXI. La tecnología está avanzando más rápido que la diplomacia actual, por lo que la comunidad internacional debe ponerse al día estableciendo un marco claro de reflexión sobre los SAAL en el contexto de los objetivos y propósitos de la CCW.

A pesar de que en el pasado el trabajo de la CCW no ha sido todo lo exitoso que muchos hubieran deseado, lo cierto es que sus Altas Partes contratantes, la industria, ONG y la academia en general siguen apostando por su eficiencia. En ese sentido, gran parte de la comunidad internacional ha saludado positivamente que se hayan iniciado en la CCW las discusiones sobre las tecnologías emergentes en el área de los SAAL. Este organismo es un espacio que permite la participación de múltiples partes interesadas, además de ser idóneo para lograr un debate equilibrado entre las necesidades militares y las consideraciones humanitarias correspondientes.

Es cierto que algunas organizaciones de la sociedad civil han manifestado públicamente su opinión de que las discusiones sobre las armas autónomas salgan de la CCW y se deriven a otros espacios más democráticos y dinámicos[297]. Sin embargo, pese a las dificultades que traiga consigo su tradicional votación por consenso, en el contexto de la amplia labor normativa que requieren en el plano internacional los efectos de las tecnologías emergentes vinculadas al desarrollo e innovación de SAAL, la CCW —dado su carácter modular y evolutivo— probablemente sigue constituyendo una plataforma ideal para la celebración de debates centrados y participativos que permitan alcanzar un entendimiento común sobre este tema[298]. No obstante,

---

297 El principal argumento en el que se fundamenta esta opinión es el aparente «estancamiento» que existe en los debates internacionales sobre los SAAL en la CCW, especialmente debido a las diferencias de opiniones significativas existentes entre los Estados parte, las organizaciones no gubernamentales y la academia con relación a mapeos conceptuales y, sobre todo, a la hora de identificar/reconocer lo que el derecho internacional ya permite, ordena y prohíbe en la práctica y las posiciones correspondientes sobre si el derecho actual es satisfactorio o no. Al respecto, véase el capítulo 5 de esta obra. También, véase: Lewis, D., «An Enduring Impasse on Autonomous Weapons», *Just Security*, 28/09/2020 [en línea], disponible en: *https://www.justsecurity.org/72610/an-enduring-impasse-on-autonomous-weapons/*, fecha de revisión: 21/01/2021.

298 Secretaría General de la Onu, *Informe del Secretario General de la ONU, António Guterres*, *op. cit.*, *véase párrafo 80*; y Kane, A., *Lethal autonomous weapons*

como han afirmado algunos Estados, estas discusiones no deben ser excluyentes de los debates que surjan en otros foros internacionales que deseen abordar la cuestión de los SAAL desde una perspectiva vinculada más a otras disciplinas como la IA, la robótica, los derechos humanos, etc.[299].

---

systems: Can the international community agree on an approach? (conferencia), *op. cit.*, *véanse páginas 1 y 2.*

299 *Declaración de Brasil durante la reunión anual del 2013 de las Altas Parte Contratantes de la* CCW, celebrada en Ginebra, 15 de noviembre de 2013 [en línea], disponible en: *https://www.unog.ch/80256EDD006B8954/(httpAssets)/2886300DB0B86E06C1257CE5004DB49E/$file/Brazil_MSP+2013_statement.pdf*, fecha de revisión: 19/04/2019; *Declaración de Austria durante la reunión anual del 2013 de las Altas Partes contratantes de la* CCW, celebrada en Ginebra, 15 de noviembre de 2013 [en línea], disponible en: *https://www.unog.ch/80256EDD006B8954/(httpAssets)/EF325AD171DD684DC1257CE5004DA3CA/$file/Austria_MSP+2013_statement.pdf*, fecha de revisión: 19/04/2019; *Declaración de la ONG «Article 36» ante la reunión anual del 2013 de las Altas Partes contratantes de la* CCW, celebrada en Ginebra, 14 de noviembre de 2013 [en línea], disponible en: *https://www.unog.ch/80256EDD006B8954/(httpAssets)/EDD2339875855360C1257CE8003BDBDD/$file/NGOarticle36_MSP_GenStatement_2013.pdf*, fecha de revisión: 19/04/2019; Human Rights Watch, *Declaración de Steve Goose*, *op. cit.*; y *Declaración del Comité Internacional de la Cruz Roja*, reunión anual del 2013 de las Altas Partes contratantes de la CCW, celebrada en Ginebra, 15 de noviembre de 2013 [en línea], disponible en: *https://www.unog.ch/80256EDD006B8954/(httpAssets)/B16B653E13D12B26C1257CE5004E5A90/$file/ICRC_MSP+2013_statement.pdf*, fecha de revisión: 19/04/2019.

Capítulo 3. El valor estratégico de las tecnologías emergentes en el área de los SAAL y su impacto en la agenda internacional de desarme de la ONU

Tras haberse explicado de manera general los principales antecedentes del debate internacional sobre los SAAL en Naciones Unidas, es momento de analizar la importancia que puede representar para la comunidad internacional el abordaje interdisciplinar y prospectivo de todo lo relacionado con el impacto, las implicaciones que traen consigo las tecnologías emergentes en el área de las LAW, sobre todo, en lo que tiene que ver con su uso potencial en conflictos armados.

A tal efecto, en el presente capítulo se detallarán los avances científicos y tecnológicos armamentistas más importantes que están vinculados a los SAAL, o que al menos pueden ser precursores en el desarrollo de estos sistemas armamentísticos. Para ello se hará un estudio de casos respecto de los principales países y organismos internacionales que, hoy en día, invierten grandes capitales en la investigación, el desarrollo y la innovación de tecnologías de gran valor a nivel estratégico militar[300] que son precursoras de las AW[301].

---

300 Se entiende como nivel estratégico militar aquel en el que el manejo de las conflictividades interactúa con el ámbito político y, por tanto, pertenece al más alto grado de conducción de un Estado. Así pues, en este nivel el componente militar participa en la figura del presidente del país (jefe de Estado y de Gobierno, según corresponda), miembros del gabinete ministerial que atienden los temas militares, de seguridad y de defensa, y demás personal experto de alto nivel. Al respecto, Pertusio, R., *Estrategia operacional*, Buenos Aires (Argentina), Instituto de Publicaciones Navales del Centro Naval de Argentina, 2000, *véase página 12*; Secretaría General de Política de Defensa del Ministerio de Defensa de España, *Revisión estratégica de la Defensa*, sin fecha [en línea], disponible en: *http://www.defensa.gob.es/Galerias/defensadocs/revision-estrategica.pdf*, fecha de revisión: 04/08/2019, *véase página 95*; y Artega, F. y Fojón, E., *El planteamiento de la política de defensa y seguridad en España*, Madrid, Instituto Universitario «General Gutiérrez Mellado», 2007, disponible en: *https://iugm.es/wp-content/uploads/2016/07/LIBRO__planeamiento.pdf*, *véanse páginas 31, 32 y 272.*

301 Haner, H. y Garcia, D., «The Artificial Intelligence Arms Race: Trends and World Leaders in Autonomous Weapons Development», *Global Policy*, vol. 10,

Luego se analizará el contenido de la nueva agenda internacional de desarme de Naciones Unidas, en la que la Secretaría General de ese foro multilateral hace hincapié en cómo durante los últimos años los Gobiernos del mundo han destinado billones de dólares en gastos militares, y en ese sentido, subraya que es una prioridad de la agenda de desarme de la ONU *salvar a la humanidad* a través, entre otros medios, de la regulación de las nuevas armas tecnológicas. En este tipo de armamento están los SAAL, sistemas que plantean muchas cuestiones inquietantes sobre la responsabilidad humana por el uso de la fuerza armada en conflictos armados.

Así pues, con todo este abordaje se demostrará cuán importante es todo este asunto de las AW para la comunidad internacional, sobre todo teniendo en cuenta que, de una manera u otra, el desarrollo de las tecnologías emergentes en el área de los SAAL, en la actualidad, es una prioridad en la política de seguridad y de defensa de muchos Estados y organizaciones multilaterales y, por lo tanto, un tema clave a tratar a nivel internacional.

3.1. Las tecnologías emergentes en el área de los SAAL: una prioridad en la política de seguridad y de defensa de los Estados

En la actualidad, la robótica y la IA están siendo cada vez más útiles para reaccionar con rapidez y precisión en la ejecución de acciones militares, de seguridad y defensa. Documentos militares estratégicos de muchos países del mundo prevén cuantiosas inversiones estatales en la investigación, el desarrollo y la innovación de altas tecnologías que permitan reducir considerablemente el tiempo de respuesta de sus políticas de resguardo, protección y orden público frente a potenciales amenazas, sobre todo, a través de la utilización de capacidades con fuerza letal.

---

asunto 3, 2019, pp. 331-337, disponible en: *https://onlinelibrary.wiley.com/doi/epdf/10.1111/1758-5899.12713*, fecha de revisión: 21/01/2021.

Bajo esa perspectiva, la presencia de SAAL puede llegar a ser revolucionaria, aunque ello dependerá del empleo que se les dé[302]. Especialistas en el área consideran que la robótica y la IA aplicadas al campo armamentista serán una RMA una vez que las propias innovaciones tecnológicas armamentistas basadas en las ciencias de la computación consigan que las fuerzas castrenses —que son las que se benefician de ellas— den un salto cualitativo de tal magnitud que les acarree cambios en sus paradigmas doctrinales —sobre todo a nivel operacional— y/u orgánicos —extensibles a las estructuras organizacionales y de los procesos de formación y adiestramiento—[303].

Hoy en día los robots —en sus diversas versiones— tienen un rol importante en el contexto de las nuevas conflictividades del siglo XXI. Su desarrollo se produce en el marco de estrategias estatales de seguridad y defensa que, en su mayoría, aluden a la doctrina *net-centric*, una teoría de la guerra que apuesta por iniciativas encaminadas a aprovechar los principios y las tecnologías de la «Era de la Información» para el desarrollo de operaciones militares[304].

---

302 Una RMA no tiene que ser solo de carácter tecnológico. Existen otras posibilidades que sirven de catalizador de una revolución de este estilo (por ejemplo, las presiones institucionales, la aparición de nuevas amenazas, la revisión de la propia capacidad de disuasión, entre otras). Por ello, una RMA no consiste en disponer de novedosos sistemas de armas (incluso siendo grandes innovaciones tecnológicas) sino más bien en el resultado específico que trae consigo el empleo de esas nuevas herramientas de guerra. Marshal, A., *Some Thoughts on Military Revolutions. Second Version* (ONA memorandum for record), Washington, Oficina de la Secretaría de Defensa de los Estados Unidos de Norteamérica, 23/08/1993 [en línea], disponible en: *https://stacks.stanford.edu/file/druid:yx275qm3713/yx275qm3713.pdf*, fecha de revisión: 19/04/2019; y Watts, B., *The maturing revolution in military affairs*, Washington, Center for Strategic and Budgetary Assessments, 2011 [en línea], disponible en: *https://csbaonline.org/uploads/documents/2011.06.02-Maturing-Revolution-In-Military-Affairs1.pdf*, fecha de revisión: 19/04/2019.

303 Jordán, J. y Baqués, J., *Guerra de drones. Política, tecnología y cambio social en los nuevos conflictos*, *op. cit.*, *véanse páginas 75 y 76*.

304 Ministerio de Defensa de España, *Network Centric Warfare/Network Enabled Capability*, Madrid, Secretaría Técnica del Ministerio de Defensa, 2009 (Monografías del SOPT, 3) [en línea], disponible en: *https://publicaciones.defensa.gob.es/media/downloadable/files/links/P/D/PDF229.pdf*, fecha de revisión: 18/04/2019, *véase página* 15. Para profundizar más en el tema véase también la teoría de los «sistemas de sistemas» y su concreción en forma del *Network-Centric Warfare*, desarrollada en la década de 1990 e impulsada por William Owens

Muchos de esos manuales de seguridad y defensa se sustentan en el valor de la información y la superioridad que puede obtenerse al disponer de información precisa y relevante en el momento oportuno. En ese sentido, los planes estratégicos contenidos en ellos plantean un uso extensivo de las tecnologías de la información y de las comunicaciones como un medio prioritario para alcanzar dicha superioridad, sobre todo conectando en una red común todos los sistemas y fuerzas propias que participan en las operaciones, de forma tal que cada oficial-usuario pueda conocer, aprovechar y difundir la información que resulte de interés en cada momento.

Esta doctrina busca romper el muro comunicacional existente entre los seres humanos, para así poder integrarlos a un todo operativo. Es un modelo de concepto organizativo que se centra en la idea general de la «autosincronización» basada en la hipótesis de que, dada una red que proporciona una comprensión compartida de una situación que es integral[305], precisa y oportuna, las unidades tácticas pueden coordinar sus acciones de manera más eficiente y efectiva que un sistema militar jerárquico tradicional[306].

Ahora bien, a través del avance de la robótica y la IA aplicadas a la investigación y el desarrollo de SAAL, la industria armamentista se está dirigiendo hacia un futuro en el que ese conjunto de conceptos, principios y prácticas que guían el modo actual de empleo de la fuerza militar podría ir cambiando progresivamente, a tal punto que —tal vez— llegue a alcanzar una transformación drástica en la manera de utilizar los medios y métodos de combate. Este panorama simboliza el tránsito del I+D militar por un largo proceso evolutivo, que madura progresivamente, y que va desde tener soldados muy bien equipados

---

y Arthur Cebrowski. Owens, W., «The emerging US system-of-systems», *Strategic Forum*, 1996, núm. 63, pp. 1-6, disponible en: *https://apps.dtic.mil/dtic/tr/fulltext/u2/a394313.pdf*, fecha de revisión: 19/04/2019; Cebrowski, A. y Garstka, J., «Network-centric warfare: Its origin and future», *Proceedings*, vol. 124, 1998, núm. 1139, pp. 28-35; y Gómez de Ágreda, Á., *Mundo Orwell: Manual de supervivencia para un mundo hiperconectado*, Madrid, Planeta, 2019.

305 A saber, que se extiende más allá de lo que es inmediatamente observable por las unidades individuales en la red que puede prestar atención de forma inmediata.

306 Blaker, J., *Transforming military force: the legacy of arthur cebrowski and network centric warfare*, Westport, Connecticut (EE.UU.), Praeger, 2007, *véanse páginas 48-55*.

con sistemas de visión, radio y comunicación de última generación, pasando por la posibilidad de contar con equipos mixtos conformados por humanos y robots (interconectados), hasta llegar a la eventual creación de robots humanoides dotados de altos grados de autonomía para ejecutar acciones críticas sin control humano. La pregunta que cabría hacerse ahora es cómo, y hacia dónde se dirige realmente la apuesta del desarrollo armamentista.

El escenario antes descrito, aunque pareciera una aventura hacia la especulación y la ciencia ficción, es bastante factible. Poco a poco los Estados están apostando más por dejar de recurrir al control del manejo humano directo e inmediato sobre las armas, para ser sustituido por la supervisión de la ejecución de determinadas decisiones tomadas por el propio sistema. La rapidez de la tecnología prevista por las principales potencias en temas de armamentos avanza cada vez más hacia el establecimiento de redes entre máquinas, sin manipulador u operador humano, que podrían «percibir hechos y actuar» con más rapidez que los humanos.

Según algunos expertos en el área, pareciera que algunos países ya están desplegando o desarrollando sistemas con la capacidad para desplazar a los seres humanos del proceso directo de adopción de decisiones que involucren la muerte de individuos[307]. Sin embargo, de llegar a introducirse los LAR en el arsenal de los Estados, es probable que no sustituyan o reemplacen por completo, al menos inicialmente, a los soldados humanos, sino que les asignarán tareas discretas a los autómatas para que se ajusten a sus capacidades específicas. Aunque su uso más probable durante las conflictividades del siglo XXI será una especie de forma de colaboración con los seres humanos, lo cierto es que seguirían siendo autónomos en sus funciones[308].

Así pues, el futuro papel de los LAR incide de manera importante en la planificación de la inversión de los recursos financieros, humanos y de otra índole en el desarrollo de la tecnología armamentista en los próximos años. Ello se evidencia en las listas de prioridades de

---

307 Alston, P., *Informe provisional del entonces relator especial sobre ejecuciones extrajudiciales, sumarias o arbitrarias del Consejo de Derechos Humanos de las Naciones Unidas, Philip Alston*, *op. cit.*, *véase párrafo 27*.

308 Heyns, C., *Informe del Relator Especial sobre las ejecuciones extrajudiciales, sumarias o arbitrarias, Christof Heyns*, *op. cit.*, *véase párrafo 47*.

los documentos de estrategias de seguridad y defensa de varios Gobiernos del mundo, y en especial en las de aquellos que poseen actualmente el mayor poderío político, económico y militar a nivel global. En varios de esos documentos militares se describen prioridades y programas estratégicos de desarrollo de armas robóticas aéreas, terrestres y marinas, que poseen diversos grados de autonomía, y a las que se han asignado cuantiosos recursos[309]. Para mostrar y analizar esta realidad, se mencionan los siguientes casos[310]:

3.1.1. Estados Unidos de América

a) The Third Offset Strategy

Esta estrategia surge como respuesta de EE.UU. a su actual entorno de seguridad, en el que existen otros competidores con capacidades no solo comparables, sino además con suficiente fuerza para contrarrestar las capacidades militares tradicionales de EE.UU. Su propuesta se asocia, por un lado, con el anuncio de la «Iniciativa de Innovación en Defensa» hecho por el exsecretario de Defensa Chuck Hagel en el *2014 Reagan Defense Forum*[311]*, y por otro, con las fortalezas estadounidenses en tecnologías particulares y de dominios de combate para contrarrestar las desventajas crecientes que, para ese entonces,*

---

309 *Ibid., véase párrafo 46.*

310 A los efectos de la presente investigación, se han seleccionado cinco casos clave basados en dos criterios: por un lado, de carácter histórico, ya que los sujetos escogidos han jugado hasta hoy un rol importante en la inversión, el desarrollo y la innovación tecnológica con fines armamentísticos durante todo el siglo xx y el xxi, períodos en los que han surgido avances armamentísticos y tecnológicos muy significativos, que son antecedentes y/o precursores de los SAAL; y por otro lado, un criterio más político, toda vez que los casos seleccionados se corresponden a cinco grandes actores que, en la actualidad, influyen en el rumbo del orden geopolítico y económico del siglo xxi.

311 Hagel, C., *Declaración de Chuck Hagel como Secretario de Defensa de Estados Unidos* (Reagan National Defense Forum Keynote del año 2014) [en línea], disponible en: *https://dod.defense.gov/News/Speeches/Speech-View/Article/606635/*, fecha de revisión: 19/04/2019; y Secretaría de Defensa de Estados Unidos de Norteamérica, *Memorando sobre la «Iniciativa de Innovación en Defensa»*, 15/11/2014 [en línea], disponible en: *https://archive.defense.gov/pubs/OSD013411-14.pdf*, fecha de revisión: 20/04/2019.

enfrentaban las fuerzas de EE.UU. frente a los sistemas antiaéreos de otros países[312].

Es una estrategia de perspectiva asimétrica que apunta a explotar todos los avances en IA y autonomía aplicables al área militar, especialmente para lograr un aumento considerable en el rendimiento que debería poseer el Departamento de Defensa para fortalecer el poder de disuasión estadounidense frente a sus potenciales enemigos[313]. Su enfoque demanda que cualquier acción estratégica correctamente planeada deba basarse en los desarrollos del sector comercial, así como en los programas de investigación y desarrollo del Departamento de Defensa de EE.UU.

Basados en las líneas prioritarias de acción de la estrategia, las autoridades estadounidenses comenzaron a apostar por el desarrollo de sistemas autónomos que puedan llegar a tener diferentes tipos de relaciones con los humanos. Algunos sistemas se diseñarían para ser acoplados estrechamente con los humanos: por ejemplo, que un sistema autónomo ayude a los operadores humanos a tomar decisiones, o en el procesamiento y explotación de sensores de datos. Estos sistemas estrechamente acoplados tenderían a usarse en situaciones que suponen un riesgo relativamente menor para el operador humano[314].

En ese sentido, la autonomía en un contexto militar no significaría —según la estrategia— la independencia total y completa, sino, más bien, una independencia que se limita a la realización de funciones

312 Martinage, R., *Toward a new offset strategy exploiting U.S. long-term advantages to restore U.S. global power projection capability*, Washington, Center for Strategic and Budgetary Assessments, 2014 [en línea], disponible en: *https://csbaonline.org/uploads/documents/Offset-Strategy-Web.pdf*, fecha de revisión: 20/04/2019, *véase página 17.*

313 Lewis, L., *Insights for the third offset: Addressing challenges of autonomy and artificial intelligence in military operations*, Arlington, Center for Naval Analysis, 2017 [en línea], disponible en: *https://www.cna.org/CNA_files/PDF/DRM-2017-U-016281-Final.pdf*, fecha de revisión: 19/04/2018, *véase página 5.*

314 Por ejemplo, existe la posibilidad de colaboración hombre-máquina para mejorar la calidad y la velocidad de la toma de decisiones. Al respecto, Freedberg, S., «Centaur Army: Bob work, robotics, and the third offset strategy», *Breaking Defense*, 09/11/2015 [en línea], disponible en: *https://breakingdefense.com/2015/11/centaur-army-bob-work-robotics-the-third-offset-strategy*, fecha de revisión: 20/04/2019.

específicas. Por ello, el Departamento de Defensa de EE.UU. se puso la labor de desarrollar y ofrecer capacidades militares no tripuladas asequibles, flexibles, interoperables[315], integradas y tecnológicamente avanzadas, sobre todo gracias a la robótica y la IA aplicada[316].

Este proceso del *Third Offset* se llevó a cabo teniendo en cuenta que el desarrollo comercial podría ser explotado tanto por actores estatales como por no estatales. La estrategia priorizó así la capacidad de identificar los desarrollos tecnológicos e integrarlos en sistemas de campo con mucha más rapidez que como se hacía en las estrategias *Offset* del pasado[317]. Su contenido fue presentado como un plan ambicioso que permitiría identificar e invertir en formas innovadoras que

---

315 Los requisitos de la política de interoperabilidad deben observar las mejores prácticas existentes como parte de la revisión de alto nivel de los sistemas totalmente autónomos requeridos por la Directiva DODD 3000.09. Además, estas consideraciones deben formar parte de la revisión de alto nivel requerida para el desarrollo y la implementación de esos sistemas según lo dispuesto en esa misma directiva. Muestra de la importancia de la interoperabilidad como una capacidad estratégica para los nuevos desarrollos armamentista de EE.UU. es la creación del *FLIR Centaur*, uno de los modelos estadounidenses más vendidos en el 2020, caracterizado por ser un vehículo terrestre no tripulado, de tamaño medio y control remoto, que ofrece distancia de seguridad para detectar, confirmar, identificar y eliminar peligros. Es un robot de arquitectura abierta, que se puede conectar con diferentes sensores (interoperable), dotado de un chasis estándar y cargas útiles de misión modulares como apoyo para misiones actuales y futuras. Para más información, Departamento de Defensa de los Estados Unidos de Norteamérica, *Autonomy in Weapons Systems* (directiva), *op. cit.* y Flir, «Robot de tamaño medio compatible con IOP. FLIR Centaur», *Flir,* 2020 [en línea], disponible en: *https://www.flir.es/products/centaur/*, fecha de revisión: 21/01/2021.

316 Departamento de Defensa de los Estados Unidos de Norteamérica, *Technical assessment: autonomy*, Washington, Office of Technical Intelligence, Office of the Assistant Secretary for Research and Engineering, 2015 [en línea], disponible en: *https://apps.dtic.mil/dtic/tr/fulltext/u2/a616999.pdf*, fecha de revisión: 20/04/2019.

317 La *First Offset Strategy* surgió en los años 1950 al inicio de la Administración de Eisenhower, en el contexto de una guerra coreana estancada, en la que EE.UU. vio como la Unión Soviética estaba promoviendo la inestabilidad regional para contrarrestar la hegemonía estadounidense. El núcleo esencial de esta estrategia fue la búsqueda de la disuasión nuclear de las capacidades convencionales. Después llegó la *Second Offset Strategy*, más centrada en el reconocimiento y los ataques de precisión. No fue un esfuerzo amplio para mejorar enérgicamente todos los sistemas de armas a través de una mejor tecnología. Más bien, EE.UU.

sirvieran para sostener y promover el dominio militar de EE.UU. en todo el siglo XXI. Esto significaba entonces la colocación de muchos recursos detrás de la innovación, teniendo en cuenta las realidades fiscales difíciles de ese entonces, y centrándose además en las inversiones que afinarían la ventaja militar estadounidense.

Bajo ese enfoque, el Departamento de Defensa estadounidense se vio constantemente desafiado a mantenerse al tanto de los desarrollos tecnológicos actuales. Sin embargo, el reto nunca pudo ser superado. Los sistemas diseñados con capacidades tecnológicas de vanguardia, especialmente en el sector de tecnologías de la información, siempre estuvieron varias generaciones atrás con respecto a los desarrollos que, para ese entonces, eran —y siguen siendo— financiados por el sector privado.

En ese sentido, la estrategia se convirtió en la excusa perfecta para dar apertura a una variedad de programas y oficinas especializadas en el área de la innovación y la defensa militar experimental estadounidense, que además ha llegado a permitir acuerdos entre la oficina del Pentágono y varias compañías trasnacionales privadas localizadas dentro y fuera del corazón de Silicon Valley[318]. No obstante, a nivel de

---

identificó sus capacidades habilitantes específicas para requisitos operacionales particulares y persiguió su desarrollo a lo largo de décadas.

318 Por ejemplo, en el año 2018 el Departamento de Defensa estadounidense anunció que su Unidad de Innovación Experimental en Defensa crearía un área de trabajo permanente a cargo de iniciar programas piloto con compañías tecnológicas de Silicon Valley. Por su parte, en 2019, fue lanzado el *Team Ignite*, cuyo objetivo es liderar un proceso sistemático, continuo e iterativo de dar forma a conceptos y capacidades para la guerra del futuro, mientras se fomenta la colaboración entre *the Combat Capabilities and Development Command and the Futures* —con expertos técnicos del sector privado que ejecutan investigaciones inspiradas en el uso para proporcionar capacidades de combate disruptivas— y *the Concepts Center*. Acciones como estas demuestran cómo, desde hace años, parte de la industria sigue abierta en ayudar a las autoridades militares a trabajar en la investigación, el desarrollo y la innovación de las armas autónomas. No obstante, para avanzar en esta línea, jefes de empresas líderes en el área reconocen que necesitan muchísimos y mejores datos al respecto. Al parecer, antes de que las máquinas se conduzcan por sí mismas en el campo de batalla, los sensores impulsados por IA habrían de ofrecer sugerencias a los operadores humanos. Por ello, el desarrollo de la industria de hoy todavía está en la etapa de tratar de construir máquinas que puedan percibir lo que hay en el campo de batalla. Esto significa que están comenzando con sensores que puedan comprender el campo

la opinión pública, ha habido una gran crítica y presión social en contra de este tipo asociaciones público-privadas, a tal punto de desincentivar la participación de miembros clave de la industria privada en el área del desarrollo, la investigación e innovación de las tecnologías emergentes en el campo de las ciencias de la computación. Muestra de ello fue el furor que causó en 2018 la noticia sobre la participación de Google en el proyecto Maven, un esfuerzo militar estadounidense para usar la IA para procesar videos de drones. Una vez que se hizo pública dicha alianza, miles de los propios empleados de Google firmaron una petición exigiendo que la empresa dejara de contribuir en ese proyecto. Esto hizo finalmente que, poco tiempo después, la trasnacional se retirara de la asociación con el Pentágono[319].

Sin embargo, a pesar de los progresos que haya permitido la *Third Offset Strategy* en el proceso de compensación de las desventajas del armamento de EE.UU., lo cierto es que su contenido perdió interés institucional tras el ascenso de Donald Trump a la presidencia de EE.UU.[320]. Su validez operacional quedó desplazada por tres doc-

---

de visión, identificar características y lograr luego compartir y combinar esos datos con otras máquinas, todo ello sin que sea necesario altos niveles de mando y control en los sistemas físicos. Al respecto, véase: Kokalitcheva, K., «Pentagon makes its Silicon Valley unit permanente», *Axios*, 10/08/2018 [en línea], disponible en: *https://www.axios.com/the-pentagon-makes-its-silicon-valley-unit-permanent-236d4fa0-4f50-4955-8385-558cc62da7dc.html*, fecha de revisión: 19/04/2019. También véase: Hitchens, T., «Army's 'Team Ignite' Sets Futuristic R&D Targets: AI, Robotics, Autonomy», *Breaking Defense,* 2020 [en línea], disponible en: *https://breakingdefense.com/2020/10/armys-team-ignite-sets-futuristic-rd-targets-ai-robotics-autonomy*, fecha de revisión: 21/01/2021. Atherton, K., «Industry Starts Work On Weapons That Can See; Autonomy Comes Next», *Breaking Defense,* 2020 [en línea], disponible en: *https://breakingdefense.com/2020/10/industry-starts-work-on-weapons-that-can-see-autonomy-comes-next/*, fecha de revisión: 21/01/2021.

319 Wakabayashi, D. y Shane, S., « Google Will Not Renew Pentagon Contract That Upset Employees», *The New York Times,* 2018 [en línea], disponible en: *https://www.nytimes.com/2018/06/01/technology/google-pentagon-project-maven.html*, fecha de revisión: 21/01/2021.

320 Aunque la estrategia no fue formalmente derogada, hay quienes consideran que su validez podría haber muerto en la Administración Trump. Mcleary, P., «The Pentagon's Third Offset May Be Dead, But No One Knows What Comes Next», *Foreign Policy*, 18/12/2017 [en línea], disponible en: *https://foreignpolicy.com/2017/12/18/the-pentagons-third-offset-may-be-dead-but-no-one-knows-what-comes-next/*, fecha de revisión: 19/04/2019.

umentos oficiales estratégicos publicados por la entonces Administración Trump: *Seven Defense Priorities for the New Administration*, *National Security Strategy of the United States of America* y *National Defense Strategy of the United States of America*.

b) Seven Defense Priorities for the New Administration321

En diciembre de 2016, el Defense Science Board[322] de EE.UU. publicó las 7 prioridades de defensa. Se trata de un informe que resume las principales ideas y las recomendaciones de todos los informes que existieron en la Secretaría de Defensa estadounidense durante los últimos doce años previos a su aprobación. El propósito de ese esfuerzo fue ayudar a la entonces administración entrante del hoy expresidente Trump a comenzar rápidamente a abordar los problemas y las oportunidades de seguridad nacional de EE.UU.

Aunque las áreas que fueron abordadas abarcan una amplia gama de asuntos importantes, siete temas fueron los principales que dominaron las consideraciones del informe, a saber: a) proteger la patria estadounidense contra actores no estatales, contra los Estados enemigos en tiempos de guerra, y contra las armas de destrucción masiva y cibernética; b) detener el uso de armas nucleares para prevenir una guerra nuclear; c) prepararse para los conflictos de zona gris[323],

---

321 Defense Science Board de Estados Unidos, *Seven Defense Priorities for the New Administration* (informe), diciembre 2016 [en línea], disponible en: *https://www.acq.osd.mil/dsb/reports/2010s/Seven_Defense_Priorities.pdf*, fecha de revisión: 20/04/2019.

322 Es un órgano asesor del secretario de Defensa y otros funcionarios superiores del Departamento de Defensa estadounidense, que está constituido para abordar los desafíos y los problemas más molestos, y las oportunidades más potentes, desestructuradas y consecuentes que involucran a la ciencia y la tecnología. El resultado de ello se concretiza, casi siempre, en la planeación de políticas, estrategias, adquisiciones, fabricación, conceptos operativos y reglas de participación. Más información sobre este organismo disponible en Departamento de Defensa de los Estados Unidos, *Research & Engineering Enterprise*, información institucional [en línea], disponible en: *https://www.acq.osd.mil/dsb/*, fecha de revisión: 20/04/2019.

323 Es un término bastante ambiguo que puede significar muchas cosas para diferentes personas. Sin embargo, en el contexto del Departamento de Defensa de EE.UU., tal vez la mejor definición sería la siguiente: los desafíos de una zona gris son definidos como una interacción competitiva entre —y dentro— de los

como una guerra que está por debajo de la guerra total se convierte en la norma; d) mantener la superioridad de la información y lo que la infraestructura de esta habilita tanto para los adversarios como para EE.UU.; e) anticipar los sistemas inteligentes y la autonomía, incluidos los números y la desagregación, el alcance y el peligro en —y sobre— la superficie del mar que impulsa la guerra submarina; f) apoyar la estabilización, la reconstrucción, el mantenimiento de la paz y la construcción de la nación para ganar la paz; y, g) prepararse para sorprender a, y para ser sorprendido por, EE.UU.

Este documento estratégico demuestra una vez más que para EE.UU. sus Fuerzas Armadas son siempre las más poderosas, precisas y profesionales del mundo. Sin embargo, con la puesta en marcha de las prioridades de defensa, la administración estadounidense reconoce de antemano que sus cuerpos militares están siendo desafiados por Gobiernos —como el ruso o el chino, por ejemplo— que asaltan el orden mundial del siglo XXI.

Según el texto bajo análisis, los terroristas que operan por medio de una franquicia global son elementos valorados en este documento, y se incorporan al cúmulo de amenazas que hoy desestabilizan el poder hegemónico estadounidense. Por su parte, la disuasión de la guerra nuclear, posiblemente la más alta prioridad para el Departamento de Defensa de EE.UU., también se complica cada vez más ante potenciales escenarios de una escalada nuclear.

En ese contexto, las nuevas armas —como los sistemas cibernéticos y autónomos— se insertan en el corazón de la estrategia militar de EE.UU. basada en el sostenimiento de su superioridad tecnológica. Ahora bien, según el informe, los problemas técnicos ciertamente requerirán desarrollo para mejorar la fiabilidad de los sistemas autónomos, y para ello el primer paso es reconocer que hoy no existe un

---

actores estatales y no estatales, que llegan a situarse en un margen que va entre la guerra tradicional y la dualidad de paz. Se caracterizan por la ambigüedad acerca de la naturaleza del conflicto, la opacidad de las partes involucradas o la incertidumbre acerca de cuáles son los marcos jurídicos y las políticas relevantes que pueden ser aplicables. Comando de Operaciones Especiales de Estado Unidos, «White paper: the gray zone», *Public Intelligence*, 09/09/2015 [en línea], disponible en: *https://info.publicintelligence.net/USSOCOM-GrayZones.pdf*, fecha de revisión: 20/04/2019.

sistema verdaderamente autónomo. Además, la Directiva del Departamento de Defensa 3000.09 (2012) —citada en el informe— incluye una política muy clara y explícita que exige el mantenimiento de niveles apropiados de juicio humano sobre el uso de la fuerza armada, sobre todo para quitarle fuerza a las preocupaciones del público acerca de los SAAL[324].

En ese sentido, se puede apreciar cuán importante es hoy para el Departamento de Defensa estadounidense apostar por el empleo de capacidades autónomas en una amplia gama de sistemas. Bajo esa perspectiva de desarrollo armamentista, cada aplicación de autonomía involucra tanto a humanos como a máquinas a lo largo del ciclo de vida del propio sistema. Ciertos roles seguirán siendo competencia únicamente del ser humano, otros serán compartidos, y algunas tareas serán implementadas únicamente por las máquinas. Si bien los roles específicos de los seres humanos variarán según la misión y el tiempo, todos los sistemas autónomos estarán sometidos a algún nivel de supervisión y siempre dentro de los límites preestablecidos por el diseñador y/o programador del sistema[325].

Así, una de las tareas clave planteadas por el informe es la prioridad de garantizar el diseño de interfaces intuitivas y efectivas del sistema humano que faciliten la comprensión del operador acerca, no solo del estado de conocimiento de la computadora *per se*, sino además de la base por la que esta tomará sus propias decisiones.

El desarrollo de esas interfaces puede ser asistido por el uso de técnicas de diseño basadas en modelos que emplean simulaciones de sistemas que crecen en fidelidad a medida que el diseño madura, y que permiten además que los operadores puedan interactuar con el sistema autónomo en todas las fases de su desarrollo. Este enfoque proporcionaría información valiosa sobre el diseño que mejora la comprensión de los operadores, y permitiría a su vez que el humano y el sistema autónomo pudieran interactuar e involucrarse entre sí, como un verdadero equipo.

---

[324] Departamento de Defensa de los Estados Unidos de Norteamérica, *Autonomy in Weapons Systems* (directiva), *op. cit.*

[325] Defense Science Board de Estados Unidos, «Summer Study on Autonomy», *Defense Science Board,* junio de 2016 [en línea], disponible en: *https://fas.org/irp/agency/dod/dsb/autonomy-ss.pdf*, fecha de revisión: 20/04/2019.

Finalmente, el informe hace hincapié en una idea muy precisa: actualmente, y durante el futuro próximo, EE.UU. posee el dominio submarino, en donde los sistemas inteligentes, la desagregación, la cantidad y el largo alcance pueden compensar los misiles de crucero y balísticos, y las amenazas de guerra electrónica, todo ello para tener la capacidad de poder realizar misiones cada vez más seguras desde la superficie del mar y el aire.

Dicha premisa se encuentra perfectamente hilvanada con las prioridades de otro documento que también fue clave para la Administración del hoy expresidente Trump, a saber, la estrategia de seguridad nacional de EE.UU., el cual enarbola como uno de sus pilares clave el desarrollo armamentista militar, de seguridad y defensa de esa nación norteamericana.

c) National Security Strategy of the United States of America326

Publicada en diciembre de 2017, la estrategia de seguridad nacional es un documento guía contentivo de las líneas que definen las políticas de seguridad de EE.UU., basadas en la consigna propagandística *America first*, del entonces presidente Trump incluso desde la época de su campaña como candidato presidencial.

Esta estrategia se estructura en cuatro pilares fundamentales: a) proteger al pueblo estadounidense, la patria, y el modo de vida americano; b) promover la prosperidad estadounidense; c) preservar la paz a través de la fuerza; y, d) el avance de la influencia americana.

Dentro del tercer pilar (especialmente pertinente en la presente investigación), el documento deja muy claro que, para proteger sus intereses, EE.UU. debe luchar continuamente dentro —y a través— de las competiciones de poder que se están llevando a cabo en distintas regiones del mundo[327]. Ello es crucial, ya que el resultado de esas

---

326 Presidencia de los Estados Unidos de Norteamérica, *National Security Strategy of the United States of America,* Whasington, White House, diciembre de 2017 [en línea], disponible en: *https://trumpwhitehouse.archives.gov/wp-content/uploads/2017/12/NSS-Final-12-18-2017-0905-2.pdf*, fecha de revisión: 21/01/2021.

327 El informe se refiere a «competiciones de poder» como situaciones delicadas, muchas de ellas sometidas a altos niveles de conflictividad, que hoy están com-

competiciones influirá en la fuerza política, económica y militar de EE.UU. y sus aliados. Para prevalecer en ese escenario, EE.UU. debe integrar todos los elementos de su poder nacional: político, económico y militar. Bajo este enfoque, sus aliados y socios también deberán contribuir a las capacidades estadounidenses y demostrar la voluntad para enfrentar de manera conjunta aquellas amenazas que sean compartidas.

Todo esto pasa por una premisa claramente expresada en la estrategia: la disposición de los rivales a abandonar o renunciar a la agresión depende de la percepción que estos tengan acerca de la fortaleza de EE.UU. y de la vitalidad de las alianzas de ese país. Desde esa perspectiva, EE.UU. pretende buscar áreas de cooperación con sus mayores competidores, desde una posición de fortaleza, principalmente asegurando que su poder militar sea insuperable y totalmente integrado con el de sus aliados y con todos sus instrumentos de poder.

Alcanzar un Ejército fuerte garantizaría —según expresa el informe— que los diplomáticos estadounidenses puedan operar desde una posición privilegiada de fuerza. De esta manera, junto a sus aliados y socios, EE.UU. pretende disuadir y, si es necesario, derrotar toda agresión que exista en contra de sus intereses, y aumentar así la probabilidad de gestionar cualquier competición de poder, pero sin conflicto violento y preservando la paz.

Dadas las nuevas características del entorno geopolítico, la entonces Administración Trump entendió que ese país debía renovar las capacidades clave para enfrentar los desafíos que se presenten. Una de las formas más importantes de obtenerlo es manteniendo su ventaja competitiva, y ello solo es posible priorizando en las tecnologías emergentes y críticas para el crecimiento económico y la seguridad

---

pitiendo activamente contra EE.UU. y sus aliados y socios. Específicamente, se destacan en su contenido tres principales grupos «desafiantes» que ejemplifican el concepto: por un lado, están los poderes revisionistas de China y Rusia; por otro, los Estados «deshonestos» de Irán y Corea del Norte; y, por último, las organizaciones transnacionales de amenazas —en particular los grupos terroristas yihadistas—. Aunque son diferentes en naturaleza y magnitud, estos rivales de EE.UU. compiten en los ámbitos político, económico y militar, y usan la tecnología y la información para acelerar estas contiendas con el fin de cambiar los balances regionales de poder a su favor.

nacional —como la ciencia de datos, la edición de genes, los nuevos materiales, el cifrado, la nanotecnología y las tecnologías autónomas y de informática avanzada—. Todo ello se extiende al uso estratégico de la IA, clave para el desarrollo de dispositivos que van desde los coches autónomos hasta las AW.

Por ende, la estrategia propone que el sector público alinee sus esfuerzos con el sector privado para desplegar una fuerza conjunta que no tenga parangón a nivel global, una alianza que apuntale hacia el desarrollo en clave de innovación tecnológica estratégica. Ello es así ya que los nuevos avances en autonomía, computación y robótica están transformando la forma en que se lucha, por lo que las autoridades estadounidenses han decidido diversificar y mejorar sus capacidades, de tal manera que puedan seguir siendo una nación —si no la más— poderosa del mundo.

Aun cuando esta estrategia es el reducto de los pensamientos y las visiones más intensas del expresidente Trump, lo cierto es que el nivel de trascendencia institucional también sufrió un revés dentro de la propia administración estadounidense. Bajo la gestión del exasesor presidencial para Asuntos de Seguridad Nacional, Herbert McMaster, el documento fue un cuerpo consultivo de carácter político y estratégico bastante importante. Sin embargo, en la gestión de su sucesor, Jhon Bolton, el texto pasó a ser —*de facto*— un documento archivado[328].

De cualquier forma, esta estrategia es una muestra más de como EE.UU. sigue apostando por el desarrollo de sistemas de armas dotados de altos niveles de autonomía en sus funciones, todo lo cual se funda en el objetivo de poder contrarrestar muchas de las amenazas que hoy subyacen en el panorama internacional.

---

328 Wood, G., «Will John Bolton bring on armageddon. Or stave it off?» *The Atlantic*, 08/03/2019 [en línea], disponible en: *https://www.theatlantic.com/magazine/archive/2019/04/john-bolton-trump-national-security-adviser/583246, f*

d) The National Defense Strategy of the United States of America329

Publicado en 2018, es un documento que establece líneas de dirección cuyo objetivo es afilar la ventaja competitiva de los militares estadounidenses. Articula un plan general que permita a EE.UU. competir, disuadir y ganar en un entorno geopolítico hostil, en un período de atrofia estratégica en el que su ventaja militar competitiva se ha visto erosionada.

El texto reconoce así que las fuerzas militares estadounidenses se enfrentan a un mayor desorden global, caracterizado por un declive del orden internacional de larga data y basado en reglas, lo cual crea un entorno lleno de inseguridades, mucho más complejo y volátil que cualquiera que hayan experimentado en el pasado. Por ello, la reaparición de la competencia estratégica a largo plazo, la rápida dispersión de tecnologías y los nuevos conceptos de guerra y de competencia que

ᵉcha de revisión: 20/04/2019.

[329] Departamento de Defensa de los Estados Unidos de Norteamérica, *Summary of the 2018 National Defense Strategy. Sharpening the American Military's Competitive Edge*, 2018 [en línea], disponible en: *https://dod.defense.gov/Portals/1/Documents/pubs/2018-National-Defense-Strategy-Summary.pdf*, fecha de revisión: 20/04/2019. Ostras agencias estadunidenses también han adoptado pautas y principios para el uso de la IA con fines de seguridad o defensa nacional, como —por ejemplo— los principios y el marco general éticos de la IA para la comunidad de inteligencia de la Oficina del Director de Inteligencia Nacional de EE.UU. (23/07/2020). Tales pautas y principios plantean el compromiso de un país por garantizar que el uso y la implementación de la IA respeten el Derecho, protejan la privacidad y las libertades civiles, sean transparentes y responsables, sigan siendo objetivos y equitativos, incorporen adecuadamente el juicio humano, sean seguros y resistentes por diseño e incorporen las mejores prácticas de las comunidades de ciencia y tecnología. Al respecto, véase: Oficina del Director de Inteligencia Nacional de los Estados Unidos de Norteamérica, *Principles of artificial intelligence ethics for the Intelligence Community*, Office of the Director of National Intelligence, julio de 2020 [en línea], disponible en: *https://www.intelligence.gov/principles-of-artificial-intelligence-ethics-for-the-intelligence-community*, fecha de revisión: 21/01/2021. También véase: Oficina del Director de Inteligencia Nacional de los Estados Unidos de Norteamérica, *Artificial intelligence ethics framework for the Intelligence Community*, Office of the Director of National Intelligence, julio de 2020 [en línea], disponible en: *https://www.intelligence.gov/artificial-intelligence-ethics-framework-for-the-intelligence-community*, fecha de revisión: 21/01/2021.

abarcan todo el espectro del conflicto requieren una fuerza conjunta y estructurada para adaptarse a esta realidad.

Para enfrentar esa realidad, el documento apuesta por una fuerza conjunta más letal, resiliente e innovadora, combinada con una sólida constelación de aliados y socios, que mantenga la influencia estadounidense y garantice saldos de poder positivos que salvaguarden un orden internacional libre y abierto. En ese sentido, una postura de fuerza, alianza y arquitectura de asociación, junto a la modernización del Departamento de Defensa, proporcionarán las capacidades y la agilidad suficientes para que EE.UU. pueda prevalecer en el conflicto y logre preservar la paz a través de la fuerza.

Todo esto pasa por el aumento de la inversión estatal en la modernización de capacidades que son clave, y a través de presupuestos sostenibles y predecibles. Esto promoverá el aumento específico y disciplinado de personal y de plataformas que permita a EE.UU. satisfacer sus necesidades más prioritarias en el área militar, de seguridad y defensa.

Teniendo en cuenta que el entorno de seguridad también se ve afectado por los rápidos avances tecnológicos y el carácter cambiante de la guerra[330], dentro de esas prioridades está el impulso y el desarrollo de nuevas tecnologías que incluyen, entre otras, la computación avanzada, el análisis de *big data*, la IA, la autonomía, la robótica, la energía dirigida, los hipersónicos y la biotecnología. Todas ellas asegurarán, según expone el documento oficial, que EE.UU. posea ventajas militares competitivas para luchar y ganar las guerras del futuro.

---

330 Resulta interesante que este texto, aparte de las incontables veces que hace uso de expresiones como «guerra» y «guerreros», deja entrever que el carácter de la guerra (sus formas y técnicas) ha cambiado, pero la naturaleza de la guerra (su esencia), no. Como dicen algunos expertos en el área, este documento —que no es una estrategia en toda regla— plantea la guerra como una empresa singularmente militar que involucra la fuerza para asegurar la victoria sobre un adversario y por fines políticos. En ese contexto se encuentran muchos de los fundamentos —nada novedosos y poco imaginativos— que en su momento ya advirtió Clausewitz cerca de mediados del siglo xviii. Foster, G., «The National Defense Strategy Is No Strategy», *Defense One*, 04/04/2019 [en línea], disponible en: *https://www.defenseone.com/ideas/2019/04/national-defense-strategy-no-strategy/156068*, fecha de revisión: 20/04/2019.

Bajo esta perspectiva, se entiende que la administración estadounidense pretende invertir ampliamente en la aplicación militar de la autonomía, la IA y las técnicas de autoaprendizaje, incluida la rápida aplicación de los avances comerciales[331]. Pareciera que ello trae consigo cambios en la cultura de la industria, las fuentes de inversión y la protección de toda la base de innovación de seguridad nacional,

331 Según la estrategia *sub examine*, la nueva tecnología comercial cambiará la sociedad y, en última instancia, el carácter de la guerra. El hecho de que muchos desarrollos tecnológicos provengan del sector comercial significa que los principales competidores de EE.UU. y los actores no estatales también tendrán acceso a ellos, un hecho que corre el riesgo de erosionar el estado de superación convencional al que ese país ha estado acostumbrado. En cualquier caso, está claro que —por ahora— EE.UU. lidera —y quiere seguir haciéndolo— el mundo en la tecnología de IA. Es un país que entiende que la IA está transformando todos los segmentos de la vida de las personas, con aplicaciones que van desde el diagnóstico médico y la agricultura de precisión hasta la fabricación avanzada y el transporte autónomo, la seguridad y la defensa nacionales. Por eso, décadas de financiación de la investigación federal, industrial y académica, sobre todo captando talento extranjero, han puesto a ese país a la vanguardia del actual boom de la IA. Muestra de ello, en febrero de 2019, el entonces presidente Donald Trump, firmó la Orden Ejecutiva Nro. 13859 que anunció «*The American AI Initiative*», presentada como una estrategia marco de esfuerzo concertado para promover y proteger la tecnología y la innovación nacional estadounidenses en IA, ello en colaboración y compromiso con el sector privado, la academia, el público y socios internacionales con ideas afines a los EE.UU. Dicho documento dirige al gobierno federal a perseguir cinco pilares para el avance de la IA: (1) invertir en investigación y desarrollo (I + D) de IA, (2) liberar recursos para la IA, (3) eliminar las barreras a la innovación de la IA, (4) capacitar a los trabajadores para que se adapten a los puestos de trabajos que la IA ha cambiado o cambiará, y (5) promover un entorno internacional que apoye la innovación de la IA estadounidense y su uso responsable. Igualmente, la estrategia pone en valor los esfuerzos de las agencias federales en el avance de la investigación, el desarrollo y la implementación de la IA, destacando especialmente el trabajo de, por un lado, DARPA por considerar que durante mucho tiempo ha sido pionera en la investigación de IA y ahora está invirtiendo en la «*third wave*» de sistemas de IA que tienen características esenciales para los sistemas militares y críticos para la seguridad; y, por otro, la labor del propio Departamento de Defensa quien estableció el «*Joint Artificial Intelligence Center*» para escalar la IA y su impacto en el área de defensa, acelerar la traducción de la investigación de la IA en capacidades militares y fortalecer la defensa estadounidense. Al respecto, véase: Presidencia de los Estados Unidos de Norteamérica, *American artificial intelligence initiative: year one annual report*, White House, febrero de 2020 [en línea], disponible en: *https://trumpwhitehouse.archives.gov/wp-content/uploads/2020/02/American-AI-Initiative-One-Year-Annual-Report.pdf*, fecha de revisión: 21/01/2021.

lo cual es necesario para que el Departamento de Defensa estadounidense pueda mantener una ventaja tecnológica a nivel global.

e) AI Principles: Recommendations on the Ethical Use of Artificial Intelligence by the Department of Defense332

De acuerdo con este documento se entiende que para EE.UU. es clave que haya un desarrollo integrado e iterativo de la tecnología debe ir de la mano con consideraciones de ética, leyes y políticas. Basado en ese enfoque, el texto ofrece una serie de principios de ética de la IA que incluyen valores que deben ser objeto de discusión abierta y pensamiento crítico —dentro y fuera del Departamento de Defensa estadounidense— para que sigan siendo relevantes y verdaderos. Estos principios son:

1. ***Responsabilidad.*** Sus premisas, en líneas generales, son:
   - Los seres humanos deben ejercer los niveles adecuados de juicio y seguir siendo responsables del desarrollo, la implementación, el uso y los resultados de los sistemas de IA[333].

---

332 Departamento de Defensa de los Estados Unidos de Norteamérica, *AI Principles: Recommendations on the Ethical Use of Artificial Intelligence by the Department of Defense,* 2019 [en línea], disponible en: *https://media.defense.gov/2019/Oct/31/2002204459/-1/-1/0/DIB_AI_PRINCIPLES_SUPPORTING_DOCUMENT.PDF*, fecha de revisión: 21/01/2021.

333 Con relación a este documento guía, es importante precisar lo siguiente: según su contenido la IA comprende, entre otros aspectos, cualquier sistema artificial que realice tareas en circunstancias variables e impredecibles sin una supervisión humana significativa, o que pueda aprender de su experiencia y mejorar el rendimiento cuando se expone a conjuntos de datos. Se trata de una acepción más del término que combina a los sistemas autónomos y de IA, al tiempo que deja abiertas preguntas relacionadas con aquellos no son dinámicos en su diseño y arquitecturas o que no son de aprendizaje. En cualquier caso, a efectos operativos, el texto hace suya la definición de los SAAL contenida en la Directiva del Departamento de Defensa de 2012 Nro. 3000.09 [Departamento de Defensa de los Estados Unidos de Norteamérica, *Autonomy in Weapons Systems* (directiva), *op. cit.*, *véase página 2*] y, del mismo modo, emplea el término «sistema de IA» para referirse a sistemas que pueden tener un componente de IA dentro de un sistema general o un «sistema de sistemas». Departamento de Defensa de los Estados Unidos de Norteamérica, *AI Principles: Recommendations on the Ethical*

- Los seres humanos son sujetos de derechos y obligaciones legales y, como tales, son las entidades responsables ante la ley.
- El uso de los sistemas de IA para realizar diversas tareas significa que las líneas de responsabilidad para la decisión de diseñar, desarrollar e implementar dichos sistemas deben ser claras para mantener la responsabilidad humana. En ese sentido, según el documento, existe una *primera capa de responsabilidad* que recae en aquellas personas con autoridad para y sobre el diseño, la definición de requisitos, el desarrollo, la adquisición, las pruebas, la evaluación y la capacitación de cualquier sistema del Departamento de Defensa. Luego está una *segunda capa de responsabilidad* referida a los mecanismos de responsabilidad por las acciones de los tomadores de decisiones durante las hostilidades. En este caso, el DIH sería la base de gran parte de la orientación y los requisitos para los comandantes y combatientes en conflictos armados. Sin embargo, las reglas de enfrentamiento, la intención del comandante y la doctrina también juegan un papel importante en los mecanismos de responsabilidad en los conflictos armados. Y, por último, una *tercera capa de responsabilidad* que se refiere a los mecanismos de remediación de las acciones después de que hayan terminado las hostilidades. Esto puede ser de dos formas: a) primero, es interno al Departamento de Defensa, y esto implica hacer que los combatientes rindan cuentas por cualquier presunta violación del Derecho de la Guerra o del Código Uniforme de Justicia Militar; y, b) El segundo, externo al Departamento de Defensa, que involucra la doctrina de la Responsabilidad del Estado.

2. ***Equidad***. Considerando la importancia de este principio, el documento lo caracteriza, en líneas generales, como un deber que implica para el área militar:

Use of Artificial Intelligence by the Department of Defense, op. cit., véase las páginas 8, 9 y 10.

- La toma de medidas deliberadas para evitar un sesgo no intencionado en el desarrollo y despliegue de los sistemas de IA de combate o de no combate que podrían causar daños a las personas de manera inadvertida[334].
- Lograr que las tecnologías de IA y aprendizaje automático no discriminen de manera desigual o injusta ni generen resultados sesgados injustificados. En ese sentido, habrá de garantizar las fuentes de datos y la procedencia adecuadas para estas aplicaciones, incluir notificaciones explícitas y transparentes sobre las cláusulas de extinción con respecto a los datos personales e impulsar la capacitación adecuada para quienes utilizarían estas tecnologías como auxiliares en la toma de decisiones, estableciendo salvaguardas adecuadas para limitar las brechas de seguridad y el acceso a información de identificación personal.

3. ***Trazabilidad.*** En términos generales comprende para el Departamento de Defensa estadounidense:

- El deber de repensar cómo rastrea sus sistemas de IA, quién tiene acceso a los conjuntos de datos y modelos particulares manejados por ellos, y si estos se están reutilizando para otras áreas de aplicación. Para ello los expertos técnicos del Departamento deben tener una comprensión adecuada de la tecnología, los procesos de desarrollo y los métodos operativos de sus sistemas de IA, incluidas las metodologías transparentes y auditables, las fuentes de datos y el procedimiento y la documentación de diseño.
- La necesidad de garantizar la trazabilidad de la IA en dos fases clave: por un lado, *de desarrollo*, en la que la metodología de diseño, los documentos de diseño relevantes y las fuentes de datos deben proporcionarse a las partes interesa-

[334] Sel documento se desprende que el Departamento de Defensa solo podrá (y además deberá) tener sistemas de IA que estén apropiadamente sesgados para atacar a ciertos combatientes adversarios con más éxito y minimizar cualquier impacto pernicioso en civiles, no combatientes u otras personas que no deberían ser blanco de ataques.

das apropiadas del Departamento de Defensa[335]. Por otro, *de implementación*, en la que, primero, se podría probar un sistema a lo largo de su ciclo de vida, especialmente si ese sistema se basa en la transmisión de datos o el «aprendizaje en línea»[336], y luego, de segundo, a través de la creación de registros apropiados de acceso de usuarios y autoridades. Algunos sistemas pueden requerir no solo revisiones del acceso de los usuarios y con qué propósito, sino también registros de uso. Este requisito puede mitigar los daños relacionados con el uso no autorizado de un sistema de IA, así como reforzar el principio de responsabilidad.

4. ***Fiabilidad.*** Sus premisas, en líneas generales, son:
   - Los sistemas de IA del Departamento de Defensa deben tener un dominio de uso explícito y bien definido, y la seguridad, protección y solidez de dichos sistemas deben probarse y garantizarse a lo largo de todo su ciclo de vida dentro de ese dominio de uso.
   - Es fundamental que los sistemas de IA individuales e interactivos estén asegurados de forma adecuada. Esto se traduce en que todos los sistemas de IA deben ser fiables de manera continua y a lo largo de sus ciclos de vida y dominios de

---

335 Por ejemplo, dado que los conjuntos de datos son cada vez más importantes para los sistemas de aprendizaje automático, es fundamental que los expertos comprendan no solo la procedencia de los datos, sino también las cuestiones relacionadas con la motivación, la composición y la recopilación de estos. Según el documento, los avances recientes en las «hojas para conjuntos de datos» o incluso en las «tarjetas modelo» para los sistemas de aprendizaje automático constituyen una de las mejores prácticas para desarrollar e implementar una IA responsable.

336 Dada la incapacidad de rastrear todos los datos para los sistemas de aprendizaje en línea, un enfoque que puede proporcionar un rastro del rendimiento del sistema puede ser sondear automáticamente dichos sistemas con casos hipotéticos para consultar un sistema para verificar si hay sesgo, fragilidad o posible cambio de distribución. Los resultados de tales sondas pueden proporcionar un historial suficiente del funcionamiento del sistema. Otro enfoque puede ser proporcionar revisiones posteriores a la acción de un sistema después de una implementación. Sin embargo, para hacerlo, será necesario prestar más atención a los requisitos de almacenamiento de datos para los datos que emanan de estos sistemas.

uso no solo con respecto a su seguridad, sino también a su protección y solidez. Así, un sistema de IA sólo será fiable en tanto que actúe de manera apropiada, segura y robusta dentro de su dominio[337]. Sin embargo, el texto reconoce que algunos sistemas de IA, como los sistemas de aprendizaje automático en línea, plantean desafíos en las técnicas tradicionales de prueba y evaluación y verificación y validación, sobre todo cuando se trata de sistemas no deterministas, no lineales, de alta dimensión, probabilísticos y de aprendizaje continuo[338].

- En los sistemas de IA también deben considerarse su robustez e interoperabilidad. Si bien los diseñadores y desarrolladores pueden descomponer funcionalmente las operaciones

---

337 Comprendiendo la importancia de la fiabilidad como principio, expertos del Congreso de EE.UU. entienden que los SAAL pueden representar un gran desafío al respecto. Según un documento de análisis reciente, los SAAL serían sin más una clase especial de sistemas de armas que utilizan conjuntos de sensores y algoritmos informáticos (IA) para identificar de forma independiente un objetivo y emplean un sistema de armas a bordo para atacar y destruir el objetivo sin el control humano manual del sistema. Aunque estos sistemas aún no se encuentran en un desarrollo generalizado, hay quienes consideran que podrían permitir operaciones militares en entornos de comunicaciones degradadas o denegadas en los que los sistemas tradicionales tal vez no puedan operar. Sin embargo, el documento reconoce también que algunos líderes militares y de defensa de alto rango han expresado su preocupación por la posibilidad de desplegar SAAL, sobre todo dada su fiabilidad especialmente frágil en entornos complejos y dinámicos. Al respecto, véase: Congressional Research Service (Congreso de los Estados Unidos), *Artificial Intelligence and National Security,* Congreso de los Estados Unidos de Norteamérica, noviembre de 2020 [en línea], disponible en: *https://fas.org/sgp/crs/natsec/R45178.pdf*, fecha de revisión: 21/01/2021. *Véase las páginas 15, 16 17 y 34*. También, ver Congreso de los Estados Unidos de Norteamérica, *Final Report,* Comisión de Seguridad Nacional de Inteligencia Artificial, marzo de 2021 [en línea], disponible en: *https://www.nscai.gov/wp-content/uploads/2021/03/Full-Report-Digital-1.pdf*, fecha de revisión: 03/03/2021, *véase de la página 131 a la 140.*

338 En parte, esto se debe a que definir el dominio de uso puede ser increíblemente difícil. Para este tipo de sistemas, se requieren nuevas investigaciones y estándares. Son modelos que deben tener en cuenta la validación de datos y la selección del modelo. La verificación de estos tipos de sistemas aprendizaje automático también tendrá que realizarse en tiempo de ejecución, lo que exigiría una verificación a bordo cuya complejidad puede llegar a traer consigo implicaciones políticas sustanciales.

y actividades de los sistemas que operan de manera independiente, el Departamento de Defensa también debe considerar estos aspectos en los sistemas de IA, incluida la interacción de los sistemas subordinados, en capas, y la identificación y las soluciones a fallas en uno o más de los subsistemas[339].

- Un mayor enfoque y estudio sobre la seguridad de la IA puede ayudar a mejorar los desafíos que plantea el principio de fiabilidad. Para ello: a) es crucial documentar los supuestos de trazabilidad, incluidos los datos, el contexto, el

339 El texto reconoce cuán difícil es lograr esto, dada la incapacidad técnica de hoy para probar, modelar o simular un espacio de estado tan grandes, así como testear adecuadamente todos los componentes en entornos dinámicos, impredecibles y no estructurados con alta fiabilidad como los campos de batallas. Por ejemplo, el ejército de EE.UU. planea implementar para 2028-2030 operaciones de dominio múltiple que requieren componentes de aprendizaje automático diseñados para dotar a los robots en general autonomía y toma de decisiones en el campo de batalla. Estas operaciones multidominio requerirían agentes autónomos con componentes de aprendizaje para operar junto al combatiente, permitiendo a esos agentes razonar y adaptarse a las condiciones cambiantes del campo de batalla. En este tipo de situaciones, el mecanismo subyacente de adaptación y replanificación del sistema implicarían el empleo de políticas de refuerzo basadas en el aprendizaje. El gran desafío en la materia es que las técnicas existentes no pueden incorporar objetivos de toma de decisiones más amplios, como la sensibilidad al riesgo, las restricciones de seguridad, la exploración y la divergencia con un anterior, todo lo cual dificultaría el aprendizaje por refuerzo para espacios continuos. Ergo, el siguiente paso en este tipo de investigaciones sería incorporar sendos objetivos que permitan utilidades más generales en el aprendizaje de la máquina por refuerzo ante entornos de múltiples agentes y, además, investigar más sobre cómo los entornos interactivos entre agentes de aprendizaje por refuerzo pueden dan lugar a razonamientos sinérgicos y antagónicos entre equipos. Al respecto de estos desafíos, véase: Judson, J., «From Multi-Domain Battle to Multi-Domain Operations: Army evolves its guiding concept», *Defense News,* 2018 [en línea], disponible en: *https://www.defensenews.com/digital-show-dailies/ausa/2018/10/09/from-multi-domain-battle-to-multi-domain-operations-army-evolves-its-guiding-concept/*, fecha de revisión: 21/01/2021. También véase: Fourtané, S., «Autonomous Military Robots as Warfighters», *Interest Ingengineering,* 2020 [en línea], disponible en: *https://interestingengineering.com/autonomous-military-robots-as-warfighters*, fecha de revisión: 21/01/2021; Layton, P., «Algorithmic Warfare. Applying Artificial Intelligence to Warfighting», *op. cit., véase las páginas 21 y 41;* y, Osborn, K., «6th-gen stealth fighter likely to include lasers, AI and drone control», *Fox News,* 2021 [en línea], disponible en: *https://www.foxnews.com/tech/6th-gen-stealth-fighter-lasers-ai-drone-control*, fecha de revisión: 21/01/2021.

dominio de uso y la interoperabilidad con sistemas nuevos o heredados; b) las suposiciones sobre el entorno operativo y las propiedades y restricciones en una plataforma, los datos y el algoritmo deben ser explícitas para la trazabilidad, la evaluación, el testeo, la verificación y validación correspondientes; c) las pruebas adecuadas de los sistemas son cruciales para garantizar que las entradas anómalas no cambien drásticamente el comportamiento del sistema en sí; d) la capacidad de explicación y seguridad de los modelos de aprendizaje automático pueden ser otra ruta hacia la verificación. Sin embargo, para EE.UU., sus niveles dependerán de la naturaleza de la misión[340]; e) una mayor fiabilidad en el modelado y la simulación, el equipo rojo adaptativo, los diseños de prueba novedosos y las métricas adecuadas para los sistemas de aprendizaje automático, son áreas cruciales para lograr una IA fiable.

5. ***Gobernabilidad.*** Habida cuenta de la necesidad de regir el funcionamiento de los sistemas de IA, este principio implica en el campo militar quc:

- Los sistemas de IA deban pensarse y diseñarse para, por un lado, cumplir su función prevista al mismo tiempo de poseer la capacidad de detectar y evitar daños o interrupciones no intencionales y, por otro, para permitir la desconexión o desactivación humana o automatizada de los sistemas implementados que demuestren un comportamiento escalado

---

340 El Departamento de Defensa de EE.UU. reconoce que en muchos caso puede haber una necesidad de una IA explicable, es decir, la capacidad de una solución de IA para explicar la lógica detrás de una recomendación o acción. De hecho, la iniciativa de DARPA sobre la capacidad para lidiar con el razonamiento contextual y explicar acciones de la IA demuestra el compromiso del Departamento de Defensa con este campo de investigación. No obstante, vale la pena destacar también que hay expertos estadounidenses que consideran que, si la vida, el bienestar o la propiedad de nadie están en riesgo, entonces tal vez se requiera menos o incluso ninguna garantía sobre la capacidad de explicación y seguridad de los modelos de aprendizaje automático. Al respecto, véase Congressional Research Service (Congreso de los Estados Unidos), *Artificial Intelligence and National Security, op. cit. Véase las páginas 31 y 32.*

o de otro tipo no intencionado. Por tanto, al cumplirse con la gobernabilidad,

- Los operadores y usuarios de los sistemas de IA deben comprender las posibles consecuencias de implementar el sistema (o sistema de sistemas) en toda su extensión, sobre todo cuando conduzcan potencialmente a resultados dañinos no deseados. Para lograr esto, debe prestarse especial atención a los detalles de cada sistema, asegurando que se tomen todas las medidas razonables para minimizar cualquier daño no intencional o la interrupción desconexión, desactivación, aislamiento o autocontrol de un sistema de IA defectuoso o fallido. Por lo tanto, el diseño y la ingeniería de sistemas de IA deben ser lo más correctos posibles para que dichos sistemas sean gobernables cuando se muevan fuera de su dominio de uso[341].
- Se debe prestar especial atención a las ontologías de fallas, las características y el diseño de la arquitectura del sistema para facilitar su aislamiento o la capacidad de interrumpirlo de manera segura y cuando corresponda. A tal efecto, es clave: a) comprender el tipo, alcance, número y escala del daño que pueden producir las posibles modalidades de fallas[342]; y, b) comprender las características específicas de cada sistema de IA[343].
- Finalmente, las arquitecturas del sistema de IA deben diseñarse, cuando sea apropiado, para permitir su interrupción segura. Para sistemas complejos y sistemas de sistemas,

---

341 Es cierto que las medidas razonables en el diseño, desarrollo e implementación del sistema variarán según el tipo y domino de uso del sistema de IA. Como se indicó en páginas previas, todo esto plantea dificultades difíciles de superar por ahora, especialmente cuando se trata de operaciones militares multidominios.

342 Por ejemplo, aquellas debidas a un ataque o manipulación del adversario, las variables latentes o influencias no modeladas en el sistema, la capacidad de este para modificarse a sí mismo y las que surgen de las interacciones hombre-máquina.

343 Se acuerdo con el texto, tales características incluyen aquellas internas del propio sistema, los efectos del entorno en el sistema, el impacto del sistema externo en el entorno, la aplicación de varios tipos de sistemas computacionales, la distribución e interacción con otros sistemas, las capacidades de supervisión, etc.

> es prudente realizar ingeniería para aislamiento o fallo prudente. No obstante, EE.UU. reconoce que ello no es una tarea fácil, sobre todo cuando se emplean sistemas de IA en entornos dinámicos y de múltiples agentes.

Luego de haberse analizado de manera general varios de los documentos políticos y estratégicos en asuntos de seguridad y defensa más importantes de EE.UU., está claro que ese país apuesta cada vez más por la investigación, el desarrollo y la innovación de las tecnologías emergentes en el área de los SAAL. Habida cuenta de ello, EE.UU., a diferencia de otros Estados, sí que posee un marco regulatorio específico sobre las LAW y su uso en conflictos armados.

Por ahora, la administración estadunidense seguirá trabajando por garantizar su poderío militar a nivel global, sobre todo frente a aquellos países que puedan serles competitivos en el área. Incluso, expertos de la Comisión de Seguridad Nacional de Inteligencia Artificial de EE.UU. recomiendan formalmente al Congreso y a la rama ejecutiva de ese país, entre otros aspectos, incrementar significativamente los presupuestos federales para robustecer la inversión en la investigación, el desarrollo, la innovación y el uso de las tecnologías avanzadas habilitadas con IA destinadas al área de la seguridad y defensa —en tanto que las ciencias computacionales, en general, transformarán todos los aspectos de los asuntos militares— y, además, plantean categóricamente su desacuerdo con apoyar una prohibición global de los sistemas de armas autónomos y habilitados con IA[344]. No obstante, algunos analistas consideran que la administración de

---

[344] Congreso de los Estados Unidos de Norteamérica, *Final Report*, Comisión de Seguridad Nacional de Inteligencia Artificial, *op. cit.*, *véase en especial la página 22, y desde la página 131 a la 140.* Véase también Schmidt, E. y Work, R., *opening remarks*, the National Security Commission on Artificial Intelligence (Washington: «virtual public plenary session to formally vote on the approval of the NSCAI's final report», 01 de marzo de 2021) [en línea], disponible en: *https://youtu.be/NEi9OwIWPss*, fecha de revisión: 03/03/2021, *véase desde 5:13 hasta 19:00; y,* Work, R. Winnefeld, J. y O'Sullivan, S., «STEERING IN THE RIGHT DIRECTION IN THE MILITARY-TECHNICAL REVOLUTION» *War on the Rocks,* 23/03/2021 [en línea], disponible en: *https://warontherocks.com/2021/03/steering-in-the-right-direction-in-the-military-technical-revolution/, f*echa de revisión: 07/05/2021.

Joe Biden (presidente 46.° de EE.UU.) más bien aportará a ese país una profundidad y amplitud de experiencia impresionantes en el campo del control de armamentos y la negociación internacional[345]. Quedará por ver cómo EE.UU. hará frente a una carrera de armamentos altamente tecnificados cada vez más impredecible y costosa, basada en la competencia en tecnologías avanzadas (como la IA) más que en el número de armas, y caracterizada además por el creciente entrelazamiento de los avances científicos nucleares y no nucleares.

En cualquier caso, como se analizará a continuación, EE.UU. no está solo en esa competencia. Rusia es uno de esos Estados que, desde hace años, pretende destronar a EE.UU. de su posición de liderazgo como potencia militar armamentista, especialmente en el área de las nuevas tecnologías de seguridad y defensa militar que, de una forma u otra, están vinculadas al desarrollo futuro de armas con altos grados de autonomía en sus funciones críticas.

---

345 Eliasson, J. y Smith, D., «Joe Biden's arms control ambitions are welcome—but delivering on them will not be easy», *Stockholm International Peace Research Institute (SIPRI),* 2021 [en línea], disponible en: *https://www.sipri.org/commentary/essay/2021/joe-bidens-arms-control-ambitions-are-welcome-delivering-them-will-not-be-easy*, fecha de revisión: 21/01/2021. Según la Secretaría de Estado y el Departamento de Defensa de la administración Biden, EE.UU apuesta por trabajar en la protección y promoción de la arquitectura internacional de control de armas y no proliferación, y las instituciones que la sustentan, participando en la diplomacia y abogando por medidas de reducción de riesgos. No obstante, estando abierto a participar en discusiones acerca de la estabilidad estratégica sobre control de armas y temas de seguridad emergentes, el gobierno de EE.UU también aboga por un enfoque de seguridad nacional de "disuasión integrada" diseñado para emplear toda la gama de capacidades estadounidenses, utilizadas de manera punitiva o preventiva, para persuadir a los agresores potenciales de que no ataquen a EE.UU. ni a sus intereses centrales en el extranjero. En cualquier caso, sólo el tiempo lo dirá en qué todo esto finalmente se traducirá. Al respecto, ver Secretaría de Estado de Estados Unidos de Norteamérica, *Remarks at the High-Level Segment of the Conference on Disarmament,* 22/02/2021 [en línea], disponible en: *https://geneva.usmission.gov/2021/02/22/secretary-blinken-cd/*, fecha de revisión: 23/02/2021. También, ver: O'Hanlon, K., «The best defense? An alternative to all-out war or nothing», *Brookings,* 21/05/2021 [en línea], disponible en: *https://www.brookings.edu/blog/order-from-chaos/2021/05/21/the-best-defense-an-alternative-to-all-out-war-or-nothing/*, fecha de revisión: 1/07/2021.

3.1.2. Federación de Rusia

En diciembre de 2015, el actual presidente ruso Vladimir Putin ratificó la nueva estrategia de seguridad nacional de su país[346]. Es un documento fundamental de planificación estratégica que determina los intereses nacionales y las prioridades estratégicas nacionales de Rusia, así como los fines, tareas y medidas en el ámbito de su política interior y exterior, siempre encaminados a reforzar la seguridad nacional y garantizar el desarrollo estable y a largo plazo de ese país europeo.

Este documento está vinculado a las disposiciones generales contenidas en la Ley Federal rusa sobre Seguridad[347] y en la Ley sobre Planificación Estratégica de Rusia[348]. Basada en las previsiones de ambos textos, la Estrategia de Seguridad Nacional rusa realiza una valoración de los riesgos y las amenazas que existen para su seguridad, prevé el probable nivel del desarrollo económico social y de la seguridad nacional que tiene el país, define cuál es el escenario óptimo para hacer frente con éxito a esos riesgos y amenazas, y valora de manera constructiva la posición que tiene Rusia en el mundo moderno.

Ahora bien, en el objetivo de blindar la seguridad nacional, el Gobierno ruso considera que la defensa nacional es crucial. Así, según el documento estratégico, Rusia está desarrollando y aplicando de manera interrelacionada medidas políticas, militares, técnico-militares, diplomáticas, económicas, informativas y de otro tipo para garantizar la disuasión estratégica y la prevención de conflictos arma-

---

[346] Presidencia de la Federación Rusa, *Указ Президента Российской Федерации «О Стратегии национальной безопасности Российской Федерации [Decreto del presidente de la Federación Rusa sobre la estrategia de seguridad nacional. Federación de Rusia]* (edicto presidencial), núm. 683, de 31/12/2015 [en línea], disponible en: *http://static.kremlin.ru/media/events/files/ru/l8iXkR8XLAtxeilX-7JK3XXy6Y0AsHD5v.pdf*, fecha de revisión: 21/04/2019 (traducción del texto en inglés disponible en: *http://www.ieee.es/Galerias/fichero/OtrasPublicaciones/Internacional/2016/Russian-National-Security-Strategy-31Dec2015.pdf*, fecha de revisión: 21/04/2019.

[347] Ley Federal Rusa núm. 390-FZ «Sobre Seguridad», de 28/12/2010.

[348] Ley Federal Rusa núm. 172-FZ, «Sobre planificación estratégica en la Federación Rusa», de 28/06/2014.

dos. Estas medidas pretenden evitar el uso de la fuerza armada contra Rusia y proteger su soberanía e integridad territorial.

Por su parte, Rusia considera que la disuasión estratégica y la prevención de conflictos armados se logran manteniendo, por un lado, su capacidad de disuasión nuclear a un nivel importante, y por otro, la consolidación de sus Fuerzas Armadas, otras tropas y formaciones y cuerpos militares, en el nivel requerido de preparación para el combate. En ese sentido, la estrategia busca incrementar la planificación, y garantizar la implementación, de la preparación de movilización de Rusia y de todas las medidas destinadas a tal efecto, todo ello mediante la actualización y el mantenimiento de la capacidad técnico-militar de la organización militar nacional rusa a niveles considerables.

Para ello, el Gobierno ruso sigue apostando por el desarrollo del complejo de la industria de defensa del país como el motor para la modernización de la producción industrial, actualizando la base de fabricación de las organizaciones del complejo de su industria de defensa sobre una nueva base tecnológica, mejorando su potencial de cuadros y promoviendo su producción de productos en demanda.

Según el documento estratégico, una de las áreas principales para garantizar la seguridad nacional rusa en las esferas de la ciencia, las tecnologías y la educación es el aumento del nivel de seguridad tecnológica, incluida la esfera de la información. Con este fin, Rusia apuesta por mejorar la innovación y la política industrial de su Estado, el sistema de contratos federales y el sistema del orden estatal para capacitar a sus especialistas y trabajadores altamente cualificados.

La estrategia enfatiza la importancia del papel de la fuerza militar en las relaciones internacionales, lo que sugiere que Rusia tiene el derecho legítimo de desarrollar el poder militar adecuado para responder a esta tendencia internacional[349]. Ello hace que la ciencia básica y aplicada estén recibiendo una inversión prioritaria en ese

---

349 Parlamento Europeo, *In-depth analysis Russia's national security strategy and military doctrine and their implications for the EU*, Departamento de Políticas, Dirección General de Políticas Exteriores, 2017 [en línea], disponible en: *http://www.europarl.europa.eu/RegData/etudes/IDAN/2017/578016/EXPO_IDA%282017%29578016_EN.pdf*, fecha de revisión: 21/04/2019, *véanse páginas 10 y 11.*

país, en donde la asociación público-privada se está desarrollando cada vez más en el ámbito de la ciencia y las tecnologías.

Todo esto permite a Rusia crear condiciones para la integración de la ciencia, la educación y la industria, en donde se lleven a cabo investigaciones sistémicas para resolver las tareas estratégicas de su seguridad militar, estatal y pública. Ese escenario pasa por la inversión y el desarrollo de altas tecnologías prometedoras (ingeniería genética, ingeniería robótica, tecnologías biológicas, de información, de comunicaciones y cognitivas, nanotecnologías y tecnologías convergentes que emulen o se parezcan a la naturaleza).

Para algunos autores, Rusia tiene como objetivo mantener un arsenal sofisticado de armas que pueda compensar efectivamente las innovaciones militares de países como EE.UU., la OTAN y China, por ejemplo[350]. Es cierto que algunas tecnologías rusas aún se encuentran en las primeras etapas. Sin embargo, en términos de impacto en las capacidades militares, Rusia también es ya lo suficientemente fuerte como para defenderse en una guerra convencional contra cualquier adversario y para derrotar a cualquier Estado vecino suyo que no sea China. También tiene una capacidad de disuasión nuclear más que suficiente[351].

En algunas áreas, como las defensas aéreas, los misiles antibuques y la guerra electrónica, Rusia continuará manteniendo capacidades superiores a las de sus pares. Igualmente sucede con las armas de energía dirigida, el cañón de riel, el vehículo hipersónico, el programa de vehículos subacuáticos no tripulados, todos los cuales se sitúan en etapas avanzadas, y muchos están respaldados por un financiamiento considerable que viene de hace mucho tiempo[352].

---

350 Kashin, V. y Raska, M., «Countering the U.S. Third Offset Strategy: Russian Perspectives, Responses and Challenges» [Policy Report], *Rajaratnam School of International Studies*, 2017 [en línea], disponible en: *https://www.rsis.edu.sg/wp-content/uploads/2017/01/PR170124_Countering-the-U.S.-Third-Offset-Strategy.pdf*, fecha de revisión: 21/04/2019, *véase página 4*.

351 Gorenburg, D., «Russia's military modernization plans: 2018-2027», *PONARS Eurasia*, Policy Memo núm. 495, 2017 [en línea], disponible en: *http://www.ponarseurasia.org/sites/default/files/policy-memos-pdf/Pepm495_Gorenburg_Nov2017.pdf*, fecha de revisión: 21/04/2019.

352 Por ejemplo, la Fundación de Investigación Avanzada de la Federación Rusa desde 2012 lleva trabajando en promover la implementación de la investigación

Así las cosas, la Administración del presidente Vladimir Putin apuesta por la inversión en la investigación, la innovación y el uso de tecnologías robóticas y de IA aplicadas al desarrollo armamentista militar. Cualquier iniciativa en esta área debe apuntalar al cierre de la brecha en la investigación avanzada que tiene Rusia con muchos países de Occidente, para así poder superar el estancamiento que durante años tuvo la industria militar rusa en temas de ciencia y defensa. Por ello, todos los proyectos rusos de investigación avanzada militar deben jugar un papel decisivo en el desarrollo de elementos clave relacionados con armas, equipos militares y especiales de nueva generación.

Este enfoque define la base del sistema de armamentos de este país, aplicable no solo al Ejército y a la flota, sino también a otras industrias y estructuras de poder. Su contenido se encuentra ampliamente desarrollado en el programa de armamento estatal (en adelante, GPV 2027, por las siglas en ruso de Gosudarstvennaia Programma Vooruzheniia) aprobado por el Gobierno de la Federación Rusa en diciembre de 2017, y constituye la base de las adquisiciones de defensa y las prioridades militares de este país hasta 2027. El enfoque de ese programa toma en cuenta todo el progreso logrado por Rusia en su programa anterior (en adelante, GPV 2020, por las siglas en ruso de Gosudarstvennaia Programma Vooruzheniia), y a partir de allí busca

---

y el desarrollo en interés de la defensa y la seguridad de Rusia, sobre todo en áreas asociadas con un alto grado de impacto para lograr resultados cualitativamente nuevos en los ámbitos técnico-científico, tecnológico y socioeconómico, desarrollando y creando tecnologías innovadoras y produciendo productos militares de alta tecnología, especiales y de doble uso. Más información disponible en Fundación de Investigación Avanzada de la Federación Rusa, información institucional de proyectos en curso [en línea], disponible en: *https://fpi.gov.ru/projects*, fecha de revisión: 21/04/2019. Igualmente, resulta importante destacar que, en opinión de algunos expertos, gran parte de la apuesta rusa pasa, entre otros aspectos, por el desarrollo de programas que se centran en el rearme de las fuerzas nucleares, iniciativas que están evolucionando hacia etapas cada vez más avanzadas, al punto que Rusia podría tener una ventaja significativa sobre EE.UU., especialmente en cuanto a la calidad y variedad de sus sistemas de entrega, por lo que puede garantizar razonablemente la efectividad estratégica de sus fuerzas nucleares en un futuro muy cercano. Al respecto, Kashin, V. y Raska, M., «Countering the U.S. Third Offset Strategy: Russian Perspectives, Responses and Challenges» [Policy Report], *op. cit.*, *véase página 15*.

fortalecer y modernizar aún más las Fuerzas Armadas rusas, sentando las bases para, por ejemplo, crear una organización de investigación de defensa dedicada a la autonomía y la robótica llamada «Fundación para Estudios Avanzados», y además acoger conferencias anuales sobre la robotización de las fuerzas armadas rusas[353].

Con este documento, Rusia pretende alcanzar un equilibrio entre la adquisición de *hardware* militar y el aumento de la participación del gasto en la investigación y el desarrollo castrense, de modo que el avance de los sistemas de la próxima generación pueda anticipar los futuros requisitos de capacidad militar, seguridad y defensa[354]. En ese espacio, la robótica militar, los misiles guiados de precisión y los sistemas autónomos desempeñarán un papel destacado en el GPV 2027[355].

Sin embargo, expertos y oficiales de alto nivel consideran que Rusia necesitará un salto tecnológico para llevar sus capacidades al nivel requerido para la fabricación de material avanzado; entre otras cosas, esto implicará la capacitación de científicos e ingenieros militares rusos para apoyar la investigación y el desarrollo en las áreas relevantes vinculadas, incluso, con las ciencias de la computación. En algunas oportunidades las autoridades rusas han declarado incluso que la IA

---

353 Congressional Research Service (Congreso de los Estados Unidos), *Artificial Intelligence and National*, *op. cit.*, *véase páginas 25 y 26*.

354 Si bien el ejército ruso ha estado investigando una serie de aplicaciones de IA, con un gran énfasis en vehículos semiautónomos y autónomos, algunos expertos consideran que puede ser difícil que Rusia logré un progreso significativo en esta materia dadas las fluctuaciones en su gasto militar. Por ejemplo, en 2017, el gasto militar ruso se redujo en un 20% en dólares constantes, con recortes posteriores en 2018. Luego ese gasto aumentó un poco en 2019, pero puede que caiga en dólares constantes desde 2020 hasta 2022. Wezeman, S., «Russia's military spending: Frequently asked questions», *Stockholm International Peace Research Institute (SIRPI)*, 21/04/2020 [en línea], disponible en: *https://www.sipri.org/commentary/topical-backgrounder/2020/russias-military-spending-frequently-asked-questions*, fecha de revisión: 21/01/2021.

355 Connolly, R. y Boulègue, M., *Russia's New State Armament Programme Implications for the Russian Armed Forces and Military Capabilities to 2027*, Londres, Chatham House the Royal Institute of International Affairs, 2018 [en línea], disponible en: *https://www.chathamhouse.org/sites/default/files/publications/research/2018-05-10-russia-state-armament-programme-connolly-boulegue-final.pdf*, fecha de revisión: 21/04/2019, *véase página 33*.

podría reemplazar a un soldado en el campo de batalla y a un piloto en la cabina de un avión. Se trata de un escenario que, para Rusia, no debería considerarse tan peligroso. Reconociendo que la IA es la base de un salto hacia adelante en el desarrollo de la humanidad, el propio presidente ruso, Vladimir Putin, ha manifestado que no debe haber preocupación porque las maquinas dominen en el futuro a la sociedad global, sobre todo porque las personas son quienes siempre deberán ejercer control sobre las máquinas[356].

Así las cosas, en 2019 el gobierno de Rusia lanzó una estrategia nacional para la investigación y el desarrollo de la IA[357]. La orden se produjo tras varias iniciativas lanzadas en 2018 —incluido el GPV 2027— para unificar los esfuerzos nacionales en los sectores público y privado hacia el desarrollo de la IA en ese país. Poco tiempo

---

356 RT, «¿Puede la inteligencia artificial ser presidente? Putin responde y evalúa la posibilidad de una rebelión de las máquinas» *RT,* 04/12/2020 [en línea], disponible en: *https://actualidad.rt.com/actualidad/375791-poder-inteligencia-artificial-presidente-putin-responder*, fecha de revisión: 21/01/2021. También véase Bendett, S., «Should the U.S. Army Fear Russia's Killer Robots?», *National Interest,* 08/11/2017 [en línea], disponible en: *https://nationalinterest.org/blog/the-buzz/should-the-us-army-fear-russias-killer-robots-23098,* fecha de revisión: 21/01/2021.

357 La orden se hizo pública el 31 de enero de 2019 en una lista de instrucciones aprobadas por el presidente Putin luego de una reunión del 15 de enero de 2019 del Consejo de supervisión de la Agencia para Iniciativas Estratégicas. La instrucción dice textualmente que «El Gobierno de la Federación de Rusia, con la participación del Sberbank de Rusia y otras organizaciones interesadas, debe desarrollar enfoques de la estrategia nacional para el desarrollo de la IA y presentar las propuestas apropiadas». Luego, meses después, el decreto presidencial ruso fue finalmente publicado en octubre de 2019 bajo el título «Sobre el desarrollo de la inteligencia artificial en la Federación de Rusia». Presidencia de la Federación Rusa, *La lista de instrucciones después de la reunión del consejo de supervisión de la Agencia para Iniciativas Estratégicas* (texto en ruso), 2019 [en línea], disponible en: *http://kremlin.ru/acts/assignments/orders/59758*, fecha de revisión: 21/04/2019; y Bendett, S., «Putin orders up a national AI strategy», *Defense One*, 2019 [en línea], disponible en: *https://www.defenseone.com/technology/2019/01/putin-orders-national-ai-strategy/154555, f*echa de revisión: 21/04/2019. Presidencia de la Federación Rusa, *Decreto del presidente de la federación de rusia sobre el desarrollo de la inteligencia artificial en la Federación de Rusia* (edicto presidencial en ruso), núm. 0001201910110003, de 11/10/2019 [en línea], disponible en: *http://publication.pravo.gov.ru/Document/View/0001201910110003*, fecha de revisión: 21/01/2021.

después, el ministro de Defensa de Rusia, Sergei Shoigu, señaló que los científicos militares y civiles deben unir esfuerzos para desarrollar tecnologías de IA, cuyo desarrollo es necesario para contrarrestar las posibles amenazas en el campo de la seguridad tecnológica y económica de su país[358]. En se sentido, Rusia continuará con su agenda de modernización de la defensa de 2008, con el objetivo de robotizar el 30% de su equipo militar para 2025[359].

Como resultado, Rusia creará las condiciones óptimas para el desarrollo y el uso generalizado de la robótica, los sistemas y complejos no tripulados, así como las nuevas tecnologías que utilizan IA. Asimismo, los armamentos desarrollados bajo el GPV 2027 incorporarán mejoras producto de la experiencia de combate adquirida por Rusia en Siria y Ucrania, especialmente en el ámbito de los sistemas autónomos y las capacidades de guerra electrónica. En ese sentido, ha llegado a construir módulos de combate para vehículos terrestres deshabitados que son capaces de identificar a objetivos y, potencialmente, participar en ataques de forma autónoma; también planea

---

358 El lanzamiento de la estrategia nacional para IA describe una serie de objetivos cualitativos a corto (que se completarían en 2024) y a medio plazo (en 2030) diseñados para convertir a ese país en una potencia líder en IA en materias que, entre otras, abarcan lo militar, la seguridad y defensa. A esto se suma el establecimiento de un consorcio de IA y *big data*; un fondo para programas y algoritmos analíticos; un programa de formación y educación en IA respaldado por el Estado; la puesta en marcha de un laboratorio y un centro nacional de IA. Acciones como estas, en su conjunto, demuestran cómo Rusia también está persiguiendo activamente tener una cuota importante de liderazgo global en el desarrollo de aplicaciones militares de IA. Congressional Research Service (Congreso de los Estados Unidos), *Artificial Intelligence and National, op. cit., véase páginas 25 y* 26. Sawicki, V., «Shoigu instó a los científicos militares y civiles a desarrollar conjuntamente robots y drones», *Tass (servicio de prensa del Ministerio de Defensa de la Federación Rusa)*, 2019 [en línea, texto en ruso], disponible en: *https://tass.ru/armiya-i-opk/5028777*, fecha de revisión: 21/04/2019; y Bendett, S., «In AI, Russia is hustling to catch up», *Defense One*, 2019 [en línea], disponible en: *https://www.defenseone.com/ideas/2018/04/russia-races-forward-ai-development/147178/*, fecha de revisión: 21/04/2019.

359 Klimentyev, M., «For Superpowers, Artificial Intelligence Fuels New Global Arms Race. Russia, China, US are rushing to weaponize artificial intelligence», *Wired,* 09/08/2017 [en línea], disponible en: *https://www.wired.com/story/for-superpowers-artificial-intelligence-fuels-new-global-arms-race/*, fecha de revisión: 21/01/2021.

desarrollar un conjunto de sistemas autónomos habilitados de IA, sobre todo en vehículos aéreos, navales y submarinos no tripulados que, más adelante, tengan capacidades de enjambre[360]. Se trata así de nuevos desarrollos y adquisiciones que estarían dirigidas a mantener el ritmo de las mejoras tecnológicas realizadas por sus competidores pares[361].

Por todo ello resulta claro que, aunque la fiabilidad en las plataformas terrestres y la artillería persistirá, las capacidades rusas apostarán mucho más por el desarrollo de sus sistemas autónomos y de las capacidades de defensa aérea en general, ya que, para el Gobierno ruso, las características principales de los conflictos futuros serán el uso generalizado de armas de alta precisión y de otro tipo, incluidas la robótica y la IA, y ante ese escenario Rusia no se puede permitir quedar fuera de toda la vanguardia tecnológica armamentista[362]. No obstante, hay quienes son escépticos en que el Kremlin pueda llegar a responder del todo a los avances en SAAL por parte de otros Estados. Bajo este enfoque, pareciera que es mucho más probable que Moscú busque otras dos áreas de capacidad en busca de una ventaja operativa militar comparativa con respecto a EE.UU., China y la OTAN, por ejemplo. En primer lugar, continuando con su estrategia habitual y rentable de subrayar, e incluso aumentar, su dependencia a las armas nucleares, tanto para la disuasión como para la guerra. Y, en segundo lugar, enfatizando en el área de los misiles hipersónicos, uno de los campos de armas, fuera de las nucleares, en el que está construyendo

---

360 Mizokami, K., «Kalashnikov Will Make an A.I.-Powered Killer Robot. What could possibly go wrong?», *Popular Mechanics,* 19/07/2017 [en línea], disponible en: *https://www.popularmechanics.com/military/weapons/news/a27393/kalashnikov-to-make-ai-directed-machine-guns/*, fecha de revisión: 21/01/2021. También véase Greene, T., «Russia is developing AI missiles to dominate the new arms race», *Qrius,* 01/08/2017 [en línea], disponible en: *https://qrius.com/russia-developing-ai-missiles/*, fecha de revisión: 21/01/2021.

361 Gorenburg, D., «Russia's military modernization plans: 2018-2027», *op. cit., véase página 6*.

362 Chalabov, K., «El Estado Mayor de la Federación Rusa calificó las principales características de la futura guerra», *Iz,* 24/03/2018 [en línea], disponible en: *https://iz.ru/724146/2018-03-24/genshtab-rf-nazval-glavnye-osobennosti-voiny-budushchego*, fecha de revisión: 21/04/2019.

un historial, tanto de desarrollo como de terreno, aparentemente funcional y sofisticado[363].

En cualquier caso, a lo largo de esa carrera por alcanzar el liderazgo en desarrollos armamentísticos altamente tecnificados no solo participa Rusia o EE.UU. Como veremos a continuación, China se ha convertido en otro auténtico competidor en la búsqueda por el liderazgo mundial en temas de tecnologías emergentes en el área de la seguridad y defensa, ya que el gigante asiático apuesta cada vez más por el desarrollo y la innovación de su arsenal militar a través de las ciencias de la computación, aunque aparentemente con una perspectiva más enfocada a la paz y la seguridad internacionales.

3.1.3. República Popular China

Uno de los factores que determinan el enfoque de China hacia su seguridad nacional es el deber que tiene de enfrentar los riesgos y las amenazas que la acechan. Bajo esa premisa, en mayo de 2015, la Oficina de Información del Consejo de Estado de China publicó un documento titulado *Estrategia Militar de China*, en el que describe cómo Pekín percibe su entorno de seguridad global, y reflexiona acerca del papel que juega en ese contexto y cómo el Ejército de Liberación Popular (en adelante, ELP) lo apoya[364].

El documento presenta una visión nueva acerca de los servicios del ELP y de sus dominios de seguridad emergentes, lo que transforma su postura heredada a una más centrada en la movilidad de largo alcance. China pretende salvaguardar un importante «período de oportunidades» estratégicas para su desarrollo, en el que mantendrá

---

363 Laird, B., «The Risks of Autonomous Weapons Systems for Crisis Stability and Conflict Escalation in Future US-Russia Confrontations», *Russia Matters,* 02/06/2020 [en línea], disponible en: *https://russiamatters.org/analysis/risks-autonomous-weapons-systems-crisis-stability-and-conflict-escalation-future-us-russia*, fecha de revisión: 21/01/2021.

364 Oficina de Información del Consejo de Estado de la República Popular China, *China's military strategy* [versión en inglés], Pekín, Oficina de Información del Consejo de Estado de la República Popular China, 2015 [en línea], disponible en: *http://www.ieee.es/Galerias/fichero/OtrasPublicaciones/Internacional/2015/150526_Chinaxs_Military_Strategy.pdf*, fecha de revisión: 22/04/2019, *véase página 4*.

la paz regional y mundial, y se esforzará por brindar una garantía sólida para completar la construcción de una sociedad moderadamente próspera en todos sus aspectos, logrando así el tan ansiado rejuvenecimiento de su nación. Dentro de ese «período de oportunidades» la estrategia militar de China calcula que una guerra mundial será poco probable —al menos en un futuro inmediato—, aunque entiende que el país debe estar preparado ante la posibilidad de que emerjan guerras más locales[365].

La estrategia militar refleja el impulso de Pekín para establecer un enfoque coherente y unificado para administrar su seguridad nacional en un mundo donde percibe que los intereses en expansión de China la han hecho más vulnerable tanto dentro como fuera del país[366]. A medida que surgen nuevas amenazas globales, y los ejércitos de otros Estados van ajustando cada vez más su adquisición, estrategias y estructura militares, de seguridad y de defensa, China entiende que

---

365 Agencia de Inteligencia de Defensa de los Estados Unidos de Norteamérica, *China military power. Modernizing a force to fight and win*, Washington DC, Defense Intelligence Agency, 2019 [en línea], disponible en: *https://www.dia.mil/Portals/27/Documents/News/Military%20Power%20Publications/China_Military_Power_FINAL_5MB_20190103.pdf*, fecha de revisión: 22/04/2019, *véase página 7*. Departamento de Defensa de los Estados Unidos de Norteamérica, *Military and Security Developments Involving the People's Republic of China 2020* (Informe anual ante el Congreso), sin núm., 01/09/2020, [en línea], disponible en: *https://media.defense.gov/2020/Sep/01/2002488689/-1/-1/1/2020-DOD-CHINA-MILITARY-POWER-REPORT-FINAL.PDF*, fecha de revisión: 21/01/2021, *veáse las páginas 142, 142, 144, 147, 148, 149 y 161.*

366 Al respecto, en la sección sobre «situación de la seguridad nacional» el documento afirma que, en el mundo de hoy, las tendencias globales hacia la multipolaridad y la globalización económica se están intensificando, y una sociedad de la información está surgiendo rápidamente. La paz, el desarrollo, la cooperación y el beneficio mutuo se han convertido en una marea irresistible. Se están produciendo cambios históricos en el equilibrio del poder, en la estructura de la gobernanza global, en el panorama geoestratégico de Asia y el Pacífico y en la competencia internacional en los campos económico, científico, tecnológico y militar. En el futuro previsible, una guerra mundial es poco probable, y se espera que la situación internacional permanezca en general pacífica. Sin embargo, las actividades terroristas son cada vez más preocupantes. Los problemas como los conflictos étnicos, religiosos, fronterizos y territoriales son complejos y volátiles. Por lo tanto, el mundo aún se enfrenta a amenazas inmediatas y potenciales de guerras locales. Oficina de Información del Consejo de Estado de la República Popular China, *China's military strategy*, *op. cit.*, *véase página 2*.

el ELP debe estar preparado para luchar en nuevas realidades y adaptarse al moderno campo de batalla de alta tecnología que caracteriza las conflictividades del siglo XXI.

La estrategia de defensa china reconoce que la RMA está avanzando hacia una nueva etapa, en donde, por un lado, predomina el uso de armas y equipos de largo alcance, precisos, inteligentes, sigilosos y no tripulados cada vez más sofisticados; por otro, el espacio exterior y el ciberespacio se han convertido en nuevas alturas dominantes en la competencia estratégica entre todas las partes, todo lo cual hace que la forma de guerra esté acelerando su evolución hacia la información.

Por ello, según el documento, las principales potencias mundiales están ajustando activamente sus estrategias de seguridad nacional y políticas de defensa y acelerando su transformación militar y la reestructuración de la fuerza. Todos estos cambios revolucionarios se dan, principalmente, en el área de las tecnologías militares, y no solo han tenido un impacto significativo en el campo político y militar internacionales, sino también han planteado nuevos y severos desafíos a la seguridad militar de China.

Ahora bien, aunque hoy el ELP aún está lejos de poder desplegar un gran número de fuerzas convencionales en todo el mundo, lo cierto es que China ha desarrollado capacidades nucleares, espaciales, ciberespaciales y otras que podrían llegar a los adversarios potenciales en muchas partes del mundo. Asimismo, las fuerzas militares han tomado medidas para modernizar su base de defensa industrial para garantizar que sus fuerzas estén desarrollando capacidades para cumplir con los requisitos necesarios para llevar a cabo cualquier misión en el futuro[367].

---

[367] Según las autoridades del Gobierno chino, la Administración del presidente Xi Jinping se esfuerza por ajustar y reformar los sistemas de la industria de ciencia y tecnología relacionados con la defensa y la adquisición de armas y equipos, para mejorar así su capacidad de innovación independiente en investigación y desarrollo de armas con mejor calidad y rentabilidad. China se esfuerza entonces por establecer e innovar sus sistemas de investigación y fabricación de equipos armamentistas, además de mejorar la capacitación del personal militar y el apoyo logístico que integran el ELP, y combinar todos los posibles esfuerzos militares con el apoyo civil. Ministerio Nacional de Defensa del Pueblo de la República China, *Defense Policy* (documento informativo), sin número ni fecha [en línea],

Las áreas clave de enfoque incluyen la integración civil-militar, el apoyo a operaciones de combate conjuntas y el desarrollo de armas de alta tecnología. Por ello, el Gobierno chino decidió enfatizar en las reformas de su defensa industrial, especialmente en todo aquello relacionado con el desarrollo de un complejo militar más innovador, que sea capaz de ofrecer tecnologías de vanguardia para cumplir con las futuras demandas del ELP. El aparato de investigación y desarrollo chino está estructurado para identificar y maximizar la utilidad de la ciencia y la tecnología emergentes y potencialmente disruptivas para uso militar.

Las disciplinas científicas y tecnológicas con aplicaciones militares destinadas al desarrollo incluyen, entre otras, los hipersónicos, la nanotecnología, la computación de alto rendimiento, las comunicaciones cuánticas, los sistemas espaciales, los sistemas autónomos, la IA, la robótica, el diseño de motores de ventilación (tipo turbofán o turboventilador) de alto rendimiento, o las nuevas, más eficientes y poderosas formas de propulsión[368].

Corolario de ello, en 2016, la Comisión Central Militar de China estableció la Comisión de Ciencia y Tecnología, un organismo de investigación de defensa de alto nivel, como una organización independiente, aunque bajo la tutela del Alto Mando militar. Su creación es muestra de la importancia que tiene para Pekín la «integración civil-militar», una frase que simboliza al aprovechamiento de tecnologías, políticas y organizaciones de doble uso para beneficio militar. Así, junto a la Fundación Nacional de Ciencias Naturales de China, la Academia de Ciencias de China y el Fondo del Ministerio de Ciencia y Tecnología, el Gobierno del actual presidente chino, Xi Jinping, promueve de manera coordinada la investigación básica y aplicada, la innovación científica y la integración de alta tecnología

---

disponible en: *http://eng.mod.gov.cn/Database/DefensePolicy/index.htm*, fecha de revisión: 22/04/2019.

368 Comité Central del Partido Comunista de China, *The 13th five-year plan for economic and social development of the people's Republic of China 2016-2020*, Pekín, Central Compilation & Translation Press, 2016 [en línea], disponible en: *http://en.ndrc.gov.cn/newsrelease/201612/P020161207645765233498.pdf*, fecha de revisión: 22/04/2019, *véanse páginas 63-65, 72 y 77.*

en todo el ámbito científico, de ingeniería y civil-militar en todo el complejo industrial del gigante asiático[369].

Esta modernización de China, específicamente aplicada en el campo militar, se podrá ir dando en medio de tres transiciones interconectadas: una de tierra a mar, otra en donde la proyección de poder pase de lo regional a lo global, y una que va de la guerra informatizada a la guerra inteligente. En ese sentido, autores afirman que el Gobierno chino sí apuesta por la transformación de la guerra, sobre todo a través del uso de la IA[370].

En una primera fase, la IA y el *big data analytics* mejorarán en gran medida la inteligencia y la toma de decisiones y permitirá a los operadores humanos enfocarse más en tareas que son de alto valor

---

369 Una de las áreas en las que China pretende invertir —junto al sector privado— es en el campo del manejo social. Teniendo en cuenta el principio de doble uso de las tecnologías, resulta interesante que expertos en seguridad como Meng Jianzhu, jefa de la Comisión Central del Partido Comunitario Chino para asuntos políticos y jurídicos, afirmen que su Gobierno hará uso de un *software* de IA para mejorar el área de aprendizaje automático, minería de datos y modelos informáticos que predigan dónde es probable que un crimen y el desorden puedan ocurrir. Asimismo, señaló que «La IA puede completar tareas con una precisión y una velocidad inigualables para los humanos, y mejorará drásticamente la predictibilidad, la precisión y la eficiencia de la gestión social». Mortiner, C., «China's security boss planning to use AI to stop crime before it even happens», *Independent*, 22/09/2017 [en línea], disponible en: *https://www.independent.co.uk/news/world/asia/china-ai-crimes-before-happen-artificial-intelligence-security-plans-beijing-meng-jianzhu-a7962496.html*, fecha de revisión: 22/04/2019. También, véase: Congressional Research Service (Congreso de los Estados Unidos), *Artificial Intelligence and National Security, op. cit., véase página 22.*

370 Nurkin, T., *China's advanced weapons systems* [informe], preparado para U.S.-China Economic and Security Review Commission, Jane's Information Group, 2018 [en línea], disponible en: *https://www.uscc.gov/sites/default/files/Research/Jane%27s%20by%20IHS%20Markit_China%27s%20Advanced%20Weapons%20Systems.pdf*, fecha de revisión: 22/04/2019, *véanse páginas 21, 115, 128 y 153 y capítulo 6 (definición de la autonomía como un atributo)*. También, veáse: Dahm, M., «CHINESE DEBATES ON THE MILITARY UTILITY OF ARTIFICIAL INTELLIGENCE», *War on the Rocks*, 05/06/2020 [en línea], disponible en: *https://warontherocks.com/2020/06/chinese-debates-on-the-military-utility-of-artificial-intelligence/*, *fecha de revisión: 01/07/2021.*

significativo[371]. Luego, las ciencias de lo computacional —así como otras tecnologías de la cuarta revolución industrial— permitirán la existencia de la autonomía en plataformas y sistemas, incluso con la habilidad de poder responder a cambios en su entorno operacional sin intervención humana. Y ya, en una última fase, la «guerra inteligente» introducirá enjambres de cientos de sistemas autónomos en los que cada uno tenga la capacidad de operar en conjunto con otros sistemas para alcanzar a cumplir con una misión específica en aire, mar o tierra.

Esta hoja de ruta viene marcada entonces por cuatro grandes prioridades en innovación militar:

---

371 En palabras del presidente Xi Jinping, China está dando la bienvenida a una nueva ronda de tecnología y de revolución industrial. Las nuevas tecnologías, como la IA y la ciencia cuántica, han hecho avances importantes. Por ende, Pekín promoverá la integración profunda de Internet, el uso del *big data*, la IA y la economía real, y fomentará un nuevo impulso de crecimiento en los campos de la economía digital, la economía compartida y la energía limpia. Por todo esto, es normal deducir que China se ha convertido en el competidor más cercano de países como EE.UU. en el mercado internacional de IA. Incluso, hay expertos que consideran que China busca convertirse en líder en tecnologías clave con potencial militar, como la IA, los sistemas autónomos, la computación avanzada, las ciencias de la información cuántica, la biotecnología, entre otras. En su plan de 2017 sobre el desarrollo de la IA para una próxima generación, el gigante asiático describió la IA como una tecnología estratégica que se ha convertido en un foco de competencia internacional. Según este plan, China tendría que haber desarrollado para 2020 una industria de IA central por valor de más de —aproximadamente— $ 21,7 mil millones. Obviamente, se trata de una suma referida al valor total de aspiración de la industria China de la IA. En todo caso, con este plan detalla su estrategia de utilizar entidades comerciales y militares para lograr la paridad con los líderes mundiales en IA para 2020, lograr grandes avances en esa área para 2025 y establecer al gigante asiático como líder mundial en IA para 2030. Al respecto, véase: Jinping, X. *Discurso de apertura del presidente Xi Jinping en la Cumbre de CEO de APEC* [texto en chino mandarín], Ministerio de Asuntos Exteriores de la República Popular China, 11/11/2017 [en línea], disponible en: *https://www.fmprc.gov.cn/web/zyxw/t1509676.shtml*, fecha de revisión: 22/04/2019; y, Congressional Research Service (Congreso de los Estados Unidos), *Artificial Intelligence and National Security, op. cit., véase página 21.* Departamento de Defensa de los Estados Unidos de Norteamérica, *Military and Security Developments Involving the People's Republic of China 2020, op. cit., véase páginas 142, 142, 144, 147, 148, 149 y 161.*

a. *Robótica militar y sistemas no tripulados*. El uso de estos sistemas servirá como una «punta de lanza» para introducir una presencia persistente en aguas o territorios en disputa. También es factible que los submarinos de próxima generación aprovechen los sistemas inteligentes no tripulados para llegar a ser más prominentes en el dominio marítimo.

b. Mientras tanto, parte del sector privado chino que anda en la búsqueda de automóviles que conduzcan por cuenta propia seguirá produciendo sus desarrollos en el área, al mismo tiempo que los esfuerzos paralelos que sobre vehículos terrestres no tripulados inteligentes vienen haciendo empresas especializadas de otros países. Además, el ELP está en camino de implementar sistemas no tripulados más avanzados con grados crecientes de autonomía, al tiempo que también exportará esos sistemas a todo el mundo, asegurando su proliferación a una gama de actores estatales y no estatales.

c. *Armas de energía dirigida*, muchas de ellas destinadas potencialmente para su uso inicial como sistemas antimisiles. Esta delicada capacidad de eliminación suave también podría aplicarse como un arma antisatélite, o ser colocada en una ojiva para superar las defensas aéreas del enemigo.

d. *IA*, especialmente útil para la planificación, el apoyo a las decisiones inteligentes y el comando operacional[372]. Así, la IA acelerará el proceso de transformación militar, provocando cambios fundamentales en la programación de las unidades militares, los estilos operativos, los sistemas de equipos y los modelos de combate y de generación de energía, todo lo cual, en opinión de

---

372 Centro de Comando de Combate Conjunto de la Comisión Militar Central China, *Acelerar la construcción de un sistema de comando operacional conjunto con las características de nuestros militares* [texto en chino mandarín] (estudio en profundidad e implementación del discurso del Presidente Xi Jinping al inspeccionar el Comité Central Conjunto del Partido Comunista Chino), 15/08/2016 [en línea] disponible en: *http://www.qstheory.cn/dukan/qs/2016-08/15/c_1119374690.htm*, fecha de revisión: 22/04/2019.

funcionarios del Gobierno chino, lleva a una profunda revolución militar[373].

La investigación y el desarrollo chinos seguirán avanzando en una gama de aplicaciones militares de IA, incluidos sistemas no tripulados inteligentes y autónomos, procesamiento de información y análisis de inteligencia, juegos de guerra, simulación y entrenamiento, y de armas de defensa, ofensivas y de mando en la guerra de la información[374].

e. *Tecnologías cuánticas* de doble uso que también podrán tener implicaciones militares y estratégicas a largo plazo. En China, la dirección del desarrollo en el futuro de estas tecnologías requiere el uso de satélites de retransmisión para realizar comunicaciones y control cuánticos que cubran todas las operaciones del Ejército[375].

La cultura militar china, dominada por la autoridad de mando centralizada y la desconfianza de los subordinados, a *priori* puede resultar resistente a la adopción de sistemas autónomos o la integración de herramientas de toma de decisiones generadas por IA. Sin embargo, es innegable que el gigante asiático tiene la intención de ser el primer

---

373 Guozhi, L., *La inteligencia artificial acelerará el proceso de transformación militar* (declaración, texto en chino mandarín), Asamblea Popular Nacional de China, 07/03/2017 [en línea], disponible en: *http://jz.chinamil.com.cn/zhuanti/content/2017-03/07/content_7517615.htm*, fecha de revisión: 22/04/2019; y Kania, E., «The pla's trajectory from informatized to "intelligentized" warfare», *The Strategy Bridge*, 08/06/2017 [en línea], disponible en: *https://thestrategybridge.org/the-bridge/2017/6/8/-chinas-quest-for-an-ai-revolution-in-warfare#_ednref6*, fecha de revisión: 22/04/2019.

374 Kania, E., «New frontiers of Chinese defense innovation: Artificial intelligence and quantum technologies», *SITC Research Briefs*, 2018, núm. 10 [en línea], disponible en: *https://cloudfront.escholarship.org/dist/prd/content/qt66n8s5br/qt66n8s5br.pdf?t=p9k9xh&v=lg*, fecha de revisión: 22/04/2019, *véanse páginas 2 y 3*.

375 Gobierno de Canadá, *Innovations militaires de l'armée chinoise dans le secteur des nouvelles technologies*, 11/05/2018 [en línea], disponible en: *https://www.canada.ca/fr/service-renseignement-securite/organisation/publications/la-chine-a-lere-de-la-rivalite-strategique/innovations-militaires-de-larmee-chinoise-dans-le-secteur-des-nouvelles-technologies.html*, fecha de revisión: 22/04/2019.

país del mundo en la investigación, el desarrollo y la innovación, bajo un esfuerzo unificado, de aplicaciones de IA en el área militar, con miras a obtener una clara ventaja a nivel global frente a países que han sido, tradicionalmente, líderes en el área. Sin embargo, se trata de esfuerzos que, a nivel operativo, pueden llegar a tener ciertas deficiencias[376]. Algunos analistas caracterizan la gestión del financiamiento del gobierno chino como ineficiente y corrupta, además de que más de la mitad de los científicos de datos en ese país tienen menos de 5 años de experiencia, y pocas universidades chinas gradúan expertos y producen resultados de investigación centrados en la IA aplicada en la esfera militar, seguridad y de defensa. En cualquier caso, es evidente que China seguirá impulsando esfuerzos para ir resolviendo estas deficiencias y lograr así sus objetivos estratégicos, sobre todo invirtiendo importantes recursos para financiar la investigación y subsidiar empresas involucradas en campos estratégicos de ciencia y tecnología al tiempo de exhortar a empresas privadas, universidades y gobiernos provinciales para que cooperen con el ejército en el desarrollo de tecnologías avanzadas[377].

3.1.4. La OTAN

En 2010, los Estados miembro de la Alianza aprobaron su «concepto estratégico» en un documento oficial que describe el propósito y la naturaleza perdurables de la OTAN y sus tareas fundamentales en temas de seguridad[378]. También identifica las características centrales

---

376 Congressional Research Service (Congreso de los Estados Unidos), *Artificial Intelligence and National Security, op. cit., véase página 24.*

377 Departamento de Defensa de los Estados Unidos de Norteamérica, *Military and Security Developments Involving the People's Republic of China 2020, op. cit., véase página 144.* También véase: Bommakanti, K. y Gowdara, A., «China's Military Modernisation: Recent Trends», *ORF Occasional Paper,* Observer Research Foundation, vol. 314, 2021, pp. 1-38, disponible en: *https://orfonline.org/wp-content/uploads/2021/05/ORF_OccasionalPaper_314_ChinaMilitary.pdf*, fecha de revisión: 01/07/2021.

378 North Atlantic Treaty Organization, *Strategic Concept For the Defence and Security of The Members of the North Atlantic Treaty Organisation* (adoptado por los Jefes de Estado y de Gobierno de la Alianza en Lisboa), 2010 [en línea], disponible en: *https://www.nato.int/lisbon2010/strategic-concept-2010-eng.pdf*, fecha de revisión: 22/04/2019.

del nuevo entorno de seguridad, especifica los elementos del enfoque de protección y defensa, y proporciona pautas para la adaptación de sus fuerzas militares.

El documento estratégico identifica la defensa colectiva, la gestión de crisis y la seguridad cooperativa como las tres tareas básicas que la Alianza debe desarrollar para velar por la seguridad de sus miembros. En ese sentido, advierte que una serie de importantes tendencias relacionadas con la tecnología, incluido el desarrollo de armas láser, la guerra electrónica y los sistemas que impiden el acceso al espacio, tienen importantes efectos globales que impactan en la planificación y las operaciones militares de la OTAN.

Por ende, la Alianza se compromete a tener todas las capacidades necesarias para disuadir y/o defenderse de cualquier amenaza a la seguridad y la protección de sus poblaciones. Del mismo modo, debe asegurarse de estar a la vanguardia en la evaluación del impacto que traen consigo las tecnologías emergentes en temas de seguridad, y de velar además porque la planificación militar tenga en cuenta todas las amenazas potenciales posibles.

Sobre la base de ese concepto la Alianza ha ido trabajando durante años en la creación de una estrategia en el campo de la ciencia y la tecnología. Esto es así ya que el corazón de la estrategia de la OTAN exige la habilitación y la mejora de capacidades militares, invirtiendo de manera suficiente y sabia en la ciencia y la tecnología. Por ello, el descubrimiento, el desarrollo y la utilización de conocimientos avanzados en áreas como estas son considerados por la Alianza como un elemento fundamental para llegar a tener ventaja tecnológica frente a sus adversarios[379]. La Alianza apuesta así por el mantenimiento de esa primacía, y para ello ha de aprovechar los conocimientos avanza-

---

379 North Atlantic Treaty Organization, *NATO Science & Technology Strategy Sustaining Technological Advantage*, 27/07/2018 [en línea], disponible en: *https://www.nato.int/nato_static_fl2014/assets/pdf/pdf_2018_07/20181107_180727-ST-strategy-eng.pdf*, fecha de revisión: 22/04/2019, *véanse páginas 3 y 4*. North Atlantic Treaty Organization, *Robots Underpinning Future. NATO Operations,* The NATO Science and Technology Organization, informe técnico núm. STO-TR-SAS-097, 2018 [en línea], disponible en: *https://apps.dtic.mil/dtic/tr/fulltext/u2/1062079.pdf*, fecha de revisión: 22/04/2019, *veánse las páginas 2-2, 5-1, 6-5 y 6-1.*

dos y las tecnologías disruptivas emergentes, en tanto que representan grandes oportunidades en la organización.

Para las Fuerzas Armadas de los países miembros de la OTAN, las tecnologías disruptivas transforman las capacidades y los métodos de defensa, cambiando así el equilibrio de fuerzas y desestabilizando las capacidades del oponente. Por ello, aunque sean tecnologías emergentes que estén fuertemente impulsadas por inversiones e intereses comerciales, la OTAN considera que igualmente debe aprovecharlas, porque solo así podrá llegar a cumplir con los estándares de capacidad militar necesarios para garantizar su seguridad y defensa, y con ello lograr minimizar cualquier vulnerabilidad que exista en su contra.

Para lograr esa meta, la OTAN cuenta con la Organización de la Ciencia y la Tecnología (en adelante, STO, por las siglas en inglés de Science and Technology Organization), un órgano subsidiario de la Alianza, creado en el marco del Tratado del Atlántico Norte firmado en Washington en 1949[380]. Esta entidad tiene como fin satisfacer las necesidades colectivas de la OTAN, sus Estados miembro y de las naciones socias, específicamente en los campos de la ciencia y la tecnología.

Esta organización, tras años de esfuerzos, creó en 2018 una estrategia destinada a garantizar el sostenimiento de la ventaja tecnológica de la Alianza. El texto refina la visión y la misión de la STO de la OTAN y establece tres objetivos generales para ayudar a sostener la ventaja tecnológica de la Alianza: 1) acelerar la mejora y el desarrollo de capacidades; 2) ofrecer asesoramiento oportuno y específico; y, 3) construir capacidad a través de asociaciones.

Bajo esa perspectiva, la cultura de la ciencia y la tecnología ha de fomentar la colaboración y la investigación interdisciplinarias en las que un rico intercambio de ideas y resultados de investigación inspire enfoques, capacidades y utilización de tecnología innovadores. Así, los objetivos de la estrategia deben trabajar para hacer de la STO un entorno de aprendizaje para científicos, ingenieros y analistas, en

---

380 *The Science and Technology Organization (STO)* (página web), disponible en: *https://www.sto.nato.int/Pages/default.aspx*, fecha de revisión: 23/04/2019.

el que crezcan sus conocimientos y habilidades científicas y técnicas sobre capacidades militares y sus impactos operativos.

Esto contribuye directamente a mejorar la aptitud de los expertos de la OTAN para identificar y explotar tecnologías y fenómenos emergentes que sean útiles para cubrir las necesidades y las prioridades nacionales de los Estados miembro y de la Alianza. Además, el acceso a una amplia red de científicos e ingenieros de la OTAN aumenta la probabilidad de que sus países miembros —y la propia Alianza— se encuentren en una posición ventajosa para explotar las innovaciones comerciales rápidamente y para beneficio mutuo.

La estrategia contiene además líneas de esfuerzos destinadas a formular conceptos operacionales ágiles, robustos y resistentes, y programas flexibles de capacidades militares que puedan adaptarse a las demandas de cualquier misión[381]. Además, en opinión de la STO, el éxito de la Alianza dependerá a su vez de la preparación de sus fuerzas, las habilidades de toma de decisiones de los líderes y los conceptos y enfoques innovadores para su utilización.

Todo ello se traduce en que cualquier acción basada en la estrategia de la STO ha de fomentar, entre otros valores, la interoperabilidad, una vía de colaboración temprana en el desarrollo, la adaptación o la adopción de tecnologías militarmente relevantes, así como también facilitar enfoques de diseño comunes, consideraciones arquitectónicas y aplicaciones operativas. La comprensión compartida de las opciones tecnológicas relevantes aumentará la probabilidad de seleccionar soluciones sincronizadas y de impulsar la evolución de estándares comunes entre Estados miembro de la Alianza[382].

Ahora bien, basados en el programa de trabajo y en la estrategia de la STO, los programas de la OTAN deben servir para habilitar capacidades futuras incorporando el conocimiento científico y la innovación

---

381 Las líneas de esfuerzos de la OTAN son: (1) mantenerse a la vanguardia de la ciencia y la tecnología; (2) forjar y nutrir asociaciones efectivas; (3) promover prototipos y demostraciones de tecnología; (4) mejorar la toma de decisiones de la Alianza; y (5) centrarse en las necesidades de la Alianza para impulsar el impacto de su actuación. North Atlantic Treaty Organization, *NATO Science & Technology Strategy Sustaining Technological Advantage*, *op. cit.*, *véase página 1.*

382 *Ibid.*, *véanse páginas 6 y 7.*

tecnológica en la definición, el desarrollo, la demostración, la mejora, la reducción de costos y la evaluación de fortalezas sostenibles en defensa y seguridad, para que sean de por sí conectadas e interoperables. Ello requiere la identificación temprana de tecnologías relevantes y demostraciones robustas, y la experimentación con prototipos avanzados para permitir una transición rápida.

Siguiendo este enfoque, la OTAN estableció en 2016 una lista de diez prioridades en el campo de la ciencia y la tecnología. Entre ellas incluyó la autonomía desde una perspectiva de sistema[383]. Luego, en 2017, la STO la categorizó además como una futura capacidad militar de la Alianza dentro del esquema de su programa de actividades de trabajo. Su estudio busca determinar cuáles serían los avances necesarios para habilitar máquinas inteligentes y la capacidad de la Alianza para trabajar con estas.

Dentro de los objetivos generales de la prioridad se encuentran tres subyacentes: a) comprender qué niveles de interdependencia «humano-máquina» están actualmente habilitados por el *state of the art* en autonomía; b) examinar en qué parte los aumentos en la autonomía o la interoperabilidad «humano-máquina» pueden causar una mejora en las aplicaciones existentes o en las más novedosas; c) evaluar los avances, las limitaciones, las deficiencias y los problemas pendientes de la ciencia y la tecnología que, por un lado, sean resultantes de los dos primeros objetivos, y por otro, marquen el camino a seguir[384].

El énfasis del abordaje se enlaza a tres áreas estratégicas, a saber, la IA, la planeación y ejecución de sistemas de misiones autónomas y el posible trabajo en equipo «humano-máquina autónoma». Ahora

---

383 North Atlantic Treaty Organization, *2016 NATO Science & Technology Priorities*, 2016 [en línea], disponible en: *https://www.sto.nato.int/NATODocs/NATO%20Documents/Public/2016-NATO-Science-and-Technology-Priorities-Public-Release.pdf*, fecha de revisión: 23/04/2019, *véase página 8*.

384 North Atlantic Treaty Organization, *2018 highlights. Empowering the Alliance's Technological Edge*, 2017 [en línea], disponible en: *https://www.nato.int/nato_static_fl2014/assets/pdf/pdf_topics/20180522_STO_Annual_Report_2017.pdf*, fecha de revisión: 23/04/2019, *véanse páginas 14 y 15*. También véase North Atlantic Treaty Organization, *Science & Technology Trends 2020-2040*, marzo 2020 [en línea], disponible en: *https://www.nato.int/nato_static_fl2014/assets/pdf/2020/4/pdf/190422-ST_Tech_Trends_Report_2020-2040.pdf*, fecha de revisión: 21/01/2021, *véase desde la página 61 a la 68*.

bien, debido al carácter interdisciplinar de su estudio, otras áreas de conocimiento también se encuentran vinculadas a la investigación, el desarrollo y la innovación en el área de la autonomía (por ejemplo, las matemáticas, la estadística, la teoría de la información, la teoría de sistemas, la lógica, la mecánica clásica, la acústica, la óptica, los materiales, la fisiología humana, la ciencia política, la sociología, la antropología y la psicología).

Lo anterior demuestra que la OTAN es una institución que procura la innovación de sus capacidades militares, de seguridad y defensa. Las actividades relacionadas con el avance tecnológico disruptivo para aplicaciones de uso civil y militar son una parte importante del programa de la STO. El núcleo de su estrategia pasa por la inversión en áreas como la autonomía y la IA. La posibilidad de diseñar sistemas con alto grado de autonomía en sus funciones, y que puedan interactuar en misiones junto a soldados humanos, más pronto que tarde será un hecho.

Esta tendencia representa en la organización una oportunidad para apoyar las actividades de investigación y desarrollo de vanguardia relacionadas con la seguridad y la defensa, que brinden beneficios mutuos tanto a la OTAN como a sus Estados miembro y asociados. La Alianza, a través del desarrollo de sistemas de armas autónomas, pretende tener toda una gama de capacidades necesarias para disuadir —y defenderse de— cualquier amenaza a la seguridad de sus propias poblaciones. No obstante, reconoce de antemano igualmente que la IA, como una tecnología emergente y disruptiva que es clave para el desarrollo de los SAAL, implica grandes riesgos y desafíos a tener en cuenta[385]. Por tanto, sin abandonar sus objetivos geoestratégicos y globales, la OTAN no solo ha tomado nota de los peligros y retos que

---

385 North Atlantic Treaty Organization, *The NATO Science for Peace and Security (SPS) Programme* (Informe Anual 2017, Edición Especial del 60.º Aniversario), División de Desafíos de Seguridad Emergentes, 2017 [en línea], disponible en: *https://www.nato.int/nato_static_fl2014/assets/pdf/pdf_2018_11/20181126_SPS-Annual-Report-2017.pdf*, fecha de revisión: 23/04/2019, *véanse páginas 55 y ss.*; y Husniaux, A., «Looking forward. A research Agenda for NATO», en Williams, A. P. y Scharre, P. D. (eds.), *Autonomous systems. Issues for defence policymakers*, La Haya, NATO Communications and Information Agency, 2015, disponible en: *https://www.act.nato.int/images/stories/media/capdev/capdev_02.pdf*, fecha de revisión: 07/04/2019, *véanse páginas 318-321*.

las ciencias de la computación implican en la actualidad, sino además, ha decidido apostar por su liderazgo en el impulso y desarrollo de un nivel aceptable de consenso global sobre el establecimiento de reglas básicas comunes en la gobernanza de la transformación de la IA, sobre todo cuando es aplicada al área de seguridad y defensa[386]. En todo caso, quedará por ver cuál será el recorrido que tendrá esta apuesta institucional de la Alianza, sobre todo teniendo en cuenta lo difícil que será para sus Estados miembros ponerse de acuerdo en los aspectos jurídicos, científicos, estratégicos y políticos más básicos relacionados con el tema, en un contexto donde estos países se encuentran de por sí en etapas diferentes a la hora de de reflexionar sobre la investigación, el desarrollo, la innovación y el uso de las tecnologías emergentes y disruptivas en el contexto militar.

3.1.5. La UE

Tras la presentación, en mayo de 2013, del informe de la Relatoría Especial sobre ejecuciones extrajudiciales, sumarias o arbitrarias del Consejo de Derechos Humanos de la ONU relativo a los LAR y la protección de la vida, la Unión Europea (en adelante, UE) tomó la decisión de abordar en profundidad este asunto en el seno de sus instituciones.

A partir de entonces, la organización internacional comprendió la importancia del debate sobre los SAAL, apostando así por su discusión amplia y reflexiva habida cuenta del alto impacto que tienen

---

386 Kasapoğlu, C. y Kirdemir, B., «Artificial intelligence and the future of conflict», Valášek, T. (ed.), *New perspectives on shared security: NATO's next 70 years*, Washington, Carnegie Endowment for International Peace, 2019, disponible en: *https://carnegieendowment.org/files/NATO_int_final1.pdf*, fecha de revisión: 21/01/2021. También ver: North Atlantic Treaty Organization, *NATO 2030; United for a New Era*, noviembre 2020 [en línea], disponible en: *https://www.nato.int/nato_static_fl2014/assets/pdf/2020/12/pdf/201201-Reflection-Group-Final-Report-Uni.pdf*, fecha de revisión: 07/05/2021, *véanse las páginas 29, 30 y 31*; y, Sprenger, S., «NATO tees up negotiations on artificial intelligence in weapons», *c4isrnet*, 27/04/21 [en línea], disponible en: *https://www.c4isrnet.com/artificial-intelligence/2021/04/27/nato-tees-up-negotiations-on-artificial-intelligence-in-weapons/*, fecha de revisión: 07/05/2021.

en la sociedad[387]. En ese sentido, en noviembre de ese mismo año, la UE manifestó su aprobación a la iniciativa de que se abordara el tema de los SAAL en el marco de la CCW o de cualquier otro órgano de la Oficina de Asuntos de Desarme del Sistema de la ONU[388].

Ahora bien, teniendo en cuenta las particularidades de una organización tan sui géneris como la UE, resulta evidente que la labor de reflexionar acerca de los SAAL en esa organización para poder alcanzar una única posición como unión no ha sido una tarea fácil. El auge de los sistemas autónomos, de la IA y/o de la robótica en general ha sucedido dentro de la UE a la par de un mosaico de iniciativas arriesgadas, precipitadas y mal enfocadas en sus instituciones, que ha dado pie a la elaboración de informes, directrices políticas y guías de buenas prácticas comunitarias, muchas de ellas llenas de confusiones conceptuales, a tal punto que sus contenidos pueden llegar a contradecirse sustancialmente entre sí.

A pesar de ello, la puesta en marcha de esas iniciativas demuestra el interés de la UE en buscar alternativas que permitan regular no solo a los SAAL directamente, sino además al resto de tecnologías (como la IA o la robótica, por ejemplo) que también son precursoras indirectas de la investigación, el desarrollo y la innovación de estos sistemas autónomos.

Por todo lo anterior, a continuación, se analizarán los principales documentos oficiales de las principales instituciones de la UE que es-

---

387 *Declaración de la Unión Europea ante la 23.ª sesión del Consejo de Derechos Humanos de la ONU*, en el marco del diálogo interactivo son el relator especial sobre ejecuciones extrajudiciales, sumarias o arbitrarias, de 30 de mayo de 2013 [en línea], disponible en: *http://stopkillerrobots.org/wp-content/uploads/2013/11/HRC_EU_09_30May2013.pdf*, fecha de revisión: 24/04/2019, *véanse páginas 1 y 2*.

388 *Declaración de la Unión Europea*, reunión anual de 2013 de las Altas Partes contratantes de la CCW, 14 de noviembre de 2013 [en línea], disponible en: *https://www.unog.ch/80256EDD006B8954/(httpAssets)/64E999B619A08087C1257CE5004E12F7/$file/EU_MSP+2013_statement.pdf*, fecha de revisión: 24/04/2019; y *Declaración de la Unión Europea*, 69.ª sesión del Primer Comité de la Asamblea General de la ONU en la discusión temática sobre «armas convencionales», de 21 de octubre de 2014 [en línea], disponible en: *http://reachingcriticalwill.org/images/documents/Disarmament-fora/1com/1com14/statements/21Oct_EU.pdf*, fecha de revisión: 24/04/2019, *véanse las páginas 6 y 7*.

tarían vinculados, de manera directa y transversal, al desarrollo de las tecnologías emergentes en el área de los SAAL. A tal efecto, se partirá abordando las iniciativas sobre derecho, robótica e IA que han sido aprobadas dentro de la UE. Luego, se analizarán las resoluciones emitidas por el Parlamento Europeo específicamente acerca de los SAAL. Finalmente, se presentarán algunas reflexiones acerca de cómo el desarrollo de los sistemas armamentísticos autónomos puede ser, por un lado, una prioridad y, por otro, una preocupación a la luz de la estrategia global para la política exterior y de seguridad de la UE.

a) Iniciativas sobre derecho, robótica e IA en la UE

En mayo de 2013, el Departamento de Política de la Dirección General de Políticas Externas de la UE, por requerimiento del Subcomité de Derechos Humanos del Parlamento Europeo, publicó un *estudio acerca de las implicaciones que, sobre los derechos humanos*, trae consigo el uso de drones y robots no tripulados en la guerra. Este documento fue elaborado por Nils Melzer, entonces asesor y miembro principal del Centro de Política de Seguridad de Ginebra y hoy relator especial sobre la tortura y otros tratos o penas crueles, inhumanos o degradantes del Consejo de Derechos Humanos de la ONU[389].

El estudio representa uno de los primeros documentos técnico-políticos en los que la UE ha proporcionado una visión general sobre el uso actual —y probable en el futuro— de los RPAS, así como también de otros sistemas en los que los Estados continúan invirtiendo significativamente en el incremento de su autonomía operacional.

El informe se enfoca principalmente en el examen de las implicaciones jurídicas relevantes de estos sistemas de acuerdo con el DIDH, el DIH y la Carta de Naciones Unidas. Desde esa perspectiva, el estudio advierte que en la sociedad existe incertidumbre acerca de cuáles son los estándares jurídicos aplicables, el rápido desarrollo y la proliferación de la tecnología vinculada a los drones y la robótica en general, así como también con respecto a la percepción de falta

---

389 Melzer, N., *Human rights implications of the usage of drones and unmanned robots in warfare*, Bruselas, Unión Europea, 2013, disponible en: *http://www.europarl.europa.eu/RegData/etudes/etudes/join/2013/410220/EXPO-DROI_ET(2013)410220_EN.pdf*, fecha de revisión: 24/04/2019.

de transparencia y de responsabilidad en las políticas actuales en la materia, en tanto que tienden más a polarizar la comunidad internacional y, en última instancia, a desestabilizar el entorno de seguridad internacional en su conjunto.

El documento presenta una serie de recomendaciones para su posterior inclusión en la política exterior europea, entre las cuales está el llamado a que la UE inicie un amplio diálogo intergubernamental con el objetivo de lograr un consenso internacional en el área, sobre todo en relación con las normas jurídicas que deberían regir el uso de los RPAS actualmente operativos, y con las restricciones jurídicas y/o reservas éticas que deberían aplicarse al desarrollo, la proliferación y el uso futuro de sistemas de armas cada vez más autónomos (a saber, SAAL)[390].

Paralelamente al estudio anterior, entre marzo de 2012 y mayo de 2014, la Comisión Europea impulsó financieramente un *proyecto sobre la regulación de las tecnologías robóticas emergentes en Europa*[391]. *Esta iniciativa culminó con la aprobación de un informe final*

---

390 El estudio también fue presentado el 1 de septiembre de 2013 en un seminario organizado por la Oficina de Asuntos de Desarme de la ONU y en cooperación con Jean-Hugues Simon-Michel, entonces embajador y representante permanente de Francia ante la Conferencia de Desarme y futuro presidente de la reunión anual de 2013 de las Altas Partes contratantes de la CCW que luego se celebró en noviembre de ese año en la ciudad de Ginebra (Suiza). Resulta interesante este dato, ya que el evento de septiembre de 2013 fue el principal acto auspiciado por el embajador Simon-Michel para promover entre los Estados la iniciativa de incluir el tema de los SAAL en la agenda de trabajo de la CCW. El estudio de Melzer fue útil en ese sentido, ya que en el seminario provocó muchas cuestiones entre las delegaciones asistentes al acto, y visibilizó además una serie de preocupaciones y retos que animaron a los Estados a aceptar seguir con las discusiones sobre los SAAL en el marco de la CCW. Al respecto, Misión Permanente de Francia ante la Oficina de las Naciones Unidas en Ginebra, «Séminaire sur les systèmes d'armes entièrement autonomes» (nota de prensa), 03/09/2013 [en línea], disponible en: *https://cd-geneve.delegfrance.org/03-09-2013-Seminaire-sur-les,692*, fecha de revisión: 24/04/2019.

391 RoboLaw, *Regulating Emerging Robotic Technologies in Europe: Robotics facing Law and Ethics* (proyecto), núm. 289092, 22/09/2014 (SSSA y Comisión Europea) [en línea], disponible en: *http://www.robolaw.eu/RoboLaw_files/documents/robolaw_d6.2_guidelinesregulatingrobotics_20140922.pdf*, fecha de revisión: 24/04/2019.

de fecha 22 de septiembre de 2014, que contiene una propuesta de directrices de la UE sobre la regulación de la robótica.

El documento ofrece un examen profundo de los problemas éticos y jurídicos planteados por las aplicaciones robóticas, y proporciona a los legisladores europeos y nacionales algunas pautas sobre cómo podrían abordarlos y regularlos. A tal efecto, los expertos miembros del proyecto RoboLaw investigaron las formas en que las tecnologías emergentes —en el campo de la biorobótica— influyen en los sistemas jurídicos nacionales y europeos, desafiando así las categorías y calificaciones jurídicas tradicionales, planteando riesgos para los derechos y las libertades fundamentales que deben ser considerados por las instituciones europeas y, de manera más general, exigiendo una base regulatoria sobre la cual puedan desarrollarse y desplegarse estos dispositivos.

Además, el informe incluye un análisis exhaustivo de cuál era el estado real de la regulación de ese entonces relacionada con la robótica en diferentes sistemas jurídicos, con la intención de tratar de responder a la pregunta de si la sociedad necesita —o no— una nueva regulación para tratar los problemas que plantean las tecnologías robóticas.

Después de profundas reflexiones al respecto, el proyecto indicó que desde entonces muchos expertos en el área a menudo cuestionan la idoneidad de las normas existentes en el derecho vigente para regular la robótica, sobre todo basándose en consideraciones puramente técnicas relacionadas con la autonomía o la capacidad de aprendizaje de los robots. Este tipo de enfoque categoriza a los robots como un asunto «excepcional» y, por ende, refleja una aparente necesidad de que sean desarrolladas soluciones alternativas y reglas de responsabilidad en la materia.

Ahora bien, el documento precisa que la pertinencia de una regulación *ad hoc* no solo tiene que evaluarse en función de los aspectos intrínsecos relacionados con el diseño de los robots (criterio ontológico). También, es posible que dependa de consideraciones relacionadas con las funciones que desempeñan y la utilidad que aportan a la sociedad (criterio funcional).

Por ello, el informe sugiere que cualquier análisis general sobre los robots, así como de las tecnologías vinculadas a ellos, debe enmarcarse más bien en una perspectiva funcional, y la conveniencia —así como la posibilidad— de adoptar un sistema alternativo o solución jurídica debe basarse en consideraciones políticas una vez que se haya identificado el resultado social deseado y se evalúen y ponderen los valores relevantes —algunos incluso de carácter constitucional—.

El proyecto finaliza sugiriendo, entre otros asuntos, que la UE se convierta en un espacio democrático en el que se pueda adoptar un marco coherente acordado a nivel europeo que sirva para fomentar la innovación en el dominio robótico y dé al mercado comunitario correspondiente un impulso competitivo importante frente a los mercados externos. Este exhorto, junto al resto de recomendaciones, va dirigido a los responsables políticos europeos con la intención de promover una base técnicamente viable, aunque también ética y jurídicamente sólida para futuros desarrollos robóticos.

Ahora bien, debido al rápido desarrollo de ciertas características autónomas y cognitivas, expertos consideran que la regulación civil es una de las primeras ramas del derecho comunitario que debe ser reformada para así tratar de manera más eficiente la tecnología robótica. Para ello, posiblemente el derecho civil de la UE ha de apartarse de sus teorías de responsabilidad tradicionales, que incluyen los modelos de responsabilidad por productos, negligencia y responsabilidad estricta[392]. Todo esto implica la necesidad de que sea desarrollado en la UE un régimen de responsabilidad civil proporcional que pueda garantizar una clara división de responsabilidades entre los diseñadores, los fabricantes, los proveedores de servicios y los usuarios finales.

En ese sentido, en febrero de 2017, el Parlamento Europeo aprobó una resolución contentiva de recomendaciones destinadas a la Comisión, relativas a *las normas de derecho civil sobre robótica*[393]*. El texto propuso, entre otras cosas, lo siguiente:*

---

392 Kritikos, M., «Artificial intelligence ante portas: Legal & ethical reflections», *Servicio de Investigación del Parlamento Europeo*, 2019 [en línea], disponible en: *http://www.europarl.europa.eu/RegData/etudes/BRIE/2019/634427/EPRS_BRI(2019)634427_EN.pdf*, fecha de revisión: 25/04/2019, *véanse páginas 3 y 5*.

393 Parlamento Europeo, *Resolución del Parlamento Europeo, de 16 de febrero de 2017, con recomendaciones destinadas a la Comisión sobre normas de Derecho civil sobre robótica (2015/2103[INL])*, núm. P8_TA(2017)0051, 16/02/2017

- El establecimiento de un régimen de seguro obligatorio para categorías específicas de robots, en el que los fabricantes o los propietarios de estos dispositivos estén obligados a suscribir un contrato de seguro por los posibles daños y perjuicios causados por sus robots;
- La constitución de un fondo de compensación que garantice, al menos, la reparación de los daños o perjuicios causados por un robot ante la ausencia de un seguro;
- La asignación de un número de matrícula individual que figure en un registro específico de la UE que asegure la asociación entre el robot y el fondo del que depende, pero que permita también que cualquier persona que interactúe con ese robot esté al corriente de la naturaleza del fondo, los límites de su responsabilidad en caso de daños materiales, los nombres y las funciones de los participantes y otros datos pertinentes; y,
- La creación a largo plazo de un estado jurídico específico para los robots, de modo tal que al menos los robots autónomos más complejos o sofisticados puedan establecerse como personas electrónicas responsables de reparar cualquier daño que puedan causar, y posiblemente aplicar la personalidad electrónica a los casos en que los robots tomen decisiones autónomas o interactúen con terceros de manera independiente.

Este documento resulta interesante en tanto que fija una posición jurídica y política acerca de supuestos, términos y conceptos que, *a priori*, resultan útiles en el ámbito material de la resolución (el campo del derecho civil comunitario). Sin embargo, no deja de ser preocupante su contenido si, en un futuro previsible, dichas normas puedan ser trasplantadas —*mutatis mutandi*— al área de los SAAL.

Un sistema de arma letal con un alto grado de autonomía en sus funciones críticas no deja de ser un robot con la capacidad de tomar decisiones y aplicarlas en el mundo exterior, con independencia de

---

[en línea], disponible en: *http://www.europarl.europa.eu/sides/getDoc.do?pubRef=-//EP//NONSGML+TA+P8-TA-2017-0051+0+DOC+PDF+V0//ES*, fecha de revisión: 25/04/2019.

todo control o influencia externos[394]. Siendo así, cabría preguntarse: ¿sería prudente aplicar el estatus jurídico de «persona electrónica» a los sistemas robóticos armados? Basado en el principio de doble uso de las tecnologías, *a priori*, ese planteamiento no sería tan descabellado. Sin embargo, el asunto no deja de ser un problema para aquellos quienes lo enfocan desde una perspectiva moral, ética y humanitaria.

Está claro que los avances en IA, robótica y tecnologías autónomas han dado lugar a una serie de cuestiones morales cada vez más urgentes y complejas. Esto subraya la necesidad de que su abordaje se dé además mediante esfuerzos colectivos, amplios e inclusivos de reflexión y diálogo, orientados al bien común y que se centren en los valores en torno a los cuales los seres humanos desean organizar su sociedad y en el papel que las tecnologías deben desempeñar en ella.

Bajo ese enfoque, en marzo de 2018, el Grupo Europeo de Ética en la Ciencia y las Nuevas Tecnologías (en adelante, EGE, por las siglas en inglés de European Group on Ethics in Science and New Technologies)[395] publicó una *declaración sobre la IA, la robótica y los siste-*

---

394 Véase la definición de «autonomía» expuesta en la resolución. Parlamento Europeo, *Resolución del Parlamento Europeo, de 16 de febrero de 2017, con recomendaciones destinadas a la Comisión sobre normas de Derecho civil sobre robótica (2015/2103[INL]), op. cit., véanse páginas 5 y 6.*

395 Es un órgano consultivo independiente y multidisciplinario del presidente de la Comisión Europea. Fue fundado en 1991. Su mandato consiste en asesorar sobre todos los aspectos de las políticas de la Comisión donde las cuestiones éticas, sociales y de derechos fundamentales se entrecruzan con el desarrollo de la ciencia y las nuevas tecnologías. Más información disponible en Grupo Europeo de Ética en la Ciencia y las Nuevas Tecnologías, Comisión Europea, información institucional [en línea], disponible en: *https://ec.europa.eu/info/research-and-innovation/strategy/support-policy-making/scientific-support-eu-policies/european-group-ethics-science-and-new-technologies-ege_en,*

mas autónomos[396]. El texto exige el lanzamiento de un proceso que allane el camino hacia un marco ético y jurídico común y reconocido internacionalmente para el diseño, la producción, el uso y gobierno de la IA, la robótica y los sistemas autónomos. La declaración también propone un conjunto de principios éticos esenciales que pueden guiar su desarrollo basado en los valores establecidos en los Tratados y la Carta de los Derechos Fundamentales de la UE.

Según este documento, dos áreas en las que el desarrollo de sistemas autónomos ya ha llevado a debates éticos de alto perfil son los automóviles que conducen por sí mismos y los SAAL. Ambos casos, en opinión de los miembros del EGE, no se pueden reflexionar simplemente vinculándolos a dilemas de accidentes inevitables en los que la única opción posible esté únicamente entre las opciones asociadas a la pérdida de vidas humanas. Esta interpretación estrecha de los problemas éticos invita a un mero enfoque de cálculo e implica una métrica a menudo demasiado simplista en los asuntos humanos.

En todos estos dispositivos el control humano significativo es crucial a los efectos de determinar la responsabilidad moral por los daños que aquellos cometan. Este principio fue sugerido por primera vez para restringir el desarrollo y la utilización de futuros sistemas de armas. Bajo esa premisa son los humanos, y no las computadoras y sus algoritmos, quienes deben finalmente permanecer en control y, por lo tanto, ser moralmente responsables.

Ahora bien, a los efectos de la presente investigación, resultan muy interesantes las reflexiones que la declaración hace acerca de los SAAL. Por un lado, afirma que esos sistemas militares pueden llevar armas letales como su carga útil, pero en lo que respecta al software, no son muy diferentes de los sistemas «autónomos» que se pueden encontrar en una variedad de dominios civiles, cerca de nuestra casa.

Actualmente, la atención del debate internacional sobre los SAAL debe dirigirse más hacia preguntas sobre cuáles son la naturaleza y el significado del «control humano significativo» sobre estas tecnologías

---

fecha de revisión: 25/04/2019.

396 Grupo Europeo de Ética en la Ciencia y las Nuevas Tecnologías, *Statement on artificial intelligence, robotics and «autonomous» systems*, *op. cit.*, *véanse páginas 10-14*.

y cómo instituir formas de control moralmente deseables. Según la declaración, dicho cambio de enfoque es básico, necesario y urgente, ya que la IA y la robótica —ambas aplicables al desarrollo de SAAL— están avanzando más rápidamente que el proceso de encontrar respuestas a estas cuestiones éticas, jurídicas y sociales espinosas.

Ahora bien, expertos del EGE consideran que los esfuerzos actuales que en ese sentido se han llevado a cabo en la UE representan más un puzle inacabado de iniciativas dispares. Por ello, existe una clara necesidad de que los Estados impulsen un proceso que abone el terreno hacia un marco ético común para la investigación, desarrollo, innovación y utilización de estas tecnologías emergentes. En ese sentido, la declaración exige el lanzamiento de un proceso de este tipo en el que Europa desempeñe un papel activo y prominente, enmarcado en un pensamiento e investigación más sistemáticos sobre los aspectos éticos, jurídicos y de gobernanza de los sistemas de alta tecnología que pueden actuar en el mundo sin control directo de los humanos.

Después de ello, el 10 de abril de 2018, 25 países de la UE firmaron una Declaración de Cooperación en IA en la que acordaron trabajar juntos en las cuestiones más importantes planteadas por esta tecnología, desde garantizar la competitividad de Europa en su investigación y despliegue, hasta abordar cuestiones sociales, económicas, éticas y jurídicas[397].

Todo esto llevó a que, finalmente, la Comisión Europea adoptara una Comunicación sobre IA para Europa, de 25 de abril de 2018, en la que establece la estrategia europea para aprovechar las oportunidades que ofrece la IA y abordar los nuevos desafíos que plantea[398]. En el texto la Comisión propuso un enfoque de tres vertientes: por un

---

397 Declaración sobre cooperación en IA (firmada entonces por solo 25 países de la UE aunque hoy ya está suscrita por todos los estados miembros de la organización), 10 de abril de 2018 [en línea], disponible en: *https://ec.europa.eu/digital-single-market/en/news/eu-member-states-sign-cooperate-artificial-intelligence*, fecha de revisión: 25/04/2019.

398 Comisión Europea, *Inteligencia artificial para Europa* (comunicación de la Comisión al Parlamento Europeo, al Consejo Europeo, al Consejo, al Comité Económico y Social Europeo y al Comité de las Regiones), núm. COM(2018) 237 final {SWD (2018) 137 final}, 25/04/2018, [en línea], disponible en: *http://ec.europa.eu/transparency/regdoc/rep/1/2018/ES/COM-2018-237-F1-ES-MAIN-PART-1.PDF*, fecha de revisión: 25/04/2019.

lado, aumentar la inversión pública y privada; por otro, prepararse para los cambios socioeconómicos provocados por la IA; y, por último, garantizar un marco ético y jurídico adecuados[399].

La estrategia prevé además el desarrollo de directrices sobre la ética de la IA basadas en la Declaración de 2018 del EGE[400] y otras iniciativas similares, y en colaboración con ese grupo consultivo y otras instituciones más que, en su conjunto, conformarían la «alianza europea de IA»[401]. Con respecto al marco ético y jurídico, la Comisión

---

399 Es importante destacar que, además de las iniciativas antes indicadas, también hubo otras actuaciones previas que reforzaron la intención de la UE de ser líder en el abordaje interdisciplinar y prospectivo sobre las implicaciones que traen consigo la IA y la robótica. Estos casos son: por un lado, en mayo de 2017, el Comité Económico y Social Europeo emitió un dictamen sobre IA en el que, como representante de la sociedad civil europea, se comprometió a impulsar en los próximos tiempos el debate de todas las partes interesadas en torno a la IA (Comité Económico y Social Europeo, *Artificial intelligence* (dictamen), núm. INT/806-EESC-2016-05369-00-00-AC-TRA, 31/05/2017 [en línea], disponible en: *https://www.eesc.europa.eu/en/our-work/opinions-information-reports/opinions/artificial-intelligence*, fecha de revisión: 25/04/2019). Mientras tanto, el Consejo Europeo de octubre de 2017 invitó a la Comisión a presentar un enfoque europeo de la IA (Consejo Europeo, *Conclusions from European Council meeting (19/10/2017)* (comunicación oficial), núm. EUCO 14/17, 19/10/2017 [en línea], disponible en: *https://www.consilium.europa.eu/media/21620/19-euco-final-conclusions-en.pdf*, fecha de revisión: 25/04/2019). La Comisión Europea también destacó la importancia de estar en una posición de liderazgo en el desarrollo de tecnologías, plataformas y aplicaciones de IA, en su revisión intermedia de la estrategia del mercado único digital publicada en mayo de 2017 (Comisión Europea, *Digital Single Market Mid-term Review: Commission calls for swift adoption of key proposals and maps out challenges ahead* (nota de prensa), Bruselas, 10/05/2017 [en línea], disponible en: *https://ec.europa.eu/digital-single-market/en/news/digital-single-market-mid-term-review*, fecha de revisión: 25/04/2019).

400 Grupo Europeo de Ética en la Ciencia y las Nuevas Tecnologías, *Statement on artificial intelligence, robotics and «autonomous» systems*, *op. cit.*

401 Es una nueva plataforma que alienta a una amplia participación en el proceso de formulación de políticas de la Comisión Europea. Los miembros de la Alianza podrán entablar discusiones entre ellos y con los expertos del Grupo de Alto Nivel sobre IA (AI HLEG). También se solicitarán comentarios sobre preguntas específicas (cerradas o abiertas), así como sobre los borradores de documentos preparados por el AI HLEG. Una sección de eventos específicos mantendrá a los miembros informados de las próximas reuniones y eventos relevantes que la Comisión esté organizando, o en los que participa, y los miembros también podrán registrar su propio evento en la plataforma. Además, los miembros podrán

deberá proponer también algunas pautas para emprender estudios e investigar y formular respuestas políticas a los desafíos planteados por la IA en materia de responsabilidad, seguridad, Internet de las cosas, robótica, conciencia algorítmica, consumidor y protección de datos.

A tales efectos, en junio de 2018, la Comisión nombró a 52 expertos como miembros de un nuevo Grupo de Alto Nivel sobre IA (en adelante, AI HLEG, por las siglas en inglés de High-Level Expert Group on Artificial Intelligence), compuesto por representantes de instituciones académicas y de la industria, cuyo objetivo es apoyar la implementación de la estrategia europea sobre IA[402]. Meses después, en diciembre de 2018, el AI HLEG publicó su primer borrador de directrices éticas de la UE para la IA. Este borrador estuvo disponible y abierto a consultas hasta el 1 de febrero de 2019[403].

En el mismo período, la Comisión publicó un Plan Europeo Coordinado sobre IA[404], con la intención de coordinar los enfoques de los Estados miembro con respecto a sus objetivos de estrategia nacional de IA, su aprendizaje y programas de capacitación, los mecanismos de

---

acceder a los documentos oficiales sobre IA y contribuir con informes y documentos a una biblioteca abierta. Comisión Europea, *Alianza Europea sobre IA* (información institucional) [en línea], disponible en: *https://ec.europa.eu/knowledge4policy/european-ai-alliance_en*, fecha de revisión: 25/04/2019; y Comisión Europea, *Inteligencia artificial para Europa* (comunicación de la Comisión al Parlamento Europeo, al Consejo Europeo, al Consejo, al Comité Económico y Social Europeo y al Comité de las Regiones), *op. cit.*, *véanse páginas 19-21*.

402 Para más información acerca de la labor de este grupo, Grupo de Alto Nivel sobre IA, disponible en: *https://ec.europa.eu/digital-single-market/en/high-level-expert-group-artificial-intelligence*, fecha de revisión: 25/04/2019.

403 Información sobre las consultas del primer borrador de directrices éticas de la UE para la IA, información institucional disponible en: Comisión Europea, *Stakeholder Consultation on Guidelines' first draft*, información institucional disponible en: *https://ec.europa.eu/futurium/en/ethics-guidelines-trustworthy-ai/stakeholder-consultation-guidelines-first-draft#Top*, fecha de revisión: 25/04/2019.

404 Comisión Europea, *Coordinated Plan on Artificial Intelligence* (communication from the Commission to the European Parliament, the European Council, the Council, the European Economic and Social Committee and the Committee of the Regions), núm. COM(2018) 795 final, 07/12/2018 [en línea], disponible en: *https://ec.europa.eu/digital-single-market/en/news/coordinated-plan-artificial-intelligence*, fecha de revisión: 25/04/2019.

financiación disponibles, pero sobre todo en relación con la revisión de la legislación y la orientación ética que cada uno de ellos tiene. El Consejo de Ministros por su parte adoptó en febrero de 2019 sus conclusiones en relación con el plan coordinado sobre el desarrollo y el uso de la IA hecha en Europa[405].

Tras las deliberaciones sostenidas en el marco de las discusiones de la UE sobre IA, y tras el cierre del proceso de consultas abiertas y la celebración de reuniones con representantes de Estados miembro de la UE acerca del primer borrador de directrices éticas de la UE para la IA presentado en diciembre de 2018, el AI HLEG finalmente publicó en abril de 2019 la Versión final de los lineamientos éticos para la IA fiable[406]. Paralelamente, el grupo preparó un documento complementario contentivo de una definición de IA utilizada como instrumento de trabajo en el proceso de creación de las directrices éticas[407].

Estos lineamientos tienen como objetivo promover una IA fiable caracterizada por tres componentes, que deben cumplirse a lo largo de todo el ciclo de vida de un sistema: a) debe ser legal, por lo que ha de cumplir con todas las leyes y regulaciones aplicables; b) debe ser ética, garantizando el cumplimiento de los principios y los valores éticos; y, c) debe ser robusta, tanto desde una perspectiva técnica como social, ya que, incluso, los sistemas de IA diseñados con buenas intenciones pueden causar un daño involuntario. Cada componente en sí mismo es necesario, pero no suficiente, para lograr una IA fiable. Idealmente, todos han de trabajar en armonía y se superponen en su

---

405 Consejo de Ministros de la UE, *Conclusions on the coordinated plan on artificial intelligence – Adoption* (memorando), núm. 6177/19, 11/02/2019 [en línea], disponible en: *https://data.consilium.europa.eu/doc/document/ST-6177-2019-INIT/en/pdf*, fecha de revisión: 25/04/2019.

406 Grupo de Alto Nivel sobre IA, *Ethics guidelines for trustworthy AI*, Bruselas, Comisión Europea, 8 de abril de 2019 [en línea], disponible en: *https://ec.europa.eu/digital-single-market/en/news/ethics-guidelines-trustworthy-ai*, fecha de revisión: 25/04/2019.

407 Grupo de Alto Nivel sobre IA, *A definition of AI: main capabilities and disciplines. Definition developed for the purpose of the AI HLEG's deliverables*, Bruselas, Comisión Europea, 8 de abril de 2019 [en línea], disponible en: *https://ec.europa.eu/digital-single-market/en/news/definition-artificial-intelligence-main-capabilities-and-scientific-disciplines*, fecha de revisión: 25/04/2019.

operación. Por ende, ante el surgimiento de tensiones entre estos componentes, la sociedad debería esforzarse por alinearlos.

Todas las afirmaciones normativas incluidas en las directrices tienen como único objetivo reflejar la orientación hacia el logro del segundo y tercer componentes de una IA fiable (la IA ética y robusta). Por lo tanto, sus declaraciones no están destinadas a proporcionar asesoramiento jurídico ni a ofrecer orientación sobre el cumplimiento de las normativas aplicables, aunque muchas ya estén, en cierta medida, reflejadas en las leyes existentes.

No obstante, el documento no deja de ser un marco referencial importante acerca del trabajo que viene haciendo la UE para cumplir sus altas expectativas con respecto al liderazgo europeo en la ética y la gobernanza de la IA. En su contenido, las directrices detallan una serie de ejemplos de preocupaciones críticas que hoy en día plantea la IA. Entre esos casos se encuentran los SAAL. Al respecto, el documento afirma que, en la actualidad, un número desconocido de países e industrias están investigando y desarrollando estos sistemas, que van desde misiles capaces de seleccionar objetivos hasta máquinas de aprendizaje con habilidades cognitivas para decidir quién, cuándo y dónde luchar sin intervención humana.

Bajo los lineamientos éticos para la IA fiable, este tipo de tecnologías mortíferas plantean preocupaciones éticas fundamentales como, por ejemplo, el hecho de que podrían conducir a una carrera de armamentos incontrolable en un nivel histórico sin precedentes, y/o crear contextos militares en los que el control humano se abandona casi por completo y/o donde no se aborden los riesgos de un potencial mal funcionamiento[408]. Por ende, el AI HLEG apoya en los lineamientos todos los esfuerzos relacionados con el abordaje de los SAAL, y muy especialmente respalda la Resolución del Parlamento Europeo de 12 de septiembre de 2018, en la que pidió el desarrollo urgente de una posición común sobre los SAAL, que sea jurídicamente vinculante, y que aborde cuestiones éticas y jurídicas relativas al control humano, la supervisión, la responsabilidad y la aplicación del DIDH, del DIH y de las estrategias militares.

---

[408] Grupo de Alto Nivel sobre IA, *Ethics guidelines for trustworthy AI*, *op. cit.*, *véase página 34*.

Tras la publicación de estas directrices, la Comisión puso en marcha una fase piloto con el fin de garantizar que las mismas pudieran aplicarse en la práctica[409]. En ese sentido, invitó a la industria, a los institutos de investigación y a las autoridades a revisar y llenar la lista detallada de evaluación elaborada por el grupo de expertos de alto nivel, con el fin de poder complementar todos los lineamientos. Después de ello, la Comisión lanzará una nueva fase en 2020 para buscar un consenso internacional sobre una IA centrada en el ser humano.

La tarea que se le avecina a la UE no es fácil. Sin embargo, las directrices elaboradas en abril de 2019 son un buen punto de partida para ello. Está claro que la Comisión Europea ha de dedicar todos los recursos necesarios para configurar el camino a seguir, ya que su misión está atrapada por dos demandas; por un lado, tiene que responder rápidamente a la necesidad apremiante de orientación sobre el tema de la IA y la robótica, y por otro, debe dedicar el tiempo y el compromiso necesarios para enrumbar de manera eficaz esta crucial y compleja deliberación[410].

---

409 Para más información sobre los pasos siguientes de la Comisión Europea tras la aprobación de los lineamientos éticos para la IA fiable, Comisión Europea, *Inteligencia Artificial: La Comisión continúa su trabajo sobre directrices éticas* (comunicado de prensa), Bruselas, 8/04/2019 [en línea], disponible en: *http://europa.eu/rapid/press-release_IP-19-1893_es.htm*, fecha de revisión: 25/04/2019.

410 En esta línea, el Comité de Asuntos Jurídicos del Parlamento Europeo adoptó en diciembre de 2020 unas directrices sobre el uso de IA con fines militares y en los sectores de la salud y la justicia. Estas reglas pretenden garantizar, *inter alia*, que se respeten la dignidad y los derechos humanos, y que los sistemas de IA estén sujetos a un control humano significativo, lo que permite a los humanos corregirlos o desactivarlos en caso de comportamientos impredecibles. Por lo tanto, el comité entiende que los seres humanos deben ser identificables y, en última instancia, responsables. En relación a los SAAL, los eurodiputados acordaron en concreto que los SAAL solo deben usarse como último recurso y sólo podrán considerarse legales si están sujetos al control humano, ya que sólo los humanos son quienes deben decidir entre la vida y la muerte. Al respecto, véase: Dilda, L., «Artificial Intelligence: The European Parliament's New Guidelines», *European Army Interoperability Centrel*, 22/12/2020 [en línea], disponible en: *https://finabel.org/artificial-intelligence-the-european-parliaments-new-guidelines/*, fecha de revisión: 21/01/2021.

b) Resoluciones del Parlamento Europeo sobre SAAL

A 12 de septiembre de 2018, el Parlamento aprobó una Resolución sobre los sistemas armamentísticos autónomos[411]. Su contenido es producto de las consideraciones hechas por los eurodiputados sobre varias recomendaciones políticas, tecnocientíficas y jurídicas insertas en resoluciones e informes emitidos en la materia por parte de diferentes órganos multilaterales que forman parte de sistemas universales y regionales de protección de derechos humanos.

El texto define los SAAL como sistemas de armas sin un control humano significativo con respecto a las funciones críticas de selección y ataque de objetivos individuales. En ese sentido, subraya que entre las armas y los sistemas armamentísticos que en la actualidad utilizan las fuerzas de la UE no se encuentran los SAAL. Al mismo tiempo, recuerda que las armas, los sistemas no autónomos, los sistemas automatizados, controlados a distancia y teledirigidos, o los sistemas armamentísticos concebidos específicamente para la defensa tanto de plataformas como de fuerzas, no deben ser considerados como SAAL.

Luego de todas esas consideraciones, el Parlamento pide al resto de instituciones de la UE que se elabore y adopte, con carácter de urgencia, una posición común sobre los SAAL que garantice un control humano significativo de las funciones esenciales de los sistemas armamentísticos, incluso durante su despliegue, una declaración que se manifieste en los foros pertinentes con una sola voz. Del mismo modo, el Parlamento solicita a la vicepresidenta de la Comisión/alta representante de la UE para Asuntos Exteriores y Política de Seguridad, a los Estados miembro y al Consejo Europeo que, sobre este contexto, compartan las mejores prácticas y reúnan las contribuciones de expertos, de medios académicos y de la sociedad civil. Además, les conmina a que lideren o promuevan las negociaciones internacionales sobre un instrumento jurídicamente vinculante que imponga la prohibición de SAAL.

---

411 Parlamento Europeo, *Resolución del Parlamento Europeo, de 12 de septiembre de 2018, sobre los sistemas armamentísticos autónomos (2018/2752[RSP])*, núm. P8_TA(2018)0341, 12/09/2018 [en línea], disponible en: *http://www.europarl.europa.eu/doceo/document/TA-8-2018-0341_ES.pdf*, fecha de revisión: 25/04/2019.

Por último, la resolución resalta la importancia fundamental de impedir el desarrollo y la producción de sistemas armamentísticos autónomos letales desprovistos de control humano con respecto a funciones críticas como las de seleccionar y atacar objetivos.

Cinco meses después, el Parlamento Europeo aprobó una Resolución sobre la consolidación de una política industrial global europea en materia de IA y robótica[412]. Este texto se encuentra enlazado a la anterior resolución emitida por ese órgano parlamentario acerca de SAAL en septiembre de 2018.

Uno de los aspectos más remarcables de esta nueva resolución y que atañe al tema de los SAAL, es que el Parlamento insta a la Comisión Europea a que no permita que la UE financie IA con fines armamentísticos. Del mismo modo, le exhorta a que excluya de la financiación de la UE a las empresas que estén investigando y desarrollando la conciencia artificial.

Por último, el texto de la resolución señala que a los sistemas de armas automáticas deben seguir aplicándoseles un enfoque frente a la IA que se base en el control humano, por lo que una utilización diferente de la IA en el área armamentística ha de ser inmediatamente prohibida. Ello se basa en la premisa de que la IA solo puede y tiene que ser diseñada de forma que se preserve la dignidad, la autonomía y la autodeterminación de las personas. Por ende, la IA deberá seguir siendo una herramienta útil de colaboración con la acción humana, pero para mejorar las prestaciones y reducir los errores.

c) Los SAAL y la estrategia global para la política exterior y de seguridad de la UE

En junio de 2016, los Estados miembro de la UE aprobaron su estrategia global para la política exterior y de seguridad, una doctrina actualizada de la organización para mejorar la eficacia de la defensa y la seguridad de la UE, la protección de civiles, la cooperación entre

---

412 Parlamento Europeo, *Resolución del Parlamento Europeo, de 12 de febrero de 2019, sobre una política industrial global europea en materia de inteligencia artificial y robótica (2018/2088[INI])*, núm. P8_TA-PROV(2019)0081, 12/02/2019 [en línea], disponible en: *http://www.europarl.europa.eu/doceo/document/TA-8-2019-0081_ES.pdf*, fecha de revisión: 26/04/2019, *véanse páginas 10 y 25*.

las Fuerzas Armadas de sus Estados miembro, la gestión de la crisis de inmigración, etc.[413].

El objetivo de la estrategia es que la UE desempeñe un papel importante, incluso como proveedor de seguridad global. Esto pasa por que las autoridades europeas cumplan con las necesidades de sus ciudadanos comunitarios y hagan que las asociaciones de la UE funcionen de manera unida con sus instituciones.

El carácter global de la estrategia ha sido presentado no solo con propósitos geográficos, sino también basado en una premisa muy clara: la gama de políticas e instrumentos que abarca ese documento se centra tanto en las capacidades militares y el antiterrorismo, como en las sociedades inclusivas, las oportunidades de empleo digno y la garantía y protección de los derechos humanos. Así las cosas, las prioridades de la estrategia han sido divididas en cinco grandes bloques: a) la seguridad de nuestra unión; b) la resiliencia estatal y social al este y sur de la unión; c) un enfoque integrado hacia los conflictos; d) las órdenes regionales cooperativas; y, e) la gobernanza global para el siglo XXI.

En el marco de esas prioridades, la estrategia señala que los Estados miembro de la UE necesitan los medios tecnológicos e industriales para adquirir y mantener aquellas capacidades militares, de seguridad y defensa que sustenten su aptitud para actuar de manera autónoma. De acuerdo con el texto, aunque las políticas de defensa y gasto son originariamente prerrogativas nacionales, ningún Estado miembro puede permitirse individualmente garantizar su seguridad, debe hacerse bajo un esfuerzo concertado y cooperativo. Una cooperación de defensa más profunda genera interoperabilidad, eficacia, eficiencia y confianza.

Bajo esa perspectiva, la estrategia plantea que los fondos de la UE deben destinarse también para apoyar la investigación y las tecnologías de defensa y cooperación multinacional, y el uso pleno del potencial de la Agencia Europea de Defensa (en adelante, EDA, por

---

413 Unión Europea, *Shared Vision, Common Action: A Stronger Europe. A Global Strategy for the European Union's Foreign and Security Policy*, junio de 2016 [en línea], disponible en: *https://eeas.europa.eu/sites/eeas/files/eugs_review_web_0.pdf*, fecha de revisión: 26/04/2019.

las siglas en inglés de European Defense Agency), ya que ello es esencial para garantizar una seguridad europea real; además de que los esfuerzos en el área de defensa sean respaldados por una industria fuerte, consolidada y fiable. Al respecto, el documento señala lo siguiente:

> «Para responder a las crisis externas, desarrollar las capacidades de nuestros socios y proteger a Europa, los Estados miembro deben canalizar un nivel suficiente de gastos para la defensa, hacer un uso más eficiente de los recursos y cumplir con el compromiso colectivo del 20 % del gasto del presupuesto de defensa para ser dedicado a la adquisición de equipos, investigación y tecnología»[414].

De acuerdo con la estrategia, el desarrollo de capacidades debería ser con la máxima interoperabilidad y características comunes, y debe estar disponible cuando sea posible en apoyo de los esfuerzos de la UE, la OTAN, la ONU y otras entidades multinacionales. Además, la UE deberá desarrollar capacidades en servicios y productos digitales fiables y en tecnologías cibernéticas para mejorar su capacidad de recuperación o resiliencia.

No obstante, todo este desarrollo estratégico de capacidades militares, de seguridad y defensa deberá llevarlo a cabo la UE teniendo en cuenta la importancia de los regímenes de control de exportaciones, por lo que sus autoridades han de reforzar las normas comunes que rigen las políticas militares de exportación de los Estados miembro, incluidos los equipos y las tecnologías de doble uso. Igualmente, la UE deberá apoyar a las autoridades de control de exportaciones en terceros países y organismos técnicos que apoyan los regímenes de control de armamentos.

Finalmente, en el documento estratégico, la UE se compromete a promover la responsabilidad de proteger, el DIH, el DIDH y el derecho penal internacional (en adelante, DIP)[415]. En ese sentido, manifiesta su

---

414 *Ibid., véase página 44.*

415 Es la rama del derecho internacional público que regula la conducta de los seres humanos bajo la amenaza de que incurrirán en responsabilidad internacional de carácter penal en caso de realizar los comportamientos internacionalmente prohibidos. En ese sentido, constituye una respuesta de la sociedad internacional a

intención de apoyar la expansión de la membresía, la universalización, la plena implementación y la aplicación de los tratados y regímenes multilaterales de desarme, no proliferación y control de armas. Todos estos compromisos son extensibles —según la estrategia— a la investigación, el desarrollo, la innovación y el uso de ciencias y tecnologías como la biotecnología, la IA, la robótica y los sistemas controlados a distancia, especialmente para evitar riesgos en la seguridad de los ciudadanos europeos y obtener, en lo posible, los beneficios económicos que sean permisibles. Por lo tanto, la UE promoverá intercambios con foros multilaterales relevantes para ayudar a liderar el desarrollo de reglas en el área y construir asociaciones para el abordaje de estos asuntos de dimensión global[416].

---

las conductas que más gravemente menoscaban sus valores fundamentales, y recurre para su aplicación a la creación de tribunales internacionales penales y a la acción de las jurisdicciones nacionales por medio del principio de justicia universal. Las principales categorías de delitos que lo configuran, y que constituyen la jurisdicción material de los tribunales internacionales penales, son el genocidio, los crímenes de lesa humanidad, los crímenes de guerra y el crimen de agresión. Al respecto, Olásolo, H., «Los fines del Derecho internacional penal», *Revista Colombiana de Derecho Internacional*, 2016, núm. 29, pp. 93-146, disponible en: *http://www.scielo.org.co/pdf/ilrdi/n29/1692-8156-ilrdi-29-00093.pdf*, fecha de revisión: 07/08/2019, *véanse páginas 98-100*.

416 De acuerdo con la última recomendación de la Comisión de Asuntos Jurídicos del Parlamento Europeo, la UE debe desempeñar un papel fundamental a la hora de ayudar a los Estados miembros a armonizar su enfoque de la IA militar, con el fin de liderar los debates internacionales, sobre todo con relación a los SAAL. Asimismo, ha de impulsar la idea de que la IA utilizada en un contexto militar cumpla con un conjunto de requisitos mínimos, a saber, distinguir —dentro y fuera del campo de batalla— entre combatientes y no combatientes; reconocer cuando un combatiente se rinde o está fuera de combate este; no debe tener efectos indiscriminados ni causar sufrimiento humano innecesario; no estar sesgada o entrenada bajo datos intencionalmente incompletos; y, cumplir con los principios del DIH, la proporcionalidad en el uso de la fuerza y la precaución antes de cualquier intervención. Al respecto, véase: Parlamento Europeo, *Informe de la Comisión de Asuntos Jurídicos bajo el procedimiento de comisiones asociadas, de 04 de enero de 2021, sobre inteligencia artificial: cuestiones de interpretación y aplicación del derecho internacional en la medida en que la UE se ve afectada en los ámbitos de los usos civiles y militares y de la autoridad estatal fuera del ámbito de la justicia penal (2020/2013(INI))*, núm. A9-0001/2021, 04/01/2021 [en línea], disponible en: *http://www.europarl.europa.eu/doceo/document/TA-8-2019-0081_ES.pdf*, fecha de revisión: 21/01/2021.

Tras la adopción de la estrategia, la UE aprobó un plan para su implementación que incluye, entre otras acciones, la formulación del Plan de Acción Europeo de Defensa de la Comisión, que busca apoyar la industria de defensa de Europa y el desarrollo de capacidades en estricto seguimiento de las disposiciones de la estrategia[417]. Además, el Plan de Acción deberá contribuir a garantizar que la base tecnológica e industrial de la defensa europea pueda satisfacer plenamente las necesidades de seguridad actuales y futuras de Europa.

En ese sentido, la UE y sus Estados miembro podrán contribuir a proteger a la UE y a sus ciudadanos desde una perspectiva de seguridad y defensa, mejorando sus capacidades civiles y militares, garantizando la seguridad del suministro, protegiendo las redes e infraestructuras y promoviendo la innovación tecnológica y la inversión en defensa. Esto pasa por asegurar la coherencia y complementariedad de la investigación y la tecnología emprendidas en diferentes foros, guiada por la coordinación de los Estados miembro de la UE.

Ahora bien, la puesta en marcha de toda la estrategia ha significado un gran coste de inversión —sobre todo en investigación y desarrollo de capacidades— para la UE. En junio de 2018, por ejemplo, el Parlamento Europeo y el Consejo alcanzaron un acuerdo político sobre el Reglamento por el que se establece el Programa de Desarrollo Industrial de la Defensa Europea (en adelante, EDIDP, por las siglas en inglés de European Defense Industrial Development Programme), propuesto por la Comisión apenas un año antes. El programa prevé una inversión de 500 millones de euros durante dos años para cofinanciar el desarrollo de capacidades de colaboración, en apoyo de la competitividad y la capacidad innovadora de la industria de defensa de la UE.

Ese mismo mes y año, la Comisión propuso también un Fondo Europeo de Defensa (en adelante, EDF, por las siglas en inglés de European Defense Fund), mucho más ambicioso que el EDIDP, para el

---

417 Consejo de la Unión Europea y Mogherini, F., *Implementation Plan on Security and Defence* (memorando), núm. 14392/16, 14/11/2016 [en línea], disponible en: *https://eeas.europa.eu/sites/eeas/files/eugs_implementation_plan_st14392.en16_0.pdf*, fecha de revisión: 26/04/2019, *véanse páginas 7 y 15*.

próximo marco financiero plurianual de la UE (2021-2027)[418]. Esta decisión representa un antes y un después en la historia de la UE, ya que es la primera vez que el presupuesto europeo contendrá una línea específica destinada a la defensa que, además, será implementada por un fondo específico que complementará la inversión en el área de los Estados miembro de la UE. Según el informe del segundo año de implementación de la estrategia global de seguridad de la UE, el EDF cuenta con 13 mil millones de euros para financiar proyectos de investigación colaborativa y cofinanciar el desarrollo de capacidades. Este instrumento europeo pretende crear eficiencia, mejorar el gasto en defensa a nivel europeo, favorecer la aproximación de las culturas de defensa y aumentar la autonomía estratégica de la UE[419].

Paralelamente, la UE ha profundizado sus alianzas con la OTAN en varios frentes. En ese sentido, ha acordado un conjunto concreto de acciones comunes para enfrentar las amenazas híbridas en su contra, promover la seguridad cibernética y desarrollar capacidades militares, de seguridad y defensa. El trabajo común se centra, entre otros aspectos, en la movilidad militar y en temas de cooperación en misiones marítimas.

Todas estas iniciativas de inversión y desarrollo se encuentran, principalmente, coordinadas y/o gestionadas a través de la EDA[420]. Este organismo tiene como misión apoyar al Consejo y a los Estados miembro en su esfuerzo por mejorar las capacidades de defensa de la UE en el ámbito de la gestión de crisis y respaldar la política exterior y de seguridad aprobada en 2016. En ese orden, la EDA busca satisfacer

---

418 Para más información sobre las discusiones del marco financiero plurianual de la UE para 2021-2027, Council of the European Union, *Multiannual financial framework for 2021-2027: negotiations*, sin fecha ni número, disponible en: *https://www.consilium.europa.eu/en/policies/eu-budgetary-system/multiannual-financial-framework/mff-negotiations/*, fecha de revisión: 26/04/2019.

419 Unión Europea, *Implementing the EU Global Strategy Year 2*, junio de 2018 [en línea], disponible en: *https://eeas.europa.eu/sites/eeas/files/eugs_annual_report_year_2.pdf*, fecha de revisión: 26/04/2019, *véanse páginas 6-8*.

420 Consejo de la Unión Europea, «Council Decision (Cfsp) 2015/1835, of 12 October 2015, defining the statute, seat and operational rules of the European Defence Agency», *Official Journal of the European Union*, 2015, núm. 266, pp. 55-74 [en línea], disponible en: *https://www.eda.europa.eu/docs/default-source/documents/eda-council-decision-2015-1835-dated-13-10-2015.pdf*, fecha de revisión: 26/04/2019.

las necesidades operativas de la UE contribuyendo a la definición y, si procede, a la aplicación de medidas que puedan ser necesarias para reforzar la base industrial y tecnológica del sector de la defensa, participando en la elaboración de una política europea de capacidades y armamento, y asistiendo al Consejo en la evaluación de la mejora de las capacidades militares.

Dentro de su programa de trabajo destacan seis prioridades clave: a) la cooperación estructurada permanente (en adelante, PESCO, por las siglas en inglés de Permanent Structured Cooperation), un instrumento para fomentar la seguridad y la defensa comunes de la UE, y proporcionar a Europa un paquete coherente de un espectro completo de fuerzas, en complementariedad con la OTAN; b) la revisión anual coordinada en defensa, útil para fomentar una sincronización gradual y una adaptación mutua de los ciclos de planificación de la defensa nacional y las prácticas de desarrollo de capacidades entre los Estados miembro de la UE; c) un plan de desarrollo de capacidades que respalde la toma de decisiones a nivel nacional y de la UE con respecto al desarrollo de capacidades de defensa; d) la acción preparatoria en investigación de defensa, la cual permitirá demostrar el valor agregado de la investigación de defensa apoyada por la UE y preparará un futuro programa de investigación de defensa europea para su inclusión en el marco financiero plurianual de la UE 2021-2027[421]; e)

---

[421] Habida cuenta de la gran disponibilidad económica del EDF, en junio de 2020, la Comisión Europea anunció 16 proyectos industriales de defensa y 3 proyectos en materia de tecnologías disruptivas paneuropeos que recibirán una financiación de 205 millones de euros a través de la acción preparatoria en investigación de defensa y del programa europeo de desarrollo industrial en materia de defensa (PEDID). Los proyectos respaldarán el desarrollo de capacidades de defensa europeas, tales como los drones y las tecnologías conexas (drones tácticos y difíciles de detectar, sistemas de detección y evasión para drones militares o plataformas de computación en el borde para drones), las tecnologías espaciales, los vehículos terrestres no tripulados, los sistemas de misiles de alta precisión, la capacidad de ataque electrónico aerotransportado, las redes tácticas y de alta seguridad, las plataformas de conciencia situacional cibernética, la próxima generación de tecnologías activas de sigilo, etc. Comisión Europea, *Fondo Europeo de Defensa: 205 millones EUR para reforzar la autonomía estratégica y la competitividad industrial de la UE* (comunicado de prensa), Bruselas, 15/06/2020 [en línea], disponible en: *https://ec.europa.eu/commission/presscorner/detail/es/ip_20_1053*, fecha de revisión: 21/01/2021.

los programas de capacidad clave, entre los cuales se presta especial atención al reabastecimiento de combustible aire-aire, los RPAS, las comunicaciones satelitales gubernamentales y la defensa cibernética; y, f) la implementación de la revisión a largo plazo de la EDA.

Basada en la estrategia de autonomía de la UE[422], la EDA también ha priorizado en varias actividades de dominio cruzado para ayudar a Europa a alcanzar el nivel de ambición establecido en su estrategia global de 2016 y para mejorar la política de seguridad y defensa común de la UE. Entre esas actividades resalta, con particular interés, la apuesta de la EDA por las tecnologías innovadoras para mejorar las capacidades militares futuras de la UE, dando prioridad a algunos dominios clave como: la IA, los sistemas no tripulados, los sistemas médicos autónomos u operados a distancia, sistemas de orientación autónoma y automatizada, de navegación y control, y técnicas de toma de decisiones aplicables a sistemas tripulados y no tripulados, sistemas de control multirobot o materiales avanzados, procesos y tecnologías.

Sin embargo, la propia EDA ha hecho unas advertencias importantes en esta área: para la UE, hablar o cooperar en todos los ámbitos es la única manera de definir políticas que tengan en cuenta la inmensa complejidad de nuestro mundo y de los desafíos que enfrentamos. Según la alta entonces representante para Asuntos Exteriores y Política de Seguridad de la UE, Federica Mogherini, la utilidad de ese enfoque es especialmente evidente cuando se observan casos

---

422 El término «estrategia de autonomía» implica la libertad de la UE de llevar a cabo misiones y operaciones de manera autónoma, por lo que debe ser militarmente capaz de realizar misiones y operaciones autónomas en su vecindario y en todo el mundo, si así fuera requerido. Desde 2013, la UE avanza más que nunca y de manera decidida en la asunción de una cada vez mayor autonomía estratégica, hecho puesto de manifiesto en los resultados de los últimos Consejos Europeos que han adoptado medidas específicas destinadas al sector de defensa. Entre ellas, cabe destacar aquellas dirigidas al fortalecimiento de la industria europea, sobre todo para el reforzamiento de la base industrial y tecnológica de defensa y al establecimiento de sinergias entre las investigaciones de defensa y civiles. Fiott, D., «Strategic autonomy: Towards "European sovereignty" in defence?», *European Union Institute for Security Studies*, vol. 12, 2018 [en línea], disponible en: *https://www.iss.europa.eu/sites/default/files/EUISSFiles/Brief%2012_Strategic%20Autonomy.pdf*, fecha de revisión: 26/04/2019, *véanse páginas 1 y 2*.

preocupantes como el uso de la IA en el campo militar, de seguridad y defensa, y el desarrollo de sistemas de armas autónomas[423]. En palabras de la exfuncionaria europea, la UE ha entablado desde hace algún tiempo un diálogo cercano con empresas de tecnología, con investigadores e innovadores, y con la industria de la defensa en general. Esto ha animado a que los sectores público y privado europeos se comprometan a trabajar juntos para asegurarse de que la IA siga cambiando nuestras vidas, pero para un mejor porvenir, y que no se convierta luego en un riesgo o peligro para la seguridad de todos.

Todo esto, en términos generales, evidenciaría la intención de la UE en desempeñar un papel especial de promotor de nuevas reglas globales para proteger la seguridad de los ciudadanos y, al mismo tiempo, ser un actor clave internacional para el impulso de la innovación tecnológica y la puesta del progreso —aparentemente— al servicio de los seres humanos. Sin embargo, como es lógico, hay quienes consideran que son otras las verdaderas intenciones detrás de esta política de la UE. Un estudio encargado por el grupo de la izquierda del Parlamento Europeo, advierte que el papel que desempeña la AI en la estrategia de defensa de la Unión es una exageración propagada por la industria y el capital de riesgo que, solamente, pretenden movilizar fondos públicos para sus propios intereses económicos. De acuerdo con este informe, la política de armamento de la UE lo que realmente propende es al rearme del bloque con sistemas autónomos y no tripulados para que se utilicen en grandes cantidades y, a menudo, en modalidad de enjambres en tierra, aire, mar, el espacio exterior y en el ciberespacio, todo lo cual cambiará la naturaleza de la guerra

---

423 Agencia Europea de Defensa, *2018 CDP REVISION. The EU Capability Development Priorities*, Bruselas, Agencia Europea de Defensa, 2018 [en línea], disponible en: *https://www.eda.europa.eu/docs/default-source/eda-publications/eda-brochure-cdp*, fecha de revisión: 26/04/2019, *véase página 18*. También, véase Mogherini, F., *Discurso de la Alta Representante de la Unión para Asuntos Exteriores y Política de Seguridad, vicepresidenta de la Comisión Europea y jefa de la Agencia Europea de Defensa, Federica Mogherini*, sede en la EDA (Bruselas: «*European Defence Agency's 2018 Annual Conference*», 29 de noviembre de 2018) [en línea], disponible en: *https://eeas.europa.eu/headquarters/headquarters-homepage/54646/speech-high-representativevice-president-federica-mogherini-annual-conference-european-defence_en*, fecha de revisión: 26/04/2019.

y la vida cotidiana de las personas, difuminando cada vez más la distinción entre conflicto y paz[424].

Teniendo en cuenta todo lo anterior, tampoco deja de ser un hecho que —al menos formalmente— varias instituciones dentro de la UE —especialmente el Parlamento Europeo— están trabajando en lograr un consenso que se concrete en acuerdos sobre lo que debería y no debería permitirse en el campo de las tecnología emergente en el área de las AW. Si bien las autoridades de esas instituciones reconocen de antemano la importancia de que los científicos e investigadores tengan la libertad suficiente para hacer su trabajo, también comprenden que los descubrimientos de estos no pueden ser utilizados para dañar a nadie. Muestra de ello lo podemos ver, por ejemplo, en la propuesta de regulación de la IA "COM(2021) 206 final 2021/0106 (COD)", aprobada por la Comisión Europea en abril de 2021, la cual opta por un enfoque normativo basado en el riesgo en lugar de una prohibición total de las tecnologías. Si bien es cierto que se trata de una regulación que se enfoca exclusivamente en el uso de las tecnologías disruptivas en el ámbito civil, igual contiene prohibiciones absolutas de ciertas prácticas de IA y algunas disposiciones de gran alcance destinadas a los sistemas de IA de alto riesgo que, por el principio de uso dual de las tecnologías, pueden servir de referencia —o al menos anticipar en términos generales— cuál habría de ser el enfoque de regulación técnica de la UE sobre el uso de las tecnologías emergentes y disruptivas en el desarrollo y la innovación armamentista militar y de defensa.

En cualquier caso, lo clave de todo esto es que iniciativas como la anterior —además de las ya indiciadas en párrafos previos y que sí atañen directamente al área de los SAAL— arrojan indicios suficientes que demuestran cuán sensible puede llegar a ser el estándar de protección y seguridad tecnológica al que apunta la UE en temas relacionados con las ciencias de la computación, sin que ello signifique quitarle importancia al hecho de incentivar dentro del bloque la investigación, el desarrollo y la innovación científica *per se*. Bajo ese enfoque norma-

---

424 Al respecto, véase: Marischka, Ch., *Artifi cial Intelligence in European Defence: Autonomous Armament?* (informe), The Left in the European Parliament, enero de 2021, [en línea], disponible en: *https://www.guengl.eu/issues/publications/artificial-intelligence-in-european-defence-autonomous-armament/*, fecha de revisión: 07/05/2021.

tivo basado en el riesgo, autoridades de la UE están abiertas a definir —más pronto que tarde— un marco especifico de aplicación de las ciencias de la computación en el campo de la seguridad y defensa, de modo que, dentro de esos márgenes (éticos, morales y jurídicos), los expertos tengan la libertad de explorar el inmenso potencial positivo de la robótica y la IA, sobre todo en el área de los SAAL. Se trata de un marco normativo en el que se establecerían como postulados fundamentales que todos los sistemas de armas han de cumplir con el derecho internacional y que los humanos siempre deberán mantener el control en el uso de la fuerza letal. Partiendo de ambas premisas, los Estados miembros de la Unión habrían de definir luego un primer conjunto de principios rectores sobre las armas autónomas, siempre en estrecha cooperación con la industria y la sociedad civil.

Así las cosas, queda claro entonces que las autoridades de la UE, al igual que sus pares señalados en apartados previos, vislumbran claramente la utilidad estratégica de invertir en la investigación, el desarrollo y la innovación de sus capacidades militares, de seguridad y defensa, al tiempo que comprenden los riesgos que ello implica. Ahora bien, bajo la égida de la "doctrina Sinatra", la UE busca estar a la par del resto de potencias mundiales que son pioneras en los avances científicos armamentistas del siglo XXI, aunque asumiendo un liderazgo propio y "a su manera", generando espacios de discusión interdisciplinar y de alto nivel sobre las tecnologías emergentes en el campo de los SAAL.

Obviamente, la apuesta de la UE por este tipo de liderazgo responde, básicamente, a tres razones muy concretas: por un lado, políticamente la Unión pretende ganar terreno en la discusión global sobre el uso de la IA en el área militar y de seguridad, con miras a influir en el establecimiento de una gobernanza mundial sobre la materia bajo una perspectiva más alineada a los valores e intereses comunitarios compartidos por el bloque; por otro lado, estratégicamente intentará mantener cierta autonomía con respecto a la tecnología militar que quiere —y cómo la quiere— utilizar; y, finalmente, desde un punto de vista económico, buscará el beneficio de seguir desarrollando su base militar-industrial y demás capacidades operativas en el área de las ciencias de la computación aplicadas a la seguridad y defensa.

Así pues, la política de la UE se traduce oficialmente en el despliegue de una diplomacia tecnológica dirigida a su foro interno (Estados miembros) y externo (comunidad internacional), cuya hoja de ruta vendría marcada formalmente por el respeto a los principios básicos del DIDH, el DIH, la paz y la seguridad internacionales, los cuales, como se verá a continuación, son clave igualmente en la agenda internacional de desarme de la ONU. Bajo este enfoque, para no quedar aprisionada entre estos países, la UE buscará tratar con ellos a su manera, viendo el mundo con sus propias gafas, actuando en defensa de sus valores e intereses y utilizando los instrumentos de poder de los que dispone en pro de promover un multilateralismo basado en la interconectividad, el respeto y la protección en la era digital, bajo los principios de libertad e igualdad[425].

---

425 *Ibid.* Esta perspectiva de trabajo deviene de la "doctrina Sinatra" promovida por Josep Borrell —actual alto representante para Asuntos Exteriores y Política de Seguridad de la Unión—, según la cual la UE pretende encontrar su propio espacio en el campo de la diplomacia tecnológica, lejos de la disputa por el liderazgo hegemónico mundial que sobre la materia existe entre países como Rusia, China o EE.UU. Sin embargo, para lograr todo esto, la UE abrirá sus canales para tener interlocución con esas grandes potencias y llegar a acuerdos en el área. Por eso, no resulta extraño noticias como la declaración conjunta inaugural del Consejo de Comercio y Tecnología de la UE y EE. UU., en donde ambos actores no solo ponen en valor la importancia estratégica de las aplicaciones potenciales de las tecnologías emergentes en el campo de la defensa y la seguridad, sino que además reconocen las importantes preocupaciones legales, éticas y políticas que esas aplicaciones plantean, por lo que señalan que existe una clara necesidad de abordar en conjunto todos los riesgos asociados con el comercio de tecnologías emergentes. Al respecto, véase véase: Boulanin, V., Goussac, N., Bruun, L y richards, L., *RESPONSIBLE MILITARY USE OF ARTIFICIAL INTELLIGENCE. Can the European Union Lead the Way in Developing Best Practice?,* Estocolmo, Stockholm International Peace Research Institute, 2020, [en línea], disponible en: *https://www.sipri.org/sites/default/files/2020-11/responsible_military_use_of_artificial_intelligence.pdf*, fecha de revisión 07/05/2021; Borrell, J., «La doctrina Sinatra», *Política Exterior,* vol. 197, 22/06/2020 [en línea], disponible en: *https://www.politicaexterior.com/articulo/la-doctrina-sinatra/, f*echa de revisión: 07/05/2021; Real Instituto Elcano, «Towards A New Technology Foreign Policy Line In Spain And The EU–Analysis», *Eurasia review news & analysis,* 28/03/2021 [en línea], disponible en: *https://www.eurasiareview.com/20032021-towards-a-new-technology-foreign-policy-line-in-spain-and-the-eu-analysis/*, fecha de revisión: 07/05/2021; y Secretaría de Estado de Estados Unidos de Norteamérica, *U.S.-EU Trade and Technology Council Inaugural*

3.2. *«Asegurando nuestro futuro común»: la nueva agenda internacional de desarme de la Secretaría General de Naciones Unidas*

Tras el análisis presentado en el apartado anterior, es evidente que los avances científicos y tecnológicos armamentistas vinculados a SAAL están en la lista como uno de los asuntos prioritarios de la política de seguridad y de defensa de la mayoría de las potencias armamentísticas y económicas del mundo. Ahora bien, la cuestión que se pretende abordar a lo largo de la presente sección es en qué medida todo ese contexto geopolítico de innovación armamentista global afecta al cumplimiento de los objetivos planteados en la agenda internacional de desarme de la ONU.

Al respecto, en mayo de 2018 el secretario general de la ONU, António Guterres, anunció la puesta en marcha de un plan de desarme integral aprobado en ese organismo multilateral[426]. Es un documento no oficial que describe un conjunto de medidas prácticas en toda la gama de temas de desarme, incluidas las armas de destrucción masiva, las armas convencionales y las futuras tecnologías armamentísticas. Su objetivo es generar nuevas perspectivas y explorar áreas donde se requiere un diálogo serio por parte de la comunidad internacional para hacer que el desarme esté presente siempre en los esfuerzos comunes por la paz y la seguridad globales. Por ello, salvar a la humanidad, salvar vidas y salvar a las últimas generaciones son las tres prioridades de ese plan de desarme. Bajo esta perspectiva, el desarme concierne a todos los países, y es aplicable a todas las armas, desde las granadas de mano hasta la bomba de hidrógeno.

Joint Statement, 29/09/2021 [en línea], disponible en: *https://www.whitehouse.gov/briefing-room/statements-releases/2021/09/29/u-s-eu-trade-and-technology-council-inaugural-joint-statement/*, fecha de revisión: 30/09/2021.

426 Oficina de Asuntos de Desarme de la Onu, *Securing our common future. An Agenda for Disarmament*, Nueva York, United Nations, 2018, disponible en: *https://front.un-arm.org/documents/SG+disarmament+agenda_1.pdf*, fecha de revisión: 26/04/2019; y UNODA, *Securing Our Common Future: An Agenda for Disarmament* (plan de implementación), 04/12/2018 [en línea], disponible en: *https://www.un.org/disarmament/sg-agenda/en/#actions*, fecha de revisión: 27/04/2019.

Durante los últimos años los Gobiernos del mundo han destinado billones de dólares en gastos militares. Expertos prevén que la industria de los robots militares crecerá, aproximadamente, a una tasa compuesta anual del 12,9% entre 2017 y 2022, pasando de $ 16,8 mil millones a $ 30,8 mil millones[427]. La paradoja de todo esto es que cuando cada país persigue su propia seguridad sin mirar hacia los demás, lo que se crea es una inseguridad mundial que nos amenaza a todos. Por ello es lógico que, según refiere el plan de desarme integral bajo estudio, el gasto militar represente hoy 80 veces más que la ayuda humanitaria, algo muy lamentable mientras que los esfuerzos en acabar con la pobreza, avanzar con la educación y la salud, la lucha contra el cambio climático y la protección del planeta carecen de recursos.

La prioridad de salvar a la humanidad está dedicada a la reducción de armas de destrucción masiva (como las armas nucleares, las armas químicas y las biológicas). Para abordar el problema nuclear, la Secretaría General de la ONU ha pedido en varias oportunidades a todos los Estados que mantengan su adhesión al tratado de no proliferación, y ha asegurado que trabajará para facilitar el diálogo entre Gobiernos y alcanzar el objetivo universal de un mundo libre de armas atómicas[428]. En cuanto a las armas químicas, el documento remarca el fracaso del Consejo de Seguridad en su responsabilidad de garantizar la rendición de cuentas por los últimos ataques producidos con ese tipo de armamento en Siria[429]. Para remediar esa situación, el plan propone la creación de un mecanismo que sea capaz, no solo

---

427 Raibagui, K., «Military Robots To Watch Out For In 2021», *Analytics India Magazine,* 2021 [en línea], disponible en: *https://analyticsindiamag.com/military-robots-to-watch-out-for-in-2021/*, fecha de revisión: 21/01/2021.

428 Por ejemplo, *Declaración del Secretario General de la ONU, António Guterres*, Reunión Plenaria de Alto Nivel de la Asamblea General de ese organismo internacional, para conmemorar y promover el Día Internacional para la Eliminación Total de las Armas Nucleares, 26 de septiembre de 2018 [en línea], disponible en: *https://www.un.org/sg/en/content/sg/statement/2018-09-26/secretary-generals-statement-high-level-plenary-meeting-general*, fecha de revisión: 27/04/2019.

429 UN News, «Security Council fails to adopt three resolutions on chemical weapons use in Syria», *Un News*, 10/04/2018 [en línea], disponible en: *https://news.un.org/en/story/2018/04/1006991*, fecha de revisión: 27/04/2019.

de investigar el uso de las armas químicas, sino también de establecer quiénes las han utilizado.

La prioridad de salvar vidas está dedicada a la reducción de las armas convencionales (misiles, obuses, bombas de racimo, minas, explosivos improvisados, armas pequeñas, etc.). Cada año la violencia armada mata a centenares de miles de personas, y en lo que va del siglo XXI millones de personas han sido desarraigadas por la guerra, la violencia y la persecución. Para mitigar estos sufrimientos, la Secretaría General de la ONU propone en el plan trabajar con los Estados para desarrollar limitaciones apropiadas, crear normas comunes y políticas sobre el uso de estas armas en áreas operacionales.

La prioridad de salvar a las futuras generaciones está dedicada a la regulación de las nuevas armas tecnológicas. Las tecnologías que incluyen *big data* y análisis, IA y automatización deberían ayudar a mitigar y combatir el impacto del cambio climático, proteger el medio ambiente y crear las condiciones para un crecimiento y un desarrollo que beneficien a todos. Sin embargo, el plan advierte que muchos desarrollos también están permitiendo, a un ritmo acelerado, el diseño y la adquisición de nuevas tecnologías de armas con aplicaciones poco claras o potencialmente peligrosas. Algunos de los riesgos y desafíos predictibles incluyen serias implicaciones para el mantenimiento de la paz y la seguridad internacionales, de la garantía y el respeto de las leyes internacionales humanitarias y de derechos humanos, y de la protección de personas e infraestructuras civiles.

Muchos avances tecnológicos, especialmente aquellos que resultan en una mayor autonomía y operación remota de los sistemas de armas, podrían crear percepciones ilusorias de posibles guerras con cero bajas humanas, lo cual va reduciendo el umbral para el uso de la fuerza armada. La naturaleza generalizada de las tecnologías digitales puede exacerbar estos riesgos, y más cuando son utilizadas por actores no estatales. Debido a ello, muchas nuevas tecnologías armamentísticas están siendo examinadas activamente en los organismos de desarme de la ONU. Sin embargo, el ritmo del desarrollo y la diseminación tecnológica están desafiando los marcos regulatorios gubernamentales y los procesos multilaterales en curso. Si bien todos los esfuerzos existentes deberían acelerarse, el plan sugiere que la ONU debería desempeñar un papel central en la promoción de una mayor comprensión de las implicaciones que se presentan en la ciencia y la tecnología, fomentando la innovación responsable y ofreciendo mediación en respuesta a incidentes de ataques producidos con estas nuevas armas más tecnificadas.

Está claro que las nuevas tecnologías y conceptos armamentísticos plantean una variedad de desafíos distintos e interconectados. Desde una perspectiva jurídica, el plan de desarme reconoce que existe la preocupación de que algunas armas nuevas puedan desafiar las normas existentes, incluido el DIH; y un ejemplo de ello son los SAAL, ya que plantean, entre otras cuestiones, preguntas inquietantes sobre la responsabilidad humana por el uso de la fuerza armada. Las novedosas capacidades de todos estos sistemas pueden proporcionar incentivos para que los usuarios reinterpreten el derecho internacional que se aplica al uso de la fuerza armada.

Por ende, el plan de desarme integral se hace eco de las voces de científicos, ingenieros, expertos en robótica, empresarios y varias compañías especializadas en el ramo quienes se han manifestado en contra de los peligros potenciales que plantea la «armamentización» de la IA y los sistemas autónomos, y al mismo tiempo han abogado porque toda la tecnología del siglo XXI se use solo con fines pacíficos.

Gran parte de la comunidad internacional ha alertado sobre las implicaciones del desarrollo de SAAL. Mientras que las definiciones de tales sistemas permanecen aún sin resolver, el plan considera a estas armas como sistemas que son capaces de seleccionar y atacar un objetivo sin intervención humana. El documento afirma que hoy en día existe la tecnología suficiente para desplegar armas con tales capacidades, pero que igual hay dudas acerca de si se podrían utilizar de conformidad con el DIH. El plan de desarme también refiere que alrededor del tema de los SAAL hay inquietudes sobre los problemas morales y éticos que plantea dotar a las máquinas de la discreción y el poder para acabar por sí mismas con una vida humana.

Del mismo modo, el texto advierte que el desarrollo de la IA es uno de los impulsores del creciente interés militar por las AW. Los enfoques de la IA, como el aprendizaje automático, han podido superar el intelecto humano en algunas aplicaciones limitadas. Los avances en tecnologías periféricas y habilitadoras, como los sensores, pueden dar a las máquinas ciertas ventajas sobre la percepción humana. Así, de acuerdo con lo previsto en el plan de desarme integral, es esencial que todas las cuestiones relacionadas con la robótica, la IA y los SAAL —en particular— sigan siendo consideradas y reflexionadas en el marco de Naciones Unidas. Los Estados, con el apoyo y la participación de los actores humanitarios, la sociedad civil y el sector privado, deben trabajar para alcanzar rápidamente un entendimiento común sobre las características, así como sobre las limitaciones acordadas, que deben aplicarse a la autonomía en materia de armas.

Finalmente, según el plan de desarme, debe haber también una consideración más amplia por parte de los Estados acerca de los impactos de la introducción de la autonomía y la IA en otros sistemas militares, y de cómo se puede lograr una gobernabilidad efectiva y la mitigación de riesgos producto de esas tecnologías emergentes. Por consiguiente, la Secretaría General de la ONU se compromete en su plan a trabajar con los Estados en preparar nuevas medidas que incluyan acuerdos jurídicamente vinculantes, y asegurar que los seres humanos estén detrás del control del uso de la fuerza armada en todo momento.

En el marco de ese compromiso institucional está el gran impulso que la Secretaría General de la ONU ha venido dando a las discusiones que, hoy en día, se están llevando a cabo en la CCW para abordar los desafíos y las implicaciones que traen consigo las tecnologías emergentes en el área de los SAAL. Todo esto podrá apreciarse con mayor detalle en el próximo capítulo, ya que en él se reflexionará acerca de la potencial afectación que pueden ocasionar los avances científicos y tecnológicos vinculados a las AW a la seguridad internacional y el desarme, un asunto muy preocupante del cual se ha hecho eco no solo el secretario general de la ONU, António Guterres, sino también entidades académicas y científicas a nivel global.

Capítulo 4. Los SAAL y su impacto potencial en la seguridad internacional y el desarme

Una de las razones por la que gran parte de la comunidad internacional está interesada en el estudio de las tecnologías emergentes en el área de los SAAL se debe al gran cúmulo de riesgos e incertidumbres que estas armas tan sofisticadas pueden suscitar, sobre todo en lo que tiene que ver con su posible afectación en la seguridad internacional y el desarme.

A diferencia del capítulo anterior, el debate internacional sobre AW no solo resulta importante en virtud de justificaciones estratégicas relativas al fortalecimiento del poderío militar, de seguridad y de defensa de los Estados. Como se detallará a lo largo de este capítulo, también existen ONG y otros actores de la sociedad civil que, de manera organizada, se han volcado en impulsar las discusiones interdisciplinares y prospectivas acerca del uso pacífico de las ciencias de la computación, así como también de la prohibición total de las AW.

En ese sentido, muchos de esos actores argumentan, entre otros asuntos, que la aplicación de la IA y la robótica para el diseño de AW que luego serían usadas para llevar a cabo ataques en conflictos armados, todo ello, en su conjunto, es un asunto que debe seguir debatiéndose entre los Estados y la sociedad civil en general. Así pues, el aumento de los niveles de autodirección y autosuficiencia en las funciones de los SAAL implica sin más una serie de peligros que propenden a la inobservancia de los principios más básicos del DIDH y el DIH.

Por lo tanto, en el presente capítulo se analizará, por un lado, la potencial afectación a la seguridad internacional y el desarme en virtud de los avances científicos y tecnológicos vinculados a los SAAL. A tal efecto, se hará referencia al contenido del informe elaborado en 2018 por la Secretaría General de la ONU, en el que hace una reseña general, y en su caso documenta también, sobre: a) los avances científicos y tecnológicos recientes que revisten importancia para los medios y métodos de guerra; b) las consecuencias en materia de seguridad que pueden tener esos avances, tanto a nivel individual como en el contexto de su convergencia; c) los esfuerzos multilaterales que se están desplegando para encarar esos retos; y, d) formula recomendaciones sobre la manera de intensificar esos esfuerzos.

Por otro lado, se hará referencia a algunos datos concretos, relativos a proyectos reales de investigación, desarrollo e innovación de tecnología armamentista que demuestran que los SAAL no son una ficción, sino más bien una realidad, ya que, hoy en día, existen indicios suficientes para demostrar que muchos Estados y empresas privadas están financiando iniciativas en IA y robótica aplicadas específicamente para el desarrollo de armas con altos grados de autonomía en sus funciones, todo lo cual refuerza la tesis de esta investigación acerca de cuán importante es que a nivel académico, político y jurídico internacional se siga debatiendo sobre todas las implicaciones, riesgos y peligros que podrían traer consigo estas innovaciones armamentísticas militares.

Para finalizar, este capítulo dará cuenta de las principales iniciativas internacionales impulsadas por distintas instituciones de la sociedad civil en contra de la investigación, el desarrollo y la innovación de las tecnologías emergentes en el área de los SAAL. Al respecto, se explicará con mayor detalle cuál ha sido la posición del International Committee for Robot Arms Control (en adelante, ICRAC), de la CSKR, de HRW y del CICR, así como también los argumentos planteados en las distintas cartas abiertas e iniciativas globales suscritas por expertos, jefes de empresas y demás organizaciones especializadas y/o vinculadas al campo de la IA y la robótica, acerca del uso de las tecnologías emergentes en el área de los SAAL.

4.1. La potencial afectación a la seguridad internacional y el desarme en virtud de los avances científicos y tecnológicos vinculados a los SAAL

A lo largo de esta sección se abordará, primeramente, el contenido del informe de 2018 de la Secretaría General de la ONU, en el que se podrán encontrar de manera detallada muchas de las razones por las cuales ese órgano administrativo exhorta a los Estados parte de la CCW a que sigan discutiendo sobre los SAAL en el seno de la CCW. Luego de ello, se hará referencia a los principales proyectos que hoy en día están impulsando algunos Estados para la investigación, el desarrollo y la innovación de las tecnologías emergentes en el área de las AW, lo cual demuestra como muchas de las preocupaciones que giran en torno a los SAAL no son ciencia ficción sino una realidad inminente, sobre todo debido a su uso potencial en conflictos armados internacionales.

4.1.1. Informe de 2018 elaborado por la Secretaría General de la ONU

Desde finales de los años ochenta del siglo pasado, la función de la ciencia y la tecnología en el contexto de la seguridad internacional y el desarme ha sido un tema presente en el programa de desarme de la ONU. El inicio de su abordaje se dio en virtud de la preocupación que tenían algunos Estados sobre cómo los avances relacionados con el uso gradual de la potencia explosiva nuclear, la miniaturización y las funciones informáticas a gran escala gracias a la microelectrónica, además de la tecnología láser y de combustible, estaban transformando las condiciones de seguridad global[430].

Con el transcurso del tiempo, el interés sobre estas discusiones fue disminuyendo progresivamente. Además, debido al carácter tan interdisciplinar y prospectivo del asunto, muchos de tus temas fueron abordándose de manera dispersa en diferentes foros dentro de la ONU. Entre esas discusiones guarda especial interés, a los efectos del presente epígrafe, el informe sobre la protección de los civiles en conflictos armados, presentado el 22 de noviembre de 2013 por el entonces secretario general de Naciones Unidas, Ban Ki-moon, ante el Consejo de Seguridad de ese foro multilateral.

---

430 El 7 de diciembre de 1988 fue aprobada la primera resolución sobre este tema en la Asamblea General de la ONU. Mediante esa resolución, los Estados miembros pidieron al secretario general de esa organización que siguiera los avances científicos y tecnológicos futuros, especialmente los que pudieran tener aplicaciones militares, y que evaluara su repercusión en la seguridad internacional y presentara un informe al respecto a la Asamblea General en su cuadragésimo quinto período de sesiones en 1990. Asamblea General de la Onu, *Resolución 43/77A*, de 7/12/1988, aprobada en la centésima tercera sesión plenaria del cuadragésimo tercer período de sesiones de la Asamblea General de la ONU [en línea], disponible en: *https://undocs.org/es/A/RES/43/77*, fecha de revisión: 27/04/2019.

Este informe, entre otros aspectos, hace referencia a que la proliferación de la tecnología como los drones y los SAAL, y la utilización cada vez más frecuente de ese tipo de sistemas armamentísticos, hará más evidente la asimetría en muchos conflictos existente entre los actores estatales y los no estatales. Según el informe, este tipo de tecnología permite que una de las partes se distancie cada vez más físicamente del campo de batalla, cambie la forma de hacer la guerra y de imponerse militarmente. Esto reduce la posibilidad de que se entablen combates en directo «cara a cara», y a su vez incentiva a que las partes tecnológicamente inferiores recurran a estrategias que puedan hacer daño a los civiles. Además, los drones —en consecuencia, los SAAL también— aumentan las oportunidades para que actores realicen ataques que, de otro modo, se considerarían poco realistas o no deseables si tuvieran que utilizar otros tipos de medios de ataque aéreo —por ejemplo—, o desplegar soldados humanos sobre el terreno.

En ese sentido, el informe advierte que esas preocupaciones y otras similares se acrecentarán en el futuro con el uso de SAAL, en tanto que son sistemas que, una vez activados, podrán seleccionar y atacar blancos y operar en entornos dinámicos y cambiantes sin necesitar mayor intervención humana. Según el entonces secretario general, estos sistemas plantean serias preocupaciones respecto de la capacidad de ajustarse al DIH y el DIDH. No obstante, según el informe los SAAL son sistemas que, para ese entonces, no se habían desplegado todavía y desconoce además el alcance de su desarrollo como tecnología militar. De todas formas, la Secretaría General exhorta a que se inicie cuanto antes el debate sobre estas importantes cuestiones, y no esperar a abordarlas después de que esa tecnología se desarrolle y prolifere en conflictos.

Años más tarde, la Asamblea General de la ONU aprobó una Resolución de 4 de diciembre de 2017, en la que solicitó al secretario general de ese organismo que presentara durante el 73.º período de sesiones de la Asamblea General un informe sobre los avances científicos y tecnológicos actuales y sus posibles efectos en las iniciativas relacionadas con la seguridad internacional y el desarme, con un anexo en el que se incluyeran las comunicaciones en las que los Estados miembro ofrecen sus opiniones acerca de la cuestión[431].

A 17 de julio de 2018, el secretario general de la ONU, António Guterres, publicó un informe titulado *Los avances científicos y tecnológicos actuales y sus posibles efectos en las iniciativas relacionadas con la seguridad internacional y el desarme*[432]. *Este documento explica como a lo largo de la historia, la ciencia y la tecnología han sido eminentemente fuerzas impulsoras del bienestar de la sociedad, y hoy en día lo siguen siendo. Propone además una reseña general de los avances científicos y tecnológicos recientes —y de aquellos que estarían en condiciones de ponerse en práctica en los próximos cinco años— que revisten importancia para los medios y métodos de guerra.*

Según el informe, la ciencia y la tecnología deben ser vistas como facilitadoras esenciales de las iniciativas mundiales dirigidas a implementar la Agenda 2030 para el Desarrollo Sostenible. No obstante, parte de la comunidad internacional está preocupándose cada vez más por las nuevas tecnologías, sobre todo cuando son aplicadas al área armamentista —tal y como sucede en el caso de los SAAL—, ya que ello plantea desafíos muy complejos para las normas jurídicas y éticas vigentes, la no proliferación, la estabilidad internacional, y la paz y la seguridad internacionales.

Ahora bien, con respecto a los SAAL, el informe inicia sus reflexiones definiéndolos como un tipo específico de sistemas que, una vez activados, pueden ejecutar tareas sin intervención ni control humano. Esas tareas estarían estrictamente vinculadas al empleo de funciones autónomas en el uso de la fuerza armada, a saber, la selección del objetivo y el ataque. Por ende, bajo la perspectiva del informe, un sistema armamentístico que solo emplee la autonomía en funciones distintas y no críticas, como la navegación, normalmente no se consideraría un sistema armamentístico autónomo.

---

431 Asamblea General de la Onu, *Resolución A/RES/72/28*, de 11/12/2017, sobre la función de la ciencia y la tecnología en el contexto de la seguridad internacional y el desarme [en línea], disponible en: ***https://www.un.org/en/ga/search/ view_doc.asp?symbol=A/RES/72/28&Lang=S***, fecha de revisión: 27/04/2019, *véase página* 2.

432 Secretaría General de la Onu, *Informe del Secretario General de la ONU, António Guterres* (documento de trabajo), *op. cit.*

La tecnología de los SAAL puede además estar integrada a una máquina o distribuida entre múltiples máquinas en red, y ello es factible gracias a que sus avances más recientes vienen impulsados por la evolución de la IA y el desarrollo de diversas tecnologías facilitadoras, como los sensores de luz y de distancia, y la visión estereoscópica por computadora.

Al mismo tiempo, el informe clasifica los SAAL en tres categorías: a) aquellos que requieren la intervención humana en algún momento de la ejecución de la tarea (sistemas semiautónomos); b) los que tienen la capacidad de ejecutar las tareas de forma independiente, pero bajo la supervisión de un ser humano que puede intervenir en cualquier caso (sistemas supervisados); y, c) los que operan de forma independiente de la participación o supervisión humana (sistemas totalmente autónomos).

El secretario general también indica en su informe muchas de las consecuencias que, en materia de seguridad, pueden tener estos avances tecnológicos en las armas del siglo XXI, *tanto a nivel individual como en el contexto de su convergencia. Por un lado, señala la posibilidad de que cualquiera que sea el resultado que provenga de estos sistemas nunca pueda ser totalmente predictible o explicable. Por otro, advierte que la dependencia excesiva de la autonomía o el uso inapropiado de esta podría tener consecuencias negativas para el control de la escalada armamentista y de conflicto. Esto se traduce en lo siguiente:*

> «[...] Las nuevas tecnologías armamentísticas podrían poner a prueba los marcos jurídicos existentes, entre otras cosas facilitando el uso de la fuerza por medios no tradicionales, como las interferencias electromagnéticas, y también de maneras difíciles de entender a la luz de los umbrales tradicionales para el ejercicio del derecho de legítima defensa. Del mismo modo, el mayor uso de sistemas teledirigidos y autónomos podría facilitar el uso de la fuerza en contextos en los que el marco jurídico aplicable no está claro. Además, el aumento de la autonomía y el control a distancia, así como el afán de realizar operaciones militares en el ciberespacio y el espacio ultraterrestre podrían crear la idea de

que puede haber guerras sin víctimas, lo que podría reducir los umbrales políticos para el uso de la fuerza [...]»[433].

Ante ese escenario, el informe documenta, avala y saluda los esfuerzos multilaterales que la comunidad internacional está desplegando en el área de los SAAL para encarar los retos que estos implican, y formula además recomendaciones para intensificar esos esfuerzos. Al respecto, hace hincapié en la importancia y trascendencia de las labores de discusión que se están llevando a cabo en la CCW y, al mismo tiempo, valora positivamente el contenido de los proyectos de investigación y colaboración que han sido gestionados por el Instituto de Naciones Unidas de Investigación sobre el Desarme (en adelante, UNIDIR, por las siglas en inglés de *United Nations Institute for Disarmament Research*) entre 2016 y 2017, y que dieron como resultado la elaboración de un estudio sobre el aumento de la transparencia, la supervisión y la rendición de cuentas respecto de los vehículos aéreos armados no tripulados[434].

Así las cosas, el informe recomienda que la Primera Comisión de la Asamblea General de la ONU sirva de escenario para mejorar la coordinación de las diversas iniciativas que se están llevando a cabo a nivel de toda la organización y en los Estados miembro para abordar los avances científicos y tecnológicos, a fin de que las iniciativas de la comunidad internacional a este respecto sean coherentes e integrales. Igualmente, sugiere que la Junta Consultiva en Asuntos de Desarme asegure que sus deliberaciones marchan al compás de los avances tecnológicos, y que, a ese fin, accedan a los conocimientos especializados pertinentes.

Por último, el secretario general de la ONU reconoce en su informe que muchos de los avances que se están alcanzando en las tecnologías armamentistas emergentes, especialmente en el área de los SAAL, es-

---

433 Secretaría General de la Onu, *Informe del Secretario General de la ONU, António Guterres* (documento de trabajo), *op. cit.*, *véase página 18*.

434 A partir de 2018, UNIDIR lleva a cabo un proyecto de seguimiento de todo el proceso de debate en la CCW, centrándose en las preocupaciones jurídicas y de seguridad relacionadas con la proliferación y el uso de los sistemas autónomos, y en las estrategias para dar respuesta a esas preocupaciones. Instituto de las Naciones Unidas para la Investigación del Desarme, información institucional [en línea], disponible en: *http://www.unidir.org/*, fecha de revisión: 23/05/2019.

tán teniendo lugar en el sector privado y en el mundo académico, lo que pone de relieve la necesidad de que los procesos y debates intergubernamentales tradicionales se vinculen más a esos grupos. Así, la ONU, por conducto de su Secretaría General, colaborará con los científicos, los ingenieros y la industria para fomentar la innovación responsable en el ámbito de la ciencia y la tecnología, y velar por su aplicación con fines pacíficos, así como por la difusión responsable de los conocimientos[435].

4.1.2. La investigación, el desarrollo y la innovación de los SAAL: ¿es ciencia ficción o una realidad?

Hasta ahora se ha podido destacar como los SAAL no son sistemas fáciles de comprender, sobre todo cuando existen grandes diferencias de enfoque respecto de ellos entre los Estados, la industria y la academia. Sin embargo, existen países y organizaciones que están muy interesados en invertir recursos en la investigación, el desarrollo y la innovación de las tecnologías emergentes en el área de los SAAL. Así las cosas, ¿es factible que algún día los Estados y la empresa privada desarrollen FAWS[436]?; y si ello fuere posible, ¿cuándo se cumplirá el enigma del *Terminator*[437]*?, ¿a corto, medio o largo plazo? Responder*

---

435 Estas acciones se llevarán a cabo como parte de la estrategia de la Secretario General de la ONU en materia de nuevas tecnologías y que ya apunta al llamado a por una prohibición de las armas autónomas letales por considerarlas —o al menos deja entrever que encierran— un peligro para la humanidad. Al respecto, ver Secretaría general de la ONU, *Estrategia del secretario general de las naciones unidas en materia de nuevas tecnologías*, septiembre de 2018 [en línea], disponible en: *https://www.un.org/en/newtechnologies/images/pdf/SGs-Strategy-on-New-Technologies-ES.pdf*, fecha de revisión: 29/04/2019. También, ver: Noticias ONU, «Acabar con el COVID-19 y luchar contra el cambio climático entre las 10 prioridades del Secretario General de la ONU para 2021», *Noticias ONU*, 28/01/2021 [en línea], disponible en: *https://news.un.org/es/story/2021/01/1487222*, fecha de revisión: 07/02/2021.

436 Entiéndase, máquinas que pueden seleccionar y atacar objetivos sin ninguna participación humana, y que dada su capacidad de aprendizaje y adaptación producto de la IA podrían cambiar por sí mismas sus códigos de actuación que fueron preprogramados por los humanos.

437 Denominación que surge en alusión al nombre de un cíborg asesino del futuro, interpretado por el actor Arnold Schwarzenegger en una serie de ciencia ficción y acción de los años ochenta del siglo pasado. Esta expresión hace referencia a los

a estas preguntas es útil para comprender cómo de apremiante es, en realidad, el debate sobre SAAL.

Gran parte de los expertos que apoyan o critican el desarrollo y la innovación de los SAAL afirman, sin lugar a duda, que en la actualidad estos sistemas no existen[438]*. Sin embargo, algunos aseguran que en el futuro podrían llegar a crearse estos sistemas*[439]*, mientras otros creen que jamás se desarrollarán. También hay quienes afirman, basados en sus propias interpretaciones, que hoy ya existen los SAAL*[440]*.*

Esta diversidad de posiciones antagónicas obedece a un desfase semántico entre ellas. Como se destacó en el capítulo 1 de esta monografía, es habitual encontrar investigadores que reflexionan sobre los SAAL basados en una trampa terminológica muy común, en la que

---

problemas que plantea la existencia de una máquina independiente con capacidad de decidir a quién debe matar y a quién no. Freedman, L., *La guerra futura. Un estudio sobre el pasado y el presente*, Barcelona, Planeta, 2019, *véase página 377*; Rabkin, J. y Yoo, J., *Striking power. How cyber, robots, and space weapons change the rules of war*, *op. cit.*, *véanse páginas 131 y 148*; y Jordán, J. y Baqués, J., *Guerra de drones. Política, tecnología y cambio social en los nuevos conflictos*, *op. cit.*, *véase página 143*.

438 Rabkin, J. y Yoo, J., *Striking power. How cyber, robots, and space weapons change the rules of war*, *op. cit.*, *véase página 149*; Asaro, O., «On banning autonomous weapon systems: human rights, automation, and the deshumanization of lethal decision-making», *Revista del Comité Internacional de la Cruz Roja*, vol. 94, 2012, núm. 886, pp. 687-709, disponible en: *https://www.cambridge.org/core/journals/international-review-of-the-red-cross/article/on-banning-autonomous-weapon-systems-human-rights-automation-and-the-dehumanization-of-lethal-decisionmaking/992565190BF2912AFC5AC0657AFECF07*, fecha de revisión: 22/06/2019, *véanse páginas 705 y 709*; Federal Foreign Office, *Lethal Autonomous Weapons Systems. Technology, Definition, Ethics, Law & Security*, *op. cit.*, *véanse páginas 2, 28, 66, 72, 161 y 260*; Scharre, P., *Autonomous weapons and operational risk. Ethical autonomy project*, *op. cit.*, *véase página 3*; Anderson, K., Reisner, D. y Waxman, M., «Adapting the Law of Armed Conflict to Autonomous Weapon Systems», *op. cit.*, *véase página 389*; y Human Rights Watch and Harvard Law School's International Human Rights Clinic, *Losing Humanity: The Case against Killer Robots*, *op. cit.*, *véase página 3*.

439 Arkin, R., Wager, A. y Duncan, B., *Responsibility and lethality for unmanned systems: ethical pre-mission responsibility advisement*, *op. cit.*

440 Rabkin, J. y Yoo, J., *Striking power. How cyber, robots, and space weapons change the rules of war*, *op. cit.*, *véanse páginas 147 y 148*; y Federal Foreign Office, *Lethal Autonomous Weapons Systems. Technology, Definition, Ethics, Law & Security*, *op. cit.*, *véanse páginas 177 y 181*.

categorizan a un sistema como «autónomo» o «no autónomo» teniendo en cuenta únicamente el concepto «autonomía» como criterio diferenciador. Pero lo cierto es que autonomía no es un término absoluto de «todo o nada», sino una cualidad cuyo sentido y alcance representa un amplio espectro de posibilidades en las que se puede caracterizar a las tecnologías como altamente automatizadas, semiautónomas e incluso completamente autónomas.

Bajo ese enfoque, es lógico que algunos expertos puedan afirmar que hoy en día existen sistemas de armas autónomas que, una vez activados, pueden seleccionar y atacar un objetivo sin mayor intervención por parte de un operador humano[441]. Sin embargo, cuando alguien se refiere a sistemas de armas que son completamente autónomos, de lo que se trata es de máquinas mortíferas vinculadas a un nivel de autonomía que va un paso más allá, en el que el operador humano está completamente fuera del circuito de selección y ataque de un objetivo, y en donde además la máquina tiene la capacidad de cambiar por sí misma sus propios códigos de actuación preprogramados por los humanos. Sobre este último tipo de tecnología —totalmente autónoma— existe un amplio consenso en la comunidad internacional en que no debe ser desarrollada.

Ahora bien, actualmente existen investigaciones, desarrollos e innovaciones militares, de seguridad y de defensa que cada vez más buscan dotar a las armas de altos niveles de autonomía en sus funciones críticas de selección y ataque de objetivos, lo cual, aun cuando no se trata de armas completamente autónomas, ya genera preocupaciones importantes en expertos de muchos Estados, especialmente aquellos relacionados con la industria armamentista y la academia en general. Esta tendencia de desarrollo armamentista del siglo XXI se hace patente en varios proyectos importantes[442].

---

441 Rabkin, J. y Yoo, J., *Striking power. How cyber, robots, and space weapons change the rules of war*, *op. cit.*, *véase página 148.*

442 El presente epígrafe no tiene como objetivo exponer detalladamente el estado del arte del desarrollo actual de los sistemas de armas autónomas. La idea es destacar solo algunos proyectos que demuestran el rápido avance que ha tenido en el siglo XXI la investigación y el desarrollo armamentístico especialmente destinado al diseño, la fabricación y la utilización de armas cada vez más autónomas. Así, la descripción que se ofrece es relativa a armas, sistemas de armas y plataformas armamentísticas que han sido formuladas por varios expertos en el

En 2010, por ejemplo, el entonces relator especial de la ONU, Alston, señaló en uno de sus informes lo siguiente:

> «[...] El nivel de automatización que generalmente existe en los sistemas actualmente desplegados se ve limitado por la capacidad de que dispone para ser programado para despegar, desplazarse o descongelarse o para ser objeto únicamente de supervisión a cargo de un ser humano (a diferencia del control)[443] [...]. En el caso de los sistemas ya existentes que disponen de capacidad mortífera, la elección del blanco y la decisión de disparar el arma corren a cargo de seres humanos, quienes también disparan realmente el arma, aunque mediante control remoto[444] [...]. En esos sistemas de armas hay [...] un control de manejo humano, en el sentido de que la determinación de utilizar la fuerza mortífera corresponde, al igual que con cualquier otro tipo de arma, al operador y a la cadena de mando [...]»[445].

Ya para ese entonces, Alston advirtió en su informe las preocupaciones existentes producto del desarrollo de tecnologías de enjambre en las que un único operador sería quien supervisaría un grupo de sistemas semiautónomos de armas robóticas aéreas mediante una red inalámbrica que conecta a cada robot con los demás y con el operador. Cada robot dentro del sistema tendría la capacidad de

---

área como sistemas de armas que exhiben o reflejan niveles, formas o nociones de autonomía o automatización variables en funciones de navegación, en las maniobras o en el ciclo de selección y de ataque de un objetivo. Todo esto permite elaborar una radiografía del panorama actual en la que se observa como los Estados y la industria tienen una apuesta real, y no ficticia, por reducir cada vez más el control humano próximo al desarrollo de las hostilidades.

443 Como sucede, por ejemplo, con la capacidad de que dispone un vehículo aéreo de combate no tripulado o una bomba dirigida por láser.

444 Como ejemplos de esos sistemas de armas semiautomatizados que actualmente se utilizan cabe mencionar los RPAS *Predator* y *Reaper*, que fueron desplegados en los conflictos de Iraq y de Afganistán por parte de EE.UU. y Reino Unido, y los RPAS *Harpy* pertenecientes al Gobierno de Israel. Según el informe de Alston, los sistemas que sustituirían a esta generación de tecnología incluyen el *Sky Warrior*, RPAS con capacidad para despegar y aterrizar automáticamente y para transportar y disparar cuatro misiles *Hellfire*.

445 Alston, P., *Informe provisional del entonces relator especial sobre ejecuciones extrajudiciales, sumarias o arbitrarias del Consejo de Derechos Humanos de las Naciones Unidas, Philip Alston*, *op. cit.*, *véase párrafos 24 y 25*.

volar autónomamente a una zona previamente designada y podría detectar amenazas y blancos mediante la utilización de IA, el uso de información sensorial y el procesamiento de imágenes[446]. Asimismo, Alston destacó que, para la época, varios países ya invertían y desarrollaban sistemas con la capacidad necesaria para desplazar a los seres humanos del proceso directo de adopción de decisiones letales.

Por ejemplo, desde 2007, Israel dispone de sistemas de armas de tecnología centinela[447] que pueden localizar posibles blancos mediante sensores, para luego transmitir esa información a un centro de mando en el que un soldado humano puede ubicar y hacer un seguimiento del objetivo, y finalmente dispararle[448]. Ahora bien, en el futuro, según los planes de Israel, estos sistemas pasarían a ser de circuito cerrado, en el que no sería necesaria ninguna intervención humana en el proceso consistente en identificar, apuntar al blanco y matar[449].

---

446 Fuerza Aérea de los Estados Unidos de Norteamérica, Proyecto United States Air Force Unmanned Aircraft Systems Flight Plan 2009-2047» (informe), Washington, Fuerza Aérea de los Estados Unidos de Norteamérica, 18/05/2009 [en línea], disponible en: *https://fas.org/irp/program/collect/uas_2009.pdf*, fecha de revisión: 30/04/2019, *véanse páginas 33 y 34*.

447 Muchos de esos sistemas estaban compuestos de ametralladoras accionadas por control remoto, de 7,62 mm, instaladas en torres de vigilancia que, para la época, se encontraban a algunos centenares de metros unas de otras en toda la frontera con Gaza. Defense Industry Daily, «Israel Deploying «See-Shoot» RWS Along Gaza», *Defense Industry Daily*, 07/06/2007 [en línea], disponible en: *https://www.defenseindustrydaily.com/israel-deploying-seeshoot-rws-along-gaza-03354/*, fecha de revisión: 30/04/2019; y Cavanaugh, D., «Robot guns guard the borders of some countries, and more might follow their lead», *Offiziere*, 12/04/2016 [en línea], disponible en: *https://www.offiziere.ch/?p=27012*, fecha de revisión: 30/04/2019.

448 Hughes, R. y Ben-David, A., «IDF deploys sentry tech on Gaza Border», *Jane's Defence Weekly*, 06/06/2007 [en línea], disponible en: *https://www.researchgate.net/publication/291483334_IDF_deploys_Sentry_Tech_on_Gaza_border*, fecha de revisión: 30/04/2019.

449 Homeland Security News Wire, «Autonomous see-shoot systems drawing interest», *Homeland Security News Wire*, 15/06/2007 [en línea], disponible en: *http://www.homelandsecuritynewswire.com/autonomous-see-shoot-systems-drawing-interest*, fecha de revisión: 30/04/2019. Vale destacar que, en la actualidad, Israel ya tiene algunas de las máquinas más avanzadas, incluido un robot de tierra armado, *The Guardium*, que ha patrullado la frontera de Gaza, y el *Harpy*, un misil que rodea los cielos hasta que encuentra su objetivo. Al respecto, Industria Aeroespacial Israelí, *The Guardium* (ficha técnica

Por su parte, Corea del Sur logró desarrollar en 2007 el robot *SGR-1*, una torre artillada sin manipulador que utiliza detectores de calor y de movimiento y algoritmos de reconocimiento de trayectorias para localizar posibles intrusos[450]. Esto permite que el robot pueda alertar a los operadores del centro de mando a distancia de la localización del presunto objetivo, para que luego puedan utilizar el sistema audiovisual inserto en la máquina, y logren evaluar la amenaza y decidan finalmente si disparan —o no— la ametralladora ligera incorporada en el robot. Desde 2010[451], el *SGR-1* lleva cumpliendo labores de centinela en la zona desmilitarizada de Corea[452].

En 2013, el exrelator especial de la ONU, Heyns, también advirtió en uno de sus informes que, desde ese entonces, se están utilizando sistemas robóticos con diversos grados de autonomía y poder letal[453]. Entre los ejemplos más destacados, se encuentran:

- El sistema de armamento de proximidad *Phalanx*, de origen estadounidense, para cruceros dotados del sistema de combate *Aegis*, que detecta, rastrea y responde automáticamente a los

---

del vehículo de seguridad no tripulado) [en línea], disponible en: *http://www.iai.co.il/2013/37287-31663-en/Business_Areas_HomelandDefense.aspx*, fecha de revisión: 30/04/2019; e Industria Aeroespacial Israelí, *Harpy NG* (ficha técnica del arma) [en línea], disponible en: *https://www.iai.co.il/p/harpy*, fecha de revisión: 30/04/2019.

450 Page, L., «South Korea to field gun-cam robots on DMZ», *The Register*, 14/03/2007 [en línea], disponible en: *https://www.theregister.co.uk/2007/03/14/south_korean_gun_bots/*, fecha de revisión: 30/04/2019.

451 Rabiroff, J., «Machine gun-toting robots deployed on DMZ», *Stripes*, 12/07/2010 [en línea], disponible en: *https://www.stripes.com/news/pacific/korea/machine-gun-toting-robots-deployed-on-dmz-1.110809*, fecha de revisión: 30/04/2019; y Yonhap News Agency, «South Korea's Army tests machine-gun sentry robots in DMZ», *Yonhap News Agency*, 13/07/2010 [en línea], disponible en: *https://www.tactical-life.com/firearms/south-koreas-army-tests-machine-gun-sentry-robots-in-dmz/*, fecha de revisión: 30/04/2019.

452 Una franja de seguridad que protege el límite territorial de tregua entre la República Popular Democrática de Corea (Corea del Norte) y la República de Corea (Corea del Sur). Establecida en 1953, mide 4 km de ancho y 238 km de longitud.

453 Heyns, C., *Informe del Relator Especial sobre las ejecuciones extrajudiciales, sumarias o arbitrarias, Christof Heyns, op. cit., véase párrafos 44 y ss.*

ataques desde el aire realizados, por ejemplo, con misiles antibuque y aeronaves[454].

- El sistema de defensa terrestre C-RAM (por las siglas en inglés de Counter Rocket, Artillery, and Mortar) que ha sido fabricado por EE.UU. Su diseño permite la intercepción automática de cohetes y proyectiles hostiles de artillería y de mortero antes de que alcancen sus objetivos previstos[455].
- El *Harpy*, de fabricación israelí, un sistema de armas autónomo, del tipo *Fire-and-Forget*, diseñado para detectar, interceptar y destruir transmisores de radar[456].
- El *Taranis*, un prototipo de RPAS con motor de reacción, creado por Reino Unido, y que permite buscar, identificar y localizar de manera autónoma a enemigos, pero solo puede atacar un objetivo cuando lo autorice el jefe de la misión en que se use la máquina. También puede defenderse contra el ataque de aviones enemigos[457].
- El *Northrop Grumman X-47B*, un prototipo de avión de caza no tripulado, con capacidad para despegar y aterrizar en portaaviones y navegar de forma autónoma[458].

---

454 Sistema diseñado y fabricado por la empresa General Dynamics Corporation, División Pomona (actualmente Raytheon). General Dynamics Corporation, *Phalanx Close-In Weapon System* (ficha técnica de la empresa División Pomona, actualmente *Raytheon*), sin fecha [en línea], disponible en: *https://www.raytheon.com/capabilities/products/phalanx*, fecha de revisión: 30/04/2019.

455 US Army Acquisition Support Center, *Counter-rocket, artillery, mortar (C-RAM) intercept land-based phalanx weapon system (LPWS)* (ficha técnica), sin fecha [en línea], disponible en: *https://asc.army.mil/web/portfolio-item/ms-c-ram_lpws/*, fecha de revisión: 30/04/2019.

456 Industria Aeroespacial Israelí, *Harpy NG* (ficha técnica del arma), *op. cit.*

457 Este prototipo pertenece a un programa británico de demostración de tecnología de vehículos aéreos de combate no tripulados (UCAV), desarrollado por la contratista de defensa BAE Systems Military Air & Information. BAE Systems Military Air & Information, *Taranis* (ficha técnica), sin fecha [en línea], disponible en: *https://www.baesystems.com/en/product/taranis*, fecha de revisión: 30/04/2019.

458 Fue desarrollado por la empresa estadounidense de tecnología de defensa Northrop Grumman, en el marco del proyecto *X-47*, el cual comenzó como parte del programa J-UCAS de DARPA, y posteriormente se convirtió en parte del programa de Demostración del Sistema Aéreo de Combate No Tripulado

- Por su parte, HRW, una de las organizaciones internacionales que aboga por la prohibición de los «robots asesinos», reconoce que ese tipo de armas completamente autónomas todavía no existe. Sin embargo, desde 2012 viene advirtiendo que la tecnología está moviéndose cada vez más en esa dirección, y prueba de ello son los precursores de esos sistemas que ya están siendo usados o se encuentran en desarrollo[459]. Por ejemplo, muchos países actualmente usan sistemas de armas defensivos —como el *Iron Dome* israelí[460]— que están programados para responder automáticamente a las amenazas de cualquier munición entrante. Además, existen prototipos para aviones que podrían volar de forma autónoma en misiones intercontinentales (como el *Taranis*) o despegar y aterrizar en un portaaviones[461].

Otra tecnología importante y muy novedosa es *The Guardium*, un sistema autónomo de protección de cercas y bordes, de origen israelí,

---

(UCAS-D) de la Marina de EE.UU. El modelo *X-47B* es una aeronave de cuerpo mixto sin alas con propulsión a chorro capaz de operar autónomamente y de reabastecerse de combustible de manera aérea. Northrop Grumman, *Sistema Aéreo de Combate No Tripulado, modelo X-47B* (ficha técnica), sin fecha [en línea], disponible en: *http://www.northropgrumman.com/Capabilities/X47BUCAS/Pages/default.aspx*, fecha de revisión: 30/04/2019.

459 En ese mismo sentido China se pronunció formalmente en 2018. Al respecto señaló que, en los últimos años, con el progreso continuo de la IA y otras tecnologías, la investigación, el desarrollo y el uso de plataformas militares armadas y no tripuladas ha avanzado rápidamente. Asimismo, señaló que los SAAL están estrechamente relacionados con todas esas tecnologías de armas existentes y los nuevos sistemas que se están desarrollando en el área. Por lo tanto, la solución al problema de los LAWS es muy compleja y cubre áreas amplias. *Position Paper* (documento de trabajo de China), *op. cit.*

460 Army Technology, *Iron Dome* (ficha técnica descriptica del sistema móvil de defensa aérea), sin fecha [en línea], disponible en: *https://www.army-technology.com/projects/irondomeairdefencemi/*, fecha de revisión: 30/04/2019; Raytheon, «Iron Dome Weapon System», *Raytheon*, 2016 [en línea], disponible en: *https://www.raytheon.com/capabilities/products/irondome*, fecha de revisión: 30/04/2019; y Heinrichs, R., «How Israel's iron dome anti-missile system works», *Business Insider*, 30/07/2014 [en línea], disponible en: *https://www.businessinsider.com/how-israels-iron-dome-anti-missile-system-works-2014-7?IR=T*, fecha de revisión: 30/04/2019.

461 Human Rights Watch and Harvard Law School's International Human Rights Clinic, *Losing Humanity: The Case against Killer Robots*, *op. cit.*

que se puede acoplar en una variedad de plataformas probadas en el campo. *The Guardium* se basa en un exclusivo sistema experto algorítmico que funciona como un «cerebro» para permitir la toma de decisiones. Contiene conocimiento proporcionado por personal de seguridad altamente cualificado del que puede hacer inferencias. El sistema experto controla una variedad de sensores, sistemas de identificación, comunicación y de armamento ligero. Tiene además una capacidad de viajar de forma autónoma hasta 48 millas por hora para poder interceptar intrusos en una valla y borde perimetral antes de que el personal de seguridad pueda llegar y aumente la protección sin requerir un despliegue masivo de recursos[462].

Entre las minas submarinas destaca el *The MK-60 Encapsulated Torpedo*[463]*, una mina sofisticada de aguas profundas que, cuando se activa, lanza un torpedo a objetivos hostiles. Está anclada al fondo del océano y utiliza un sistema de vigilancia conocido como propagación del sonido Reliable Acoustic Path* que sirve para rastrear aquellos buques que se encuentran por encima de él. Cuando detecta un submarino que no tiene una característica acústica «amigable», el *MK-60* lanza un torpedo al objetivo. Por lo tanto, tiene autonomía en sus funciones en términos de no requerir autorización humana para desencadenar un ataque específico. Sin embargo, el *MK-60* no es capaz de «elegir» si ataca —o no— a un submarino enemigo; si detecta un submarino enemigo, lanza el torpedo sin ningún proceso de toma de decisiones involucrado.

Por otra parte, está el *Dominator*, un sistema complejo —aún en desarrollo— que pretende incorporar un vehículo aéreo no tripulado autónomo, de larga duración, útil para misiones de inteligencia, vigilancia y reconocimiento, y potencialmente con capacidad de ataque[464].

---

462 Industria Aeroespacial Israelí, *The Guardium* (ficha técnica del vehículo de seguridad no tripulado), *op. cit.*

463 Lewis, D., Blum, G. y Modirzadeh, N., «War-algorithm accountability», *op. cit.*, *véase página 33.*

464 Este sistema se encuentra actualmente en desarrollo por parte de la empresa Boeing. Carey, B., «Boeing phantom works develops "Dominator" UAV», *AIN online*, 2/11/2012 [en línea], disponible en: *https://www.ainonline.com/aviation-news/defense/2012-11-02/boeing-phantom-works-develops-dominator-uav*, fecha de revisión: 30/04/2019; y Sola, D., «Boeing to evaluate CSS for Dominator – IHS Jane's», *Archangel Aerospace*, 01/11/12 [en línea], disponible

Este sistema empleará vuelos autónomos con bombas aviónicas de diámetro pequeño, y se puede desplegar desde una variedad de artillería y vehículos, incluyendo aviones no tripulados. La compañía constructora examinará el potencial de incorporar el Common Smart Submunition (en adelante, CSS) en un sistema de defensa *Textron*, lo cual le proporcionará una mayor capacidad a la máquina para diferenciarse y desplegarse en contra de objetivos fijos y móviles a través de una variedad de plataformas.

Entre los navíos más populares se encuentra *Sea Hunter*, de origen estadounidense. Es un prototipo de buque de superficie autónomo diseñado en 2016 por DARPA, que puede rastrear de manera robusta submarinos eléctricos diésel que sean silenciosos, con la capacidad de viajar durante varios meses y en distancias considerables. *Sea Hunter* tiene capacidad de autonomía en ciertas funciones. Por un lado, es capaz de navegar y maniobrar de manera independiente y sin chocar con otros barcos. Por otro, es capaz de localizar y rastrear submarinos eléctricos diésel, que pueden ser extremadamente silenciosos y difíciles de detectar, dentro de un rango de dos millas de distancia. Gracias a los 31 servidores *blade* que posee, la computadora a bordo del *Sea Hunter* será lo único responsable de conducir y controlar el barco. Un humano puede tomar el control de la embarcación en caso de que ocurra algo drástico, pero está diseñado —según algunos expertos— como un buque 100 % autónomo, por lo que podría realizar sus funciones sin ninguna dirección humana inmediata[465].

---

en: *http://archangelaerospace.com/boeing-to-evaluate-css-for-dominator-ihs-janes*, fecha de revisión: 30/04/2019.

465 Courtland, R., «DARPA's self-driving submarine hunter steers like a human», *IEEE Spectrum*, 07/04/2016 [en línea], disponible en: *https://spectrum.ieee.org/automaton/robotics/military-robots/darpa-actuv-self-driving-submarine-hunter-steers-like-a-human*, fecha de revisión: 01/05/2019; Walan, A., «Anti-submarine warfare (ASW) Continuous Trail Unmanned Vessel (ACTUV)», *DARPA*, sin fecha [en línea], disponible en: *https://www.darpa.mil/program/anti-submarine-warfare-continuous-trail-unmanned-vessel*, fecha de revisión: 01/05/2019; y Stella, R., «Ghost ship: Stepping aboard Sea Hunter, the Navy's unmanned drone ship», *Digital Trend*, 04/11/2016 [en línea], disponible en: *https://www.digitaltrends.com/cool-tech/darpa-officially-christens-the-actuv-in-portland/*, fecha de revisión: 01/05/2019.

Por su parte también está *The Orca*, un vehículo submarino autónomo que está siendo desarrollado por Boeing y Huntington Ingalls Industries para la Marina de EE.UU. En 2019, por ejemplo, la armada de ese país otorgó a Boeing un contrato de $ 274,4 millones de dólares para construir cinco vehículos submarinos no tripulados Orca extragrandes (*XLUUVs*)[466]. Se trata de una plataforma que incorporará una construcción más modular según la misión, con ca-

---

466 Werner, B., « Navy Awards Boeing $43 Million to Build Four Orca XLUUVs», *USNI News,* 2019 [en línea], disponible en: *https://news.usni.org/2019/02/13/41119*, fecha de revisión: 21/01/2021; y Masunaga, S., «The Navy is starting to put up real money for robot submarines», *Los Angeles Times,* 2019 [en línea], disponible en: *https://www.latimes.com/business/la-fi-boeing-undersea-drones-navy-contract-20190419-story.html*, fecha de revisión: 21/01/2021. Según expertos en el área, durante el año fiscal 2021, la Armada de EE.UU. pretende desarrollar y adquirir tres tipos de vehículos navales no tripulados de gran tamaño: vehículos de superficie no tripulados grandes (LUSV), medianos (MUSV) y extragrandes (XLUUV). Esta arquitectura distribuida representa el deseo de la armada estadounidense de emplear estas estrategias de adquisición acelerada de LUSV, MUSV y XLUUV como una expresión de la urgencia de ese país en desplegar grandes vehículos no tripulados para enfrentar los futuros desafíos militares de países como China o Rusia. Esta «carrera armamentista» del siglo xxi se basa en la idea tradicional de EE.UU. de no querer ceder su «liderazgo» en el desarrollo de la IA a China, Rusia o cualquier otro gobierno extranjero porque eso le colocaría en una autentica desventaja tecnológica que podría traer graves implicaciones para su seguridad nacional. Al respecto, véase: Congreso de los Estados Unidos de Norteamérica, *Audiencia sobre los albores de la inteligencia artificial,* Subcomité Senatorial de Espacio, Ciencia y Competitividad, Comité de Comercio, Ciencia y Transporte, Cong. 114, 2da sesión, noviembre de 2016 [en línea], disponible en: *https://www.govinfo.gov/content/pkg/CHRG-114shrg24175/pdf/CHRG-114shrg24175.pdf*, fecha de revisión: 21/01/2021. *Véase página 2*; Shelbourne, M., «HII Purchases Autonomy Company to Bolster Unmanned Surface Business», *USNI News,* 2021 [en línea], disponible en: *https://news.usni.org/2021/01/04/hii-purchases-autonomy-company-to-bolster-unmanned-surface-business*, fecha de revisión: 21/01/2021; Navi Recognition, «US Navy wants to develop and procure three types of large naval unmanned vehicles for Fiscal Year 2021», *Navy Recognition,* 27/12/2020 [en línea], disponible en: *https://www.navyrecognition.com/index.php/focus-analysis/naval-technology/9474-us-navy-wants-to-develop-and-procure-three-types-of-large-naval-unmanned-vehicles-for-fiscal-year-2021.html*, fecha de revisión: 21/01/2021; y, Fryer-Biggs, Z., «Coming Soon to a Battlefield: Robots That Can Kill», *The Atlantic Daily,* 03/09/2019 [en línea], disponible en: *https://www.theatlantic.com/technology/archive/2019/09/killer-robots-and-new-era-machine-driven-warfare/597130/*, fecha de revisión: 07/05/2021.

pacidad para vigilancia, combate sumergido, de superficie, electrónico y barrido de minas. Esta contratación es parte de un desarrollo militar estadounidense adicional de embarcaciones de superficie sin tripulación y drones submarinos, no armados, que indica un nuevo nivel de compromiso de ese país con las operaciones marítimas autónomas.

Existen también algunos tipos de misiles de tercera generación guiados por el método *Fire-and-Forget* que se caracterizan por tener autonomía en varias de sus funciones básicas. Entre ellos, vale la pena destacar el *Brimstone* y el *Brimstone 2* de Reino Unido. El *Brimstone* es un misil que se utilizó por primera vez en 2005, e incluyó *embedded algorithms* que le permitían alcanzar objetivos tanto terrestres como navales. Es un misil con capacidad de autonomía para navegar por el terreno a medida que viaja hacia su objetivo y, en ciertos aspectos, puede ubicar de forma independiente un objetivo particular al discriminar entre los posibles candidatos.

Una vez lanzado, el *Brimstone* es capaz de «barrer» un área extensa, buscando un tipo específico de objetivo, cuyos detalles pueden preprogramarse en cada misil individual antes de su lanzamiento. Tiempo después devino el *Brimstone 2*, una versión mejorada del *Brimstone*, que entró en servicio en 2016 e incorpora un conjunto mejorado de algoritmos de focalización, así como adelantos en el piloto automático y el buscador[467].

---

467 El modelo *Brimstone* fue desarrollado por la compañía MBDA. Es una evolución del misil *AGM-114 Hellfire*, pero con especificaciones concretas de la Royal Air Force inglesa. MBDA, *Brimstone* (ficha técnica con especificaciones concretas de la Royal Air Force inglesa), sin fecha [en línea], disponible en: *https://www.mbda-systems.com/product/brimstone/*, fecha de revisión: 01/05/2019. Actualmente, un nuevo modelo de esta gama se encuentra en fase de testeo, el *Brimstone 3*, un sistema de misiles de precisión ultraalta que ha logrado un hito al completar su primera prueba de disparo en el rango de prueba *Vidsel* en Suecia. Este novísimo modelo promete incorporar todas las funcionalidades mejoradas que ofrecen las actualizaciones del *Brimstone* y el *Brimstone 2*, entre las que se incluyen el buscador de láser multiactivo y milimétrico de gran capacidad, el piloto automático mejorado y el nuevo motor de cohete y ojiva insensibles, compatibles con las normas de municiones, todos combinados para proporcionar capacidades de rendimiento únicas en contra de objetivos más desafiantes. MBDA, *Brimstone 3* (ficha técnica), sin fecha [en línea], disponible en: *https://www.mbda-systems.com/press-releases/mbda-conducts-first-brimstone-3-firing/*, fecha de revisión: 01/05/2019.

Entre los tipos de sistemas estacionarios —incluyendo los de armas cerrados— está el sistema de control y combate estadounidense *Aegis*, capaz de identificar, rastrear y atacar objetivos hostiles. Mediante radar logra identificar objetivos posiblemente hostiles y es capaz de atacar decenas de objetivos simultáneamente. El sistema puede ser operado de manera autónoma en términos de que la interfaz de la computadora puede rastrear varios objetivos, determinar sus niveles de amenaza y, en ciertos aspectos, determinar de manera independiente si va a atacarlos —o no—[468].

Por su parte, está el sistema modular, automático y de interceptación e identificación de redes, *MANTIS* (por las siglas en inglés de Modular, Automatic, and Network-Capable Targeting and Interception System). Utilizado por las fuerzas alemanas como un sistema de protección de muy corto alcance capaz de llegar rápidamente a un objetivo y dispararle 1000 disparos por minuto. Una vez que el *MANTIS* es activado por un operador, el mismo entra en modo completamente automatizado, aunque el operador seguirá estando siempre frente al circuito de actuación de la máquina y tendrá el poder de revertir cualquier acción del sistema cuando lo considere necesario[469].

Existen también vehículos terrestres no tripulados muy avanzados que pueden operar sin la necesidad de un controlador humano. Por ejemplo, el *Gladiator*, un vehículo táctico que incluye monturas para ametralladoras M249 y M240G, y un arma de asalto multipropósito. El uso de municiones no letales también es una opción en estos vehículos. Aunque en un inicio se desarrolló como una unidad controlada por un operador a distancia, lo cierto es que es para muchos autores el primer robot de combate multipropósito del mundo con el

---

468 America's Navy, *AEGIS Weapon System* (ficha técnica), sin fecha [en línea], disponible en: *https://www.navy.mil/navydata/fact_display.asp?cid=2100&tid=200&ct=2*, fecha de revisión: 01/05/2019; Scharre, P. y Horowitz, M., *An introduction to autonomy in weapon systems*, *op. cit.*, *véanse páginas 12 y 21*; y Scharre, P., *Army of none: Autonomous weapons and the future of war*, *op. cit.*, *véanse páginas 45, 89, 97 y 162-164*.

469 Army Technology, *NBS Mantis* (descripción técnica del sistema de defensa de protección aérea), sin fecha [en línea], disponible en: *https://www.army-technology.com/projects/mantis/*, fecha de revisión: 01/05/2019; y Scharre, P., *Army of none: Autonomous weapons and the future of war*, *op. cit.*, *véase página 45*.

potencial de ser llevado a modos semiautónomos y luego completamente autónomos[470].

Un tipo de munición de precisión guiada vinculada al concepto de autonomía es el misil estadounidense *MIM-104 Patriot*. Es un sistema de defensa de misiles tierra-aire que usa un radar para detectar e identificar misiles hostiles entrantes y disparar misiles para interceptarlos. El sistema de radar del *Patriot* es el responsable de detectar y rastrear automáticamente los proyectiles entrantes. Ahora bien, cuando el sistema opera de forma semiautónoma requiere que un operador humano autorice los lanzamientos; y cuando opera en un modo de mayor autonomía, la propia computadora del *Patriot* elige si inicia o no un lanzamiento basado en la velocidad y la dirección del proyectil que se aproxima[471].

Rusia también ha apostado por desarrollos tecnológicos militares de este estilo. Por ejemplo, en 2017 desarrolló *Nerekhta*, un vehículo terrestre ruso no tripulado que, a corto plazo, les ha servido como una plataforma de investigación y desarrollo para la IA, pero que a mediano plazo buscará implementarse aún más en funciones de combate, recopilación de inteligencia o logística. Se trata de un vehículo de tamaño medio y aspecto espartano, y viene en tres variedades: combate, transporte y reconocimiento de artillería, y puede equiparse con

---

470 Slijper, F., *Where to draw the line. Increasing autonomy in weapon systems – Technology and trends*, Utrecht (Países Bajos), Pax for Peace, 2017, disponible en: *https://www.paxforpeace.nl/publications/all-publications/where-to-draw-the-line*, fecha de revisión: 01/05/2019, *véase página 13*; y Singer, P., *Wired for war. The robotics revolution and conflict in the 21st Century*, *op. cit.*, *véanse páginas 111, 112, 198 y 303.*

471 Este sistema de misiles tierra-aire de largo alcance ha sido fabricado por la compañía estadounidense Raytheon. Raytheon, *Global Patriot (*ficha técnica del sistema de misiles de defensa), sin fecha [en línea], disponible en: *https://www.raytheon.com/capabilities/products/patriot*, fecha de revisión: 01/05/2019; Scharre, P. y Horowitz, M., *An introduction to autonomy in weapon systems*, *op. cit.*, *véanse páginas 12, 21 y 22*; Scharre, P., *Army of none: Autonomous weapons and the future of war*, *op. cit.*, *véanse páginas 139-142*; y Slijper, F., *Where to draw the line. Increasing autonomy in weapon systems – Technology and trends*, *op. cit.*, *véase página 12.*

una ametralladora de 12,7 milímetros o 7,62 milímetros, así como un lanzagranadas automático AG-30M de 30 milímetros[472].

Además de todo lo anterior, la autonomía también juega un papel importante en el desarrollo de capacidades armamentísticas cuyo uso está destinado a guerras invisibles dentro del ciberespacio[473]. Un ejemplo de esto es el arma cibernética ofensiva *Stuxnet*, un programa de computadora malicioso en modalidad «gusano informático» que tiene la posibilidad de duplicarse a sí mismo[474]. Fue usado por prime-

---

472 La experiencia de Rusia en Siria, y el seguimiento que ha hecho del uso de sistemas no tripulados por parte de EE.UU. durante las últimas dos décadas, le han convencido de que sus fuerzas necesitan capacidades de combate no tripuladas más ampliadas para aumentar los vehículos aéreos, terrestres y marítimos no tripulados de inteligencia, vigilancia y reconocimiento que les permitan observar el campo de batalla en tiempo real. Por ejemplo, las fuerzas terrestres rusas han estado probando una línea completa de vehículos terrestres no tripulados, desde vehículos pequeños hasta vehículos del tamaño de un tanque armados con ametralladoras, cañones, lanzagranadas y sensores, cuyo uso estaría considerándose hoy para una variedad de escenarios de combate, incluido el urbano. Y en el mar, ese país también está buscando desplegar una línea de vehículos submarinos y de superficie no tripulados que brinden a sus buques y activos marítimos un mayor rango y capacidad de inteligencia, vigilancia y reconocimiento, junto con características clave de sistemas de armas autónomos, desminado e incluso combate. Al respecto, véase: Bendett, S., «Russia Presses Ahead With Combat Robots. In the air and on land», *War is Boring,* 08/11/2017 [en línea], disponible en: *https://warisboring.com/russia-presses-ahead-with-armed-military-robots/, f*echa de revisión: 21/01/2021. Bendett, S., «204. Major Trends in Russian Military Unmanned Systems Development for the Next Decade», *Mad Scientist Laboratory,* 23/01/2020 [en línea], disponible en: *https://madsciblog.tradoc.army.mil/204-major-trends-in-russian-military-unmanned-systems-development-for-the-next-decade/, f*echa de revisión: 21/01/2021. Tucker, P., « Russia Says It Will Field a Robot Tank that Outperforms Humans», *Defense One,* 2017 [en línea], disponible en: *https://www.defenseone.com/technology/2017/11/russia-robot-tank-outperforms-humans/142376/*, fecha de revisión: 21/01/2021.

473 Scharre, P., *Army of none: Autonomous weapons and the future of war*, *op. cit.*, *véanse páginas 210 y ss.*

474 Lewis, D., Blum, G. y Modirzadeh, N., «War-algorithm accountability», *op. cit.*, *véanse páginas 48 y 49*; Zetter, K., *Countdown to zero day: Stuxnet and the launch of the World's first digital weapon*, Nueva York, Crown, 2014; y Zetter, K., «An unprecedented look at Stuxnet, the world's first digital weapon», *Wired*, 11/03/2014 [en línea], disponible en: *https://www.wired.com/2014/11/countdown-to-zero-day-stuxnet/*, fecha de revisión: 13/02/2021.

ra vez en 2009 y 2010 para atacar las operaciones de enriquecimiento nuclear de Irán. Los detalles del *malware* son inciertos, muchos medios de comunicación informaron que fue desarrollado por EE.UU. e Israel en una misión con el nombre de «Juegos Olímpicos»[475]. Dado que el gusano informático estaba destinado a operar en una instalación de enriquecimiento nuclear de Irán, su diseño fue hecho para funcionar, una vez que se lanzara, sin ninguna dirección humana externa o *input*. El código de *Stuxnet* fue escrito para garantizar que una vez conectado a la red de computadoras de la instalación nuclear, comenzaría de inmediato a sabotear el *software* de la centrifugadora sin mayor orientación externa[476].

---

475 Warrick, J. y Nakashima, E., «Stuxnet was work of U.S. and Israeli experts, officials say», *Washington Post*, 02/06/2012 [en línea], disponible en: *https://www.washingtonpost.com/world/national-security/stuxnet-was-work-of-us-and-israeli-experts-officials-say/2012/06/01/gJQAlnEy6U_story.html?utm_term=.5e1c5c85f820*, fecha de revisión: 01/05/2019; y Sanger, D., «Obama order sped up wave of cyberattacks against Iran», *New York Times*, 01/06/2012 [en línea], disponible en: *https://www.nytimes.com/2012/06/01/world/middleeast/obama-ordered-wave-of-cyberattacks-against-iran.html?pagewanted=all&_r=0*, fecha de revisión: 01/05/2019.

476 Para más información sobre el impacto y las preocupaciones que trae consigo el desarrollo de armas cibernéticas producto del uso malicioso de la IA, incluyendo el ámbito de las armas autónomas, Roff, H., *Cybersecurity, artificial intelligence, and autonomous weapons: Critical intersections* (conferencia), Sede de Naciones Unidas (Nueva York: «Cyber and autonomous weapons: Potential overlap, interaction and vulnerabilities», 14/10/2015) [en línea], disponible en: *http://www.unidir.ch/files/conferences/pdfs/cybersecurity-artificial-intelligence-and-autonomous-weapons-critical-intersections-en-1-1086.pdf*, fecha de revisión: 01/05/2019; Brundage, M., Avin, S., Clark, J. y otros, *The malicious use of artificial intelligence: Forecasting, prevention, and mitigation*, Future of Humanity Institute y otros, 2018 [en línea], disponible en: *https://img1.wsimg.com/blobby/go/3d82daa4-97fe-4096-9c6b-376b92c619de/downloads/MaliciousUseofAI.pdf?véase=1553030594217*, fecha de revisión: 01/05/2019; Surber, R., *Artificial intelligence: Autonomous technology (AT), lethal autonomous weapons systems (LAWS) and peace time threats*, *op. cit.*; Instituto de las Naciones Unidas para la Investigación del Desarme, *The Weaponization of increasingly autonomous technologies: Artificial intelligence* (documento de trabajo), núm. 8, 2018 [en línea], disponible en: *http://www.unidir.ch/files/publications/pdfs/the-weaponization-of-increasingly-autonomous-technologies-artificial-intelligence-en-700.pdf*, fecha de revisión: 01/05/2019; y Heinl, C., «Maturing autonomous cyber weapons systems: Implications for international security cyber and autonomous weapons systems regimes», en Cornish, P. (ed.), *Oxford Handbook*

Entre las iniciativas más novedosas de desarrollo armamentista autónomo que actualmente están siendo impulsadas, vale la pena destacar el proyecto de sistema automatizado de objetivos y letalidad avanzada (en adelante, *ATLAS*, por las siglas en inglés de Advanced Targeting and Lethality Automated System), lanzado en febrero de 2019 por el Ejército de EE.UU., el cual incorpora capacidades de puntería autónomas en los vehículos de combate terrestres para ayudar a los oficiales del Ejército estadounidense a alcanzar un nivel más alto de precisión en cualquier ataque[477].

Por su parte, Rusia también desea mejorar su arsenal militar dotándolo de mayor autonomía en sus funciones críticas. En 2015, por ejemplo, Andrey Terlikov, entonces jefe del Ural Transport Machine Building Design Bureau (uno de los complejos científicos e industriales más grandes de Rusia y el mayor fabricante de tanques de batalla del mundo), hizo pública la noticia de que militares rusos están trabajando para diseñar y fabricar un nuevo modelo del tanque *Armata T-14*, para que sea un vehículo blindado totalmente autónomo.

Pareciera que ese tanque pasará a formar la columna vertebral del poder castrense ruso en los próximos años[478]. El vehículo de combate, actualmente, tiene especificaciones impresionantes y armamento

---

of Cyber Security, Oxford, Oxford University Press, 2018, disponible en: *https://ssrn.com/abstract=3255104*, fecha de revisión: 01/05/2019.

477 *Industry Day for the Advanced Targeting and Lethality Automated System (ATLAS) Program* (proyecto de la Armada de los Estados Unidos de Norteamérica), información disponible en: *https://www.fbo.gov/index.php?s=opportunity&mode=form&id=29a4aed941e7e87b7af89c46b165a091&tab=core&_cview=0*, fecha de revisión: 01/05/2019; y Husseini, T., «US Army clarifies rules on autonomous armed robots», *Army Technology*, 13/03/2019 [en línea], disponible en: *https://www.army-technology.com/digital-disruptions/us-army-armed-robots/*, fecha de revisión: 01/05/2019.

478 Pleasance, C., «It's 20 years ahead of the West - and it WON'T blow up "like its predecessor": Brains behind Russia's new robotic tank reveals secrets of machine at centre of $500BILLION military upgrade», *Daily Mail*, 12/06/2015 [en línea], disponible en: *https://www.dailymail.co.uk/news/article-3121195/20-years-ahead-West-WON-T-blow-like-predecessor-Brains-Russia-s-new-robotic-tank-reveals-secrets-machine-forefront-country-s-250BILLION-military-modernisation.html*, fecha de revisión: 01/05/2019; y RT, «Prepare to be Terminated: Russia readies first robot tank, shows off Armata at arms expo», *RT*, 10/09/2015 [en línea], disponible en: *https://www.rt.com/news/314963-armata-autonomous-combat-system/*, fecha de revisión: 01/05/2019.

moderno, incluido un sistema de defensa activo que protege por todos lados al vehículo blindado. En el modelo actual, cuando el sistema detecta el disparo de un misil enemigo contra el tanque, automáticamente dispara balas para destruir o hacer que el misil se salga de su camino.

Por su parte, el Ejército ruso ha admitido abiertamente que ya está utilizando IA para el desarrollo y mejora de ciertas armas. Por ejemplo, el futuro avión de combate *MiG-41* recibirá elementos de IA que ayudarán al piloto a controlar el avión a velocidades de cuatro a seis veces más altas que la velocidad del sonido[479]. Otro avión, el *jet Su-35*, ya tiene IA que puede hacer que las armas disponibles coincidan con los objetivos potenciales[480]. Y a partir de 2018, el Ejército ruso posee en su arsenal militar el sistema de guerra electrónica *Bylina*, capaz de llevar a cabo análisis independientes y elegir las formas de suprimir las señales electrónicas del enemigo[481].

Finalmente, los diseñadores rusos y los oficiales militares también están trabajando en aviones no tripulados que se ajustarán a las condiciones emergentes del campo de batalla y se coordinarán entre sí cuando se desplieguen en enjambres[482]. A esto, se suma el famoso fabricante ruso de armas Kalashnikov que anunció en 2017 que lanzará una gama de drones de combate autónomos que utilizarán IA para

---

479 RT, «Inteligencia artificial a velocidades supersónicas: se está desarrollando un nuevo caza MiG-41 en Rusia» [texto en ruso], *RT*, 23/08/2017 [en línea], disponible en: *https://russian.rt.com/russia/article/422319-istrebitel-iskusstvennyi-intellekt*, fecha de revisión: 01/05/2019.

480 Defense World, «Russian Su-35 Fighter Equipped With "Artificial Intelligence"», *Defense World*, 13/11/2017 [en línea], disponible en: *https://www.defenseworld.net/news/21257/Russian_Su_35_Fighter_Equipped_With__Artificial_Intelligence_#.XM12yY4zZPY*, fecha de revisión: 15/08/2019.

481 Tagilcity, «La inteligencia artificial entrará en servicio con el ejército ruso en 2018» [texto en ruso], *Tagilcity*, 04/04/2017 [en línea], disponible en: *https://tagilcity.ru/news/society/04-04-2017/iskusstvennyy-intellekt-postupit-na-vooruzhenie-rossiyskoy-armii-v-2018-godu?type=NewsItem*, fecha de revisión: 01/05/2019.

482 Yudina, A., «Armen Isahakyan: Rusia crea inteligencia artificial para los UAV» [texto en ruso], *Tass (servicio de prensa del Ministerio de Defensa de la Federación Rusa)*, 15/05/2017 [en línea], disponible en: *https://tass.ru/interviews/4247953*, fecha de revisión: 01/05/2019.

identificar objetivos y tomar decisiones por su cuenta[483]. Asimismo, según expertos en el área, esta tendencia al desarrollo armamentista en Rusia seguirá en constante crecimiento. Muestra de ello, a lo largo de la presente década el gobierno ruso irá completando, por ejemplo, las pruebas y evaluación de una línea completa de drones de combate que, en su mayoría, se encuentran aún en diferentes etapas de desarrollo. Esta línea incluye drones de combate pesado como el *Ohotnik*; el *Orión* de rango medio probado en Siria; el *Forpost* que, aunque de fabricación rusa, fue ensamblado originalmente con licencia israelí; *Korsar* de rango medio; y *Altius* de largo alcance y anunciado como el equivalente ruso al dron estadounidense Global Hawk. Todas estas máquinas están a varios años de ser adquiridas por las fuerzas armadas rusas. En todo caso, se trataría de vehículos aéreos no tripulados que, según el modelo, tendrán un alcance de más de cien (sino de miles de) kilómetros, y podrán llevar armas para un conjunto diverso de misiones[484].

Así pues, tras haberse analizado los principales documentos oficiales y estratégicos en temas de seguridad y defensa de EE.UU., Rusia, China, la OTAN y la UE, sobre todo aquellos vinculados a la investigación, el desarrollo y la innovación de armamentos sofisticados, se puede evidenciar como las tecnologías emergentes en el área de los SAAL se han convertido en una prioridad del desarrollo armamentista a nivel global. Es innegable que, en la actualidad, muchos Gobiernos están invirtiendo recursos suficientes en tecnologías emergentes que permitan desarrollar, a través de proyectos reales, armas cada vez más autónomas en sus funciones críticas (selección y ataque de objetivos), para luego poder desplegarlas en conflictos armados.

A todo lo anterior se suma el esfuerzo de una parte importante de la industria privada, sobre todo los productores de armas más grandes

---

483 Mckinney, W., «Russia is building war robots: a fully-automated kalashnikov neural network gun», *Edgy*, 07/07/2017 [en línea], disponible en: *https://edgy.app/war-robots-automated-kalashnikov-neural-network-gun/*, fecha de revisión: 01/05/2019.

484 Al respecto, véase: Bendett, S., «Russia Presses Ahead With Combat Robots. In the air and on land», *War is Boring, op. cit.*; Bendett, S., «204. Major Trends in Russian Military Unmanned Systems Development for the Next Decade», *op. cit.* y Tucker, P., « Russia Says It Will Field a Robot Tank that Outperforms Humans», *op. cit.*

del mundo que trabajan en alianza con los gobiernos para invertir en el desarrollo armamentista de los Estados. Empresas como Lockheed Martin, Boeing, Raytheon, Northrop Grumman y BAE Systems, por ejemplo, son conocidas como *'the big five'*, y en sí representan un total de USD 159 mil millones en ingresos por contratos militares, lo que significa más de un tercio de los ingresos totales de las 100 principales empresas del mundo[485]. Dado que EE.UU. tiene uno de los presupuestos de defensa, por no decir el principal, más grande del planeta, no sorprende que cuatro de estas cinco compañías sean estadounidenses. Incluso, aunque BAE Systems es una empresa de Reino Unido, gran parte de sus ingresos proviene de contratos militares estadounidenses.

En todo caso, es importante indicar que, de los proyectos referidos en este apartado, no existen indicios suficientes para concluir —al menos, por ahora— que los Estados se planteen crear sistemas de armas completamente autónomas, es decir, sistemas armamentísticos que pueden seleccionar y atacar objetivos estratégicos, o llevar cualquier otra función crítica, sin ningún tipo de control humano. Hasta ahora, las iniciativas de desarrollo de nuevas tecnologías de armamentos propenden a una mayor efectividad en el uso de la fuerza armada letal, así como en sistemas destinados a la vigilancia y seguimiento, como parte de políticas estratégicas de seguridad y defensa.

Habida cuenta de ello, actores de la sociedad civil desde hace varios años vienen planteando que, incluso aunque —por ahora— no se esté ante la inminente presencia de FAW, las armas autónomas en general ya representan de por sí una sustitución o reemplazo del humano por la máquina en la ejecución física de cualquier ataque, lo cual, *per se*, plantea una serie de riesgos y desafíos para el cumplimiento de los principios básicos del DIH y el DIDH. Por ello, varios de los avances expuestos en esta sección son objeto de preocupación de muchas iniciativas internacionales que, como se verá a continuación, propenden, por un lado, a la prohibición del uso de la IA y la robótica en el área militar, de seguridad y de defensa, y por otro, a la regulación y/o

---

485 Slijper, F., *Slippery Slope – The arms industry and increasingly autonomous weapons,* Utrecht (Países Bajos), Pax for Peace, 2019, disponible en: *https://www.paxforpeace.nl/publications/all-publications/slippery-slope*, fecha de revisión: 21/01/2021.

prohibición de las AW en general por considerar que contravienen el derecho internacional vigente.

4.2. Iniciativas internacionales en contra de la investigación, el desarrollo y la innovación de las tecnologías emergentes en el área de los SAAL

Desde hace algunos años, grupos de la sociedad civil se han apoyado en la academia y en ONG para impulsar iniciativas colectivas —algunas en modalidad de campaña— para la restricción, la condena o la prohibición internacional de cualquier sistema de armas que esté dotado de una autonomía suficiente para seleccionar y atacar un objetivo sin ninguna participación humana, producto de los rápidos y significativos avances tecnológicos que se están dando en la IA y la robótica.

Estos movimientos son muestra de cuán importante resulta ser para la sociedad civil que los temas relacionados con las tecnologías emergentes en el área de los SAAL sean abordados por los Estados, la industria armamentística y la academia. Muchos hacen referencia a argumentos éticos, morales y jurídicos basados en un enfoque interdisciplinar y prospectivo. Hay quienes consideran que los robots nunca podrán satisfacer las exigencias del DIH o del DIDH y que, incluso si pudieran, como cuestión de principio, no se les debería conceder a estos la posibilidad de decidir quién debe vivir o morir[486].

Además de las normas generales ya vigentes del derecho internacional, se requiere de los Estados prudencia y formas de control en el empleo de toda tecnología emergente relacionada con los SAAL. Por consiguiente, gran parte de la sociedad civil ha asumido un rol trascendental en el impulso del debate interdisciplinar y prospectivo sobre los SAAL a nivel internacional[487]. Prueba de ello se puede evidenciar en las siguientes iniciativas:

---

486 Heyns, C., *Informe del Relator Especial sobre las ejecuciones extrajudiciales, sumarias o arbitrarias, Christof Heyns*, *op. cit.*, *véase párrafos 31 y 32*.

487 Al respecto, Brehm, M., *Role of private companies in creating/maintaining meaningful human control over the use of force in relation to the AWS debate* (conferencia), Universidad de Barcelona (Barcelona: «Regulación de los sistemas de armas autónomas: implicaciones legales y éticas en el contexto de una socie-

4.2.1. ICRAC[488]

Dado el rápido ritmo de desarrollo de la robótica militar y los peligros y riesgos que esta representa, el ICRAC ha pedido a la comunidad internacional que comience con urgencia una discusión sobre un régimen de control de armas para reducir la amenaza planteada por estos sistemas. En ese sentido, proponen que esa discusión considere, entre otros asuntos, su potencial para reducir el umbral del conflicto armado; la prohibición no solo del desarrollo, el despliegue y el uso de SAAL sino, además, de que las máquinas sean quienes tomen por sí mismas la decisión de matar personas.

A partir de 2013, cuando el tema de los SAAL se hizo más presente en los debates de la ONU, el ICRAC se convirtió en una de las organizaciones de la sociedad civil que más aportó conocimiento e impulsó a las autoridades de diferentes estamentos dentro de Naciones Unidas, en alianza con varios Gobiernos, para promover el abordaje de ese tipo de tecnología emergente en el seno de la CCW[489]. Desde ese entonces, los científicos del ICRAC han venido desarrollando propuestas de salvaguardias técnicas que podrían verificar que un operador humano responsable haya seleccionado cada objetivo e iniciado cualquier ataque hecho por un sistema de armas, todo ello

---

dad global», 18 de junio de 2018) [en línea], disponible en: *https://uboc.ub.edu/portal/Play/8e8df1d55a984d059542867532b686c01d*, fecha de revisión: 04/05/2019, *véase a partir del minuto 01:57:33*.

488 ICRAC por las siglas en inglés de International Committee for Robot Arms Control. Es una asociación sin fines de lucro creada en 2009, comprometida con el uso pacífico de la robótica al servicio de la humanidad y la regulación de las armas robóticas. Está integrada por un comité internacional de expertos en tecnología robótica, IA, ética de robots, relaciones internacionales, seguridad internacional, control de armamentos, DIH, derechos humanos y campañas públicas, preocupada por los peligros acuciantes que los robots militares, o armas autónomas letales, representan para la paz y la seguridad internacional y para los civiles en guerra. Para más información sobre esta organización, Comité Internacional para el Control de Armas Robóticas [ICRAC por sus siglas en inglés, *International Committee for Robot Arms Control*], *op. cit.*

489 *Compliance Measures for an Autonomous Weapons Convention* (documento de trabajo del Comité internacional para el control de armas robóticas), núm. 2, mayo de 2013 [en línea], disponible en: *https://www.icrac.net/wp-content/uploads/2018/04/Gubrud-Altmann_Compliance-Measures-AWC_ICRAC-WP2.pdf*, fecha de revisión: 02/05/2019.

bajo la autoridad de un comandante responsable (que podría ser ese mismo operador humano), y basado en los humanos, no en el juicio de una máquina.

Para los miembros de ICRAC, toda la sociedad en general está en un momento crítico en la evolución de las armas. El punto final del aumento de la automatización de las armas es la autonomía total, donde los humanos tienen poco control sobre el curso de los conflictos y los eventos que suceden en las batallas. Aún está al alcance de todos detener la automatización de la decisión de matar, asegurándonos de que todas las armas permanezcan controladas por los humanos. La tecnología debe estar para la mejora de las capacidades humanas, no para su destrucción.

En ese sentido, los expertos de ICRAC sostienen la necesidad que existe de garantizar que la asociación entre humanos y máquinas permita la protección de los civiles, de su dignidad humana y de la seguridad global[490]. Por ende, subrayan la necesidad de que toda deliberación y control humano significativo sobre el uso de la violencia siga siendo la piedra angular de cualquier eventual formulación de políticas globales sobre los SAAL y las armas robóticas en general. No obstante, advierten la necesidad de que exista un enfoque más matizado para el control de los sistemas de armas, que no se atrape por términos «generales» tales como *in the loop*, *on the loop*, «circuito más amplio», «supervisión humana» o «niveles apropiados de juicio humano»[491].

---

490 International Committee for Robot Arms Control, «LAWS: Ten Problems For Global Security» (memorando), Palacio de las Naciones (reunión de expertos sobre los SAAL en la CCW, celebrada en Ginebra de 13-17 de abril de 2015), disponible en: *https://www.icrac.net/wp-content/uploads/2018/03/LAWS-10-Problems-for-Global-Security.pdf*, fecha de revisión: 02/05/2019, *véase página 2.*

491 Asaro, P., «ICRAC statement at the March 2019 CCW GGE», *International Committee for Robot Arms Control*, 26/03/2019 [en línea], disponible en: *https://www.icrac.net/icrac-statement-at-the-march-2019-ccw-gge/*, fecha de revisión: 02/05/2019. En junio de 2021 el ICRAC presentó un documento a través del cual ratificó su posición sobre los SAAL y, del mismo modo, reconoció una vez más que —en su opinión— sí existe una necesidad urgente de que la comunidad internacional apruebe una nueva normativa jurídica para abordar la variedad de problemas que plantean las armas autónomas. A tal efecto, el ICRAC considera que el debate de la CCW ya no requiere una búsqueda de una definición de los SAAL. En su lugar, las discusiones deberían centrarse en el

Según el ICRAC, estos términos son parte de las narrativas de contratistas militares, políticos y de defensa que están fuera de la CCW. Sus expertos apuestan más por la distinción de «control por diseño» y «control en uso», en tanto que reconocen que la responsabilidad última del uso de la fuerza armada reside en el contexto específico de su uso, no de su mera planeación. Es importante tener presente que, como grupo científico y académico, el ICRAC tiene un enfoque que apuntala más en reflexionar sobre las maneras para hacer que el control humano sobre las máquinas sea efectivo, y de allí poder asegurar que los operadores, los comandantes y los planificadores sean quienes hagan los juicios claros sobre la validez de cada ataque en el momento mismo que se ejecuta[492].

---

control humano significativo a través de la interacción hombre-máquina estableciendo quién o qué, humano o máquina, debe realizar qué función, cuándo y dónde en el ciclo de toma de decisiones para cada aplicación de la fuerza. Por ende, para el ICRAC, el GEG sobre los SAAL en la CCW debería proceder con su trabajo basándose en un enfoque centrado en las funciones críticas del ciclo de focalización y, a partir de allí, avanzar hacia la negociación de un instrumento legal internacional que pueda establecer normas de comportamiento apropiado e impulsar enfoques operativos de una manera tal que permita retener dicho control humano significativo en el diseño y uso de las armas autónomas. Al respecto, véase: *Written contribution from International Committee for Robot Arms Control to the CCW GGE on LAWS,* (documento de trabajo del ICRAC), sin núm, Palacio de las Naciones, presentado ante el grupo de expertos gubernamentales sobre los sistemas de armas autónomas letales en la CCW, junio de 2021 [en línea], disponible en: *https://documents.unoda.org/wp-content/uploads/2021/06/International-Committee-for-Robot-Arms-Control-.pdf*, fecha de revisión: 01/07/2021.

492 Bajo esa perspectiva, en 2018 el ICRAC presentó unas pautas sobre el control humano de los sistemas de armas para que sirvan como herramientas de trabajo en las reuniones del grupo de expertos gubernamentales en sistemas de armas autónomas letales que se celebran en la CCW. International Committee for Robot Arms Control, *Guidelines for the human control of weapons* (documento de trabajo), Palacio de las Naciones (reunión de expertos sobre los SAAL en la CCW, celebrada en Ginebra de 27-31 de agosto de 2018) [en línea], disponible en: *https://www.icrac.net/wp-content/uploads/2018/04/Sharkey_Guideline-for-the-human-control-of-weapons-systems_ICRAC-WP3_GGE-April-2018.pdf*, fecha de revisión: 02/05/2019.

4.2.2. CSKR[493]

Es una coalición de ONG formada en octubre de 2012, la cual trabaja para prohibir las FAW y, por lo tanto, mantener un control humano significativo sobre el uso de la fuerza armada. El comité directivo de la campaña está compuesto por seis ONG, una red regional de ONG y cuatro ONG nacionales, y sirve como el principal cuerpo de dirección y toma de decisiones para la campaña[494].

Al igual que el ICRAC, desde 2013 esta campaña ha asumido un rol activo y muy importante en el impulso y la evolución de los debates sobre los SAAL en la ONU. Según la CSKR, existe una gran preocupación en la sociedad civil, en tanto que las FAW son tecnologías que tendrían la capacidad de decidir quién vive y muere, de hacer solo daño —o no—, sin más intervención humana, lo cual rebasa el umbral de lo moralmente aceptable. Esto es así, ya que las máquinas carecen de características inherentemente humanas, como la compasión, que son básicas a la hora de que se tome cualquier decisión éticamente compleja.

Los miembros de la CSKR aseguran que EE.UU., China, Israel, Corea del Sur, Rusia y Reino Unido están desarrollando sistemas de armas con una autonomía importante y significativa en las funciones críticas de selección y de ataque de objetivos. La ausencia de cualquier control al respecto potenciaría la entrada de una carrera armamentística robótica que desestabilice la seguridad internacional. Según la campaña, aceptar la posibilidad de sustituir o reemplazar las tropas humanas por máquinas mortíferas haría más fácil la decisión de cualquier actor estatal y no estatal de ir a la guerra.

Por otra parte, la CSKR recalca que las FAW no poseen el juicio humano necesario para evaluar la proporcionalidad de un ataque, distinguir entre civiles y combatientes, y cumplir con el resto de los principios del DIH. Por ello, es importante que los Estados garanti-

---

493 En inglés, Campaign to Stop Killer Robots. la página web *Stop Killer Robots*, disponible en: *https://www.stopkillerrobots.org*, fecha de revisión 03/08/2019.

494 Campaign to Stop Killer Robots, *Steering Committee members. As of October 2018*, octubre de 2018 [en línea], disponible en: *https://www.stopkillerrobots.org/wp-content/uploads/2018/10/KRC_SCmembers_Oct2018rev.pdf*, fecha de revisión: 02/05/2019.

cen el mantenimiento de un control humano significativo sobre las decisiones de focalización (selección y ataque de objetivos). En ese sentido, la campaña saluda todos los esfuerzos que se vienen dando en la CCW y que han llegado a la conclusión de que la responsabilidad humana de las decisiones sobre el uso de los sistemas de armas debe ser siempre continua.

Igualmente, la campaña afirma que los FAWS pueden cometer errores trágicos en virtud de una multiplicidad de consecuencias imprevistas propias de cualquier conflicto. En caso de que ello suceda, no está claro quién puede ser responsable de los actos ilegales causados por el arma (si el programador, el fabricante, el comandante de la misión o la máquina misma). Todo esto dificulta la rendición de cuentas por ese hecho ilegal, un mecanismo necesario para que se pueda dar justicia a las víctimas.

Hay quienes describen el debate sobre las armas autónomas en el marco de la CCW como un proceso lento y que apunta muy bajo[495]. Por ello, no sorprende que la CSKR lleve algún tiempo manifestando públicamente su pensar acerca de que este proceso sea sacado de la CCW y trasladado a algún otro foro que permita discusiones más democráticas en las que la campaña pueda lograr su cometido, a saber, que los Estados acuerden una prohibición total del desarrollo, la producción y el uso de FAW a través de la aprobación de leyes nacionales y de un protocolo jurídicamente vinculante en la materia. En cualquier caso, mientras esa opción no llegue a buen puerto, la CSKR seguirá apoyando las discusiones sobre los SAAL en la CCW en tanto que sirven para mantener vivo el debate e ir trabajando en la negociación de asuntos sustantivos sobre este tema y, de ser posible, alcanzar a acuerdos obligatorios que, en su opinión, establezcan la obligación general de mantener un control humano significativo en el uso de la fuerza, la prohibición de aquellos sistemas que puedan focalizar personas y no pueden ser controlados por los humanos y, finalmente, el

495 Una descripción amplia de este debate internacional está disponible en el capítulo 5 de esta obra. También, véase: Rosert, E. y Sauer, F., « How (not) to stop the killer robots: A comparative analysis of humanitarian disarmament campaign strategies», *Contemporary Security Policy,* 42:1, 2020, pp. 4-29, disponible en: *https://www.tandfonline.com/doi/full/10.1080/13523260.2020.1771508*, fecha de revisión: 21/01/2021. *Véase página 20.*

compromiso de que el uso de los sistemas de armas autónomos que no estén prohibidos ha de estar sujeto a obligaciones positivas para garantizar un control humano significativo[496]. Finalmente, la campaña exhorta a todas las compañías y organizaciones especialistas en el campo de la tecnología, y a los científicos y expertos a que trabajen para desarrollar la IA y la robótica, y que se comprometan a nunca contribuir con el desarrollo de FAW.

4.2.3. HRW

A partir de 2012 esta ONG asumió un liderazgo importante en la búsqueda de una prohibición preventiva internacional de las FAW. Actualmente, la directora de Defensa de la División de Armas de HRW, Mary Wareham, es la coordinadora global de la CSKR.

Desde su primer informe sobre los «robots asesinos», HRW ha considerado que las FAW son una auténtica amenaza, en especial para los civiles inocentes, en tanto que podrían seleccionar y atacar objetivos sin intervención humana de por medio. Según la organización,

---

496 Es estratégica la posición planteada por la CSKR quien, bajo la coordinación de HRW, reconoce los desafíos que involucra el debate en la CCW, pero entiende también que, para aumentar el impulso para la adopción de un instrumento jurídicamente vinculante oportuno y eficaz sobre los SAAL, los Estados deben seguir considerando —al menos— en el marco de la CCW: a) el inicio de negociaciones para fines de 2021, con el objetivo de adoptar un nuevo tratado internacional para mantener un control humano significativo sobre el uso de la fuerza y prohibir los sistemas de armas que carecen de dicho control; b) el aprovechamiento del precedente proporcionado por tratados y marcos normativos anteriores para abordar las preocupaciones planteadas por las armas totalmente autónomas y acelerar así su trabajo hacia un nuevo tratado; y, finalmente, articular sus posiciones nacionales sobre la estructura y contenido de un nuevo tratado. Al respecto, véase: Human Rights Watch, « New Weapons, Proven Precedent. Elements of and Models for a Treaty on Killer Robots», *Human Rights Watch,* octubre de 2020 [en línea], disponible en: *https://www.hrw.org/sites/default/files/media_2020/10/arms1020_web.pdf*, fecha de revisión: 21/01/2021. También véase: *Recommendations on the Normative and Operational Framework for Autonomous Weapon Systems* (documento de la CSKR), sin núm, de junio de 2021, presentado ante el Grupo de Expertos Gubernamentales sobre tecnologías emergentes en el área de los sistemas de armas autónomas letales en la CCW, [en línea], disponible en: *https://documents.unoda.org/wp-content/uploads/2021/06/Campaign-to-Stop-Killer-Robots.pdf*, fecha de revisión: 01/07/2021.

este tipo de armas no existen todavía, aunque puede que sean desarrolladas dentro de los próximos 20 a 30 años[497]. En la actualidad, los oficiales militares generalmente afirman que los humanos mantendrán cierto nivel de supervisión sobre las decisiones para usar la fuerza letal, pero sus declaraciones a menudo dejan abierta la posibilidad de que los robots puedan algún día tener la capacidad de tomar tales decisiones por su propia cuenta[498].

Por ello, HRW viene recomendando a todos los Estados prohibir de manera preventiva el desarrollo, la producción y el uso de esas armas a través de leyes, políticas nacionales y mediante la adopción de un instrumento internacional jurídicamente vinculante. Del mismo modo, ha exhortado a los Estados a comenzar las revisiones, en todas sus fases, de las tecnologías y los componentes que podrían servir de precursores de las FAW.

Desde hace varios años la organización ha estado sugiriendo a todos los expertos involucrados en el desarrollo de armas robóticas que establezcan códigos de conducta profesionales que rijan la investigación y el desarrollo de armas robóticas autónomas, especialmente aquellas capaces de volverse totalmente autónomas, para garantizar que las preocupaciones jurídicas y éticas sobre el uso de SAAL en conflictos armados sean adecuadamente consideradas en cada una de las etapas del desarrollo tecnológico armamentístico correspondiente.

A partir de 2014, HRW intensificó su campaña en contra de las FAW, incluso respecto a su uso en otros escenarios potenciales. En un informe de ese año, la organización acogió con beneplácito el inicio de las discusiones sobre los SAAL en la CCW, aunque advirtió que la utilización de ese tipo de armas más allá del campo de batalla es un tema que había sido ignorado por completo[499].

---

497 Human Rights Watch and Harvard Law School's International Human Rights Clinic, *Losing Humanity: The Case against Killer Robots*, *op. cit.*, *véanse páginas 1, 2, 5 y 46.*

498 Para una aproximación mayor sobre este asunto, véase el siguiente capítulo sobre el debate internacional de los SAAL en la ONU.

499 Human Rights Watch, «Shaking the foundations. The human rights implications of killer robots», *Human Rights Watch*, mayo de 2014 [en línea], disponible en: *https://www.hrw.org/sites/default/files/reports/arms0514_ForUpload_0.pdf*, fecha de revisión: 02/05/2019, *véanse páginas 1, 2, 5 y 46.*

Según ese informe, el uso de estas armas puede ser adaptado a operaciones planeadas y ejecutadas por las fuerzas de seguridad y orden público de cualquier país, misiones que son regidas por el DIDH, un cuerpo normativo que contiene reglas aún más estrictas que el DIH —solamente aplicable a conflictos armados—. Por ello, HRW considera que cualquier reflexión acerca de las armas completamente autónomas debería abarcar todas las circunstancias en las que estas armas podrían ser usadas.

Bajo esa perspectiva, la organización encuentra que ese tipo de tecnología armamentista amenaza con violar los derechos fundamentales a la vida, a una reparación, y socava el principio de la dignidad humana. Por ende, recomienda que los Estados tengan en cuenta las implicaciones que traen consigo las FAW a los derechos humanos, especialmente cuando sean abordadas en foros internacionales. Asimismo, HRW subraya que las FAW no solo son relevantes en el marco de la CCW, sino también para otros organismos de Naciones Unidas, como el Consejo de Derechos Humanos.

Otro aspecto que preocupa fuertemente a HRW es el vacío que generan las FAW a la hora de que deba darse una rendición de cuentas con motivo de un ataque ilícito ejecutado por ese tipo de armas.

Según esta organización, las FAW no pueden jamás sustituir o reemplazar a los humanos como la parte acusada en ningún procedimiento jurídico que busque la atribución de responsabilidad y el castigo por el daño ilegal producido con esas armas. Una variedad de obstáculos jurídicos hace probable que los humanos asociados con el uso o la producción de estas armas (en especial los operadores y los comandantes, o los programadores y los fabricantes), puedan escapar de su responsabilidad por el sufrimiento o los daños causados por el arma autónoma[500].

Para HRW, ni el derecho penal ni el derecho civil garantizan la atribución de responsabilidad adecuada a las personas que participan directa o indirectamente en el uso de las FAW. En ese sentido, considera que los mecanismos existentes para garantizar una rendición de cuentas son totalmente inadecuados para abordar los daños ilegales

---

500 Human Rights Watch, «Mind the gap: the lack of accountability for killer robots», *Human Rights Watch*, *op. cit.*, *véanse páginas 1, 3 y 4.*

que las FAW pueden causar, lo cual dificulta la legalidad de estas armas en tanto que la rendición de cuentas personal es una necesidad que deriva de los objetivos del derecho penal y de los deberes específicos que imponen el DIH y el DIDH.

Hay quienes argumentan además que las FAW podrían al menos ser usadas en circunstancias limitadas. Sin embargo, HRW considera que ese supuesto es una mera falacia, ya que una vez que estas armas se desarrollen y desplieguen, será muy difícil restringirlas a tales situaciones hipotéticas estrechamente construidas.

En 2014[501], y luego más detalladamente en 2016[502], HRW expuso de manera sucinta todos los argumentos que justifican su apoyo a la prohibición preventiva de las FAW. Entre ellos, se pueden destacar los siguientes:

- Para HRW, el DIH actual es insuficiente para regular las FAW. Es necesario un nuevo tratado que complemente el marco jurídico internacional vigente, abordando el desarrollo, la producción y el uso de ese tipo de armas.
- Del mismo modo considera que, probablemente, las FAW nunca puedan cumplir de manera fiable los principios de distinción y proporcionalidad, incluso teniendo en cuenta los desarrollos continuos en IA de hoy en día. Así pues, la dificultad de programar rasgos humanos —como la razón y el juicio— en máquinas significa que las FAW probablemente nunca podrán cumplir de manera fiable con el DIH.
- Hay quienes afirman que los militares solo usarían FAW si fueran la opción más humanitaria entre las armas disponibles, ello basados en el principio de precaución en el ataque exigido por el DIH. Sin embargo, para HRA esto es poco factible, ya que en el supuesto de que los soldados hicieran uso de las FAW, muy

501 Human Rights Watch, «Advancing the debate on killer robots: 12 key arguments for a preemptive ban on fully autonomous weapons», *Human Rights Watch*, mayo de 2014 [en línea], disponible en: *https://www.hrw.org/sites/default/files/related_material/Advancing%20the%20Debate_8May2014_Final.pdf*, fecha de revisión: 02/05/2019.

502 Human Rights Watch, «Making the case the dangers of killer robots and the need for a preemptive ban», *op. cit.*

probablemente ignorarían la obligación de tomar precauciones en algunas circunstancias.

- En opinión de los expertos de HRW, las FAW son sistemas que carecerían de emociones, incluida la compasión y la resistencia a matar, que pueden proteger la vida de civiles y soldados. En ese sentido, la organización se hace eco de las reflexiones de una variedad de actores quienes plantean objeciones morales fuertes y persuasivas a las FAW, en particular aquellas que se relacionan con la falta de juicio y empatía de las armas, la ausencia en ellas de una agencia moral y la amenaza que estas suponen a la dignidad humana.
- Por último, HRW considera que el contenido de la cláusula Martens ordena que los «principios de humanidad» y los «dictados de la conciencia pública» se tengan muy en cuenta a la hora de analizar la legalidad de todas las armas, incluyendo las FAW. En ese sentido, afirman que ambas normas pesan a favor de la prohibición de este tipo de tecnología armamentista[503].

4.2.4. CICR

Es una organización imparcial, neutral e independiente, que tiene la misión exclusivamente humanitaria de proteger la vida y la dignidad de las víctimas de la guerra y de la violencia interna, así como de prestarles asistencia. El CICR, fundado en 1863, trabaja en todo el mundo para prestar ayuda humanitaria, además de promover las leyes por las que se protege a las víctimas de la guerra. Es una institución cuyo cometido dimana esencialmente de los Convenios de Ginebra de 1949.

En el marco de su mandato, el CICR viene planteando desde hace varios años su preocupación acerca de los desafíos que implican las armas tecnológicas para el cumplimiento de las obligaciones internacionales impuestas por el DIH. De hecho, en 1987, el Comité advirtió específicamente que las armas altamente automatizadas generan preocupación toda vez que representan un reto para la observancia

---

503 Human Rights Watch, «Heed the call a moral and legal imperative to ban killer robots», *op. cit.*

del artículo 36 del API a los Convenios de Ginebra relativo al requisito de revisión de nuevas armas. Al respecto, señaló:

> «El uso de armas de larga distancia, control remoto, o armas conectadas a sensores ubicados en el campo, conduce a la automatización del campo de batalla en el que el soldado desempeña un papel cada vez menos importante. Las contramedidas desarrolladas como resultado de esta evolución, en particular, la interferencia (o el bloqueo) electrónica, exacerban el carácter indiscriminado del combate. En resumen, todas las predicciones coinciden en que, si el hombre no domina la tecnología, pero permite que esta le domine, al final el ser humano será destruido por la tecnología»[504].

Aunque la declaración generó alarma sobre los riesgos de las armas automatizadas, lo cierto es que la advertencia es aún más apta para los modelos totalmente autónomos. Obviamente, con la evolución de las ciencias y las tecnologías, la posición del CICR se ha venido adaptando y perfeccionando progresivamente a la par de los nuevos retos y desafíos que implican los progresos armamentísticos[505]. En ese sentido, desde 2013, el Comité ha venido apoyando e impulsando el debate sobre las tecnologías emergentes en el área de los SAAL dentro de Naciones Unidas, especialmente tras la presentación del informe elaborado por el entonces relator especial sobre ejecuciones extrajudiciales, sumarias o arbitrarias, Christof Heyns[506].

El CICR caracteriza los SAAL como cualquier sistema de armas con autonomía en sus funciones críticas, es decir, un sistema que puede seleccionar y atacar objetivos sin intervención humana. Después de

---

504 Sandoz, Y., Swinarski, C. y Zimmermann, B. (eds.), *Comentario sobre los Protocolos adicionales del 8 de junio de 1977 a los Convenios de Ginebra del 12 de agosto de 1949*, Ginebra, Comité Internacional de la Cruz Roja, 1987, disponible en: *http://www.loc.gov/rr/frd/Military_Law/pdf/Commentary_GC_Protocols.pdf*, fecha de revisión: 03/05/2019, *véanse páginas 427 y 428, específicamente párrafo 1476*.

505 Para más información sobre los trabajos de investigación que durante años ha impulsado el CICR en el campo del uso de las armas, las nuevas tecnologías y el DIH, Comité Internacional de la Cruz Roja, *New technologies and IHL* (blog) [en línea], disponible en: *https://www.icrc.org/en/war-and-law/weapons/ihl-and-new-technologies*, fecha de revisión: 03/05/2019.

506 Heyns, C., *Informe del Relator Especial sobre las ejecuciones extrajudiciales, sumarias o arbitrarias, Christof Heyns*, *op. cit.*

la activación inicial por parte de un operador humano, la máquina (a través de sus sensores, *software* —programación/algoritmos— y armas conectadas) asume las funciones de focalización de objetivos, algo que normalmente es dado a los humanos y está sometido al control de estos[507].

Al hacer uso de esta definición de trabajo, el CICR ha hecho hincapié siempre que ello no debe ser entendido como un primer paso para alcanzar un medio de desarrollo normativo o para establecer una prohibición. Más bien, permite considerar la gama completa de sistemas de armas relevantes, incluidas las armas existentes con autonomía en sus funciones críticas que no necesariamente plantean problemas jurídicos. El CICR ha explicado que la definición se basa en el rol del ser humano en lugar del «grado de autonomía», y abarca cualquier arma que pueda seleccionar y atacar a los objetivos de forma independiente, ya sea que se describa como «altamente automatizada» o «totalmente autónoma»[508].

En opinión del Comité, la autonomía en las «funciones críticas» es un aspecto fundamental que debe ser tomado en cuenta durante las consideraciones humanitarias, jurídicas y éticas que se den en el marco de la CCW. Son estas funciones las que causan lesiones, daños y destrucción a personas u objetos en conflictos armados; que se rigen por las normas del DIH sobre la conducción de las hostilidades; y que plantean todas las cuestiones éticas sobre el papel de los humanos en las decisiones de vida y muerte.

En varias declaraciones el CICR ha dejado claro que la ley está dirigida solo a los seres humanos. Por ello, las obligaciones jurídicas

---

507 Comité Internacional de la Cruz Roja, *Statement of the International Committee of the Red Cross (ICRC) Agenda Item 5 (c): CHARACTERISATION. The importance of critical functions* (declaración), (presentada ante la reunión del grupo de expertos gubernamentales en sistemas letales de armas autónomas en la CCW, celebrada en Ginebra, de 25-29 de marzo de 2019) [en línea], disponible en: *https://www.unog.ch/80256EDD006B8954/(httpAssets)/7EA110E50853887DC12583CC003032E7/$file/ICRC+GGE+LAWS+ICRC+-statement+agenda+item+5c+25+03+2019.pdf*, fecha de revisión: 03/05/2019. También véase la nota al pie de página núm. 109.

508 Comité Internacional de la Cruz Roja, *Autonomous weapon systems. Implications of increasing autonomy in the critical functions of weapons* (informe), *op. cit., véanse páginas 8 y 9.*

pertinentes en virtud del DIH (especialmente las normas de distinción, proporcionalidad y precauciones en el ataque) descansan en aquellos que planifican, deciden y llevan a cabo los ataques. Son los humanos, y no las máquinas, los que cumplen y aplican la ley. Son los humanos quienes serán responsables de cualquier violación del DIH. Por ende, las obligaciones jurídicas humanitarias, y las sentencias asociadas por su incumplimiento, no pueden transferirse a una máquina, programa informático o sistema de armas[509].

Según el CICR, los combatientes requieren un nivel de control humano sobre los sistemas de armas y el uso de la fuerza para que puedan hacer juicios jurídicos específicos de contexto en cada ataque en concreto. Cuando la autonomía se aplica a las funciones críticas (selección y ataque de objetivos) de los sistemas de armas, sucede una pérdida del control humano sobre el uso de la fuerza armada.

Todo esto plantea un desafío para el DIH, y en particular para las reglas que regulan el manejo de las hostilidades. Por ello, el CICR considera necesario que se aborde este desafío a través de un examen detallado de las reglas existentes para determinar exactamente qué es lo que estas requieren, a saber, si el DIH es lo suficientemente claro, si es necesario llenar sus vacíos o si se debe desarrollar nuevas reglas o estándares en el área[510]. Un primer paso en este sentido sería abordar

---

509 Comité Internacional de la Cruz Roja, *Statement of the International Committee of the Red Cross (ICRC) Agenda item 5(a) – An exploration of the potential challenges posed by emerging technologies in the area of lethal autonomous weapon systems to international humanitarian law* (declaración), *op. cit.*

510 El CICR observa que hay Estados y miembros de la sociedad civil que han abogado por la prohibición de los llamados «sistemas de armas totalmente autónomos», por considerarlos armas casi ilegales por su propia naturaleza (una opinión que el CICR comparte). También reconoce que hay muchos Estados que han declarado expresamente que no tienen intención de desarrollar y usar tales armas. Sin embargo, la militarización y el uso de armas en curso que están dotadas de tecnologías autónomas exigen un estándar de control humano que sea relevante para los desarrollos actuales y emergentes, así como para los desarrollos tecnológicos y operacionales futuros. En su opinión, este debería ser —por ahora— el núcleo principal de los debates actuales en la CCW. Comité Internacional de la Cruz Roja, *Statement of the International Committee of the Red Cross (ICRC) under agenda item 5(e) Possible options for addressing the humanitarian and international security challenges posed by emerging technologies in the area of lethal autonomous weapon systems in the context of the objec-*

en el seno de la CCW todas las reglas del DIH que exigen un nivel de control humano. Luego, se han de discutir todos los elementos clave del control humano que exige el propio DIH, a saber, la supervisión humana y la capacidad de intervenir y desactivar el arma, la predictibilidad y fiabilidad en esta, y las restricciones operativas[511].

Ahora bien, según el CICR, del DIH se deducen limitaciones a la aplicación de autonomía en las funciones críticas de los sistemas de armas. Los principios de distinción, de proporcionalidad y de precaución requieren evaluaciones complejas basadas en las circunstancias prevalecientes no solo en el momento de la toma de decisión de atacar, sino también durante todo el ataque. El DIH requiere así evaluaciones basadas en el conocimiento del contexto, incluido el entorno en que se usa el arma, los efectos que de ella se esperan y teniendo en cuenta la buena fe de los comandantes militares.

Según el DIH, la regla de distinción obliga a las partes en un conflicto armado a que: 1) distingan siempre entre civiles y objetos civiles, por un lado, y objetivos militares por el otro; y, 2) no dirijan ataques en contra de los primeros. Esta regla va relacionada con la prohibición de que se produzcan ataques indiscriminados. Todo ello exige que las partes del conflicto deban caracterizar o identificar de antemano como «objetivos militares» a las personas y/u objetos a los

---

tives and purposes of the Convention without prejudicing policy outcomes and taking into account past, present and future proposals (declaración), (presentada ante la reunión del grupo de expertos gubernamentales en sistemas letales de armas autónomas en la CCW, celebrada en Ginebra, de 25-29 de marzo de 2019) [en línea], disponible en: *https://www.unog.ch/80256EDD006B8954/(httpAssets)/59013C15951CD355C12583CC002FDAFC/$file/CCW+GGE+LAWS+ICRC+statement+agenda+item+5e+27+03+2019.pdf*, fecha de revisión: 03/05/2019.

511 Comité Internacional de la Cruz Roja, *Statement of the International Committee of the Red Cross (ICRC) under agenda item 5(b) further consideration of the human element in the use of lethal force; aspects of human-machine interaction in the development, deployment and use of emerging technologies in the area of lethal autonomous weapon systems* (declaración), (presentada ante la reunión del grupo de expertos gubernamentales en sistemas letales de armas autónomas en la CCW, celebrada en Ginebra, de 25-29 de marzo de 2019) [en línea], disponible en: *https://www.unog.ch/80256EDD006B8954/(httpAssets)/A8474F2C2ED6CD48C12583CC00300940/$file/CCW+GGE+LAWS+ICRC+statement+agenda+item+5b+26+03+2019.pdf*, fecha de revisión: 03/05/2019.

que pretendan dirigir un ataque, basado en lo establecido en el artículo 52 (2) del API a los Convenios de Ginebra de 1949[512]. Teniendo en cuenta todos estos aspectos, el CICR considera que todas las caracterizaciones que exige la regla de distinción son, por su naturaleza, cualitativas y variables.

Por su parte, la obligación de proporcionalidad tampoco facilita el panorama. Como principio, esta regla prohíbe cualquier ataque en el que se pueda esperar que cause un daño incidental excesivo en comparación con la ventaja militar concreta y directa prevista[513]. Así las cosas, para el CICR, la evaluación de la proporcionalidad en el ataque generalmente se mide en función de lo que razonablemente una persona concluiría conforme a las circunstancias, sobre todo haciendo uso de la información que tenga disponible. Esta regla proporciona un ejemplo adicional de la naturaleza cualitativa y variable de los juicios jurídicos específicos de contexto requeridos por el DIH.

En relación a la obligación de tomar precauciones viables en el ataque, el CICR opina que este principio se basa en estos mismos juicios cualitativos referidos *supra*. La precaución en el ataque requiere que aquellos que lo planean o deciden su ejecución tengan el cuidado constante y suficiente para evitar poner en peligro a la población civil, apuesten siempre por salvar a los civiles individuales y a los objetos civiles según corresponda, todo lo cual es crucial al momento incluso de elegir entre varios objetivos posibles, o de seleccionar los medios y los métodos de guerra que se vayan a emplear en el ataque.

Así, el CICR considera que todas estas evaluaciones basadas en el contexto deben ser hechas por los humanos combatientes estando razonablemente próximos del ataque, y no pueden ser sustituidos o

---

512 Según esta norma, los objetivos militares serán aquellos objetos que «por su naturaleza, ubicación, finalidad o utilización contribuyan eficazmente a la acción militar o cuya destrucción total o parcial, captura o neutralización ofrezca en las circunstancias del caso una ventaja militar definida». Protocolo Adicional I (API) a los Convenios de Ginebra de 1949 relativo a la protección de las víctimas de los conflictos armados internacionales, *op. cit.*

513 Protocolo Adicional I (API) a los Convenios de Ginebra de 1949 relativo a la protección de las víctimas de los conflictos armados internacionales, *op. cit.*, *véase artículo 51 (5.b).*

reemplazados por el control de un *software*. Cuando las evaluaciones forman parte de los supuestos de planeación, han de tener una validez continua hasta la ejecución del golpe porque solo así se podrá cumplir con el DIH.

Todo ello significa que, cuando se usen sistemas de armas autónomas, los comandantes deben mantener un grado de control humano sobre estos sistemas que sea lo suficientemente sustantivo, significativo, apropiado o efectivo para permitirles alcanzar juicios jurídicos específicos de contexto (entiéndase, «niveles apropiados de juicio humano») en la realización de los ataques en un conflicto armado[514].

Al hilo de todo ello, el CICR publicó en junio de 2021 un documento en el que precisa varios aspectos interesante (algunos ya expresados en documentos anteriores y otros que son nuevos) sobre su posición oficial acerca del tema de los SAAL[515]. De los aspectos más resaltantes del texto vale la pena indicar los siguientes:

- Para el CICR los SAAL seleccionan y aplican la fuerza en contra de objetivos sin intervención humana. Después de la activación o el lanzamiento inicial por parte de una persona, el sistema

---

514 *The element of human control* (documento de trabajo del Comité Internacional de la Cruz Roja), núm. CCW/MSP/2018/WP.3, 20 de noviembre de 2018 (presentado a la consideración del informe del grupo de expertos gubernamentales en sistemas letales de armas autónomas en la CCW por las reuniones celebradas en Ginebra de 21 al 23 de noviembre de 2018) [en línea], disponible en: *https://undocs.org/en/CCW/MSP/2018/WP.3*, fecha de revisión: 03/05/2019.

515 Véase Comité Internacional de la Cruz Roja, *Contribution by the International Committee of the Red Cross submitted to the Chair of the Convention on Certain Conventional Weapons(CCW)Group of Governmental Experts on Emerging Technologies in the Area of Lethal Autonomous Weapons Systems as a proposal for consensus recommendations in relation to the clarification, consideration and development of aspects of the normative and operational framework*, declaración presentada ante el GEG sobre los SAAL en la CCW, del 12/06/2021, [en línea], disponible en: *https://documents.unoda.org/wp-content/uploads/2021/06/ICRC.pdf*, fecha de revisión: 01/07/2021. También véase: Comité Internacional de la Cruz Roja, «ICRC position on autonomous weapon systems», *International Committee of the Red Cross*, 12/5/2021 [en línea], disponible en: *https://www.icrc.org/en/document/icrc-position-autonomous-weapon-systems*, fecha de revisión: 01/07/2021 y Comité Internacional de la Cruz Roja, *Proposal for consensus recommendations in relation to the clarification, consideration and development of aspects of the normative and operational framework* (documento de trabajo), *op. cit.*

puede autoiniciarse o desencadenar un ataque en respuesta a la información del entorno recibida a través de sensores y sobre la base de un "*perfil de objetivo*" generalizado. Por consiguiente, según esta definición, el usuario no elige, ni siquiera conoce, el(los) objetivo(s) específico(s) y el momento exacto y/o la ubicación precisa de la aplicación de la fuerza resultante.

- Habida cuenta de lo anterior, el CICR advierte una vez más que el control humano debe existir también durante el desarrollo, la activación y la operación de un sistema de armas autónomas, a saber, en la fase de desarrollo y pruebas («etapa de desarrollo»), en el momento de la decisión del comandante u operador de activar el sistema de armas («etapa de activación»), y en el funcionamiento del sistema durante la etapa de selección y ataque de forma independiente a los objetivos («etapa de operación»)[516]. Esta propuesta se basa en un enfoque centrado en

---

516 Para el CICR, el control humano en las tres etapas es esencial para el cumplimiento del DIH. Asegurar el control humano en el *uso* (en las etapas de activación y operación) es lo más importante para el cumplimiento de las normas humanitarias relativas a la conducción de las hostilidades. El control humano en el *diseño* (en la etapa de desarrollo), aun cuando proporciona un medio para establecer y probar las medidas de control que asegurarán el control humano en el *uso*, lo cierto es que solo no es suficiente para garantizar que el *uso* de un sistema de armas autónomas para ejecutar ataques en conflictos armados cumpla verdaderamente con el DIH, sobre todo dada la naturaleza intrínsecamente variable e impredecible de los entornos operativos del mundo real. El CICR reconoce que sus conclusiones no son aisladas, por el contrario, son similares a las que han llegado en el panel internacional sobre la regulación de armas autónomas (IPRAW) sobre la necesidad de *control por diseño* y *control en uso*. Al respecto, International Panel on the Regulation of Autonomous Weapons (IPRAW), *Focus on the Human-Machine Relation in LAWS* (informe), *op. cit. véanse páginas 14 y 15,* y International Panel on the Regulation of Autonomous Weapons (IPRAW), *Building Blocks for a Regulation on LAWS and Human Control. Updated Recommendations to the GGE on LAWS* (informe), *op. cit, véanse las páginas 17, 18 y 19.* Además de ello, el CICR reitera que las consideraciones éticas son concomitantes al requisito de un nivel mínimo de control humano sobre los sistemas de armas y el uso de su fuerza para garantizar el cumplimiento jurídico. Desde un punto de vista ético, el control humano sería el tipo y el grado de blindaje que preserva la agencia humana y sostiene la responsabilidad moral en las decisiones relativas al uso de la fuerza. Al respecto, *Ethics and autonomous weapon systems: An ethical basis for human control?* (documento de trabajo del Comité Internacional de la Cruz Roja), *op. cit.*

el ser humano, y ha de guiar el desarrollo de los límites de la autonomía en los sistemas armamentísticos, particularmente en lo que se refiere a los elementos prácticos del control humano sobre las funciones críticas de un sistema de armas, lo cual es necesario para garantizar el cumplimiento jurídico y la aceptabilidad ética de estos sistemas.

- Así las cosas, el CICR cierra su documento recomendando, entre otros aspectos, que los Estados adopten nuevas normas jurídicamente vinculantes para, en particular:

  a) Descartar expresamente los sistemas de armas autónomos impredecibles.

  b) Reglamentar el diseño y el uso de sistemas de armas autónomos que no estén prohibidos, mediante una combinación de, por un lado, límites en los tipos de objetivos (como restringirlos a aquellos que son militares por naturaleza), situaciones, duración, alcance geográfico y escala de su uso del sistema para permitir el juicio y control humanos en la ejecución de cualquier ataque específico; y, por otro, requisitos para la interacción hombre-máquina, en particular garantizando una supervisión, intervención y desactivación humana que sea oportuna y eficaz.

  c) Descartar el uso de sistemas de armas autónomos para atacar a seres humanos. En ese sentido, el CICR sugiere específicamente la prohibición de estos sistemas cuando sean diseñados o utilizados para aplicar la fuerza en contra personas, basándose para ello en consideraciones éticas para la salvaguarda de la humanidad y el respeto a las normas del DIH sobre la protección de civiles y los combatientes fuera de combate.

  En líneas generales el autor de esta obra siempre ha valorado positivamente el enfoque de trabajo y reflexión empleado por el CICR con relación a los asuntos que traen consigo las tecnologías emergentes en el área de los SAAL. Por tanto, como se ha reflejado en secciones anteriores, muchas de las recomendaciones hechas por esta organización han servido de guía para abordar diversas cuestiones planteadas a lo largo de la investigación de la cual se deriva el presente libro.

Sin embargo, con relación a esta última y nueva recomendación en concreto (literal c), resulta forzoso no apoyarla en razón de lo siguiente: reconociendo la importancia de proteger a la humanidad como uno de los elementos fundamentales del DICA, es una entelequia apuntar a que los Estados aprueben normas jurídicas vinculantes que propendan a la prohibición del diseño o de la utilización de los SAAL para aplicar la fuerza en contra de personas en general, máxime cuando el propio DIH admite, entre otros aspectos, el estudio, el desarrollo, la adquisición, la adopción y el empleo de armas, medios o métodos de guerra (incluso nuevos) para llevar a cabo ataques en contra de combatientes (que son personas) según los principios del derecho internacional aplicable (en especial, las reglas de la distinción, proporcionalidad y precaución).

Partiendo de lo anterior, se entiende que esta nueva recomendación hecha por el CICR responde más a una serie de reflexiones que, desde el punto de vista práctico, son poco útiles para vincular jurídicamente el comportamiento de los Estados en los conflictos armados del siglo XXI. Respaldar planteamientos de este tipo nos llevaría, en general, a asumir como propias argumentaciones pacifistas en contra de las hostilidades y, en concreto, a negar de manera casi absoluta el uso de las armas en las guerras, todo ello sobre la base de categorías conceptuales que pueden servir más para enardecer discursos políticos y sociales, en lugar de ofrecer herramientas jurídicas aplicables a la realidad actual.

Como desiderátum, el autor de este libro se suma al anhelo de vivir en una sociedad global con mayor seguridad humana, en donde no existan armas ni guerras. Sin embargo, se trata de un escenario hipotético que, aunque ideal, es poco probable que se llegue a dar en el futuro. En consecuencia, bajo la perspectiva de trabajo de la presente obra, se entiende el cambio de orientación esbozado en esta recomendación del CICR como una nueva narrativa que pone de manifiesto asuntos delicados que, en opinión del presente autor, pueden conducir el debate sobre los SAAL a un maniqueísmo que dificultaría el trabajo del GEG sobre estas tecnologías emergentes en el marco de la CCW.

De todas formas, confiamos que este nuevo planteamiento del CICR sirva, en su defecto, para provocar aún más la discusión internacional sobre las armas autónomas de tal manera que, en definitiva, derive en resultados concretos, constructivos, integrales y productivos para la humanidad. En todo caso, quedará por ver cómo los Estados parte de la CCW evaluarán las propuestas del CICR durante las próximas sesiones de trabajo del GEG sobre las tecnologías emergentes en el área de los SAAL.

4.2.5. Activismo en contra de los SAAL por parte de expertos en robótica e IA

Tal y como se puede ver en epígrafes anteriores, varios especialistas en el área consideran que los robots asesinos ya están aquí. Aunque dicha afirmación también tiene sus detractores, lo cierto es que las LAW aún están muy lejos de alcanzar niveles de superinteligencia[517] tales que las conviertan en totalmente autónomas: en 2019, la IA junto a la robótica están más cerca de *WALL-E*[518] *que de Terminator*.

---

[517] Superinteligencia es un término que se usa para referirse a un hipotético sistema de IA futura que podría exceder ampliamente la inteligencia humana en todos los dominios posibles, tanto de conocimiento como de experiencia. Algunos científicos han advertido sobre los peligros de la superinteligencia. Instituto de las Naciones Unidas para la Investigación del Desarme, *The Weaponization of increasingly autonomous technologies: Artificial intelligence* (documento de trabajo), *op. cit.*, *véanse páginas 6 y 7*; Yudkowsky, E., «Artificial intelligence as a positive and negative factor in global risk», en Bostrom, N. y Ćirković, M. M. (eds.), *Global catastrophic risks*, Nueva York, Oxford University Press, 2008, pp. 308-345, disponible en: *https://intelligence.org/files/AIPosNegFactor.pdf*, fecha de revisión: 04/05/2019; Bostrom, N., *Superinteligencia: Caminos, peligros, estrategias*, Zaragoza, Teell, 2016; y Russell, S., «Of myths and moonshine», *Edge*, 2014 [en línea], disponible en: *https://www.edge.org/conversation/the-myth-of-ai#26015*, fecha de revisión: 04/05/2019.

[518] *WALL-E* es una película de animación estrenada en 2008, perteneciente a los géneros de ciencia ficción y comedia. La trama sigue a un robot compactador de la línea WALL-E, diseñado para limpiar la basura que cubre la Tierra después de que fuese devastada y abandonada por el ser humano en un futuro lejano. Luego de muchos años el robot pasó a ser la última unidad WALL-E superviviente, y

De todos modos, la aplicación de las ciencias de la computación (también llamadas ciencias computacionales) a la tecnología militar ha sido verdaderamente explosiva en lo que va del siglo XXI; una escalada que ha visto venir gran parte de la comunidad científica a nivel global. Muestra de ello lo podemos ver en varias campañas abiertas, iniciadas por expertos en el área de las ciencias de la computación, que abogan por el uso pacífico de la IA y la robótica, así como por la proscripción de los SAAL por considerarlos poderosos instrumentos de opresión peligrosamente desestabilizadores. Entre esas iniciativas se pueden destacar las siguientes:

a) Carta abierta firmada por investigadores en robótica e IA en la que se propone la prohibición de los SAAL

En julio de 2015, durante la apertura de la Conferencia Conjunta Internacional sobre IA celebrada en Buenos Aires (Argentina), fue presentada una carta abierta puesta a disposición del apoyo y la firma de investigadores y expertos en IA y robótica en todo el mundo. Al mes de mayo de 2019, la carta cuenta con la firma de 4502 investigadores en las ciencias de la computación y de 26 215 personas más interesadas en la materia[519].

El contenido de la carta advierte que la IA ha alcanzado un punto de desarrollo impresionante, a tal punto que hace factible el despliegue de SAAL en años, no en décadas. Esto genera mucha precaución en la sociedad civil, y en especial en la comunidad científica, ya que las AW son sistemas que pueden seleccionar y atacar objetivos sin intervención humana, y por ello han sido descritas como la tercera revolución en la guerra, después de la pólvora y las armas nucleares.

Según el texto, la pregunta clave en ese entonces para la humanidad era ver si valía la pena —o no— comenzar una carrera de arma-

---

con el tiempo desarrolló una personalidad y sensibilidad propias, así como si fueran emociones.

519 Future of Life Institute, *Autonomous weapons: an open letter from AI & robotics researchers* (carta abierta en el marco de la conferencia conjunta internacional sobre la IA celebrada en Buenos Aires), 28/07/2015 [en línea], disponible en: *https://futureoflife.org/open-letter-autonomous-weapons/*, fecha de revisión: 04/05/2019.

mentos de IA. Si cualquier potencia militar importante avanza con el desarrollo de armas de IA, una carrera de armamentos global sería virtualmente inevitable, y el punto final de esa trayectoria tecnológica será que las AW se convertirán en las armas de moda del mañana de actores estatales y no estatales.

Al igual que la mayoría de los químicos y biólogos no tienen interés en construir armas químicas o biológicas, la mayoría de los investigadores de IA no tienen interés en construir armas de IA. Por ello, los signatarios de la carta afirman abiertamente que la IA tiene un gran potencial para beneficiar a la humanidad de muchas maneras, y que el objetivo del campo debe ser ese. En ese sentido, terminan su declaración rechazando cualquier posibilidad de una carrera de armamentos de IA militar, y hacen un llamado además a que se prohíban todas las armas autónomas ofensivas que estén fuera de control humano significativo.

Años más tarde, en 2017, miembros de las comunidades australiana[520], canadiense[521] y belga[522] de investigación en IA, robótica y ciencias de la computación suscribieron cartas abiertas dirigidas a los Gobiernos de sus respectivos países para que se uniesen al llamado internacional para prohibir los SAAL, un sistema de armas que tiene la capacidad de eliminar el control humano significativo en el uso y el despliegue de la fuerza letal.

---

520 Sin autor, *An international ban on the weaponization of artificial intelligence (AI)* (carta dirigida al entonces primer ministro de Australia, Malcolm Turnbull), 2/11/2017 [en línea], disponible en: *https://www.dropbox.com/sh/ujslcvq7224c1gw/AADADLoJV_NCbwcOsfI9n6wba?dl=0&preview=7+Nov+AI+Letter.pdf*, fecha de revisión: 04/05/2019.

521 Centre for Law, Technology and Society, «Call for an international ban on the weaponization of Artificial Intelligence» (carta dirigida al Primer Ministro de Canadá, Justin Trudeau), 2/11/2017 [en línea], disponible en: *https://techlaw.uottawa.ca/bankillerai*, fecha de revisión: 04/05/2019.

522 Además de la prohibición de los SAAL, la comunidad científica belga solicitó al Gobierno de ese país resolver como nación que nunca desarrollará, adquirirá o implementará tales sistemas de armas. Sin autor, *Belgian scientists letter on autonomous weapons* (carta dirigida al Gobierno y Parlamento belgas), diciembre de 2017 [en línea], disponible en: *https://docs.google.com/document/d/e/2PACX-1vQU8W-mpdjBqLHlA4Xgbe1BhKI4scm2UyQg3cP-pylpjnOVF81OmPSE7QmzaXNDfqBeLGrNFS4ozRL8-/pub*, fecha de revisión: 04/05/2019.

Todos los que firman las cartas opinan que armar a la IA es una mala idea, sobre todo cuando se trata de desarrollar tecnologías armamentísticas que excluyen el control humano significativo sobre las decisiones de vida y muerte, armas que claramente se encuentran en el lado equivocado de una clara línea moral. Por ende, las cartas abiertas piden a las autoridades de Australia, Canadá y Bélgica, respectivamente, que apoyen las discusiones sobre los SAAL que se llevan a cabo en la CCW y, en definitiva, les exhorta a que impulsen la prohibición de esas armas.

b) Carta abierta firmada por los Chief Executive Officer de compañías especializadas en IA en la que solicitan a la ONU la prohibición de los SAAL

En 2017, varios de los pioneros en robótica e IA más importantes del mundo pidieron a Naciones Unidas que prohibieran el desarrollo y uso de robots asesinos en el marco de las discusiones que sobre los SAAL se estaban llevando a cabo en la CCW[523]. Mustafa Suleyman, de Applied AI en DeepMind, y Elon Musk, fundador de las compañías SpaceX, Tesla Motors y OpenAI & Solar City, lideran el grupo de 110 especialistas de más de una veintena de países que piden la prohibición de las AW.

A través del texto, los firmantes acogieron con beneplácito la decisión de la CCW de haber establecido un GEG sobre los SAAL. En ese sentido, informaron que todos los investigadores e ingenieros de sus respectivas compañías se ponían a disposición para ofrecer al GEG todo el asesoramiento técnico que fuera necesario para apoyar las deliberaciones sobre las AW.

Finalmente, los representantes de las empresas que suscribieron la carta solicitaron a las Altas Partes contratantes que participan en el GEG que trabajaran arduamente para encontrar medios para prevenir una carrera de armamentos producto de los SAAL, proteger a los civiles del uso indebido de estas tecnologías y evitar los efectos

523 Future of Life Institute, *An open letter to the United Nations Convention on Certain Conventional Weapons* (carta abierta dirigida a la CCW), 21/08/2017 [en línea], disponible en: *https://futureoflife.org/autonomous-weapons-open-letter-2017/*, fecha de revisión: 04/05/2019.

desestabilizadores que implican. Desafortunadamente, se trata de un enfoque preventivo que ha quedado a la remora de la realidad actual de hoy, donde países del mundo están invirtiendo cada vez más en la aplicación de las ciencias de la computación al campo de la investigación, el desarrollo y la innovación de las tecnologías emergentes en el área de los SAAL. Quedará por ver cómo evoluciona ese contexto que, sin duda, representa la puesta en marcha de una auténtica carrera internacional de armamentos, sobre todo de aquellos dotados de IA.

c) Compromiso de no participar en el desarrollo de SAAL firmado por organizaciones y personas vinculadas al área de la IA

En 2018, miles de científicos que se especializan en IA se comprometieron a no participar jamás en el desarrollo o la fabricación de robots que puedan identificar y atacar a personas sin supervisión humana[524].

Demis Hassabis, cofundador de Google DeepMind, y Elon Musk (fundador de SpaceX, Tesla Motors y OpenAI & Solar City) se encuentran entre las 3253 personalidades y 247 organizaciones vinculadas al desarrollo del área de la IA que, al mes de mayo de 2019, han firmado un compromiso que pretende disuadir a las empresas militares y las naciones de construir SAAL.

En tal sentido, la medida advierte que la IA está preparada para desempeñar un papel cada vez más importante en los sistemas militares. Esto es algo que preocupa a gran parte de la comunidad científica, habida cuenta de los peligros que representa que los humanos entreguen el poder de decisión de vida y muerte a las máquinas, especialmente cuando estas son dotadas de IA.

La declaración reconoce además que, en la actualidad, existe una necesidad urgente de que los ciudadanos, los responsables políticos y los líderes del mundo conduzcan el desarrollo de la IA hacia usos que

---

524 Future of Life Institute, «Lethal autonomous weapons pledge», *Future of Life Institute*, 2018 [en línea], disponible en: *https://futureoflife.org/lethal-autonomous-weapons-pledge/?cn-reloaded=1&cn-reloaded=1*, fecha de revisión: 04/05/2019.

sean aceptables. Por ello, todos los firmantes piden a los Gobiernos y líderes gubernamentales que elaboren normas, regulaciones y leyes internacionales sólidas y vinculantes en contra de los SAAL. Al mismo tiempo, aquellos quienes firman se comprometen a no participar ni apoyar el desarrollo, la fabricación, el comercio o el uso de LAW, y exhortan al resto de empresas y organizaciones de tecnología, líderes y responsables de la formulación de políticas a que se unan a ese compromiso.

4.2.6. La Iniciativa Global del IEEE sobre ética de los sistemas autónomos e inteligentes

Es un programa del Instituto de Ingeniería Eléctrica y Electrónica (en adelante, IEEE, por las siglas en inglés de Institute of Electrical and Electronics Engineers), una organización técnica profesional dedicada al avance de la tecnología en beneficio de la humanidad[525]. La Iniciativa Global del IEEE brinda la oportunidad de reunir múltiples voces en las comunidades científicas y tecnológicas para identificar y encontrar consenso sobre temas oportunos[526].

En marzo de 2019, el IEEE hizo pública la primera edición del *Ethically Aligned Design* (EAD1e)[527], la cual brinda una visión de cómo priorizar el bienestar humano a través de los sistemas autónomos e inteligentes[528]. El lanzamiento del EAD1e es resultado de un proceso

---

525 Más información acerca del IEEE disponible en: *https://www.ieee.org/*, fecha de revisión: 04/05/2019.

526 IEEE Standards Association, *The IEEE Global Initiative on Ethics of Autonomous and Intelligent Systems* [en línea], disponible en: *https://standards.ieee.org/industry-connections/ec/autonomous-systems.html*, fecha de revisión: 04/05/2019.

527 Institute of Electrical and Electronics Engineers, *Ethically aligned design. A vision for prioritizing human well-being with autonomous and intelligent systems*, 1.ª y 2.ª versiones, 2017 [en línea], disponible en: *https://standards.ieee.org/content/dam/ieee-standards/standards/web/documents/other/ead_v2.pdf*, fecha de revisión: 04/05/2019.

528 La *elaboración* del EAD1e también contó con el apoyo del IEEE Standards Association, un organismo destinado al establecimiento de estándares reconocidos a nivel mundial, que forma parte del IEEE, e involucra a la industria y a una amplia comunidad de partes interesadas.

de tres años de trabajo, globalmente abierto e iterativo, que involucró a miles de expertos globales[529].

El documento parte de la premisa de que las tecnologías de los sistemas autónomos e inteligentes están diseñadas para reducir la necesidad de la intervención humana en nuestras vidas cotidianas. Sin embargo, el texto reconoce que ello ha suscitado también preocupaciones a nivel mundial sobre el impacto que dicha intervención representa en el bienestar de los individuos y las sociedades.

Ante ese escenario, el EAD1e busca ofrecer un análisis y recursos científicos, principios de alto nivel y recomendaciones prácticas que sirvan para la implementación ética de los sistemas autónomos e inteligentes. Su objetivo es proporcionar orientación para definir los estándares, elaborar las regulaciones o crear las leyes pertinentes al diseño, la fabricación y el uso de estas tecnologías. Todo esto servirá como marco de referencia clave para el trabajo de los responsables políticos, expertos y científicos en el área[530].

Ahora bien, desafortunadamente —por razones de tiempo— el EAD1e no incluyó el trabajo en curso de tres Comités de la Iniciativa Global del IEEE. Según reza el texto aprobado, una vez que esos capítulos finalicen su proceso de revisión y sean aceptados por el IEEE, serán ulteriormente incorporados al EAD1e o, en su defecto, pasarán a formar parte de cualquier otra publicación hecha por el instituto. Este dato resulta importante tenerlo presente, toda vez que

---

529 El EAD1e es producto de dos procesos de consulta previos a su lanzamiento: en diciembre de 2016 la Iniciativa Global IEEE sometió a discusión pública una primera versión del *Ethically Aligned Design* (EADv1), de la cual recibieron más de doscientas páginas de comentarios sobre el borrador. Luego, en diciembre de 2017, lanzaron a consulta una segunda versión del *Ethically Aligned Design* (EADv2), la cual generó más de trescientas páginas de comentarios sobre el texto. Desde entonces, más de mil personas de los ámbitos de los negocios, el mundo académico y político ayudaron a escribir, editar, revisar y finalizar la primera edición del EAD1e. Institute of Electrical and Electronics Engineers, *The IEEE Global Initiative on Ethics of Autonomous and Intelligent Systems*, información institucional [en línea], disponible en: *https://standards.ieee.org/industry-connections/ec/ead-v1.html*, fecha de revisión: 04/05/2019.

530 Institute of Electrical and Electronics Engineers, *Ethically aligned design. A vision for prioritizing human well-being with autonomous and intelligent systems, op. cit., véanse páginas 3 y 4.*

uno de esos trabajos versa sobre las reflexiones y los replanteamientos que ofrece la Iniciativa Global del IEEE acerca de los sistemas de armas autónomas[531].

Según ese trabajo se entiende que todas las armas, independientemente de su grado de autonomía, deben ser predecibles y trazables. Además, han de poseer registros de auditoría o pruebas documentales de la secuencia de actividades que han afectado en cualquier momento a una operación, procedimiento o evento específico, ya que ello permite garantizar la rendición de cuentas y el control efectivo por el uso de esa arma en términos importantes para el DIH.

Asimismo, los sistemas adaptativos y de aprendizaje deben explicar sus razonamientos y decisiones a los operadores humanos de manera transparente y comprensible. Ello significa que los humanos deben dotar al sistema de la capacidad de explicarles por qué «ha tomado una decisión determinada». Además, siempre se tiene que garantizar la posibilidad de identificar claramente a los operadores humanos que sean responsables de los sistemas autónomos. El hecho de que una máquina no pueda tomar decisiones éticas significa que tiene que haber una persona humana identificable que sea la que tome esas decisiones éticas (diseñadores, fabricantes, mandos superiores de una misión, operadores, etc.).

Ahora bien, según la Iniciativa Global del IEEE las discusiones que se llevan a cabo en la CCW acerca de los SAAL son útiles y complejas, porque no solo deben tener en cuenta los aspectos destacados *supra*, sino además han de profundizar sus reflexiones y llegar a acuerdos que sirvan para definir claramente quién debería ser el responsable por cualquier daño ocasionado por un sistema de arma autónomo, si la persona que aprieta el botón, la que despliega el arma, la que la diseña, la que la fabrica o la que, incluso, se ha atrevido a venderla[532].

En ese sentido, aquellos que creen o impulsen este tipo de tecnologías deben entender o tomar conciencia de las implicaciones de su trabajo. Los códigos éticos profesionales similares al EAD1e de-

---

531 Un borrador de este trabajo inédito se encuentra disponible en el EADv2 (la segunda versión anterior del EAD1e). Al respecto, *ibid.*, *véanse páginas 113-130.*

532 Chatila, R., *Autonomous Weapon Systems: technological issues and recommendations* (conferencia), *op. cit.*, *véase a partir del minuto 00:37:50.*

ben abordar de manera apropiada las implicaciones del desarrollo de sistemas autónomos destinados, o no, a causar daño. Esto permitiría que las personas que están apoyando la investigación e innovación de estos sistemas puedan tener presente que su trabajo tiene consecuencias importantes.

De cualquier manera, el EAD1e no deja de ser una apuesta importante del IEEE para intentar ofrecer reflexiones y sugerencias que aborden, no solo valores e intenciones, también implementaciones jurídicas y técnicas. Esto lo convierte en un instrumento novedoso, tomado muy en cuenta por la comunidad tecnocientífica y cada grupo involucrado y/o afectado por los sistemas autónomos e inteligentes, que contiene fundamentos útiles para orientar a los Gobiernos, las empresas y el público en general sobre cómo hacer para que el avance de la tecnología siempre evolucione en beneficio de la humanidad.

4.2.7. Carta abierta suscrita por especialistas en IA y robótica, líderes de la industria, expertos en derecho, medicina y ética de la UE dirigida a la Comisión Europea

En abril de 2018, más de ciento cincuenta signatarios europeos presentaron una carta a la Comisión Europea en la que manifestaban su apoyo al establecimiento de normas sobre robótica e IA a nivel de la UE, que son pertinentes para fomentar la innovación y garantizar un alto nivel de seguridad a los ciudadanos comunitarios[533].

Sin embargo, la declaración advierte que la IA y la robótica son áreas de la ciencia que deben ser exploradas en beneficio de toda la humanidad, sin prisas ni sesgos, a través de los aspectos económicos y jurídicos, y teniendo muy en cuenta sus impactos sociales, psicológicos y éticos.

Aunque la carta no planteó ninguna referencia concreta acerca de los SAAL, sí que resulta pertinente en el presente epígrafe, toda vez que en ella parte de la comunidad científica hizo un fuerte llamado a la Comisión Europea para que recondujera parte del debate que sobre

---

[533] Robotics, *Open letter to the European Commission. Artificial intelligence and robotics*, 05/04/2018 [en línea], disponible en: *http://www.robotics-openletter.eu/*, fecha de revisión: 25/04/2019.

la IA y la robótica se estaba llevando a cabo en la UE (extensible a los SAAL). Una de las mayores preocupaciones planteadas en la carta versa sobre las consecuencias negativas del enfoque del estatus jurídico para los robots contenido en la Recomendación núm. 59 literal «f» de la Resolución del Parlamento Europeo relativa a las normas de derecho civil sobre robótica[534]. Al respecto, la carta abierta expresa lo siguiente:

> «[...] La creación de un estatus jurídico de una "persona electrónica" para robots "autónomos", "impredecibles" y de "autoaprendizaje" está justificada por la incorrecta afirmación de que la responsabilidad por daños sería imposible de probar. Desde una perspectiva técnica, esta declaración ofrece muchos prejuicios basados en una sobrevaloración de las capacidades reales de, incluso, los robots más avanzados, una comprensión superficial de las capacidades de impredecibilidad y autoaprendizaje, y una percepción robótica distorsionada por la ciencia ficción y algunos anuncios sensacionalistas de la prensa reciente [...]»[535].

Así pues, según los signatarios de la carta, el estatus jurídico de un robot no puede derivarse del modelo de persona natural, ya que el robot tendría cuando menos derechos humanos. Tampoco puede proceder del modelo de persona jurídica, porque ello implicaría la existencia de personas humanas detrás de la entidad artificial para poder representarla y dirigirla, y este no es el caso de los robots. Y, por último, un estatus jurídico para los autómatas no podría derivar de un modelo de confianza —estilo anglosajón— o fiduciario, toda vez que es un régimen extremadamente complejo, que requiere competencias muy especializadas y no resolvería el problema de responsabilidad

534 Recomendación 59 f): «...crear a largo plazo una personalidad jurídica específica para los robots, de forma que como mínimo los robots autónomos más complejos puedan ser considerados personas electrónicas responsables de reparar los daños que puedan causar, y posiblemente aplicar la personalidad electrónica a aquellos supuestos en los que los robots tomen decisiones autónomas inteligentes o interactúen con terceros de forma independiente...». Parlamento Europeo, *Resolución del Parlamento Europeo, de 16 de febrero de 2017, con recomendaciones destinadas a la Comisión sobre normas de Derecho civil sobre robótica (2015/2103[INL]), op, cit., véase página 17.*

535 Robotics, *Open letter to the European Commission. Artificial intelligence and robotics, op. cit., véase página 1.*

que arguye como justificación el texto aprobado por el Parlamento Europeo[536].

Por todo ello, los firmantes declaran que la creación de una personalidad jurídica para un robot es ideológica, sin sentido, surrealista e inadecuada desde una perspectiva ética y jurídica, independientemente del modelo de estatus jurídico que se escoja. En ese sentido, advierten a la Comisión Europea que tratar como «personas» a los robots resulta algo contradictorio, ya que los sistemas robóticos no poseen ninguna de las cualidades típicamente asociadas con las personas humanas, como la libertad de voluntad, la intencionalidad, la autoconciencia, la agencia moral o el sentido de identidad personal.

A modo de reflexión final, es importante resaltar algunas ideas clave: tras haberse destacado los aspectos más importantes de las principales iniciativas internacionales que hoy en día existen en contra de la investigación, el desarrollo y la innovación de las tecnologías emergentes en el área de los SAAL, queda claro que gran parte de la comunidad científica y académica a nivel global está muy concienciada acerca de los beneficios, los riesgos y los peligros del desarrollo tecnológico armamentista autónomo.

Muchas de las preocupaciones planteadas en las iniciativas contra los SAAL no se basan en meras especulaciones de ciencia ficción, sino en hechos reales y constatables que demuestran que hoy en día hay una clara propensión entre los Estados a invertir cada vez más en innovaciones armamentísticas altamente autónomas. Esto se puede evidenciar claramente del contenido del informe de 2018 elaborado por la Secretaría General de la ONU sobre los avances científicos y tecnológicos actuales y sus posibles efectos en las iniciativas relacionadas con la seguridad internacional y el desarme, el cual fue abordado al inicio de este capítulo.

Constancia de todo ello se puede inferir también de los principales proyectos estatales de inversión y desarrollo de máquinas que son capaces de operar sus funciones (sobre todo de selección y ataque

---

536 La razón que, sobre este asunto, dan los firmantes de la carta es que un *trust model* —estilo anglosajón— o modelo fiduciario al final implicaría la existencia de un ser humano que, como último recurso, sea el fideicomisario o fiduciario responsable de administrar el robot otorgado en un fideicomiso.

de objetivos) con ciertos grados de autonomía, muchos de los cuales fueron referidos en las primeras secciones de este capítulo. Los casos aquí abordados demuestran que existe una tendencia irreversible hacia el futuro relativa al aumento gradual de la autonomía en los sistemas militares.

Indudablemente, como se indicó en secciones previas, el hecho de que existan cada vez más vehículos autónomos terrestres, aéreos, de superficie, submarinos y espaciales sofisticados, genera la posibilidad de que a medio o largo plazo se den más avances tecnológicos significativos que luego podrán ser útiles y aplicables en el desarrollo de SAAL.

Sin embargo, ante este panorama, la sociedad civil no se está quedando de brazos cruzados. Como se pudo ver en este capítulo, instituciones como el CICR han defendido claramente la existencia de niveles de control humano significativos en el uso y el diseño de AW, habida cuenta de que dichas máquinas son, por su naturaleza, inherentemente impredecibles y, hasta cierto punto, poco fiables, sobre todo cuando tienen como propósito ser activadas y desplegadas en conflictos armados internacionales.

Por otra parte, HRW y el ICRAC, como líder y miembro, respectivamente, de la CSKR, abogan por la prohibición preventiva de los SAAL, al considerarlos un tipo de sistema armamentístico ilegal *per se*, ya que a través de su despliegue los humanos jamás podrán cumplir con los principios básicos del DIH y el DIDH a la hora de ejecutar un ataque en un conflicto armado. En ese sentido, la campaña para detener la investigación, el desarrollo y la innovación de los «robots asesinos» ha sido muy activa a través de sus miembros para ir ganando cada vez más seguidores y aliados (especialmente entre los Estados) en el marco de las reuniones que sobre las AW se están llevando a cabo en la CCW.

Sin embargo, es importante destacar que esta campaña —tal vez por razones estratégicas— a veces hace suyo un discurso que juega al despiste, ya que utiliza a su favor la falta de uniformidad en el uso del lenguaje acerca de los SAAL, presentando eslóganes publicitarios, alarmistas y hollywoodienses que dejan entrever, entre otros asuntos, que los SAAL son armas completamente autónomas y potencialmente peligrosas que, cuando menos la comunidad internacional lo espere, se convertirán en los sustitutos o reemplazos de los combatientes en el uso de la fuerza armada letal en conflictos armados[537]. Esto significa que, algún día, los SAAL cruzarán umbrales morales importantes, por el hecho de ser máquinas mortíferas que carecerán de características inherentemente humanas, como la compasión, que son «necesarias» para tomar decisiones éticas complejas, sobre todo en conflictos armados[538].

Por último, otro de los aspectos que queda claramente destacado en este capítulo es que, durante los últimos años, se ha acrecentado el activismo social para impulsar el debate internacional, no solo sobre los desafíos y los riesgos que implican los SAAL *per se*, sino también para hacer frente al uso no pacífico de las tecnologías emergentes en el área de las AW, a saber, los desarrollos de la IA y la robótica, sobre todo cuando son aplicados al campo militar, de seguridad y de defensa.

Como se verá en el siguiente capítulo de esta investigación, muchas de esas cartas e iniciativas abiertas sobre el uso de la IA y la robótica en los desarrollos armamentísticos de los Estados plantean sin más una serie de cuestionamientos importantes que hoy son comunes de ver en gran parte de los argumentos que científicos, abogados, diplomáticos y políticos hacen valer en las discusiones sobre las tecnologías emergentes en el área de los SAAL que se están llevando a cabo en el seno de la CCW.

---

537 Según miembros de la CSKR, el mismo concepto de las armas autónomas significa que los humanos encarguen a las máquinas la toma de decisiones de vida o muerte, lo cual, en principio, es intrínsecamente un problema. Así pues, bajo este enfoque, la proliferación de los SAAL sigue siendo un peligro claro e inminente para los ciudadanos de todos los países del mundo, por lo que sería necesario hacerse la pregunta de si no es inherentemente equivocado permitir que máquinas tengan la capacidad y la decisión de terminar vidas. Así las cosas, como se destacó en este capítulo, para algunos expertos que son críticos de los SAAL, estos sistemas podrían llegar a convertirse en armas del terror, «armas que déspotas y terroristas usen contra poblaciones inocentes, y armas que se puedan hackear para comportarse de formas no deseadas. No tenemos mucho tiempo para actuar. Una vez abierta esta caja de Pandora, será difícil de cerrar». Al respecto, Future of Life Institute, *An open letter to the United Nations Convention on Certain Conventional Weapons* (carta abierta dirigida a la CCW), *op. cit.*

538 Campaign to Stop Killer Robots (CSKR); la página web *Stop Killer Robots*, disponible en: *https://www.stopkillerrobots.org*, fecha de revisión 03/08/2019.

Ahora bien, es importante subrayar que todo este activismo en contra de los SAAL también puede convertirse en víctima de su propio éxito. Como luego se verá en el capítulo 5 de esta obra, el hecho de que el tema de las AW termine siendo dominado única y exclusivamente por las ONG que hacen campaña para prohibir los «robots asesinos», puede afectar negativamente al debate en sí; ¿por qué?

Las ONG y los *think tanks* que participan en los debates internacionales acerca de los SAAL están muy involucrados en el tema, dando declaraciones regularmente y organizando eventos paralelos a las reuniones que se celebran en el seno de la CCW. El CICR y UNIDIR también participan activamente en el tema, acercándose cada vez más a exigir abiertamente un nuevo marco normativo internacional que garantice el control humano en las tecnologías emergentes en el área de las armas autónomas[539]. Incluso en comparación con las reuniones informales de expertos que se celebraron del 2014 al 2016 en la CCW, el debate en ese foro al día de hoy es mucho más formal, aunque con un mandato débil, cuyo contenido se amplió en noviembre de 2019 cuando la reunión anual de los Estados parte de la CCW incorporaron al debate aspectos del marco normativo y operativo sobre los SAAL.

Sin embargo, no todo es tan positivo. A este panorama se unen también las diferencias significativas que, a nivel sustancial y procedimental, existen entre las diversas posiciones de los Estados parte, las organizaciones no gubernamentales y la academia en general. Incluso, ni los líderes tradicionales del desarme humanitario (como Noruega y Canadá, por ejemplo) se han mantenido los suficientemente activos en el debate[540]. A esto se suma el hecho de que los países que tienden a

---

539 Rosert, E. y Sauer, F., « How (not) to stop the killer robots: A comparative analysis of humanitarian disarmament campaign strategies», *op. cit.*

540 Con relación a Canadá es interesante destacar lo siguiente: el 13/12/2019, la oficina del Primer Ministro de ese país le recomendó al Ministerio de Asuntos Exteriores avanzar en los esfuerzos internacionales para prohibir el desarrollo y uso de los SAAL. Esta instrucción, aunque inesperada, fue bien recibida —claro está— por los partidarios de la prohibición de tales armas. Sin embargo, en lugar de que se cumpla esta orden a través de un compromiso claro y público como país ante la comunidad internacional, Canadá ha optado más por un perfil «cauto» (poco común para un Estado tradicionalmente activo en temas relacionados con el desarme) durante las reuniones que sobre los SAAL se están

apoyar activamente los esfuerzos por lograr una prohibición total de los SAAL, hasta ahora, tampoco han podido ni siquiera formar una coalición de Estados que apoye esta causa e incluya más miembros (y sobre todo con un perfil significativamente influyente).

Se trata entonces de un escenario multilateral complejo, cuya dificultad se acrecienta aún más producto del sistema de votación por consenso que caracteriza a la CCW, un sistema que exige el acuerdo de todos los Estados parte para avanzar significativamente en la aprobación de resoluciones y decisiones[541]. Tan es así, que ello ha llevado a que la propia CSKR sugiera públicamente el traslado del debate de los SAAL a otros foros. Obviamente, si esto llegare a suceder, sería bastante peligroso para el destino de las negociaciones correspondientes. Al día de hoy, no están dadas las condiciones para que se fomente y

llevando a cabo en el seno de la ONU. Canadá sólo ha reconocido intrínsecamente ilegal el uso de sistemas de armas que no pueden realizar sus funciones de acuerdo con la intención de un operador y comandante humanos de cumplir con los requisitos y principios del DIH. En ese sentido, entiende que el debate sobre las tecnologías emergentes en el área de los SAAL debería enfocarse en trazar la línea divisoria entre aquellos "sistemas de armas totalmente autónomos" (donde no hay un mínimo de elemento humano y que, por lo tanto, no cumplen con el DIH) y los sistemas de armas donde la autonomía está acompañada por una participación humana apropiada y, por lo tanto, sí que pueden mantener el cumplimiento del DIH. Oficina del Primer Ministro de Canadá, *Minister of Foreign Affairs Mandate Letter*, diciembre de 2019 [en línea], disponible en: *https://pm.gc.ca/en/mandate-letters/2019/12/13/minister-foreign-affairs-mandate-letter*, fecha de revisión: 21/01/2021; Marijan, B., «Canada's deafening silence on the creation of autonomous weapons», *Toronto Star,* 08/10/2020 [en línea], disponible en: *https://www.thestar.com/opinion/contributors/2020/10/09/canadas-deafening-silence-on-the-creation-of-autonomous-weapons.html*, fecha de revisión: 21/01/2021; y, Gobierno de Canadá, «Canadian response to the Chair's request for input on potential consensus recommendations», sin número ni fecha, presentado ante el Grupo de Expertos Gubernamentales sobre los sistemas de armas autónomas letales de la CCW, junio de 2021 [en línea], disponible en: *https://documents.unoda.org/wp-content/uploads/2021/06/Canada_Commentary-on-potential-consensus-recommendations.pdf*, fecha de revisión: 01/07/2021.

541 Hass, M. y Fischer S., «The evolution of targeted killing practices: Autonomous weapons, future conflict, and the international order», *Contemporary Security Policy,* vol. 38, 2017, núm. 38(2), pp. 281-306, disponible en: *https://www.tandfonline.com/doi/full/10.1080/13523260.2017.1336407,* fecha de revisión: 21/01/2021.

apoye el traslado de este proceso a otro lugar. Para que una iniciativa como esta no fuera contraproducente, su impulso no solo debe ir allanado por el apoyo de la sociedad civil activista en el tema, sino además por una masa crítica de alrededor de —al menos— un tercio de todos los Estados parte, incluidos los gobiernos más influyentes, para así desencadenar una cascada de proyectos de normas y acuerdos que, luego, tengan un impacto real y generen un cambio factible a nivel global[542]. De lo contrario, un debate sobre los SAAL en tales condiciones podría fracasar estrepitosamente.

Es curioso además cómo, por ejemplo, las cuestiones estratégicas —que han sido históricamente la razón de muchas prohibiciones o regulaciones de nuevas armas— han llegado a quedar en segundo plano en los debates de la CCW. Si todo esto continúa así, no solo se ralentizará el debate, sino que, además, probablemente no llegará a un resultado concreto. Por ello, pese a todos los movimientos y las participaciones de la sociedad civil en las discusiones internacionales sobre AW y los avances que han conseguido al respecto, acciones estratégicas aisladas o la búsqueda de controlar/monopolizar el debate no es la mejor ruta para lograr sus objetivos. En su lugar, por ahora, deben seguir interactuando con la comunidad internacional y, sobre todo, ir construyendo alianzas con el resto de los Estados parte en el marco de la CCW.

---

542 Finnemore, M. y Fikkink K., «International norm dynamics and political change», *Cambridge University Press,* vol. 52, 2005, núm. 52(4), pp. 887-917, disponible en: *https://www.cambridge.org/core/journals/international-organization/article/abs/international-norm-dynamics-and-political-change/0A55ECBCC9E87EA49586E776EED8DB57*, fecha de revisión: 21/01/2021.

Capítulo 5. Discusiones sobre las tecnologías emergentes en el área de los SAAL en la CCW: reflexiones sobre el estado de la cuestión

Tras haber analizado varias de las razones por las cuales las tecnologías emergentes en el área de los SAAL han sido, y seguirán siendo, un asunto importante a debatir a nivel internacional, ahora es necesario describir un poco el estado de la cuestión acerca de las discusiones que sobre AW se están llevando a cabo dentro de la CCW. Se trata de un debate interdisciplinar y prospectivo que en muchas de sus facetas tiende a ser cíclico, encausado entre posiciones consecuenciales y deontológicas donde algunos Estados, miembros de la academia y la sociedad civil optan por plantear enfoques jurídicos, éticos, políticos y científicos, a veces optimistas o pesimistas, con respecto al impacto que trae consigo el uso potencial de las tecnologías armamentísticas autónomas en las guerras[543].

Teniendo en cuenta este panorama, a lo largo del presente capítulo se hará referencia, por un lado, a cuáles han sido las principales posiciones oficiales, argumentos y propuestas de los participantes en las reuniones oficiosas de expertos sobre los SAAL celebradas en la CCW. Después, por otro, se indicará en qué estado y grado de desarrollo se encuentra el debate actual, luego de que los Estados parte de ese foro multilateral, en 2016, hubieran decidido establecer un grupo formal de expertos gubernamentales sobre las tecnologías emergentes en el área de las AW, grupo que hasta el 2020 ha celebrado cuatro períodos de reuniones de trabajo cuyas observaciones y recomendaciones han sido sometidas siempre a la consideración de los Estados parte de la CCW en sus reuniones anuales correspondientes.

---

543 Lieblich, E. y Benvenisti, E., «The obligation to exercise discretion in warfare: why autonomous weapons systems are unlawful», en Bhuta, N., Beck, S., Geib, R., Liu, G.-Y. y Kreb, C. (eds.), *Autonomous weapons systems. Law, ethics, policy*, Cambridge (EE.UU.), Cambridge University Press, 2016, pp. 245-283, *véanse páginas 251-259*; y Kayser, D. y Denk, S., *Keeping control. European position on lethal autonomous weapon systems*, Utrecht (Países Bajos), Pax for Peace, 2017, disponible en: *https://www.paxforpeace.nl/publications/all-publications/keeping-control*, fecha de revisión: 30/07/2019.

5.1. Reuniones oficiosas de expertos sobre los SAAL en la CCW

Como se destacó al final del capítulo 2 de esta obra, en noviembre de 2013, las Altas Partes contratantes en la CCW celebraron su reunión anual en la que decidieron, entre otros asuntos, convocar a un encuentro oficioso de expertos para examinar las cuestiones relativas a las nuevas tecnologías en el ámbito de los SAAL en el contexto de los objetivos y los propósitos de la CCW[544]. Asimismo, acordaron la presentación de un informe de las resultas de esas discusiones en la siguiente reunión anual de ese foro multilateral programada para noviembre de 2014.

Esta decisión inició un proceso de tres años de discusiones informales bajo el formato de reuniones anual. En mayo de 2014, y en abril de 2015 y 2016, se realizaron la primera, la segunda y la tercera —y última— reunión anual oficiosa de expertos sobre los SAAL. Estos eventos congregaron a varias representaciones diplomáticas de Estados parte, firmantes y observadores de la CCW, así como también a agentes de distintas organizaciones internacionales, ONG e instituciones académicas[545]. Entre los principales resultados de cada reunión se pueden destacar los siguientes:

5.1.1. Primera reunión de expertos

Fue celebrada del 13 al 16 de mayo de 2014 en la sede de la ONU en Ginebra (Suiza). Las discusiones se llevaron a cabo en formato de sesiones de mañana y tarde, en las que participaron representantes de más de 80 países, organizaciones internacionales y miembros de la sociedad civil. Cada sesión fue iniciada con presentaciones de expertos en IA, robótica, ética y sociología, aspectos jurídicos relativos al DIH, asuntos operacionales y militares.

---

544 ALTAS PARTES CONTRATANTES DE LA CCW, *Informe final,* aprobado en la reunión anual celebrada en Ginebra el 14-15 de noviembre de 2013, núm. CCW/MSP/2013/10, de 16/12/2013, *op. cit.*, *véase párrafo 32.*

545 Meza, M., «Los sistemas de armas completamente autónomos: un desafío para la comunidad internacional en el seno de las Naciones Unidas», *op. cit.*, *véase página 8.*

Tratándose de la primera reunión nunca organizada sobre la cuestión de los SAAL, diversas delegaciones subrayaron el carácter preliminar de los debates y la necesidad de evaluar el estado del arte de la investigación, desarrollo e innovación de estos sistemas, así como las tendencias futuras en materia de robótica militar. Desde un primer momento, el debate puso de manifiesto que la autonomía plena en las máquinas no se había logrado todavía. Del mismo modo, quedó remarcado que el desarrollo de SAAL depende de un conjunto de aplicaciones que no han evolucionado de una forma homogénea.

Pese al gran desafío que implica la ausencia de una definición de los SAAL y del término autonomía en el campo de los sistemas armamentísticos, las delegaciones y los expertos abordaron de manera general la cuestión de las interrelaciones con los humanos y la aceptabilidad social de las tecnologías autónomas, al tiempo de afirmar sin lugar a dudas que el desarrollo y el uso de SAAL, como cualquier otra arma, deben estar sometidos al DIH. Bajo ese enfoque, los asistentes al encuentro remarcaron la necesidad de realizar exámenes jurídicos, especialmente cuando se trate del desarrollo de nuevas tecnologías de armas. Del mismo modo, los participantes plantearon relaciones sobre el impacto del desarrollo de SAAL en la dignidad humana. En ese sentido, varias delegaciones advirtieron que el comandante o el operador de un arma es quien deberá tomar siempre la decisión de emplear la fuerza, sobre todo cuando se trate de un arma con efectos letales.

Desde una perspectiva operativa y militar, algunos expertos señalaron que el uso de tecnologías autónomas podía ser pertinente para tareas muy concretas, en particular las relacionadas con la inteligencia, tareas de rescate, protección, logística y transporte, pero nunca reemplazando a los humanos del contexto operativo.

Al final, la reunión culminó con la aprobación de un informe final en el que se deja constancia del exhorto que muchas delegaciones acerca de continuar con aquel proceso de consultas informales y profundizar así en todos los aspectos relacionados con los SAAL[546].

---

546 Simon-Michel, J.-H., *Report of the 2014 informal Meeting of Experts on Lethal Autonomous Weapons Systems (LAWS)* (informe), núm. CCW/MSP/2014/3, 11/06/2014 (presentado por el embajador francés, en su condición de presidente de la reunión de expertos, ante la reunión anual de 2014 de las Altas Partes con-

5.1.2. Segunda reunión de expertos

Tuvo lugar del 13 al 15 de abril de 2015, en la sede de la ONU en Ginebra (Suiza)[547]. Al igual que en la reunión oficiosa del año anterior, las discusiones se llevaron a cabo en formato de sesiones de mañana y tarde, en las que participaron representantes de más de 80 países, organizaciones internacionales y miembros de la sociedad civil.

En esa ocasión, la reunión celebró debates interactivos sobre aspectos generales relacionadas con los SAAL, cuestiones técnicas relativas a las características de esos sistemas, asuntos relacionados con el potencial impacto de estos en el DIH, para luego precisar cuál debería ser el camino a seguir en futuras discusiones.

Los participantes iniciaron un intercambio general de opiniones basado, entre otros aspectos, en dos documentos de trabajo:

- El primero, presentado por Alemania, contentivo de material de reflexión para la reunión[548]. El texto fue elaborado en la mo-

---

tratantes de la CCW sobre los SAAL) [en línea], disponible en: *https://undocs.org/ccw/msp/2014/3*, fecha de revisión: 07/05/2019.

547 Su celebración se dio con motivo de la aprobación y convocatoria hecha por la reunión anual de las Altas Partes contratantes en la CCW llevada a cabo en noviembre de 2014.

548 *Sistemas de armas autónomas letales. Material de reflexión para la reunión oficiosa de expertos sobre los sistemas de armas autónomas letales* (documento de trabajo de Alemania), núm. CCW/MSP/2015/WP.2, 20/03/2015, Palacio de las Naciones (reunión de expertos sobre los SAAL en la CCW, celebrada en Ginebra del 13 al 17 de abril de 2015, [en línea], disponible en: *https://documents-dds-ny.un.org/doc/UNDOC/GEN/G15/061/33/PDF/G1506133.pdf?OpenElement*, fecha de revisión: 07/05/2019. La labor de Alemania en impulsar estos debates internacionales es muy activa, habida cuenta que se trata de un país en el que internamente se está dando un debate intenso sobre el impacto que trae consigo la investigación, el desarrollo y la innovación de las tecnologías armamentistas dotadas con cierto grado de autonomía y capacidad letal. Muestra de ello es la aprobación de unos principios nacionales de ese país para el despliegue de vehículos aéreos no tripulados armados a través de un informe de su Ministerio de Defensa. Aunque los principios siguen siendo vagos, abordan varias preocupaciones planteadas por los críticos de los drones. En su contenido han establecido que, en lugar de desplegarse a miles de kilómetros del campo de batalla, los pilotos de aviones no tripulados alemanes habrás de tener su base en los campos de las fuerzas armadas unificadas de ese país. Además, el uso de drones armados estará sujeto a la aprobación parlamentaria. Al respecto, *véase* Ministerio Federal de Defensa de Alemania, *Informe del*

dalidad de listas de preguntas, todas estructuradas en función de cada una de las sesiones de la reunión programadas para las discusiones.

- El segundo, presentado por Austria, hizo referencia a una propuesta conceptual sobre el término «control humano significativo»[549]. Según el texto, la perspectiva de las armas que en el futuro puedan tomar decisiones sobre el uso de la fuerza armada sin intervención humana plantea un desafío al DIH. Por ello, la delegación austríaca plantea el concepto de «control humano significativo» como un criterio evaluador de los SAAL cuya necesidad de aplicación deviene de las normas jurídicas internacionales aplicables, sobre todo del DIH.

  Bajo este enfoque, las nuevas armas deben cumplir con los principios fundamentales del DIH, a saber, el principio de proporcionalidad, de distinción y de precaución. Para ello es necesaria la existencia de un juicio distintivamente humano (llámese «sentido común» o «estándar de comandante militar razonable»). Además, la idea de humanidad (reflejada como principio en la cláusula Martens) juega un papel crucial en todo ello; una norma aplicable en conflictos armados. Por ende, según el documento propuesto por Austria, un control humano de este tipo implica que los Estados deben usar restricciones particulares antes de decidir sobre el desarrollo y el despliegue de nuevas armas, incluso si la evaluación *per se* de cada uno de estos principios no necesariamente conduzca a un diagnóstico negativo de cumplimiento.

Ministerio Federal de Defensa al Parlamento Federal alemán. Debate sobre la posible adquisición de drones armados para las Fuerzas Armadas, (texto original en alemán), 03/07/2020 [en línea], disponible en: *https://www.bmvg.de/resource/blob/274160/f5d26b7af1a024551e4aafc7b587a01d/20200703-download-bericht-drohnendebatte-data.pdf*, fecha de revisión: 21/01/2021.

549 *The concept of «meaningful human control»* (documento de trabajo de Austria), Palacio de las Naciones (reunión oficiosa de expertos sobre los SAAL en la CCW, celebrada en Ginebra del 13 al 17 de abril de 2015) [en línea], disponible en: *https://www.unog.ch/80256EDD006B8954/(httpAssets)/8D3B4C00FEFCA54CC1257E22004D14A4/$file/Working+Paper+by+Austria.pdf*, fecha de revisión: 07/05/2019.

Luego del debate general, se llevaron a cabo sesiones más sustantivas, cada una iniciada con presentaciones en las áreas de las ciencias de la computación, los derechos humanos, cuestiones éticas sociológicas, aspectos jurídicos humanitarios, y asuntos operacionales, militares, de seguridad internacional, control de armamentos y desarme. Al respecto, se puede destacar lo siguiente:

Por un lado, los asistentes intentaron llevar a cabo un ejercicio reflexivo con miras a poder elaborar alguna definición de autonomía que tuviera en cuenta todos los factores que contribuyen a ella, lo cual conduciría a la obtención de una definición pluridimensional. En ese sentido, hay quienes propusieron la adopción de un enfoque centrado en las tecnologías para definir un nivel de autonomía en las máquinas, con la intención de calcular y evaluar comparativamente las diversas dimensiones que intervienen en el funcionamiento autónomo de los sistemas robóticos.

Por otro, las delegaciones decidieron abordar cuestiones centradas en la comprensión de las razones militares que justificaban el desarrollo de funciones y tecnologías cada vez más autónomas, sobre todo en lo que se refiere a consideraciones operacionales y tácticas para la utilización de esos sistemas. Otra parte de las discusiones se dedicó a las cuestiones de la fiabilidad, la resiliencia y la vulnerabilidad de los SAAL, con algunas referencias a la manejabilidad de los sistemas complejos. Ya en las etapas finales del debate, la reunión reflexionó profundamente sobre cuál debería ser el sentido y el alcance de la noción «control humano determinante», y cómo ese concepto podría ser útil para hacer frente a los riesgos que plantean los SAAL.

Finalmente, en cuanto al camino a seguir, los participantes aprobaron un informe en el que dejaron constancia de su postura general acerca de seguir ahondando en ese debate[550] en el marco de la CCW.

---

550 Biontino, M., *Informe de la reunión oficiosa de expertos de 2015 sobre sistemas de armas autónomas letales (SAAL)* (informe), núm. CCW/MSP/2015/3, 02/06/2015 (presentado por el embajador alemán, en su condición de presidente de la reunión de expertos, ante la reunión anual de 2014 de las Altas Partes contratantes de la CCW sobre los SAAL) [en línea], disponible *https://undocs.org/es/ccw/msp/2015/3*, fecha de revisión: 07/05/2019.

5.1.3. Tercera reunión de expertos

Tuvo lugar del 11 al 15 de abril de 2016, en la sede de la ONU en Ginebra (Suiza)[551]. Al igual que en las dos reuniones oficiosas de los años anteriores, las discusiones se llevaron a cabo en formato de sesiones de mañana y tarde, aunque esta vez participaron representantes de más de 90 países, organizaciones internacionales y miembros de la sociedad civil. Similar a la reunión de 2015, las discusiones incluyeron debates interactivos. No obstante, en esta ocasión los temas sustantivos fueron más estructurados.

A fin de estimular el debate y ayudar a las delegaciones a prepararse para la reunión, el presidente de la reunión elaboró un documento de reflexión que, en líneas generales, trazó un poco la hoja de ruta de las sesiones. Dicho instrumento, aunque no representaba plenamente todas las opiniones acerca del tema, propuso al menos un listado de preguntas no exhaustivas agrupadas en cinco categorías generales: a) mapeo del sentido y alcance del concepto de autonomía; b) búsqueda de una definición de trabajo de los SAAL; c) desafíos que estos sistemas representan al DIH; d) asuntos de derechos humanos y éticos; y, e) cuestiones relativas a la seguridad.

Por su parte, algunos Estados y instituciones que participaron en la reunión elaboraron otros papeles de trabajo que también enriquecieron el debate. Se trata de documentos que muestran cuán diversas, y a veces yuxtapuestas, pueden llegar a ser las maneras de enfocar todo el asunto de las tecnologías emergentes en el área de las AW. Corolario de ello, resulta interesante analizar a continuación las principales contribuciones contenidas en esos textos.

Artículos de reflexión propuestos por Canadá:

El mapeo de la autonomía[552]: el documento hace un breve resumen de los desarrollos en tecnología autónoma existentes para ese entonces en las esferas civil y militar, con el fin de proporcionar cono-

---

551 Su celebración se dio con motivo de la aprobación y convocatoria hecha por la reunión anual de las Altas Partes contratantes en la CCW llevada a cabo en noviembre de 2015.

552 Gobierno de Canadá, «Canadian Food for Thought Paper: Mapping Autonomy», *op. cit.*

cimientos técnicos básicos para discutir las implicaciones estratégicas, militares y humanitarias de los SAAL.

Según el papel de trabajo propuesto, los niveles de autonomía cambian según una variedad de factores. En el corto plazo, los avances en la esfera civil estarán superando a la esfera militar en ciertos contextos. En el ámbito militar, debido a una combinación de necesidad y características del entorno, ya se están logrando mayores niveles de autonomía en operaciones de mar y aire. Por ello el texto sugiere que, tal vez, sea más útil pensar en términos de un espectro de autonomía cuyos niveles estén estrechamente ligados a la tecnología y las capacidades del sistema, el entorno operativo y la tarea elegida, en lugar de a las cualidades del sistema en sí.

De acuerdo con el texto canadiense, hasta que no existan sistemas que sean capaces como los humanos en una misión y entorno determinados, los sistemas robóticos civiles y militares actuales deberán seguir siendo limitados a roles muy específicos en los que su rendimiento se suma a las capacidades humanas a pesar del costo del mantenimiento y el apoyo de la capacitación. En el futuro inmediato, estos roles estarán contenidos en entornos regulados muy simples, requerirán de detección fiable de alta velocidad y se utilizarán en la ejecución de tareas de baja complejidad.

Contexto, complejidad y los SAAL[553]: teorizar acerca de las potenciales implicaciones de los SAAL es una tarea difícil, sobre todo cuando se abordan aspectos relacionados con la ética (por ejemplo, la típica pregunta abierta y especialmente desconcertante sobre si sería inmoral delegar la decisión de matar a una máquina, incluso en aquellos casos en los que una máquina podría ser más eficaz que los humanos para producir daños colaterales que pongan en riesgo la vida de víctimas).

Aunque este documento canadiense reconoce la importancia de ese tipo de preguntas filosóficas abstractas, su contenido sugiere, sin

---

553 *Context, Complexity and LAWS* (documento de trabajo de Canadá), sin número ni fecha, Palacio de las Naciones (reunión de expertos sobre los SAAL en la CCW, celebrada en Ginebra de 11-15 de abril de 2016) [en línea], disponible en: *https://www.unog.ch/80256EDD006B8954/(httpAssets)/C6F73401FA55F58F-C1257F850043AB3A/$file/2016_LAWS+MX_CountryPaper+Canada+FFTP2.pdf*, fecha de revisión: 07/05/2019.

embargo, que la comunidad internacional debería examinar más de cerca los desafíos que implican los SAAL, sobre todo teniendo en cuenta la multiplicidad de variaciones que pueden suceder de acuerdo con factores contextuales vinculados al entorno operacional, el contexto geopolítico, el tipo de arma, uso y objetivo, y el nivel y la naturaleza de la interacción hombre-máquina.

En ese sentido, Canadá recomienda que a través del análisis de esos factores se busque comprender mejor las complejidades de los sistemas de armas autónomas, así como de sus posibles riesgos y beneficios. Además, bajo este enfoque, las Altas Partes contratantes tendrían la posibilidad de examinar también cómo diferentes tipos de riesgo (como las bajas civiles y la escalada armamentística no deseada) podrían verse afectados/incrementados por esos factores contextuales. Luego de todo ello, según el documento, los Estados podrán evaluar si la investigación, el desarrollo o el uso de SAAL deberían ser regulados, restringidos o prohibidos.

Documentos de trabajo propuestos por Francia:

El mapeo de los desarrollos técnicos[554]*:* según este papel de reflexión los SAAL son sistemas que no existen, aunque —a nivel teórico— se podrían caracterizar por tener la capacidad de moverse libremente, adaptarse a su entorno y llevar a cabo un ataque y lanzamiento de un efector letal (bala, misil, bomba, etc.). Su nivel de operación sería completamente autónomo a nivel funcional, una caracterización que, en opinión de Francia, excluye los sistemas de armas automatizados actuales.

Ahora bien, de acuerdo con este documento, la posibilidad de existencia de los SAAL sigue siendo una cuestión abierta, dado el estado actual del progreso científico en los campos de la IA y el aprendizaje automático. Sin embargo, esos avances no permiten por ahora

---

[554] *Mapping of technological developments* (documento de trabajo de Francia), sin número ni fecha, Palacio de las Naciones (reunión de expertos sobre los SAAL en la CCW, celebrada en Ginebra de 11-15 de abril de 2016) [en línea], disponible en: *https://www.unog.ch/80256EDD006B8954/(httpAssets)/B9E3E8041CE4D326C1257F8F005A31E2/$file/2016_LAWSMX_CountryPaper_France+MappingofTechnicalDevelopments+EN.pdf*, fecha de revisión: 07/05/2019.

considerar la existencia de un cambio hacia procesos en los que una máquina pueda tomar autónomamente la decisión de seleccionar y de atacar un objetivo sin control humano de por medio. Así, el uso de un sistema de armas totalmente autónomo, incluso si existiera algún día, seguirá siendo inconcebible con la tecnología actual en condiciones de compromiso militar real, ya que seguramente se volvería impredecible tan pronto como se encontrara con el primer elemento no modelado en su sistema preprogramado por los humanos. Tal sistema de armas sería militarmente inútil.

Para finalizar, el texto subraya que el objetivo de la robotización en el campo de batalla no es reemplazar al personal humano. La automatización de ciertas funciones de los sistemas de armas solo busca abordar la necesidad de reenfocar el proceso de toma de decisiones en operadores humanos en un contexto en el que estos sistemas se vuelven cada vez más complejos. Las fuerzas armadas siempre tendrán la necesidad de controlar el efecto de las armas que emplean y mantener la responsabilidad humana en el cumplimiento de una misión.

Marco jurídico[555]*:* de acuerdo con este documento de trabajo, las normas vigentes del DIH son aplicables a los SAAL, por lo que es necesario que los Estados garanticen el cumplimiento de ese marco normativo antes de que los SAAL sean desarrollados o empleados. A tenor de los compromisos internacionales previamente adquiridos, Francia no contemplaría desarrollar o emplear SAAL a menos que estos sistemas puedan demostrar su total cumplimiento con el derecho internacional aplicable.

Así pues, el hecho mismo de que una máquina, no un ser humano, seleccione el objetivo, decida abrir fuego o realice un ataque en contra de este, no implica necesariamente una violación del DIH. Además, según el texto francés, aunque la naturaleza autónoma de los SAAL dificulta establecer la responsabilidad de las personas que han partic-

---

555 *Legal framework for any potential development and operational use of a future lethal autonomous weapons system (LAWS)* (documento de trabajo de Francia), si número ni fecha, Palacio de las Naciones (reunión de expertos sobre los SAAL en la CCW, celebrada en Ginebra de 11-15 de abril de 2016) [en línea], disponible en: *https://www.unog.ch/80256EDD006B8954/(httpAssets)/C4D88A9E3530929EC1257F8F005A226C/$file/2016_LAWSMX_CountryPaper_France+LegalFramework+EN.pdf*, fecha de revisión: 07/05/2019.

ipado en su implementación, no significa que se elimine la parte de responsabilidad que podría atribuirse a cada una de esas personas conforme a derecho.

Para que un SAAL cumpla con el DIH lo que debe hacer es aprehender y respetar los principios de la conducción de las hostilidades. Una vez que lo haga, existe la posibilidad de que los sistemas autónomos puedan llegar a respetar mejor que los humanos los principios del DIH. Por lo tanto, el análisis prospectivo de Francia considera que el desarrollo y el uso de SAAL no pueden considerarse intrínsecamente contrarios al DIH. Cualquier prohibición preventiva en el área podría ser prematura.

La caracterización de los SAAL[556]: Francia es del criterio que todos los Estados parte de la CCW deberían trabajar en una caracterización común de los SAAL. Este método facilitaría la creación de una definición de trabajo realista y útil para los debates. En ese

---

556 *Characterization of a LAWS* (documento de trabajo de Francia), sin número ni fecha, Palacio de las Naciones (reunión de expertos sobre los SAAL en la CCW, celebrada en Ginebra de 11-15 de abril de 2016) [en línea], disponible en: *https://www.unog.ch/80256EDD006B8954/(httpAssets)/5FD844883B46FEACC1257F8F00401FF6/$file/2016_LAWSMX_CountryPaper_France+CharacterizationofaLAWS.pdf*, fecha de revisión: 07/05/2019. Al hilo de la caracterización propuesta por la delegación francesa, resulta interesante destacar también que el Comité de Ética de Defensa de Francia, en su opinión de abril de 2021 sobre la integración de la autonomía en los sistemas de armas autónomas, llegó a la conclusión de que es moralmente correcto, en situaciones específicas y estrictas, usar sistemas de armas letales parcialmente autónomos en el campo de batalla. En ese sentido, para el gobierno francés las AW sólo deberán operar con sistemas letales con cierto grado de autonomía que "incorporen funciones automatizadas de toma de decisiones o funciones automatizadas de nivel superior " para la identificación y el ataque objetivos, y lo podrán hacer siempre y cuando —en función de su diseño— permitan que los controladores humanos puedan detener o reversar en cualquier momento las tareas ejecutadas por estas máquinas. No obstante, el informe reconoce a su vez la pertinencia de prohibir cualquier tipo de arma autónoma que pueda ser capaz de cambiar sus propias reglas de funcionamiento preprogramadas por los humanos. Al respecto, véase: Ministerio de Defensa de Francia, *opinion on the integration of autonomy into lethal weapon systems,* Comité de Ética de Defensa, *op. cit.* También, veáse: Jeangène, J-B., «A FRENCH OPINION ON THE ETHICS OF AUTONOMOUS WEAPONS», *War on the Rocks,* 02/06/2021 [en línea], disponible en: *https://warontherocks.com/2021/06/the-french-defense-ethics-committees-opinion-on-autonomous-weapons/*, *fecha de revisión: 01/07/2021.*

sentido, el texto propuesto sugiere como características compartidas de los SAAL las siguientes: a) son sistemas futuros y completamente autónomos (es decir, que no hay enlace alguno con el sistema), por lo que no existen en la actualidad; b) los sistemas automáticos existentes tampoco pueden ser considerados SAAL; c) además, los SAAL implican una ausencia total de supervisión humana; d) serían capaces de moverse, adaptarse a sus entornos terrestres, marinos o aéreos y apuntar y disparar un efector letal sin ningún tipo de intervención o validación humana; y, e) lo más probable es que posean capacidades de autoaprendizaje.

Por último, el documento francés critica aquellas voces que han abogado por cambiar el concepto de autonomía y la posible cuestión de la ausencia de intervención humana en los SAAL, por la idea de la presencia «significativa» de operadores humanos en el proceso de toma de decisiones de esos sistemas. Para Francia el concepto de control «significativo» es vago, cuestionable y no tiene fuerza jurídica alguna.

Documento de trabajo suministrado por la Santa Sede titulado *Elementos que apoyan la prohibición de los sistemas de armas autónomas letales*[557]:

---

557 *Elements supporting the prohibition of lethal autonomous weapons systems* (documento de trabajo de la Santa Sede), sin número ni fecha, Palacio de las Naciones (reunión de expertos sobre los SAAL en la CCW, celebrada en Ginebra del 11 al 15 de abril de 2016 sobre los SAAL) [en línea], disponible en: *https://www.unog.ch/80256EDD006B8954/(httpAssets)/752E16C02C9AECE4C1257F8F-0040D05A/$file/2016_LAWSMX_CountryPaper_Holy+See.pdf*, fecha de revisión: 07/05/2019. Resulta importante destacar que, según la jefatura de Estado de la Santa Sede, los SAAL son un tipo de desarrollo de nueva tecnología militar que altera irreversiblemente la naturaleza de la guerra, separándola aún más de la acción humana, lo cual —en opinión del Papa Francisco— es muy grave en un contexto global ya de por sí complejo en donde el multilateralismo se erosiona cada vez más. Al respecto, véase: *The Future We Want, the United Nations We Need Reaffirming our Joint Commitment through Multilateralism* (declaración oficial del Papa Francisco), sin núm, del 25 de septiembre de 2020, Palacio de las Naciones (la septuagésima quinta reunión de la asamblea general de las Naciones Unidas) [en línea], disponible en: *https://reachingcriticalwill.org/images/documents/Disarmament-fora/unga/2020/25Sept_HolySee.pdf*, fecha de revisión: 01/07/2021, *véase la página 5*.

El texto ofrece una serie de argumentos (técnicos, operacionales, jurídicos y de seguridad) por los cuales los SAAL deberían ser considerados armas que van en contra de todos los valores protegidos por el DIH y el DIDH.

El documento empieza definiendo los sistemas de armas autónomas como aquellos capaces de identificar, de seleccionar y de desencadenar acciones en contra de un objetivo y sin supervisión humana. Entre estos tipos de sistemas, distinguen diferentes niveles de autonomía (por ejemplo, armas que cumplen con la definición dada pero que no necesariamente tienen la capacidad de reprogramarse a sí mismas, o aquellas armas que pueden aprender y reprogramarse a través de un sistema basado en «genética algorítmica»).

En ese sentido, la autonomía de un robot armado tendría en cuenta e implicaría: 1) la ausencia de supervisión humana; 2) todos los comportamientos posibles del robot; y, 3) el entorno en el que opera el robot (a saber, sus límites geográficos, sus contenidos y todos los eventos probables).

Además, el texto caracteriza a los robots autónomos armados basándose en el grado y la duración de la supervisión humana, la predictibilidad del comportamiento del robot, y las peculiaridades del entorno en el que opera. Así, según la Santa Sede, si el robot está armado con un arma (letal o no letal), no está supervisado y, además, opera en un entorno en el que los eventos y las situaciones no se conocen completamente, lo más probable es que ese robot plantee problemas graves éticos o del DIH.

Bajo esa perspectiva, el documento sugiere que para reflexionar acerca de los riesgos que representan los SAAL se debe especificar antes cuál sería el entorno en donde se haría uso del sistema (en entornos controlados o abiertos). Del mismo modo se debe verificar si todos los comportamientos posibles de la máquina son impredecibles o predecibles. Si ambas comprobaciones arrojan resultados negativos, el SAAL no podría utilizarse jamás.

El documento también hace referencia a una serie de riesgos que, en opinión de la Santa Sede, plantean el uso de los sistemas de armas dotados de un alto grado de autonomía:

- Se trata de sistemas que necesariamente inducen a una forma de falta de responsabilidad.

- Otro peligro es el riesgo de piratería o el uso de estos dispositivos por parte de grupos terroristas que podrían interceptarlos y capturarlos.
- El desarrollo de los robots armados autónomos inducirá y estimulará una carrera de armamentos, con sus costos y riesgos asociados al reforzamiento de las discrepancias u oposiciones entre los países.
- Por ende, la acumulación de armas robóticas podría convertirse en una incitación progresiva a la guerra.
- Estas armas tendrán además un fuerte impacto psicológico en las personas. Ansiedad, miedo y terror son las sensaciones que provocarán estas máquinas en los humanos, al ser las que decidirán sobre la vida y la muerte de cualquier persona.
- También existe el peligro de que la sociedad caiga en una fascinación ilusoria acerca de estos sistemas. De hecho, hay quienes podrían creer que estas máquinas dotadas de capacidades fortalecidas con IA podrían reemplazar a la persona humana del circuito y cumplir así con los requisitos del DIH.

El texto subraya además que las ansias de algunos por hacerse con armas tecnológicamente poderosas (robotizadas o no) no pueden distraer a los Estados en su estrategia de lucha en contra de las verdaderas amenazas del siglo XXI (cambio climático, el terrorismo, la pobreza mundial, etc.). El uso de SAAL solo dará lugar a una falsa sensación de seguridad, no establecerá condiciones para la paz y provocará inestabilidad. Por ello, cualquier planeación militar (incluyendo el desarrollo armamentístico) debe dirigirse al restablecimiento de la justicia, el respeto de los derechos humanos, la participación política, el desarrollo integral, etc. Basada en todo esto, la Santa Sede concluye que los SAAL no pueden cumplir con los principios del DIH. Por ende, sugiere que la CCW prohíba las LAW tal y como lo hizo en el pasado con respecto a otros tipos de armas.

Documento de trabajo propuesto por Suiza titulado *Hacia un enfoque de los SAAL basado en el cumplimiento*[558]:

El texto fue elaborado con la intención de aportar tres contribuciones distintas a la reunión. Por un lado, presentar consideraciones sobre una posible definición de trabajo de los SAAL; luego, detallar los requisitos para el cumplimiento del DIH; y, finalmente identificar elementos para un enfoque «basado en el cumplimiento» que hubiera permitido avanzar en el debate dentro de la CCW, especialmente, de manera inclusiva y constructiva.

Definición de trabajo: el documento define inicialmente a los sistemas de armas autónomas como aquellos que son capaces de llevar a cabo tareas gobernadas por el DIH en reemplazo parcial o total de un ser humano en el uso de la fuerza armada, especialmente en el ciclo de determinación de objetivos o focalización. Esta definición da cuenta de una amplia gama de configuraciones del sistema y busca facilitar un debate diferenciado basado en la idea del cumplimiento, aunque sin perjuicio de la cuestión relativa a la búsqueda de respuesta reguladora adecuada a los desafíos que plantean los SAAL. En un extremo del espectro de sistemas que incluye esta definición, los Estados pueden encontrar algunas subcategorías de sistemas que no tienen ningún problema jurídico y operativo para su uso, mientras que, en el otro extremo sí se pueden encontrar subcategorías probablemente inaceptables.

Garantizar el cumplimiento del DIH: según el texto existe un consenso general de que el desarrollo y el empleo potencial de cualquier sistema de arma autónomo debe cumplir con el derecho internacional vigente y, en tiempos de conflicto armado, particularmente con el DIH.

Dado el estado actual de la robótica y la IA, Suiza considera difícil concebir que un sistema de arma autónomo sin control humano en el uso de la fuerza pueda ser capaz de operar de manera fiable y en total

558 *Towards a «compliance-based» approach to LAWS*, sin número ni fecha, Palacio de las Naciones (reunión oficiosa de expertos sobre los SAAL en la CCW, celebrada en Ginebra de 11-15 de abril de 2016) [en línea], disponible en: *https://www.unog.ch/80256EDD006B8954/(httpAssets)/D2D66A9C427958D6C1257F8700415473/$file/2016_LAWS+MX_CountryPaper+Switzerland.pdf*, fecha de revisión: 07/05/2019.

cumplimiento de todas las obligaciones derivadas del DIH. Entonces, para ese país la pregunta no es si los Estados tienen el deber de controlar o supervisar el desarrollo y/o empleo de un AW, sino cómo se debe definir y ejercer ese control o supervisión de manera útil.

Hoy, según Suiza, el control humano sobre las armas —aplicable a los SAAL también— se puede ejercer de maneras diferentes, tanto de forma independiente como en combinación[559]. Incluso se puede ejercer un nivel significativo de control en la fase de desarrollo y programación de la máquina, y a través de las pruebas y la evaluación de las armas en el curso de revisiones de armas se pueden reforzar también la predictibilidad y la fiabilidad de tales sistemas. Ahora bien, dadas las características especiales de los sistemas de armas autónomas, el papel reflexivo de Suiza sugiere que los procedimientos de revisión nacionales de cada Estado sean adaptados a los desafíos propios de estos sistemas.

Un enfoque basado en el cumplimiento: el documento propone, en primer lugar, que los Estados evalúen todos aquellos sistemas de armas autónomas y sistemas con una autonomía limitada en el ciclo de focalización que actualmente existen. Esto permitiría descubrir, identificar y examinar los parámetros específicos que hacen que un sistema en particular pueda llegar a ser compatible con el DIH. Luego, esos parámetros podrían ser extrapolados a futuros sistemas con niveles de autonomía más altos, para así obtener una comprensión de qué características contribuyen —o no— a la conformidad de un sistema según el DIH.

En segundo lugar, los Estados deben definir y explicar cuál es el derecho internacional aplicable a los sistemas de armas autónomas. Después, han de identificar las mejores prácticas, los estándares técnicos y las medidas de políticas existentes que complementen, promuevan y refuercen las obligaciones internacionales aplicables.

Así las cosas, el abordaje propuesto por Suiza pretende ser parte integral de un enfoque constructivo más amplio que ofrezca el espacio para consideraciones jurídicas, militares y éticas que permitan im-

[559] Esto significa que, según Suiza, el control humano puede ser ejercido sobre un arma de manera independiente (por un único individuo) o de forma combinada (un control combinado entre varios sujetos).

pulsar discusiones útiles para lograr el acuerdo de futuras respuestas regulatorias a toda la cuestión de las tecnologías emergentes en el área de las AW. En ese sentido, la delegación suiza finaliza su documento sugiriendo a los participantes de la reunión que la Quinta Conferencia de Examen de la CCW establezca un grupo de trabajo de expertos para profundizar las reflexiones sobre los beneficios, riesgos y demás implicaciones que traen consigo los SAAL, sobre todo en relación con la observancia de los principios básicos del DIDH y el DIH.

Opiniones propuestas por el Comité Internacional de la Cruz Roja (CICR) sobre los sistemas de armas autónomas en el marco de las reuniones en la CCW[560]:

El documento define los sistemas de armas autónomas como cualquier sistema de armas con autonomía en sus funciones críticas. Esto significa que son sistemas de armas que pueden seleccionar (entiéndase buscar o detectar, identificar, rastrear, seleccionar) y atacar (es decir, usar la fuerza contra, neutralizar, dañar o destruir) objetivos sin intervención humana. Así pues, el grado de autonomía del sistema es relacionado con el nivel y el grado de intervención humana en su operación y en el resto de las etapas en que se realiza la intervención.

Según el CICR, actualmente hay sistemas de armas en uso que pueden seleccionar y atacar objetivos a través de sus sensores y por medio de programación de computadoras, lo cual significa que lo hacen sin intervención humana[561]. Este grado de autonomía tampoco es

---

560 En epígrafes anteriores se analizaron las opiniones del CICR acerca de las tecnologías emergentes en el área de los SAAL. Sin embargo, en esta ocasión, solo se hace un análisis puntual y descriptivo del documento, haciendo énfasis en aquellos argumentos del CICR que aportaron dinamismo a las discusiones informales celebradas en la CCW. Para más información sobre el texto, Comité Internacional de la Cruz Roja, *Views of the International Committee of the Red Cross on autonomous weapon system* (informe), *op. cit.*

561 Según el texto, un grupo amplio de estos casos son las armas defensivas antimateriales utilizadas para proteger a vehículos, instalaciones o áreas de los ataques inminentes con misiles, cohetes, morteros u otros proyectiles. Algunos sistemas de armas ofensivas, incluidos ciertos misiles y torpedos, también tienen un nivel de autonomía para seleccionar y atacar objetivos después del lanzamiento. Estos incluyen, en particular, las municiones que buscan objetivos en una amplia área geográfica durante largos períodos de tiempo, y las armas de torpedos encap-

absoluto, sino que ha de estar limitado por parámetros operativos[562]. Ello es así, ya que la predictibilidad de las máquinas autónomas podría verse disminuida a medida que son usadas para tareas más complejas o se implementan en entornos más dinámicos.

El documento advierte además que la tecnología emergente y las AW del futuro se proyectan menos predecibles que las actuales y, por ende, más riesgosas y preocupantes, sobre todo en virtud de los desarrollos armamentistas de hoy los cuales buscan cada vez más una mayor movilidad, adaptabilidad y nivel de interacción de las armas con otros múltiples sistemas, incluyendo la modalidad de enjambres autoorganizados. Esta afirmación del CICR no es baladí. Muestra de ello se puede ver, por ejemplo, en instituciones gubernamentales como el Departamento de Defensa estadounidense, quien considera que el panorama global actual trae consigo una amenaza real de sus instalaciones militares, los centros de comando y control e incluso las plataformas de guerra aéreas, terrestres y marítimas de ese país puedan ser víctimas de ataques de enjambres de drones. Se trataría de vehículos aéreos que poseen sistemas mucho más avanzados, al tiempo de que están equipados con sensores habilitados de IA, armas guiadas y capacidades para lanzar ataques en situaciones complejas[563].

---

sulados que permanecen estacionarios bajo el agua durante largos períodos de tiempo y que pueden llevar a cabo ataques de forma autónoma. También existen otras armas antipersonales que pueden ser capaces de seleccionar y atacar objetivos de forma autónoma, como las llamadas armas de «centinela» utilizadas para defender instalaciones y fronteras.

562 Estas restricciones operativas incluyen: límites en la tarea realizada (es decir, una sola función para defenderse contra proyectiles inminentes), límites en los objetivos (principalmente objetos y vehículos), controles sobre el entorno operacional (por ejemplo, limitaciones en el área geográfica y el marco de tiempo de la operación autónoma), y procedimientos que admitan la intervención humana para desactivar el arma.

563 Según una estrategia reciente del Departamento de Defensa de EE.UU., senda amenaza no se limita a sistemas únicos o grupos de sistemas únicos de enjambres, sino además de campos integrados de drones de ataque con mayores niveles de autonomía y coordinación con plataformas tripuladas, a menudo equipadas con capacidades técnicas para encontrar objetivos, pasarlos a otros drones y, simultáneamente y en tiempo real, a otras armas de ataque potencialmente más grandes y letales. Se trataría de circunstancias amenazantes que, para EE.UU., exigen nuevas contramedidas, armas ofensivas mucho más tecnológicas y autónomas, cooperación aliada y doctrina militar específica para

Por su parte, desde una perspectiva jurídica, el CICR considera que la responsabilidad de respetar las normas del DIH en la conducción de las hostilidades y de rendir cuentas por su violación son obligaciones de los humanos combatientes y, por ende, no se pueden transferir a los sistemas armamentísticos. Según el texto, el control ejercido por los seres humanos sobre las máquinas mortíferas siempre debe existir, y puede tomar varias formas y operar en diferentes etapas

---

enfrentar a sus adversarios. Por tanto, la estrategia de ese país le proporciona el marco para abordar las implicaciones el uso de drones militares en todo su espectro, desde peligro a amenaza en el país de origen, las naciones anfitrionas y los lugares de contingencia. Lo polémico de esta estrategia es que, reconociendo la política del Departamento de Defensa estadounidense la cual exige la presencia de un ser humano dentro del ciclo de decisión al momento de autorizar un ataque, abre la posibilidad también a que, dada la amenaza real de los enjambres de drones que pueden venir de parte de sus países adversarios, EE.UU. puede desarrollar capacidades de IA que permitan la toma de decisiones humanas "in-the-loop" y/o "out-of-the-loop". Al respecto, véase: Departamento de Defensa de los Estados Unidos de Norteamérica, *Counter-Small Unmanned Aircraft Systems Strategy,* 2021 [en línea], disponible en: *https://media.defense.gov/2021/Jan/07/2002561080/-1/-1/0/DEPARTMENT-OF-DEFENSE-COUNTER-SMALL-UNMANNED-AIRCRAFT-SYSTEMS-STRATEGY.pdf?source=GovDelivery*, fecha de revisión: 21/01/2021. También, véase: Shelbourne, M., «New Counter-Drone Strategy Calls for 'Holistic' Approach Across Services», *USNI News,* 2021 [en línea], disponible en: *https://news.usni.org/2021/01/08/new-counter-drone-strategy-calls-for-holistic-approach-across-services*, fecha de revisión: 21/01/2021; Schmitt, M. y Thurnher, J., «"Out of the loop": Autonomous weapon systems and the law of armed conflict», *op. cit., véase página 271*; Bothmer, F. von, *Missing Man: Contextualising Legal Reviews for Autonomous Weapon Systems* (disertación para obtener el título de doctor en Filosofía en Derecho), *op. cit. Véanse las páginas 33 y 34*; Kallenborn, Z., «Meet the future weapon of mass destruction, the drone swarm», *op. cit.*; y, Lopez, T., «Defense Official Discusses Unmanned Aircraft Systems, Human Decision-Making, AI», *U.S. Dep of Defense,* 03/02/2021 [en línea], disponible en: *https://www.defense.gov/Explore/News/Article/Article/2491512/defense-official-discusses-unmanned-aircraft-systems-human-decision-making-ai/*, fecha de revisión: 08/05/2021. No obstante, países como Rusia, China, Corea del Sur y Reino Unido, por ejemplo, también están desarrollando sus propios enjambres de drones altamente autónomos gracias a la aplicación de capacidades que ofrece la IA. Al respecto, véase: Kallenborn, Z., «SWARMS OF MASS DESTRUCTION: THE CASE FOR DECLARING», *The Modern War Institute at Westpoint,* 28/05/2020 [en línea], disponible en: *https://mwi.usma.edu/swarms-mass-destruction-case-declaring-armed-fully-autonomous-drone-swarms-wmd/*, fecha de revisión: 07/05/2021.

del ciclo de vida de un sistema de armas autónomas. Este control abarca las etapas de desarrollo, despliegue y uso (incluida la decisión y la acción de utilizar, desplegar y activar el arma), y funcionamiento (durante la selección y el ataque de objetivos) del sistema de armas.

En cuanto a la legalidad de un arma autónoma, el CICR advierte que dependerá de si las características específicas del arma pueden emplearse de conformidad con las reglas del DIH en todas las circunstancias en que se pretenda y/o espere usar el dispositivo. De lo contrario, el arma deberá ser considerada ilegal.

Ya en la parte final del texto, el CICR hizo un mapeo de los principales enfoques generales que, hasta ese momento, habían surgido en las reuniones oficiosas de expertos para abordar las cuestiones éticas y jurídicas planteadas por los SAAL. Un primer enfoque detectado pretendía el fortalecimiento de los mecanismos nacionales para la revisión jurídica de las armas y la implementación del DIH, con motivo de garantizar que cualquier arma nueva, incluidos los SAAL, pueda utilizarse en cumplimiento del derecho internacional aplicable. Otro propendió a que los Estados desarrollasen una definición de trabajo de los SAAL en términos de demostrar que son sistemas problemáticos, y por ende argumentar la necesidad que existía de establecer límites específicos a la autonomía de esos sistemas armamentísticos. Por último, estaba un tercer enfoque (apoyado por el CICR) que apuntaba más a que los Estados desarrollasen parámetros del control humano a la luz de los requisitos específicos del DIH, ello teniendo en cuenta todas las consideraciones éticas posibles (principios de la humanidad y los dictados de la conciencia pública de la cláusula Martens) y valorando los requisitos operacionales militares correspondientes. Solo a partir de ahí los Estados podrían establecer los límites específicos a la autonomía en los sistemas de armas.

Con todo este material disponible, las discusiones informales terminaron desarrollándose de una manera bastante reflexiva y constructiva. Luego de tres años, aproximadamente, las delegaciones que participaron en dichos debates pudieron hacer un diagnóstico realista de los principales beneficios, riesgos y desafíos vinculados a la investigación y el desarrollo de SAAL. Algunos expertos y analistas afirmaron incluso que las AW podrían provocar cambios sustanciales en la doctrina operativa del uso de la fuerza armada, especialmente en el área de las reglas de combate, lo cual podría generar —a largo plazo— nuevos paradigmas conceptuales y estratégicos de impacto en el planeamiento militar del siglo XXI[564].

En cualquier caso, uno de los aspectos más importantes de esta última reunión informal es que en ella los Estados lograron finalmente alcanzar importantes consensos en áreas clave para el avance de las discusiones. Según el informe de la presidencia del debate, hubo un acuerdo general en que los FAWS todavía no existían, algo que es básico, ya que permite ir desmitificando el debate y superando muchos de los desafíos destacados al inicio de este capítulo. No obstante, varias delegaciones manifestaron sus diferencias de opiniones respecto de si tales armas podían realmente desarrollarse en el futuro[565]. De cualquier forma, lo más interesante de todo esto es que, al final, muchos Estados subrayaron públicamente su intención de no desarrollar jamás FAWS.

Asimismo, hubo consenso en torno a la importancia de aplicar el derecho internacional a todas las tecnologías emergentes en el área de los SAAL, especialmente el DIH y el DIDH, algo que será útil tener muy presente en los próximos capítulos de esta investigación, ya que ambos marcos normativos internacionales serán clave a la hora de evaluar las implicaciones jurídicas que trae consigo el uso de estos sistemas en conflictos armados internacionales.

Varias delegaciones advirtieron además que confiar a las máquinas las decisiones sobre la vida o la muerte de una persona natural, sin ningún tipo de intervención humana, era éticamente inaceptable. Así, algunos Estados, y en especial representantes de la sociedad civil, abogaron por un enfoque preventivo sobre este asunto y, en ese sentido, exhortaron a la prohibición del desarrollo, la adquisición, el comercio, el despliegue y la utilización de SAAL en cualquier escenario. Otras delegaciones fueron más cautas al respecto, y solo aludieron a la imposición de una moratoria sobre la investigación y el desarrollo de SAAL hasta tanto no se haya establecido un marco

---

564 Meza, M., «Los sistemas de armas completamente autónomos: un desafío para la comunidad internacional en el seno de las Naciones Unidas», *op. cit.*, *véase página 9*.

565 Biontino, M., *Informe de la reunión oficiosa de expertos de 2016 sobre sistemas de armas autónomas letales (SAAL)* (informe), *op. cit.*

regulatorio respecto de estos sistemas. No obstante, algunos Estados manifestaron su desacuerdo con una u otra posición, alegando que la tecnología de funcionamiento autónomo era de doble uso, y como tal su aprovechamiento puede ser útil y beneficioso para fines civiles. Así, advirtieron que cualquier medida regulatoria adoptada con respecto a los SAAL no debía obstaculizar el progreso tecnológico legítimo en la esfera civil.

Pese a estas discrepancias, hubo un amplio consenso en que la CCW debía seguir siendo el foro más apropiado para acoger el debate sobre los SAAL, sobre todo por su carácter inclusivo y su capacidad de lograr un equilibrio adecuado entre las preocupaciones humanitarias y los intereses militares, de seguridad y defensa de los Estados. No obstante, algunas delegaciones remarcaron que las discusiones en la CCW no debían excluir la posibilidad de que se celebraran más debates sobre los sistemas de armas autónomas en otros foros multilaterales (por ejemplo, en el Consejo de Derechos Humanos de la ONU).

La reunión informal finalizó su labor recomendando a la Quinta Conferencia de Examen de las Altas Partes contratantes en la CCW el establecimiento de un GEG de composición abierta, para estudiar y acordar posibles recomendaciones sobre las opciones relacionadas con las tecnologías emergentes en el área de los SAAL, en el marco de los objetivos y propósitos de la Convención, sobre todo teniendo en cuenta todas las propuestas pasadas, presentes y futuras.

5.1.4. Reunión de la Quinta Conferencia de Examen de las Altas Partes contratantes en la CCW

Fue celebrada del 12 al 16 de diciembre de 2016, en la sede de la ONU en Ginebra (Suiza). En ella se congregó la presencia de más de 90 países, representantes de organismos internacionales, así como de la sociedad civil en general. En esta reunión, la CCW acogió con satisfacción las conversaciones extraoficiales mantenidas en el marco de las reuniones oficiosas de expertos sobre las tecnologías emergentes en el ámbito de los SAAL en 2014, 2015 y 2016, y tomó nota de los informes que fueron presentados por los presidentes de cada año respectivo.

Al final, los Estados parte decidieron, entre otros asuntos, aprobar y establecer un GEG de composición abierta sobre las tecnologías emergentes en el ámbito de los SAAL en el contexto de los objetivos y propósitos de la CCW, teniendo en cuenta todas las propuestas pasadas, presentes y futuras. Según el mandato aprobado, el GEG debía reunirse durante diez días en 2017, además de presentar un informe de resultas a la reunión de 2017 de las Altas Partes contratantes de la CCW[566].

Teniendo en cuenta las distintas perspectivas en el contexto de los SAAL y valorando la posibilidad de su desarrollo y despliegue, el GEG deberá someter a consideración, entre otros asuntos, las siguientes cuestiones:

- La determinación de las características y la elaboración de una definición de trabajo de los SAAL;
- La aplicación y el cumplimiento de las normas y principios jurídicos pertinentes del derecho internacional, en particular del DIH, en el contexto de los SAAL;
- El cumplimiento del DIDH, en caso de que proceda;
- La responsabilidad y la rendición de cuentas en los ámbitos jurídico y político;
- Las cuestiones éticas y morales;
- Los efectos sobre la seguridad y la estabilidad regionales y mundiales;
- Los efectos sobre el umbral correspondiente a los conflictos armados;
- El riesgo de una carrera de armamentos;
- El valor y los riesgos militares;
- Los riesgos de proliferación, incluida aquella entre y por parte de agentes no estatales; y,

566 Altas partes contratantes de la CCW, *Documento Final de la Quinta Conferencia de Examen*, aprobado en la reunión anual celebrada en Ginebra el 12-16 de diciembre de 2016, núm. CCW/CONF.V/10, de 23/12/2016 [en línea], disponible en: *https://undocs.org/es/CCW/CONF.V/10*, fecha de revisión: 07/05/2019.

- Los riesgos planteados por las operaciones cibernéticas en relación con los SAAL.

5.2. GEG sobre los SAAL en el marco de la CCW

Desde la fecha de su creación, el grupo se ha convertido en un espacio de reflexión en el que los Estados, la industria, las organizaciones internacionales gubernamentales y no gubernamentales, y la academia en general se implican en el análisis interdisciplinar y prospectivo acerca de los beneficios, los riesgos, el impacto y los desafíos que representan las tecnologías emergentes en el área de los SAAL en el marco de los objetivos de la CCW[567].

A la fecha de publicación de esta monografía, el GEG ha llevado a cabo cuatro ciclos anuales de reuniones de trabajo (2017-2020)[568]. Todos ellos han congregado a expertos de distintas partes del mundo especializados en áreas como la robótica, la IA, los asuntos militares, de seguridad y de defensa, el desarme y el control de armas, la antro-

---

567 Este GEG es de composición abierta, por lo que admite la presencia como miembros no solo a delegados de gobiernos de los Estados parte de la CCW, sino además de otros Estados que no son parte, de organizaciones internacionales, ONG, de la academia, etc.

568 Es importante destacar que, en el marco de la pandemia de la enfermedad por coronavirus (COVID-19), la secretaría de la CCW replanificó del cronograma de trabajo del GEG sobre los SAAL. En ese sentido, publicó un calendario provisional que reflejaba la programación de tres sesiones que —se deduce— formarían parte del quinto período de reuniones de este grupo de expertos correspondiente al 2021. Sin embargo, la primera sesión programada para llevarse a cabo desde el 28 de junio al 5 de julio ha sido pospuesta. En cualquier caso, la presidencia de este período sigue estando a cargo de Bélgica y las otras dos sesiones programadas para este año se mantienen calendadas para agosto y septiembre–octubre, respectivamente. Más información al respecto disponible en: Servicio Público Federal de Relaciones Exteriores, Comercio Exterior y Cooperación al Desarrollo del Reino de Bélgica, «Belgium to chair group of experts on the normative framework of Killer Robots» (nota de prensa), 15/04/2021 [en línea], disponible en: *https://diplomatie.belgium.be/en/newsroom/news/2021/belgium_chair_group_experts_normative_framework_killer_robots*, fecha de revisión: 07/05/2021. También véase: Grupo de Expertos Gubernamentales sobre las tecnologías emergentes en el ámbito de los sistemas de armas autónomas letales, *Overview*, [en línea], disponible en: *https://meetings.unoda.org/meeting/ccw-gge-2021/*, fecha de revisión: 01/07/2021.

pología, la psicología, las ciencias sociales, la ética, la filosofía, el DIH, el DIDH, entre otras.

La evolución de estas reuniones no ha sido lo exitosamente resolutiva que muchos hubieran deseado. La mayoría de los argumentos y las reflexiones planteados por los expertos del GEG responden a enfoques diferentes, y a veces totalmente yuxtapuestos. Hay quienes dan prioridad a los asuntos técnicos (autonomía, IA, robótica militar, ingeniería de diseño, etc.), sobre todo por la falta de unanimidad en conceptos y teorías científicas que son básicas al área. Otros abogan más por un enfoque ético, sobre todo por la preocupación (muchas veces producto de la ciencia ficción) que muchos expertos tienen acerca de delegar en las máquinas autónomas la posibilidad de ejecutar por sí mismas un ataque, o de decidir acerca de la vida y/o la muerte de los propios seres humanos. Y, finalmente, hay quienes apuestan por un enfoque legalista, aunque lo hacen sin saber muy bien cómo abordar estos asuntos, y sin tener muy presentes aspectos técnicos y éticos que también son clave en el debate.

Teniendo en cuenta todos estos aspectos, el objeto de esta sección es ofrecer un panorama general del estado del arte en las discusiones del GEG. Para ello se hará uso, principalmente, de los informes aprobados anualmente por cada reunión, en los que se recogen los avances y acuerdos más importantes, así como de los principales documentos de trabajo presentados por las delegaciones estatales que, en definitiva, definen la línea de discusión. Muchas apreciaciones expuestas en este epígrafe son producto además de la propia experiencia del autor de esta obra, quien hasta 2019 participó (físicamente y de manera virtual) en las reuniones del GEG como observador en representación de la UB.

5.2.1. Primer período de reuniones

Se llevó a cabo del 13 al 17 de noviembre de 2017, en la sede de la ONU en Ginebra (Suiza). Contó con la presencia de delegaciones representantes de más de 90 países, organismos internacionales, ONG e instituciones académicas, y fue presidida por el entonces embajador de la India, Amandeep Singh Gill.

Este primer encuentro estuvo marcado por la construcción de una hoja de ruta para alcanzar un entendimiento compartido acerca de la naturaleza del problema. La filosofía del debate se basó en realizar un diagnóstico coherente y realista de la situación de los SAAL, incluso antes de examinar cuáles podrían ser las soluciones pertinentes al caso —si es que fuere necesario—. El programa de trabajo giró en torno al examen interdisciplinar de las diversas dimensiones de las tecnologías emergentes en el ámbito de los SAAL, en el contexto de los objetivos y propósitos de la CCW, enfocándose en tres grandes áreas: a) lo tecnológico; b) los efectos militares potenciales que poseen dichas armas y, c) el análisis de las implicaciones jurídicas y éticas que encierran la investigación, desarrollo e innovación de estos sistemas.

Las sesiones se enmarcaron entonces en el reconocimiento y el compromiso unánime de todos los Estados en cumplir, y hacer cumplir, los principios básicos del DIH y del DIDH, teniendo en cuenta los esfuerzos ya existentes en la regulación de la industria armamentista nacional de cada país. De allí que, como se verá a continuación, a lo largo de las discusiones se generaron puntos de encuentro, duros cuestionamientos y reflexiones prospectivas entre todos los miembros del GEG.

a) Principales documentos de trabajo

A fin de estimular el debate, el presidente del GEG elaboró un documento de reflexión que, en líneas generales, trazó la hoja de ruta de las sesiones. En dicho instrumento propuso un listado de preguntas no exhaustivas, agrupadas en tres categorías generales (tecnología, efectos militares y cuestiones jurídico-éticas) cuyo objeto era lograr un examen sustantivo profundo de varios asuntos relacionados con los SAAL. El documento sirvió como punto de partida para provocar el interés de los Estados en asumir un rol activo en las reuniones.

Por su parte, algunas delegaciones diplomáticas hicieron contribuciones a las reuniones suministrando documentos de trabajo que enriquecieron el debate. Entre esas aportaciones vale la pena destacar:

Países Bajos. Presentó un texto mediante el cual exhortó al GEG a prestar más atención en el establecimiento de definiciones de trabajo relacionadas con los SAAL que faciliten el debate sin prejuzgar el resultado de la discusión, aclarando dudas y ofreciendo soluciones ante las diferencias de opiniones existentes entre los expertos[569].

A tal efecto, propuso definir a los sistemas de armas autónomas como un arma que, sin intervención humana, puede seleccionar y atacar objetivos combinando ciertos criterios predefinidos, siguiendo una decisión humana de desplegar el arma, entendiendo que, una vez lanzado un ataque, no podrá ser detenido por la intervención humana. De acuerdo con esta definición, cuando se trata de las AW son las propias máquinas, y no los humanos, quienes deciden cualquier ataque individual sobre un objetivo específico. Sin embargo, esto no quiere decir que el humano no tiene control sobre el arma.

Según Países Bajos existe un «control humano significativo» sobre el sistema con un papel prominente que abarca: a) la programación de las características de los objetivos que van a ser atacados por el arma; b) la consideración de aspectos como la selección del objetivo, del arma y la planificación en tiempo y espacio de la ejecución del ataque, así como una evaluación de los potenciales daños colaterales que este pudiere ocasionar; c) la decisión de desplegar —o no— el arma; y, después del ataque, d) la evaluación de los daños producidos en combate en la cual puede responsabilizarse a los comandantes por los efectos de los SAAL. Por tanto, para Países Bajos, este sentido y alcance del «control humano» es un elemento básico para que los Estados puedan comprender los desafíos que implica el desarrollo de esos sistemas.

---

569 *Examination of various dimensions of emerging technologies in the area of lethal autonomous weapons systems, in the context of the objectives and purposes of the Convention* (documento de trabajo de Países Bajos), núm. CCW/GGE.1/2017/WP.2, 9 de octubre de 2017, Palacio de las Naciones (reunión de expertos sobre los SAAL en la CCW, celebrada en Ginebra de 13-17 de noviembre de 2017) [en línea], disponible en: *https://undocs.org/ccw/gge.1/2017/WP.2*, fecha de revisión: 09/05/2019. Dicha posición ha sido ratificada en 2021 a través de *Possible recommendations in relation to the clarification, consideration and development of aspects of the normative and operational framework on emerging technologies in the area of lethal autonomous weapons systems* (documento de Países Bajos), sin núm, de junio de 2021, presentado ante el Grupo de Expertos Gubernamentales sobre tecnologías emergentes en el área de los sistemas de armas autónomas letales en la CCW, [en línea], disponible en: *https://documents.unoda.org/wp-content/uploads/2021/06/The-Netherlands.pdf*, fecha de revisión: 01/07/2021.

En razón de lo anterior, el documento de trabajo hace una diferenciación entre sistemas de armas autónomas y sistemas de armas totalmente autónomos. Los primeros los vincula a la definición de trabajo ofrecida al inicio del texto. Los segundos lo identifica con sistemas cuyo diseño no permite la posibilidad de un control humano significativo en el circuito más amplio de focalización de objetivos (a saber, «el proceso de toma de decisiones»). Para Países Bajos los sistemas completamente autónomos no existen todavía y, probablemente, nunca existirán, ya que a los Estados les interesa mantener control sobre sus armas.

Por último, la delegación de ese país sugirió a las Altas Partes contratantes de la CCW reiterar de manera unánime que todos los sistemas de armas, incluidos los SAAL, diseñados para ser desplegados en un conflicto armado, deben cumplir los requisitos y obligaciones que establece el derecho internacional, y en especial el DIH.

Bélgica. Ofreció un documento de trabajo en el que, por un lado, resume su visión acerca del estado de la cuestión, y por otro, comparte un marco introductorio de nociones relativas a autonomía, control, impredecibilidad e intencionalidad con consecuencia letal, así como también una enumeración de términos diversos que permitan establecer algunas características constitutivas de los SAAL y con ello elaborar una definición de esos sistemas[570].

Según el texto, los sistemas de armas no autónomos y los SAAL deben considerarse de naturaleza diferente. En los primeros, incluidas las armas automáticas, la decisión final de producir efectos letales permanece completamente en manos de un ser humano. No hay otra autoridad involucrada en la decisión y sus efectos. En cuanto a los segundos (SAAL), son sistemas en los que el ser humano no interviene en la decisión final de infligir un efecto letal o, en su defecto, intervendría entre otras autoridades deliberativas artificiales que serían las que tomarían en última instancia la decisión de infligir o no los efectos letales.

Así, bajo este enfoque, la noción de «letalidad» va de la mano con la de intencionalidad. En ese sentido, en los SAAL el ser humano

---

570 *Towards a definition of lethal autonomous weapons systems* (documento de trabajo de Bélgica), *op. cit.*

queda marginado en el proceso de toma de decisiones, por lo que solo sería el «originador» del proceso letal. Esto hace que el resultado producto de la implementación de los efectos letales pasaría a ser altamente impredecible para el agente humano que originó ese proceso. Por ello, según la delegación belga, cuando se hace uso de SAAL el nivel de impredecibilidad de las consecuencias de la decisión humana con respecto a la focalización de objetivos y los daños colaterales que el arma produzca podría ser mayor que en las acciones militares clásicas.

Alemania y *Francia*. Presentaron en conjunto un documento en el que sometieron varias ideas a la consideración del GEG[571]. Entre ellas está la propuesta de un marco de definición de los SAAL y algunas posibles soluciones a los desafíos que trae consigo la investigación y el desarrollo de esos sistemas. Asimismo, contiene un análisis de los mecanismos que podrían ser establecidos para garantizar el cumplimiento del marco regulatorio vigente (haciendo especial énfasis en la aplicación del artículo 36 del API a los Convenios de Ginebra de 1949 sobre revisiones de armas).

El texto sugiere además la aprobación de algún código de conducta que proporcione un conjunto de reglas políticamente vinculantes para el desarrollo y uso de los futuros SAAL. Del mismo modo, recomienda la creación de un comité consultivo de expertos técnicos en la materia dentro de la CCW que se encargaría de informar periódicamente a los Estados sobre los nuevos desarrollos en tecnologías relevantes para los SAAL, y ayudaría a mantener un alto nivel de vigilancia sobre este tema.

---

[571] *For consideration by the Group of Governmental Experts on Lethal Autonomous Weapons Systems (LAWS)* (documento de trabajo de Alemania y Francia), núm. CCW/GGE.1/2017/WP.4, 7 de noviembre de 2017, Palacio de las Naciones (reunión de expertos sobre los SAAL en la CCW, celebrada en Ginebra de 13-17 de noviembre de 2017) [en línea], disponible en: *https://undocs.org/ccw/gge.1/2017/WP.4*, fecha de revisión: 09/05/2019. También, véase: *Outline for a normative and operational framework on emerging technologies in the area of LAWS* (documento de trabajo de Alemania y Francia), núm. CCW/GGE.1/2021/WP.5, 27 de septiembre de 2021, Palacio de las Naciones (quinto período de reuniones del GEG sobre los SAAL en la CCW, celebrada en Ginebra), [en línea], disponible en: *https://undocs.org/ccw/gge.1/2021/wp.5*, fecha de revisión: 30/09/2021.

Por último, el documento sugiere que el GEG considere la redacción de una declaración política en el marco de la CCW, en la que se afirme que los SAAL no existen todavía, que todos los Estados parte comparten la convicción de que los humanos deben seguir siendo capaces de tomar decisiones definitivas con respecto al uso de la fuerza armada letal y han de ejercer un control suficiente sobre los sistemas de armas letales que utilicen. Además, en la declaración, los Estados recordarían que las normas de derecho internacional, en particular del DIH, son plenamente aplicables al desarrollo y uso de SAAL, por lo que sobre la base de este cuerpo normativo se habría de prohibir la creación de sistemas armamentísticos letales completamente autónomas.

Suiza. Presentó un documento de trabajo[572] que ratifica su posición y sugerencias al debate sobre los SAAL contenidas en el texto que facilitó durante la última reunión oficiosa de expertos sobre estos sistemas celebrada en 2016[573]. El cambio sustancial de esta aportación estriba en la presentación de ideas explicativas y complementarias a la definición de trabajo preliminar que ya planteó en su momento acerca de los SAAL. Se trata de planteamientos que sugieren la necesidad de que los Estados centren el debate del GEG en aquellos sistemas con

---

572 *A «compliance-based» approach to Autonomous Weapon Systems* (documento de trabajo de Suiza), *op. cit.*

573 El documento de trabajo de 2016 ya fue analizado en epígrafes anteriores; *Towards a «compliance-based» approach to LAWS*, *op. cit.* Es importante destacar que en junio de 2021 Suiza publicó un documento a través del cual ratificó su posición acerca de los SAAL y enfatizó además que el GEG sobre los SAAL en el marco de la CCW debería poner el foco de sus reflexiones, *inter alia,* en identificar los tipos de SAAL que no podrían emplearse de conformidad con el DIH y aquellos que deberían regularse, así como la forma que podrían tomar estas normativas. Del mismo modo, Suiza sugirió que la comunidad internacional debería valorar la posibilidad de aprobar un marco normativo y operativo como base para un futuro instrumento de la CCW sobre los SAAL. Al respecto, véase: *Switzerland's food for thought as requested by the Chair of the Group of Governmental Experts (GGE) on Emerging Technologies in the Area of Lethal Autonomous Weapons Systems (LAWS) within the Convention on Certain Conventional Weapons (CCW),* (documento de trabajo de Suiza), sin núm, Palacio de las Naciones, presentado ante el grupo de expertos gubernamentales sobre los sistemas de armas autónomas letales en la CCW, junio de 2021 [en línea], disponible en: *https://documents.unoda.org/wp-content/uploads/2021/06/Switzerland.pdf*, fecha de revisión: 01/07/2021.

elementos de autonomía en el ciclo de focalización. Asimismo, remarca que el elemento de letalidad no debe considerarse conceptualmente como un requisito previo de los sistemas de armas autónomos. Por tanto, lo idóneo de cualquier definición de trabajo sobre los SAAL es que sea más inclusiva, cubriendo aquellos medios y métodos de guerra que, aunque no causen necesariamente la muerte física, igualmente produzcan efectos dañosos como, por ejemplo, lesiones físicas, destrucción física de objetos, o efectos no cinéticos.

Así pues, en opinión de Suiza, cualquier definición de trabajo impulsada en el seno del grupo no debería prejuzgar la cuestión de qué sistemas pueden potencialmente requerir una respuesta reguladora. Para esa delegación, los sistemas de armas totalmente autónomos todavía no existen, por lo que una definición al respecto debería permitir el examen de todos los sistemas o capacidades relevantes en el área, incluidos los existentes, independientemente de si consideran —o no— jurídicamente objetables o que de otro modo requieren una regulación.

EE.UU. Presentó dos documentos de trabajo. En el primero planteó su visión sobre cómo es la revisión jurídica de las armas en ese país cuando se trata de sistemas armamentísticos con funciones autónomas en el proceso de adquisición o desarrollo. Además, hizo referencia al potencial que representan aquellos sistemas de armas con funciones autónomas que sirven para mejorar la implementación de los principios del DIH; y, por último, explicó cómo debería ser atribuida la responsabilidad jurídica y hecha la rendición de cuentas con respecto a las armas dotadas de funciones autónomas[574].

---

574 Sobre este documento no se hacen reflexiones inextenso, toda vez que es un resumen de la visión general contenida en los manuales y las directivas internas estadounidenses atinentes al desarrollo y al uso de los SAAL, textos oficiales que ya fueron ampliamente analizados en epígrafes anteriores. Para más información sobre este documento, *Autonomy in Weapon Systems* (documento de trabajo de EE.UU.), núm. CCW/GGE.1/2017/WP.6, 10/11/2017, Palacio de las Naciones (reunión de expertos sobre los SAAL en la CCW, celebrada en Ginebra de 13-17 de noviembre de 2017) [en línea], disponible en: *https://www.unog.ch/80256EDD006B8954/(httpAssets)/99487114803FA99E-C12581D40065E90A/$file/2017_GGEonLAWS_WP6_USA.pdf*, fecha de revisión: 09/05/2019. En junio de 2021 EE.UU. ratificó una vez más su posición acerca de varios asuntos clave relacionados con los SAAL y, al mismo tiempo,

En el segundo documento, indicó que no era necesaria la adopción de una definición específica de trabajo sobre los SAAL en el marco de las discusiones del GEG[575]. En su lugar sugirió que el grupo debería enfocarse en la búsqueda de un entendimiento general acerca de las características de estos sistemas, sin hacer juicios precipitados sobre el valor o los posibles efectos de cualquier tecnología emergente o futura en el área. Así, dado que el DIH proporciona un sistema de regulación robusto y coherente para el uso de armas, el GEG podría —en opinión de EE.UU.— solo discutir los problemas potencialmente planteados por esos sistemas bajo el objeto y propósito de la CCW.

Según este documento, una definición de trabajo no debería redactarse con vistas a describir las armas que deberían prohibirse. Esto sería prematuro y contraproducente porque quitaría tiempo y esfuerzo para comprender los problemas, y desviaría la atención del debate para negociar algo que estaría cubierto por el DIH. De acuerdo con la delegación estadounidense, una definición jurídica se desarrolla generalmente para los propósitos específicos de una regla jurídica (determinar su alcance, por ejemplo) y no en abstracto. Por ello, EE.UU. su-

---

hizo pública su práctica actualizada en la investigación, el desarrollo y la innovación en tecnologías emergentes en el área de los SAAL. Al respeto, véase: *U.S. Proposals on the Application of IHL, Human Responsibility, Human-Machine Interaction and Weapons Reviews,* (documento de trabajo de EE.UU.), sin núm, Palacio de las Naciones, presentado ante el grupo de expertos gubernamentales sobre los sistemas de armas autónomas letales en la CCW, 11 de junio de 2021 [en línea], disponible en: *https://documents.unoda.org/wp-content/uploads/2021/06/United-States.pdf*, fecha de revisión: 01/07/2021 y *Documents Reflecting U.S. Practice Related to Emerging Technologies in the Area of Lethal Autonomous Weapons Systems,* (documento de trabajo de EE.UU.), sin núm, Palacio de las Naciones, presentado ante el grupo de expertos gubernamentales sobre los sistemas de armas autónomas letales en la CCW, 11 de junio de 2021 [en línea], disponible en: *https://documents.unoda.org/wp-content/uploads/2021/06/United-States-submission-on-national-practice.pdf*, fecha de revisión: 01/07/2021.

575 *Characteristics of Lethal Autonomous Weapons Systems* (documento de trabajo de EE.UU.), núm. CCW/GGE.1/2017/WP.7, de 10 de noviembre de 2017, Palacio de las Naciones (reunión de expertos sobre los SAAL en la CCW, celebrada en Ginebra de 13-17 de noviembre de 2017) [en línea], disponible en: *https://www.unog.ch/80256EDD006B8954/(httpAssets)/A4466587B0DABE6CC12581D400660157/$file/2017_GGEonLAWS_WP7_USA.pdf*, fecha de revisión: 09/05/2019.

giere que el enfoque de caracterización de los SAAL busque identificar los aspectos generales de esos sistemas que sean inteligibles para todas las audiencias relevantes. Esto —en opinión de ese país— ayudaría a comprender a qué se refiere generalmente el término SAAL, sin proporcionar una definición que establezca parámetros cerrados y basados en supuestos tecnológicos específicos, sobre todo porque ello haría que las características seleccionadas quedasen obsoletas con el tiempo en virtud de los avances tecnológicos.

En este sentido, el texto recomienda al GEG que no caiga en la provocación de articular razonamientos basados en niveles específicos de autonomía, o tipos de máquina y su sofisticación. En opinión de la delegación estadounidense, crear categorías técnicas como esas o buscar definir conceptos como «IA» sería especialmente desaconsejable porque, por un lado, ya existen diversas taxonomías relacionadas a esas categorías y, por otro, los científicos e ingenieros continúan desarrollando avances tecnológicos más rápidos que el ritmo de los debates del propio GEG.

Por último, el documento hace referencia a varias definiciones oficiales utilizadas por el Departamento de Defensa estadounidense sobre el uso de la autonomía en los sistemas de armas, haciendo especial énfasis en aquello que debería ser entendido como un sistema de arma autónomo y semiautónomo.

b) Conclusiones y recomendaciones aprobadas

Luego de un debate intenso, los Estados parte de la CCW que participaron en el primer período de reuniones del GEG sobre los SAAL acordaron por consenso lo siguiente:

- *Idoneidad del foro*: la CCW es el marco apropiado para abordar el tema de los SAAL.
- *Aplicación del DIH*: el DIH es aplicable a todos los sistemas armamentísticos, incluido el posible desarrollo y uso de SAAL.
- *Responsabilidad y rendición de cuentas*: la responsabilidad por el despliegue de cualquier sistema armamentístico en conflictos armados recae en los Estados, quienes deben garantizar la rendición de cuentas por la actuación letal de cualquier sistema armamentístico que utilicen.

- *El elemento humano en el uso de la fuerza armada letal*: la necesidad de llevar a cabo un examen más profundo sobre este tema, ya que la diversidad de enfoques y diferencias de criterios entre las delegaciones no permitió alcanzar puntos en común al respecto.
- *El doble uso de las tecnologías*: labor del GEG no debe obstaculizar el progreso ni el acceso a la investigación, el desarrollo y el uso de las tecnologías en el ámbito de los sistemas autónomos inteligentes por parte de la población civil.
- *Caracterización de los SAAL*: la próxima etapa de los debates del grupo se habría de centrar en la caracterización de los SAAL, a fin de llegar a un entendimiento común sobre aquellos conceptos y características que guarden relación con estos sistemas, en el marco de los objetivos y los propósitos de la CCW.
- *Interacción hombre-máquina*: seguir evaluando, en el marco del grupo, aspectos relacionados con la interacción entre el ser humano y las máquinas en el diseño, desarrollo y uso de SAAL.
- *Búsqueda de opciones para abordar los desafíos planteados por los SAAL*: seguir deliberando, en el marco del grupo, acerca de las posibles opciones para hacer frente a los problemas humanitarios y de seguridad internacional que plantean los SAAL en el contexto de los objetivos y propósitos de la CCW.

Teniendo en cuenta la evolución de las discusiones y los consensos alcanzados hasta entonces, las delegaciones aprobaron un informe final a través del cual recomendaron que el GEG se reuniera durante diez días en 2018, para poder continuar con el desarrollo de su mandato[576]. Este informe, junto a sus recomendaciones, fue aprobado después por la reunión anual de 2017 de las Altas Partes contratantes de la CCW[577].

---

576 Grupo de expertos gubernamentales sobre sistemas de armas autónomas letales de la CCW, *Report of the 2017 Group of Governmental Experts on Lethal Autonomous Weapons Systems* (informe), núm. CCW/GGE.1/2017/3, 22/12/2017 [en línea], disponible en: *https://undocs.org/en/CCW/GGE.1/2017/3*, fecha de revisión: 09/05/2019.

577 Altas partes contratantes de la CCW, *Informe final,* aprobado en la reunión anual celebrada en Ginebra el 22-24 de noviembre de 2017, núm. CCW/

5.2.2. Segundo período de reuniones

Se llevó a cabo del 9 al 13 de abril y del 27 al 31 de agosto de 2018, en la sede de la ONU en Ginebra (Suiza). Contó con la presencia de más de 90 países, representantes de organizaciones internacionales, delegaciones de ONG y de instituciones académicas, y estuvo presidida nuevamente por el entonces embajador de la India, Amandeep Singh Gill.

Este segundo período de encuentros estuvo centrado en profundizar las discusiones y reflexiones sobre temas generales vinculados a los SAAL, haciendo especial énfasis en:

- La caracterización de esos sistemas con el objeto de promover un entendimiento común sobre cuáles deberían ser los conceptos y las particularidades relevantes para los objetivos y propósitos de la CCW;
- El planteamiento de consideraciones adicionales relativas al elemento humano en el uso de la fuerza armada letal. Ello pasaría por abordar los aspectos de la interacción hombre-máquina en el desarrollo, el despliegue y el uso de tecnologías emergentes en el área de los SAAL.
- El examen de las posibles aplicaciones militares de tecnologías relacionadas en el contexto del mandato del grupo; y,
- La definición de las opciones para abordar los desafíos humanitarios y de seguridad internacional planteados por las tecnologías emergentes en el área de los SAAL, en el contexto de los objetivos y propósitos de la CCW.

En las discusiones se generaron puntos de encuentro, aunque continuaron las diferencias de opiniones y perspectivas sobre cómo hacer frente a varios de los aspectos incluidos en el programa de trabajo.

a) Principales documentos de trabajo

El presidente del GEG elaboró tres documentos de trabajo y reflexión que, en líneas generales, trazaron la hoja de ruta de las primeras

---

MSP/2017/8, de 11/12/2017 [en línea], disponible en: *https://undocs.org/es/CCW/MSP/2017/8*, fecha de revisión: 09/05/2019, *véase párrafo 34*.

sesiones. En dichos textos propuso, por un lado, un listado de las principales propuestas de definición y caracterización de los SAAL hechas, hasta ese entonces, por las delegaciones que habían participado en las reuniones del grupo[578]; por otro lado, distribuyó un cuadro en el que detalló las principales opiniones y sugerencias hechas por países, grupos regionales y otras instituciones acerca del elemento humano en el uso de la fuerza armada, y cuáles deberían ser los aspectos sobre la interacción hombre-máquina en el área de los SAAL[579]; y, por último, presentó unas diapositivas en las que reflejó principalmente dónde podrían existir puntos de contacto humano-máquina en el contexto de los SAAL[580].

Del mismo modo, algunas delegaciones hicieron aportaciones a las reuniones suministrando documentos de trabajo que enriquecieron el debate y, sobre todo, definieron las principales narrativas desarrolladas en las discusiones. Entre esas contribuciones vale la pena destacar las siguientes:

Polonia. Presentó un documento reflexivo en el que plantea cuáles son, en su opinión, las dimensiones jurídicas y éticas que implican el

---

578 *Characterization of the systems under consideration in order to promote a common understanding on concepts and characteristics relevant to the objectives and purposes of the* Convention (documento de trabajo del presidente del GEG), núm. CCW/GGE.1/2017/WP.3, sin fecha (presentado en la reunión del GEG de abril de 2018) [en línea], disponible en: *https://www.unog.ch/80256EDD006B8954/(httpAssets)/C43B731506CE4D35C1258272003399DB/$file/Chart.1+Updated.pdf*, fecha de revisión: 09/05/2019.

579 *Consideration of the human element in the use of lethal force; aspects of human-machine interaction in the development, deployment and use of emerging technologies in the area of lethal autonomous weapons systems* (documento reflexivo del presidente del GEG), sin número ni fecha (presentado en la reunión del GEG de abril de 2018) [en línea], disponible en: *https://www.unog.ch/80256EDD006B8954/(httpAssets)/A37FBECB28CF7D7FC125826C00495E97/$file/Chart.2.pdf*, fecha de revisión: 09/05/2019.

580 Presidente del GEG, *Agenda item 6b. Human-Machine touchpoints in the context of emerging technologies in the area of lethal autonomous weapons systems* (presentación de PowerPoint), abril de 2018 (presentado en la reunión del GEG) [en línea], disponible en: *https://www.unog.ch/80256EDD006B8954/(httpAssets)/026AE767E3591BC5C125826D0046D41E/$file/Chair's+slides.pdf*, fecha de revisión: 09/05/2019.

desarrollo y uso de los SAAL[581]. Se acuerdo con esta propuesta, el GEG necesita enfocarse más en los aspectos éticos que en los técnicos relativos al uso de las armas autónomas para así poder establecer límites a su autonomía. En ese sentido, los seres humanos han de ser considerados como los «actores centrales» —y no meros factores que pueden, o no, estar incluidos— en el proceso de uso de esos sistemas. Ello es así, ya que los SAAL no tienen la capacidad humana para el razonamiento y la conducta éticos que son, bajo el enfoque polaco, inherentes a las decisiones de vida o muerte.

Bajo esta perspectiva, la discusión sobre la dimensión ética de los SAAL implica inevitablemente una cuestión de responsabilidad. De acuerdo con Polonia, la idea sobre sistemas de armas que coloque el uso de la fuerza armada más allá del control humano no sería aceptable, toda vez que la responsabilidad moral de las decisiones de matar y destruir no se pueden delegar en las máquinas. En otras palabras, para esa delegación, son los seres humanos quienes deben asumir la responsabilidad de la conducta ética de matar a alguien, en lugar de esperar que los sistemas autónomos realicen esa tarea.

En atención a todo lo anterior, Polonia sugiere que el debate sobre los SAAL se conduzca bajo un enfoque centrado en los humanos y no en las máquinas, porque solo así se podrá reconocer el carácter distintivo y la complejidad de la ética y las características humanas relacionadas al tema, en lugar de descartarlas o simplificarlas. Para ello, el documento propone a las delegaciones que tengan muy en cuenta el principio de humanidad o los dictados de la conciencia pública de la cláusula Martens, ya que proporcionan una orientación moral a las discusiones del GEG sobre el establecimiento de límites a la autonomía en los sistemas de armas.

El *CICR*. Presentó un documento de trabajo en el que desarrolló algunas ideas relacionadas con la definición de una base ética para

---

581 *Working Paper on Lethal Autonomous Weapons Systems* (documento de trabajo de Polonia), núm. CCW/GGE.1/2018/WP.3, 28/03/2018, Palacio de las Naciones (reunión de expertos sobre los SAAL en la CCW, celebrada en Ginebra de 9-13 de abril de 2018) [en línea], disponible en: *https://www.unog.ch/80256EDD006B8954/(httpAssets)/DD887E725A1AF8B3C-125825F004AF1E3/$file/CCW_GGE.1_2018_WP.3.pdf*, fecha de revisión: 12/05/2019.

el control humano en los sistemas de armas autónomas[582]. Como se señaló en secciones anteriores, el CICR aboga por el mantenimiento del control humano sobre los sistemas de armas y el uso de la fuerza armada para garantizar el cumplimiento del derecho internacional y satisfacer las preocupaciones éticas correspondientes. En ese sentido, este nuevo documento apuesta porque las cuestiones éticas estén en el centro del debate del GEG acerca de la aceptabilidad de los sistemas de armas autónomas. La razón de ello es porque precisamente la ansiedad por la pérdida del control humano sobre los sistemas de armas y el uso de la fuerza armada invita a que el debate del grupo de expertos no solo aborde cuestiones relacionadas con la compatibilidad de los sistemas de armas autónomas con el derecho aplicable, sino además consideraciones sobre cuestiones fundamentales relativas a la aceptación de nuestros propios valores.

Así las cosas, el CICR sugiere que las discusiones del GEG tengan en cuenta la cuestión ética fundamental de si los principios de la humanidad y los dictados de la conciencia pública (derivados de la cláusula Martens) pueden permitir que la toma de decisiones humanas sobre el uso de la fuerza armada se sustituya o reemplace de manera efectiva por procesos controlados por computadora, y por decisiones de vida o muerte transferidas a las máquinas. En ese sentido, un discurso ético eficaz acerca de los SAAL no debería diluirse en preocupaciones con respecto a la capacidad técnica de los sistemas de armas autónomas para funcionar dentro de restricciones jurídicas y éticas. Los argumentos éticos, tal y como afirma el CICR, sólo serán duraderos en contra de estas armas en tanto que trascienden el contexto (sea durante un conflicto armado o en tiempos de paz) y la tecnología (sea simple o sofisticada) del sistema.

Por ello, según el documento del CICR, uno de los argumentos éticos que deberían utilizar los Estados para trabajar en el establecimiento de límites a la autonomía en los sistemas de armas es la importancia de retener la agencia humana, y su intención, en las decisiones de usar la fuerza. Esto pasa por reflexionar sobre aquellos sistemas de armas autónomas que están diseñados para matar o herir

582 *Ethics and autonomous weapon systems: An ethical basis for human control?* (documento de trabajo del Comité Internacional de la Cruz Roja), *op. cit.*

a los humanos, en lugar de debatir acerca de sistemas que solo tienen capacidad de destrucción o daño a objetos que, a fin de cuentas, son tecnologías armamentísticas que ya se emplean hoy, aunque de forma limitada. Bajo esa perspectiva, el CICR lo que quiere dar a entender es que no solo importa si una persona es asesinada o lesionada, sino también cómo la matan o lesionan, lo cual se extiende al proceso por el cual se toman estas decisiones mortales. Así, a medida que se delegan más y más estas decisiones humanas en las máquinas, se produce entonces una falta de agencia humana que socava la dignidad humana de los combatientes atacados y de los civiles que se ponen en riesgo como consecuencia de los ataques dirigidos contra objetivos militares.

Esta necesidad de la agencia humana estaría vinculada también a la responsabilidad moral y la rendición de cuentas por las decisiones de usar la fuerza, ya que son responsabilidades humanas (éticas y jurídicas) que no deberían transferirse a máquinas inanimadas o algoritmos informáticos. Aquí entran en juego además la predictibilidad y la fiabilidad en el uso de un sistema de armas autónomas, principios exigidos por el DIH para garantizar la conexión de la agencia e intención humanas con las consecuencias eventuales de un ataque. En opinión del CICR, todos los sistemas de armas autónomas plantean cuestiones importantes sobre la predictibilidad, debido a que la aplicación de la IA y de las técnicas de autoaprendizaje en estos sistemas para llevar a cabo las funciones de focalización representan una impredecibilidad inherente.

Otro asunto destacado en el texto es la idea de que el contexto también afecta a las evaluaciones éticas. En seste sentido, las restricciones relativas al marco temporal de la operación y el alcance del movimiento en un área también son factores clave. Igualmente sucede con aspectos relacionados con la tarea para la cual se usa el arma y el entorno operativo. Así, el CICR sugiere que, tal vez, el factor más importante para la evaluación ética de un sistema de arma autónomo es el tipo de objetivo, ya que las preocupaciones éticas fundamentales sobre la agencia humana, la dignidad humana y la responsabilidad moral son más crudas en relación con los sistemas de efectos antipersonales que pueden ser dirigidos en contra de los humanos.

Por último, desde la perspectiva del CICR, todas estas consideraciones éticas son paralelas al requisito de un nivel mínimo de control humano sobre los sistemas de armas y el uso de la fuerza armada para garantizar el cumplimiento jurídico. Desde un punto de vista ético, el control humano (llámese «significativo», «efectivo» o «apropiado») sería el tipo y grado de control que preserva la agencia humana y respetaría la responsabilidad moral en las decisiones de usar la fuerza. Por ello, el documento advierte de la necesidad de que se mantenga una conexión lo suficientemente directa y cercana entre la intención de aquella persona humana que utilice el sistema de armas y las consecuencias eventuales de la operación que este produzca en un ataque.

EE.UU. Aportó dos nuevos documentos de trabajo, uno durante las reuniones de abril y otro en las de agosto de 2018.

El primer documento subrayó cuáles podrían ser los beneficios humanitarios de las tecnologías emergentes en el área de los SAAL[583]. Al respecto, destacó que las bajas civiles son una parte trágica de la guerra. Aunque las víctimas civiles no reflejan necesariamente una violación del DIH, protegerlas de sufrimientos innecesarios y reducir su número de bajas son unos de los principales propósitos del DICA. Por tanto, la delegación estadounidense insistió en que las armas inteligentes que usan computadoras y funciones autónomas para desplegar la fuerza de manera más precisa y eficiente han sido diseñadas para reducir los riesgos de daños a civiles y objetos civiles.

De acuerdo con el planteamiento estadounidense, los esfuerzos militares para desarrollar armas más precisas y eficientes reflejan una convergencia entre la eficacia militar y la protección humanitaria, en cumplimiento de los principios de distinción y de proporcionalidad del DIH consistentes con las doctrinas militares que son la base para cualquier operación de combate efectiva. Partiendo de esta premisa, y según la práctica estatal referida en el texto bajo examen, al parecer existen ejemplos de formas en que las tecnologías emergentes en el

---

583 *Humanitarian benefits of emerging technologies in the area of lethal autonomous weapon systems* (documento de trabajo de EE.UU.), núm. CCW/GGE.1/2018/WP.4, 28/03/2018, Palacio de las Naciones (reunión de expertos sobre los SAAL en la CCW, celebrada en Ginebra de 9-13 de abril de 2018) [en línea], disponible en: *https://www.unog.ch/80256EDD006B8954/(httpAssets)/7C177AE5BC10B588C125825F004B06BE/$file/CCW_GGE.1_2018_WP.4.pdf*, fecha de revisión: 12/05/2019.

área de los SAAL podrían ser usadas para reducir los riesgos para los civiles. Según el documento podrían ser:

a. Incorporando mecanismos autónomos de autodestrucción, autodesactivación o autoneutralización para reducir el riesgo de que las armas causen daños no intencionados a civiles u objetos civiles;
b. Aumentando el nivel de conciencia de los comandantes que permita evaluar mejor la totalidad de la pérdida incidental esperada de vidas civiles, lesiones a civiles y daños a objetos civiles de un ataque, incluidos aquellos daños incidentales que de una manera u otra no hubieran sido predictibles;
c. Mejorando el diagnóstico real de los efectos probables de las operaciones militares;
d. Automatizando las funciones de identificación, seguimiento, selección y ataque de objetivos para así permitir que las armas golpeen objetivos militares con mayor precisión y con menos riesgo de daños colaterales; y,
e. Reduciendo el umbral del uso inmediato de la fuerza en defensa propia ante cualquier amenaza que se presente en el campo de batalla. Esto significa que el uso de sistemas robóticos y autónomos puede reducir la necesidad de ataques inmediatos de autodefensa al reducir la exposición de los seres humanos combatientes y civiles al fuego hostil de la guerra.

Ahora bien, teniendo en cuenta el principio de doble uso de las tecnologías, el documento destaca además que las tecnologías emergentes relacionadas con la autonomía, como la IA y el aprendizaje automático, no solo tienen beneficios estratégicos en los conflictos armados. Estos avances tecnológicos también tienen un potencial notable para mejorar la calidad de la vida humana con aplicaciones como automóviles sin conductor y los asistentes artificiales. El uso de tecnologías relacionadas con la autonomía puede incluso salvar vidas, por ejemplo, mejorando la precisión de los diagnósticos médicos y los procedimientos quirúrgicos o reduciendo el riesgo de accidentes automovilísticos. Por ende, EE.UU. reitera una vez más que la discusión de las posibles opciones para abordar los desafíos humanitarios y de seguridad internacional planteados por las tecnologías emergentes en el área de los SAAL incluya también la consideración de cómo estas tecnologías pueden usarse para mejorar la protección de la población civil contra los efectos de las hostilidades.

El segundo documento de trabajo estadounidense hace referencia a la interacción hombre-máquina en las tecnologías emergentes en el área de los SAAL. Al respecto, señala la importancia de garantizar que las máquinas ayuden a los comandantes y a los operadores de los sistemas a llevar a cabo sus intenciones de realizar operaciones[584]. En ese sentido, el texto plantea una serie de medidas que EE.UU. está tomando para garantizar que las nuevas armas ayuden a llevar a cabo la intención del comandante.

Otro de los aspectos notables de este documento son las aclaraciones conceptuales que hace respecto de la terminología que emplea EE.UU. en sus manuales militares relacionados con los SAAL. Según el texto, la expresión *minimizing unintended engagements* significa minimizar aquel uso de la fuerza armada que causa daños a personas u objetos que los operadores humanos no pretendían como objetivos de sus operaciones militares, incluidos aquellos niveles de daños colaterales que vayan más allá de los niveles que son compatibles con el DIH, las reglas de combate y la intención propia del comandante.

Otra expresión es *ensuring appropriate levels of human judgment over the use of force*. En este caso, el documento explica que la palabra *appropriate* es un término flexible que refleja el hecho de que no hay un nivel de juicio humano que se aplique a todos los contextos. Por ello, todo lo «apropiado» puede diferir entre los sistemas de armas, los tipos de guerra, los contextos operacionales e incluso entre las diferentes funciones del propio sistema.

Con relación a *human judgment over the use of force* el documento aclara que su sentido es distinto a lo que algunos llaman *human control over the weapon*. Así pues, un operador podría ser capaz de ejercer un control significativo sobre cada aspecto de un sistema de armas. Sin embargo, si el operador solo presiona un botón instintivamente para aprobar la ejecución de aquellos ataques recomendados por ese sistema de armas, el operador lo que estaría ejerciendo es

---

584 *Human-Machine Interaction in the Development, Deployment and Use of Emerging Technologies in the Area of Lethal Autonomous Weapons Systems* (documento de trabajo de EE.UU.), *op. cit.*

poco, o ningún, juicio sobre el uso de la fuerza. De esta manera, el texto explica que un control humano sobre el uso de la fuerza armada representa en definitiva un nivel mayor, importante y más amplio de involucramiento humano en todas las circunstancias que subyacen en un conflicto armado. Ahora bien, el documento advierte que es un juicio que puede ser implementado también a través del uso de la automatización. Por ejemplo, la extensa automatización de funciones en un sistema de armas podría permitir al operador humano ejercer un mejor juicio sobre el uso de la fuerza armada al eliminar la necesidad de concentrarse en tareas básicas y darle más tiempo para comprender la situación de una manera más amplia. Algo similar sucede con el uso de algoritmos o incluso funciones autónomas que toman el control de los operadores humanos, ya que son tecnologías que pueden afectar mejor las intenciones humanas y evitar accidentes.

Para EE.UU., todo lo anterior es distinto del concepto de «control humano» *per se* planteado por otras delegaciones, un término que corre el riesgo de ocultar los desafíos y beneficios genuinos en la interacción hombre-máquina. Según el texto, hay quienes pueden pensar que es importante enfatizar en el «control humano» porque consideran que los desarrollos en el uso de la automatización o la autonomía en un sistema de armas disminuyen el control humano sobre el uso de la fuerza armada. Sin embargo, la delegación estadounidense considera que tal punto de vista sería erróneo. En opinión de EE.UU., el requisito de que las armas estén diseñadas para permitir a los comandantes y operadores ejercer niveles apropiados de juicio humano sobre el uso de la fuerza armada refleja una decisión político-estratégica deliberada para permitir que las armas estén programadas para tomar «decisiones» relacionadas con el proceso de focalización de objetivos. Este juicio humano pretende la reducción de la niebla de la guerra[585].

---

[585] *La niebla de la guerra* (en inglés *fog of war*), es expresión militar pronunciada por primera vez por Carl von Clausewitz en su obra *De la guerra*, referida a una metáfora que hace alusión a la confusión (la niebla) reinante durante las batallas, un desafío muy complejo que durante años los ejércitos más potentes del mundo han intentado siempre superar a través del empleo de tecnologías cada vez más sofisticadas para la mejora de sus capacidades militares y de seguridad. Un ejemplo de ello lo podemos ver, claramente, en el ejército de EE.UU., quien ha apostado por tecnologías óptimas para que sus combatientes superen la niebla de la guerra. En ese sentido, la administración estadounidense está invirtiendo

En relación con la autonomía, la delegación estadounidense subraya además que la misma ya se ha utilizado en funciones relacionadas con la focalización de objetivos, especialmente en la identificación, la selección y la determinación de dónde y cuándo comprometer un objetivo. Sin embargo, esto se ha hecho con «sensatez», toda vez que no hay ningún requisito de que la propia máquina esté programada para realizar diagnósticos exigidos por el DIH (como por ejemplo si el objetivo a atacar es —o no— un objetivo militar). La prioridad del Departamento de Defensa de EE.UU. es diseñar una variedad de mecanismos para garantizar que las formas de automatización y autonomía (por muy simples o complejas que puedan ser) siempre logren usarse adecuadamente en operaciones militares. A fin de cuentas, se interpreta del documento bajo estudio, que la sofisticación técnica en un sistema de armas que le permite realizar funciones de forma autónoma —para EE.UU.— no significa necesariamente que haya menos participación humana en la toma de decisiones sobre cómo se usa esa arma. El uso de tecnología, como sensores y computadoras, permite al personal establecer los parámetros de cuándo, dónde y

---

grandes recursos económicos para la investigación, el desarrollo y la innovación de sistemas abiertos que permitan alcanzar tecnologías para administrar la carga de trabajo cognitiva de los miembros de la tripulación de sus aeronaves de reconocimiento y asalto de largo alcance, todo ello como parte del programa "Revolutionary Technology and Strategies for the Holistic Situational Awareness—Decision Making (HSA-DM)", el cual pretende desarrollar, entre otros aspectos: a) tecnologías de aviónica para que sus aeronaves más sofisticadas incluyan una visión sintética para operar en polvo o nieve; b) un equipo de misión integrado de elevación vertical; c) una arquitectura de aviónica común conjunta; d) una optimización de rutas; e) capacidades de supervivencia contra amenazas en red; f) formación de equipos conjuntos de aeronaves pilotadas y no tripuladas; y, g) sistemas de misiones multifuncionales. Al respecto, véase: Blinde, L., «Army posts HSA-DM RFI», *Intelligence Community News,* 17/04/2020 [en línea], disponible en: *https://intelligencecommunitynews.com/army-posts-hsa-dm-rfi/*, fecha de revisión: 09/05/2021. No obstante, para obtener más información acerca de cómo las tecnologías emergentes en el área de los SAAL están siendo diseñadas por la industria (privada y pública) con la intención de que los comandantes y operadores puedan lidiar exitosamente con la niebla de la guerra y de esa manera mejorar el proceso de toma de decisiones en combate, véase Wallace, R., *Carl von Clausewitz, the fog-of-war, and the AI revolution: The real World is not a game of go*, Berlín, Springer, 2018.

cómo se despliega la fuerza sin controlar manualmente el sistema de armas en todo momento.

Por todo lo anterior, el documento subraya que el tema clave para la interacción hombre-máquina en el desarrollo, el despliegue y el uso de tecnologías emergentes en el área de los SAAL es garantizar que cuando sea necesario para un Estado usar la fuerza, esta se utilice para hacer cumplir las intenciones de los comandantes y los operadores. En ese sentido, las autoridades de ese Estado deben tomar todas las medidas prácticas posibles para reducir el riesgo de ataques o daños involuntarios y garantizar que su personal ejerza niveles apropiados de juicio humano sobre el uso de la fuerza armada.

Finalmente, de acuerdo con el texto, las tecnologías emergentes son difíciles de regular porque las tecnologías continúan cambiando a medida que los científicos e ingenieros desarrollan avances. Por lo tanto, EE.UU. finaliza reiterando nuevamente su posición acerca de que, en lugar de intentar codificar las mejores prácticas o establecer nuevas normas internacionales, los Estados deberían tratar de intercambiar prácticas e implementar procesos de revisión holísticos y proactivos que se guíen por los principios fundamentales del DIH.

Rusia. Presentó un documento a través del cual afirmó que los sistemas militares existentes con un alto grado de automatización/autonomía no deben clasificarse como SAAL[586]. En ese sentido, sugirió que cualquier definición de trabajo sobre estos sistemas debía cumplir con unos requerimientos específicos: por un lado, debe contener la descripción de los tipos de armas que entran en la categoría de los SAAL, las condiciones para su producción, prueba y uso; por otro lado, la redacción no debe limitarse a la comprensión de los SAAL existentes, sino también a la posibilidad de los desarrollos futuros en el área; y, por último, debe ser una definición universal y comprensible dada por expertos científicos, ingenieros, técnicos, militares, abogados y en ética.

---

586 *Russia's Approaches to the Elaboration of a Working Definition and Basic Functions of Lethal Autonomous Weapons Systems in the Context of the Purposes and Objectives of the Convention* (documento de trabajo de la Federación Rusa), *op. cit.*

Así pues, para Rusia, la discusión sobre los SAAL podrá avanzar en el GEG una vez que se haga una aclaración preliminar de la cuestión relativa a la definición de trabajo y las funciones básicas de tales sistemas de armas. Además, subraya el documento que el problema de la responsabilidad jurídica debe ser abordado por los Estados y los individuos que usan sistemas de armas con funciones autónomas. La responsabilidad de la decisión de usar sistemas de armas, incluidos los SAAL, debe recaer en el oficial correspondiente. Por muy avanzado que sea el sistema autónomo, al final no puede realizar sus funciones sin un humano detrás de él. Por lo tanto, Rusia opina que la responsabilidad del uso de los SAAL debe ser atribuida al ser humano que opera o programa el sistema del robot y da las órdenes para usarlo.

China. Presentó un documento no muy extenso en donde, básicamente, hizo pública su posición preliminar acerca de qué debería entenderse como un SAAL[587]. Según el texto, estas tecnologías armamentísticas deben ser tratadas como sistemas de armas letales totalmente autónomos. En ese sentido, una definición de esos sistemas debería incluir, pero no limitarse a, las siguientes características: a) la letalidad; b) la autonomía, la cual significa la ausencia de intervención y control humano durante todo el proceso de ejecución de una tarea; c) la imposibilidad de terminación, es decir, que una vez iniciado el sistema no hay forma de poder pararlo; d) que sean de efecto indiscriminado, en tanto que podría ejecutar la tarea de matar y mutilar independientemente de las condiciones, los escenarios y los objetivos; y, e) la evolución, es decir, que a través de la interacción con el entorno, el sistema pueda aprender de forma autónoma y ampliar sus funciones y capacidades de manera que supere las expectativas humanas.

Reino Unido. Presentó un documento mediante el cual sugirió que las discusiones del GEG deberían centrarse en la necesidad del control humano sobre los SAAL y además de explorar métodos por los que dicho control podría ser entregado y asegurado[588]. Así, el texto indica que el nivel, la naturaleza y la primacía del control humano sobre funciones específicas debe ser la consideración clave en el debate de los

---

587 *Position Paper* (documento de trabajo de China), *op. cit.*

588 *Human Machine Touchpoints: The United Kingdom's perspective on human control over weapon development and targeting cycles* (documento de trabajo de Reino Unido), *op. cit.*

SAAL, ello en lugar de centrarse en la tecnología la cual cambia rápidamente. Por ende, Reino Unido opina que el GEG debería establecer qué funciones son «críticas» y deben estar sujetas al control humano, y cuáles podrían delegarse a máquinas para que las operen bajo ciertas salvaguardas. Un enfoque "agnóstico-tecnológico" basado en el control humano que —según la delegación británica— permitiría que se preste especial atención a los elementos clave que influyen en las consideraciones jurídicas, éticas y técnicas sobre los SAAL, en lugar de debatir definiciones y características sobre las que quizás nunca se llegue a un consenso.

Igualmente, el texto detalla que la regulación y la supervisión del control humano dentro de los sistemas militares se extiende a lo largo del ciclo de vida del sistema. Esto incluye todas las líneas de defensa del desarrollo, la adquisición de sistemas de armas y su despliegue y operación. Por ello, según este enfoque, cualquier política al respecto debe tener en cuenta todo un espectro de escala, intensidad y complejidad en torno al conflicto, pero además considerar las demandas de una variedad que provienen de ambientes operativos desordenados, congestionados, complejos y controvertidos. El diagnóstico, la evaluación y la revisión tanto del sistema como del contexto político, estratégico, operativo y táctico circundante es un ciclo continuo que requiere una combinación de factores para garantizar el control humano en los puntos o aspectos más apropiados.

Según el documento, el grado de escrutinio aplicado al diseño, la entrega, la operación, la regulación y la eliminación de los sistemas de armas por parte de los Gobiernos y los militares responsables en el área ya es suficiente como para regular también el desarrollo de SAAL. Para explicar dicha afirmación, la delegación británica explora en el texto las consideraciones clave del control humano e intenta establecer el rango existente de regulaciones y procesos nacionales e internacionales que ya vinculan el diseño, el desarrollo y el uso operativo de todos los sistemas de armas y garantizan el cumplimiento de las obligaciones contenidas en normas jurídicas nacionales e internacionales.

Finalmente, Reino Unido sostiene que el debate del GEG, a la hora de proponer cualquier mejora a las medidas de gobernanza existentes que tengan efectos directos en los SAAL, lo habrá de hacer de manera ágil y adaptable, considerando el rango de regulaciones, procesos, estructuras y estándares de la industria existentes, así como el contexto político, estratégico, operacional y táctico para el uso de esos sistemas en un conflicto armado.

Finlandia y *Estonia.* Presentaron de manera conjunta un documento de trabajo para facilitar el debate sobre la conceptualización y la categorización de los SAAL a través de un enfoque centrado en las funciones críticas del ciclo de focalización de objetivos[589].

Ambos países consideran que para avanzar en la discusión del GEG es necesario desarrollar conceptos básicos compartidos y comúnmente entendidos. Sin embargo, reconocen que, dados los muchos efectos e implicaciones de la autonomía avanzada en los sistemas de armas, una definición de trabajo sobre los SAAL es muy difícil de enmarcar. Además, cada palabra en la frase «sistemas de armas autónomas letales» ya de por sí genera reflexiones y aclaraciones complicadas.

Lo curioso de la propuesta de Finlandia y Estonia es que ambos países abogan por que las discusiones sobre los SAAL reflejen la innegable dirección del desarrollo tecnológico. Según su documento de trabajo, el desarrollo de la IA debe verse como un progreso lógico en la ciencia de la computación. El nivel de abstracción de la computación sigue subiendo progresivamente, lo que lleva a aumentar las posibilidades para varios niveles de autonomía de la máquina. Por ende, como resultado de los desarrollos tecnológicos, el GEG habría de entender la forma en que los humanos usan las máquinas e interactúan con ellas está cambiando de manera impresionante.

El documento también plantea que la noción de «totalmente autónomo» es muy problemática, ya que la autonomía —como concepto— es un término relativo. Para facilitar la discusión y la comprensión de la naturaleza de la autonomía de la máquina basada en IA, ambos países sugieren marcar la diferencia entre lo que se debe entender como «automatización», «autonomía» e «independencia». La automatización la presentan como un concepto que significa respuestas preprogramadas, conocidas y predecibles en cualquier situación

---

589 *Categorizing lethal autonomous weapons systems - A technical and legal perspective to understanding LAWS* (documento de trabajo de Finlandia y Estonia), *op. cit.*

en una tarea definida. En cambio, la autonomía, la plantean como una capacidad para realizar cualquier tarea dada de manera autosuficiente y autónoma. Esto incluye la libertad de autoplanificar las tareas y subtareas requeridas. La autonomía no es una característica que se activa o desactiva. Por ende, en lugar de usar la expresión «sistemas autónomos», el texto sugiere que se utilice mejor la expresión «sistemas que tienen características o funciones autónomas», ya que es muy difícil definir el nivel o grado de autonomía en una máquina, además de tener en cuenta que los diversos sistemas ya pueden ser muy diferentes por naturaleza.

En contraste de ambos términos destacados anteriormente, la expresión «verdadera independencia», sin embargo, significa que el sistema sería capaz de definir y, por lo tanto, decidir los objetivos finales de su propio funcionamiento (algo muy parecido a lo que hacen los humanos). La capacidad de que una máquina pueda llevar a cabo una focalización de una manera verdaderamente independiente sería como un comportamiento subordinado a la propia automotivación del sistema. Este supuesto, según Finlandia y Estonia, no solo es algo indeseable sino también altamente improbable en el futuro previsible, ya que requeriría una IA similar a la inteligencia humana o —incluso— una IA sobrehumana que solo sería factible más allá del punto de una singularidad tecnológica computacional.

Finalmente, el documento de trabajo subraya que los seres humanos deben retener el control final sobre las decisiones de vida o muerte. La necesidad de ejercer el control humano sobre las armas no se deriva de una regla discreta del derecho internacional; los seres humanos deben ejercer el control sobre un sistema de armas de una manera necesaria para garantizar el funcionamiento de ese sistema y hacerlo compatible con el derecho internacional aplicable. Según el texto, el control humano sobre las armas se puede ejercer de varias maneras y en diversos momentos. Sin embargo, para que se trate de un control humano significativo, no necesariamente tiene que ser ejercido simultáneamente con la entrega de la fuerza. Además, de acuerdo con el documento propuesto, el control humano significativo no siempre puede requerir de la capacidad técnica disponible para cancelar un ataque que ya ha comenzado.

Brasil, *Austria* y *Chile*. Presentaron de manera conjunta una propuesta de mandato para negociar un instrumento jurídicamente vinculante que aborde las preocupaciones jurídicas, humanitarias y éticas planteadas por las tecnologías emergentes en el área de los SAAL[590]. Este hecho es importante en el marco de las discusiones del GEG, al ser la primera vez que alguna de las Altas Partes contratantes de la CCW (en este caso tres) presenta formalmente una invitación a cambiar el curso del debate hacia la negociación de un instrumento jurídicamente vinculante que garantice un control humano significativo sobre las funciones críticas en SAAL. No obstante, el documento no ha tenido gran recorrido. Queda por ver cómo avanzan las negociaciones al respecto en el seno del GEG.

b) Conclusiones y recomendaciones aprobadas

Durante el segundo ciclo de reuniones, las delegaciones expresaron diversas opiniones sobre los riesgos y problemas que podrían plantear los SAAL, en particular en relación con los daños causados a civiles y combatientes en los conflictos armados en contravención del DIH, la exacerbación de los problemas de la seguridad regional e internacional mediante las carreras de armamentos y la reducción del umbral para el uso de la fuerza armada. También fueron planteadas la cuestión de la proliferación, adquisición y utilización de estos sistemas por terroristas, su vulnerabilidad a la piratería y la injerencia, y la posible pérdida de confianza en los usos civiles de las tecnologías conexas.

Asimismo, las delegaciones reconocieron que la ausencia de una definición convenida acerca de los SAAL no debería impedir que el GEG siguiera adelante con su trabajo. Además, la caracterización, o

---

590 *Proposal for a Mandate to Negotiate a Legallybinding Instrument that addresses the Legal, Humanitarian and Ethical Concerns posed by Emerging Technologies in the Area of Lethal Autonomous Weapons Systems (LAWS)* (documento de trabajo de Austria, Brasil y Chile), núm. CCW/GGE.2/2018/WP.7, 30/08/2018, Palacio de las Naciones (reunión de expertos sobre los SAAL en la CCW, celebrada en Ginebra de 27-31 de agosto de 2018) [en línea], disponible en: *https://www.unog.ch/80256EDD006B8954/(httpAssets)/3BDD5F681113EECEC12582FE0038B22F/$file/2018_GGE+LAWS_August_Working+paper_Austria_Brazil_Chile.pdf*, fecha de revisión: 12/05/2019.

las definiciones de trabajo, no deberían predeterminar ni prejuzgar las opciones políticas, y deberían ser universalmente comprendidas por las partes interesadas.

También hubo consenso en la necesidad de garantizar que los entendimientos de los Estados en cuanto a la caracterización de los SAAL debían resistir el paso del tiempo y que no se vieran superados por los avances tecnológicos. Además, hay quienes afirmaron que las características puramente técnicas, como el rendimiento físico, la resistencia o la sofisticación en la selección y el ataque de objetivos, pueden no bastar por sí solas para caracterizar los SAAL, especialmente en vista de la rápida evolución de la tecnología.

Luego de todo ese debate, las delegaciones aprobaron preliminarmente unos «principios rectores» en los cuales reafirman que el derecho internacional, en particular la Carta de Naciones Unidas y el DIH, así como las perspectivas éticas pertinentes, debían guiar la labor del GEG. En ese sentido, sin perjuicio de los resultados de los debates que se celebren en el futuro, afirmaron que:

- El DIH sigue aplicándose plenamente a todos los sistemas de armas, incluido el posible desarrollo y uso de SAAL;
- El ser humano debe mantener siempre la responsabilidad por las decisiones que se adopten sobre el uso de esos sistemas de armas. Por tanto, la obligación de rendir cuentas no puede transferirse a las máquinas;
- Conforme al derecho aplicable, esos sistemas deben funcionar dentro de una cadena responsable de mando y control humano;
- Siempre será importante determinar si la investigación, el desarrollo, la adquisición o la adopción de una nueva arma, o un nuevo medio o método de guerra, incluyendo su empleo, en ciertas condiciones o en todas las circunstancias, estaría prohibido por el derecho internacional;
- Al reflexionar sobre los desafíos que producen los SAAL deberían tenerse en cuenta la seguridad física, las salvaguardas no físicas adecuadas (incluida la ciberseguridad contra la piratería informática o la falsificación de datos), el riesgo de adquisición por grupos terroristas y el riesgo de proliferación;

- Las evaluaciones de riesgos y las medidas de mitigación deberían formar parte del ciclo de diseño, desarrollo, ensayo y despliegue de tecnologías emergentes en cualquier sistema de armas;
- No se deberían antropomorfizar las tecnologías emergentes en el ámbito de los SAAL;
- Las medidas que el GEG adopte no deberían obstaculizar el progreso ni el acceso a los usos pacíficos de las tecnologías autónomas inteligentes; y,
- La CCW sigue ofreciendo un marco apropiado para abordar la cuestión de los SAAL. Además, fue subrayado que es necesario encontrar formas de preservar este impulso y de lograr un intercambio de conocimientos mediante el diálogo en el contexto de la CCW.

También hubo consenso en la necesidad de fomentar una mayor participación de expertos interdisciplinarios, teniendo debidamente en cuenta el equilibrio de género, a fin de garantizar que el examen del GEG se mantenga en consonancia con el avance de la tecnología. Muchas delegaciones pidieron también que se desarrollara la interfaz entre el ser humano y la máquina para equilibrar sus respectivos puntos fuertes y débiles, así como para mantener al ser humano como elemento esencial del equipo humano-máquina, con la responsabilidad general de la coordinación y la toma de decisiones.

Finalmente, teniendo en cuenta el desarrollo del debate y los consensos alcanzados hasta entonces, las delegaciones aprobaron un informe final a través el cual recomendaron que el GEG se reuniera durante diez días en 2019, para continuar con el desarrollo de su mandato[591]. Meses después, la reunión anual de 2018 de las Altas Partes contratantes en la CCW tomó nota del informe y de sus recomendaciones, y al final aprobó que el GEG solo se reuniera durante siete (5 + 2) días en 2019[592].

---

[591] Grupo de Expertos Gubernamentales sobre las tecnologías emergentes en el ámbito de los sistemas de armas autónomas letales, *Informe del período de sesiones de 2018*, *op. cit., véase párrafo 32.*

[592] Altas partes contratantes de la CCW, *Final report*, aprobado en la reunión anual celebrada en Ginebra el 21-23 de noviembre de 2018, núm.

5.2.3. Tercer período de reuniones

Se llevó a cabo del 25 al 29 de marzo y los días 20 y 21 de agosto de 2019, en la sede de la ONU en Ginebra (Suiza). Contó con la presencia de más de 80 países aproximadamente, representantes de organizaciones internacionales, delegaciones de organismos no gubernamentales y de instituciones académicas. En esta ocasión, las reuniones estuvieron presididas por el entonces encargado de Negocios *ad interim* de Macedonia del Norte, Ljupčo Jivan Gjorgjinski.

Este período de encuentros dio continuación a las discusiones y las reflexiones que se venían desarrollando en el segundo ciclo de sesiones de 2018. De ahí que la prioridad del debate se mantuvo en:

- Explorar los desafíos potenciales planteados por las tecnologías emergentes en el área de los SAAL para el DIH;
- Caracterizar esos sistemas con el objeto de promover un entendimiento común sobre cuáles deberían ser los conceptos y las particularidades relevantes para los objetivos y propósitos de la CCW;
- Plantear más consideraciones relativas al elemento humano en el uso de la fuerza armada letal. Ello pasaría por abordar los aspectos de la interacción hombre-máquina en el desarrollo, el despliegue y el uso de tecnologías emergentes en el área de los SAAL;
- Examinar las posibles aplicaciones militares de tecnologías relacionadas en el contexto del mandato del grupo; y,
- Definir las opciones para abordar los desafíos humanitarios y de seguridad internacional planteados por las tecnologías emergentes en el área de los SAAL, en el contexto de los objetivos y propósitos de la CCW.

CCW/MSP/2018/11, de 28/12/2018 [en línea], disponible en: *https://www.unog.ch/80256EDD006B8954/(httpAssets)/904C791C77CFEDC3C12583DE00463A64/$file/Final+report+CCW_MSP_2018_11.pdf*, fecha de revisión: 09/05/2019, *véase párrafo 33.*

a) Principales documentos de trabajo

Al igual que en las reuniones pasadas, la delegación de *Rusia* presentó un documento de trabajo para seguir contribuyendo con el desarrollo del debate. En esta ocasión, el texto se centró en abordar las posibles oportunidades y limitaciones de los usos militares de los SAAL. Al respecto, señaló que ese tipo de tecnología autónoma puede ser más eficiente que un operador humano a la hora de tener que llevar a cabo tareas, ya que son sistemas capaces de reducir considerablemente aquellas consecuencias negativas del uso de armas que puedan ser relacionadas con los errores del operador, el estado mental y fisiológico de este, así como con su postura ética, religiosa o moral en el contexto del DIH. Así, en opinión de la delegación rusa, el uso de tecnología altamente automatizada puede garantizar la mayor precisión de la guía de armas en objetivos militares, al tiempo que contribuye a una menor tasa de ataques no intencionales contra civiles y objetivos civiles.

En el texto, Rusia reafirma su postura acerca de que la discusión dentro del GEG debe limitarse a sistemas totalmente autónomos. Por tanto, se opone a discutir el tema de los vehículos aéreos no tripulados en el contexto del grupo, ya que los drones son un caso particular de sistemas altamente automatizados que no están clasificados como sistemas de armas totalmente autónomos. En ese sentido, propone que los SAAL sean definidos como «medios técnicos no tripulados distintos de la artillería que son destinados a llevar a cabo misiones de combate y apoyo sin la participación del operador».

Teniendo en cuenta la definición propuesta, el documento advierte que el control humano sobre la operación de tales sistemas es un factor limitante importante que debería ser considerado. Aunque sus formas y métodos específicos deben permanecer a discreción de los Estados, lo cierto es que el sistema de control de un SAAL debe prever la intervención de un operador humano o de un sistema de control de nivel superior para cambiar el modo de operación de dichos sistemas, incluida la desactivación parcial o completa.

Finalmente, Rusia destacó su convencimiento acerca del carácter complejo y delicado que representa el tema de los SAAL. Sin embargo, mientras el asunto está sometido a discusión, la delegación rusa sugirió que el GEG no ignore en sus debates el abordaje de los beneficios potenciales de tales sistemas en el contexto de garantizar la seguridad nacional de los Estados. En su opinión, es necesario examinar las modalidades para aplicar las restricciones jurídicas internacionales existentes y las reglas del DIH a estos sistemas. Esta posición da la impresión de que la administración rusa tiene un interés y una necesidad evidentes de que, al igual que otros Estados con armas nucleares, se mantenga en la CCW el mayor margen de maniobra posible para determinar qué constituye estratégicamente un uso responsable de la IA militar[593].

---

593 *Potential opportunities and limitations of military uses of lethal autonomous weapons systems* (documento de trabajo de la Federación Rusa), núm. CCW/GGE.1/2019/WP.1, 15/03/2019, Palacio de las Naciones (reunión de expertos sobre los SAAL en la CCW, celebrada en Ginebra de 25-29 de marzo de 2019) [en línea], disponible en: *https://www.unog.ch/80256EDD006B8954/(httpAssets)/B7C992A51A9FC8BFC12583BB00637BB9/$file/CCW.GGE.1.2019.WP.1_R+E.pdf*, fecha de revisión: 12/05/2019. También véase: Boulanin, V., Saalman, L., Topychkanov, P., Su, F. y Peldán, M., *ARTIFICIAL INTELLIGENCE, STRATEGIC STABILITY AND NUCLEAR RISK*, Estocolmo, Stockholm International Peace Research Institute, 2020, [en línea], disponible en: *https://www.sipri.org/sites/default/files/2020-06/artificial_intelligence_strategic_stability_and_nuclear_risk.pdf*, fecha de revisión 07/05/2021, *véase la página* 47. Es importante destacar que, en un documento reciente, Rusia hizo pública su posición oficial acerca de cuál debería ser la hoja de ruta del GEG sobre los SAAL en el marco de la CCW. En ese sentido, remarcó —entre otros aspectos— que: a) Las restricciones y los principios que se derivan del DIH se aplican sin excepción a todo tipo de armas, incluidos los SAAL; b) Los principios de humanidad, los dictados de la conciencia pública, así como el DIDH en sí, no pueden utilizarse como condición absoluta y suficiente para imponer regímenes restrictivos y prohibitivos a determinados tipos de armas; c) Por tanto, Rusia está en contra de desarrollar un instrumento internacional legalmente vinculante sobre los SAAL dentro de la CCW e imponer una moratoria sobre el desarrollo y uso de tales sistemas y las tecnologías utilizadas para crearlos; y, d) La determinación de límites en las tareas, los objetivos, la duración del uso y el ámbito de aplicación de los SAAL son la mejor manera para aumentar su previsibilidad y, por lo tanto, promover también el cumplimiento del DIH. Al respecto, véase: *Considerations for the report of the Group of Governmental Experts of the High Contracting Parties to the Convention on Certain Conventional Weapons on emerging technologies in the area of Lethal Autonomous Weapons Systems on the outcomes of the work undertaken in 2017-2021* (documento de la Federación Rusa), sin núm, junio de 2021, presentado ante el Grupo de Expertos Gubernamentales sobre tecnologías emergentes en el área de los sistemas de armas autónomas letales en la CCW, [en línea], disponible en: *https://documents.*

Japón también suministró un documento de trabajo[594]. En esta oportunidad, su texto pretende contribuir a establecer una dirección hacia las posibles acciones futuras de la comunidad internacional en materia de los SAAL, y a tal efecto señaló los principales elementos que requieren un entendimiento común entre todas las partes interesadas.

La delegación japonesa opinó que la comunidad internacional, incluidos los Estados con tecnologías avanzadas, debería lograr un consenso sobre la modalidad y el contenido de las normas relativas a los sistemas de armas letales totalmente autónomos sin un control humano significativo. Además, sugirió que las tecnologías autónomas y la IA debían ser desarrolladas sustancialmente sin obstaculizar la paz y la seguridad internacionales.

Igualmente, el documento recomienda que, para avanzar en la discusión sustantiva sobre la definición de los SAAL, las delegaciones deberían explorar más a fondo la noción de letalidad y las formas de control humano. En ese sentido, Japón considera que es apropiado limitar la discusión del GEG solo a los sistemas de armas autónomas con letalidad. En su opinión, la inclusión de sistemas de armas autónomas no letales ampliaría innecesariamente el alcance de las futuras reglas, lo que podría hacer que los Estados las evadan por su propia seguridad nacional y, en consecuencia, conduzcan a una pérdida de efectividad de ese marco normativo.

Para la delegación japonesa es clave además que cualquier SAAL esté acompañado de un control humano significativo. Esto implicaría que exista la garantía de que una persona adecuada esté lo suficientemente informada sobre cómo funciona el sistema en uso. Según el documento japonés, el control humano significativo pasaría a ser un concepto útil como premisa fundamental para atribuir responsabilidades por los efectos causados por los sistemas de armas, además de que garantizaría medidas para corregir y/o evitar errores, fallos

---

unoda.org/wp-content/uploads/2021/06/Russian-Federation_ENG1.pdf, fecha de revisión: 01/07/2021.

594 *Possible outcome of 2019 Group of Governmental Experts and future actions of international community on Lethal Autonomous Weapons Systems* (documento de trabajo de Japón), *op. cit.*

de funcionamiento y que el humano se quedara fuera del control del sistema.

Finalmente, Japón señala en su documento que, en la actualidad, ve difícil que se pueda formular un marco internacional efectivo y jurídicamente vinculante sobre el tema debido a la divergencia de opiniones existentes en el GEG. Sin embargo, se ofreció a cooperar con las iniciativas de las partes interesadas, incluidas Francia y Alemania, que expresaron en reuniones pasadas su intención de formular una declaración política, teniendo en cuenta los elementos de intercambio de información y fomento de la confianza, a fin de generar un mejor documento de resultados para el GEG[595].

EE.UU. presentó un documento de trabajo basado en sus aportaciones hechas en el primer y segundo período de reuniones del GEG. Lo interesante de este nuevo texto es que plantea de manera más detallada y pragmática la opinión del Gobierno estadounidense acerca de la implementación del DIH en el uso de la autonomía en los sistemas de armas[596].

---

595 Es importante destacar que, Japón (junto a Alemania y otros países más), aunque respalda las reglas internacionales para regular a los SAAL, mantiene una postura cautelosa sobre un tratado para prohibirlos. En todo caso, Japón ha declarado que no desarrollará armas letales totalmente autónomas. Con esta declaración, pareciera que Pekín espera liderar los esfuerzos para compilar reglas internacionales que permitan regular a las armas autónomas. No obstante, expertos en el área afirman que el Ministerio de Defensa japonés planea, realidad, introducir drones totalmente autónomos para 2035 junto con el despliegue de aviones de combate FX que están destinados a reemplazar la flota de aviones de combate F-2 de ese país en el transcurso de 2030-40. JI, J., «Talks on rules for AI-based weapons hit snags», *The Japan Times,* 2020 [en línea], disponible en: *https://www.japantimes.co.jp/news/2020/07/24/national/ai-weapons-negotiations/*, fecha de revisión: 21/01/2021. También, véase Chaudhary, S., «Japan To Deploy Unmanned Fighter Jets By 2035 With Aim To Counter Rising Chinese Military Might», *The Eurasian Times,* 01/01/2021 [en línea], disponible en: *https://eurasiantimes.com/japan-to-deploy-unmanned-fighter-jets-by-2035-with-aim-to-counter-rising-chinese-military-might/*, fecha de revisión: 21/01/2021.

596 *Implementing International Humanitarian Law in the Use of Autonomy in Weapon Systems* (documento de trabajo de EE.UU.), sin número ni fecha, Palacio de las Naciones (reunión de expertos sobre los SAAL en la CCW, celebrada en Ginebra de 25-29 de marzo de 2019) [en línea], disponible en: *https://www.unog.ch/80256EDD006B8954/(httpAssets)/518CBFEFDDE93C21C12583C8005FC9FA/$file/US+Working+Paper+on+Implementing+I-*

El documento inicia su relato reflexionando sobre la forma en que los requisitos de distinción, proporcionalidad y precaución proporcionan un marco integral para regular el uso de la autonomía en los sistemas de armas; luego explica cómo los procedimientos internos para la revisión y prueba jurídica de armas son esenciales para implementar los requisitos del DIH. Finalmente, plantea que las tecnologías emergentes en el área de los SAAL pueden fortalecer la implementación del DIH, entre otras cosas, reduciendo el riesgo de víctimas civiles, facilitando la investigación o el informe de incidentes que involucren violaciones potenciales, mejorando la capacidad de implementar acciones correctivas y generando automáticamente información sobre munición sin explotar.

Por último, *Argentina* presentó un documento en el cual señaló que existían diferencias sustanciales entre los tipos de mecanismos establecidos para la revisión del estudio, el desarrollo, la adquisición o la adopción de una nueva arma, medio o método de guerra de conformidad con lo establecido en el artículo 36 del API a los Convenios de Ginebra de 1949 relativo a la protección de las víctimas de conflictos armados internacionales[597]. Teniendo en cuenta ello, la delegación considera que las diferencias existentes entre esos mecanismos de revisión de armas podrían reducirse alcanzando una cierta estandarización más universal de los mismos. Un primer paso en esa dirección sería la elaboración de un compendio de buenas prácticas nacionales sobre la revisión de armas legales en los procesos de adquisición de una nueva arma, medio o método de guerra. Asimismo, Argentina sugiere que se haga un análisis comparativo entre los mecanismos que se ocupan del estudio, el desarrollo y la adopción de una nueva arma, medio o método de guerra.

HL+in+the+Use+of+Autonomy+in+Weapon+Systems.pdf, fecha de revisión: 12/05/2019.

597 *Questionnaire on the Legal Review Mechanisms of New Weapons, Means and Methods of Warfare* (documento de trabajo de Argentina), núm. CCW/GGE.1/2019/WP.6, 28/03/2019, Palacio de las Naciones (reunión de expertos sobre los SAAL en la CCW, celebrada en Ginebra de 25-29 de marzo de 2019) [en línea], disponible en: *https://www.unog.ch/80256EDD006B8954/(httpAssets)/52C72D09DCA60B8BC125841E003579D8/$file/CCW_GGE.1_2019_WP.6.pdf*, fecha de revisión: 12/05/2019.

Por todo ello, el documento argentino finaliza invitando a los Estados a compartir información sobre sus mecanismos nacionales de revisión (así como la legislación actual). Esa iniciativa sería complementaria (y no contradictoria) a cualquier otra opción para abordar los desafíos humanitarios y de seguridad internacional planteados por las tecnologías emergentes en el área de los SAAL.

b) Conclusiones y recomendaciones aprobadas

Los participantes reconocieron la valiosa contribución de los expertos de la comunidad tecnológica, la industria, el mundo académico y la sociedad civil a la divulgación y la comprensión de las posibles aplicaciones militares de las tecnologías emergentes en el ámbito de los SAAL en el contexto de la labor del GEG. Estas aportaciones han asegurado que las reflexiones del GEG progresen cada vez más pese al ritmo vertiginosos de los avances en el campo de la tecnología, todo ello con miras a establecer un grado mínimo de transparencia con respecto a las posibles aplicaciones militares.

Muestra de ello se puede observar en cómo, al finalizar su tercer período de reuniones y sin perjuicio de los resultados de los debates que se celebren en el futuro, los miembros del GEG toman nota de los problemas que las tecnologías emergentes en el ámbito de los sistemas de armas autónomos letales podrían plantear para el derecho internacional y, finalmente, establecieron once «principios rectores» basados en el borrador preliminar que fue objeto de consideración del grupo en el período pasado de reuniones de 2018, cuyo contenido reafirma que el derecho internacional, en particular la Carta de Naciones Unidas y el DIH, así como las perspectivas éticas pertinentes, deben guiar la labor del GEG[598].

Sin embargo, no todo es tan fluido como se quisiera en las discusiones del GEG. Es innegable que, por ejemplo, el mapeo conceptual de los SAAL sigue siendo uno de los retos más grandes del grupo.

---

[598] Grupo de Expertos Gubernamentales sobre las tecnologías emergentes en el ámbito de los sistemas de armas autónomas letales, *Draft Report of the 2019 session,* núm. CCW/GGE.1/2019/3, 25/09/2019 [en línea], disponible en: *https://undocs.org/en/CCW/GGE.1/2019/3*, fecha de revisión: 21/01/2021. *véase anexo IV.*

Desde entonces, sólo se coligen cuatro enfoques generales que, sobre ese aspecto, sirven de referentes en el debate:

Uno *separativo*, en el que algunas delegaciones dejan de lado las características y los conceptos que no son relevantes para los objetivos y propósitos de la CCW, al tiempo que reúnen —por otro lado— las características y conceptos que —en su opinión— sí lo son.

Otro *acumulativo*, según el cual algunos expertos añaden categorías de características a una lista principal, y posteriormente los conceptos y las características que figuran en ella se evalúan con arreglo a determinados criterios técnicos, jurídico-humanitarios o de política y seguridad, para así determinar su pertinencia con respecto a los objetivos y propósitos de la CCW[599].

Luego está aquel basado en la *rendición de cuentas*, en el que las delegaciones solo tienen en consideración un conjunto de características relacionadas con las funciones y los tipos de decisiones que podrían ser transferidas a las máquinas, y evitan utilizar argumentos relacionados con los niveles de autonomía y otras características o categorías más técnicas que podrían estar vinculadas a la pérdida del control humano[600].

Y, finalmente, hay un enfoque más orientado a la *consecución de objetivos y basado en los efectos logrados*. Este método de abordaje se centra más en las consecuencias deseables e indeseables de los sistemas de armas letales que podrían crearse a partir de las tecnologías y los sistemas autónomos e inteligentes que están emergiendo.

Además de todo lo anterior, también existe variedad de orientaciones a la hora de que los expertos intenten establecer cuáles son las posibles opciones para hacer frente a los riesgos y problemas de los SAAL. Entre esas opciones se pueden destacar:

---

599 Estas categorías podrían incluir el rendimiento físico, el desempeño en la selección de objetivos y otras características técnicas. También podrían incluir características relacionadas con la interfaz humano-máquina, la relación entre el ser humano y la máquina o características secundarias como la fiabilidad, la predictibilidad y la subordinación al mando y control.

600 Este enfoque depende mucho del contexto y el entorno en que se utilizarían los sistemas en cuestión e implica una combinación de evaluaciones técnicas y de la interfaz humana centradas en la rendición de cuentas por los Estados y los seres humanos.

La propuesta de *un instrumento jurídicamente vinculante* que establezca prohibiciones y reglamentaciones sobre SAAL. Algunas delegaciones han considerado durante las reuniones que se necesitan nuevas disposiciones jurídicamente vinculantes para hacer frente a los problemas humanitarios y de seguridad internacional que planteaban esos sistemas. Esas disposiciones abarcarían medidas que pasan por una prohibición general[601], prohibiciones más específicas y restricciones como las que ya existen en la CCW, o por el establecimiento de un requisito positivo de mantener el control humano sobre las funciones críticas de un sistema de armas.

Hay quienes abogan más por *una declaración política* que esboce principios importantes como la necesidad del control humano en el uso de la fuerza armada y la importancia de la rendición de cuentas por parte de los seres humanos, así como elementos de transparencia y examen de la tecnología. Algunas delegaciones apoyaron esta propuesta y otras, aunque no se negaron a ella, advirtieron de la posible insuficiencia de los enfoques no vinculantes en el contexto de los SAAL. En ese sentido, aquellas delegaciones más cautas consideraron que una declaración política ha de ser una medida provisional previa a la concertación de un instrumento jurídicamente vinculante, tal vez en forma de nuevo protocolo de la CCW. También hay quienes han pedido *una moratoria sobre el desarrollo de los SAAL*.

Por otro lado, hay una categoría de propuestas que respalda la idea de *seguir examinando la interfaz humano-máquina y la aplicación de las obligaciones jurídicas internacionales existentes*. En ese sentido, algunos Estados han subrayado la necesidad de determinar medidas prácticas, que sean óptimas, basada en un intercambio de

---

601 A la fecha de cierre de la edición de esta obra (septiembre de 2021), sólo una treintena de países han pedido formalmente la prohibición de los SAAL: Argelia, Argentina, Austria, Bolivia, Brasil, Chile, China (solo para uso), Colombia, Costa Rica, Cuba, Yibuti, Ecuador, El Salvador, Egipto, Ghana, Guatemala, Santa Sede, Irak, Jordania, México, Marruecos, Namibia, Nicaragua, Pakistán, Panamá, Perú, Estado de Palestina, Uganda, Venezuela y Zimbabue. Al respecto, *véase:* Human Rights Watch, «Stopping Killer Robots. Country Positions on Banning Fully Autonomous Weapons and Retaining Human Control», *Human Rights Watch,* 2020 [en línea], disponible en: *https://www.hrw.org/report/2020/08/10/stopping-killer-robots/country-positions-banning-fully-autonomous-weapons-and#*, fecha de revisión: 30/09/2021.

información para mejorar el cumplimiento del derecho internacional. Hay delegaciones que han sugerido el concepto de asociación humano-máquina, así como la cuestión de si la participación del ser humano constituye una preocupación mayor desde el punto de vista operativo o del ético.

Por último, están quienes consideran *innecesario adoptar nuevas medidas jurídicas, en la medida en que el DIH es plenamente aplicable* a los posibles SAAL. Algunas delegaciones opinaron que una mejor aplicación del derecho internacional vigente era más que suficiente para mantener la necesaria participación humana en el empleo de las armas y el uso de la fuerza armada. Además, según esta perspectiva, el régimen de responsabilidad y rendición de cuentas a escala internacional por el uso de la fuerza armada en conflictos armados se aplicaría plenamente cuando se emplean tecnologías emergentes en el ámbito de los SAAL, ya que las personas podrían ser consideradas responsables en virtud de las disposiciones aplicables en todas las etapas del desarrollo y despliegue de esos sistemas de armas.

Así las cosas, teniendo en cuenta la evolución del debate y los consensos alcanzados hasta entonces, las delegaciones aprobaron un informe final a través el cual reafirmaron la necesidad de continuar reflexionando acerca de todos los desafíos potenciales que plantean las tecnologías emergentes en el área de los SAAL y, en ese sentido, recomendaron a las Altas Partes contratantes de la CCW que, en su reunión de 2019, hagan suyos los once «principios rectores» establecidos por el grupo que figuran en el anexo IV de ese informe y, además, le autoricen a seguir con sus discusiones durante los años 2020 y 2021[602]. Meses después, la las Altas Partes contratantes en la CCW tomaron nota del informe y de sus recomendaciones, y al final aprobó que el GEG se reuniera durante un total de 10 días en 2020 y entre 10 y 20 días en 2021[603].

---

602 Grupo de Expertos Gubernamentales sobre las tecnologías emergentes en el ámbito de los sistemas de armas autónomas letales, *Draft Report of the 2019 session,* núm. CCW/GGE.1/2019/3, 25/09/2019, *op. cit.*

603 Altas partes contratantes de la CCW, *Final report*, aprobado en la reunión anual celebrada en Ginebra el 13-15 de noviembre de 2019, núm. CCW/MSP/2019/9, de 13/12/2019 [en línea], disponible en: *https://undocs.org/en/CCW/MSP/2019/9*, fecha de revisión: 21/01/2021, *véase párrafo 31.*

5.2.4. Cuarto período de reuniones

El cuarto período de reuniones comenzó en el año 2020. Su primera sesión se llevó a cabo del 21 al 25 de septiembre de ese año, en la sede de la ONU en Ginebra (Suiza). La segunda, aunque estuvo programada para el 2-6 de noviembre de 2020, al final fue suspendida a consecuencia de la pandemia de la enfermedad por coronavirus (COVID-19).

Pese a todos estos imprevistos, la única sesión de reuniones que se celebró en 2020 contó con la asistencia (física y virtual) de varios países, representantes de organizaciones internacionales, delegaciones de organismos no gubernamentales y de instituciones académicas. El debate estuvo presidido nuevamente por Ljupčo Jivan Gjorgjinski, quien en ese momento se desempeñaba como Ministro Consejero del Ministerio de Asuntos Exteriores de Macedonia del Norte. Los encuentros que se llevaron a cabo dieron continuación a las discusiones y las reflexiones que se venían desarrollando en el tercer período de reuniones de 2019. De ahí que la prioridad de la agenda se mantuviera en:

- Explorar los desafíos potenciales que plantean las tecnologías emergentes en el área de los SAAL para el DIH en los dos años siguientes (formalmente hasta, como mínimo, el 2021);
- Promover un entendimiento común sobre los conceptos y las características que se relacionan con los SAAL que sean relevantes para los objetivos y propósitos de la CCW;
- Emplear una mayor consideración sobre el elemento humano en el uso de la fuerza letal; los aspectos de la interacción hombre-máquina en el desarrollo, despliegue y uso de tecnologías emergentes en el área de los SAAL;
- Examinar las posibles aplicaciones militares de tecnologías afines en el contexto de la labor del grupo;
- Identificar y examinar posibles opciones para abordar los desafíos humanitarios y de seguridad internacionales que plantean las tecnologías emergentes en el ámbito de los SAAL en el contexto de los objetivos y propósitos de la CCW, sin prejuzgar los resultados de las políticas y teniendo en cuenta propuestas pasadas, presentes y futuras; y,

- Elaborar y presentar recomendaciones consensuadas en relación con la aclaración, la consideración y el desarrollo de aspectos del marco normativo y operativo sobre tecnologías emergentes en el área de los SAAL.

a) Principales documentos de trabajo

En marzo de 2020 la presidencia del GEG invitó a los Estados parte, las organizaciones internacionales y la academia a que presenten comentarios a los «principios rectores» que fueron aprobados en la reunión de las Altas Partes contratantes de 2019[604]. Aunque la aprobación de estos principios constituyó un avance importante en la labor del grupo, sin embargo, no dejó de ser el reconocimiento de unas guías generales de actuación que pueden desarrollarse y elaborarse aún más. Por tanto, la presidencia del GEG optó por animar a que todos sus miembros hicieran llegar de manera virtual sus observaciones, interpretaciones y sugerencias correspondientes, todo ello con el fin de ir facilitando (como trabajo preparatorio) el entendimiento común sobre este asunto[605]. Al mismo tiempo, invitó a las delegaciones a presentar cualquier otra recomendación con miras a la clarificación, la consideración o el desarrollo del marco operativo y normativo que debe seguir abrazando el debate del GEG. Finalizado el plazo para el envío de esos comentarios, el presidente del GEG elaboró un doc-

---

604 Como se indicó en epígrafes anteriores, estos principios fueron elaborados y sugeridos para su aprobación por parte del propio GEG en su segundo (2018) y tercer período de reuniones (2019).

605 Grupo de Expertos Gubernamentales sobre las tecnologías emergentes en el ámbito de los sistemas de armas autónomas letales, *Non-paper by the GGE Chair,* sin número ni fecha (presentado en la reunión del GEG, celebrada en Ginebra de 21-25 de septiembre de 2020) [en línea], disponible en: *https://reachingcriticalwill.org/images/documents/Disarmament-fora/ccw/2020/gge/documents/non-paper-chair.pdf*, fecha de revisión: 21/01/2021.

umento de trabajo[606] sobre los puntos en común identificados a lo largo de las aportaciones recibidas[607].

Así, este documento de trabajo de la presidencia ofreció al debate un resumen de los elementos más destacables de los comentarios planteados por los Estados parte y la sociedad civil. Las opiniones expresadas por las delegaciones en sus comentarios fueron agrupadas en dos (2) categorías: por un lado, opiniones sobre la puesta en práctica de los «principios rectores»; y, por otro, planteamientos sobre el estado y la función de esos «principios rectores» y demás recomendaciones sobre el marco operativo y normativo que debía seguir definiendo el debate del GEG.

---

606 *Commonalities in national commentaries on guiding principles,* (documento de trabajo del presidente del GEG), sin núm., 15/09/2020 (presentado para la sesión de reuniones del grupo, celebrada en Ginebra de 21-25 de septiembre de 2020) [en línea], disponible en: *https://documents.unoda.org/wp-content/uploads/2020/09/Commonalities-paper-on-operationalization-of-11-Guiding-Principles.pdf*, fecha de revisión: 21/01/2021.

607 Es importante destacar que el primer plazo fijado para esas contribuciones finalizó el 15/06/2020. Dichas aportaciones sirvieron de impulso para las discusiones de las reuniones celebradas en septiembre de 2020. Sin embargo, como se verá en las secciones posteriores de esta obra, la presidencia del GEG invitó a todas las delegaciones a una nueva ronda de contribuciones por escrito que en el marco de su quinto período de sesiones, la cual comenzó en junio y terminó en agosto de 2021. Luego, dada la evolución del debate, la presidencia dio paso a una última ronda de contribuciones que inició el 23 de agosto y terminó el 10 de septiembre del mismo año. Por tanto, a la fecha de cierre de la edición de esta monografía (septiembre de 2021), más de una treintena de países (Australia, Austria, Bélgica, Brasil, Chile, Irlanda, Alemania, Luxemburgo, México, Nueva Zelanda, Costa Rica, Canadá, China, Cuba, Finlandia, Filipinas, Francia, Israel, Italia, Países Bajos, Panamá, Perú, Japón, Kazajistán, Polonia, Portugal, Rusia, España, Suecia, Suiza, Reino Unido, UE, EE.UU., Sierra Leona, Uruguay, grupo de países no alineados y Venezuela) y tres organizaciones no gubernamentales (CICR, el iPRAW y la CSKR) han planteado formalmente comentarios y observaciones al respecto. Información al respecto, disponible en: Grupo de Expertos Gubernamentales sobre las tecnologías emergentes en el ámbito de los sistemas de armas autónomas letales, *Contributions on possible consensus recommendations in relation to the clarification, consideration and development of aspects of the normative and operational framework,* [en línea], disponible en: *https://meetings.unoda.org/section/ccw-gge-2021_documents_14090_documents_14570/*

Al respecto, se observa del texto que algunas delegaciones consideran que los «principios rectores» deben entenderse como una guía para la labor del grupo. No obstante, hay quienes destacan que su contenido no es un fin en sí mismo y no son suficientes para cumplir el mandato del grupo, por lo que con el tiempo pueden desarrollarse, elaborarse y perfeccionarse aún más. En cualquier caso, varios expertos opinaron que los «principios rectores» podrían ponerse en práctica a nivel nacional, sobre todo a la hora de diseñar y aplicar de leyes, reglamentos y políticas nacionales sobre las tecnologías emergentes en el área de los SAAL. Por último, varias delegaciones sostuvieron que la labor del grupo no debería centrarse en la puesta en práctica de estos «principios rectores», sino en examinar la aclaración, consideración y el desarrollo de aspectos del marco normativo y operativo (como un instrumento jurídicamente vinculante, una declaración política. o una recopilación de las mejores prácticas nacionales, por ejemplo).

Pese a las distintas opiniones, el documento de la presidencia destaca varios puntos en común en los planteamientos de las delegaciones y que son importantes de destacar:

- En general, el derecho internacional (incluido el DIH) regula las tecnologías emergentes en el ámbito de los SAAL;
- Los «principios rectores» bajo estudio son aplicables a las consideraciones de cada etapa del ciclo de vida de los sistemas de armas que emplean tecnologías emergentes en el área de los SAAL;
- Es necesario además que el GEG siga trabajando para determinar el tipo y alcance de la participación o el control humanos necesarios para garantizar el cumplimiento del derecho aplicable, en particular el DIH, y responder a las preocupaciones éticas en el uso de tecnologías emergentes en el ámbito de los SAAL;
- Se necesitan medidas nacionales para asegurar el cumplimiento del derecho aplicable (en particular el DIH), incluida la capacitación del personal militar pertinente para lograr una comp-

---

› fecha de revisión: 21/01/2021.

rensión clara de las características técnicas y operativas de los sistemas de armas, así como también los marcos legales correspondientes. Por tanto, sería beneficioso que se diera un intercambio de buenas prácticas nacionales entre los Estados parte en una variedad de áreas de relevancia para las tecnologías emergentes en el área de los SAAL;

- Durante la realización de revisiones legales de las armas, obligatorias conforme al derecho internacional, los gobiernos deben prestar mucha atención a las particularidades de las tecnologías emergentes en el área de los SAAL; y,
- Finalmente, es necesario un compromiso continuo y centrado en las tecnologías emergentes en el ámbito de los SAAL en el marco de la CCW, que sea apropiado para seguir trabajando en este tema, incluso a nivel normativo y operativo.

Brasil, por su parte, presentó a la consideración del grupo dos (2) documentos de trabajo:

El primero titulado «poniendo en práctica los «principios rectores»: una hoja de ruta para el GEG sobre los SAAL»[608], en el que propone cuatro vías de acción sobre las cuales construir los «principios rectores» y, de esa manera, cumplir con el mandato del GEG. Se trata de cuatro caminos, con su metodología de trabajo, estructurados bajo en un enfoque «*bottom-up*», en tanto que ponen en valor el beneficio de los avances en las políticas y legislaciones nacionales, la creación de redes de expertos, el enfoque de múltiples partes interesadas hasta llegar al nivel de la cooperación internacional. Así pues, se trata de una propuesta que consta de cuatro conjuntos de iniciativas que, de manera integrada, podrían generar sinergias y confianza suficiente para conducir —según Brasil— a avances consensuados en la gobernanza de los SAAL. El objetivo final de este documento es animar a la codificación de un instrumento jurídicamente vinculante (bajo el formato de un nuevo protocolo) sobre los SAAL en el marco de la CCW.

---

608 *Operationalizing the Guiding Principles: a roadmap for the GGE on LAWS* (documento de trabajo de Brasil), núm. CCW/GGE.1/2020/WP.3, 06/08/2020, Palacio de las Naciones (reunión de expertos sobre los SAAL en la CCW, celebrada en Ginebra de 21-25 de septiembre de 2020) [en línea], disponible en: *https://documents.unoda.org/wp-content/uploads/2020/08/CCW-GGE.1-2020-WP.3-.pdf*, fecha de revisión: 21/01/2021.

El segundo documento se titula «los SAAL y el control humano: propuestas brasileñas para definiciones de trabajo»[609]. En este trabajo la delegación brasileña plantea los desafíos productos del armamentismo de la IA que, unido con la robótica, la guerra cibernética, los drones y la tecnología de misiles, ha dado lugar a artefactos de naturaleza singular a pesar de los esfuerzos internacionales por regular la conducción de las hostilidades y los medios de guerra. Dado que este panorama produce cada vez más armas únicas, pareciera que los problemas que esto plantea deben abordarse de manera distintiva con respecto a los artefactos convencionales.

Partiendo de esa premisa, Brasil se decanta por una definición pragmática y viable de los SAAL que vaya más allá de un «enfoque de definición centrado en la tecnología». En ese sentido, favorece el concepto propuesto por el CICR-SIPRI y sugiere que sea adoptado por el GEG, pero con ciertas modificaciones que lo completen. Para esta delegación un sistema de armas autónomo «es cualquier sistema de armas que, una vez activado, puede seleccionar y atacar objetivos sin intervención humana». Se trata así de un sistema armado inteligente que goza de un «modo de operación autónomo (es decir, sin intervención humana después de la activación) capaz de reconocer patrones en entornos de combate, y de aprender a operar y tomar decisiones con respecto a las funciones críticas de identificación de objetivos, seguimiento, bloqueo y participación», basándose en datos cargados, sus propias experiencias adquiridas, cálculos y conclusiones.

Otro aspecto interesante del documento es las ideas que plantea acerca de la interacción hombre-máquina, el juicio y control humanos.

Según el texto, la interacción hombre-máquina es el vínculo entre, por un lado, la ingeniería y el sistema operativo, y por el otro, el operador. La máquina (como una extensión del operador humano) responde a la conciencia, el juicio, conocimiento, entrenamiento profesional y la intención del usuario. Por tanto, se trata de una interacción que tendría lugar en dos esferas: a nivel de software, incluido el

---

[609] LAWS and human control: Brazilian proposals for working definitions (documento de trabajo de Brasil), núm. CCW/GGE.1/2020/WP.4, 19/08/2020, Palacio de las Naciones (reunión de expertos sobre los SAAL en la CCW, celebrada en Ginebra de 21-25 de septiembre de 2020) [en línea], disponible en: https://undocs.org/en/ccw/gge.1/2020/wp.4, fecha de revisión: 21/01/2021.

lenguaje de programación y la comparación de bases de datos; y, de hardware, abarcando drones, robots, misiles o vehículos. Para Brasil, ambas áreas de interacción (software y hardware) siguen estrictas reglas de enfrentamiento y mando y control, vinculando al operador con sus superiores en cumplimiento de protocolos militares y reglas jurídicas. Partiendo de esta base, la delegación entiende que los sistemas autónomos reducen la función de control del programador y se deja aún menos control al operador. Esto hace que el control humano se vea cada vez más desafiado por la sofisticación de las AW, en tanto que agregará niveles más altos de impredecibilidad en la ejecución de sus funciones, sobre todo si no se ponen límites en las primeras etapas de su ciclo de vida.

Con relación al «juicio humano» y el «control humano», el documento de trabajo los plantea como conceptos diferentes, compatibles y necesariamente interrelacionados. En ese sentido, entiende que ambas nociones se refieren a distintos niveles de interacción hombre-máquina (o trabajo en equipo): el «juicio humano» implica la doctrina del empleo del arma, mientras que el «control humano» la operación de esta en sí. Dado que el mandato del GEG no abarca la discusión de la doctrina militar —ámbito del «juicio humano»—, para la delegación brasileña, el enfoque de trabajo del grupo debe ceñirse al funcionamiento del SAAL —por lo tanto, en el ámbito del «control humano»—[610].

Así las cosas, y dada la naturaleza de los sistemas de armas autónomos, el «control humano» vendría a ser el único concepto capaz de asegurar el uso responsable de la IA en los sistemas de armas, máxime cuando en ausencia de ese «control humano» el comportamiento final de una máquina autónoma puede llegar a causar interacciones diferentes de la «intención» original del usuario previamente informada

---

610 Según el documento de trabajo propuesto por Brasil, el concepto objetivo de «control humano» se refiere a la interfaz hombre-máquina y los modos de operación del arma: apagado, en espera, manual, semiautomático y/o automático. Mientras, «juicio humano» es un concepto más amplio y subjetivo que se refiere, básicamente, a la capacidad de discernimiento de los individuos bajo la cadena de mando y control (comandantes, supervisores, operadores) relacionada con el despliegue de las armas, tomando en cuenta la doctrina, la habilitación de los diversos modos de operación, las reglas de enfrentamiento, el entrenamiento y los contextos de combate.

por el «juicio» del operador. Ergo, para Brasil, el análisis jurídico de las operaciones de los SAAL no debe basarse en el «juicio humano» o la «intención», que son términos esencialmente subjetivos, sino en el concepto objetivo de «control humano» sobre las funciones críticas del arma, necesario para corregir aquellas decisiones autónomas de la máquina que produzcan daños colaterales, anular fallas del propio sistema o malas interpretaciones que haga acerca del entorno y el objetivo militar, y lograr así el resultado militar y jurídico deseados.

Reino Unido. Como en períodos pasados, la delegación presenta un documento de trabajo[611] con la intención de generar estimular el debate del GEG solo con el fin de profundizar las discusiones sobre el papel del humano en los SAAL. En su contenido, aborda dos preguntas clave: ¿por qué es importante que el grupo continúe enfocándose en el rol humano dentro del uso de la fuerza, y más específicamente en el concepto de control humano? ¿Y qué se entiende por el término «control humano»?

En respuesta a ambas cuestiones, el texto describe argumentos operativos, legales y éticos que apuntan al control humano como un facilitador de la eficacia militar, sobre todo a la hora de evitar consecuencias no deseadas. Asimismo, plantea el concepto de «control humano» describiéndolo —de forma dinámica y multidimensional— en

611 *United Kingdom Expert paper: The human role in autonomous warfare* (documento de trabajo de Reino Unido), núm. CCW/GGE.1/2020/WP.6, 18/11/2020, Palacio de las Naciones (reunión de expertos sobre los SAAL en la CCW, celebrada en Ginebra en 2020) [en línea], disponible en: *https://undocs.org/en/CCW/GGE.1/2020/WP.6*, fecha de revisión: 21/01/2021. En junio de 2021 Reino Unido publicó un documento a través del cual ratificó su posición acerca de los SAAL y puntualizó que el consenso en torno a un conjunto de obligaciones positivas (por ejemplo, buenas prácticas técnicas, legales y militares a lo largo del ciclo de vida de un arma) es la forma óptima para que el GEG sobre los SAAL en la CCW progrese en su trabajo. Al respecto, véase: *Written contributions on possible consensus recommendations in relation to the clarification, consideration and development of aspects of the normative and operational framework on emerging technologies in the area of lethal autonomous weapons systems*, (documento de trabajo de Reino Unido), sin núm, Palacio de las Naciones, presentado ante el grupo de expertos gubernamentales sobre los sistemas de armas autónomas letales en la CCW, junio de 2021 [en línea], disponible en: *https://documents.unoda.org/wp-content/uploads/2021/06/United-Kingdom.pdf*, fecha de revisión: 01/07/2021.

términos de interacción hombre-máquina, su naturaleza distributiva, del impacto del contexto y la importancia de considerar todo el ciclo de vida del sistema. No obstante, el documento reconoce que el próximo paso importante para el GEG será construir un entendimiento compartido de lo que significa «control humano» en términos de actividades legales, técnicas y militares a lo largo del ciclo de vida de un arma.

Por último, el texto aborda un asunto de particular importancia relacionado con el «ciclo de vida de los sistemas». De acuerdo con el documento, no existe en la actualidad una solución única con relación a cuál debería ser el rol de los humanos en el uso de la fuerza. Sin embargo, para Reino Unido, puede que el enfoque del «ciclo de vida» discutido en sesiones anteriores del GEG proporcione una base firme para la consideración sistemática de las medidas de control que deberían ejercer los humanos sobre el arma. En ese sentido, un enfoque como ese serviría para facilitar la identificación e implementación rigurosas de buenas prácticas en actividades como la investigación y el desarrollo, el diseño, el testeo y la evaluación, la revisión legal, la capacitación del personal y el despliegue de los sistemas de armas. Al hacerlo, este marco valdría como una herramienta para poner en práctica a nivel nacional los «principios rectores» (adoptados por el GEG) durante todo el ciclo de vida de un sistema de armas, ayudando a abordar las oportunidades y los riesgos potenciales que plantean las tecnologías emergentes en el área de los SAAL conforme al derecho internacional aplicable.

b) Conclusiones y recomendaciones: diferidas por la pandemia

Como se destacó a inicios de esta sección, las altas partes contratantes de la CCW aprobaron la decisión técnica de suspender la segunda sesión del GEG programada para el 2-6 de noviembre de 2020, ello en virtud de la pandemia de la enfermedad por coronavirus (COVID-19). Por ende, el grupo no pudo elaborar ni adoptar un informe final (con sus conclusiones y recomendaciones) sobre los avances alcanzados en las deliberaciones correspondientes al cuarto período de reuniones, un asunto diferido que —como se verá a continuación— fue abordado tangencialmente en la agenda de los encuentros programados en el cronograma de trabajo del GEG para el 2021.

5.2.5. Quinto período de reuniones

Durante el primer trimestre de 2021, la secretaría de la CCW aprobó un calendario provisional y excepcional de encuentros que reflejaba la programación de tres sesiones que —se deduce— formarían parte del quinto período de reuniones de este grupo de expertos correspondiente al año en curso. Sin embargo, el cronograma fue modificado nuevamente, quedando finalmente establecido de la siguiente manera: la primera sesión fue programada, y luego celebrada, del 3 al 13 agosto de 2021; la segunda sesión fue fijada, y después llevada a cabo, del 24 de septiembre y al 1 de octubre; y la tercera sesión quedó programada del 6 al 10 de diciembre de 2021, por lo que —a la fecha de cierre de la edición de esta obra, a saber, septiembre de 2021— su celebración está pendiente de llevarse a cabo.

Mientras tanto, la presidencia actual del GEG —a cargo de Marc Pecsteen de Buytswerve, embajador del gobierno de Bélgica—, como parte de las decisiones técnicas adoptadas por las altas partes contratantes de la CCW, el 23 de abril de 2021 invitó a todas las delegaciones a una ronda de contribuciones por escrito que daría continuación el trabajo previo que hizo el grupo en el 2020. Se trató de una nueva oportunidad para que los Estados parte de la CCW y la sociedad civil pudieron plantear sus opiniones, argumentos y/o recomendaciones en torno a la aclaración, el examen y la elaboración de aspectos del marco operacional y normativo sobre las tecnologías emergentes en el área de los SAAL. Este primer plazo terminó a inicios de agosto de 2021. Luego, dada la evolución del debate, la presidencia del grupo dio paso a una ronda más de contribuciones en los mismos términos que la anterior, la cual inició el 23 de agosto y terminó el 10 de septiembre del mismo año.

Así pues, siguiendo el cronograma fijado por la secretaría de la CCW, el GEG sobre los SAAL llevó a cabo su primera y segunda sesión de reuniones en las oficinas de la ONU en Ginebra (Suiza). Ambas sesiones contaron con la asistencia (física y virtual) de varios países, representantes de organizaciones internacionales, delegaciones de organismos no gubernamentales y de instituciones académicas. Debido a la situación de la pandemia, todas las reuniones fueron retransmitidas en vivo por la *Web TV* de la ONU, lo que permitió que aquellos que no podían intervenir en las discusiones al menos las siguieran a distancia. El debate estuvo dirigido, en su condición de presidente del actual período de reuniones.

Los encuentros dieron continuación a las discusiones y reflexiones que se venían desarrollando en el tercer y cuarto período de reuniones de 2019 y 2020, respectivamente. De ahí que la prioridad de la agenda se mantuviera en:

- Explorar los desafíos potenciales que plantean las tecnologías emergentes en el área de los SAAL para el DIH;
- Promover un entendimiento común sobre los conceptos y las características que se relacionan con los SAAL que sean relevantes para los objetivos y propósitos de la CCW;
- Emplear una mayor consideración sobre el elemento humano en el uso de la fuerza letal; los aspectos de la interacción hombre-máquina en el desarrollo, despliegue y uso de tecnologías emergentes en el área de los SAAL;
- Examinar las posibles aplicaciones militares de tecnologías afines en el contexto de la labor del grupo;
- Identificar y examinar posibles opciones para abordar los desafíos humanitarios y de seguridad internacionales que plantean las tecnologías emergentes en el ámbito de los SAAL en el contexto de los objetivos y propósitos de la CCW, sin prejuzgar los resultados de las políticas y teniendo en cuenta propuestas pasadas, presentes y futuras; y,
- Elaborar y presentar recomendaciones consensuadas en relación con la aclaración, la consideración y el desarrollo de aspectos del marco normativo y operativo sobre tecnologías emergentes en el área de los SAAL, teniendo en cuenta todas las propuestas pasadas, presentes y futuras.

a) Principal documento de trabajo: informe preliminar de la presidencia del GEG

Una vez recibidas las opiniones y sugerencias presentadas por escrito por los Estados parte de la CCW y la sociedad civil con motivo a la invitación hecha por la presidencia del GEG en abril, y que luego fue reiterada en agosto, de 2021, el embajador Marc Pecsteen de Buytswerve —en su condición de presidente del grupo— elaboró un informe preliminar que resume los elementos más destacables de esas contribuciones[612]. El texto aborda por un lado, las opiniones de

---

[612] *Draft elements on possible consensus recommendations in relation to the clarification, consideration and development of aspects of the normative and operational framework on emerging technologies in the area of lethal autonomous weapons systems,* (documento de trabajo del presidente del GEG), sin núm., agosto de 2021 (presentado para la primera sesión de reuniones del grupo, celebrada en Ginebra de 3-13 de agosto de 2021) [en línea], disponible en: *http://www.apc.org.nz/pma/ch-gge12aug21.pdf*, fecha de revisión: 30/09/2021. Este documento, al mismo tiempo, tomó en cuenta el informe elaborado en abril de 2021 por la secretaría de la CCW, el cual refleja los elementos clave extraídos de todo el trabajo sustantivo realizado y las aportaciones recibidas a lo largo de 2020. Para más información sobre este informe véase: *Chairperson's Summary* (informe elaborado por la presidencia del GEG, con el apoyo técnico de la secretaría de la CCW), núm. CCW/GGE.1/2020/WP.7, 19 de abril de 2021 (presentado como cierre del cuarto período de reuniones del GEG), [en línea], disponible en: *https://documents.unoda.org/wp-content/uploads/2020/07/CCW_GGE1_2020_WP_7-ADVANCE.pdf*, fecha de revisión: 30/09/2021. Al margen de todo esto, es importante destacar que, en el marco de las dos (2) sesiones celebradas —en lo que va de año— por el GEG sobre los SAAL, la delegaciones de Rusia, Australia, Canadá, Japón, Corea, Reino Unido, EE.UU., Francia, Alemania, Argentina, Costa Rica, Ecuador, El Salvador, Panamá, Palestina, Perú, Filipinas, Sierra Leona y Uruguay, respectivamente, presentaron documentos de trabajo que —en términos generales— ratifican sus posiciones sobre el tema de las armas autónomas, muchas de las cuales han sido tratadas en secciones anteriores. Ergo, se trata de documentos que, aunque animan al debate, no aportan en sí mismos elementos nuevos de cara a las deliberaciones del GEG sobre las tecnologías emergentes en el área de los SAAL. Del mismo modo, el CICR presentó un documento de trabajo que refleja su posición, propuestas y recomendaciones con relación a la aclaración, consideración y el desarrollo de aspectos del marco normativo y operativo de las armas autónomas, contribuciones que también han sido destacadas y analizadas in extenso en epígrafes previos de este libro. Además de esto, se observa que varios de los planteamientos de esos Estados y del CICR pivotan a su vez en torno a muchos de los términos, los principios y las ideas ya contenidos en el informe elaborado por la presidencia del GEG en agosto de 2021, por lo que no resulta necesario hacer referencia detallada sobre su contenido sustancial. No obstante, para más información sobre esos documentos véase Grupo de Expertos Gubernamentales sobre las tecnologías emergentes en el ámbito de los sistemas de armas autónomas letales, *Overview – working papers 2021,* [en línea], disponible en: *https://meetings.unoda.org/section/documents_documents_14091/*, fecha de revisión: 30/09/2021.

las delegaciones sobre la puesta en práctica de los «principios rectores» aprobados por el grupo en períodos de reuniones anteriores, incluida la información sobre la práctica nacional pertinente; y, por otro, los elementos sobre posibles recomendaciones en relación con la aclaración, la consideración y el desarrollo de aspectos del marco normativo y operativo sobre las tecnologías emergentes en el área de los SAAL.

Se trata entonces de una aportación que sirvió como base para las deliberaciones del GEG que, aunque no demanda una respuesta legal, ni reconoce la necesidad de prohibir los sistemas dirigidos a las personas o adopta un rechazo de los SAAL, al menos vino a reforzar la estructura de las prohibiciones y regulaciones como el centro del debate internacional sobre las armas autónomas, enmarcando así las conversaciones de las delegaciones de una manera franca y constructiva en torno al tema.

De acuerdo con este documento de trabajo, la mayoría de los estados partes de la CCW están de acuerdo en la necesidad de un nuevo tratado para abordar las preocupaciones morales, legales, técnicas y de seguridad planteadas por los SAAL. Sin embargo, sigue en duda cómo se podrá garantizar que un nuevo tratado de tal entidad se convierta en realidad.

Algunas delegaciones, por ejemplo, consideran necesario que el GEG recomiende a la Sexta Conferencia de Examen de la CCW —a celebrarse en diciembre de 2021— la aprobación de un mandato para negociar y adoptar rápidamente un nuevo instrumento jurídicamente vinculante sobre los SAAL; otros participantes, más escépticos con el debate actual, entienden que si la próxima Conferencia de Examen no aprueba tal mandato, entonces habrán de buscar un instrumento legalmente vinculante en un foro fuera de la CCW; y, finalmente, hay Estados parte de la CCW y miembros de la sociedad civil que apuestan sin más por la prohibición absoluta de los SAAL, al considerarlos instrumentos capaces de seleccionar y atacar objetivos sin un control humano significativo o que tienen como objetivo a los humanos, al tiempo que exigen la adopción de obligaciones positivas para garantizar que el resto de sistemas de armas autónomos que no se dirigen *per se* contra los seres humanos al menos se utilicen siempre bajo la égida de un control humano real y seguro.

Por su parte, países como Alemania y Francia, por ejemplo, pretenden un resultado que se asemeje más a una declaración política o código deontológico que ponga el foco en el rechazo de los SAAL por considerarlos ilegales y moralmente inaceptables, en tanto que los definen como sistemas diseñados para operar fuera de cualquier estructura de control humano. Se trata de una formulación un tanto retórica, máxime cuando la noción de un sistema armado desarrollado intencionalmente para estar fuera de cualquier forma de control humano es, además de inverosímil, una idea ampliamente proscrita por todos los Estados parte a tenor de los principios básicos del DIH y el DIDH. A día de hoy la gran mayoría de la comunidad internacional entiende que las armas completamente autónomas son un tipo de tecnología que no debe existir. Por ello, una declaración pública que como punto de partida solo reconozca esta premisa general y prohibitiva, por defecto, deja abierta la posibilidad de que cualquier desarrollo armamentístico que, no siendo un arma totalmente autónoma, tenga altos grados de autonomía en sus funciones críticas y pueda ejercer su fuerza letal libre de cualquier otra prohibición o restricción expresa en el marco de la CCW.

Objetivamente, argumentos como los planteados por las delegaciones francesa y alemana, en lugar de fijar una narrativa clara y contundente sobre asuntos sensibles que giran en torno al debate de los SAAL (como los riesgos en la poca predictibilidad y fiabilidad en las tecnologías emergentes aplicadas al diseño de las armas autónomas, los sesgos de automatización, el peligro de la caja negra detrás de las programaciones algorítmicas, la necesidad —o no— de que se establezcan restricciones espaciales y temporales en el uso de estos sistemas de armas como una vía para garantizar el cumplimiento de las normas legales y evitar las vulnerabilidades técnicas, por ejemplo), en realidad abonan el camino para la asunción de posiciones como las de EE.UU., Suiza, Israel, UE, Reino Unido, Rusia, Países Bajos, entre otros países, cuyas representaciones oficiales emplean técnicas diplomáticas y semánticas que debilitan la dinámica de construcción real de consensos en el debate del grupo, enfatizando —entre otros aspectos— que el derecho internacional existente ya es adecuado para regular a las armas autónomas en general y que las deliberaciones actuales del GEG sólo se deberían dedicar a reiterar los acuerdos ya alcanzados por sus miembros en años anteriores. Ante este panorama, quedará por ver cómo derivará todo esto y cuáles serán los resultados de la tercera y última sesión del quinto período de reuniones del GEG sobre los SAAL y las decisiones finalmente adoptadas al respecto por la Sexta Conferencia de Examen de la CCW.

b) Conclusiones y recomendaciones (pendientes de elaboración y aprobación final)

Luego de las dos (2) sesiones celebradas en 2021 por el GEG, las delegaciones siguen comprometidas a continuar debatiendo sobre los SAAL e ir avanzando de cara a nueva esferas convencionales de convergencia y, a partir de allí, adoptar por consenso durante la última parte del actual período de reuniones todas las recomendaciones a que hubiere lugar, para luego presentarlas y someterlas a la consideración de la Sexta Conferencia de Examen de la CCW. Sin embargo, falta mucho por recorrer para lograr acuerdos que sean realmente claves en ese sentido. Por ello, la presidencia del grupo se comprometió a presentar durante los meses siguientes el primer borrador del informe final de las conclusiones y recomendaciones para la revisión de las delegaciones de cara la celebración de la tercera sesión del GEG programada para diciembre de 2021 y, de ser el caso, su ulterior presentación en la Sexta Conferencia de Examen de la CCW.

En cualquier caso, a modo de reflexión final, vale la pena destacar lo siguiente: tras más de 7 años de labor de debate internacional acerca de las implicaciones que traen consigo las tecnologías emergentes en el área de los SAAL, está claro que dentro de la comunidad internacional hay una sensación generalizada de que la rápida evolución de las nuevas tecnologías militares plantea desafíos importantes. Para muchos Estados y organizaciones de la sociedad civil, las AW están destinadas a revolucionar las formas en que se libran los conflictos armados.

En ese sentido, varias delegaciones han afirmado que existen ventajas estratégicas y operativas importantes que están asociadas con los SAAL. Bajo esta perspectiva, las AW son mucho más capaces que los soldados humanos para poder adaptarse y hacer frente a la complejidad, el ritmo acelerado y los requisitos de procesamiento de datos de cualquier campo de batalla. Además, los factores que pueden causar estrés, decisiones equivocadas o exceso en los soldados humanos como el miedo, la ira o el odio estarían ausentes en un SAAL. Al mismo tiempo, estos sistemas podrían realizar las tareas aburridas, sucias y peligrosas, y hacerlo sin agotamiento o cualquier riesgo inminente para la vida humana.

No obstante, por otro lado, hay delegaciones que han advertido en las reuniones del GEG que el desarrollo de SAAL conlleva también riesgos significativos. Las preocupaciones son variadas: a) el peligro de una nueva carrera armamentista; b) el riesgo de que las AW actúen de manera impredecible y poco fiable; c) las brechas de responsabilidad y la rendición de cuentas por los hechos cometidos a través de SAAL; d) dudas sobre la capacidad de estos sistemas para acatar de manera fiable el DIH y el DIDH; e) preocupaciones éticas relativas a la desvalorización de la vida y la dignidad humanas, ya que con el uso de SAAL se estaría delegando las decisiones de vida y muerte a los algoritmos incorporados en las AW.

Así pues, las discusiones del GEG sobre los SAAL en la CCW reflejan un amplio espectro de puntos de vista sobre las AW. El debate y las opiniones sobre estos sistemas en algunos aspectos continúan desarrollándose. Sin embargo, es innegable que, en los últimos años, la actitud de parte de muchos Estados parte de la CCW no ha sido del todo constructiva. Una de las dificultades en las discusiones actuales sobre AW es que el impulso para una prohibición o cualquier tipo de regulación internacional está siendo liderado por ONG, no por los Estados. Solo unos pocos países han dicho que apoyan iniciativas regulatorias, y no son precisamente las grandes potencias que, además, son las que invierten en estos sistemas tecnológicos. Es cierto que una posible excepción en todo esto pudiera ser la posición oficial del gobierno chino, alemán o francés, o incluso de la propia UE, por ejemplo, quienes estarían de acuerdo en prohibir cualquier desarrollo tecnológico destinado a la creación de armas completamente autónomas. Sin embargo, como se destacó en capítulos previos, incluso estos actores sí que reconocen la importancia estratégica de invertir y desarrollar las ciencias de la computación aplicadas al área militar, de seguridad y de defensa, y en hacerse con armas más autónomas y sofisticadas para mejorar su poderío militar.

En cualquier caso, por ahora, lo más probable es que las discusiones sobre estos temas sigan algún tiempo más en el seno de la

ONU, aunque a un ritmo bastante lento, algo típico de los debates que se suscitan siempre en la CCW, una dinámica que además se verá agudizada en razón de las circunstancias excepcionales producto de la pandemia. Ahora bien, quedará por ver más adelante si el agotamiento de las deliberaciones producto de su metodología traiga consigo la migración de las negociaciones en sí a otro foro internacional fuera del sistema de la ONU y, por tanto, menos permeado por el control de los gobiernos. De todas formas, como se destacó en la sección final del capítulo anterior, ante una hipótesis como esta no está del todo claro si ese traslado favorecerá —o perjudicará— sistemáticamente la construcción de consensos para avanzar en las discusiones sobre las implicaciones que traen consigo la investigación, el desarrollo, la innovación y el uso de las tecnologías emergentes en el área de los SAAL.

Capítulo 6. Implicaciones jurídicas del desarrollo y el uso de SAAL en conflictos armados internacionales

Tras varios capítulos, hasta ahora, se ha alcanzado a establecer en esta investigación lo siguiente: a) una definición de trabajo preliminar acerca de los SAAL; b) la contextualización del marco jurídico aplicable a estos sistemas, con la intención de hacer más comprensible el análisis jurídico correspondiente[613]; y, c) un estudio general de cuán estratégico resulta para algunos Estados y organizaciones internacionales (sobre todo, aquellas principales potencias —políticas y económicas— que invierten en sofisticados sistemas armamentistas) la investigación, el desarrollo y la innovación de las tecnologías emergentes en el área de las AW.

En contraste, también se ha reflexionado acerca de las principales iniciativas internacionales impulsadas desde la sociedad civil con miras a continuar el debate sobre los SAAL en Naciones Unidas y, en su caso, exigir que los Estados parte de la CCW prohíban estos sistemas por considerarlos un tipo de arma que puede representar un impacto negativo para la seguridad internacional, el desarme y la protección de la persona humana. Asimismo, se explicó cómo surgieron en su momento, y cómo se han desarrollado después, las discusiones sobre los SAAL en el seno de la CCW.

Ahora bien, en este estado de la investigación, el presente capítulo se centrará en analizar las potenciales implicaciones jurídicas que plantearían el desarrollo y el uso de SAAL en conflictos armados internacionales. A tal efecto, se iniciarán las reflexiones abordando las

---

613 Es importante destacar que el análisis de las implicaciones jurídicas que trae consigo el uso de los SAAL en conflictos armados internacionales se hará teniendo como referencia jurídico-conceptual el derecho internacional armamentista, una propuesta doctrinal que se nutre de las normas del DICA, y cuyas obligaciones se derivan, principalmente, del DIH. Así pues, cuando se emplee el término «derecho internacional armamentista» se hará en el sentido y alcance ya explicados en el cuarto apartado del capítulo 1 de esta monografía. Ahora bien, a partir de ahí, en este capítulo se hará referencia fundamentalmente a las reglas que sean específicas de cada asunto que se vaya a tratar.

repercusiones y los desafíos que pueden representar los SAAL para la debida aplicación de las normas sustantivas del DIH. Luego, se finalizará analizando las particularidades que pueden implicar los SAAL a la hora de que tengan que ser jurídicamente revisados conforme al artículo 36 del API.

6.1. Aplicación de las reglas sustantivas del DIH a los SAAL

Como se explicó en el capítulo 1 de esta investigación, dentro del derecho internacional armamentista existen dos grupos normativos muy diferentes entre sí, aunque al mismo tiempo complementarios, que regulan todo lo que tiene que ver con el derecho de desarrollo y uso de armas y métodos bélicos que pueden ser luego usados en la conducción de hostilidades, a saber, normas sustantivas del DIH (*Weapons Law* y *Targeting Law*) y la norma procedimental de revisión de nuevas armas, medios y métodos de guerra del artículo 36 del API.

Así pues, el presente apartado comenzará reflexionando acerca de las posibles implicaciones que traen consigo los SAAL para el grupo de principios y de reglas internacionales que forman parte de las normas sustantivas del DIH. En ese sentido, se analizará si las AW deben ser consideradas un arma o un método de guerra ilegal *per se* debido a su naturaleza y diseño. Luego, se abordarán los desafíos que implica el uso de esos sistemas armamentísticos autónomos, concretamente, conforme al *Targeting Law* el cual abarca, entre otros aspectos, la observancia de los principios de distinción, proporcionalidad, precaución, necesidad militar, humanidad y conciencia pública[614].

Por último, se analizarán los retos que representan los SAAL para la correcta ampliación de la norma procedimental del derecho internacional armamentista contenida en el artículo 36 del API[615].

---

614 Para una aproximación mayor sobre el principio de humanidad y los dictados de la conciencia pública establecidos en la cláusula Martens, véase el primer apartado del capítulo 7 de esta monografía.

615 Protocolo Adicional I (API) a los Convenios de Ginebra de 1949 relativo a la protección de las víctimas de los conflictos armados internacionales, *op. cit.*, *véase artículo 36*.

6.1.1. Los SAAL y el Weapons Law

Según el artículo 35.1 del API[616], el DIH no reconoce en las partes de cualquier conflicto armado un poder ilimitado en la adopción de los medios para hacer daño a sus enemigos. Esto significa que las partes en un conflicto armado se encuentran limitadas por principios y reglas de obligatorio cumplimiento, sobre todo a la hora de seleccionar algún arma, medio o método de guerra. Este conjunto de normas jurídicas restrictivas es lo que la doctrina especializada denomina «derecho de las armas» o *Weapons Law*, relativo a la legalidad *per se* de cualquier tipo de arma en particular[617]. Así, como con cualquier otra arma, los Estados que son parte de un conflicto armado internacional están en la obligación de cumplir con esos principios y reglas prohibitivas propias del derecho de las armas cuando se trate de hacer uso de su fuerza militar a través de SAAL.

Ahora bien, dado el alto nivel de autonomía y sofisticación en las funciones críticas de estos sistemas autónomos, es importante presentar algunas consideraciones sobre los desafíos potenciales que esas armas podrían representar para el *Weapons Law*. En ese sentido, a continuación, se reflexionará acerca del impacto que traen consigo los SAAL para el cumplimiento de los principios del derecho consuetudinario y las normas derivadas del API[618], y en ese sentido se podrá revisar si hoy en día existen reglas particulares de las cuales se puedan

---

616 Protocolo Adicional I (API) a los Convenios de Ginebra de 1949 relativo a la protección de las víctimas de los conflictos armados internacionales, *op. cit.*, *véase artículo 35.1.*

617 Al respecto, Dinstein, Y., *The conduct of hostilities under the law of international armed conflict*, Cambridge (EE.UU.), Cambridge University Press, 2004, *véanse páginas 55-57*; Boothby, W. H., *Weapons and the Law of armed conflict*, *op. cit.*, *véase página* 2; y Schmitt, M. y Thurnher, J., «"Out of the loop": Autonomous weapon systems and the law of armed conflict», *op. cit.*, *véanse páginas 244 y 245.*

618 La naturaleza vinculante de los principios consuetudinarios que forman parte del derecho de las armas debe entenderse en el sentido y el alcance que la costumbre internacional tiene, ello según lo expresado en la opinión consultiva sobre el manejo o empleo de armas nucleares dictada por la Corte Internacional de Justicia; *Legality of the Threat or Use of Nuclear Weapons*, Advisory Opinion, *op. cit.*, *véase párrafos 74-87.*

deducir prohibiciones específicas que sean, de alguna manera, aplicables a los SAAL.

a) Principio consuetudinario 1: prohibición de las armas que causen daños superfluos y/o sufrimientos innecesarios

Es uno de los principios fundamentales en el DIH y, por lo tanto, del derecho internacional armamentista. Su naturaleza consuetudinaria[619] vincula a todos los Estados, cuyas raíces devienen, *entre otras*, de la Declaración de San Petersburgo de 1868[620] y de Bruselas de 1874[621], así como de las Conferencias de La Haya de 1899 y 1907[622].

---

619 Henckaerts, J. M. y Doswald-Beck, L., *El Derecho internacional humanitario consuetudinario*, vol. 1: *Normas*, Buenos Aires, Comité Internacional de la Cruz Roja, 2017, disponible en: *https://www.icrc.org/es/doc/assets/files/other/icrc_003_pcustom.pdf*, fecha de revisión: 06/06/2019, *véase regla 70.*

620 *Declaración suscrita en San Petersburgo*, el 29/11/1868, *con el objeto de prohibir el uso de determinados proyectiles en tiempo de guerra*, disponible en: *https://ihl-databases.icrc.org/applic/ihl/ihl.nsf/Article.xsp?action=openDocument&documentId=568842C2B90F4A29C12563CD0051547C*, fecha de revisión: 06/06/2019. Esta declaración es considerada como el primer acuerdo formal en las leyes de la guerra. Para más comentarios sobre esta declaración y su trascendencia histórica en la construcción del principio prohibitivo de causar sufrimientos innecesarios y males superfluos propia del DIH consuetudinario, Crawford, E., «The enduring legacy of the St Petersburg Declaration: Distinction, military necessity, and the prohibition of causing unnecessary suffering and superfluous injury in IHL», *Journal of the History of International Law*, vol. 20, 2018, núm. 4, pp. 544-566.

621 El Proyecto de declaración concerniente a las leyes y costumbres de la guerra de Bruselas en 1874 fue un acuerdo alcanzado en la conferencia realizada el 24 de agosto de 1874 en Bruselas (Bélgica), en el cual, en su artículo 13 (e), los Estados observaron la necesidad especial de prohibir el uso de armas, proyectiles o material calculado que causaran un sufrimiento innecesario. Comité Internacional de la Cruz Roja, *Proyecto de declaración concerniente a las leyes y costumbres de la guerra en Bruselas 1874, según acuerdo alcanzado en la Conferencia realizada el 24/08/1874 en Bruselas (Bélgica)*, 27/08/1874 [en línea], disponible en: *https://ihl-databases.icrc.org/applic/ihl/ihl.nsf/INTRO/135?OpenDocument*, fecha de revisión: 06/06/2019.

622 Las Conferencias de La Haya fueron dos conferencias sostenidas por diversos Estados en 1899 y 1907, las cuales se inspiraron en los trabajos de la Declaración de San Petersburgo de 1868 y de Bruselas de 1874. Cada una adoptó un reglamento respecto de las leyes y las costumbres de la guerra en tierra. En el artículo 23 de la regulación de 1899, y luego en la versión de ese mismo artículo redact-

La formulación más moderna de este principio se encuentra establecida en el artículo 35.2 del API, el cual prohíbe el empleo de armas, proyectiles, materias y métodos de hacer la guerra de una naturaleza tal que causen males superfluos o sufrimientos innecesarios[623]. En este sentido, las palabras «superfluos» e «innecesarios» reflejan el elemento comparativo que es fundamental para el principio. Ambos términos significan que el efecto de la herida, la lesión y otros sufrimientos sobre los combatientes derivado del uso de un arma será «superfluo» o «innecesario» en la medida que no sirva para lograr una ventaja militar o un propósito en relación con un conflicto armado[624].

Así, cuando se trata de la prohibición de armas que causen males superfluos y/o sufrimientos innecesarios, la legitimidad de cualquier medio de guerra deberá determinarse comparando la naturaleza y la escala de la ventaja militar genérica que se anticipa desde el arma —en la aplicación para la cual ha sido diseñado el uso de esta— con el patrón de lesión y sufrimiento asociado con la utilización normal prevista de esa arma[625]. Obviamente, esto no significa que un arma se

---

ada en 1907, se hace expresa referencia a la prohibición del empleo de armas, proyectiles o materiales de una naturaleza tal que causen «males superfluos» (versión de 1899) y «sufrimientos innecesarios» (versión de 1907), respectivamente. *Conferencias de La Haya de 1899 y 1907*, disponible en: *https://oll.libertyfund.org/titles/higgins-the-hague-peace-conferences-concerning-the-laws-and-usages-of-war*, fecha de revisión: 06/06/2019.

623 Protocolo Adicional I (API) a los Convenios de Ginebra de 1949 relativo a la protección de las víctimas de los conflictos armados internacionales, *op. cit.*, *véase artículo 36*.

624 Comité Internacional de la Cruz Roja, *Glossary Terms used in EHL*, 2009 [en línea], disponible en: *https://www.icrc.org/en/doc/what-we-do/building-respect-ihl/education-outreach/ehl/ehl-other-language-versions/ehl-english-glossary.pdf*, fecha de revisión: 06/06/2019, *véase página 12*.

625 Fleck, D. (ed.), *The handbook of International Humanitarian Law*, Oxford, 3.ª edición, Oxford University Press, 2013, *véase página 334*; Boothby, W. H., *Conflict Law. The influence of new weapons technology, human rights and emerging actors*, La Haya, Springer, 2014, *véase página 159*; Boothby, W. H., *Weapons and the Law of armed conflict*, *op. cit.*, *véanse páginas 46-59*; Fenrick, W., «The Conventional Weapons Convention: A modest but useful treaty», *International Review of the Red Cross*, vol. 30, 1990, núm. 279, pp. 498-509, disponible en: *https://www.loc.gov/rr/frd/Military_Law/pdf/RC_Nov-Dec-1990.pdf*, fecha de revisión: 05/06/2019, *véanse páginas 499 y 500*; Oeter, S., «Methods and means of combat», en Fleck, D. (ed.), *The handbook of International Humanitarian Law*, Oxford, 3.ª edición, Oxford University Press, 2013, pp. 105-208, disponible

considera ilegal simplemente porque cause lesiones graves, sufrimiento o pérdida de vidas. En realidad, la lesión o el sufrimiento inevitable que sea causado por el arma en sus circunstancias —normales o diseñadas— de uso es lo que debe ser desproporcional al propósito militar o utilidad del arma en sí, para que así se pueda considerar roto este principio consuetudinario del *Weapons Law*[626].

En ese sentido, el artículo 35.2 del API tiene como objetivo proteger a los combatientes contra el sufrimiento innecesario o inhumano. Por tanto, es un principio que se aplica únicamente a los combatientes, no a los civiles (quienes están protegidos por otras disposiciones del DIH). El alcance de esta norma prevé un umbral de prohibición muy alto, dadas las formas de violencia que pueden ser jurídicamente infligidas a los combatientes en conflictos armados[627]. De esta forma, un arma será ilegal conforme al artículo 35.2 del API, cuando el grado de dolor o padecimiento que produzca esta sea de tal entidad que no se pueda justificar nunca, independientemente de la ventaja militar prevista del atacante[628], sobre todo porque rompe los umbrales «aceptables» de daño o sufrimiento a los que están expuestos normalmente los combatientes en cualquier conflicto armado.

Sin embargo, las complicaciones o desafíos para aplicar este principio son cómo comprobar si un arma causa males superfluos o sufrimientos innecesarios[629]. En general, los Estados coinciden en que

---

en: *https://opil.ouplaw.com/view/10.1093/law/9780199658800.001.0001/law-9780199658800-chapter-4*, fecha de revisión: 05/06/2019, *véanse páginas 125 y 126*; y Dinstein, Y., *The conduct of hostilities under the law of international armed conflict*, *op. cit.*, *véanse páginas 55-57*.

626 En esta línea, la Corte Internacional de Justicia ha definido «sufrimiento innecesario» como un sufrimiento superior al daño inevitable para alcanzar objetivos militares legítimos. Al respecto, *Legality of the Threat or Use of Nuclear Weapons*, Advisory Opinion, *op. cit.*, *véase párrafo 78*.

627 Anderson, K., Reisner, D. y Waxman, M., «Adapting the Law of Armed Conflict to Autonomous Weapon Systems», *op. cit.*, *véase página 400*.

628 Henckaerts, J. M. y Doswald-Beck, L., *El Derecho internacional humanitario consuetudinario*, *op. cit.*, *véase regla 70*.

629 Hoy en día existe un debate abierto sobre la cuestión de cómo debe determinarse esta «naturaleza» del arma para ser considerada que incumple el artículo 35.2 del API, ya sea por referencia al diseño de esta, su propósito y uso normal, etc. Sin embargo, a los efectos de esta investigación, se sigue el enfoque tomado por Boothby, Schmitt y Thurnher. Al respecto, Boothby, W. H., *Weapons and the*

todo sufrimiento que no tenga un fin militar infringe el artículo 35.2 del API. Muchos señalan que esta norma exige un equilibrio entre la necesidad militar[630], por un lado, y los daños previstos o los sufrimientos infligidos a un combatiente, por otro. Por tanto, teniendo en cuenta todo esto, la clave es saber cómo aplicarlo a los SAAL.

Las AW, por muy sofisticadas y riesgosas que parezcan, solo podrían ser consideradas —en su conjunto— inherentemente ilegales conforme al artículo 35.2 del API siempre que las armas incorporadas en ellas no garanticen *per se* que la lesión o el sufrimiento inevitable que estas causen sea proporcional a su propósito militar o utilidad —en los términos explicados *supra*—. Esto significa que, en sí, la naturaleza y el diseño de la autonomía en las funciones de un SAAL

Law of armed conflict, *op. cit.*, *véanse páginas 46-59*; y Schmitt, M. y Thurnher, J., «"Out of the loop": Autonomous weapon systems and the law of armed conflict», *op. cit.*, *véanse páginas 244 y 245*.

630 La prohibición de causar sufrimiento innecesario está estrechamente vinculada a la doctrina de la necesidad militar. De acuerdo con este principio, a una parte que realiza un ataque se le permite usar solo el grado de fuerza requerido para lograr el objetivo militar previsto que resultará en la pérdida mínima de vidas y bienes. En ese sentido, la necesidad militar ha de ser representada como una doctrina restrictiva, en tanto que una parte solo podrá hacer lo que sea necesario para lograr el objetivo y no más. Así pues, la necesidad militar que se puede considerar al evaluar la legalidad de un arma podrá abarcar, de manera muy general, su capacidad para deshabilitar o incapacitar a los combatientes enemigos. No obstante, la utilidad militar del arma —según el contexto— puede llegar a variar y ser más amplia que la mera capacidad para inhabilitar a los combatientes. Ahora bien, todas estas apreciaciones hacen referencia sin más a un concepto estratégico que es relativo por definición, cambiante y necesariamente adaptativo a las circunstancias del conflicto. Esto hace que sea difícil —mas no imposible— compaginar la noción de «necesidad militar» en el proceso de selección de cualquier medio, arma o método de guerra (incluidos los SAAL). Sin embargo, una complejidad como esta no representa un obstáculo para la legalidad del arma o método bélico en sí mismo, en realidad es una característica de la trascendencia del tipo de decisiones que deben ser tomadas por los humanos en cualquier proceso de focalización. Al respecto, Crowe, J. y Weston-Scheuber, K., *Principles of International Humanitarian Law*, *op. cit.*, *véanse páginas 52 y 53*; y Departamento de Defensa de los Estados Unidos de Norteamérica, *DoD Law of War manual*, Washington, Oficina del Consejo General, 2016 [en línea], disponible en: *https://dod.defense.gov/Portals/1/Documents/pubs/DoD%20Law%20of%20War%20Manual%20-%20June%202015%20Updated%20Dec%202016.pdf?véase=2016-12-13-172036-190*, fecha de revisión: 06/06/2019, *véanse páginas 360 y 361*.

no comportan la ilegalidad del sistema a tenor de lo establecido en el artículo 35.2 del API. En cumplimiento de este principio, lo que define la posible ilegalidad de un SAAL será la propia naturaleza y diseño del arma (o de las armas) que en ellos haya sido integrada para seleccionar y comprometer un objetivo concreto, y no así la manera autónoma del enfrentamiento como tal.

Ahora bien, por interpretación en contrario, si un SAAL es utilizado como la plataforma de un arma que —por su naturaleza o diseño— viola la prohibición del artículo 35.2 del API (por ejemplo, incorporando al sistema autónomo una bomba que contiene fragmentos diseñados para ser difíciles de localizar durante el tratamiento de combatientes heridos por dicha arma —a saber, conchas llenas de fragmentos de vidrio que no serían detectables por una radiografía de la herida—), está claro que la combinación de la plataforma (el sistema) y el arma en concreto haría que el SAAL —en su conjunto— fuese ilegal *per se*[631]. *Sin embargo, esta posibilidad no representa una base válida suficiente para imponer una prohibición preventiva a estos sistemas autónomos.*

b) Principio consuetudinario 2: proscripción de armas indiscriminadas por naturaleza

Si la prohibición de armas, métodos o medios de guerra que, por su naturaleza, causen lesiones superfluas o sufrimientos innecesarios a combatientes es el primer gran principio de la ley de las armas, el segundo es el principio de discriminación[632]. Una de las preocupaciones

---

631 Al respecto, Schmitt, M. y Thurnher, J., «"Out of the loop": Autonomous weapon systems and the law of armed conflict», *op. cit.*, *véase página 245*.

632 Las expresiones «principio de discriminación» y «principio de distinción» a menudo son usadas de manera intercambiable. Sin embargo, bajo la perspectiva de esta investigación, el «principio de discriminación» tiene un sentido diferente y más amplio que el alcance del «principio de distinción», sobre todo debido a su carácter bifurcado. Por un lado, dicho principio pretende limitar las armas que son indiscriminadas por su naturaleza, es decir, incapaces de discriminar entre objetivos legales (combatientes y objetivos militares) y objetivos ilegales (no combatientes y civiles), además de no poder limitar sus propios efectos. Esta faceta es la que será abordada en el presente apartado. Luego, por otro lado, está un segundo aspecto del principio, el cual excluye el uso indiscriminado de las armas, independientemente de que estas tengan por naturaleza o diseño la

humanitarias más importantes del DIH es cómo asegurar que los ataques no sean mal dirigidos para impactar en civiles u objetos civiles. En ese sentido, dicho marco jurídico internacional pretende, como eje central, garantizar un equilibrio justo entre la protección continua de los civiles contra los ataques y sus efectos, y el interés militar de las partes en conflicto en que las armas, los medios o los métodos de guerra dirijan sus efectos destructivos de la forma más precisa y fiable posible en contra de la capacidad militar del enemigo[633].

Bajo toda esta premisa, el artículo 51, numeral 4, literales «b» y «c» del API establece el principio consuetudinario que prohíbe las armas indiscriminadas por naturaleza, una norma basada además en la proscripción general de los ataques indiscriminados[634]. Dicha norma ha tenido amplia aceptación en la comunidad internacional, a pesar de que desde su creación no ha recibido un reconocimiento unánime acerca de su estatus como regla de derecho internacional positivo[635]. Muestra de ello es que, hasta el día de hoy, no ha habido unanimidad en cuanto a si el principio en sí mismo es de una entidad jurídica suficiente para hacer que un arma en particular sea ilegal *per se* o si esa

---

habilidad innata para poder discriminar. Esta otra faceta de la discriminación consta de tres componentes: el principio de distinción propiamente dicho, la proporcionalidad y la precaución en el ataque con la intención de minimizar daños colaterales y lesiones incidentales. Cada uno de estos componentes se abordarán en epígrafes posteriores en tanto que forman parte de las reglas y principios del *Targeting Law*. Para más información sobre el carácter bifurcado del principio de discriminación, Rosenblad, E., *International Humanitarian Law of armed conflict: Some aspects of the principle of distinction and related problems*, Ginebra, Instituto Henry Dunant, 1979, *véanse páginas 53-72.*

633 Boothby, W. H., *Weapons and the Law of armed conflict*, *op. cit.*, *véase página 60.*

634 Protocolo Adicional I (API) a los Convenios de Ginebra de 1949 relativo a la protección de las víctimas de los conflictos armados internacionales, *op. cit.*; y Boothby, W. H., *Weapons and the Law of armed conflict*, *op. cit.*, *véase página 66.*

635 Henckaerts, J. M. y Doswald-Beck, L., *El Derecho internacional humanitario consuetudinario*, *op. cit.*, *véase regla 71*; Boothby, W. H., *Conflict Law. The influence of new weapons technology, human rights and emerging actors*, *op. cit.*, *véanse páginas 159 y 160*; y Kalshoven, F., *Arms, armaments and international law*, Leiden (Países Bajos), Martinus Nijhoff, 1985, *véanse páginas 236-265.*

arma podrá ser ilegal únicamente si un tratado o una norma consuetudinaria en concreto prohíben específicamente su empleo[636].

De cualquier forma, según el artículo 51.4 (b) y (c) del API, este principio consuetudinario —cuyos orígenes devienen de sus primeros enunciados en el Código Lieber de 1863[637], la Declaración de

---

636 Un ejemplo que ilustra muy bien este contexto es la carta de fecha 16/06/1995, suscrita por la Asesoría jurídica de la Oficina de Asuntos Exteriores de Reino Unido, a través de la cual presentó sus comentarios en el expediente relativo a la opinión consultiva que, sobre el manejo o empleo de armas nucleares, dictaría luego la Corte Internacional de Justicia en julio de 1996. En dicha carta, Reino Unido se hace eco de varios comentarios vertidos en el caso por parte de otras delegaciones estatales (a saber, Italia, Francia, Bélgica, Canadá, Alemania, Países Bajos y España) y, del mismo modo, opinó —al igual que esos otros países— que las reglas introducidas por el API se aplican exclusivamente a las armas convencionales, por lo que estas no tienen ningún efecto, no regulan ni prohíben el uso de las armas nucleares. Por tanto, afirmaciones como estas dejan entrever que para algunos Estados solo se podrán considerar indiscriminadas e ilegales por naturaleza aquellas armas consideradas como tal por disposición expresa de un tratado o una norma consuetudinaria que proscriba específicamente su empleo. En ese sentido, se relativiza deliberadamente el poder y alcance vinculante del principio consuetudinario expresado en el artículo 51.4 (b) y (c) del API. Al respecto, Ministerio de Asuntos Exteriores del Reino Unido, *Letter dated 16 June 1995 from the Legal Adviser to the Foreign and Commonwealth Office of the United Kingdom of Great Britain and Northern Ireland, together with Written Comments of the United Kingdom*, 1995 [en línea], disponible en: *https://www.icj-cij.org/files/case-related/95/8802.pdf*, fecha de revisión: 11/06/2019, *véanse páginas 44 y 45*; y Henckaerts, J. M. y Doswald-Beck, L., *El Derecho internacional humanitario consuetudinario*, *op. cit.*, *véase regla 71*.

637 Aunque este código no es una fuente de derecho como tal sino, más bien, una declaración de su autor informando en cuanto a su apreciación de lo que para ese entonces se aceptaba como conducta apropiada en la guerra, igual resulta un antecedente importante porque cita la necesidad militar como la piedra angular del principio que se está examinando en la presente sección. Al respecto, Departamento de Guerra de los Estados Unidos de Norteamérica, *Instructions for the government of armies of the United States in the field (Lieber Code)* (orden general), núm. 100, Oficina del General Adjunto, 1983 [en línea], disponible en: *https://archive.org/details/governarmies00unitrich/page/n3*, fecha de revisión: 11/06/2019, *véase artículo 22*.

San Petersburgo de 1868[638] y de Bruselas de 1874[639], así como de las Conferencias de La Haya de 1899 y 1907[640]— instaura dos criterios básicos que definen claramente qué medio o método de guerra debe considerarse en sí mismo indiscriminado por naturaleza.

Por un lado, el literal «b» establece que aquellos métodos o medios de combate que no pueden dirigirse contra un objetivo militar concreto deben ser considerados indiscriminados *per se*. Esta prohibición vincula la ilegalidad por no discriminación a la incapacidad del propio medio o método de guerra para ser dirigido de manera específica en contra de un objetivo militar[641]. La utilización de cualquier arma o método bélico que, por su naturaleza o diseño, no permita dirigir la fuerza en contra de un objetivo específico está prohibida por considerarse ilegal *per se*. Por consiguiente, cualquier ataque ejecutado a través de esa arma o método bélico ilícito se considerará a su vez indiscriminado.

Por otro lado, el literal «c» prohíbe aquellos medios o métodos de guerra cuyos «efectos no sea posible limitar conforme a lo exigido por el API; y que, en consecuencia, en cualquiera de tales casos, pueden alcanzar indistintamente a objetivos militares y a personas civiles o a bienes de carácter civil»[642]. Al igual que el literal «b», este criterio se refiere a la legitimidad de las armas *per se*, y no a su uso propiamente. Sin embargo, en este caso, el literal «c» de esta norma hace referencia a la prohibición de todas aquellas armas o métodos de combate cuyos efectos no pueden limitarse o controlarse de tal manera que pueda cumplirse con las obligaciones más amplias establecidas en el propio API (a saber, que los ataques se dirijan a objetivos militares, que los

---

638 *Declaración suscrita en San Petersburgo, op. cit., véase preámbulo en su parágrafo* 2. Esta declaración es considerada como el primer acuerdo formal en las leyes de la guerra

639 *Proyecto de declaración concerniente a las leyes y costumbres de la guerra en Bruselas 1874, según acuerdo alcanzado en la Conferencia realizada el 24/08/1874 en Bruselas (Bélgica), op. cit., véase artículos 15 y 17.*

640 *Conferencias de La Haya de 1899 y 1907, op. cit., véase artículos 23 (g), 25 y 27.*

641 Por ejemplo, un misil que, por su diseño, no pueda ser dirigido contra un objetivo en concreto.

642 Boothby, W. H., *Conflict Law. The influence of new weapons technology, human rights and emerging actors, op. cit., véanse páginas 159 y 160.*

civiles y los objetos civiles no deben convertirse en objetos de ataque, y que las partes de un conflicto deben cumplir con el principio de distinción)[643].

Es importante destacar que ambos literales, frecuentemente, son discutidos por parte de la doctrina bajo el encabezado del principio de la distinción, una regla principal del DIH que es propia del derecho de focalización y que será abordada más adelante en la presente investigación[644]. Sin embargo, debe advertirse que un enfoque como este, aunque pareciera apropiado y lógico debido a la materia, realmente lleva a errores de interpretación. A menudo, bajo esta perspectiva, el principio del artículo 51.4 (b) y (c) del API es confundido con la proscripción de usar de manera indiscriminada armas que son discriminatorias por naturaleza[645].

Cuando los sistemas de armas son utilizados para llevar a cabo un ataque y se viola —durante la ejecución de este— el principio de distinción, dicho contexto tiene una lógica totalmente diferente al principio consuetudinario bajo estudio, en tanto que en dicho ataque

---

643 Por ejemplo, las armas químicas, por su naturaleza, se consideran indiscriminadas en razón de este literal «c», ya que, si bien podrían ser lanzadas con absoluta precisión en contra de un objetivo militar legítimo (por ejemplo, un tanque enemigo que transita por una ciudad), no es posible para los atacantes poder controlar después los efectos gravemente dañinos de esa arma que afectarían gravemente al medio ambiente así como también a cualquier persona civil que esté cerca del objetivo —aunque fuera de la zona de ataque— (por ejemplo, el arma química puede contaminar el aire e impedir que los civiles cercanos al objetivo puedan respirar).

644 Dinstein, Y., *The conduct of hostilities under the law of international armed conflict*, *op. cit.*, *véanse páginas 55-57*.

645 Por ejemplo, el lanzamiento por parte de Iraq de misiles balísticos tácticos *Scud* contra centros de población israelíes durante el período 1990-1991 de la guerra del Golfo a menudo es citado por expertos como típico caso de manual acerca de lo que es un ataque indiscriminado ejecutado con un arma que —por naturaleza— no es indiscriminada, aunque su uso sí lo fue. Al respecto, Schmitt, M., «The principle of discrimination in 21st Century Warfare», *Yale Human Rights and Development Journal*, vol. 2, 1999, núm. 3, pp. 143-182, disponible en: *https://pdfs.semanticscholar.org/b9c1/575650a508b243aed727d5e2250cb05bc310.pdf*, fecha de revisión: 09/06/2019, *véase página 148*; Schmitt, M. y Thurnher, J., «"Out of the loop": Autonomous weapon systems and the law of armed conflict», *op. cit.*, *véase página 246*; y Solis, G., *The Law of armed conflict: International Humanitarian Law in war*, *op. cit.*, *véase página 537*.

de lo que se trata es del uso ilegal del sistema en las circunstancias particulares, y no así de la ilegalidad del medio de guerra en sí mismo. Así pues, resulta claro que cualquier arma susceptible de discriminar puede ser usada *de facto* indiscriminadamente[646]. Sin embargo, cuando se hace referencia a la prohibición de los medios de guerra por ser «indiscriminados», de lo que se trata es de una ilegalidad vinculada a las características naturales y de diseño inherentes al arma[647], no a su uso propiamente[648].

Entre los casos más típicos que se pueden citar para ejemplificar el sentido y el alcance de este principio consuetudinario están: por un lado, los misiles de largo alcance, en el supuesto de que se diseñen sin sistemas de guía —o que teniéndolos sean estos muy rudimentarios—; por otro lado, están las armas biológicas que transmiten enfermedades contagiosas cuyos efectos no solo son difíciles de controlar, sino que además son incapaces de afligir únicamente a los combatientes[649]. También existen armas restringidas o prohibidas convencionalmente —ya sea porque causen lesiones excesivas o debido a su inherente incapacidad para diferenciar a los civiles de los combatientes—. Por ejemplo, las armas con fragmentos no detectables (Protocolo I de la CCW), las minas, las armas trampa y otros artefactos (Protocolo II de la CCW), las armas incendiarias (Protocolo III de la CCW) y las armas láser cegadoras (Protocolo IV de la CCW)[650]. Todos estos casos,

---

646 Margulies, P., «Making autonomous weapons accountable: Command responsibility for computer-guided lethal force in armed conflicts», *op. cit.*, *véase página 412*.

647 Anderson, K., Reisner, D. y Waxman, M., «Adapting the Law of Armed Conflict to Autonomous Weapon Systems», *op. cit.*, *véase página 399*.

648 Así pues, cualquier ataque, incluso cuando está dirigido contra objetivos militares legítimos, será ilegal si se realiza con medios o métodos de guerra indiscriminados. Tribunal Penal Internacional para la Antigua Yugoslavia (TPIY), *El Fiscal vs. Zoran Kupre et al.*, Caso núm. IT-95-16-T (14 de enero de 2000), disponible en: *http://www.icty.org/x/cases/kupreskic/tjug/en/kup-tj000114e.pdf*, fecha de revisión: 11/06/2019, *véase párrafo 514*; y Melzer, N., «Targeted killings in operational law perspective», en Gill, T. y Fleck, D. (eds.), *The handbook of the International Law of Military Operations*, Londres, 2.ª edición, Oxford University Press, 2015, pp. 307-331, *véase página 336*.

649 Schmitt, M., «The principle of discrimination in 21st Century Warfare», *op. cit.*, *véase página 147*.

650 *Protocolo I de la Convención sobre Ciertas Armas Convencionales sobre fragmentos no localizables*, *op. cit.*; *Protocolo II de la Convención sobre Ciertas*

claramente, ilustran el tipo de armas a las que se refiere el principio del artículo 51.4 (b) y (c) del API[651].

Ahora bien, en relación con los SAAL vale la pena hacer algunos comentarios importantes. Como se destacó en capítulos anteriores, los sistemas de armas autónomas y los robots militares han provocado un debate entre planificadores militares, robóticos y especialistas en ética sobre el desarrollo y el despliegue de armas que pueden realizar funciones cada vez más avanzadas, incluida la focalización y la aplicación de la fuerza, con muy pocos niveles de control humano.

Hay quien pudiera llegar a pensar que las AW no solo confieren ventajas estratégicas y tácticas significativas en el campo de batalla, sino que también —desde una visión teleológica— si pueden ser programados con más limitaciones éticas que un humano, entonces el imperativo moral es que se debería usar esa tecnología autónoma para ayudar a las vidas civiles en la guerra[652].

En contraste, los críticos de los SAAL sostienen que estas armas deben ser frenadas, si no prohibidas por completo, por una variedad de razones morales y jurídicas. Con relación al artículo 51.4 (b) y (c)

Armas Convencionales sobre prohibiciones o restricciones del empleo de uso de minas, armas trampa y otros artefactos, op. cit.; *Protocolo III Convención sobre Ciertas Armas Convencionales sobre prohibiciones o restricciones del empleo de armas incendiarias, op. cit.*; y *Protocolo IV de la Convención sobre Ciertas Armas Convencionales sobre láseres cegadores, op. cit.*

651 Akerson, D., «The Illegality of Offensive Lethal Autonomy», en Saxon, D. (eds.), *International Humanitarian Law and the changing technology of war*, Leiden, Martinus Nijhoff, 2015, pp. 65-98, *véase página 91 Ethics and autonomous weapon systems: An ethical basis for human control?* (documento de trabajo del Comité Internacional de la Cruz Roja), *op. cit.*, *véase párrafo 11.*

652 Por ejemplo, Scharre, P., *Army of none: Autonomous weapons and the future of war, op. cit.*, *véase página 280.* También, ver: Dastin, J. y Dave, P., «U.S. commission cites 'moral imperative' to explore AI weapons», *Reuters,* 26/01/2021 [en línea], disponible en: *https://www.reuters.com/article/us-usa-military-ai-idUSKBN29V2M0*, fecha de revisión: 30/01/2021; Work, R., *Chapter 4: Autonomous Weapon Systems and Risks Associated with AI-Enabled Warfare* (presentación), the National Security Commission on Artificial Intelligence (Washington: «Plenary for NSCAI Commissioners to deliberate and review the final report 'National Security Commission on Artificial Intelligence', due to Congress and the President in March 2021», 25 de enero de 2021) [en línea], disponible en: *https://youtu.be/gov6_qWxWsQ*, fecha de revisión: 03/03/2021, *véase desde 1:35:30 hasta 1:39:00.*

del API, hay quienes aducen que los SAAL no poseen las cualidades humanas necesarias para diagnosticar las intenciones humanas en un conflicto[653]. Así, bajo esta perspectiva, un sistema autónomo debería ser considerado indiscriminado por naturaleza en tanto que carece de la percepción humana necesaria para cumplir con el principio de distinción en circunstancias complejas como, por ejemplo, cuando sea ineludible distinguir que un combatiente se ha rendido, está herido o se deban gestionar situaciones en las que los combatientes utilizan como escudos humanos a personas civiles[654], o, simplemente, para reconocer cuándo una persona civil pierde su inmunidad conforme al DIH una vez decida participar directamente en las hostilidades[655].

Más allá de los argumentos que sustentan parte de esta crítica[656], es innegable que la percepción humana sobre la actividad de otros

---

653 Human Rights Watch and Harvard Law School's International Human Rights Clinic, *Losing Humanity: The Case against Killer Robots*, *op. cit.*, *véase página 31*.

654 Schmitt, M., «Human shields in International Humanitarian Law», *Columbia Journal of Transnational Law*, vol. 47, 2009, núm. 2, pp. 17-59, disponible en: *https://papers.ssrn.com/sol3/papers.cfm?abstract_id=1600258*, fecha de revisión: 11/06/2019; y Sparrow, R., «Twenty seconds to comply: Autonomous weapon systems and the recognition of surrender», *International Law Studies US Naval War College*, vol. 91, 2015, pp. 699-728, disponible en: *https://digital-commons.usnwc.edu/cgi/viewcontent.cgi?referer=https://www.google.com/&httpsredir=1&article=1413&context=ils*, fecha de revisión: 11/06/2019.

655 Hay quienes consideran que un SAAL jamás podría llevar a cabo una discriminación correcta en aquellos casos en los que se tenga dudas acerca de si una persona civil participa —o no— directamente en las hostilidades. Expertos que, en esa línea, se pueden citar son: Sharkey, N., «The evitability of autonomous robot warfare», *International Review of the Red Cross*, vol. 94, 2012, núm. 886, pp. 787-799, disponible en: *https://www.icrc.org/en/international-review/article/evitability-autonomous-robot-warfare*, fecha de revisión: 11/06/2019; y Liu, H., «Categorization and legality of autonomous and remote weapons systems», *op. cit.*, *véase página 645*.

656 HRW, por ejemplo, opina que los robots sin emociones y sin capacidad de compasión podrían «servir como herramientas de dictadores represivos que buscan acabar con su propia gente sin temor a que las tropas los ataquen». Al respecto, Human Rights Watch and Harvard Law School's International Human Rights Clinic, *Losing Humanity: The Case against Killer Robots*, *op. cit.*, *véase página 4*. Sin embargo, aunque las emociones a veces pueden limitar ciertos comportamientos humanos, también es innegable que estas pueden desatar instintos básicos, animales y barbáricos en las personas. La historia está repleta de ejemplos trágicos en los que las emociones no controladas llevan a un sufrimiento terri-

humanos puede —en cierta medida— mejorar que se respete la discriminación en algunas circunstancias. Sin embargo, en otros casos el juicio humano puede resultar menos fiable que los indicadores técnicos de un sistema computacional, sobre todo en el fragor de la batalla[657]. Pues, la presencia de un individuo en el circuito de focalización no se traduce necesariamente en la solución perfecta a las múltiples situaciones en las que se debe distinguir entre personas y objetos civiles de combatientes y objetivos militares, sobre todo considerando los diversos factores cambiantes y volátiles —como retrasos, confusiones e incertidumbres— que son propios de la «niebla de la guerra», y que hacen complicado de por sí coordinar y planificar cualquier operación o ataque armado.

Así pues, el hecho de que a través de un SAAL —*a priori*— no se pueda cumplimentar los supuestos protegidos por el principio de distinción del DIH en varias circunstancias específicas, no significa que

ble, incluso en masa. Por ello, instituciones como el CICR han destacado que, después de todo, la emoción, la pérdida de colegas y el interés personal no deben ser problemas para que un robot pueda —algún día— ser programado para comportarse de manera más ética y cautelosa en el campo de batalla que un ser humano, sobre todo teniendo en cuenta que el registro de respeto a la ley de los conflictos armados por parte de soldados humanos está lejos de ser perfecto, por decir lo menos. Al respecto, Comité Internacional de la Cruz Roja, *International humanitarian law and the challenges of contemporary armed conflicts* (informe), *op. cit.*, *véanse páginas 30 y 40.*

657 Un ejemplo de ello es el caso de la caída del *UH-60 Black Hawk* en 1994, a veces llamada la caída del Halcón Negro. Este incidente se produjo durante un fuego amistoso que sucedió en el norte de Iraq el 14 de abril de 1994, durante la operación militar llamada *Operation Provide Comfort.* En dicho suceso dos aviones de combate táctico *McDonnell Douglas F-15 Eagle* del Ejército de EE.UU., operando en la zona de exclusión aérea sobre el norte de Iraq bajo un sistema integrado de alerta y control aerotransportado (AWACS, por las siglas en inglés de Airborne Warning and Control System), identificaron erróneamente dos helicópteros *Sikorsky UH-60 Black Hawk* —también del Ejército aéreo estadounidense— como helicópteros iraquíes *Mil Mi-24 Hind*, abriendo fuego sobre ellos y matando a una veintena de miembros del servicio militar y personal civil de EE.UU., Reino Unido, Francia, Turquía y el pueblo kurdo. En este caso se pudo observar como el error del piloto (junto al error humano de quienes a bordo de los AWACS monitoreaban la situación) contribuyeron a la identificación errónea de los helicópteros militares estadounidenses. Al respecto, Junta de Investigación de Accidentes de Aviones de la Armada de Estados Unidos, *US Army UH60 Black Hawk Helicopters Vol I Executive Summary*

el sistema armamentístico deba considerarse ilegal *per se* conforme al artículo 51.4 (b) y (c) del API. Como se destacó en párrafos anteriores, argumentos como estos, que solo hacen referencia a la observancia y cumplimiento del principio de distinción, deben abordarse en relación con el uso que se le dé al SAAL en cada caso concreto, y no así relacionarlos con la naturaleza o el diseño del sistema como tal. De esta forma, muchas de esas cuestiones serán analizadas con mayor exhaustividad en apartados posteriores cuando se analicen las implicaciones jurídicas de los SAAL de acuerdo con el *Targeting Law*.

Ahora bien, hoy en día hay quienes sostienen por su parte que este tipo de SAAL no tienen la habilidad de percibir o interpretar la diferencia entre los soldados y los civiles, sobre todo en ambientes de conflictos armados contemporáneos, por lo cual son tecnologías que deben considerarse ilegales en virtud de su carácter indiscriminado a tenor de lo establecido en el artículo 51.4 (b) y (c) del API[658].

Indubitablemente, la naturaleza del conflicto es muy cambiante en la actualidad, desde la guerra de Estado a Estado, hasta la insurgencia y otras nuevas conflictividades no convencionales donde los combatientes se mezclan con la población civil, lo cual hace muy difícil que las partes en un conflicto puedan discriminar entre objetos militares y civiles, y combatientes y no combatientes[659]. No obstante, esta realidad no es exclusiva del siglo XXI. A lo largo de la historia, los conflictos armados se han caracterizado por su inconsistencia y convulsión. De ahí que todo campo de batalla, por naturaleza, ha de abarcar circun-

---

(informe), núm. UH-60 Blackhawk Helicopters 87-26000 y 88-26060, vol. 1 (resumen ejecutivo) 3, 27/05/1994 [en línea], disponible en: *https://archive.org/stream/USArmyUH60BlackHawkHelicoptersVolIExecutiveSummary/US%20Army%20UH60%20Black%20Hawk%20Helicopters%20Vol%20I%20Executive%20Summary.pdf_djvu.txt*, fecha de revisión: 11/06/2019.

658 Por ejemplo, Human Rights Watch and Harvard Law School's International Human Rights Clinic, *Losing Humanity: The Case against Killer Robots*, *op. cit.*, *véanse páginas 3 y 30*; y *Position Paper* (documento de trabajo de China), *op. cit.*

659 Ekelhof, M. y Struyk, M., *DEADLY Decisions. 8 objections to killer robots*, Utrecht, Pax for Peace, 2014 [en línea], disponible en: *https://www.paxforpeace.nl/media/files/deadlydecisionsweb.pdf*, fecha de revisión: 10/06/2019, *véase página 12*.

stancias variantes, algunas veces más —y otras veces menos— difíciles de gestionar[660].

Sin embargo, lo que sí es innegable es que el umbral de impredecibilidad e impacto de los conflictos de hoy es, probablemente, más complejo que hace un siglo. Esto implica que los SAAL, más que nunca, deben ser dotados de una capacidad de comprensión de todo el contexto en el que operan (conocimiento de la situación). Sin embargo, como se verá en secciones posteriores, aún existe la duda de si un SAAL podrá algún día llegar a tener esas cualidades, algo sobre lo cual no existe unanimidad ni acuerdo entre expertos en el área de la robótica y la IA.

Instituciones como el CICR, por ejemplo, a través de su equipo de asesores y expertos, han planteado que el desarrollo de sistemas de armas verdaderamente autónomos que puedan implementar el DIH representa un desafío monumental de programación que puede resultar imposible de superar. Por tanto, lograr dotar a un SAAL para que pueda distinguir entre un civil y un combatiente, un combatiente activo y uno herido o incapacitado, o simplemente de un civil vestido de cazador es una tarea, aunque deseable, aparentemente difícil de imaginar en la realidad[661]. En ese mismo sentido, el ICRAC ha recal-

---

660 Téngase en cuenta que no en todos los campos de batalla existen personas u objetos civiles que puedan sufrir daños en su integridad por la ejecución de un ataque armado. En esos contextos, se puede usar sistemas que carezcan de la capacidad para distinguir a las personas y objetos protegidos por el DIH de aquellos que son legalmente objetivos militares, sin que esto signifique poner en peligro a los primeros. Obviamente estos sistemas deberían estar dotados de sensores para, al menos, ser capaces de cumplir con las restricciones geográficas a que hubiere lugar. Un ejemplo típico de estos casos podría ser el empleo de un SAAL para llevar a cabo un ataque contra la formación de un tanque en un área remota del desierto o ejecutar acciones de defensa desde buques de guerra en zonas de alta mar que estén lejos de las rutas de navegación marítima. Al respecto, Schmitt, M., «Autonomous weapon systems and International Humanitarian Law: A reply to the critics», *Harvard Law School National Security Journal*, 2013, núm. 4 [en línea], disponible en: *https://harvardnsj.org/2013/02/autonomous-weapon-systems-and-international-humanitarian-law-a-reply-to-the-critics*, fecha de revisión: 11/06/2019, *véase página 11*.

661 Comité Internacional de la Cruz Roja, *International humanitarian law and the challenges of contemporary armed conflicts* (informe), *op. cit.*, *véanse páginas 30 y 40*.

cado que los SAAL, en un futuro previsible, no podrán discriminar a los combatientes de los civiles y, por tanto, no es posible esperar que estas máquinas puedan reemplazar a los humanos en el cumplimiento de las obligaciones jurídicas establecidas por el DIH[662].

Sin embargo, por otro lado, hay expertos que son más optimistas al respecto. Por ejemplo, Ronald Arkin, especialista en robótica del Georgia Institute of Technology, en 2008 realizó un informe técnico para la Oficina de Investigación del Ejército de EE.UU. sobre la creación de un «gobernador ético» para LAW. La pregunta que se hicieron los investigadores fue si, en principio, era posible que los humanos crearan un arma autónoma que pudiera cumplir con el DIH[663]. Al respecto, el equipo de Arkin concluyó que teóricamente sí era posible hacerlo y describieron, además, en un sentido amplio, cómo se podría diseñar un sistema de este tipo cuyo gobernador ético prohibiría que el arma autónoma tomara un acto ilegal o no ético.

Teniendo en cuenta que hoy en día no existe plena certeza científica acerca de si los SAAL pueden ser programados por los humanos para cumplir con el DIH, resulta difícil responder categóricamente si estos sistemas *per natura* han de considerarse ilegales —o no— conforme al principio consuetudinario del artículo 51.4 (b) y (c) del API.

A pesar de esa falta de certeza, también es cierto que la tecnología militar ha avanzado mucho, especialmente en lo que va del siglo XXI. Los sensores modernos hoy en día pueden, entre otras tareas, evaluar la forma y el tamaño de los objetos, determinar su velocidad, identificar el tipo de propulsión que se está utilizando, determinar el material del que esos objetos están hechos, escuchar sus alrededores, e interceptar comunicaciones u otras emisiones electrónicas que sean

---

662 Sauer, F., «Memorandum for delegates at the Convention on Certain Conventional Weapons (CCW) Group of Governmental Experts (GGE) Meeting on Lethal Autonomous Weapons Systems (LAWS)», *Comité Internacional para el Control de Armas Robóticas*, 2017 [en línea], disponible en: *https://www.icrac.net/frequently-asked-questions-on-laws/*, fecha de revisión: 11/06/2019.

663 Arkin, R. C., «Governing Lethal Behavior: Embedding Ethics in a Hybrid Deliberative/Reactive Robot Architecture», *CSE Technical reports*, 2008, núm. 162 [en línea], disponible en: *https://www.cc.gatech.edu/ai/robot-lab/online-publications/formalizationv35.pdf*, fecha de revisión: 10/06/2019.

asociadas a estos[664]. También existen dispositivos que pueden recopilar datos adicionales sobre otros objetos o individuos en el área y, dependiendo de la plataforma con la que estén incorporados, pueden monitorear un objetivo potencial durante períodos prolongados para recopilar información que mejorará la fiabilidad de la identificación y permitirá la focalización del objetivo cuando esté relativamente aislado[665]. Incluso es probable que se desarrolle un *software* para sistemas de armas autónomas que permita la identificación visual de individuos, permitiendo así la precisión durante ataques autónomos contra personas específicas (*personality strikes*)[666].

---

664 Schmitt, M., «Autonomous weapon systems and International Humanitarian Law: A reply to the critics», *op. cit.*, *véanse páginas 11 y 12.*

665 En ese sentido, la incorporación de la IA en las estrategias de defensa ya ha comenzado a transformar las capacidades de inteligencia, vigilancia y reconocimiento de muchos países. Por ejemplo, la OTAN ha invertido grandes recursos económicos en lo que respecta a mejora de las tecnologías para la asimilación y el procesamiento de datos que permitan identificar efectivamente los objetivos. Los avances en la ciencia y la tecnología están ayudando a configurar tanto los requisitos como las soluciones para nuevos enfoques que satisfagan las necesidades de capacidad de esta organización. Al respecto, Killion, T. H., *Disruptive technology for defence transformation 2019 Agenda* (presentación), Defence Academy of the United Kingdom (Londres: «Disruptive Technology for Defence Transformation Conference», 24-26 de septiembre de 2018) [en línea], disponible en: *https://disruptivetechdefence.iqpc.co.uk/landing/disruptive-technology-for-defence-transformation-conference-2018*, fecha de revisión 10/06/2019. En dicha entrevista, Thomas Killion habló acerca de las áreas clave donde la IA y el aprendizaje automático ya han comenzado a mejorar la toma de decisiones militares y acelerar la adquisición de inteligencia accionable y el potencial de estas tecnologías —muchas aplicables en el área de los SAAL— para revolucionar el espacio de la inteligencia, la vigilancia y el reconocimiento en el futuro. Bayley, J., «Transforming ISR capabilities through AI, Machine Learning and Big Data Insights from Dr. Thomas Killion, Chief Scientist, NATO», *Defence IQ*, 2018 [en línea], disponible en: *https://www.defenceiq.com/defence-technology/news/transforming-isr-capabilities-through-ai-machine-learning-and-big-data*, fecha de revisión: 10/06/2019.

666 Por ejemplo, oficiales de la Armada del Ejército de EE.UU., invitaron a compañías especializadas en el área de seguridad y defensa a diseñar y construir prototipos de un sistema avanzado de control de disparo que podría equipar a la próxima generación de armas de escuadrón del servicio con sensores de viento y tecnología de reconocimiento facial que aumenten la capacidad del soldado para atacar rápidamente objetivos del tamaño de un hombre que estén a 600 metros o más, manteniendo la capacidad de llevar a cabo batallas en espacios cerrados. Al respecto, Cox, M., «Army's next infantry weapon could have facial-recognition

Estas y otras capacidades tecnológicas aumentan cada vez más la percepción de que los SAAL, dada su naturaleza autónoma altamente tecnológica y sofisticada, pueden ser más eficaces que los humanos para comprometer objetivos militares, evitar cualquier ataque en contra de los civiles y los objetos civiles, y así garantizar que aquella parte en el conflicto que haga uso de esos sistemas pueda cumplir con el principio de distinción establecido por el DIH[667]. Sin embargo, al no existir unanimidad científica respecto a las potencialidades reales de los SAAL, será solo a través del rendimiento real de la tecnología autónoma de reconocimiento de objetivos y demás funciones críticas del sistema que se podrá diagnosticar si los SAAL pueden —o no— cumplir con lo dispuesto en el artículo 51.4 (b) y (c) del API.

Así pues, aunque el propósito del diseño de esos sistemas sea discriminar de la manera que exige el derecho internacional armamentista, los datos sobre su desempeño en las pruebas y/o en el uso en los campos de batalla son los que dejarán en claro si la tecnología emergente en el área de los SAAL permite el cumplimiento de la regla de discriminación[668].

En ese sentido, los SAAL solo se considerarán indiscriminados e ilegales conforme al artículo 51.4 (b) y (c) del API en la medida que su diseño no permita que los humanos ejerzan un control significativo sobre sus funciones críticas para dirigir el uso de la fuerza armada en contra de un objetivo militar específico y limitar así los efectos ocasionados por el arma según lo exige el derecho internacional armamentista. De esta forma, si el *software* de la máquina autónoma permite que el arma sea utilizada por los combatientes como un medio de guerra en estricta observancia de los principios del DIH, ese sistema no se podrá considerar indiscriminado e ilegal *per se*. No obstante, tal y como se advirtió también en el principio consuetudinario abordado en la sección anterior, si al final se le incorpora a un SAAL un arma

---

technology», *Military*, 01/06/2019 [en línea], disponible en: *https://www.military.com/daily-news/2019/06/01/armys-next-infantry-weapon-could-have-facial-recognition-technology.html*, fecha de revisión: 10/06/2019.

667 Schmitt, M. y Thurnher, J., «"Out of the loop": Autonomous weapon systems and the law of armed conflict», *op. cit.*, *véase página* 262.

668 Boothby, W. H., *Conflict Law. The influence of new weapons technology, human rights and emerging actors*, *op. cit.*, *véase página* 174 *y* 175.

que por naturaleza o diseño es indiscriminada, la suerte de esa arma arrastrará a la del propio sistema, por lo que el SAAL deberá considerarse ilegal en su conjunto y su uso quedaría proscrito en cualquier conflicto armado conforme a lo previsto en el *Weapons Law*.

Por todo ello, es forzoso concluir que las AW se considerarán prohibidas conforme al artículo 51.4 (b) y (c) del API solo en caso de que no existan circunstancias en las que puedan ser utilizadas de forma discriminada debido a su uso previsto —por naturaleza y diseño—. Esto significa que si en el futuro los Estados, por ejemplo, contemplaren la posibilidad de hacer uso de SAAL en lugares donde los civiles y los combatientes se ubican de manera conjunta (por ejemplo, enclaves urbanos de países que están en guerra), *a priori* dichos sistemas no serían ilegales mientras que tengan suficientes sensores y capacidades funcionales mejoradas a través de las ciencias de la computación para permitir que los comandantes de misión y los operadores puedan cumplir con el principio de distinción en el ataque, y así poder controlar todos los efectos de los daños que estas máquinas autónomas ocasionen; de lo contrario, esos SAAL serían indiscriminados *en sí mismos* y, por ende, ilegales[669].

---

669 Como se indicó en capítulos previos, la guerra cibernética no es un eje central de esta investigación. Sin embargo, resulta importante destacar previo al cierre de este epígrafe, que para muchos autores el artículo 51.4 (b) y (c) del API también tiene pertinencia y aplicabilidad en cuanto a lo que debería considerarse como armas o métodos de guerra cibernéticos indiscriminados por naturaleza. Un ejemplo de esto podrían ser aquellos programas malignos que buscan y realizan autónomamente ciberataques en contra de infraestructuras de doble uso (es decir, áreas del ciberespacio utilizadas tanto por militares como por civiles). En este tipo de casos, los *malwares* utilizados para la ejecución de los ataques podrían ser un arma cibernética indiscriminada si se diseñan de una manera tal que se puedan propagar masivamente por la red civil y dejar de estar bajo el control humano de aquellos que planeen y ejecuten el ataque. Por lo tanto, si alguna pieza de esos *malwares* cibernéticos pudiere llegar a causar daños, no solo al sistema informático objetivo del ataque, sino también a muchos otros sistemas informáticos civiles o sitios web en general, esos programas malignos —armas cibernéticas— habrían de ser considerados indiscriminados por naturaleza y prohibidos conforme al principio del artículo 51.4 (b) y (c) del API. Aquí, la cuestión crítica estriba en verificar, no solo si el arma cibernética compromete únicamente al objetivo deseado, sino también en qué medida podrían limitarse —razonablemente— sus efectos perjudiciales para no dañar o afectar elementos del ciberespacio que estén fuera o desvinculados del objetivo realmente deseado.

6.1.2. Los SAAL y el Targeting Law

Luego de haber reflexionado acerca de la aplicación del *Weapons Law* a los SAAL, queda claro que estos sistemas no son ilegales *per se* independientemente de la naturaleza autónoma de sus funciones. Sin embargo, cuando se trata de evaluar el impacto que dichas máquinas representan para la aplicación del *Targeting Law* o *Law of Targeting*, el enfoque y el resultado de cualquier análisis al respecto resulta bastante diferente.

Es importante destacar que la palabra *targeting* o focalización, cuando se aplica al contexto jurídico-militar, generalmente su sentido ha de abarcar la planeación y la ejecución, incluida la consideración de posibles objetivos de ataque, la acumulación de información para determinar si el ataque de un objeto, persona o grupo de personas en particular cumplirá con los requisitos jurídicos y militares correspondientes, la determinación de qué arma o método debería usarse para perseguir a un objetivo, la ejecución de ataques —incluyendo aquellos decididos con poca antelación y con una oportunidad mínima para la planeación—, así como cualquier otra actividad asociada a estos[670].

Por lo tanto, la palabra «focalización» (o *targeting*) se empleará en esta investigación como sinónimo de «ataque», en el entendido

---

Para más información al respecto, Schmitt, M., *Tallinn manual on the International Law applicable to cyber warefare*, *op. cit.*, *véase regla 43*; Boothby, W. H., «Methods and means of cyber warfare», *op. cit.*; y Lewis, D., Blum, G. y Modirzadeh, N., «War-algorithm accountability», *op. cit.*, *véanse páginas 48 y 49*.

670 La palabra «ataque» empleada en esta sección tiene un significado bastante más amplio que cuando se usa de manera coloquial. Este término, basado en el artículo 49.1 del API, abarca el uso de la violencia de una parte de este en contra de la otra (el enemigo), en donde el atacante toma la iniciativa de actuar en forma ofensiva o puramente defensiva. Al respecto, Boothby, W. H., *The Law of targeting*, Londres, Oxford University Press, 2012, *véase página 4*; Sassòli, M., *Legitimate targets of attacks under International Humanitarian Law* (background paper), Harvard University (Cambridge: «Informal High-Level Expert Meeting on the Reaffirmation and Development of International Humanitarian Law», 27-29 de enero de 2003) [en línea], disponible en: *https://hhi.harvard.edu/publications/legitimate-targets-attacks-under-international-humanitarian-law*, fecha de revisión: 06/08/2019; Boothby, W. H., *Weapons and the Law of armed conflict*, *op. cit.*, *véase página 34*; y Protocolo Adicional I (API) a los Convenios de Ginebra de 1949 relativo a la protección de las víctimas de los conflictos armados internacionales, *op. cit.*, *véase artículo 49.1*.

de que es un acto de violencia contra el adversario[671], que puede ser ofensivo o defensivo[672], que implica, por un lado, la selección (mediante búsqueda, detección, identificación, localización o rastreo) y la priorización de objetivos, y, por otro, la búsqueda de una respuesta correspondiente y adecuada que los comprometa (neutralice, impida, dañe o elimine) a través del uso de la fuerza armada. Esta focalización es parte de un proceso más amplio denominado *targeting process*, el cual define qué objetivos deben ser comprometidos, bajo qué valor estratégico militar, qué método se debe usar para ello y en qué orden de prioridad. En él se especifican también los objetivos que están restringidos o que no se pueden comprometer en absoluto[673]. Así, lo ideal es que todos los involucrados en ese proceso estén completamente conscientes de sus responsabilidades y de las limitaciones de focalización y coordinación, en tiempo y espacio[674].

Precisado lo anterior, vale la pena destacar que el derecho de focalización (o *Targeting Law*) es un marco normativo que regula la legalidad de la manera en que se utilizan las armas, los medios y los métodos de guerra en la conducta de las hostilidades. Este derecho se encuentra en el corazón del DIH. Gran parte de sus normas están recogidas en el API[675], por lo cual se aplica independientemente del medio, área o campo del conflicto en el que se produzca la focalización,

---

671 A pesar de la referencia a la palabra «adversario», es importante tener presente que un ataque también se entenderá como un acto de violencia contra personas, objetos y lugares protegidos por el DIH.

672 *ibid.*, *véase artículo 49.1*; y Henckaerts, J. M. y Doswald-Beck, L., *El Derecho internacional humanitario consuetudinario*, *op. cit.*, *véase regla 1*.

673 Corn, G. P. y Corn. G. S., «The Law of Operational Targeting: Viewing the LOAC through an operational Lens», *Texas International Law Journal*, vol. 47, 2011, núm. 2, pp. 337-380 [en línea], disponible en: *https://papers.ssrn.com/sol3/papers.cfm?abstract_id=1913962*, fecha de revisión: 13/06/2019, *véanse páginas 349-353*; y Gobierno de los Estados Unidos de Norteamérica, *Joint Publication 3-60/Joint Targeting*, de 13/04/2007, [en línea], disponible en: *http://stopthecrime.net/Target_Analysis_for_Joint_Targeting_(Joint_Publication_3-60)drone_dod_jp3_60.pdf*, fecha de revisión: 04/04/2019, *véase DRONES / JS / 000193*.

674 Roorda, M., «NATO's targeting process: ensuring human control over (and lawful use of) "autonomous" weapons», *op. cit.*

675 No obstante, como se indicó en el cuarto apartado del capítulo 1 de esta monografía, el *Targeting Law*, al nutrirse del DIH, también hace suyas las normas contenidas en el API, por lo que tendrá aplicabilidad cuando se trate de la ejecución de ataques en conflictos armados sin carácter internacional.

ya sea tierra, mar, aire, el espacio o el ciberespacio[676]. La clave es determinar si existe un «conflicto armado internacional» como cuestión de derecho, ya que tal conflicto es una condición necesaria para la aplicabilidad del *Targeting Law*.

Aunque la mayoría de los Estados son parte del API y, por lo tanto, están obligados directamente por sus términos, también es cierto que algunos países no lo son[677]. Sin embargo, aquellos que no son parte de ese instrumento consideran que la mayoría de las disposiciones sobre la focalización incluidas en ese tratado son normas de derecho internacional consuetudinario y, por tanto, deben ser observadas, además de haberlas incluido cada uno de estos en sus propios manuales de seguridad y defensa, reglas de combate, etc.[678]. Así pues, las referencias al API en relación con los SAAL que se establezcan en este capítulo se harán reproduciendo las reglas aceptadas de derecho consuetudinario y, por lo tanto, se aplican a las operaciones de focalización de objetivos independientemente de si el Estado es parte de ese protocolo.

Teniendo en cuenta todo lo anterior, este apartado analizará si la ejecución de un ataque a través de un SAAL en un conflicto armado internacional es —o no— legal de conformidad con las reglas y los principios del derecho de focalización (distinción, necesidad militar,

---

676 No obstante, es importante tener presente que algunas reglas especializadas podrían aplicar en particulares tipos de operaciones, tales como las operaciones de paz o en la guerra naval. Para más información al respecto, Gill, T. y Fleck, D. (eds.), *The handbook of the International Law of Military Operations*, Londres, 2.ª edición, Oxford University Press, 2015, *véanse páginas 307-331*.

677 Hasta junio de 2019, 174 Estados son parte en el instrumento y, por lo tanto, están obligados directamente por sus términos. El último Estado en hacerse parte es Palestina (en 2018). Países clave en el desarrollo armamentista que aún no son parte del protocolo son, por ejemplo, EE.UU., Israel, Irán, entre otros. Más información al respecto, Comité Internacional de la Cruz Roja, *Protocol Additional to the Geneva Conventions of 12 August 1949, and relating to the Protection of Victims of International Armed Conflicts (Protocol I), 8 June 1977*, sección de tratados, Estados parte y comentarios [en línea], disponible en: *https://ihl-databases.icrc.org/applic/ihl/ihl.nsf/Treaty.xsp?documentId=D9E6B6264D7723C3C12563CD002D6CE4&action=openDocument*, fecha de revisión: 13/06/2019.

678 Schmitt, M. y Widmar, E., «The Law of Targeting», en Ducheine, P., Schmitt, M. y Osinga, F. (eds.), *Targeting: The challenges of modern warfare*, Berlín, Springer, 2016, pp. 121-146, *véanse páginas 122 y 123*.

proporcionalidad, precaución y cláusula Martens), teniendo en cuenta aspectos que son clave como, por ejemplo, el objetivo del ataque, el arma seleccionada, la ejecución misma del ataque, los daños colaterales y lesiones incidentales producidas y la ubicación del acto armado.

Toda esta labor de análisis y reflexión será crucial, en tanto que ofrecerá elementos objetivos que permitan dar respuesta a una de las cuestiones y ejes centrales de esta investigación, a saber, determinar si el empleo de SAAL debería —o no— estar prohibido, en ciertas condiciones o en todas las circunstancias, en un conflicto armado internacional por representar un obstáculo para el equilibrio entre la necesidad militar de poder realizar operaciones de manera efectiva con el objetivo de minimizar el daño a civiles, propiedad civil y otras personas y objetos protegidos[679].

a) Principio de distinción

Es uno de los conceptos más importantes que un combatiente debe observar durante un conflicto armado[680]. A menudo es llamado discriminación, aunque de manera confusa, toda vez que «el principio de discriminación» (tal y como se indicó en el apartado 1.1.2 de este capítulo) es un concepto bifurcado, mucho más amplio que la distinción, el cual posee dos facetas perfectamente diferenciadas, aunque

---

679 Todo esto bajo la premisa del artículo 36 del API el cual exige que: «cuando una Alta Parte contratante estudie, desarrolle, adquiera o adopte una nueva arma, o nuevos medios o métodos de guerra, tendrá la obligación de determinar si su empleo, en ciertas condiciones o en todas las circunstancias, estaría prohibido por el presente Protocolo o por cualquier otra norma de derecho internacional aplicable a esa Alta Parte contratante». Al respecto, Protocolo Adicional I (API) a los Convenios de Ginebra de 1949 relativo a la protección de las víctimas de los conflictos armados internacionales, *op. cit.*

680 Sassòli, M., «Autonomous weapons and International Humanitarian Law: Advantages, open technical questions and legal issues to be clarified», *International Law Studies US Naval War College*, vol. 90, 2014, pp. 308-340, disponible en: *https://digital-commons.usnwc.edu/cgi/viewcontent.cgi?article=1017&context=ils*, fecha de revisión: 21/05/2019, *véase página 327*; y Solis, G., *The Law of armed conflict: International Humanitarian Law in war*, *op. cit.*, *véase página 251.*

complementarias entre sí[681]. Por un lado, prohíbe las armas que son indiscriminadas por su naturaleza a tenor de lo establecido en el artículo 51, numeral 4, literales «b» y «c» del API (abordado en epígrafes anteriores); y, luego, incluye un segundo aspecto, a saber, la exclusión o la prohibición del uso indiscriminado de cualquier arma, independientemente de que esta tenga por naturaleza la habilidad innata para poder discriminar. Esta última faceta del principio de discriminación consta de tres componentes: la proporcionalidad, la precaución y la distinción (eje central del presente apartado).

El principio de distinción ha sido citado por la Corte Internacional de Justicia como uno de los dos principios «cardinales» del DIH[682]. Su primera codificación se dio en la Declaración de San Petersburgo de 1868[683], y luego encontró su expresión moderna en el artículo 48 del API de los Convenios de Ginebra de 1949, el cual obliga a las partes beligerantes a distinguir en todo momento entre personas y objetos civiles, por una parte, y objetivos militares y de combatientes, por otra. El fin de este principio es garantizar que todas las operaciones en un conflicto armado sean dirigidas únicamente contra objetivos militares y, en ese sentido, conceder a las personas y los objetos civiles el beneficio de una protección general contra los efectos de las hostilidades[684].

En ese sentido, el principio de distinción tiene dos aspectos, uno relacionado con los individuos y otro con los objetos. Primero, las partes en un conflicto deben distinguir entre civiles y combatientes. Esto significa que los propios combatientes deben distinguirse también usando un uniforme o un signo distintivo que sea reconocible a distancia para que, a diferencia de los civiles, se les vea en su rol activo beligerante y, como tal, objetivos legítimos de los combatientes opues-

---

681 Rosenblad, E., *International Humanitarian Law of armed conflict: Some aspects of the principle of distinction and related problems*, *op. cit.*, *véanse páginas 53-72.*

682 *Legality of the Threat or Use of Nuclear Weapons*, Advisory Opinion, *op. cit.*, *véase párrafo 78.*

683 *Declaración suscrita en San Petersburgo*, *op. cit.*, *véase el preámbulo.*

684 Protocolo Adicional I (API) a los Convenios de Ginebra de 1949 relativo a la protección de las víctimas de los conflictos armados internacionales, *op. cit.*, *véase artículo 48*; y Henckaerts, J. M. y Doswald-Beck, L., *El Derecho internacional humanitario consuetudinario*, *op. cit.*, *véanse páginas 3 y 39.*

tos[685]. En segundo lugar, los combatientes deben apuntar únicamente a objetivos militares, lo cual implica una labor previa de distinguir entre los objetos civiles y militares.

Ahora bien, la distinción, como cualquier principio general, se caracteriza por un alto nivel de abstracción y generalidad en su redacción. Esto significa que, para garantizar la implementación de este a través del uso de las nuevas tecnologías vinculadas al área de los SAAL, es fundamental hacer algunas precisiones terminológicas que ilustren claramente qué es lo que requiere su cumplimiento en términos concretos.

Así las cosas, se entiende que los «combatientes» son todos los miembros de las Fuerzas Armadas, excepto el personal médico y religioso[686]. Dichas fuerzas comprenden no solo las unidades militares formales oficialmente organizadas de un Estado, sino también cualquier grupo o unidad armada organizada que esté bajo un comando responsable ante una de las partes en el conflicto por la conducta de sus subordinados[687]. Además, el DIH prevé la posibilidad de que en las Fuerzas Armadas se incorporen paramilitares u otros organismos encargados de hacer cumplir el orden público, de modo que sus

685 Para calificarlos como combatientes (y, por lo tanto, tener derecho a la condición de prisionero de guerra y de inmunidad), los individuos involucrados deben usar ropa o accesorios que los distingan de la población civil, portar abiertamente sus armas y, en general, realizar sus operaciones de conformidad con las leyes y las costumbres de la guerra. Al respecto, Henckaerts, J. M. y Doswald-Beck, L., *El Derecho internacional humanitario consuetudinario*, *op. cit.*, *véase regla 6*; *Conferencias de La Haya de 1899 y 1907*, *op. cit.*, *véase artículo 1*; y el artículo 4 de la Tercera Convención de Ginebra de 1949. No obstante, estos requerimientos fueron relajados por el artículo 44.3 del API, una disposición muy controvertida que, para algunos expertos en el área, no se puede considerar que refleje una norma de derecho consuetudinario. Fleck, D. (ed.), *The handbook of International Humanitarian Law*, *op. cit.*, *véase página 273*.

686 Henckaerts, J. M. y Doswald-Beck, L., *El Derecho internacional humanitario consuetudinario*, *op. cit.*, *véase regla 3*; Protocolo Adicional I (API) a los Convenios de Ginebra de 1949 relativo a la protección de las víctimas de los conflictos armados internacionales, *op. cit.*, *véase artículo 43(2)*; y *Conferencias de La Haya de 1899 y 1907*, *op. cit.*, *véase artículo 3*.

687 Henckaerts, J. M. y Doswald-Beck, L., *El Derecho internacional humanitario consuetudinario*, *op. cit.*, *véanse páginas 13 y 16*

miembros se conviertan en combatientes. Esta incorporación debe ser notificada a las otras partes en conflicto[688].

Por su parte, un civil es una persona que no pertenece a las Fuerzas Armadas[689], por lo que tiene inmunidad y no puede —en principio— ser objetivo de un ataque[690]. En caso de duda razonable[691] acerca de si una persona que va a ser atacada es un civil o combatiente, siempre

---

688 Protocolo Adicional I (API) a los Convenios de Ginebra de 1949 relativo a la protección de las víctimas de los conflictos armados internacionales, *op. cit.*, *véase artículo 43(3)*. Sin embargo, hay expertos que sostienen que, con respecto a la focalización, la ausencia de la notificación no impide necesariamente que el objetivo de un potencial ataque (un miembro de dichos grupos) sea considerado como perteneciente a un grupo armado organizado que participa directamente en las hostilidades. Al respecto, Fleck, D. (ed.), *The handbook of International Humanitarian Law*, *op. cit.*, *véase página 273*.

689 Henckaerts, J. M. y Doswald-Beck, L., *El Derecho internacional humanitario consuetudinario*, *op. cit.*, *véase regla 5*; y Protocolo Adicional I (API) a los Convenios de Ginebra de 1949 relativo a la protección de las víctimas de los conflictos armados internacionales, *op. cit.*, *véase artículo 50(1)*.

690 Cuando se trata de la participación directa de personas civiles en las hostilidades, la palabra «inmunidad» tiene un sentido propio, a menudo usado como sinónimo de protección. De esta forma, este término y sus conjugaciones serán empleados en la presente investigación bajo ese enfoque, el cual deviene de la prohibición expresa de atacar a civiles codificada para el conflicto armado internacional en el artículo 51(2) del API. Es lo que se conoce como el «principio de inmunidad de la población civil contra los ataques directos». Este principio no prohíbe los ataques contra las Fuerzas Armadas que causen incidentalmente daños a civiles. La intención de atacar a los civiles es el elemento *sine qua non* de la regla, y no el hecho *per se* que los civiles sean realmente perjudicados en una guerra. Más bien, los ataques que causen incidentalmente daños a civiles se rigen por el principio de proporcionalidad y el requisito de tomar precauciones viables en el ataque que serán abordados en apartados subsiguientes. No obstante, hay algunos supuestos excepcionales —que se abordarán más adelante— en los que se admite la posibilidad de atacar a personas civiles que hubieran perdido su inmunidad debido a ciertas circunstancias específicas (por ejemplo, el supuesto de la participación directa de personas civiles en las hostilidades).

691 Está claro que esta duda no puede ser leve sino significativa, toda vez que los conflictos armados están de por sí minados de dudas en todo momento. En este sentido, cuando exista alguna duda razonable y manifiesta es esencial que los atacantes hagan todo lo posible para confirmar que los objetivos son objetivos militares. En caso contrario, no podrán atacar por prohibición expresa del API.

se presumirá que la persona es un civil y, por ende, el ataque ha de ser abortado[692].

Con relación a la distinción entre objetos civiles y militares, es importante precisar lo siguiente: según el artículo 52 del API[693] solo los objetos militares podrán ser considerados objetivos militares[694]. Esta regla, en su numeral primero, precisa que los bienes de carácter civil son todos aquellos que no son objetivos militares, por lo que no podrán ser objeto de ataques ni de represalias. Por su parte, el numeral 2 define «objetivos militares» como aquellos objetos que por su naturaleza, ubicación, finalidad o utilización contribuyen eficazmente a la acción militar y cuya destrucción total o parcial, captura o neutralización ofrece, en las circunstancias del caso, una ventaja militar definida[695].

Esta definición consta de dos criterios. Por un lado, el objeto en cuestión —equipo militar—[696] debe hacer una contribución efectiva

---

692 Protocolo Adicional I (API) a los Convenios de Ginebra de 1949 relativo a la protección de las víctimas de los conflictos armados internacionales, *op. cit.*, *véase artículo 50(1).*

693 Protocolo Adicional I (API) a los Convenios de Ginebra de 1949 relativo a la protección de las víctimas de los conflictos armados internacionales, *op. cit.*, *véase artículo 52*; y Henckaerts, J. M. y Doswald-Beck, L., *El Derecho internacional humanitario consuetudinario*, *op. cit.*, *véanse páginas 29, 34 y 37, reglas 7, 8 y 9, respectivamente.*

694 En ese sentido, la palabra objetivo o *target* hace referencia a algo o alguien que ha sido disparado o marcado para un ataque, una entidad u objeto considerado para un posible compromiso o acción. Puede ser un área, complejo, instalación, fuerza, equipo, capacidad, función, individuo, grupo, sistema, entidad o comportamiento identificado para una posible acción. Mish, F. C., *Merriam-Webster's Collegiate Dictionary*, Londres, 10.ª ed., Merriam-Webster, 1993.

695 Cabe señalar que la expresión «ventaja militar definida» es muy similar a los términos utilizados en los artículos 51 (sobre la protección de la población civil), numeral 5 (b) y 57 (Precauciones en ataque), numeral 2 (a) (iii) y (b) del API en los que se utiliza la expresión «ventaja militar concreta y directa anticipada/prevista». Sin embargo, como se verá en apartados posteriores, una ventaja militar en los términos planteados en ambos artículos tiene unos matices diferentes que, probablemente, hacen que resulte más difícil su cumplimiento cuando se haga uso de SAAL en la ejecución de un ataque armado.

696 Algunos países, como EE.UU. —por ejemplo—, consideran que los objetivos militares no solo incluyen los materiales para los combates de guerra (por ejemplo, equipo militar), sino también los objetos de apoyo y sostenimiento de guerra (por ejemplo, bases militares, fábricas, etc.). Al respecto, Departamento de De-

a la acción militar del enemigo. Tal carácter «efectivo» excluye así contribuciones que son insignificantes o intrascendentes[697]. Por otro, la destrucción, la captura o la neutralización del objeto debe ofrecer al atacante una ventaja militar definida[698]. En este sentido, el término «definida» no implica necesariamente que la ventaja deba ser enorme. Lo normal es que el objeto haga una contribución efectiva a la acción militar del enemigo atacado, y que, al mismo tiempo, su destrucción, captura o neutralización le dé una ventaja militar definida y precisa al combatiente atacante «en las circunstancias que rigen» en el momento del ataque[699].

En otras palabras, no será legítimo lanzar un ataque que únicamente ofrezca ventajas potenciales o indeterminadas. Así, en caso de duda, siempre se deberá tener en cuenta la protección de la población civil que, a fin de cuentas, es uno de los principales objetivos del DIH. De esta forma, aquellos que planeen, ordenen y/o ejecuten un ataque deben tener suficiente información disponible para saber cuál es, en el momento del propio ataque, la ventaja militar definida[700]. Por tanto,

---

fensa de los Estados Unidos de Norteamérica, *DoD Law of War manual*, *op. cit.*, *véanse páginas 211 y 212*; y Marina de los Estados Unidos de Norteamérica, *The commander's handbook on the law of naval operations*, núm. NWP 1-14M/MCTP 11-10B/COMDTPUB P5800.7A, agosto de 2017 [en línea] disponible en: *https://www.jag.navy.mil/distrib/instructions/CDRs_HB_on_Law_of_Naval_Operations_AUG17.pdf*, fecha de revisión: 09/08/2019, *véanse páginas 8-2 y 8-3*.

697 No obstante, hay expertos que consideran que la expresión no exige tampoco que la contribución deba ser particularmente significativa. Al respecto, Fleck, D. (ed.), *The handbook of International Humanitarian Law*, *op. cit.*, *véase página 278*.

698 Para más información sobre qué debe considerarse ventaja militar definida, Henderson, I., *The Contemporary Law of Targeting*, Leiden (Países Bajos), Martinus Nijhoff, 2009, *véanse páginas 61-65*.

699 Sandoz, Y., Swinarski, C. y Zimmermann, B. (eds.), *Comentario sobre los Protocolos adicionales del 8 de junio de 1977 a los Convenios de Ginebra del 12 de agosto de 1949*, *op. cit.*, *véase párrafo 2024*.

700 Al evaluar la ventaja militar, es necesario considerar aquella que sea resultante del ataque como un todo. Esto significa que el ataque deberá considerarse siempre en el contexto de la campaña en curso. Además, la ventaja militar no se deberá considerar en retrospectiva, por lo que el factor determinante será el grado de ventaja militar que el atacante esperaba obtener en el momento en que se planificó, aprobó o ejecutó el ataque. Al respecto, Dinstein, Y., *The conduct of hostilities under the law of international armed conflict*, *op. cit.*, *véanse pági-*

dada su naturaleza militar, la ventaja deberá exhibir algún nexo directo con las operaciones militares.

Así pues, la determinación de lo que es una ventaja militar, y si esta existe en un caso determinado, no es una ciencia matemática. Aunque las diversas reglas y los principios del derecho internacional armamentista pueden establecer qué aspectos deben considerarse para comprobar si existe una ventaja militar, también es cierto que todavía no proporciona una ecuación nítida a partir de la cual se pueda deducir una respuesta inequívoca de si una ventaja militar existe o no. Por lo tanto, la evaluación de la ventaja militar siempre será vista como una prueba subjetiva[701].

Lo anterior significa que, si existe o no una ventaja militar, y en qué grado podría ser esta, son aspectos que deben ser juzgados por lo que pensó aquel comandante que autorizó o dirigió el ataque, y no por lo que hubiera pensado un comandante hipotético si se le hubiera presentado la misma información[702]. Luego, para evaluar la ventaja

---

nas 85-87; y Schmitt, M., «Targeting in operational law», en Gill, T. y Fleck, D. (eds.), *The handbook of the International Law of Military Operations*, Londres, 2.ª edición, Oxford University Press, 2015, pp. 269-306, *véanse páginas 278 y 279.*

701 Sandoz, Y., Swinarski, C. y Zimmermann, B. (eds.), *Comentario sobre los Protocolos adicionales del 8 de junio de 1977 a los Convenios de Ginebra del 12 de agosto de 1949*, *op. cit.*, *véase párrafo 2037*; y Henderson, I., *The Contemporary Law of Targeting*, *op. cit.*, *véanse páginas 71-75.*

702 Esta afirmación tiene un doble efecto. Por un lado, el ataque a un objetivo militar no se debe considerar ilegal cuando el comandante que ordenó su ejecución lo hiciera razonablemente, y llegó a la conclusión de que atacar a ese objetivo producía una ventaja militar. Igualmente sucede en aquellos casos en los que un ataque ha sido ejecutado por orden de un comandante que creyó que, a través de este, obtendría una ventaja militar. Por otro lado, un ataque no es legal simplemente porque un comandante hubiera llegado a una conclusión razonable de que atacar al objetivo produciría una ventaja militar. En su lugar, el ataque solo se considerará legal si se llega a determinar que el comandante que ordenó su ejecución, de hecho, creyó que podía obtener a través de este una ventaja militar. Al respecto, Oeter, S., «Methods and means of combat», *op. cit.*, *véase página 157*; Sassòli, M., *Legitimate targets of attacks under International Humanitarian Law* (background paper), *op. cit.*, *véase página 2*; y Henderson, I., *The Contemporary Law of Targeting*, *op. cit.*, *véanse páginas 73 y 74.*

militar siempre será relevante la creencia real que tuviera el comandante en el momento del ataque[703].

Teniendo en cuenta lo anterior, se podrá considerar que un objeto contribuye de manera efectiva a la acción militar, en cuatro supuestos concretos[704]: a) cuando, por su naturaleza, el objeto tenga el carácter intrínseco de un objeto militar útil para la ejecución de las acciones militares del enemigo; b) cuando por su ubicación o localización el objeto se convierta en un objetivo militar; c) debido a su potencial utilización, en tanto que el objeto puede llegar a contribuir a una acción militar del enemigo. Este criterio se refiere al uso futuro de un objeto que es civil pero que se utilizará con algún propósito militar, una conversión que además no tiene que ser completa antes de que se convierta el objeto civil en un objetivo militar[705]; y, d) por último,

---

703 El comandante de una misión es el único que toma la decisión de si existe una ventaja militar en las circunstancias que dictan las circunstancias en el momento de la ejecución del ataque en cuestión. Aun cuando un comandante puede ser asistido por varios oficiales a su cargo, en última instancia, esos oficiales solamente le aconsejan, porque es el comandante —y no otra persona— quien decide en el marco de un proceso de focalización. Así pues, la legalidad o no de la focalización deberá considerarse en contraste con la información que estaba disponible para el comandante en el momento en que tomó la decisión de ejecutar el ataque contra el objetivo militar. Al respecto, Comité Internacional de la Cruz Roja, *Report on the Work of the Conference* (informe), julio de 1972 (Ginebra, «Conference of Government Experts on the Reaffirmation and Development of International Humanitarian Law Applicable in Armed Conflicts», 3 de mayo-3 de junio de 1972), vol. 1 [en línea], disponible en: *https://www.loc.gov/rr/frd/Military_Law/pdf/RC-Report-conf-of-gov-experts-1972_V-1.pdf*, fecha de revisión: 06/08/2019, *véase página 147*.

704 Para más información sobre estos criterios que establecen cuatro categorías de objetos considerados objetivos militares, Henderson, I., *The Contemporary Law of Targeting*, *op. cit.*, *véanse páginas 53-61*.

705 Este supuesto es uno de los más difíciles de comprobar, dado que la mera especulación de que un objeto civil tiene un propósito militar no es suficiente para calificarlo como un objetivo militar. Debe haber un grado razonable de certeza, generalmente basado en información de inteligencia fiable, para saber que, de hecho, el objeto se va a convertir en militar. Un ejemplo que podría ilustrar este supuesto sería el caso de que un avión civil esté siendo equipado para transportar tropas o equipo militar. Este avión, aunque por su naturaleza es civil, dado su propósito deberá ser considerado un objeto militar y podrá ser atacado tan pronto como la intención del enemigo de usarlo con fines militares quede clara y probada.

está el criterio de «uso», referido a la función presente del objeto en cuestión. En este supuesto, el objeto —que es de naturaleza civil— pasa a ser un objetivo militar a través del uso que le dé la parte enemiga[706]. Tal uso convierte a ese objeto, *ipso facto*, en un objetivo militar legal[707].

Habida cuenta de la variedad de supuestos que pueden suceder a la hora de distinguir un objeto civil de uno militar, siempre es importante tener presente que en caso de duda sobre si un objeto normalmente dedicado a fines civiles es un objetivo militar, se deberá presumir que dicho objeto no se utiliza con el fin de contribuir eficazmente a la acción militar enemiga. Así pues, un objeto solo podrá ser atacado si, en base a toda la información disponible, el atacante concluye de manera razonable que ese objeto se está usando —o se utilizará— militarmente[708].

aa) Los SAAL y la aplicación general del principio de distinción

Una vez precisado todo lo anterior, es importante plantear ahora algunas consideraciones con relación a cuáles podrían ser los potenciales desafíos que representan los SAAL a la hora de que los combatientes deban cumplir con el principio de distinción en la ejecución de un ataque armado llevado a cabo a través de esos sistemas. Para ello, es significativo recordar que todas las reflexiones vertidas en este apartado se hacen desde un enfoque antropocéntrico, por lo que el marco referencial utilizado para evaluar el impacto potencial de los SAAL será el estándar jurídico de aplicabilidad exigido a cualquier

---

706 Este es el típico caso cuando los combatientes utilizan los sitios religiosos, las escuelas y los hospitales para el almacenamiento de armas y municiones o como sitios desde donde realizar los ataques.

707 Algunos objetos se utilizan también, por naturaleza, para fines militares y civiles. Esto es lo que se conoce como instalaciones, artefactos y tecnologías de «doble uso», las cuales califican plenamente como objetivos militares. No obstante, sus aspectos civiles, junto a la ventaja militar que provean al enemigo, deberán ser sopesados durante los cálculos de proporcionalidad que debe llevar a cabo previamente la parte atacante.

708 Protocolo Adicional I (API) a los Convenios de Ginebra de 1949 relativo a la protección de las víctimas de los conflictos armados internacionales, *op. cit.*, *véase artículo 52(3)*.

soldado humano combatiente en los términos y las condiciones definidas por el derecho internacional armamentista.

Teniendo en cuenta este enfoque, es importante recordar que el principio general de distinción tiene dos componentes. Por un lado, las partes en un conflicto armado deben distinguir entre civiles y combatientes enemigos (*Lawful human targets*); y, por otro, lo deben hacer también entre objetos civiles y militares (*Lawful non-human targets*). Así, solo los objetivos militares pueden ser objeto de un ataque[709].

Hoy en día, ambos componentes son difíciles de cumplir por parte de los combatientes. La diversidad de circunstancias propias de la niebla de la guerra hace muy complejo distinguir con precisión muchos objetivos militares. Por ello, hay quienes afirman que si para los combatientes humanos es de por sí muy difícil —aunque no imposible— cumplir con este principio, más aún lo debe ser cuando hagan uso de SAAL para ejecutar ataques en un conflicto armado.

HRW, por ejemplo, es de las instituciones que aboga por la prohibición preventiva de los SAAL. En su opinión, la distinción es uno de los principios básicos que plantea mayores obstáculos para que las armas completamente autónomas cumplan con el DIH. Desde esa perspectiva, los SAAL son vistos como sistemas incapaces de sentir o interpretar la diferencia entre soldados y civiles, especialmente en entornos de combate contemporáneos[710]. Según este argumento, para cumplir con el principio de distinción siempre será necesaria la existencia de una capacidad cualitativa que mida la intención humana, una «virtud» que, al parecer, no tienen los SAAL. En ese sentido, son los humanos, y no las máquinas, quienes poseerían la capacidad única de identificarse con otros seres humanos y, por lo tanto, según HRW, estarían mejor equipados para comprender los matices de los com-

---

709 Por ejemplo, conforme al DIH no se puede atacar al personal y bienes sanitarios, de socorro humanitario y de las misiones de mantenimiento de la paz. Al respecto, Henckaerts, J. M. y Doswald-Beck, L., *El Derecho internacional humanitario consuetudinario*, *op. cit.*, *véase reglas 25-33*.

710 Human Rights Watch and Harvard Law School's International Human Rights Clinic, *Losing Humanity: The Case against Killer Robots*, *op. cit.*, *véase página 30*.

portamientos imprevistos, en formas en que las máquinas, que deben programarse de antemano, simplemente no pueden hacerlo[711].

Por su parte, Peter Asaro, uno de los expertos que lideran la campaña internacional en contra de los SAAL, sostiene que la distinción no puede verse simplemente como una regla que ordena o diferencia a los combatientes de los civiles, sino también como un principio que busca la protección de las vidas humanas que podrían perderse si se utiliza la fuerza letal. En ese sentido, considera que son los humanos quienes deben tomar la decisión informada de distinguir a las personas y objetos civiles de los objetivos militares. No obstante, Asaro reconoce que, si existieran tecnologías en el área de los SAAL que pudieran distinguir a los civiles de los combatientes mejor que cualquier humano, o al menos mejor que el combatiente promedio, entonces esas tecnologías deberían implementarse de una manera que ayudasen al combatiente a aplicar el principio de distinción, en lugar de ser utilizadas para eliminar el juicio humano en el proceso de focalización[712].

En esa misma línea, Noel Sharkey, presidente del ICRAC, afirma que los SAAL son sistemas que no pueden discriminar entre combatientes y no combatientes de una manera que satisfaga el principio de distinción. Su afirmación parte de la premisa de que los robots en general —y, por ende, SAAL en particular— carecen de tres componentes necesarios para garantizar el cumplimiento de ese principio:

En primer término, los robots no tienen sistemas adecuados de procesamiento sensorial o de visión que les permita separar a los combatientes de los civiles, especialmente en las guerras insurgentes, o incluso para reconocer a los combatientes heridos o que se hayan rendido[713]. En segundo término, aunque una computadora puede calcular

---

711 Human Rights Watch, «Advancing the debate on killer robots: 12 key arguments for a preemptive ban on fully autonomous weapons», *op. cit.*, *véase*; y Human Rights Watch, «Making the case the dangers of killer robots and the need for a preemptive ban», *op. cit.*, *véase página 4*.

712 Asaro, O., «On banning autonomous weapon systems: human rights, automation, and the deshumanization of lethal decision-making», *op. cit.*, *véanse páginas 701 y 702*. En esa misma línea Liu, H., «Categorization and legality of autonomous and remote weapons systems», *op. cit.*

713 En opinión de Sharkey, lo que está disponible para los robots solo son sensores en modalidad de cámaras, infrarrojos, sónares, láseres, medidores de temperatu-

cualquier procedimiento que se pueda escribir en un lenguaje de programación, esa labor precisa que los humanos sean capaces de poder especificar antes en la programación cada elemento con suficiente detalle para que la computadora pueda operar basada en los códigos dados. Ahora bien, cuando se trata de garantizar el cumplimiento del principio de distinción a través de programaciones algorítmicas, el problema —según Sharkey— es que los programadores no tienen un listado de las definiciones adecuadas que puedan luego traducirse en códigos de computadora[714].

Por último, las máquinas no tienen la conciencia del campo de batalla o el razonamiento del sentido común para ayudar en las tomas de decisiones relacionadas con el principio de distinción. En ese sentido, según Sharkey, resulta poco probable que algún día se pueda programar en los SAAL la capacidad de discriminación que existe a nivel de razonamiento humano.

A diferencia de Sharkey, Ronald Arkin, especialista en robótica del Georgia Institute of Technology, sugiere que sistemas avanzados como los SAAL pueden ser capaces de analizar y recopilar grandes cantidades de información, lo que les permite llevar a cabo una reacción más rápida y mejor informada que a los combatientes humanos, sobre todo cuando se trate de dar estricta observancia a los principios del DIH. Esto significa que los SAAL tendrán una superioridad potencial frente a las debilidades que poseen los humanos en situaciones de conflicto armado, especialmente cuando tengan que cumplir con el principio de distinción[715]. Así pues, si el objetivo es crear un arma

ra y radares, entre otros. A través de estos un SAAL, a lo sumo, podría ser capaz de indicar que «algo» es un humano, pero no podría ir mucho más allá de un diagnóstico como ese. Aunque hubiera sistemas en los laboratorios que puedan reconocer las caras fijas y, finalmente, ser útiles para focalizar a un individuo en circunstancias limitadas, dicho supuesto, según el experto, sigue siendo poco probable. Al respecto, Sharkey, N., «The evitability of autonomous robot warfare», *op. cit.*, *véanse páginas 788 y 789*.

714 Por ejemplo, qué es un civil o un combatiente, cuándo existe una participación directa en las hostilidades por parte de los civiles, en qué supuestos se está enfrente de escudos humanos, etc.

715 Arkin, R. C., «Governing Lethal Behavior: Embedding Ethics in a Hybrid Deliberative/Reactive Robot Architecture», *op. cit.*; y Arkin, R., *Governing lethal behaviour in autonomous robots*, *op. cit.*, *véanse páginas 7-30*. Hay expertos que consideran que el enfoque de Arkin es erróneo porque mientras él discute ambos

autónoma que sea capaz de igualar o superar los estándares que se espera que un soldado humano desempeña en todas las circunstancias y entornos operativos de un campo de batalla, es necesario entonces que el diseño y la programación de un SAAL permita a los combatientes cumplir, a través de su uso, con el principio de distinción.

Según los expertos Anderson y Waxman, en los últimos años científicos e ingenieros han venido trabajando con miras a alcanzar una programación algorítmica en las máquinas que sea útil para cumplir de manera más efectiva con el DIH[716]. Para programar el principio de distinción en SAAL, ambos expertos sugieren comenzar teóricamente con categorías y muestras de objetivos legales y gradualmente aumentar hacia el razonamiento inductivo acerca de las características de los objetivos legales que aún no están en la lista. También se podrían imaginar sistemas que integren sensores y procesos de reconocimiento para identificar combatientes enemigos específicos y conocidos. En ese sentido, los diseñadores de SAAL podrían usar razonamiento basado en casos y simulaciones más rápidas que en tiempo real para mejorar el aprendizaje inductivo —entreno— de la máquina.

Todo lo anterior demuestra que, hoy en día, no existe unanimidad en la comunidad científica internacional acerca de si los SAAL podrán ser programados para cumplir con los principios básicos del DIH. Esto impide pronosticar cuál será el rumbo real e innovador de las ciencias de la computación del futuro aplicadas al área de las AW. Tal

---

principios, no está realizando una investigación sobre ninguno de ellos, sino que solo sugiere que algún día podrán ser solucionados por parte de las máquinas. Al respecto, Sharkey, N., «The evitability of autonomous robot warfare», *op. cit.*, *véase página 790.* Otro de los fervientes críticos de la posición de Arkin es Robert Sparrow, quien considera que las sugerencias de Arkin carecen de un fundamento adecuado. Al respecto, Sparrow, R., «Robots and respect: Assessing the case against autonomous weapon systems», *Ethics & International Affairs*, vol. 30, 2016, núm. 1, pp. 93-116, *véanse páginas 100-105.*

716 Anderson, K. y Waxman, M., *Law and Ethics for Autonomous weapon systems: Why a ban won't work and how the laws of war can* (documento de trabajo), Stanford University, The Hoover Institution Jean Perkins Task Force on National Security & Law Essay Series, 2013; American University, WCL Research Paper 2013-11; Columbia Public Law Research Paper núm. 13-351 [en línea], disponible en: *http://media.hoover.org/sites/default/files/documents/Anderson-Waxman_LawAndEthics_r2_FINAL.pdf*, fecha de revisión: 09/08/2019, *véanse páginas 11 y 12.*

vez los Estados logren algún día diseñar algoritmos que puedan calcular con precisión la duda o falta de certeza acerca de si una persona es —o no— un objetivo militar[717]. Por ejemplo, los SAAL podrían llegar a estar equipados con sensores que les permitan determinar cuándo un objetivo potencial es —o no— un niño. Tal determinación disminuiría sustancialmente la probabilidad de que el objetivo sea un combatiente[718].

En relación con la definición de objetos militares, por ejemplo, los SAAL deberían ser programados de tal manera que puedan diferenciar entre objetos civiles y militares. Esto, en principio, no parecería técnicamente complicado toda vez que la distinción se relacionaría más con categorías de objetos similares a aviones de combate, tanques o cuarteles. La parte más compleja está en que los SAAL puedan reconocer cuándo los objetos a atacar realmente contribuyen de manera efectiva a la acción militar de las fuerzas enemigas[719]. Esta ventaja es muy relativa, y solo los humanos la pueden calcular.

En la actualidad, como principio, son los comandantes operacionales de misión quienes deben, al final de todo, decidir si se debe atacar —o no— a un objetivo debido a la ventaja que este ofrezca al enemigo[720]. Aplicando esta premisa al área de los SAAL, queda claro

---

717 Schmitt, M., «Autonomous weapon systems and International Humanitarian Law: A reply to the critics», *op. cit.*, *véase página 16.*

718 Según Schmitt, estos ejemplos pretenden ilustrar cómo las capacidades reales de los sensores de los sistemas de armas autónomas, con el tiempo, serán cada vez más avanzadas. Sin embargo, como tales determinaciones son altamente contextuales, la clave de todo esto, al final, estará en la interacción humana con el sistema.

719 Cuando se trate de objetos civiles considerados objetivos militares debido a su uso actual y propósito futuro, se requiere un juicio caso por caso, por lo que dicha diferenciación no se puede programar previamente en un SAAL. Así pues, resulta poco factible que en esas circunstancias se use un SAAL sin que exista, al menos, una supervisión humana en el proceso de focalización. Así pues, un sistema de reconocimiento de objetivos incorporado en un SAAL podrá programarse para apuntar únicamente a objetos que son objetivos militares por naturaleza o ubicación, ya que pueden preprogramarse y pueden garantizar una identificación adecuada.

720 Según la doctrina militar de algunos países, a veces las circunstancias del conflicto ameritan de manera excepcional la descentralización de la toma de decisiones en mandos subordinados. Por ejemplo, la Doctrina militar española al respecto reconoce que, «[...] en situaciones complejas, dinámicas, con múltiples actores

que los comandantes deberán apoyarse tanto en la información que les provea la máquina[721], como en los consejos que les proporciona el resto de los oficiales, pero jamás podrán delegar en otra persona —y menos aún en el propio sistema— su potestad de decisión.

De esta forma, resulta jurídicamente cuestionable que un SAAL determine por sí mismo si la destrucción total o parcial, la captura o la neutralización del objeto seleccionado, en las circunstancias que rijan al momento de atacar, ofrece una ventaja militar definitiva. Dado que una ventaja militar consiste en ganar terreno y en debilitar las fuerzas enemigas, estos conceptos no son del todo objetivables y adaptables a la programación del SAAL. Solo si la ventaja militar es definitiva (en contraste con la ventaja potencial o indeterminada), podrá ser legítimo lanzar un ataque haciendo uso de un SAAL, siempre que la decisión final acerca de la ventaja militar haya sido tomada por el comandante y no por la máquina.

Así las cosas, pareciera que lo más complejo para un SAAL es distinguir entre combatientes y civiles. Basado en los desarrollos tecnológicos estudiados en capítulos anteriores, hoy en día no hay certeza de que el desarrollo de sensores adaptables a un sistema autónomo

---

y numerosos incidentes y enfrentamientos de distinta intensidad, es aconsejable descentralizar progresivamente la toma de decisiones en los escalones inferiores, de manera que puedan llevar a cabo una gestión de la información y del conocimiento más eficiente y adoptar decisiones más adecuadas orientadas al cumplimiento de la misión». Esto se conoce como *mission command*, una forma de mando descentralizada que, además, deberá tenerse muy en cuenta a las innovaciones tecnológicas aplicadas a las operaciones, sobre todo porque pueden producir cambios en las tácticas y los códigos de actuación de los combatientes. Al respecto Ministerio de Defensa del Reino de España, *Doctrina para el empleo de las FAS*, catálogo general de publicaciones oficiales, Madrid, núm. PDC-01 (A), febrero de 2018 [en línea], disponible en: *https://www.defensa.gob.es/ceseden/en/Galerias/ccdc/documentos/02_PDC-01_xAx_Doctrina_empleo_FAS.pdf*, fecha de revisión: 21/01/2021, *véanse las páginas 171 y 172.*

721 La instalación de marcadores de probabilidad que permitan saber si un ataque previsto provee una ventaja militar frente al enemigo es una tecnología que podría programarse en un SAAL, aunque la información que de ellos se obtenga deberá siempre ser orientativa para los comandantes militares, sobre todo como una herramienta de ayuda para anticipar la ventaja militar y hacer evaluaciones de daños.

podría identificar criterios que no sean directamente visibles por las máquinas[722].

De todo esto se puede colegir finalmente que, dependiendo de las circunstancias operativas en las que se desplieguen SAAL, su uso podría considerarse legal —o no— con respecto al principio de distinción del DIH. Aunque el principio de distinción podría estar abierto a la programación cuantitativa, existen criterios que son cualitativos y casi imposibles de programar. De esta forma, los operadores humanos y los comandantes militares son quienes deben garantizar el control adecuado sobre el funcionamiento eficaz del SAAL, en especial para el cumplimiento del principio de distinción.

ab) Los SAAL ante casos en los que tradicionalmente es difícil la aplicación del principio de distinción

Hasta ahora ha quedado claro que, debido a la falta de tecnología suficientemente sofisticada, tal vez la mayor dificultad que puede surgir para que los Estados cumplan con el DIH cuando hagan uso de un SAAL para ejecutar un ataque en un conflicto armado está en poder lograr que esa máquina mortífera tenga la capacidad de resolver problemas complejos, situaciones que son tradicionalmente difíciles de gestionar y solventar para los humanos combatientes en un conflicto armado internacional. En ese sentido, se ofrecen a continuación algunas consideraciones sobre la legalidad del uso de SAAL en la ejecución de ataques que podrían llevarse a cabo en circunstancias muy

---

722 Hay autores que, por el contrario, consideran que la tecnología actual está lo suficientemente avanzada como para superar muchos obstáculos de visibilidad en los campos de batalla. Por un lado, William Boothby sugiere la posibilidad de que se identifiquen personas y objetos por medio de técnicas de reconocimiento de iris. Por otro lado, Michael Schmitt propone que el reconocimiento de personas se haga mediante técnicas de identificación visual de individuos por *software*. Sin embargo, el problema en uno u otro caso es que las Fuerzas Armadas que deseen atacar haciendo uso de ese tipo de tecnología, probablemente no tengan a mano una base de datos con información en tiempo real sobre todos los soldados enemigos o civiles que participen directamente en un conflicto armado, por ejemplo. Al respecto, Boothby, W. H., *Conflict Law. The influence of new weapons technology, human rights and emerging actors*, *op. cit.*, *véase página 108*; y Schmitt, M., «Autonomous weapon systems and International Humanitarian Law: A reply to the critics», *op. cit.*, *véase página 11*.

complejas y excepcionales que de por sí dificultan el cumplimiento efectivo del principio de distinción.

Al igual y como sucede cuando se utiliza cualquier otra arma, resulta muy difícil poder cumplir con el principio de distinción cuando se usa un SAAL para ejecutar un ataque en el que haya una participación directa de personas civiles en las hostilidades. A este tipo de personas es lo que la doctrina llama «combatientes irregulares», individuos no combatientes que toman una parte activa y directa en los conflictos. Estas personas civiles, mientras dure su participación directa, no tienen la inmunidad propia de los civiles y pueden ser objeto de ataques directos como si fueran auténticos combatientes[723]. Sin embargo, no dejan de mantener su estatus de civil al no formar parte de las Fuerzas Armadas del enemigo[724]. Así pues, una vez que el combatiente irregular desiste de participar en la hostilidad ha de recuperar su inmunidad.

Ahora bien, aunque existe una aceptación universal de esta regla, aún prevalecen ciertas incertidumbres acerca de su aplicación. La primera pregunta que siempre genera diferencia de opiniones sobre la materia es cuándo debe calificarse la participación de una persona civil como «directa».

Según el CICR[725], por ejemplo, un acto se constituye en una participación directa cuando se cumplan tres elementos constitutivos que son de carácter acumulativo y concurrente: a) el acto debe afectar

---

723 Protocolo Adicional I (API) a los Convenios de Ginebra de 1949 relativo a la protección de las víctimas de los conflictos armados internacionales, *op. cit.*, *véase artículo 51(3)*; y Henckaerts, J. M. y Doswald-Beck, L., *El Derecho internacional humanitario consuetudinario*, *op. cit.*, *véase regla 6*.

724 Al respecto, Dinstein, Y., *The conduct of hostilities under the law of international armed conflict*, *op. cit.*, *véanse páginas 27 y 29-33*; y Rodríguez-Villasante, J., «Participación directa de las personas civiles en las hostilidades», en Rodríguez-Villasante, J. y López Sánchez, J. (coords.), *Derecho internacional humanitario*, Madrid, 3.ª edición, Tirant lo Blanch, 2017, *véanse páginas 782-784 y 787*.

725 El CICR, después de una larga preparación a través de una comisión de expertos, elaboró en 2008 una *Guía para interpretar la noción de participación directa en las hostilidades según el derecho internacional humanitario*. Al respecto, Melzer, N., *Guía para interpretar la noción de participación directa en las hostilidades según el Derecho internacional humanitario*, Ginebra, Comité Internacional de la Cruz Roja, 2008, *véase página 46*.

a las operaciones militares o la capacidad militar de una parte en un conflicto armado o, alternativamente, infligir la muerte, lesiones o destrucción de personas u objetos protegidos contra ataques directos (el umbral de daño); b) debe haber un vínculo causal directo entre el acto y el daño que puede resultar de aquel, o de una operación militar coordinada de la cual ese acto constituye una parte integrante (causación directa); y, c) el acto hostil debe ser específicamente planeado para causar directamente el umbral de daño requerido en apoyo de una parte en el conflicto y en detrimento de otra (nexo beligerante). A pesar de la claridad de estos elementos, igual siguen existiendo ciertos desacuerdos sobre su suficiencia[726].

De cualquier manera, otro aspecto que genera incertidumbre con respecto al concepto de participación directa de personas civiles en las hostilidades es cómo definir el ámbito temporal de la participación. De acuerdo con la Guía Interpretativa del CICR, la participación directa de la persona civil comienza con medidas preparatorias para la ejecución de un acto específico de participación directa en las hostilidades, así como el despliegue y el retorno desde el lugar de su ejecución. Sin embargo, existe controversia sobre cuándo debería considerarse que existe la pérdida de la inmunidad y en qué momento la participación directa cesa[727]. Por lo tanto, una interpretación más amplia sugiere que la participación directa se extiende hasta donde existe un nexo causal definitivo. Obviamente, sin embargo, un vínculo causal remoto o artificial no sería suficiente.

Otro asunto controversial relacionado con esta regla involucra a aquellos individuos civiles que participan de manera directa y en repetidas ocasiones en las hostilidades, aunque en incidentes separados. Esto es lo que la doctrina denomina el fenómeno de la «puerta giratoria»[728]. La mayoría de los expertos están de acuerdo en que una

---

726 Por ejemplo, algunos expertos argumentan que limitar el elemento del umbral al daño conduce a no tener en cuenta como una participación directa aquellos actos que pretenden mejorar la capacidad u operaciones militares de una parte. Al respecto, Fleck, D. (ed.), *The handbook of International Humanitarian Law*, *op. cit.*, *véase página 276*.

727 Rodríguez-Villasante, J., «Participación directa de las personas civiles en las hostilidades», *op. cit.*, *véanse páginas 795-798*.

728 Para más información sobre este fenómeno, Lesperance, R. J., «Civilians taking direct part in hostilities: Why the "revolving door" must become a one-way

persona que es miembro de un grupo armado organizado pierde su inmunidad contra los ataques directos a través de su membresía, aunque algunos llegan a limitar la noción de «membresía» a aquellas personas que tienen una función de combate continuo en el grupo[729]. Sin embargo, en cuanto a los individuos que participan en las hostilidades sin ser miembros de un grupo armado, hay quienes afirman que cada acto debe tratarse por separado. De todas formas, sea cual fuere la posición, y bajo esta línea interpretativa, una vez que el participante directo desiste de participar en un incidente específico la persona civil recupera su inmunidad contra los ataques directos en conflictos armados internacionales. Es solo el comienzo de una operación posterior lo que hace que el participante se convierta en blanco de nuevo[730].

Sobre este supuesto, una interpretación alternativa sostiene que tales individuos permanecen sujetos a ataques directos a lo largo de sus actividades, y solo recuperarían su inmunidad al retirarse inequívocamente de la participación. El problema de este enfoque es cuándo se debe considerar que el retiro es «inequívoco», sobre todo en aquellos casos en los que la persona civil pudo haber decidido desistir de una mayor participación, pero lo hace de una manera silenciosa o de bajo perfil en virtud de su propia seguridad y resguardo. Este tipo de decisión puede dar la sensación al combatiente enemigo de que ha sido tomada de manera aparente. De esta forma, basado en esta interpretación, se debe considerar que, si este individuo optó por participar directamente en primer lugar, lo más apropiado sería que la persona civil sea quien corra el riesgo de la equivocación en su contra, en vez de los combatientes a quienes podría ese civil atacar como un participante directo —si no se hubiera retirado realmente—[731].

---

turnstile», *Colegio de las Fuerzas Canadienses, Departamento de Defensa Nacional de Canadá*, 2013 [en línea], disponible en: *https://www.cfc.forces.gc.ca/259/290/299/286/lesperance.pdf*, fecha de revisión: 15/06/2019, *véanse páginas 70 y ss.*

729 Esta es la posición adoptada por la Guía interpretativa del CICR. Melzer, N., *Guía para interpretar la noción de participación directa en las hostilidades según el Derecho internacional humanitario*, *op. cit.*, *véanse páginas 71-73*.

730 *Ibid.*, *véase página 72*.

731 Al respecto, Fleck, D. (ed.), *The handbook of International Humanitarian Law*, *op. cit.*, *véanse páginas 276 y 277*.

Esta gran variedad de casuística, hipótesis, suposiciones e interpretaciones acerca de cuándo, cómo y en qué momento debería considerarse que una persona civil participa directamente en las hostilidades y, por ende, pierde su inmunidad, demuestra que no existe aún clara unanimidad en este tema. Por un lado, la Guía Interpretativa del CICR ha sugerido una comprensión sobre este asunto muy difícil de traducir en instrucciones para una máquina. La regla sugerida por algunos críticos de la Guía Interpretativa, a saber, que cualquier miembro de un grupo armado puede capturarse, será igualmente difícil de traducir en códigos de programación computacionales, sobre todo porque ni una máquina ni un ser humano pueden determinar si una persona desconocida es miembro de una organización[732].

En cualquier caso, si un robot tiene que ser programado para que pueda ser usado en supuestos especiales como este, no se puede indicar y/o entrenar a la máquina que «todo depende» de una situación dada de manera abstracta, hipotética, sin aclarar antes qué acción debe emprender ese SAAL y en qué situación en concreto. Así pues, al hacer uso de redes neuronales o escribir un programa algorítmico de computadora sobre los factores de los que dependa la futura focalización hecha por un SAAL, siempre requerirá antes de mucha claridad de parte del programador y del *input* que su operador le proporcione al sistema[733]. Todo esto debe hacerse de manera muy cuidadosa en los casos que involucran el uso de SAAL. Al igual como puede suceder con el uso de drones con municiones guiadas con precisión, por ejemplo, los SAAL pueden ofrecer la posibilidad de una mayor exactitud en la focalización y, por lo tanto, mayor posibilidad

---

732 Sassòli, M., «Autonomous weapons and International Humanitarian Law: Advantages, open technical questions and legal issues to be clarified», *op. cit., véanse páginas 328-330.*

733 Los nuevos enfoques de aprendizaje automático, como las redes neuronales de aprendizaje profundo, aunque son muy buenos para el reconocimiento de objetos, igual siguen siendo vulnerables a los ataques en donde las imágenes recibidas sean engañosas (ya sea porque estén alteradas por otro *software*, tengan poca nitidez, no exista fiabilidad plena en la fuente de la imagen, etc.). Sin un humano en el circuito para una comprobación final, utilizar esta tecnología para realizar una focalización autónoma hoy sería extremadamente peligroso. Las redes neuronales, con estas vulnerabilidades, podrían manipularse además para evitar objetivos enemigos y atacar a los falsos. Al respecto, Scharre, P., *Army of none: Autonomous weapons and the future of war*, *op. cit.*, *véase página 252.*

de cumplir con el principio de distinción, incluso en los casos especiales —como la regla *sub examine*— que de por sí ya son difíciles de gestionar. Sin embargo, si la información sobre el objetivo es inexacta, las prácticas de focalización son demasiado generalizadas, o las personas u objetos protegidos son atacados deliberada o accidentalmente, entonces el potencial de precisión no podrá ofrecer jamás protección en sí mismo[734].

Así, teniendo en cuenta el avance real de la tecnología de sensores y de reconocimiento que hoy está disponible, es muy probable que los algoritmos que se programen en un SAAL tengan dificultades para cumplir con el principio de distinción, sobre todo, en los supuestos en los que las personas civiles participen directamente en las hostilidades. De esta forma, siempre deberán tenerse en cuenta antes las capacidades tecnológicas reales del sistema dentro del entorno de despliegue en particular. Esto significa que el despliegue de un SAAL en una operación planeada para ejecutar un ataque en un entorno de guerra urbana con civiles y combatientes entremezclados, donde no se pueda saber si los civiles participan directamente en la hostilidad, o que se produzca con suma facilidad el fenómeno de la puerta giratoria, muy probablemente el uso de ese sistema será ilegal, a menos que la tecnología de los sensores y de reconocimiento en la máquina sea capaz de garantizar el cumplimiento de la distinción. Por ahora, este supuesto parece poco factible.

Habida cuenta de todo lo anterior, es importante tener presente también que la participación directa de las personas civiles en las hostilidades no constituye necesariamente una violación *per se* del DIH, ya que este marco normativo lo que realmente hace es exhortar a los Estados para que solo usen combatientes para participar directamente en las hostilidades[735]. Ello implica que los Estados confíen a los miembros de sus Fuerzas Armadas la última intervención humana en la determinación del respeto —o no— del principio de distinción. Exigir que los soldados humanos tomen esa determinación debería facilitar la capacitación, la supervisión y la rendición de cuentas.

---

734 *Ethics and autonomous weapon systems: An ethical basis for human control?* (documento de trabajo del Comité Internacional de la Cruz Roja), *op. cit.*

735 Sassòli, M., «Autonomous weapons and International Humanitarian Law: Advantages, open technical questions and legal issues to be clarified», *op. cit.*

Un último aspecto relacionado con las dificultades para cumplir con el principio de distinción está vinculado con el cese de la protección y los «escudos humanos». La mezcla deliberada de civiles y combatientes, diseñada para crear una situación en la que cualquier ataque contra combatientes necesariamente conllevaría un número excesivo de víctimas civiles, es una violación flagrante al artículo 51.7 del API[736]. En ese sentido, la doctrina subraya que existen tres formas en que puede afectarse la protección de los objetivos militares haciendo uso de «escudos humanos»: un escenario es donde los civiles eligen voluntariamente servir como escudos humanos, con el fin de disuadir un ataque enemigo contra combatientes u objetivos militares. El segundo escenario se da cuando los combatientes obligan a los civiles (ya sean civiles enemigos o los suyos) a mudarse y unirse a ellos en operaciones militares. El tercer escenario es una variación del segundo, ya que la única diferencia es que, en lugar de que los civiles se vean obligados a unirse a los combatientes, los combatientes (u objetivos militares) se unen a los civiles[737].

Los tres supuestos son igualmente ilegales. No obstante, la Guía Interpretativa del CICR sugiere que los escudos humanos voluntarios que no impiden físicamente los ataques deben tratarse como civiles[738]. Al respecto, muchos comentaristas responden destacando que los escudos humanos voluntarios son, de hecho, participantes directos que,

---

736 Según este artículo, «la presencia de la población civil o de personas civiles o sus movimientos no podrán ser utilizados para poner ciertos puntos o zonas a cubierto de operaciones militares, en especial para tratar de poner a cubierto de ataques los objetivos militares, ni para cubrir, favorecer u obstaculizar operaciones militares. Las Partes en conflicto no podrán dirigir los movimientos de la población civil o de personas civiles para tratar de poner objetivos militares a cubierto de ataques, o para cubrir operaciones militares». Al respecto, Protocolo Adicional I (API) a los Convenios de Ginebra de 1949 relativo a la protección de las víctimas de los conflictos armados internacionales, *op. cit.*; y Henckaerts, J. M. y Doswald-Beck, L., *El Derecho internacional humanitario consuetudinario, op. cit., véase regla 97.*

737 Dinstein, Y., *The conduct of hostilities under the law of international armed conflict, op. cit., véanse páginas 129-131.*

738 Melzer, N., *Guía para interpretar la noción de participación directa en las hostilidades según el Derecho internacional humanitario, op. cit., véanse páginas 56 y 57.*

por lo tanto, deben ser considerados combatientes irregulares[739]. Esto demuestra que no existe unanimidad de criterio sobre este supuesto.

Al final, la pregunta crucial sobre el uso de «escudos humanos» sería si el acto descarado de proteger un objetivo militar con civiles (aunque sea un crimen de guerra[740]) puede atar efectivamente las manos del enemigo al prohibir un ataque. Al respecto, el artículo 51 (8) del API establece claramente que una violación de la prohibición de proteger los objetivos militares con civiles no libera a un combatiente de sus obligaciones jurídicas con respecto a los civiles. Esto significa que, ante ese escenario, cualquier decisión de atacar deberá planearse y ejecutarse en estricta observación del principio de proporcionalidad (cuyo cumplimiento, además, es difícil por definición, tal y como se verá luego cuando sea abordado en apartados subsiguientes).

Muy similar a lo que sucede con el caso de la participación directa de civiles en las hostilidades, varias complicaciones se hacen patentes para que un SAAL pueda cumplir con el principio de distinción en aquellos casos en los que hay una mezcla deliberada de civiles y combatientes, diseñada para crear una situación en la que cualquier ataque contra combatientes necesariamente conlleve un número excesivo de víctimas civiles. Por un lado, la tecnología actual no es lo suficientemente innovadora para distinguir entre un civil y un combatiente, cuando los primeros son usados como «escudos humanos». Sin embargo, lo cierto es que tampoco dicha labor es más fácil de ejecutar para un humano que haga uso de un arma automatizada. Sin la intención de reproducir nuevamente argumentos planteados en apartados anteriores, lo cierto es que el despliegue de un SAAL para ejecutar un ataque en contra de objetivos militares en donde haya combatientes del lado enemigo junto a escudos humanos difíciles de distinguir podrá ser ilegal —o no— su uso dependiendo de varios parámetros operacionales, algunos vinculados a la etapa de desarrollo del propio SAAL, y otros ajustados a la etapa de activación y

---

739 Schmitt, M., «Human shields in International Humanitarian Law», *op. cit.*

740 Jefatura de Estado del Gobierno español, «Instrumento de Ratificación del Estatuto de Roma de la Corte Penal Internacional, hecho en Roma el 17 de julio de 1998», *BOE*, núm. 126, 27/05/2002, pp. 18824-18860 [en línea], disponible en: *https://www.boe.es/buscar/doc.php?id=BOE-A-2002-10139*, fecha de revisión: 07/08/2019, *véase artículo 8.2, literal «b» (xxii).*

ejecución del ataque. Estos parámetros incluyen: la tarea asignada al sistema armamentístico, las características del objetivo a atacar, el tipo de fuerza y municiones que serían empleadas —junto a sus efectos asociados—, el entorno en el que el arma sería operada, la capacidad de movilidad del sistema en el espacio, el marco temporal de la operación, y el nivel de supervisión humana y la habilidad de intervenir después de la activación[741].

Dependiendo de todos esos elementos, el comandante de la misión es quien deberá tomar la decisión final, luego de los cálculos de proporcionalidad correspondientes, acerca de si ataca, o no, un objetivo militar en el que se hallen alrededor escudos humanos. Si la tecnología del SAAL puede permitir cumplir con el principio de distinción y ser más precisa que los humanos para ejecutar ese ataque, basado en una decisión informada del comandante que supere los obstáculos propios de la niebla de la guerra, sin duda el uso de ese SAAL no será ilegal. Esto significa que por muy sofisticada que pueda ser la capacidad de precisión y efectividad del sistema para ejecutar cualquier ataque, siempre deberá estar sometida al control humano en el diseño (mediante la programación del sistema) y en el uso del SAAL. Ambos tipos de control obligan además a que el comandante y el operador del sistema, no solo conozcan muy bien el contexto situacional y los parámetros operacionales, sino además cómo actúan y cuáles son los riesgos técnicos de los SAAL.

A modo de consideración final, es importante precisar lo siguiente: el principio de distinción, sin duda, enfrenta mayores desafíos en los conflictos armados internacionales. La expansión de la guerra urbana, el uso de estrategias asimétricas y el desarrollo de nuevos medios y métodos de combate (como los ataques masivos a estructuras cibernéticas, armas y sistemas de armas dotadas de gran sofisticación robótica e IA —por tan solo mencionar algunas de estas tendencias—), aumentan en gran medida la dificultad operacional de distinguir efectivamente entre civiles y combatientes, y entre objetos civiles y objetivos militares.

---

741 Davison, N., «A legal perspective: autonomous weapon systems under international humanitarian law», *op. cit.*, *véanse páginas 12 y 13.*

Aunque tales circunstancias podrían haber acarreado una erosión jurídica del principio de distinción, el análisis que aquí se ofrece demuestra que, al contrario, cuando existe la mínima posibilidad de que esa regla pueda ser violada, ello provoca reafirmaciones solemnes por parte de la comunidad internacional de que la distinción es uno de los principios clave que abraza los valores fundamentales del DIH. Un ejemplo claro de todo esto sucede con el tema de los SAAL. Las constantes y fuertes reacciones en contra del uso de estos sistemas permiten afirmar la naturaleza consuetudinaria del principio de distinción aplicable a todos los conflictos armados[742].

Efectivamente puede haber situaciones en las que el uso de un sistema de armas autónomas satisfaga la regla de la distinción, con una capacidad de nivel considerablemente preciso y eficaz. Sin embargo, hay muchas otras circunstancias en las que es poco probable que un SAAL pueda cumplimentar los requerimientos del principio de distinción. Así pues, el rendimiento real de la tecnología autónoma de reconocimiento de objetivos, tal y como se demuestre en las pruebas y/o en el uso en el campo de batalla, será un aspecto de gran importancia para saber a ciencia cierta si los SAAL podrán permitir siempre el cumplimiento, a través de su uso, del principio de distinción.

Mientras tanto, un arma autónoma podría programarse con reglas simples, como disparar cuando algún combatiente enemigo dispare (por ejemplo), pero en las más confusas circunstancias de las guerras terrestres, aéreas y marítimas, no está del todo claro que se puedan hacer SAAL tan sofisticados que puedan cumplir con la distinción. Comprender la intención humana requeriría de un SAAL con inteligencia y razonamiento a nivel humano, al menos dentro del campo de la guerra[743]. Ninguna tecnología de este tipo está en el horizonte

---

742 Quéguiner, J. F., «The principle of distinction: Beyond an obligation of Customary International Humanitarian Law», Hensel, H. (ed.), *Legitimate use of military force. the just war tradition and the customary law of armed conflict*, Farnham (Reino Unido), Ashgate, 2008, pp. 161-187, *véanse páginas 175 y 176*.

743 Se trata de un gran desafío tecnocientífico que varios países en el mundo están intentando superar. Por ejemplo, tal y como se destacó en capítulos anteriores, EE.UU. ha reconocido sin cortapisas las tremendas ventajas que su Departamento de Defensa puede lograr al aplicar el aprendizaje automático y la IA a la información de todos los dominios, incluido el del espacio exterior, el ciberespacio, el aire, la tierra, el mar y el submarino. Lo propio ha sucedido también con

cercano, lo que hace que las aplicaciones antipersonales sean un gran desafío en el futuro inmediato. De todas formas, lo importante que se debe tener presente hoy, mañana y siempre es que la intención de diseño de cualquier SAAL deberá permitir, mediante su uso, el reconocimiento fiable de los objetos militares[744].

Así las cosas, a la pregunta de si los SAAL podrían ser considerados ilegales por no permitir que los combatientes puedan cumplir a través de su uso con el principio de distinción, la respuesta forzosamente no puede ser, por ahora, absoluta. Aclarar una incógnita como esta dependerá del sistema de armas específico y del contexto de su uso[745]. De todas formas, bajo una perspectiva de mínimos, la utilización de un SAAL se podrá considerar legal, siempre y cuando concurran al menos, *entre otras*, las siguientes circunstancias:

a. Por un lado, que se diseñe el sistema de tal manera que distinga a un civil de un combatiente, a un objeto civil de uno militar, y sobre todo que permita categorizar con efectividad cuándo un objeto debe ser considerado un objetivo militar de ataque. Esto pasa por que el SAAL tenga la capacidad además de gestionar aquellas circunstancias especiales y excepcionales que, por definición, dificultan el cumplimiento efectivo del principio de distinción.

---

países como China o Rusia, quienes son igualmente conscientes del impacto positivo y estratégico que para sus fuerzas militares ha de representar la aplicación de las ciencias de la computación en sus desarrollos armamentísticos. Por eso, pareciera cada vez más que el mundo ha entrado en una carrera internacional de armamentos de IA. Al respect, véase: Scharre, P., *Army of none: Autonomous weapons and the future of war*, *op. cit.*, *véase página 255*; Garamone, J., «Exercise Reveals Advantages Artificial Intelligence Gives in All-Domain Ops», *U.S. Dep of Defense,* 01/04/2021 [en línea], disponible en: *https://www.defense.gov/Explore/News/Article/Article/2558696/exercise-reveals-advantages-artificial-intelligence-gives-in-all-domain-ops/*, fecha de revisión: 09/05/2021; y, Walker, R., «Germany warns: AI arms race already underway» *DW,* 07/06/2021 [en línea], disponible en: *https://www.dw.com/en/artificial-intelligence-cyber-warfare-drones-future/a-57769444,* fecha de revisión: 01/07/2021.

744 Boothby, W. H., *Conflict Law. The influence of new weapons technology, human rights and emerging actors*, *op. cit.*, *véase página 175*.

745 Según Comité Internacional de la Cruz Roja, *Autonomous weapon systems. Implications of increasing autonomy in the critical functions of weapons* (informe), *op. cit.*

b. Por otro, que la revisión jurídica de este tipo de sistemas haga hincapié en definir cuáles son las circunstancias restringidas y operacionales en las que el empleo de SAAL podría ser legítimo, y asimismo deberá establecer las acciones que se requerirán para garantizar que, cuando se use el sistema autónomo, se cumpla con el principio de distinción.
c. Asimismo, que en la fase de diseño y uso del SAAL siempre exista un control humano significativo sobre sus funciones, en especial a la hora de llevar a cabo diagnósticos o análisis situacionales del contexto operativo en un conflicto armado, tareas que son casi imposibles de traducir en códigos de programación de una máquina autónoma.
d. Y, finalmente, que la relación humano-máquina se base en una interacción de apoyo y colaboración hacia la toma de decisiones que debe hacer el comandante de una misión, antes, durante y después de la activación del SAAL. Por su parte, el comandante, así como el operador/supervisor inmediato del desempeño del sistema autónomo, deberán conocer muy bien cómo funciona el arma, cuáles son sus potencialidades y riesgos técnicos, para así manejar toda la información necesaria para alcanzar la toma de decisiones correctas y libres de sesgos de automatización.

b) Principio de proporcionalidad

Está codificado concretamente en el artículo 51.5 literal «b» del API. También se encuentra referido en la sección de ese protocolo relativa al principio de precaución en el ataque (el cual será abordado en el siguiente apartado)[746]. Se le considera una norma general del DIH

---

[746] De conformidad con lo establecido en los artículos 57 (2) y 57 (3) del API, la proporcionalidad —establecida genéricamente en el artículo 51.5 literal «b» del API— es un solo aspecto de las precauciones generales que deben ser tomadas al momento de ser planificado o ejecutado un ataque (Protocolo Adicional I (API) a los Convenios de Ginebra de 1949 relativo a la protección de las víctimas de los conflictos armados internacionales, *op. cit.*, *véase artículo 57*). Sin embargo, por la trascendencia de ambos principios (proporcionalidad y precaución en el ataque), ambos serán abordados en secciones aparte.

consuetudinario[747], la cual reconoce que las lesiones incidentales[748] y los daños colaterales[749] son a menudo un suceso inevitable producto de un ataque en contra de un objetivo militar[750]. El fin de esta regla es buscar directamente la protección de los civiles en tiempos de conflicto armado y exigir que, cuando se produzcan lesiones incidentales o daños colaterales, estos sean proporcionales a la ventaja militar prevista. Obviamente la proporcionalidad no se puede definir de manera genérica o hipotética bajo ningún concepto. Siempre las circunstancias particulares del ataque serán más importantes para el principio de proporcionalidad que para el principio de distinción, por ejemplo[751].

---

747 El CICR ha incluido la «proporcionalidad en el ataque» en su libro de normas del DIH consuetudinario. En la regla 14, el principio se expresa como una regla de prohibición. El principio también se refleja en las reglas 18 y 19 que tratan sobre las precauciones en el ataque, por lo que la proporcionalidad es expresada más como una exhortación. Henckaerts, J. M. y Doswald-Beck, L., *El Derecho internacional humanitario consuetudinario*, *op. cit.*, *véase reglas 14, 18 y 19*.

748 Actualmente existe controversia sobre si pueden contar las lesiones o muertes a civiles solo cuando la lesión o la muerte es resultado directo del ataque, o también se puede contar el daño que surge como resultado indirecto del ataque. Lo importante a los efectos de esta investigación es precisar que, por ahora, no hay unanimidad de criterio al respecto. Para más información sobre este debate, Henderson, I., *The Contemporary Law of Targeting*, *op. cit.*, *véanse páginas 207-211*. También es importante destacar que, técnicamente, la expresión «lesiones incidentales» se podría aplicar a los objetos civiles. Sin embargo, el debate que la doctrina hace al respecto pareciera estar limitado fundamentalmente a las lesiones incidentales en los civiles. No obstante, como el daño indirecto puede surgir en objetos, la discusión en esta sección podrá ser igualmente aplicable a ambos casos (personas y objetos).

749 Aunque haya, a menudo, alguien que utilice la expresión «daño colateral» para referirse específicamente al daño indirecto en propiedades civiles, lo cierto es que, a los efectos de esta investigación, se considerará daño colateral toda pérdida de vidas civiles, lesiones a civiles y daños a objetos civiles. Además, se entenderá que cualquier lesión o pérdida de vidas causada a un combatiente o a un objetivo militar, incluso si no es intencional, no es un daño colateral. Al respecto, Henderson, I., *The Contemporary Law of Targeting*, *op. cit.*, *véase página 206*.

750 Schmitt, M., «Targeting in operational law», *op. cit.*, *véase página 285*.

751 La regla de proporcionalidad afecta a la decisión de atacar un objetivo militar, no a si un objeto es —o no— un objetivo militar. Así, lo que es proporcional solo puede determinarse de manera significativa en relación con un ataque en una ocasión particular, tal vez incluso en un momento específico, usando armas particulares y perfiles de ataque completamente específicos. Boothby, W.

Por lo tanto, la proporcionalidad demanda un esfuerzo explícito en lograr un equilibrio entre la necesidad militar y los requisitos humanitarios. Dicho balance no requiere una comparación matemática estricta, ni tampoco una prueba de balance con las escalas que descansan en el deseo del equilibrio exacto[752]. Más bien, en los términos del artículo 51.5 literal «b» del API, el daño colateral o la lesión incidental probables únicamente podrán impedir la ejecución de un ataque cuando estos sean «excesivos», es decir, que traigan consigo un desequilibrio significativo entre la ventaja militar prevista y el daño colateral o la lesión incidental esperado.

Así las cosas, la regla de la proporcionalidad se aplica a partir del momento en que se planea, aprueba y/o ejecuta un ataque[753], y tendrá como indicadores de valoración de los daños o las lesiones esperadas, así como la ventaja prevista[754]. Ese estándar de evaluación se tendrá en cuenta usando como referencia a un combatiente que esté —hipotéticamente— en circunstancias similares a las del ataque planeado o ejecutado. Bajo esa perspectiva, dicho estándar, por un lado, será objetivo, en el sentido de que el atacante siempre será responsabilizado de saber que debía haberse planteado tomar las medidas razonables para realizar una correcta evaluación de la situación; y, por otro, será subjetivo, en tanto que la proporcionalidad se lleva a cabo a la luz de la información que esté disponible para el atacante a lo largo de todo

---

H., *Conflict Law. The influence of new weapons technology, human rights and emerging actors*, *op. cit.*, *véase página 67*; y Henderson, I., *The Contemporary Law of Targeting*, *op. cit.*, *véanse páginas 197-198.*

752 No obstante, hay quienes consideran que existen parámetros susceptibles de ser cuantificables, para calcular conceptos como la «ventaja militar», de manera que un comandante, junto a su Estado Mayor, puedan en todo momento ordenar los objetivos a abatir de acuerdo con su valor, y por ende logren deducir el margen de daño colateral y lesiones incidentales aceptables por cada ataque. Al respecto, Guisández, J., «El principio de proporcionalidad y los daños colaterales, un enfoque pragmático», en Prieto, R. (ed.), *Conducción de hostilidades y derecho internacional humanitario. A propósito del centenario de las convenciones de La Haya de 1907*, Bogotá, Pontificia Universidad Javeriana, 2007, pp. 197-243, *véanse páginas 227-237.*

753 La regla se aplica en la fase de planeación, aprobación o ejecución del ataque, siempre según quién tenga la capacidad de realizar dichas funciones.

754 El concepto de evaluar la ventaja militar en todo el ataque no es solo un concepto jurídico: este enfoque está respaldado por la práctica militar. Al respecto, Henderson, I., *The Contemporary Law of Targeting*, *op. cit.*, *véase página 201.*

el proceso de focalización[755]. Aunque el grado preciso de expectativa o anticipación requerida no se puede cuantificar, un estándar viable siempre será lo deseable.

Por otro lado, se debe entender el sentido y el alcance del término «excesivo» según el artículo 51.5 literal «b» del API. Para algunos esta regla prohíbe pérdidas graves o daños extensos[756]. Otros consideran que es una norma que evalúa el daño civil con respecto a la ventaja militar que se obtiene del ataque en cuestión. En cualquier caso, aquellos que decidan sobre la operación deben primero identificar la ventaja militar prevista que trae consigo eliminar a un objetivo militar basándose en sus características definitorias. Luego, deberá estimar la pérdida esperada de la vida civil o el daño a la propiedad civil en cuestión[757].

Ahora bien, en el apartado anterior se arrojaron algunas pinceladas de qué debería entenderse por ventaja militar, sobre todo cuando se pretende determinar si un objeto es un objetivo militar (ventaja militar definida). Sin embargo, en el principio de proporcionalidad lo que se exige es que la ventaja militar sea «concreta y directa», lo que

---

755 Como ya se señaló en secciones anteriores, el requisito para determinar si un ataque ofrecerá una ventaja militar en las circunstancias que «rigen en ese momento» es bien conocido y se establece con frecuencia. Lo que se menciona menos es que, junto con la mera existencia de una ventaja militar, la cantidad de la ventaja militar de un objeto no es fija, sino que también varía con el tiempo. He allí la necesidad del control humano durante todo el proceso de focalización, para poder dar la impronta subjetiva necesaria en el procesamiento y análisis de toda la información disponible y cambiante —*per natura*—.

756 Por ejemplo, Sandoz, Y., Swinarski, C. y Zimmermann, B. (eds.), *Comentario sobre los Protocolos adicionales del 8 de junio de 1977 a los Convenios de Ginebra del 12 de agosto de 1949*, *op. cit., véase párrafos 1976 y 2218*.

757 Por ejemplo, hay situaciones en las que un comandante del bando enemigo puede no tener la importancia estratégica suficiente como para merecer, a través de un ataque en su contra, la pérdida significativa de vidas civiles que estén a su alrededor. En esos casos, la operación estará prohibida por el DIH. En otros contextos, el balance puede tener un peso a favor de atacar al líder, aunque resulten de ello muertes de civiles. Por lo tanto, como afirma Michael N. Schmitt, «...un daño leve puede estar prohibido cuando la ventaja militar anticipada es baja, mientras que un gran daño civil puede justificarse solo en casos en los que se involucre una ventaja militar excepcional...». Al respecto, Schmitt, M., «Targeting in operational law», *op. cit., véase página 284*.

significa que debe ser identificable y claramente discernible. De esta forma, la ventaja debe ser sustancial y relativamente cercana.

Así pues, las palabras «concreta» y «directa» están claramente destinadas a limitar el alcance de la ventaja militar, en tanto que exigen que se sopese el daño colateral en proporción a las ventajas que son evidentes, tangibles, razonablemente predictibles y probables. Ahora bien, al evaluar la ventaja militar que se puede alcanzar de cualquier focalización, el ataque debe valorarse como un todo. Esto significa que la regla de la proporcionalidad se debe aplicar a nivel operacional, y no en función de cada objetivo individualmente como parte de un ataque, o con relación a cada incidente que se pueda dar en la ejecución del ataque en sí[758].

La mera existencia y grado de una ventaja militar no es fija, sino que varía con el tiempo. De esta forma, durante el proceso de focalización no se puede asignar un único, determinado e inadaptable valor a la ventaja militar de un objetivo. Además, teniendo en cuenta que la ventaja militar de un ataque debe evaluarse durante la planeación, en el momento de la aprobación y la ejecución del ataque, es importante que no se juzguen los ataques tampoco en retrospectiva[759].

---

758 En la actualidad, parte de la doctrina hace referencia a tres maneras en que podría ser aplicada la regla de la proporcionalidad: primero, a nivel operacional, es decir, ataque por ataque, entendiendo el término «ataque» como una auténtica operación militar; segundo, a nivel táctico, es decir, en función de cada incidente que se pueda dar durante la ejecución de un ataque; y, tercero, a nivel estratégico, en donde los daños colaterales y las lesiones incidentales deben analizarse desde las necesidades estratégicas del conflicto armado de que se trate. Para más información al respecto, Olásolo, H., «Aspectos prácticos relativos al análisis de proporcionalidad en las operaciones de combate», en Prieto, R. (ed.), *Conducción de hostilidades y derecho internacional humanitario. A propósito del centenario de las convenciones de La Haya de 1907*, Bogotá, Pontificia Universidad Javeriana, 2007, pp. 157-198, *véanse páginas 177-196.*

759 Por ejemplo, en el caso de la guerra árabe-israelí de los Seis Días de 1967, hubiera sido un error usar la retrospectiva y concluir que un ataque de cualquiera de los beligerantes a objetivos militares de largo plazo (como la investigación y el desarrollo de armas) no ofrecía ninguna ventaja militar, ya que la guerra terminó en solo seis días, y ese tiempo no hubiera sido suficiente para que el enemigo pudiera desarrollar alguna nueva arma. Solo se consideraría ilegal ese ataque si la parte atacante hubiera omitido durante la focalización alguna información cierta acerca de que la guerra terminaría pronto. En ese supuesto —bastante hipotético

Por otro lado, la ventaja militar que se debe considerar al momento de evaluar la proporcionalidad en un ataque no se extiende a todo el conflicto. Siempre debe existir algún nexo entre el ataque y la ventaja militar que de aquel se obtenga. Así pues, no es posible justificar un ataque argumentando que los daños colaterales o lesiones incidentales ocasionadas por este a personas u objetos civiles no fueron «excesivos» en relación con los objetivos finales de la guerra[760].

Por último, vale la pena destacar dos complicaciones típicas que rodean la aplicación de la regla de la proporcionalidad. Por un lado, en la actualidad no existe unanimidad entre los Estados acerca de si los civiles que se encuentren voluntariamente dentro de un objetivo militar deberían contarse como tales cuando se realicen los cálculos de proporcionalidad[761]. Sin embargo, en los últimos tiempos, la tendencia mayoritaria se ha decantado por considerar que esos individuos cuenten completamente como lesiones incidentales civiles[762].

Por otro lado, en los casos de los «escudos humanos», los cálculos de proporcionalidad dependerán de si los escudos actúan voluntariamente, o si están obligados a proteger un objetivo militar. Si los civiles actúan como escudos de manera libre, espontánea y voluntaria, dicha actuación se podría considerar una participación directa en las hostilidades y, por tanto, no serían tomados en cuenta en ningún cálculo de proporcionalidad como civiles inmunes contra ataques directos[763]. En cambio, si los escudos humanos son involuntarios, está claro que estas personas civiles conservan su inmunidad frente a los ataques directos y, por lo tanto, cualquier daño potencial hacia ellos deberá

---

por definición— muy probablemente el ataque hubiera sido considerado desproporcional.

760 Lo contrario significaría asentir que la regla de la proporcionalidad debe aplicarse a nivel operacional.

761 Dinstein, Y., *The conduct of hostilities under the law of international armed conflict*, *op. cit.*, *véanse páginas 119-123.*

762 Al respecto, Schmitt, M., «Targeting in operational law», *op. cit.*, *véase página 285.*

763 Hay quienes argumentan que los escudos humanos voluntarios, siempre que no impidan físicamente un ataque de la parte contraria, conservan la inmunidad de su estatus civil, por lo que sí deberían ser tomados en cuenta a la hora de poder llevar a cabo el test de proporcionalidad. Al respecto, Schmitt, M., «Human shields in International Humanitarian Law», *op. cit.*

ser un factor a tomar en cuenta en el análisis de la proporcionalidad del ataque correspondiente.

Ahora bien, una vez analizado de manera general el sentido y el alcance de la proporcionalidad en el ataque, ahora es importante destacar a continuación algunas consideraciones sobre las implicaciones que podría representar el uso de SAAL para la observancia de este principio del derecho internacional armamentista.

ba) Los SAAL y la aplicación general del principio de proporcionalidad

La necesidad de traducir el principio de proporcionalidad en un programa de computadora para un SAAL podría representar una oportunidad para mejorar la objetividad en el ataque. No obstante, pese a las cualidades que la regla le atribuye al significado de lo que debería ser una ventaja militar, por ejemplo, la cierto es que este y otros términos que giran en torno a lo que el principio de proporcionalidad es, resultan muy difíciles de conceptualizar. Como señala Marco Sassòli, la comparación de la ventaja militar prevista frente a las pérdidas civiles esperadas es un proceso plagado de juicios de valor inevitablemente subjetivos[764].

Hay quien podría pensar que sí es posible identificar, con la ayuda de expertos militares y humanitarios, indicadores y criterios que permitan evaluar la proporcionalidad en el ataque y, de tal modo, hacer más objetivo el juicio que está implícito en ese principio. Sin embargo, aunque algunas tecnologías como los sistemas para la estimación del daño colateral (en adelante, CDE, por las siglas en inglés de Collateral Damage Estimation[765]) podrían eventualmente ser útiles para

---

[764] Sassòli, M., «Autonomous weapons and International Humanitarian Law: Advantages, open technical questions and legal issues to be clarified», *op. cit.*, *véase página 331*; y Sassòli, M., *International Humanitarian Law Rules, controversies, and solutions to problems arising in warfare*, Cheltenham (Reino Unido), Edward Elgar, 2019, disponible en: *https://www.e-elgar.com/shop/international-humanitarian-law-15699*, fecha de revisión: 21/05/2019, *véanse páginas 521 y 522.*

[765] Para una mayor aproximación sobre estos sistemas y qué avances tecnológicos incorporan, McNeal, G., «Targeted Killing and Accountability», *Georgetown Law Journal*, vol. 102, 2014, pp. 681-794, disponible en: *https://papers.ssrn.com/sol3/papers.cfm?abstract_id=1819583*, fecha de revisión: 06/08/2019. Es-

determinar la cantidad de daño que puede resultar de un arma en particular en una situación determinada, el problema estriba en que este tipo de herramientas tecnológicas no tienen la capacidad de responder específicamente a qué es lo que constituye un daño colateral excesivo, y además no incorporan un análisis de focalización completamente integrado que aplique el derecho internacional armamentista en primera instancia[766].

Aunado a lo anterior, Michael Schmitt y Jeffrey Thurnher son de los que afirman que la idea de usar sistemas de CDE es una propuesta que debería rechazarse, habida cuenta de que las evaluaciones sobre la proporcionalidad en un ataque dependerán siempre de las circunstancias de situaciones particulares y de la buena fe y el sentido común de los comandantes militares[767]. Todas estas tecnologías, aunque pudieran incorporarse a los SAAL, no solucionarían el problema básico del análisis de proporcionalidad. Incluso, defensores de los SAAL reconocen este gran desafío. En ese sentido, Michael N. Schmitt advierte que, dada la complejidad y la fluidez del campo de batalla moderno del siglo XXI, es poco probable que los SAAL sean programables para realizar evaluaciones sólidas de la posible ventaja militar de un ataque en un futuro próximo[768]. Así pues, hoy en día, resulta virtualmente imposible asignar mediante programaciones algorítmicas valores numéricos a objetivos militares, así como datos sobre daños civiles en abstracto. Por lo tanto, en la actualidad no se conocen tecnologías de toma de decisiones mecánicas que realmente

---

te documento es bastante descriptivo y explicativo, en tanto que proporciona información empírica cualitativa (basada en documentos públicos y entrevistas de campo) que explica cómo se dan los procesos de estimación y mitigación de daños colaterales en la práctica de EE.UU. Bogdanowicz, Z. y Patel, K., «Quick collateral damage estimation based on weapons assigned to targets», *IEEE Transactions on Systems, Man, and Cybernetics: Systems*, vol. 45, 2015, núm. 5, pp. 762-769, disponible en: *https://ieeexplore.ieee.org/document/6923445*, fecha de revisión: 06/08/2019.

766 Wright, J. D., «"Excessive" ambiguity: Analysing and refining the proportionality standard», *International Review of the Red Cross*, vol. 94, 2012, núm. 886, pp. 819-833.

767 Schmitt, M. y Thurnher, J., «"Out of the loop": Autonomous weapon systems and the law of armed conflict», *op. cit.*, *véase página 256*.

768 Schmitt, M., «Autonomous weapon systems and International Humanitarian Law: A reply to the critics», *op. cit.*, *véanse páginas 1 y 20*.

puedan abordar todos los factores esencialmente cualitativos que circundan la planeación, aprobación y ejecución de un ataque, incluyendo el análisis de riesgo, pero sobre todo de proporción entre las lesiones incidentales y los daños colaterales a personas y objetos civiles frente a la ventaja militar prevista a tenor de lo previsto en el artículo 51.5 literal «b» del API y siguientes[769].

Lo anterior resulta lógico debido, no solo a la existencia de variables (a menudo cambiantes) en ambos lados de la ecuación, sino, además, porque el balance de valores depende también de la persona que realiza el cálculo, lo que convierte al principio de proporcionalidad en una tarea esencialmente subjetiva por naturaleza. Todos estos aspectos, en su conjunto, hacen muy difícil que las partes en conflicto puedan cumplir con la proporcionalidad en el ataque mediante el uso de un SAAL que lleve a cabo por sí mismo una focalización basada en una lista de verificación abstracta y genérica previamente programada por los humanos en el sistema. Esta dificultad existe, no únicamente para la evaluación del riesgo de daño colateral o lesión incidental para personas u objetos civiles, sino también para la evaluación de la ventaja militar prevista en una situación dada. Para evaluar adecuadamente la proporcionalidad, el SAAL tendría que poder evaluar la ventaja militar concreta y directa prevista a lo largo de todo el proceso de focalización, y en especial en la fase de ejecución del ataque, algo muy poco factible por ahora[770].

El problema con todo esto es que los SAAL son sistemas que pueden llevar a cabo sus funciones a través de instrucciones preprogramadas por los humanos. En ese sentido, para que un arma autónoma pueda ejecutar un ataque en estricta observancia de los requerimientos del

---

[769] Sparrow, R., «Building a better Warbot: Ethical issues in the design of unmanned systems for military applications», *Science and Engineering Ethics*, vol. 15, 2009, núm. 2, pp. 169-187, disponible en: *https://link.springer.com/article/10.1007/s11948-008-9107-0*, fecha de revisión: 08/08/2019, *véase página 178*; y Boothby, W. H., *Weapons and the Law of armed conflict*, *op. cit.*, *véase página 233*.

[770] Wagner, M., «The deshumanization of International Humanitarian Law: Legal, ethical, and political implications of autonomous weapon systems», *Vanderbilt Journal of Transnational Law*, vol. 47, 2014, pp. 1371-1424, disponible en: *https://papers.ssrn.com/sol3/papers.cfm?abstract_id=2541628*, *véase página 1398*.

principio de proporcionalidad, esta tendría que ser constantemente actualizada con información emitida por los combatientes humanos acerca de las operaciones y planes militares en curso, lo cual genera grandes riesgos de seguridad y desafíos técnicos difíciles de superar desde el punto de vista operativo y táctico[771].

A modo de reflexión final se puede destacar lo siguiente: tras las consideraciones expresadas en párrafos previos se colige que, hoy en día, las partes en un conflicto armado internacional no podrían cumplir operativamente con el principio de proporcionalidad en la mayoría de los ataques que se lleven a cabo mediante el uso de SAAL durante períodos de tiempo considerables, sobre todo sin que exista un control humano en las funciones críticas del sistema a lo largo de todo el proceso de focalización. Tal vez, aunque no es del todo seguro, la excepción podrían ser aquellos casos que sean más en contextos operativos de defensa y siempre dependerá de las circunstancias del caso.

Además, el principio de proporcionalidad a menudo entraña juicios más cualitativos que cuantitativos que son, por ahora, operativamente difíciles de traducir en códigos de programación. Como bien afirma Christof Heyns, «las interpretaciones jurídicas imperantes de la norma se basan explícitamente en conceptos como "sentido común", "buena fe" y la "norma del jefe militar razonable"»[772]. Aunque incluir todos estos valores en diseños algorítmicos pudiera ser, teóricamente posible para algunos expertos[773], igual seguirá existiendo otro asunto sin resolver relativo a cómo traducir en códigos

---

[771] Dada la naturaleza tan cambiante de los conflictos armados, cuesta imaginar a los comandantes mantener un flujo permanente de comunicación y de actualización de información de inteligencia (necesaria para cumplir con el principio de proporcionalidad) con un SAAL, para que luego este sistema ejecute por sí solo un ataque armado. Al respecto, Sassòli, M., *International Humanitarian Law Rules, controversies, and solutions to problems arising in warfare*, *op. cit.*, *véanse páginas 522 y 523*.

[772] Heyns, C., *Informe del Relator Especial sobre las ejecuciones extrajudiciales, sumarias o arbitrarias, Christof Heyns* (informe), *op. cit.*, *véase párrafo 72*.

[773] Al respecto, Arkin, R. C., «Governing Lethal Behavior: Embedding Ethics in a Hybrid Deliberative/Reactive Robot Architecture», *op. cit.*; Arkin, R., *Governing lethal behaviour in autonomous robots*, *op. cit.*, *véase página 211*; Schmitt, M., «Autonomous weapon systems and International Humanitarian Law: A reply to the critics», *op. cit.*, *véanse páginas 19 y 20*; Sharkey, N., «The evitability of autonomous robot warfare», *op. cit.*, *véase página 789*; y Lin, P., Bekey, G. y

programables en los SAAL, todo el resto de los elementos que abraza el principio de proporcionalidad[774], y que no son, por naturaleza, estáticos, sino potencialmente cambiantes[775].

Hoy en día pareciera muy difícil que se puedan crear máquinas que cumplan con el estándar razonable que es propio de un comandante militar y se espere que actúen «razonablemente» cuando se hagan determinaciones para atacar en circunstancias imprevistas o cambiantes. Emular el estándar razonable de un comandante militar supondría que las máquinas podrían —o deberían incluso— estar haciendo determinaciones éticas o morales, algo poco probable —por

---

Abney, K., «Robots in war: Issues of risk and ethics», *op. cit.*, *véanse páginas 57 y 58*.

774 Por ejemplo, las líneas operativas y estratégicas que son propias de los planes militares que estén en curso, las variables de los contextos geopolíticos, supuestos impredecibles relacionados con el resto de principios del derecho internacional armamentístico, etc.

775 Aun cuando fuera posible escribir un algoritmo que combinara emociones y razonamiento lógico, tal algoritmo en sí mismo no permitiría a los robots tomar buenas decisiones de focalización. Como ya se destacó en párrafos previos, la proporcionalidad en la focalización presupone que quien toma las decisiones no solo puede experimentar emociones, sino que además aplica el juicio al interpretar, lo que requiere todos los principios del derecho internacional armamentista en un contexto particular (ataque por ataque), se guía por la compasión, algunas veces reconoce lo que otros individuos sienten, es capaz de aplicar normas morales y usar experiencias pasadas para determinar cómo actuar en una situación desconocida. Al respecto, Wellbrink, J., *Roboter Am Abzug* (presentación), semanario de discusión en Zebis (Berlín, Seminario de Discusión, 4 de septiembre de 2013) [en línea], información disponible en: *http://www.zebis.eu/veranstaltungen/archiv/podiumsdiskussion-roboter-am-abzug-sind-soldaten-ersetzbar/*, fecha de revisión: 09/08/2019; Sparrow, R., «Building a better Warbot: Ethical issues in the design of unmanned systems for military applications», *op. cit.*, *véanse páginas 180 y 181*; Asaro, O., «On banning autonomous weapon systems: human rights, automation, and the deshumanization of lethal decision-making», *op. cit.*, *véase página 699*; Grut, C., «The challenge of autonomous lethal robotics to International Humanitarian Law», *Journal of Conflict and Security Law*, vol. 18, 2013, núm. 1, pp. 5-23, disponible en: *https://academic.oup.com/jcsl/article-abstract/18/1/5/812510*, *véase página 11*, y, Cet, «¿Es posible enseñar ética a una máquina?», *El País*, 26/11/2019 [en línea] disponible en: *https://elpais.com/economia/2019/11/18/thinkbig_empresas/1574073755_622020.html*, fecha de revisión: 21/01/2021.

ahora—[776]. Por ende, si los seres humanos no pueden saber de antemano lo que sería razonable en cada situación dada, no es realista esperar que los programadores diseñen SAAL para que actúen de manera lógica en situaciones inherentemente impredecibles[777].

Como se ha podido ver hasta ahora, además de la obligación general de cumplir con el principio de distinción, está claro que el artículo 51.5 literal «b» del API, en concordancia con los artículos 57 (2) y 57 (3) del API, establece ciertas precauciones que deben tomarse al planificar o ejecutar el ataque en sí de conformidad con el principio de proporcionalidad. Por tanto, no solo el objetivo de un ataque debe ser legal, sino además dicho objetivo debe ser atacado de manera proporcional a la ventaja militar prevista. Sin embargo, este no es el fin del asunto.

Tal y como se subrayó al inicio de este apartado, la regla de proporcionalidad al final es solo un aspecto de las precauciones generales que se deben tomar al realizar un ataque (principio de precaución), medidas cuyo cumplimiento es clave a la hora de plantearse la posibilidad de utilizar un SAAL para llevar a cabo cualquier proceso de focalización. Por consiguiente, a continuación, se abordarán las principales implicaciones que trae consigo el uso de SAAL para la observancia del principio general de precaución en el ataque conforme al derecho internacional armamentista.

---

[776] A la fecha, muchos científicos se han concentrado en desarrollar algún algoritmo que refleje cómo el cerebro humano realiza funciones cognitivas. Sin embargo, han omitido examinar cómo replicar la interacción entre las emociones y el razonamiento. Si los científicos quisieran emular la toma de decisiones humanas, tendrían que crear códigos algorítmicos que reflejen cómo el razonamiento y las emociones se pueden reforzar entre sí. Para más información al respecto, Krupiy, T., «Of souls, spirits and ghosts: transposing the application of the rules of targeting to lethal autonomous robots», *Melbourne Journal of International Law*, vol. 16, 2015, núm. 1, pp. 145-202, texto solo disponible en: *http://classic.austlii.edu.au/au/journals/MelbJIL/2015/6.html*, ya publicado en: *https://search.informit.com.au/documentSummary;dn=418668361616227;res=IELHSS.*

[777] Human Rights Watch, «Advancing the debate on killer robots: 12 key arguments for a preemptive ban on fully autonomous weapons», *op. cit.*, *véase*; y Human Rights Watch, «Making the case the dangers of killer robots and the need for a preemptive ban», *op. cit.*, *véanse páginas 5-8.*

c) Principio de precaución

El requisito de tomar precauciones en el ataque para evitar o reducir el número de muertos y heridos entre la población civil, así como los daños a bienes de carácter civil, que pudieran causar incidentalmente, está codificado en el artículo 57 del API, y además está reflejado en las reglas del derecho internacional consuetudinario aplicable en conflictos armados internacionales[778]. Asimismo, en el marco de este principio, se debe tener especial cuidado al atacar obras e instalaciones como presas, diques y estaciones de generación de energía nuclear[779].

Uno de los primeros desafíos para poder comprender el sentido y el alcance de este principio es conocer el concepto de viabilidad que se encuentra en el corazón de las precauciones en el ataque. «Viable/factible» significa aquello que es razonablemente posible o prácticamente posible, teniendo en cuenta todas las circunstancias que prevalecían en el momento de la planeación, la aprobación y la ejecución del ataque, incluidas las consideraciones humanitarias y militares[780]. Esto significa que para que se cumpla con el principio de precaución en el ataque, el mando militar o la autoridad que decide debe tomar en cuenta todos los factores que determinan la viabilidad de la focalización, a saber, la disponibilidad de los sistemas de armas y sensores, la ubicación del objetivo militar en relación con los civiles y la propiedad civil, las defensas enemigas, las contramedidas militares disponibles para las defensas enemigas, el clima, la hora del día, la protección de la fuerza, entre otros[781]. Así, la viabilidad es temporal-

---

[778] Protocolo Adicional I (API) a los Convenios de Ginebra de 1949 relativo a la protección de las víctimas de los conflictos armados internacionales, *op. cit.*, *véase artículo 57*; y Henckaerts, J. M. y Doswald-Beck, L., *El Derecho internacional humanitario consuetudinario*, *op. cit.*, *véase reglas 15, 16, 17, 18 y 21.*

[779] *Ibid.*, *véase regla 42.*

[780] Gill, T. y Fleck, D. (eds.), *The handbook of the International Law of Military Operations*, *op. cit.*, *véase página 286*; y Henderson, I., *The Contemporary Law of Targeting*, *op. cit.*, *véanse páginas 161-168.*

[781] Como se destacó en secciones anteriores, el CICR considera que, en el área de los SAAL, es crucial que se tomen siempre en cuenta los siguientes parámetros operacionales antes y durante su despliegue: la supervisión humana y la capacidad de intervenir y desactivar; los requisitos técnicos de previsibivilidad y fiabilidad (incluidos los algoritmos que sean utilizados en el sistema), y las restric-

mente contextual en el sentido de que deberá ser juzgada por las circunstancias que existieron en el momento en que se planificó, decidió y ejecutó el ataque. Por ello, en última instancia, hay quienes consideran que la viabilidad es una «cuestión de sentido común y buena fe de los comandantes»[782].

Como se señaló al inicio de este apartado, el requisito de tomar precauciones viables o factibles en la focalización incluye además esfuerzos para verificar el objetivo[783] y evaluar el posible daño colateral y/o la lesión incidental a personas y objetos civiles producto del ataque[784]. De manera similar, un atacante debe tomar las precauciones factibles para determinar si el objetivo se beneficia de una protección especial conforme al DIH, como sería el caso, por ejemplo, de la protección a los medios sanitarios o las propiedades o patrimonios

---

ciones operativas sobre la tarea para la cual se usa el arma, el tipo de objetivo, el entorno operativo, el plazo de operación y el alcance del movimiento en un área. Al respecto, *Ethics and autonomous weapon systems: An ethical basis for human control?* (documento de trabajo del Comité Internacional de la Cruz Roja), *op. cit., véase página* 22; y Davison, N., «A legal perspective: autonomous weapon systems under international humanitarian law», *op. cit., véanse páginas 12 y 13*; y, *Autonomy, artificial intelligence and robotics: Technical aspects of human control* (informe del Comité Internacional de la Cruz Roja), sin número, agosto 2019, presentado para la reunión del GEG sobre los SAAL en la CCW, celebrada en 21 al 25 de septiembre de 2020, [en línea], disponible en: *https://www.icrc.org/en/document/autonomy-artificial-intelligence-and-robotics-technical-aspects-human-control*, fecha de revisión: 21/01/2021, *véase de la página 11 a la 14.*

782 Sandoz, Y., Swinarski, C. y Zimmermann, B. (eds.), *Comentario sobre los Protocolos adicionales del 8 de junio de 1977 a los Convenios de Ginebra del 12 de agosto de 1949, op. cit., véase párrafo 2208.*

783 Dentro de la labor de verificación del objetivo de ataque, los comandantes que dirigen todo el proceso de focalización deben considerar además toda la gama de posibles objetivos que pueden alcanzarse para lograr su objetivo militar. En esos casos, y como medida de precaución en el ataque, se debe focalizar justo aquel objetivo que cause menos daños colaterales y lesiones incidentales sin sacrificar la ventaja militar. Dicha apreciación es lógica, toda vez que, hoy en día, la focalización está típicamente diseñada para lograr efectos particulares o concretos (guerra basada en efectos), a diferencia de simplemente destruir fuerzas enemigas (guerra basada en el desgaste).

784 Henckaerts, J. M. y Doswald-Beck, L., *El Derecho internacional humanitario consuetudinario, op. cit., véase regla 15;* y Henderson, I., *The Contemporary Law of Targeting, op. cit., véanse páginas 168 y ss.*

culturales[785]. Algunos autores especialistas en el área consideran que las medidas requeridas el artículo 57 del API incluyen también la recopilación, el análisis y la difusión oportuna de inteligencia a aquellos que planifican, aprueban y ejecutan ataques. Los recursos de inteligencia, vigilancia y reconocimiento deben emplearse en la medida que ello sea necesario y militarmente factible conforme a las circunstancias de cada ataque en particular, sobre todo con miras a cumplir con el principio de proporcionalidad[786].

Otro de los aspectos clave para el cumplimiento del principio de precaución es que los comandantes militares que planeen, aprueben y ejecuten el ataque deben considerar todas las opciones de armas, medios y métodos de guerra que consideren militarmente factibles usar. Esto significa que los planificadores de ataques deben considerar las opciones relacionadas con las tácticas militares, en un esfuerzo por minimizar el daño colateral y las lesiones incidentales. De manera similar, el uso de un arma podría ser requerido en la medida que resulte en menos daño a los civiles o a la propiedad civil de lo que pudiera ser con otra arma, asumiendo, por supuesto, que el atacante posee tales armas menos dañosas y su uso en las circunstancias tiene sentido desde una perspectiva militar y estratégica[787].

---

785 *Ibid.*, *véase página 161.*

786 Fleck, D. (ed.), *The handbook of International Humanitarian Law*, *op. cit.*, *véase página 287.*

787 Henckaerts, J. M. y Doswald-Beck, L., *El Derecho internacional humanitario consuetudinario*, *op. cit.*, *véase regla 17*; y Fleck, D. (ed.), *The handbook of International Humanitarian Law*, *op. cit.*, *véanse páginas 286 y 287.* Al respecto, HRW advierte que una vez que se desarrollen las armas autónomas, su mera disponibilidad y las capacidades militares nunca deben llevar a la conclusión de que existe una «necesidad militar» para usarlas, independientemente de si llegaren a ser tan capaces como un ser humano de cumplir con el DIH en un ataque determinado. Human Rights Watch and Harvard Law School's International Human Rights Clinic, *Losing Humanity: The Case against Killer Robots*, *op. cit.*, *véase página 35*; y Human Rights Watch, «Advancing the debate on killer robots: 12 key arguments for a preemptive ban on fully autonomous weapons», *op. cit.*, *véanse páginas 9 y 10.* A la inversa, autores consideran que si los sistemas autónomos llegan a ser mejores que los seres humanos para cumplir con el DIH, como por ejemplo tomando precauciones, y un Estado y un comandante los tienen en su arsenal y no necesitan reservar su uso para otras tareas más importantes desde el punto de vista militar que impliquen mayores riesgos para los civiles, dichos sistemas deberían entonces ser usados. Al respecto, Sassòli, M.,

Llegados a este punto, vale la pena destacar a continuación algunas consideraciones relacionadas con el uso de SAAL y el desafío que ello pudiera representar ante el cumplimiento del principio de precaución en el ataque conforme al derecho internacional armamentista.

ca) Los SAAL y la aplicación general del principio de precaución

En primer término, es importante recordar que la posibilidad de usar AW de acuerdo con el DIH no debe evaluarse en función de un ideal hipotético, sino en comparación con el estándar jurídicamente exigible a los seres humanos. Como afirma Marco Sassòli, esta premisa es particularmente cierta ante la pregunta de si una medida de precaución es factible, sobre todo porque las precauciones serán factibles para las autoridades de un Estado en su cadena natural de mando integrada por militares combatientes humanos y no por robots[788]. Por tanto, si técnicamente no es factible respetar ciertos requisitos del derecho de focalización de objetivos haciendo uso de SAAL, ello no debería ser considerado como una razón para abandonar esos requisitos. En tales casos, el uso de un sistema armamentístico autónomo es simplemente ilegal.

Esto significa que la viabilidad o factibilidad debe referirse a lo que sería factible para los seres humanos que emplean SAAL, no a las posibilidades disponibles para el sistema en sí. Operativamente, a veces, las máquinas pueden ser mejores que los humanos para tomar ciertas precauciones, pero igual el diagnóstico deberá hacerse por ca-

---

«Autonomous weapons and International Humanitarian Law: Advantages, open technical questions and legal issues to be clarified», *op. cit.*, *véase página 320*; Schmitt, M., «Autonomous weapon systems and International Humanitarian Law: A reply to the critics», *op. cit.*, *véase página 24*; y Arkin, R. C., «Governing Lethal Behavior: Embedding Ethics in a Hybrid Deliberative/Reactive Robot Architecture», *op. cit.*

788 Sassòli, M., «Autonomous weapons and International Humanitarian Law: Advantages, open technical questions and legal issues to be clarified», *op. cit.*, *véanse páginas 319 y 320*; Heyns, C., *Informe del Relator Especial sobre las ejecuciones extrajudiciales, sumarias o arbitrarias, Christof Heyns*, *op. cit.*, *véase párrafo 63*; Lin, P., Bekey, G. y Abney, K., «Robots in war: Issues of risk and ethics», *op. cit.*, *véanse páginas 50 y 51*; y Schmitt, M. y Thurnher, J., «"Out of the loop": Autonomous weapon systems and the law of armed conflict», *op. cit.*, *véase página 247*.

da ataque en concreto, y para ello se requerirán al menos parámetros generales que puedan permitir comparar el desempeño del sistema con la actuación que normalmente se les exigiría a los combatientes en ataques similares. Todo ello obliga entonces a que los ingenieros especialistas en robótica e IA que colaboren en el desarrollo armamentístico de los Estados diseñen y programen SAAL que puedan hacer todas las determinaciones posibles en el marco del proceso de focalización y, del mismo modo, que los sistemas tengan la capacidad de reportar cuándo no podrían actuar en un ataque en concreto y, de tal forma, dar paso a que los humanos tomen control completo en la ejecución del ataque correspondiente.

Como quedó referido en secciones anteriores, la posibilidad del control humano sobre las funciones de un SAAL pasa por el ejercicio de este a través del diseño y del uso. Por un lado, el hecho de que una determinada conducta de un SAAL sea legal no dependerá solamente de la programación y las habilidades técnicas del sistema, sino también de los juicios humanos[789]. En la mayoría de los casos, este juicio se lleva a cabo en la fase de planeación de una gran operación general, en lugar de centrarse solamente en la fase de ejecución del ataque en particular. También puede haber componentes técnicos que deban programarse en el SAAL, pero su función será ayudar a la labor exclusiva e indelegable de los comandantes militares y los soldados en tareas clave como, por ejemplo, obtención y procesamiento de información útil para la CDE o la elección del arma antes de un ataque[790].

Por otro lado, a lo largo del control en el uso, se distinguen dos pasos específicos muy importantes: por un lado, existe la orden de despliegue de un SAAL emitida por un mando militar en razón a una decisión informada que haya sido tomada por este, y no así por cualquier otro sistema de armas. En esta fase, el personal humano involucrado (principalmente los comandantes militares, y con apoyo de los soldados y demás técnicos especialistas en el área) debe tomar en consideración condiciones anticipadas que generalmente están por encima del nivel de elección de un arma específica (por ejemp-

---

[789] Anderson, K., Reisner, D. y Waxman, M., «Adapting the Law of Armed Conflict to Autonomous Weapon Systems», *op. cit.*, *véase página 405*.

[790] McNeal, G., «Targeted Killing and Accountability», *op. cit.*, *véanse páginas 739-750*.

lo, tener en cuenta la probabilidad de presencia civil en un entorno particular, la ventaja militar obtenida mediante un ataque determinado, así como las limitaciones y los mecanismos de seguridad que llevan a decantarse por el uso de un arma en particular)[791]. Luego está el segundo paso, referido al cúmulo de tareas que debe ejecutar el SAAL por sí mismo tras su activación. Así pues, aunque estas dos etapas interactúan entre sí, cuanto más los humanos involucrados en la primera etapa sigan las reglas provistas en el derecho internacional armamentista y estén adecuadamente integrados en la planeación del ataque, menos errores ocurrirán en la operación llevada a cabo por el SAAL en la fase posterior del ciclo de focalización[792].

Ahora bien, es importante tener presente que, aun cuando los dos pasos del «control en el uso» se cumplan correctamente, igual seguirían existiendo desafíos muy difíciles de resolver hoy en día. Como se destacó en párrafos previos, el principio de precaución implica medidas que son altamente dependientes del contexto y susceptibles de cambios rápidos e impredecibles. Así, cualquier ataque debe suspenderse o cancelarse si existen datos contextuales (información de inteligencia sobre las condiciones reales de tiempo, modo y lugar del ataque, por ejemplo) que permitan inferir objetivamente que un impacto probablemente será desproporcionado o si el objetivo no es —o deja de ser— legítimo[793]. Además, cuando sea posible, las poblaciones civiles deberían recibir una advertencia antes de que un ataque sea ejecutado[794]. Circunstancias como estas demuestran que, debido a

---

791 Anderson, K., Reisner, D. y Waxman, M., «Adapting the Law of Armed Conflict to Autonomous Weapon Systems», *op. cit.*, *véase página 405.*

792 Boothby, W. H., «Some legal challenges posed by remote attack», *International Review of the Red Cross*, vol. 94, 2012, núm. 886, pp. 579-595, disponible en: *http://e-brief.icrc.org/wp-content/uploads/2016/08/5-some-legal-challenges-posed-by-remote-attack.pdf*, *véanse páginas 584-586.*

793 Protocolo Adicional I (API) a los Convenios de Ginebra de 1949 relativo a la protección de las víctimas de los conflictos armados internacionales, *op. cit.*, *véase artículo 57.2 literal «b»*; Henckaerts, J. M. y Doswald-Beck, L., *El Derecho internacional humanitario consuetudinario*, *op. cit.*, *véase regla 19*; y Henderson, I., *The Contemporary Law of Targeting*, *op. cit.*, *véanse páginas 182-185.*

794 Protocolo Adicional I (API) a los Convenios de Ginebra de 1949 relativo a la protección de las víctimas de los conflictos armados internacionales, *op. cit.*, *véase artículo 57.2 literal «c»*; y Henckaerts, J. M. y Doswald-Beck, L., *El Derecho internacional humanitario consuetudinario*, *op. cit.*, *véase regla 20.*

la naturaleza contextual del requisito de precaución y la revaluación continua que esta implica, es poco probable que, al menos durante los próximos diez o veinte años, los SAAL puedan realizar la evaluación requerida de forma independiente, y sin intervención humana, en la gran mayoría de los casos[795].

A modo de consideración final vale la pena destacar lo siguiente: el principio de precaución en el ataque requiere que aquellos que planean o deciden un ataque tomen todas las precauciones factibles para evitar daños colaterales o lesiones incidentales a personas u objetos civiles. Similar a la proporcionalidad, la dificultad de cumplir con este requisito depende en gran medida de varios parámetros operacionales vinculados, de una u otra manera, al entorno. El requisito de tomar precauciones «factibles», sin embargo, les da a los comandantes militares cierta libertad o margen de apreciación a la hora de llevar a cabo determinadas tareas o tomas de decisiones a lo largo de todo el proceso de focalización.

En relación, concretamente, a la obligación de tomar todas las precauciones factibles en la elección de los medios y métodos de ataque para evitar o, al menos, reducir en lo posible el número de muertos y de heridos que pudieran causar incidentalmente entre la población civil, así como los daños a los bienes de carácter civil, está claro que lo idóneo siempre será que los Estados seleccionen aquellas armas que cumplan con esos requerimientos. Hay quienes pudieran llegar a considerar que el requisito de tomar precauciones factibles podría interpretarse como la demanda de que exista un humano dentro, o supervisando, el proceso de focalización, pero dicha inferencia sería errónea. La naturaleza autónoma de un SAAL no va ligada a la factibilidad de su uso.

---

795 *Autonomous Weapon Systems. The Need for Meaningful Human Control* (posición oficial del Advisory Council on International Affairs y del Advisory Committee on Issues of Public International Law del Gobierno de Países Bajos), *op. cit.*, *véase página 26*; Herbach, J., «Into the caves of steel: Precaution, cognition and robotic weapon systems under the International Law of armed conflict», *op. cit.*; Heyns, C., *Informe del Relator Especial sobre las ejecuciones extrajudiciales, sumarias o arbitrarias, Christof Heyns*, *op. cit.*, *véase párrafo 43*; Singer, P., *Wired for war. The robotics revolution and conflict in the 21st Century*, *op. cit.*, *véanse páginas 99 y ss.*; y Future of Life Institute, *Autonomous weapons: an open letter from AI & robotics researchers*, *op. cit.*

La tecnología óptima para evitar víctimas civiles irá cambiando y mejorando con el tiempo. Si las AW se volvieran más precisas y fiables que los humanos en el futuro, probablemente la obligación de tomar «todas las precauciones factibles» será la base para exhortar a que los comandantes hagan uso de SAAL en vez de otros sistemas armamentísticos menos precisos y sofisticados[796].

Sin embargo, aunque hoy la tecnología de reconocimiento autónomo de objetivos pudiera llegar a permitir el cumplimiento de la obligación de hacer todo lo posible para verificar que los objetivos de ataque son legales (artículo 57.1 literal «a», párrafo «i» del API), la observancia de las precauciones evaluativas puede, en razón de las circunstancias propias del contexto en cada ataque, plantear desafíos cuando se haga uso de SAAL. Así las cosas, si los avances tecnológicos no permiten que los SAAL puedan facilitar el cumplimiento del principio de precaución en la ejecución de un ataque en particular, el uso de ese sistema será ilegal para ese proceso de focalización en concreto.

Ante ese contexto, la comunidad internacional debe ir planteándose la posibilidad de idear métodos para usar SAAL, imponiendo restricciones en cuanto a las circunstancias de su utilización de manera que coadyuve a los comandantes y combatientes a cumplir con el derecho internacional armamentista. Elaborar alternativas de regulación como estas es algo crucial, ya que, en pocos años, es probable que los SAAL lleguen a ser capaces de realizar sus tareas de manera consistente con las reglas de precaución[797].

Es factible que, en el futuro, y en circunstancias estrictamente definidas, se pueda ver a los SAAL ejecutando ciertas funciones de manera autónoma, aunque en lo deseable siempre bajo un control humano significativo, ceñidos a decisiones humanas que, probablemente, estarán basadas en la práctica de datos sobre «patrones de vida», extraídos de satélites, aviones —tripulados o no tripulados— de recolección de información, inteligencia humana, Internet y otras fuentes. Para ese entonces, las actividades de focalización en el área de

---

[796] Scharre, P., *Army of none: Autonomous weapons and the future of war*, *op. cit.*, *véase página 257*.

[797] Boothby, W. H., *Conflict Law. The influence of new weapons technology, human rights and emerging actors*, *op. cit.*, *véanse páginas 108 y 112*.

búsqueda serán tan «predecibles», que tal vez se podrán desarrollar inferencias bastante precisas con respecto a las personas y los objetos civiles que estén presentes en la ubicación y en el momento específico en que se vaya a llevar a cabo un ataque armado.

d) La prohibición de no dar cuartel y la protección de las personas fuera de combate

La prohibición de ordenar que no se dé cuartel es una antigua norma de derecho internacional consuetudinario que se reconocía ya en el Código Lieber[798], la Declaración de Bruselas[799] y el Manual de Oxford de 1880[800], y que se codificó en el Reglamento de La Haya de 1907[801]. Hoy en día, esta norma figura en el artículo 40 del API[802], además de ser considerada una norma del DIH consuetudinario[803].

Esta prohibición, comúnmente conocida en inglés como *Denial of Quarter*, parte de la siguiente premisa: el propósito de la conducta de las hostilidades no es matar a los combatientes, sino derrotar al enemigo, incluso si fuera necesario matar a sus combatientes para lograr ese objetivo[804]. Por lo tanto, bajo la regla del artículo 40 del API, está prohibido ordenar que no haya supervivientes, amenazar con el-

---

798 Departamento de Guerra de los Estados Unidos de Norteamérica, *Instructions for the government of armies of the United States in the field (Lieber Code)* (orden general), núm. 100, Oficina del General Adjunto, 1983 [en línea], disponible en: *https://archive.org/details/governarmies00unitrich/page/n3*, fecha de revisión: 11/06/2019, *véase artículo 60.*

799 *Proyecto de declaración concerniente a las leyes y costumbres de la guerra en Bruselas 1874, según acuerdo alcanzado en la Conferencia realizada el 24/08/1874 en Bruselas (Bélgica), op. cit., véase artículo 13, apartado d).*

800 Instituto de Derecho Internacional, *Manual de Oxford del 1880*, aprobado por el, [en línea], disponible en: *https://ihl-databases.icrc.org/ihl/INTRO/140?OpenDocument*, fecha de revisión: 22/08/2019, *véase artículo 9, apartado b).*

801 *Conferencias de La Haya de 1899 y 1907, op. cit., véase artículo 23, apartado d).*

802 Protocolo Adicional I (API) a los Convenios de Ginebra de 1949 relativo a la protección de las víctimas de los conflictos armados internacionales, *op. cit., véase artículo 40.*

803 Henckaerts, J. M. y Doswald-Beck, L., *El Derecho internacional humanitario consuetudinario, op. cit., véase regla 46.*

804 Fleck, D. (ed.), *The handbook of International Humanitarian Law, op. cit., véase página 324.*

lo al adversario, llevar a cabo hostilidades sobre esa base, negarse a aceptar la rendición de un enemigo o matar a aquellos que están fuera de combate (*hors de combat*[805]). *No obstante, es importante precisar que el hecho de que las circunstancias permitan o no la captura y evacuación de adversarios que están fuera de combate es algo irrelevante a la luz de este principio. Concretamente la prohibición de denegación de cuartel lo que pretende es, con relación al proceso de focalización, que cualquier orden de ataque que excluya la opción de suspender el mismo cuando la persona/objetivo cae fuera de combate, constituye sin más una grave violación del derecho internacional armamentista y, por tanto, del DIH. Este principio se aplica también a la práctica de ofrecer un precio por la «eliminación» de un individuo fuera de combate, o por su captura «vivo o muerto».*

Tradicionalmente, los supuestos en donde se incumple con el deber de protección a las personas fuera de combate y, en consecuencia, se infringe la prohibición de no dar cuartel, la doctrina a menudo los cataloga como uno de los tipos de casos especiales en donde se da un incumplimiento manifiesto del principio de distinción en el ataque[806]*. Sin embargo, como destaca Marco Sassòli, estos supuestos no son, necesariamente, solo una cuestión de distinción*[807]*. La prohibición de la negación de cuartel puede plantear incluso problemas operativos y estratégicos importantes, especialmente cuando las unidades de comando encargadas de llevar a cabo un ataque estén detrás de las líneas enemigas y una vez que se disponen a atacar se topen con un objetivo*

---

805 La regla de los *hors de combat* —expresión de origen francés que en español significa «fuera de combate»— prohíbe atacar a los combatientes que se han rendido o están incapacitados por lesiones y no pueden luchar. Este principio se remonta al Código Lieber de 1863 (art. 71), al *Proyecto de declaración concerniente a las leyes y costumbres de la guerra en Bruselas 1874, según acuerdo alcanzado en la Conferencia realizada el 24/08/1874 en Bruselas (Bélgica), op. cit., véase artículo 13, apartado c)*, y al *Manual de Oxford de 1880* (art. 9, apdo. b)), y se codificó en el Reglamento de La Haya de 1907 (art. 23, apdo. c)). Hoy en día, figura en el artículo 41, párrafo 1 del API, además de ser considerada una norma de DIH consuetudinario (Henckaerts, J. M. y Doswald-Beck, L., *El Derecho internacional humanitario consuetudinario, op. cit., véase regla 47*).

806 Al respecto, Davison, N., «A legal perspective: autonomous weapon systems under international humanitarian law», *op. cit., véanse páginas 11 y 12.*

807 Sassòli, M., *International Humanitarian Law Rules, controversies, and solutions to problems arising in warfare, op. cit., véase página 519.*

rendido o herido. A pesar de lo complejo de la situación —fundamentalmente resoluble a través de los principios de proporcionalidad y de precaución—, el DIH es claro al prohibir cualquier desviación del deber de dar cuartel y de respetar a las personas fuera de combate. Así, se debe tener en cuenta que, cuando la persona objetivo indica la intención de rendirse o de lo contrario se coloca fuera de combate, debe ser capturada o, si la captura y la evacuación no son factibles, puede ser desarmada, pero sin más daño[808].

Ante este panorama, resulta importante plantear a continuación algunas consideraciones sobre los desafíos que podrían representar los SAAL para el cumplimiento de la prohibición de no dar cuartel, especialmente en aquellas situaciones en las que sean usados para la ejecución de ataques y se topen con personas que estén fuera de combate (ya sea porque se han rendido o que no pueden luchar porque están inconscientes, han naufragado o están heridas o enfermas).

da) Los SAAL y la aplicación general de la prohibición de no dar cuartel y la protección de las personas fuera de combate

La prohibición de no dar cuartel tiene poca relación con las AW que atacan a los objetos. En realidad, es una norma que atañe a aquellos casos en los que se usen SAAL para atacar a las personas.

En ese contexto, es importante destacar, en primer lugar, que la identificación de personas que han sido capturadas parece ser un supuesto bastante sencillo de resolverse, aun cuando esté de por medio el uso de un SAAL para la ejecución de un ataque[809]. Es lógico que un ejército tenga la capacidad de evitar que sus AW apunten a los prisioneros bajo su control, de la misma manera que deberían evitar que las AW apunten a su propio personal.

Sin embargo, cuando se trata de distinguir quién expresa claramente la intención de rendirse en un combate, la situación es diferente

---

[808] Protocolo Adicional I (API) a los Convenios de Ginebra de 1949 relativo a la protección de las víctimas de los conflictos armados internacionales, *op. cit.*, *véase artículo 41(3)*.

[809] Protocolo Adicional I (API) a los Convenios de Ginebra de 1949 relativo a la protección de las víctimas de los conflictos armados internacionales, *op. cit.*, *véase artículo 41.2 literal «a»*.

y mucho más complicada de gestionar y resolver. Expertos como Rob Sparrow, profesor de Filosofía en la Universidad de Monash y uno de los miembros fundadores del ICRAC, han expresado su escepticismo acerca de que los SAAL podrían identificar correctamente cuándo los humanos están intentando rendirse. Históricamente, los militares han adoptado señales como banderas blancas o brazos levantados para indicar su rendición. Por lo tanto, en principio, las máquinas autónomas podrían identificar físicamente estas señales de rendición haciendo uso de la tecnología actual disponible[810].

El desafío está en que reconocer el intento de rendirse requiere una labor más compleja, que va más allá de la mera identificación de objetos físicos o movimientos corporales, ya que, al final, de lo que se trata en este tipo de casos es, fundamentalmente, de reconocer una intención humana[811]. Por ejemplo, si dichas señales son hechas, malintencionadamente, para fingir una rendición, es bastante probable que los SAAL fallen en interpretar la verdadera e ilegal intención humana de ese combatiente que ha incurrido en el delito de «perfidia»[812]. En esos supuestos, si un SAAL otorga la rendición y no puede identificar la perfidia, pronto sería un arma autónoma inútil, toda vez que los soldados enemigos aprenderían rápidamente cómo poder engañar al sistema. Por otro lado, si el arma no es capaz de detectar cuándo las tropas enemigas realmente se están rindiendo e igual prosigue con la

---

810 Sparrow, R., «Twenty seconds to comply: Autonomous weapon systems and the recognition of surrender», *op. cit.*

811 Al contrario de este criterio, Sassòli afirma que lo que cuenta no es si una persona quiere rendirse, sino si él o ella indica su disposición a rendirse y el atacante se da cuenta de esta indicación. Al respecto, Sassòli, M., «Autonomous weapons and International Humanitarian Law: Advantages, open technical questions and legal issues to be clarified», *op. cit.*, *véase página 315*. Esta afirmación no responde a la pregunta de qué pasa cuando la persona que quiere rendirse está simplemente cometiendo un delito de perfidia. Ciertamente, esta problemática también se les puede presentar a los humanos que son quienes deben resolver esta cuestión en el campo de batalla, pero dejar que un SAAL sea quien resuelva ese tipo de dilemas sería, cuando menos, riesgoso. Por ello, la propuesta es que los SAAL sirvan de medio de apoyo a las tomas de decisiones informadas de los comandantes, lo cual permitirá disminuir el margen de error, sobre todo en supuestos tan complejos como estos.

812 Protocolo Adicional I (API) a los Convenios de Ginebra de 1949 relativo a la protección de las víctimas de los conflictos armados internacionales, *op. cit.*, *véase artículo 37.1.*

ejecución del ataque, el uso de esa arma —al menos en ese caso en concreto— sería claramente ilegal.

A pesar de estas dificultades, es cierto que los SAAL probablemente tendrían una gran ventaja, en comparación con los humanos, en esas situaciones especiales en que estén involucrados *hors de combat*, y que los SAAL podrían correr más riesgos, acercarse lo máximo a la posible persona fuera de combate y, por lo tanto, ser más cautelosos al momento de tener que ejecutar —o no— el ataque en entornos ambiguos. Esta ventaja de correr más riesgos que cualquier soldado humano dependerá de cuánta autonomía tenga el sistema. No obstante, lo ideal es que el grado de autonomía, por muy alto que sea, no represente la eliminación del control humano sobre las funciones críticas del SAAL, toda vez que, al final, son los humanos y no las máquinas quienes deben resolver cualquier dilema basado en las reglas del derecho internacional armamentista.

Ahora bien, existe un supuesto que merece especial atención, y son aquellos casos en los que se lleven a cabo ataques por medio de SAAL en misiones en las que, de una u otra manera, no se le brinde a la víctima la oportunidad realista de poder rendirse. Por un lado, este tipo de casos no tiene nada que ver con el arma que se utilice. Por otro, es cierto que a lo largo del DIH no hay norma específica que obligue dar a un enemigo la oportunidad de rendirse. Por tanto, no se necesita hacer una pausa antes de atacar y preguntar a la persona objeto de la focalización si se quiere rendir[813]. Sin embargo, lo que al menos sería importante es tener la confianza de que a través del uso de SAAL igual se podrá permitir preservar una posibilidad razonable para que los adversarios se rindan[814]. Así las cosas, está claro que dicho tipo de situaciones no representa una violación de la denegación de cuartel[815]. Es inherente a la conducción de las hostilidades que las personas que pueden ser focalizadas directamente también corren el

[813] Scharre, P., *Army of none: Autonomous weapons and the future of war*, *op. cit.*, *véase página 260*.

[814] *Towards a «compliance-based» approach to LAWS*, *op. cit.*, *véase párrafo 14*.

[815] Lo que no se puede permitir es que se ignoren aquellos casos en los que existan señales o manifestaciones de una rendición legal, y de igual forma se ataque.

riesgo de ser atacadas individualmente y que las circunstancias en todo momento no les permitan rendirse ante el adversario[816].

Por otro lado, al igual que en el supuesto del reconocimiento de la rendición, resulta bastante problemático que un SAAL pueda distinguir cuándo las tropas están incapacitadas y no pueden luchar más. El argumento de la inamovilidad para reconocer a alguien cuando está fuera de combate es débil. Hay casos en los que los soldados están heridos, y aunque puedan seguir moviéndose, debería considerarse que están fuera de combate. También están los casos en los que los combatientes se hacen pasar por heridos o por muertos para evitar ser atacados, e intentar de esa manera engañar al atacante. Todos estos supuestos son muestra de cuán difícil resulta identificar quién realmente está fuera de combate. Incluso, el simple hecho de reconocer las lesiones no es suficiente para ello, ya que los soldados heridos podrían seguir luchando y ser un auténtico peligro.

Evidentemente, todos estos supuestos son difíciles de cumplir para los humanos combatientes. Sin embargo, a través de un trabajo colaborativo en el que los SAAL coadyuven a la labor de los comandantes militares, será más fácil poder observar la prohibición de no dar cuartel y la protección de las personas fuera de combate. Para ello, los robots deben poder reconocer —en la misma medida que un soldado promedio— cuándo los objetivos humanos legítimos se rinden o están heridos, y si esos objetivos se abstienen de cualquier acto de hostilidad[817].

A modo de reflexión final, es importante poder resaltar lo siguiente: uno de los desafíos que plantean las nuevas tecnologías emergentes en el área de los SAAL es la dificultad de poder cumplir con la prohibición de no dar cuartel y la protección de las personas fuera de combate, cuando se haga uso de esos sistemas para ejecutar ataques en un conflicto armado internacional. Hoy en día, la principal causa de ello es la falta de capacidad de los SAAL para reconocer cuándo

---

816 Fleck, D. (ed.), *The handbook of International Humanitarian Law*, *op. cit.*, *véase página 325*.

817 Sassòli, M., *International Humanitarian Law Rules, controversies, and solutions to problems arising in warfare*, *op. cit.*, *véase página 519*.

realmente un combatiente se está rindiendo o está incapacitado y no puede luchar más[818].

Teniendo en cuenta que los avances técnicos en este campo pueden ser difíciles de predecir con gran confianza, la cuestión clave se reduce entonces a si un SAAL, cuando se emplee para ejecutar un ataque, podrá distinguir no solo entre personas y objetos civiles y objetivos militares, sino también entre los combatientes sanos y los que están fuera de combate, entre los civiles que participan directamente y los que no participan, y entre los civiles que participan directamente y los que están fuera de combate. Concretamente en relación con el presente apartado, pareciera muy difícil que los robots puedan por sí solos determinar si alguien está herido y fuera de combate o si los soldados están o no en proceso de rendirse[819].

Por lo tanto, los Estados deben preocuparse por establecer que un sistema de armas autónomas, en la forma en que se pretende utilizar, tendrá la capacidad de detectar que una persona u objeto se encuentra dentro de una de las categorías protegidas por el DIH y, en consecuencia, se abstendrá de atacarlo. No obstante, queda por ver si en el futuro se podrán desarrollar *softwares* lo suficientemente sofisticados para que un SAAL pueda distinguir entre un combatiente sano y uno que entra en el artículo 41 del API por estar fuera de combate. Mientras tanto, la solución que se puede proponer es que se mantenga un control humano significativo en la ejecución de las funciones críticas del sistema, todo ello como parte de la toma de precauciones necesarias ante cualquier ataque[820].

6.2. La revisión de los SAAL según el artículo 36 del API

Luego de haber reflexionado acerca del impacto que trae consigo el uso de SAAL para el cumplimiento de las normas sustantivas del derecho internacional armamentista, a saber, el *Weapons Law* y el

---

818 Liu, H., «Categorization and legality of autonomous and remote weapons systems», *op. cit.*, *véanse páginas 645 y 646.*

819 Heyns, C., *Informe del Relator Especial sobre las ejecuciones extrajudiciales, sumarias o arbitrarias, Christof Heyns* (informe), *op. cit.*, *véase párrafo 67.*

820 Boothby, W. H., *Conflict Law. The influence of new weapons technology, human rights and emerging actors*, *op. cit.*, *véanse páginas 255 y 256.*

Targeting Law, ahora es necesario plantear algunas consideraciones sobre los desafíos que pueden llegar a plantear esos sistemas para la aplicación de la norma procedimental por excelencia del DIH: la obligación del mecanismo de revisión de (nuevas) armas y métodos de guerra conforme al artículo 36 del API.

Para comenzar, es importante recordar que en la conducción de las hostilidades el derecho de las partes en conflicto a elegir los métodos o medios de hacer la guerra no es ilimitado[821]. Hasta ahora hemos visto que los Estados deben garantizar que sus métodos y medios de guerra sean compatibles con las normas sustantivas del derecho internacional armamentista. Habida cuenta de ello, está clara la prohibición del empleo de ciertos métodos y medios de guerra contenida en tratados y en el derecho consuetudinario, así como el deber de respetar y aplicar el derecho internacional de buena fe[822]; incluyen de por sí una obligación (al menos, general) de revisar la legalidad de nuevos métodos y medios de guerra. No obstante, bajo esa perspectiva, la mayoría de los Estados establecieron en el artículo 36 del API un mecanismo de revisión de armas —al menos vinculante para los Estados que son parte del Protocolo[823]— en los siguientes términos:

---

821 Protocolo Adicional I (API) a los Convenios de Ginebra de 1949 relativo a la protección de las víctimas de los conflictos armados internacionales, *op. cit.*, *véase artículo 35.1.*

822 Artículo 1 común a los Convenios de Ginebra de 1949 y la máxima general de *pacta sunt servanda* según la cual las Altas Partes contratantes se comprometen a respetar y a hacer respetar el presente Convenio en todas las circunstancias. Al respecto, Lawand, K., *Guía para el examen jurídico de las armas, los medios y los métodos de guerra nuevos medidas para aplicar el artículo 36 del protocolo adicional de 1977*, *op. cit.*, *véase página 4*; Boothby, W. H., *Weapons and the Law of armed conflict*, *op. cit.*, *véase página 342*; *https://www.researchgate.net/publication/232022335_Conventional_Weapons_and_Weapons_Reviews*, *véanse páginas 105 y 106*; y Dinstein, Y., *The conduct of hostilities under the law of international armed conflict*, *op. cit.*, *véase página 80.*

823 En apartados anteriores se subrayó que no todos los Estados son parte del API. Sin embargo, en lo que se refiere al artículo 36 de ese protocolo, vale la pena hacer un apunte importante. La obligación de revisar los nuevos métodos y medios de guerra deviene de las obligaciones derivadas del derecho consuetudinario, al menos en lo que respecta a las armas. Así, a los Estados que no son parte en el API la obligación implícita, atestiguada por la práctica de ciertos Estados antes de la adopción del API, se aplica específicamente a la adquisición o uso de nuevas armas y medios de guerra. También es importante tener presente que la parte

> «Artículo 36. Armas Nuevas. Cuando una Alta Parte contratante estudie, desarrolle, adquiera o adopte una nueva arma, o nuevos medios o métodos de guerra, tendrá la obligación de determinar si su empleo, en ciertas condiciones o en todas las circunstancias, estaría prohibido por el presente Protocolo o por cualquier otra norma de derecho internacional aplicable a esa Alta Parte contratante»[824].

Este artículo no especifica cómo debe realizarse el examen de la licitud de las armas, los medios y los métodos de guerra. Sin embargo, de su lectura se puede deducir que su finalidad no es otra que prevenir el empleo de armas que puedan violar el derecho internacional en todas las circunstancias e imponer además restricciones al empleo de aquellas armas que violarían ese mismo derecho en algunas circunstancias, determinando su licitud antes de que sean desarrolladas, adquiridas o incorporadas de alguna otra manera al arsenal de un Estado[825].

---

in fine del artículo deja claro, sin embargo, que la obligación de revisión no se limita al API, sino que incluye todas las reglas de derecho internacional que son relevantes para revisar el arma, el método o los medios de guerra en cuestión. En ese sentido, la disposición no limita su alcance a solo los instrumentos del DIH, sino que incluye también a todos los demás elementos y disposiciones del derecho internacional. Al respecto, Boothby, W. H., *Weapons and the Law of armed conflict*, *op. cit.*, *véanse páginas 342 y 343*; Lawand, K., *Guía para el examen jurídico de las armas, los medios y los métodos de guerra nuevos medidas para aplicar el artículo 36 del protocolo adicional de 1977*, *op. cit.*, *véase página 4*; y Human Rights Watch and Harvard Law School's International Human Rights Clinic, *Losing Humanity: The Case against Killer Robots*, *op. cit.*, *véanse páginas 21 y 22*.

824 Protocolo Adicional I (API) a los Convenios de Ginebra de 1949 relativo a la protección de las víctimas de los conflictos armados internacionales, artículo 36, *op. cit.* Se pueden considerar antecedentes del mecanismo de revisión de armas del API los siguientes: el Código Lieber de 1863, el Preámbulo de la Declaración de San Petersburgo de 1868, el artículo 4 del *Manual de Oxford de 1880*, y el artículo 23, sub (e), del Reglamento de La Haya de 1907. Por supuesto, en términos de derecho consuetudinario, la prohibición de métodos y medios de una naturaleza tal que puedan causar sufrimiento innecesario o daño superfluo y la prohibición de usar armas que sean indiscriminadas por naturaleza son reglas del derecho internacional consuetudinario aplicables en cualquier examen de armas o métodos de guerra. En ese mismo sentido está el Preámbulo de la CCW de 1980.

825 Lawand, K., *Guía para el examen jurídico de las armas, los medios y los métodos de guerra nuevos medidas para aplicar el artículo 36 del protocolo adicional*

Ante esta disposición, una de las preguntas clave que siempre surge es relativa a cuándo la revisión debería llevarse a cabo. La obligación de examinar la legalidad de una (nueva) arma, método o medio de guerra[826] se aplica fundamentalmente cuando un Estado tiene la intención de *adquirir* o *adoptar* dicho método o medio, ya que luego lo que queda es el empleo o el despliegue del método o medio de guerra en sí[827]. Asegurar la legalidad de un nuevo medio o método de guerra antes de su uso parece ser un requisito evidente en el derecho internacional, incluido el derecho internacional armamentista[828]. Obviamente, los requisitos jurídicos de cada Estado en cuestión pueden tener algún impacto en la determinación de qué etapa es la más conveniente para realizar dicha revisión. En algunos casos, el examen

---

de 1977, op. cit., véase página 4.

826 Como se indicó en secciones previas, las palabras «arma», «medio» y «método» de guerra son tres conceptos muy vinculados entre sí, aunque con diferencias sustanciales. El primero y el segundo hacen referencia a los armamentos propiamente dichos, mientras que el último se utiliza más para significar categorías generales de operaciones de combate (tácticas, técnicas y procedimientos del conflicto armado). Concretamente, conforme al artículo 36 del API, las palabras «métodos o medios» incluyen las armas, en sentido amplio, y la manera de utilizarlas. Al respecto, Sandoz, Y., Swinarski, C. y Zimmermann, B. (eds.), *Comentario sobre los Protocolos adicionales del 8 de junio de 1977 a los Convenios de Ginebra del 12 de agosto de 1949, op. cit., véase párrafo* 1402; Lawand, K., *Guía para el examen jurídico de las armas, los medios y los métodos de guerra nuevos medidas para aplicar el artículo 36 del protocolo adicional de 1977, op. cit., véase página 8*; Boothby, W. H., *Weapons and the Law of armed conflict, op. cit., véanse páginas 4 y 5*; y *Weapons review mechanisms* (documento de trabajo de Suiza y Países Bajos), núm. CCW/GGE.1/2017/WP.5, 07/11/2017, Palacio de las Naciones (reunión de expertos sobre los SAAL en la CCW, celebrada en Ginebra de 13-17 de noviembre de 2017) [en línea], disponible en: *https://undocs.org/en/ccw/gge.1/2017/WP.5*, fecha de revisión: 09/08/2019, *véase párrafo* 27. Las nociones «arma», «medio» y «método» de guerra, en el dominio cibernético, llevan a entender que las computadoras, los datos informáticos y los mecanismos asociados que son capaces de generar órdenes de efecto en una parte adversa del conflicto pueden ser un arma cibernética. Así, dichas computadoras, datos o mecanismos se convertirán en un arma cibernética, si se usan, diseñan o pretenden ser utilizados para tales fines. Al respecto, Boothby, W. H., «Methods and means of cyber warfare», *op. cit., véanse páginas 389 y 390.*

827 Boothby, W. H., *Weapons and the Law of armed conflict, op. cit., véase página 346.*

828 *Weapons review mechanisms* (documento de trabajo de Suiza y Países Bajos), *op. cit., véase párrafo 21.*

jurídico puede llevarse a cabo en dos o más etapas, con fases de análisis preliminar más genérico con respecto al tipo de arma o sistema en estudio, y luego etapas de verificación, testeo, retroalimentación, tormenta de ideas y consultorías más técnicas y concretas una vez que la elección, entre las opciones disponibles, se vuelve más específica.

En lo que respecta a la obligación de examinar los nuevos métodos o medios de guerra, incluso en fases previas a la adquisición o a la adopción de estos, debe señalarse que, ante esas situaciones, la lógica jurídica hace determinar que la revisión debe siempre llevarse a cabo lo antes posible[829]. Sin embargo, es evidente que, bajo esta perspectiva, donde podría existir el mayor desafío sería en lo que respecta a la interpretación del alcance de la obligación del artículo 36 del API con respecto al estudio y al desarrollo de nuevos métodos y medios de guerra. Por un lado, la obligación de revisión *in comento* no solo abarca los métodos y medios de guerra existentes, sino también las armas futuras[830]. Por otro, la obligación de revisión se aplica a aquellos proyectos que tengan como objetivo estudiar y desarrollar nuevas armas iniciadas por —o en nombre de— el Estado o una agencia gubernamental[831]. Igualmente, deberán estar sometidos a revisión los

---

829 Aunque la doctrina es menos específica en cuanto a las fases de estudio y desarrollo, sí enfatiza que una revisión se debe llevar a cabo en la etapa más temprana posible. Al respecto, Boothby, W. H., *Weapons and the Law of armed conflict, op. cit., véase página 345*; Daoust, I., Coupland, R. y Ishoey, R., «New wars, new weapons? The obligation of States to assess the legality of means and methods of warfare», *op. cit., véase página 351*; y Lawand, K., *Guía para el examen jurídico de las armas, los medios y los métodos de guerra nuevos medidas para aplicar el artículo 36 del protocolo adicional de 1977, op. cit., véanse páginas 22 y 23.*

830 Esto aplica también para las tecnologías armamentísticas existentes que son modificadas técnicamente de tal manera que se altera su función, o un arma que ya ha sido sometida a un examen jurídico pero que luego es técnicamente modificada. El examen de la nueva modificación tecnológica debería hacerse en la etapa más temprana posible, y en ese examen tendrán que participar, entre otros sectores o departamentos, los responsables en el área de las ciencias y las tecnologías. Al respecto, Lawand, K., *Guía para el examen jurídico de las armas, los medios y los métodos de guerra nuevos medidas para aplicar el artículo 36 del protocolo adicional de 1977, op. cit., véanse páginas 9, 10 y 21-23.*

831 Los estudios y los desarrollos de nuevas armas y métodos de guerra llevados a cabo por empresas privadas (especialmente fabricantes de armas) deberían estar obligados a cumplir con la revisión jurídica del artículo 36 del API. Sin embargo, esto dependerá del derecho nacional de cada Estado, ya que puede haber casos

estudios de naturaleza más general o exploratoria una vez que se conviertan en una forma de estudio (o incluso de desarrollo) de nuevas armas o métodos de guerra con vistas a su implementación o despliegue futuro, algo generalmente impulsado, no solo por consideraciones jurídicas, sino también por razones de conveniencia financiera y estratégica.

La obligación del artículo 36 del API se aplica igualmente a los métodos existentes (o incluso antiguos) o (más probablemente) a los medios de guerra adquiridos por primera vez por un Estado, independientemente de que sean de otros Estados[832]. Sin embargo, de manera realista, en casos de adquisiciones interestatales, la verificación hecha por el Estado adquirente de la revisión llevada a cabo previamente por el Estado vendedor puede considerarse una revisión en sí misma. No obstante, un enfoque deductivo como este solo tendrá aplicabili-

---

en los que, a tenor del derecho interno correspondiente, los Gobiernos normalmente no están en posición de poder controlar (o necesariamente saber) en todo momento los planes de las empresas comerciales y, por lo tanto, no se les puede exigir aplicar la revisión del artículo 36 del API a todas las iniciativas de estudio y desarrollo llevadas a cabo por actores privados comerciales. Al respecto, *Weapons review mechanisms* (documento de trabajo de Suiza y Países Bajos), *op. cit., véase párrafo 23*; Daoust, I., Coupland, R. y Ishoey, R., «New wars, new weapons? The obligation of States to assess the legality of means and methods of warfare», *op. cit., véase página 352*; y Sandoz, Y., Swinarski, C. y Zimmermann, B. (eds.), *Comentario sobre los Protocolos adicionales del 8 de junio de 1977 a los Convenios de Ginebra del 12 de agosto de 1949, op. cit., véase párrafo 1473.*

832 En definitiva, desde una perspectiva de exportación e importación de armas, el artículo 36 podría permitir que los Estados estructuren diferentes mecanismos de revisión. Al respecto, Sandoz, Y., Swinarski, C. y Zimmermann, B. (eds.), *Comentario sobre los Protocolos adicionales del 8 de junio de 1977 a los Convenios de Ginebra del 12 de agosto de 1949, op. cit., véase párrafos 1472 y 1473*; Daoust, I., Coupland, R. y Ishoey, R., «New wars, new weapons? The obligation of States to assess the legality of means and methods of warfare», *op. cit., véase página 352*; Boothby, W. H., *Weapons and the Law of armed conflict, op. cit., véase página 346*; y *Fortalecimiento de los mecanismos de revisión de una nueva arma, o nuevos medios o métodos de guerra* (documento de trabajo de Argentina), núm. CCW/GGE.1/2018/WP.2, de 28 de marzo de 2018, Palacio de las Naciones (reunión de expertos sobre los SAAL en la CCW, celebrada en Ginebra de 9-13 de abril de 2018) [en línea], disponible en: *https://www.unog.ch/80256EDD006B8954/(httpAssets)/9D40986EAE8C70E-5C125825F004AD572/$file/CCW_GGE_1_2018_WP.2.pdf*, fecha de revisión: 09/08/2019, *véase párrafo 8.*

dad real en la medida que una decisión formal de la autoridad examinadora competente lo determine basada en las normas de revisión del Estado adquirente.

Acerca de los métodos o medios de guerra que pueden sufrir alguna modificación, siempre ha existido diversidad de opiniones sobre si deben ser nuevamente examinados conforme al artículo 36 del API. Aunque no todas las modificaciones de un arma requieren una nueva revisión, lo más diligente sería que se haga un nuevo examen si la modificación afecta a la función, el funcionamiento, el efecto o el tipo de uso (empleo o despliegue) del método o medio de guerra correspondiente[833]. Ahora bien, en el marco de esta obligación de examen, también es importante que un arma sea revisada no solamente como un medio armamentístico *per se*, sino además en relación con su uso previsto. Esto significa que un arma o medio de guerra no puede evaluarse de forma aislada del método de guerra por el cual se va a utilizar. Por supuesto, la revisión solo necesita considerar el uso normal, esperado o previsto del arma[834].

Una vez analizado de manera general el sentido y el alcance del mecanismo de revisión establecido en el artículo 36 del API, vale la pena hacer algunas consideraciones sobre su aplicabilidad en el caso de los SAAL. Al igual que con todas las armas, la evaluación de la legalidad de un sistema de armas autónomas dependerá de sus características específicas y de que, dadas esas características, pueda emplearse de conformidad con las reglas del derecho internacional armamentista en todas las circunstancias en las que se pretende y espera que se

---

833 Por tanto, como afirman Daoust, Coupland e Ishoey, «se deben revisar todos los tipos de armas, incluidas las armas no letales y las armas que hayan sufrido modificaciones». Al respecto, Daoust, I., Coupland, R. y Ishoey, R., «New wars, new weapons? The obligation of States to assess the legality of means and methods of warfare», *op. cit., véase página 352.*

834 Sandoz, Y., Swinarski, C. y Zimmermann, B. (eds.), *Comentario sobre los Protocolos adicionales del 8 de junio de 1977 a los Convenios de Ginebra del 12 de agosto de 1949*, *op. cit.*, *véase párrafo* 1469; Dinstein, Y., *The conduct of hostilities under the law of international armed conflict*, *op. cit.*, *véanse páginas 55-57*; y Boothby, W. H., *Weapons and the Law of armed conflict*, *op. cit.*, *véase página 345.*

utilice el sistema[835]. Evidentemente, la revisión jurídica debe tener en cuenta también las prohibiciones y restricciones consuetudinarias y convencionales sobre armas específicas[836], así como las normas generales del DIH que son aplicables a todas las armas, los medios y los métodos de guerra.

Es obvio que antes de que se puedan desplegar AW, se debe hacer tal evaluación. No obstante, para llevar a cabo dicha revisión se debe comprender completamente las capacidades del arma y predecir sus efectos, algo particularmente complejo en el caso de los SAAL, sobre todo dado el estado real del arte en la investigación, el desarrollo y la innovación de las tecnologías emergentes en el área de estos sistemas. Sin embargo, *a priori*, la tarea no es imposible. Tal vez las revisiones se deberían realizar en la etapa de la concepción/diseño del sistema y, posteriormente, en las fases de su desarrollo tecnológico (sobre todo mediante la verificación y el testeo de prototipos) y, en cualquier caso, antes de que se concrete su producción[837].

De cualquier forma, como se indicó antes, una evaluación real solo será posible una vez que se conozcan todas las capacidades técnicas del sistema. Esto es lógico, ya que el mando militar o la autoridad que decide el uso de SAAL debe tener en cuenta que las AW tienen como principal propósito ser desplegadas para la ejecución de un ataque, y en ese sentido, la revisión jurídica de esos sistemas debe exigir un nivel de confianza muy alto de que, una vez activados, funcionarían de manera predecible y fiable conforme a lo previsto por los humanos que lo programen a tenor de las exigencias de la misión. Esto plantea entonces desafíos únicos para garantizar que la predictibilidad y la fiabilidad se prueben y verifiquen para todos los escenarios de uso probable[838].

---

835 Davison, N., «A legal perspective: autonomous weapon systems under international humanitarian law», *op. cit.*, *véanse páginas 9 y 10*.

836 Especialmente las normas del derecho internacional del desarme.

837 Boulanin, V. y Verbruggen, M., *Article 36 Reviews. Dealing with the challenges posed by emerging technologies,* Estocolmo, Stockholm International Peace Research Institute, 2017, [en línea], disponible en: *https://www.sipri.org/publications/2017/other-publications/article-36-reviews-dealing-challenges-posed-emerging-technologies*, fecha de revisión 21/01/2021, *véase página 23*.

838 A efectos de la presente investigación, la predictibilidad aplicada a los SAAL significa conocer cómo esos sistemas funcionarán en cualquier circunstancia de

Está claro que una revisión jurídica normalmente solo tiene la intención de evaluar la legalidad de un arma, medio o método de guerra bajo las circunstancias normales y planificadas de su uso. Sin embargo, como se señaló en secciones anteriores, el control humano es un elemento crucial a la hora de analizar las implicaciones jurídicas que trae consigo el uso de SAAL en conflictos armados internacionales. En ese sentido, se deduce que cualquier revisión de estos sistemas exige que los comandantes y sus operadores conozcan razonablemente, por un lado, cómo estas máquinas funcionarán en cualquier circunstancia de uso y los efectos que se producirán (predictibilidad) y, por otro, cómo estas llevarán a cabo sus funciones consistentemente según lo previsto, por ejemplo, sin que haya fallas ni efectos no deseados (fiabilidad)[839]. Además de ello, se debe garantizar la intervención humana en el funcionamiento del sistema durante su desarrollo, activación y operación, lo cual exige, entre otros aspectos, que los comandantes y operadores conozcan también cómo funciona el sistema de armas y cuál es el entorno de su uso[840], porque solo así se podrá certificar una verdadera rendición de cuentas por el funcionamiento final del SAAL.

Ahora bien, teniendo en cuenta la tendencia de los avances que —hasta ahora— se están dando en el área de la IA y la robótica aplicada a la investigación, el desarrollo y la innovación de los SAAL, resulta poco factible que los Estados puedan llegar a demostrar que el uso de estos sistemas sí cumplirá con todos los componentes del control hu-

---

uso y los efectos que se producirán. Por otro lado, la fiabilidad significa conocer cómo la máquina funcionará consistentemente según lo previsto, por ejemplo, sin fallas ni efectos no deseados. Al respecto, Comité Internacional de la Cruz Roja, *Autonomous weapon systems. Implications of increasing autonomy in the critical functions of weapons* (informe), *op. cit.*, *véanse páginas 9 y 13.*

839 *Ethics and autonomous weapon systems: An ethical basis for human control?* (documento de trabajo del Comité Internacional de la Cruz Roja), *op. cit.*, *véase párrafos 41-43.*

840 Como se ha venido subrayando en varias oportunidades en esta investigación, los Estados que implementen SAAL deben dar a los comandantes y operadores militares instrucciones claras sobre cuándo y en qué circunstancias pueden utilizarse realmente los robots. El operador no necesita conocer la compleja programación del robot, pero debe comprender el resultado, es decir, lo que el robot puede y no puede hacer. Solo así se podrá evitar o, al menos, reducir el riesgo de que existan sesgos de automatización en el uso de los SAAL durante la ejecución de ataques armados.

mano que son necesarios para satisfacer las exigencias del mecanismo de revisión del artículo 36 del API. En principio, las máquinas actúan de acuerdo con algoritmos y, por lo tanto, según un plan establecido por los humanos, incluso si ese plan les indica que se adapten de cierta manera a ciertas circunstancias[841]. Sin embargo, predecir el resultado del uso de SAAL será cada vez más difícil si tales sistemas se vuelven muy complejos en su funcionamiento y/o se les da una gran autosuficiencia y autodirección de operación en las tareas, en el tiempo y en el espacio.

Por ejemplo, hoy en día existen máquinas o sistemas de aprendizaje basados en *deep learning* que no siguen un conjunto de reglas programadas, sino que aprenden de los datos programados, que para los diseñadores son efectivamente una «caja negra»[842]. En casos como esos, los programadores de computadoras pueden mirar la salida o el *output* de la red y ver si está bien o mal, pero entender por qué el sistema llegó a una cierta conclusión y, lo que es más importante, predecir las inferencias que hará o cuáles serán sus fallas con anticipación, puede ser bastante difícil (por no decir casi imposible). El uso de redes neuronales profundas ha demostrado ser una herramienta extremadamente poderosa para el reconocimiento de objetos, con un rendimiento tan bueno o —incluso— mejor que los humanos en las

---

841 Sassòli, M., «Autonomous weapons and International Humanitarian Law: Advantages, open technical questions and legal issues to be clarified», *op. cit.*, *véase página 322.*

842 Los sistemas que se basan en el análisis de *big data* deberán incorporar módulos que permitan revelar cómo llegan a los resultados y conclusiones que propongan, toda vez que la capacidad de explicar todo aquello que sucede en un sistema ha de ser una característica irrenunciable para los usuarios. Actualmente, la gran limitación de los sistemas basados en *deep learning* es que son «cajas negras» sin capacidad explicativa. Al respecto, López-Sánchez, M., «Some insights on artificial intelligence autonomy in military technologies», en Hughes, J. y Meza, M. (eds.), *Autonomy in future military and security technologies: Implications for law, peace, and conflict*, Lancaster, The Richardson Institute, 2018, pp. 5-17; López de Mántaras, R., «Algunas reflexiones sobre el presente y futuro de la inteligencia artificial», *Novática*, vol. XLI, 2015, núm. 234, pp. 97-101, disponible en: *https://digital.csic.es/handle/10261/136978*, *véase página 100*; *https://www.sipri.org/sites/default/files/2017-12/article_36_report_1712.pdf*, *véanse páginas 24 y 25*; y *Ethics and autonomous weapon systems: An ethical basis for human control?* (documento de trabajo del Comité Internacional de la Cruz Roja), *op. cit.*, *véanse páginas 15 y 16.*

pruebas estándar de referencia. Sin embargo, los investigadores también han descubierto que, al menos con las técnicas actuales, esos conjuntos de algoritmos tienen vulnerabilidades extrañas y raras de las que carecen los humanos[843].

Así pues, mientras que las decisiones tomadas por los humanos durante la etapa de desarrollo de un SAAL no den garantía suficiente de que el sistema se podrá usar de acuerdo con el DIH y otros marcos normativos internacionales aplicables, dicha arma no debería superar positivamente el mecanismo de revisión en los términos expresados en el artículo 36 del API. Desde las primeras fases de investigación y desarrollo de los SAAL, la predictibilidad y la fiabilidad del sistema deben ir verificándose mediante pruebas en entornos realistas. Todo esto pasa por la invención de soluciones técnicas fiables que permitan traducir todos los parámetros operativos e instrucciones militares que sea posible en una focalización en códigos algorítmicos programables en los SAAL, de tal manera que se pueda cumplir con las reglas sustantivas del derecho internacional cuando se haga uso de esos sistemas para ejecutar un ataque en conflictos armados, los cuales se caracterizan por ser entornos hostiles y a menudo impredecibles.

Como se indicó en apartados anteriores, el hecho de que un arma funcione de manera autónoma no la hace indiscriminada *per se*. Sin embargo, dependiendo de su uso, podría traer consigo el incumplimiento del principio de distinción. Además, para observar las obligaciones de proporcionalidad y toma de precauciones en el ataque y minimizar así los daños colaterales y lesiones incidentales a personas y objetos civiles, es necesario tener en cuenta que un SAAL debería ser capaz de evaluar muchas circunstancias operativas contextuales que pueden cambiar muy rápidamente durante las operaciones militares. Por lo tanto, para que los SAAL puedan superar cualquier revisión a

---

843 Scharre, P., *Army of none: Autonomous weapons and the future of war*, *op. cit.*, *véase página 180*. También, véase: Holland, A., *The Black Box, Unlocked. Predictability and understandability in military AI,* Ginebra, Instituto de las Naciones Unidas para la Investigación del Desarme, 2020, [en línea], disponible en: *https://unidir.org/sites/default/files/2020-09/BlackBoxUnlocked.pdf*, fecha de revisión 21/01/2021, *véanse la página 13 y 18;* y Holland, A., *Known Unknowns: Data Issues and Military Autonomous Systems,* Ginebra, Instituto de las Naciones Unidas para la Investigación del Desarme, 2021, [en línea], disponible en: *https://unidir.org/known-unknowns*, fecha de revisión 1/07/2021.

tenor de lo previsto en el artículo 36 del API, deben poder adaptarse a los cambios en el área donde se encuentre el objetivo de ataque, tanto en términos de cumplir con la distinción y minimizar el riesgo a los civiles, como con respecto a reconocer cuál es la ventaja militar del ataque en cuestión[844].

Aunque con el tiempo es probable que la tecnología que conforma los SAAL los haga altamente discriminatorios, también es cierto que, en el futuro previsible no podrán evaluar la ventaja militar y, por lo tanto, serían incapaces de realizar los test de proporcionalidad de manera autónoma. Así las cosas, en cualquier proceso de examen jurídico de estos sistemas debería establecerse como requisitos operativos algunos límites en términos de área geográfica de cobertura y tiempo empleado en la focalización, para evitar así que la situación militar cambie de manera tan significativa que haga que los cálculos de proporcionalidad «preprogramados» terminen violando el derecho internacional armamentista. Además, será necesario establecer que los humanos tengan la capacidad de siempre poder intervenir luego de la activación del sistema[845].

Está claro que los seres humanos no tienen necesariamente una capacidad superior o inferior a las máquinas para observar las reglas de distinción, proporcionalidad y precaución en el ataque[846]. Aunque en algunos contextos la tecnología puede ofrecer una mejor precisión[847],

---

844 Fleck, D. (ed.), *The handbook of International Humanitarian Law*, *op. cit.*, *véanse páginas 300 y 301*.

845 Davison, N., «A legal perspective: autonomous weapon systems under international humanitarian law», *op. cit.*, *véase página 14*.

846 Heyns, C., *Informe del Relator Especial sobre las ejecuciones extrajudiciales, sumarias o arbitrarias, Christof Heyns* (informe), *op. cit.*, *véase párrafo 69*.

847 El uso de sistemas de armas autónomas podría reducir considerablemente los riesgos para los civiles al tomar decisiones más precisas de objetivos mediante un cálculo más rápido de la información disponible y ejecución de disparos más controlada, sobre todo debido a la ausencia de sentimientos negativos como el miedo, el pánico y el deseo de venganza. Sin embargo, a la hora de llevar a cabo análisis contextuales como la ventaja militar directa y prevista en el ataque, o la definición de cuál es la necesidad militar propiamente dicha, son ejemplos de aspectos naturalmente cambiantes o evolutivos de cualquier conducción de hostilidades. Al respecto, *Legal framework for any potential development and operational use of a future lethal autonomous weapons system (LAWS)* (documento de trabajo de Francia), *op. cit.*, *véase página 2*.

al final, los humanos y las máquinas tienen métodos diferentes —aunque no excluyentes— de abordar y resolver los desafíos que se les presenten en cualquier conflicto armado. En ese sentido, un tipo de relación humano-máquina en la que el SAAL colabore en la toma de decisiones de los comandantes de cualquier operación militar debería ser una opción a tomar en consideración en cualquier revisión de estos sistemas con miras a garantizar que a través de su uso puedan los humanos cumplir eficazmente con el DIH.

Como se indicó anteriormente, tal vez parte de la solución sea acompañar el proceso de desarrollo de los SAAL de revisiones constantes. No obstante, las pruebas reales de estos sistemas, obviamente, solo serán útiles de cara a la revisión jurídica si se puede excluir que las AW actuarán de manera impredecible en circunstancias imprevistas[848]. Además, para probar y evaluar el rendimiento y la fiabilidad de un sistema autónomo, es necesario que los Estados lleven a cabo procedimientos de validación y verificación separados, por un lado, del *hardware* —principalmente los sensores— y del *software*, y por otro realizar pruebas y evaluación del sistema en su totalidad[849].

Finalmente, aunque no se puede obligar a los Estados a hacer públicos los resultados de sus exámenes, una forma de garantizar un mayor

---

848 Asaro, O., «On banning autonomous weapon systems: human rights, automation, and the deshumanization of lethal decision-making», *op. cit.*, *véanse páginas 692 y 693*.

849 Boulanin, V. y Verbruggen, M., *Article 36 Reviews. Dealing with the challenges posed by emerging technologies, op. cit., véase página 24*. Por ejemplo, Australia es uno de los países que reconoce la creciente prevalencia de la autonomía en las aplicaciones militares, a tal punto que su Ministerio de Defensa tomó la decisión estratégica de abordar el desarrollo y la innovación de «sistemas autónomos fiables» como un área de trabajo prioritaria para la investigación estratégica militar en cooperación con la industria en defensa. Al respecto, véase *Australia's System of Control and applications for Autonomous Weapon Systems* (documento de trabajo de Australia), núm. CCW/GGE.1/2019/WP.2/Rev.1, 26/03/2018, Palacio de las Naciones (reunión de expertos sobre los SAAL en la CCW, celebrada en Ginebra de 25-29 de marzo de 2019 y de 20-21 de agosto de 2019) [en línea], disponible en: *https://www.unog.ch/80256EDD006B8954/(httpAssets)/16C9F75124654510C12583C9003A4EBF/$file/CCWGGE.12019WP.2Rev.1.pdf*, fecha de revisión: 09/08/2019, *párrafo 14*; y *Trusted Autonomous Systems (TAS)* (página web), disponible en: *https://tasdcrc.com.au/*, fecha de revisión: 30/09/2021.

control sobre la aparición de nuevas armas —como los SAAL— pasa por alentarlos a tomar en cuenta aspectos como los indicados en este apartado, para luego incluirlos en los mecanismos nacionales que siguen en términos generales los exámenes relativos al artículo 36 del API. Estos procedimientos, cada vez más, deberían ser públicos de tal manera que los Estados puedan compartir sus propias experiencias con otros Estados y lograr así unos mínimos de entendimiento y de buenas prácticas que contengan recomendaciones de una serie de medidas adicionales para su incorporación en los procedimientos de revisión nacionales[850].

Mientras tanto todos los Estados, dadas las características especiales de las AW, deberán seguir buscando alternativas para poder garantizar de manera suficiente y creíble a la comunidad internacional que sí mantienen un control significativo en el diseño y el uso de cualquier tecnología emergente en el área de los SAAL[851], algo que será crucial

---

850 Hay quienes consideran que el deber de los Estados de compartir información sobre sus mecanismos nacionales de revisión, conforme al artículo 36 del API, entra en el alcance del artículo 83 *eiusdem*, el cual establece que: «...Las Altas Partes contratantes se comprometen a difundir lo más ampliamente posible, tanto en tiempo de paz como en tiempo de conflicto armado, los Convenios y el presente Protocolo en sus países respectivos y, especialmente, a incorporar su estudio en los programas de instrucción militar y a fomentar su estudio por parte de la población civil, de forma que esos instrumentos puedan ser conocidos por las fuerzas armadas y la población civil...». Al respecto, *Fortalecimiento de los mecanismos de revisión de una nueva arma, o nuevos medios o métodos de guerra* (documento de trabajo de Argentina), *op. cit.*, *véase párrafo 9*; y Comité Internacional de la Cruz Roja, *Informe de seguimiento sobre la aplicación del Plan de Acción para los años 2000-2003 aprobado por la XXVII Conferencia Internacional de la Cruz Roja y de la Media Luna Roja* (celebrada en Ginebra del 31 de octubre al 6 de noviembre de 1999) [en línea], disponible en: *https://www.icrc.org/es/doc/assets/files/other/report_follow-up_final_esp_15.10.2003.pdf*, fecha de revisión: 09/08/2019, *véase página 25*.

851 Parte de la comunidad internacional y científica ha considerado que el establecimiento futuro de un organismo internacional que supervise el desarrollo de armas probablemente sería algo deseable. Sin embargo, es una posibilidad poco factible ya que las preocupaciones sobre el secreto de las políticas militares, de seguridad y defensa de los Estados siempre pesará y, por ende, seguirá siendo un obstáculo muy difícil de superar. Al respecto, Boothby, W. H., *Weapons and the Law of armed conflict*, *op. cit.*, *véanse páginas 342, 344 y 345*. Algunos países, como Australia, sugieren como alternativa la creación de un sistema de enfoque gradual y por capas para aplicar control sobre la actuación de los SAAL, que

a la hora de poder exigir la rendición de cuentas y atribuir la responsabilidad a que hubiere lugar por cualquier violación al DIH realizada a través de SAAL en conflictos armados internacionales.

abarca todos los aspectos del sistema desde el diseño hasta el combate. A través de un sistema de control como este, los militares podrían garantizar adecuadamente que todas las capacidades, incluidos los SAAL, operen de manera legal y regulada. Al respecto, *Australia's System of Control and applications for Autonomous Weapon Systems* (documento de trabajo de Australia), *op. cit.*

Capítulo 7. La responsabilidad y la rendición de cuentas por la comisión de violaciones al DIH realizadas a través de SAAL en conflictos armados internacionales

A lo largo de esta investigación se ha podido observar como la posible dificultad para atribuir responsabilidad y peligro al vacío en la rendición de cuentas son dos cuestiones fundamentales que siempre salen a la luz en cualquier discusión sobre los riesgos y los desafíos que representa el uso de SAAL en conflictos armados internacionales. La razón de ello es que parte de la comunidad internacional ha manifestado su preocupación al respecto, al considerar que las AW representan un cambio paradigmático en los modos de hacer la guerra. Así las cosas, los SAAL no solo supondrían una actualización de los tipos de armas a desplegar en conflictos armados sino, además, un cambio de quiénes las despliegan[852].

---

852 Habida cuenta de ello, algunos Estados, organizaciones internacionales e instituciones no gubernamentales consideran que es clave la prohibición total o, en su defecto, una moratoria, sobre la investigación y el desarrollo de los SAAL por considerar que su uso en los conflictos armados internacionales hará que la distinción entre las armas y los combatientes corra el riesgo de desvanecerse. Al respecto, véase el capítulo 4 de esta monografía. Del mismo modo, Heyns, C., *Informe del Relator Especial sobre las ejecuciones extrajudiciales, sumarias o arbitrarias, Christof Heyns* (informe), *op. cit.*, *véase párrafo 28*; Matthias, A., «The responsibility gap: Ascribing responsibility for the actions of learning automata», *Ethics and Information Technology*, vol. 6, 2004, núm. 3, pp. 175-183, disponible en: *https://link.springer.com/article/10.1007/s10676-004-3422-1*, *véanse páginas 177, 181 y 182*; Roff, H., «Killing in war: Responsibility, liability and lethal autonomous robots», en Allhoff, F., Evans, N. y Henschke, A. (eds.), *Routledge handbook of ethics and war: Just war theory in the 21st Century*, Londres, Routledge, 2014, disponible en: *www.academia.edu/2606840/Killing_in_War_Responsibility_Liability_and_Lethal_Autonomous_Robots*, *véase página 9*; Lucas, G. R., «Legal and ethical precepts governing emerging military technologies. Research and use», *Utah Law Review*, 2014, núm. 5, pp. 1271-1281, disponible en: *https://mipt.ru/education/chairs/theor_cybernetics/government/upload/80d/LEGAL-AND-ETHICAL-PRECEPTS-GOVERNING-EMERGING-MILITARY-TECHNOLOGIES.pdf*, *véase página 1277*; y

De cualquier modo, lo importante desde ya es tener presente que las máquinas no son personas y, como tal, no son un sujeto del DIH. Este sector normativo, creado por decisión de los Estados, comprende normas jurídicas que aseguran la responsabilidad y la rendición de cuentas por violaciones de ese derecho, incluyendo elementos de restauración, compensación, retribución y disuasión. Ello significa que los Estados son los principales autores, destinatarios y tutores del DIH, por lo que su observancia se alcanzará principalmente sobre la base de enfoques cooperativos y de gestión, con el objetivo de establecer una cultura de cumplimiento en toda la comunidad internacional. Ahora bien, la manera de poder alcanzar y ejecutar todo esto es a través de personas físicas, aquellas que forman parte y dirigen las estructuras de esos Estados. Por tanto, son los seres humanos los que al final deben cumplir y hacer cumplir materialmente esas obligaciones suscritas por los Estados[853].

Human Rights Watch, «Shaking the foundations. The human rights implications of killer robots», *op. cit.*

853 Es importante tener en cuenta que el individuo no es sujeto de derecho internacional (general), sino que tiene una cierta personalidad jurídica sectorial en ramas particulares del derecho internacional público. Aunque las personas físicas carecen de capacidad para celebrar tratados, sí que son sujetos obligados por el derecho internacional; tanto es así que, como luego se verá, solo las personas físicas pueden ser criminalmente responsables a nivel internacional cuando violan gravemente las normas fundamentales del DIH. Así, los únicos sujetos que físicamente pueden cometer actos violatorios de este tipo son las personas físicas, los individuos, porque son estos —y no los Estados— quienes tienen derecho a participar directamente en las hostilidades como combatientes, y en consecuencia se constituyen en únicos sujetos activos de la acción militar, a la vez que únicos sujetos pasivos, pues en tanto que tienen la consideración de objetivos militares, solamente ellos pueden ser atacados. También están aquellos casos excepcionales donde las personas civiles pueden participar directamente en las hostilidades con lo cual también asumen las obligaciones correspondientes del DIH. Al respecto, Doméneche, J., «Los sujetos combatientes», en Rodríguez-Villasante, J. y López Sánchez, J. (coords.), *Derecho Internacional Humanitario*, Madrid, 3.ª edición, Tirant lo Blanch, 2017, pp. 175-204, *véanse páginas 175 y 176*. Aunque los conflictos armados sin carácter internacional no son abordados en esta investigación, merece la pena destacar solamente que el DIH también incluye como destinatarios de las obligaciones adquiridas por los Estados a aquellos individuos que sean miembros de las fuerzas armadas disidentes o grupos armados organizados del territorio de un Estado parte del APII a los Convenios de Ginebra de 1949, individuos que, bajo la dirección de un mando responsable,

Desde esta perspectiva, en el caso de los SAAL, aquellos que diseñen, produzcan y programen, así como también decidan usar u operen estos sistemas armamentísticos autónomos, forman parte del grupo de personas que están constreñidas por el DIH[854]. En cambio, las AW, dada su naturaleza, son y deben ser consideradas un mero instrumento de guerra[855], un objeto cualitativamente diferente a los sujetos o destinatarios de aquellas obligaciones jurídicas internacionales que determinan el curso de cualquier proceso de focalización[856].

Lo anterior es clave tenerlo muy presente, porque así se podrán evitar sesgos de apreciación acerca de cómo debería ser la «atribución» de responsabilidad y quién ha de «rendir cuentas» por la ejecución de un hecho internacionalmente ilícito, sin caer en la tentación de antropomorfizar a los robots autónomos armados. A la hora de abordar estas cuestiones, es trascendental no atribuir formas y comportamientos humanos a objetos no humanos, sobre todo en el uso del lenguaje[857].

---

ejerzan sobre una parte del territorio de dicho país un control tal que les permita realizar operaciones militares sostenidas y concertadas. Al respecto, *Protocolo Adicional II (APII) a los Convenios de Ginebra de 1949 relativo a la protección de las víctimas de los conflictos armados internacionales*, 1977, disponible en: *https://www.icrc.org/es/doc/resources/documents/misc/protocolo-ii.htm*, fecha de revisión: 23/05/2019.

854 Sassòli, M., «Autonomous weapons and International Humanitarian Law: Advantages, open technical questions and legal issues to be clarified», *op. cit.*, *véase página 323*; y Boothby, W. H., *Weapons and the Law of armed conflict*, *op. cit.*, *véase página 283*.

855 Vignard, K., *Statement of the UN Institute for Disarmament Research* (declaración del Instituto de las Naciones Unidas para la Investigación de Desarme), sin número, 12/04/2016 (presentada ante la reunión informal del grupo de expertos gubernamentales en sistemas letales de armas autónomas en la CCW, celebrada en Ginebra el 12 de abril de 2016) [en línea], disponible en: *https://www.unog.ch/80256EDD006B8954/(httpAssets)/86C96CC8C7A932DCC1257F930057C0E3/$file/2016_LAWS+MX_GeneralExchange_Statements_UNIDIR.pdf*, fecha de revisión: 10/08/2019, *véase página 3*.

856 Schmitt, M. y Thurnher, J., «"Out of the loop": Autonomous weapon systems and the law of armed conflict», *op. cit.*, *véanse páginas 235 y 277*.

857 Zawieska, K., *Do robots equal humans? Anthropomorphic terminology in Laws* (*presentación* de PowerPoint), Palacio de las Naciones (Ginebra, «Meeting of Experts on Lethal Autonomous Weapons Systems», 13-17 de abril de 2015) [en línea], disponible en: *https://www.unog.ch/80256EDD006B8954/(httpAssets)/BA93E017841619C2C1257E290041C0B9/$file/K+Zawieska_CCW2015.pdf*, fecha de revisión: 10/08/2019; y Grupo de Expertos Gubernamentales sobre

Ello significa que, por muy parecido que un robot mortífero pueda llegar a ser a un combatiente humano, aquel no dejará de ser un arma o medio de guerra del propio combatiente[858]. Además, ello es lógico, ya que cualquier régimen de responsabilidad que se aplique al uso de SAAL y que, al mismo tiempo, esté basado en el marco jurídico vigente, íntimamente deberá estar enlazado al concepto jurídico de «personalidad», algo de lo cual carecen los SAAL[859].

Aunque se especule sobre qué pasará en el futuro cuando se dote de más IA a los SAAL, y de cuán inteligentes y autosuficientes estos sistemas podrán llegar a ser, igual no se debe olvidar que cualquier valoración de estos sistemas siempre habrá de hacerse poniendo al humano en el centro de la reflexión. Evidentemente, ante la actuación de cualquier máquina, el grado de participación o involucramiento humano dependerá de muchas circunstancias, sobre todo del control real y significativo en el diseño y uso del sistema en sí. Pero también

---

las tecnologías emergentes en el ámbito de los sistemas de armas autónomas letales, *Informe del período de sesiones de 2018*, *op. cit.*, *véase el párrafo 21 y en el anexo III el párrafo 54*

858 En este sentido, se considerarán combatientes los miembros de las fuerzas, grupos y unidades armados y organizados de una parte en conflicto, colocados bajo un mando responsable de la conducta de sus subordinados ante esa parte, aun cuando esta esté representada por un Gobierno o por una autoridad no reconocidos por la parte adversa o enemiga. De esta categoría se excluirán, en principio, aquellos que formen parte del personal sanitario y religioso. Ahora bien, valga precisar que, por ahora, esos miembros son seres humanos y no máquinas. Protocolo Adicional I (API) a los Convenios de Ginebra de 1949 relativo a la protección de las víctimas de los conflictos armados internacionales, *op. cit.*, *véase artículo 43*.

859 Ello es lógico, ya que un SAAL, al ser un robot más, no posee ningún modelo de estatus jurídico que sirva de base para atribuirle una personalidad. Al respecto, Robotics, *Open letter to the European Commission. Artificial intelligence and robotics*, *op. cit.* Esta apreciación responde al carácter homocéntrico que propugna la cláusula Martens, la cual, tal y como se subrayó en apartados previos, es un pilar fundamental del DIH. Al respecto, Meron, T., *The humanization of International Law*, *op. cit.*, *véase página 28*; y Marauhn, T., «An analysis of the potential impact of lethal autonomous weapons systems on responsibility and accountability for violations of International Law» (presentación), Ginebra (reunión de expertos sobre los SAAL en la CCW, 13-16 de mayo de 2014) [en línea], disponible en: *https://www.unog.ch/80256EDD006B8954/(httpAssets)/35FEA015C2466A57C1257CE4004BCA51/$file/Marauhn_MX_Laws_SpeakingNotes_2014.pdf*, fecha de revisión: 09/07/2019, *véase página 1*.

es cierto que, salvo casos hipotéticos de SAAL dotados de superinteligencia, cualquier máquina autónoma —en los términos de la definición de trabajo planteada en esta investigación— siempre dependerá como mínimo de un programa diseñado por personas físicas.

Así pues, el simple hecho de plantearse que las AW puedan algún día llegar a ser sujetos del DIH para así poder llenar los posibles desafíos que estas representan, es una inferencia, cuando menos, cuestionable. Aunque la complejidad de la tecnología robótica mortífera puede llegar a representar —en determinadas circunstancias— una potencial brecha o vacío de responsabilidad en el uso de estos sistemas, sin embargo, a lo largo de cualquier proceso de focalización siempre se hallará alguna persona a la que se le pueda atribuir la responsabilidad por los hechos ilícitos cometidos por el arma autónoma[860].

---

860 HRW, al definir qué significa «brecha en la rendición de cuentas», afirma que los mecanismos existentes para la responsabilidad jurídica no son adecuados para procesar el daño que pueden causar los robots autónomos letales. Por lo tanto, en su opinión, existe el riesgo de una brecha en la rendición de cuentas entre esos robots y el derecho internacional aplicable. En ese sentido, lo que hacen los SAAL, junto con todas las demás armas autónomas, es que desafían la presunción de que un acto criminal solo puede ser realizado por un humano. La falta de un ser humano que actúe con intención en los SAAL, según esa organización, significa que nadie puede ser responsabilizado. Al respecto, Human Rights Watch, «Mind the gap: the lack of accountability for killer robots», *op. cit.* Según Andreas Matthias, se produce una brecha de responsabilidad cuando un sistema tecnológico está diseñado para adaptar su comportamiento a su entorno, por lo que su funcionamiento no es completamente predecible. Entonces, llegó a la conclusión de que el control es una necesidad para la responsabilidad y, por lo tanto, el operador de la máquina tendrá menos responsabilidad sobre él (el sistema tecnológico) mientras menos control tenga. Matthias, A., «The responsibility gap: Ascribing responsibility for the actions of learning automata», *op. cit.*, *véanse páginas 175-177*. Por su parte, Robert Sparrow también opina que la brecha en la rendición de cuentas existe. Las leyes de la guerra exigen la responsabilidad de asesinar. Por lo tanto, el cumplimiento del derecho de guerra requiere que los individuos no peleen de una manera que resulte rutinariamente en asesinatos «felices». Sparrow, R., «Robots and respect: Assessing the case against autonomous weapon systems», *op. cit.*, *véase página 108*. También, por su parte, Thomas Simpson y Vincent Müller —interpretando la posición de Sparrow sobre el tema— llaman a la brecha en la rendición de cuentas «la brecha de responsabilidad cercana a la autonomía». Simpson, T. W. y Müller, V. C., «Just war and robot's killings», *Philosophical Quarterly*, vol. 66, 2016, núm. 263, pp.

Nadie puede pensar que la determinación de responsabilidad por la ejecución de un hecho internacionalmente ilícito es algo fácil, pero tampoco hay que considerar que es un proceso imposible de llevar a cabo, especialmente cuando el uso de un SAAL está involucrado en el hecho en cuestión[861]. Por el contrario, tal vez el alto nivel de sofisticación de la máquina autónoma permita que los humanos puedan alcanzar una mejor y más objetiva rendición de cuentas acerca de lo que ocurrió realmente en un campo de batalla, para que luego pueda establecerse la responsabilidad a que hubiere lugar.

De todas formas, es cierto que de por sí hay muchas barreras naturales (tiempo, información, evidencias físicas, etc.) a la hora de rendir cuentas y atribuir responsabilidad en el dominio militar, y muchas de estas están tan estrechamente interrelacionadas que hace muy difícil que se proporcione una discusión clara y lúcida sobre este asunto[862]. Ello es especialmente remarcable cuando de por medio está el uso de los avances tecnológicos armamentísticos más sofisticados. Tal vez la mayoría de estas preocupaciones han sido planteadas por expertos en el área, pero partiendo de un enfoque que no es del todo idóneo.

Muchos documentos oficiales y artículos académicos que abordan el tema de los SAAL hacen referencia a la posible brecha en la rendición de cuentas, y a la dificultad para atribuir responsabilidad por

---

302-322, disponible en: *https://www.researchgate.net/publication/282485360_Just_War_and_Robots'_Killings*, fecha de revisión: 12/07/2019, *véanse páginas 4-6*. Al respecto, *Ethics and autonomous weapon systems: An ethical basis for human control?* (documento de trabajo del Comité Internacional de la Cruz Roja), *op. cit.*

861 Como luego se verá a lo largo de esta sección, la doctrina sugiere que los programadores informáticos, los fabricantes o los vendedores del arma, los jefes militares, los oficiales subordinados que despliegan esos sistemas, e incluso, hasta los dirigentes políticos, podrían resultar los responsables por cualquier violación ejecutada a través de un SAAL. Al respecto, Heyns, C., *Informe del Relator Especial sobre las ejecuciones extrajudiciales, sumarias o arbitrarias, Christof Heyns* (informe), *op. cit.*, *véase párrafo 77*.

862 Galliott, J., «Artificial Intelligence and Space Robotics: Questions of Responsibility», en Galliott, J. C., Plaw, A. y Michael, K., *Emerging technologies, ethics and international affairs*, Surrey (Reino Unido), Ashgate, 2015, pp. 211-226, *véase página 212*.

cualquier hecho cometido a través de estos sistemas[863]. Para llegar a esa inferencia, algunos lo hacen basados en un enfoque que pretende resolver la siguiente cuestión: ¿quién puede ser responsabilizado cuando un sistema de armas autónomas comete un hecho internacionalmente ilícito?[864].

La literatura académica especializada que parte de este enfoque propone, *grosso modo*, tres opciones de respuesta: responsabilizar al programador, al usuario del arma o a la propia máquina. Sin embargo, como afirma Rebecca Crootof, tal vez sea el momento de replantearse el tema, introduciendo cuestiones que apunten más a saber cuál debería ser el régimen —o marco— jurídico de responsabilidad apropiado para los sistemas de armas autónomas[865]. Evidentemente, por ahora, la respuesta a esta pregunta sería «depende».

Cuando un SAAL se usa de manera negligente o imprudente, o incluso de forma intencional para ejecutar un hecho internacionalmente ilícito, hay quienes pueden pensar que el DIP sería el marco jurídico apropiado para resolver esta cuestión, aunque —como luego se verá— parece incierto que cubra todos los supuestos de hecho. Por otro lado, no se puede obviar que también los Estados deben rendir cuentas por los daños ilegales ejecutados en la guerra por sus Fuerzas

---

863 Por ejemplo, Heyns, C., *Informe del Relator Especial sobre las ejecuciones extrajudiciales, sumarias o arbitrarias, Christof Heyns* (informe), *op. cit.*, *véase párrafo 77*; Matthias, A., «The responsibility gap: Ascribing responsibility for the actions of learning automata», *op. cit.*, *véanse páginas 177, 181 y 182*; Human Rights Watch, «Mind the gap: the lack of accountability for killer robots», *op. cit.*; Galliot, J., *Military robots. Mapping the moral landscape*, *op. cit.*, *véanse páginas 211-232*; y Chengeta, T., «Accountability gap: Autonomous weapon systems and modes of responsibility in International Law», *Denver Journal of International Law and Policy*, vol. 45, 2016, núm. 1, pp. 1-50, *véase página 19*.

864 Para evitar la aparente brecha de rendición de cuentas que surgiría si se fabricaran y desplegaran SAAL, HRW ha sido una de las instituciones que más activamente ha hecho este tipo de preguntas con miras a plantear una serie de peligros y riesgos aún sin resolver, que deberían llevar a la comunidad internacional a aprobar una prohibición preventiva de estos sistemas de armas autónomas. Al respecto, Human Rights Watch, «Mind the gap: the lack of accountability for killer robots», *op. cit.*

865 Crootof, R., «War torts: accountability for autonomous weapons», *University of Pennsylvania Law Review*, vol. 164, 2016, núm. 6, pp. 1347-1402, *véase página 1389*.

Armadas. La cuestión entonces sería cómo hacer que al Estado correspondiente se le declare responsable de ese hecho ilícito internacional.

También hay quienes argumentan que sería injusto que los seres humanos fueran considerados responsables de las graves violaciones al DIH cometidas por una máquina autónoma[866]. En ese caso, ¿qué régimen jurídico de responsabilidad se podría aplicar?; ¿tal vez el régimen de responsabilidad internacional de los Estados? Para algunos expertos podría ser un régimen suficiente, pero para otros puede que no lo sea tanto[867].

De cualquier forma, como se señaló en capítulos anteriores, es poco probable que algún día existan FAWS; y de existir deberían ser prohibidos por el derecho internacional[868]. Ahora bien, suponiendo que en el futuro los humanos creen máquinas totalmente autónomas, y que en la ejecución de sus funciones cometan alguna violación del DIH (sea o no un crimen de derecho internacional —CDI—[869]), ¿cómo se atribuiría la responsabilidad por ese hecho?

---

[866] Andreas Matthias y Robert Sparrow son los principales expertos que han liderado esta posición relacionada con el asunto de la responsabilidad. Al respecto, Matthias, A., «The responsibility gap: Ascribing responsibility for the actions of learning automata», *op. cit.*; Sparrow, R., «Killer robots», *op. cit.*, *véase página 71*; y Sparrow, R., «Robots and respect: Assessing the case against autonomous weapon systems», *op. cit.*, *véanse páginas 93-116*. Una línea claramente crítica a las propuestas por Matthias y Sparrow se puede ver en Lokhorst, G. J. y van den Hoven, J., «Responsibility for military robots», en Lin, P., Abney, K. y Bekey, G. (eds.), *Robot ethics. The ethical and social implications of robotics*, Cambridge (EE.UU.), The MIT Press, 2012, pp. 145-156.

[867] Al respecto, Jenkins, R. y Purves, D., «Robots and respect: A response to Robert Sparrow», *Ethics & International Affairs*, vol. 30, 2016, núm. 3, pp. 391-400. Aunque es un concepto fundamental en el derecho internacional, la responsabilidad estatal por violaciones graves del DIH corre el riesgo de verse, en cierta medida, eclipsada por la responsabilidad penal individual internacional. Al respecto, Crootof, R., «War torts: accountability for autonomous weapons», *University of Pennsylvania Law Review,* vol. 164, 2016, núm. 6, pp. 1347-1402, *véase página 1347*.

[868] No obstante, basado en la definición de trabajo propuesta en esta investigación, lo que sí puede hallarse son desarrollos importantes en la autonomía de las funciones de las máquinas, sin alcanzar su total autosuficiencia y autodirección.

[869] Crimen/crímenes de derecho internacional (CDI): tipo(s) delictual(es) que protege(n) bienes jurídicos de doble naturaleza, individual y colectiva. Por un lado, salvaguarda(n) bienes jurídicos individuales como la vida, la integridad física, la autonomía sexual o la libertad, entre otros. Por otro, constituye(n) una amenaza

Ante ese tipo de supuestos, hay quienes pudieran pensar que el fabricante, el programador o el diseñador de la máquina podrían ser considerados responsables respectivamente. Tal vez en parte, y dependiendo de cada caso en concreto, este supuesto sería jurídicamente factible, aunque también es cierto que la participación de cualquiera de estos individuos a menudo está bastante alejada de la ejecución física del ataque, por lo que no siempre sería fácil responsabilizarlos de la planificación o la decisión sobre el ataque, ni por la acción ejecutada por el arma autónoma en sí. Esto lleva a pensar entonces que, tal vez, el comandante, el usuario o el operador del sistema —según corresponda— termine siendo el vínculo humano más cercano a la focalización. En ese caso, ¿podría el comandante, el usuario o el operador ser responsabilizado por la ejecución del acto ilegal ejecutado a través del SAAL? Ello dependerá también de las circunstancias de cada caso en concreto.

Lo desafiante con los SAAL es que todo este panorama se puede volver más enrevesado, ya que en la mayoría de los casos en que estos sistemas se desplieguen, puede que ni exista una intención directa de un humano de usar el arma para cometer un crimen de guerra, por ejemplo. En determinados contextos podría suceder que un arma autónoma lleve a cabo un CDI debido a un mal funcionamiento de esta o, simplemente, porque así lo operacionalizó el sistema. En esas

---

para la paz, la seguridad y el bienestar de la humanidad y, en ese sentido, se entiende que protege(n) bienes jurídicos colectivos habida cuenta de la intensidad, la escala y la sistematicidad de la violencia que entrañan, así como también de su ejercicio frente a personas protegidas y/o en situación de particular vulnerabilidad. La persecución de estos delitos se puede dar ante tribunales internacionales penales, o también mediante la acción de las jurisdicciones nacionales por medio del principio de justicia universal. Las principales categorías de delitos que constituyen la jurisdicción material de los tribunales internacionales penales son el genocidio, los crímenes de lesa humanidad, los crímenes de guerra y el crimen de agresión. Jefatura de Estado del Gobierno español, «Instrumento de Ratificación del Estatuto de Roma de la Corte Penal Internacional, hecho en Roma el 17 de julio de 1998», *op. cit.*, *véase tercer párrafo del preámbulo*; Ambos, K., *Treatise on International Criminal Law*, Oxford, Oxford University Press, 2013; Werle, G., *Tratado de Derecho penal internacional*, 2.ª ed., Valencia (España), Tirant lo Blanch, 2010, *véanse páginas 468 y 469*; y May, L., *Crimes against humanity: A normative account*, Cambridge (EE.UU.), Cambridge University Press, 2005, *véanse páginas 72-75, 82 y 83*.

situaciones habría que ver quién desplegó el arma y si ese individuo que lo hizo tomó la decisión de usarla sabiendo y aceptando de antemano el riesgo que significaba ello, sobre todo en virtud del carácter impredecible del sistema[870]. En este tipo de supuestos, tal vez, se le podría atribuir responsabilidad criminal individual por la comisión del delito internacional ejecutado por el arma (sea —o no— esta autónoma). No obstante, la pregunta lógica a resolver sería: ¿la aceptación del riesgo, *per se*, es suficiente para considerar responsable a quien desplegó esa arma? Nuevamente, todo dependerá de las circunstancias de cada caso[871].

Otros autores consideran que, en lugar de la autonomía de la máquina, lo que realmente impacta directamente en la responsabilidad y la rendición de cuentas por el uso de un SAAL es el elemento de impredecibilidad del sistema. A grandes rasgos, este enfoque parte de la idea de que es injusto responsabilizar a un operador por lo que hace un arma autónoma, dado que este no podría haber predicho completamente el comportamiento de la máquina[872]. Lo curioso de este enfoque es que algunos de sus seguidores, como Alex Leveringhaus, no

---

870 Comité Internacional de la Cruz Roja, *Autonomous weapon systems. Implications of increasing autonomy in the critical functions of weapons* (informe), *op. cit., véase página 44.*

871 Algunos expertos defienden la idea de que, cuando se trata del uso de los SAAL, la cuestión moral crucial no es la responsabilidad ni la rendición de cuentas. Más bien, lo clave sería verificar si la tecnología emergente en el área de estos sistemas puede satisfacer los requisitos de imparcialidad en la redistribución del riesgo. En principio, según esta línea de pensamiento, no solo es deseable, sino que algunos SAAL realmente podrían llegar a cumplir con esos requisitos. Una consecuencia: lo que debería existir más bien es la creación de un régimen de responsabilidad público que sea útil para regular el diseño y la fabricación de los «robots asesinos». Al respecto, Simpson, T. W. y Müller, V. C., «Just war and robot's killings», *op. cit.*

872 Autores que defienden este enfoque, como Paul Scharre, consideran que una brecha de responsabilidad surge como una preocupación solo si el arma se comporta de manera impredecible. Cuando un sistema autónomo lleva a cabo correctamente la intención de una persona, la responsabilidad es clara: la persona que pone en funcionamiento el sistema autónomo es responsable. Cuando el sistema hace algo inesperado, la persona que lo lanzó podría decir que no era responsable de las acciones del sistema, ya que no estaba haciendo lo que pretendía. Al respecto, Scharre, P., *Army of none: Autonomous weapons and the future of war*, *op. cit., véase página 261.*

solo secundan este tipo de planteamientos, sino además aprovechan su formulación para quitarle importancia o trascendencia a cualquier preocupación relacionada con la existencia de brechas de responsabilidad en el uso de SAAL[873]. En ese sentido, Leveringhaus sostiene que todo planteamiento crítico basado en una preocupación sobre el tema de la responsabilidad y la rendición de cuentas por el uso de SAAL podría no ser lo suficientemente sólido como para socavar el argumento a favor de las AW.

Así las cosas, todo lo anterior dibuja un panorama muy claro: hoy en día no existe unanimidad dentro de la comunidad internacional a la hora de precisar cómo deberían abordarse y superarse los desafíos que podrían llegar a plantear los SAAL a la hora de rendir cuentas y atribuir la responsabilidad por la comisión de un hecho ilícito ejecutado a través de esos sistemas en el marco de un conflicto armado internacional. Indudablemente, si una persona despliega un arma con la intención de matar civiles, ello sería un crimen de guerra en toda regla. Pero si la persona que desplegó el arma no tenía el propósito de matar civiles, entonces la situación se vuelve más confusa.

Ante casos como estos, HRW considera que no sería justo, ni jurídicamente viable, responsabilizar al comandante u operador del sistema autónomo. Al mismo tiempo, considera que castigar al robot después de haber cometido el hecho no tendría sentido. Por lo tanto, de acuerdo con esa organización, en situaciones donde se ejecuta un hecho ilícito a través de un SAAL, técnicamente no habría un crimen, sino, más bien, un accidente. De ser el caso, se entraría en terrenos que son propios del derecho civil o del derecho administrativo, y por lo tanto la responsabilidad civil o administrativa son las que entrarían en juego.

Por tanto, si hoy un coche «autónomo» mata a alguien, hay países que consideran que el fabricante del vehículo es quien debería ser el responsable del accidente[874]. Habida cuenta de esto, ¿se podría aplicar

---

873 Leveringhaus, A., *Ethics and autonomous weapons*, *op. cit.*, *véanse páginas 73 y 74*; y Simpson, T. W. y Müller, V. C., «Just war and robot's killings», *op. cit.*, *véanse páginas 4-6*.

874 Por ejemplo, en 2017 Alemania presentó una normativa que permite a los vehículos circular en modo autónomo siempre que lo hagan con un conductor a bordo y su sistema emita un aviso si las circunstancias impiden su funciona-

ese estándar de responsabilidad cuando se haya cometido un hecho internacionalmente ilícito a través de un SAAL?

Según HRW, es poco factible aplicar un régimen de responsabilidad civil para llenar los vacíos de responsabilidad y rendición de cuentas causados por «el fracaso de las normas tradicionales de derecho penal» para hacer frente al advenimiento de AW en conflictos armados internacionales[875]. En consecuencia, para instituciones como HRW, si no existe posibilidad de exigir responsabilidad —aunque sea civil individual— por la ejecución de esos hechos ilegales cometidos por los SAAL, seguirán existiendo brechas difíciles de llenar.

No obstante, aquellos que critican esta posición «alarmista» de la cuestión aseveran que el mero hecho de que un humano no pueda controlar físicamente un ataque en particular ejecutado por un SAAL no significa de antemano que ningún humano pueda ser responsable de las acciones del sistema autónomo[876]. Bajo esa perspectiva, sí que se puede exigir una rendición de cuentas y atribuir responsabilidad a los individuos que hubieran programado y/u ordenado el despliegue de sistemas de armas autónomas que hayan participado en acciones que equivalgan a hechos internacionalmente ilícitos.

En suma, queda claro que los SAAL plantean dudas sobre la rendición de cuentas y la atribución de responsabilidad por la comisión de cualquier violación al DIH realizada a través de SAAL en conflictos armados internacionales. Todo ello es un asunto relevante en el contexto militar, aun cuando haya quienes afirmen lo contrario. Nunca se puede olvidar que los efectos del uso de la fuerza armada siempre son potencialmente graves y, por tanto, es importante establecer mecanismos de rendición de cuentas y aplicar marcos de atribución de responsabilidad a las personas que sean clave a lo largo de todo

---

miento. Otro país que destaca por su regulación es EE.UU., donde una treintena de estados han aprobado leyes u órdenes relacionadas con estos vehículos. En 2017 hizo historia al dotarse de la primera ley que elimina las trabas a la tecnología autónoma, un paso que fue posible gracias al consenso entre republicanos, demócratas e industria.

[875] Human Rights Watch, «Mind the gap: the lack of accountability for killer robots», *op. cit.*, *véase página 36*.

[876] Schmitt, M., «Autonomous weapon systems and International Humanitarian Law: A reply to the critics», *op. cit.*, *véanse páginas 33 y 34*.

proceso de focalización. Ello es lógico, ya que como afirma Michael Walzer, «Si hay crímenes de guerra reconocibles, debe haber criminales identificables»[877].

Habida cuenta de ello, a continuación se plantearán algunas reflexiones acerca de si las AW podrían representar algún impacto (negativo o positivo) para el cumplimiento de los principios contenidos en la cláusula Martens (a saber, el principio de humanidad y de los dictados de la conciencia pública). Esto será clave para poder contextualizar el debate de la responsabilidad y la rendición de cuentas por el uso de SAAL en conflictos armados, sobre todo en lo que se refiere al enfoque antropocentrista que exige el principio de humanidad a la hora de poder plantearse cualquier reflexión jurídica sobre las AW bajo la perspectiva del DIH.

Después se expondrán los marcos jurídicos más destacados por la doctrina acerca de cómo se debería rendir cuentas y, de ser procedente, atribuir responsabilidad cuando se comentan violaciones al DIH a través del uso de AW. Sin embargo, la perspectiva de análisis que se ofrecerá ha de ser reflexiva y crítica. En ese sentido, se analizará, por un lado, si es posible aplicar el régimen o marco de responsabilidad penal individual cuando el arma autónoma sea utilizada en conflictos armados internacionales y, luego, a través de esta se cometa algún CDI. Por otro lado, se estudiará el concepto de responsabilidad de mando manejado por el derecho internacional penal (en lo adelante, DIPenal) y se verá en qué medida es aplicable a los SAAL. Finalmente, se abordará el papel del Estado en el establecimiento de una rendición de cuentas por los hechos internacionalmente ilícitos cometidos a través de SAAL.

7.1. Los SAAL y la cláusula Martens

Dada la naturaleza interdisciplinar y prospectiva propia de cualquier debate acerca de los SAAL, es lógico que siempre surjan argumentos diversos sobre el tema, no solo enfocados en el área jurídica, sino también en lo político, social, ético, moral, económico y estratégi-

---

877 Walzer, M., *Just and unjust wars: A moral argument with historical illustrations*, Nueva York, 4.ª ed., Basic Books, 1977, *véase página 287*.

co. A lo largo de esta investigación, se ha ofrecido una visión general de cuáles podrían ser los verdaderos desafíos que las AW plantean al derecho internacional armamentista, sobre todo en lo que se refiere a sus normas sustantivas como procedimental. Sin embargo, el debate no acaba ahí.

Parte de la comunidad internacional está preocupada por el potencial impacto que trae consigo el uso de las tecnologías emergentes en el área de los SAAL para el cumplimiento del principio de humanidad y de los dictados de la conciencia pública enmarcados en la cláusula Martens[878]. Si el uso de AW llegare a significar una drástica reducción del factor humano en todo el proceso de focalización, tal vez estemos frente a un escenario futuro e incierto en el que los humanos deleguen en las máquinas la capacidad de tomar autónomamente decisiones sobre la vida o la muerte de personas en combate.

Así las cosas, en este apartado se plantearán algunas ideas sobre qué desafíos implicaría realmente el uso de AW para la observancia de la cláusula Martens. Además, se analizarán algunos asuntos ético-jurídicos que, aunque podrían considerarse alejados de los ejes centrales de esta investigación, lo cierto es que su abordaje resulta pertinente habida cuenta de que, al final, gran parte del discurso entre los defensores y los detractores de los SAAL se reduce a diferencias de opiniones sobre si el DIH exige que solo un ser humano sea quien pueda decidir acerca de la lesión o la muerte de otro humano. Para ello, se plantearán de manera previa algunas precisiones conceptuales con el objeto de situar el punto de enfoque de esta sección, sobre todo en lo que se refiere al sentido y al alcance que en esta investigación se dan a la palabra «decisión».

---

[878] La cláusula Martens se encuentra en el Preámbulo del Convenio II de La Haya de 1899 y el Convenio IV de La Haya de 1907. La cláusula tomó su nombre de una declaración leída por Fyodor Fyodorovich Martens, el delegado ruso en las Conferencias de Paz de La Haya del año 1899. En un principio, la cláusula fue concebida con la finalidad de proveer reglas humanitarias residuales o suplementarias para la protección de las poblaciones de los territorios ocupados. Al respecto, Pérez, M., «Fundamentos del Derecho Internacional Humanitario: la cláusula Martens y el artículo 3 común a los convenios de Ginebra», en Rodríguez-Villasante, J. y López Sánchez, J. (coords.), *Derecho internacional humanitario*, Madrid, 3.ª edición, Tirant lo Blanch, 2017, *véanse páginas 79 y 80*.

7.1.1. El principio de humanidad y los dictados de la conciencia pública frente al uso de SAAL

En el DIH, las nociones de humanidad y conciencia pública provienen de la cláusula Martens, una disposición que apareció por primera vez en los Convenios de La Haya de 1899 y 1907, y que luego se incorporó en los Protocolos Adicionales de los Convenios de Ginebra de 1949, del año 1977. Hoy en día se considera parte del derecho consuetudinario. Otros ejemplos importantes de reformulaciones de la cláusula Martens en tratados posteriores son: a) el Preámbulo de la CCW de 1980, que contiene una cláusula similar; b) la Convención sobre la prohibición del empleo, almacenamiento, producción y transferencia de minas antipersonales y sobre su destrucción, la cual en su Preámbulo subraya el papel de la conciencia pública en el fomento de los principios humanitarios, como lo demuestra el llamado a la prohibición total de minas antipersonales[879]; c) más recientemente también fue reafirmada en el Preámbulo de la Convención sobre municiones en racimo de 2008[880]; y, finalmente, d) los cuatro Convenios de Ginebra de 1949 contienen una referencia a las «leyes de la humanidad» en la sección relativa a la denuncia de los convenios.

A lo largo del tiempo, la cláusula Martens ha sido objeto de diversas interpretaciones. Según Antonio Cassese, existen cuatro tendencias principales al respecto:

a. Una primera postura que afirma que la cláusula solo opera a nivel de interpretación de los principios y de las reglas internacionales. Esto significa que, por un lado, la cláusula por lo tanto excluye cualquier argumento que contradiga la premisa general de que cuando un asunto no esté cubierto por las convenciones donde se reitera la cláusula, los combatientes no serían libres de actuar de la manera en que deseen[881]. Por otro, la cláusula sirve como una guía de interpretación general, en el sentido de

---

879 *Convención sobre la prohibición del empleo, almacenamiento, producción y transferencia de minas antipersonales y sobre su destrucción*, *op. cit.*

880 *Convención sobre Municiones en Racimo*, *op. cit.*, *véase página 11.*

881 Esto significa que la cláusula debe verse como una prevención ante la suposición de que cualquier cosa que no esté explícitamente prohibida en el DIH está permitida. Meron, T., *The humanization of International Law*, *op. cit.véanse páginas 16 y 17*; y Sandoz, Y., Swinarski, C. y Zimmermann, B. (eds.), *Comentario*

que siempre que haya dudas sobre la interpretación de las normas bajo el DIH, la cláusula exige que se tomen en cuenta las demandas de la humanidad y la conciencia pública.

b. Luego están quienes consideran que la cláusula ha tenido un impacto en el derecho internacional, en tanto que ha contribuido a una expansión de las fuentes del DIH. Bajo este criterio, la cláusula Martens habría creado dos fuentes nuevas e independientes de derecho, a saber, las «leyes de la humanidad» y «los dictados de la conciencia pública».
c. Por otro lado, hay quienes sostienen que la cláusula es una expresión de nociones que han motivado e inspirado el desarrollo del DIH, es decir, que la cláusula ha tenido un impacto en el proceso de creación de normas.
d. Y, por último, una cuarta opción, a saber, que la cláusula tiene un impacto en la evaluación del estado de las normas o principios del derecho internacional consuetudinario en el DIH[882], es decir, que debería servir de base para la relación entre el derecho consuetudinario y el derecho de los tratados[883].

A pesar de la diversidad de interpretaciones que a lo largo de la historia se le han dado a la cláusula, dicha norma dispone claramente que, en los casos no cubiertos por los tratados existentes, los civiles y los combatientes permanecen bajo la protección y autoridad de los principios de humanidad y los dictados de la conciencia pública. Esta cláusula evita así el supuesto de que cualquier cosa que no esté explícitamente prohibida por los tratados relevantes, deba considerarse que esté permitida. En suma, la cláusula se convierte en una especie de red de seguridad para la humanidad[884], un factor limitante de la liber-

---

sobre los Protocolos adicionales del 8 de junio de 1977 a los Convenios de Ginebra del 12 de agosto de 1949, *op. cit.*, *véase párrafo 55*.

882 Cassese, A., «The Martens Clause: half a loaf or simply pie in the sky?», *European Journal of International Law*, vol. 11, 2000, núm. 1, pp. 187-216, disponible en: *http://www.ejil.org/pdfs/11/1/511.pdf*, *véanse páginas 189-192*.

883 Boothby, W. H., *Conflict Law. The influence of new weapons technology, human rights and emerging actors*, *op. cit.*, *véase página 72*.

884 *Ethics and autonomous weapon systems: An ethical basis for human control?* (documento de trabajo del Comité Internacional de la Cruz Roja), *op. cit.*, *véanse páginas 5 y 6*.

tad de los Estados para hacer lo que no está expresamente prohibido por un tratado o una costumbre.

En ese sentido, se reconoce también que la cláusula ha sido particularmente relevante para evaluar nuevas tecnologías y nuevos medios y métodos de guerra[885]. Tal y como destacó la Corte Internacional de Justicia en su opinión consultiva de 1996 sobre las *armas nucleares*, existe una estrecha relación entre la cláusula y los principios que calificó de «cardinales» e imposibles de transgredir, a saber, el principio de distinción, la prohibición de hacer objeto de ataque a los civiles, de usar armas que sean incapaces de distinguir entre civiles y objetivos militares, la proscripción de causar daños superfluos o sufrimientos innecesarios a los combatientes, y la negación del carácter ilimitado de la libertad de los Estados para elegir el tipo de armas que utilizan. En ese sentido, la Corte subrayó que la cláusula ha demostrado además ser un medio efectivo para abordar la rápida evolución de la tecnología militar.

Así las cosas, es incuestionable que la cláusula Martens ha alcanzado centralidad en el discurso internacional y el progreso en la humanización del DIH. Con el tiempo se ha podido evidenciar como las consideraciones de humanidad y de conciencia pública han impulsado la evolución del derecho internacional sobre las armas, y estas nociones han provocado la negociación de tratados específicos para prohibir o limitar ciertas armas, así como el desarrollo y la implementación de las reglas del derecho internacional armamentista en general[886]. La cláusula ha influido en los Gobiernos, las conferencias internacionales y los medios de comunicación, por lo que ha sido un factor importante en el trabajo de diversos foros internacionales. Basado en este enfoque, la cláusula Martens debe tomarse en consideración al evaluar la legalidad de las armas y los métodos de guerra[887].

---

885 *Legality of the Threat or Use of Nuclear Weapons*, Advisory Opinion, *op. cit.*, *véase párrafos 78, 84, 87 y 95.*

886 Por ejemplo, el precedente de la prohibición de los láseres cegadores. Al respecto, Human Rights Watch, «Heed the call a moral and legal imperative to ban killer robots», *op. cit.*, *véanse páginas 16-18.*

887 Lawand, K., *Guía para el examen jurídico de las armas, los medios y los métodos de guerra nuevos medidas para aplicar el artículo 36 del protocolo adicional de 1977*, *op. cit.*, *véase página 16.*

Sin embargo, la suficiencia de la fuerza obligatoria de la cláusula aún sigue siendo cuestionada. Hoy en día persiste el debate tradicional sobre si el principio de humanidad y los dictados de la conciencia pública constituyen un criterio de referencia jurídicamente vinculante contra el cual debe medirse la legalidad de un arma, o si más bien es una mera directriz ética interpretativa[888]. Incluso, si se hace un análisis profundo de la opinión consultiva antes referida, se puede colegir como la Corte Internacional de Justicia dejó entrever que las prescripciones de la cláusula no bastan por sí solas para declarar fuera de la ley a las armas nucleares[889]. Ante este panorama, es evidente que la cláusula Martens «no permite construir castillos de arena»[890]. Ello significa que, excepto en casos extremos, el principio de humanidad y los dictados de la conciencia pública no pueden, *per se*, deslegitimar las armas y los métodos de guerra, especialmente en casos donde haya diferencia de opiniones muy marcadas.

Muestra de todo ello son los debates que hoy existen acerca de la investigación, el desarrollo, la innovación y el uso de las tecnologías emergentes en el área de los SAAL. Por ejemplo, HRW, coordinadora de la CSKR, así como expertos y académicos que también son críticos del uso de SAAL, consideran que la cláusula Martens justifica una prohibición de esos sistemas. En ese sentido, la ONG afirma que las AW tienen desafíos significativos para cumplir con el principio del trato humano, porque la compasión y el juicio jurídico y ético son

---

888 *Ethics and autonomous weapon systems: An ethical basis for human control?* (documento de trabajo del Comité Internacional de la Cruz Roja), *op. cit.*, *véase párrafo 9*; Meron, T., *The humanization of International Law*, *op. cit.*, *véanse páginas 27-29*; Dinstein, Y., «The principle of proportionality», en Mujezinović, K., Guldahl, C. y Nystuen, G. (eds.), *Searching for a «Principle of Humanity» in International Humanitarian Law*, Cambridge (EE.UU.), Cambridge University Press, 2013, pp. 72-85, *véanse páginas 72-74*; y Boothby, W. H., *Conflict Law. The influence of new weapons technology, human rights and emerging actors*, *op. cit.*, *véase página 72*.

889 *Legality of the Threat or Use of Nuclear Weapons*, Advisory Opinion, *op. cit.*, *véase párrafo 95*; Meron, T., *The humanization of International Law*, *op. cit.*, *véase página 27*; y Pérez, M., «Fundamentos del Derecho Internacional Humanitario: la cláusula Martens y el artículo 3 común a los convenios de Ginebra», *op. cit.*, *véanse páginas 86-88*.

890 Meron, T., *The humanization of International Law*, *op. cit.*, *véase página 28*.

características humanas y no de las máquinas[891]. Asimismo, hay expertos que argumentan que, independientemente de la sofisticación de un arma autónoma, esta no podría experimentar emociones[892]. Por tanto, basados en esas inferencias, muchos llegan a la conclusión de que las AW, al no poder ser seres sensibles, no podrían conocer el sufrimiento físico o psicológico. Además, según HRW y expertos en el área de la robótica y la IA, los robots tampoco tendrían el juicio jurídico y ético necesario para minimizar los daños de un ataque caso por caso[893], siendo además poco probable que los robots sean capaces de abordar —en un futuro previsible— las decisiones éticas más sofisticadas, en el marco de un debate que de fondo es político.

Hay incluso quienes afirman que los robots tampoco tendrían el juicio jurídico y ético necesario para minimizar, caso por caso, el daño durante la ejecución de un ataque, dado que las situaciones que involucran el uso de la fuerza armada, particularmente en conflictos armados, son a menudo complejas, impredecibles y pueden cambiar rápidamente[894]. Siguiendo esa línea crítica contra los SAAL, HRW afirma que es poco probable que las AW puedan respetar la vida y la dignidad humanas. Su falta de juicio ético y jurídico interferiría con su capacidad de respetar la vida humana[895]. Desde esa perspectiva, se

---

891 Human Rights Watch, «Heed the call a moral and legal imperative to ban killer robots», *op. cit.*, *véanse páginas 21 y 22*.

892 Por ejemplo, Amanda Sharkey, profesora de ciencias de la computación, ha escrito que los robots actuales, que carecen de cuerpos vivos, no pueden sentir dolor, ni siquiera pueden preocuparse por sí mismos, y mucho menos extender esa preocupación a los demás. En ese sentido, la académica se pregunta, «¿cómo pueden los robots empatizar con el dolor o la angustia de un humano si no pueden experimentar alguna de las emociones?». Al respecto, Sharkey, A., «¿Can we program or train robots to be good?», *Ethics and Information Technology*, 2017 [en línea], disponible en: *doi.org/10.1007/s10676-017-9425-5*, *véase página 8*.

893 Human Rights Watch, «Heed the call a moral and legal imperative to ban killer robots», *op. cit.*, *véase página 22*.

894 Goldhill, O., «Can we trust robots to make moral decisions?», *Quartz*, 3/4/2016 [en línea], disponible en: *https://qz.com/653575/can-we-trust-robots-to-make-moral-decisions*, fecha de revisión: 26/06/2019.

895 Human Rights Watch, «Heed the call a moral and legal imperative to ban killer robots», *op. cit.*, *véase página 25*.

debería entender que las AW carecerían incluso de la resistencia humana instintiva a no tomar las vidas de otros humanos[896].

Habida cuenta de estas consideraciones en contra de los SAAL, y teniendo en cuenta que cualquier debate ético y moral sobre los SAAL se escapa del objeto central de esta investigación, vale la pena entonces hacer solo unos breves comentarios con relación a los ejes centrales de dichas objeciones. Por un lado, resulta arriesgado que expertos e instituciones de prestigio hagan afirmaciones tan categóricas sobre las AW, cuando en realidad no existe unanimidad dentro de la comunidad científica acerca de los escenarios futuros y factibles en el desarrollo de las tecnologías emergentes en el área de los SAAL.

Como se destacó en apartados anteriores, al igual que hay expertos que consideran imposible programar estos sistemas autónomos para permitir a los comandantes y operadores cumplir con las reglas del DIH, también hay quienes afirman que sí es factible hacerlo[897]. Por tanto, a falta de claridad y certeza en todo este campo de desarrollo e innovación armamentística, lo que se ha venido defendiendo en esta investigación es que los Estados, al menos, desarrollen tecnologías emergentes que permitan la existencia de un control humano en el diseño y el uso del sistema autónomo para así garantizar que el

---

896 Heyns, C., «Autonomous Weapons in Armed Conflict and the Right to a Dignified Life», *South African Journal on Human Rights*, vol. 33, 2017, núm. 1, pp. 46-71, *véase página 64*; Human Rights Watch, «Heed the call a moral and legal imperative to ban killer robots», *op. cit.*, *véase página 25*; y Heyns, C., «Autonomous weapons systems: Living a dignified life and dying a dignified death», en Bhuta, N., Beck, S., Geib, R., Liu, G.-Y. y Kreb, C. (eds.), *Autonomous weapons systems. Law, ethics, policy*, Cambridge (EE.UU.), Cambridge University Press, 2016, pp. 3-20, *véanse páginas 8-10*.

897 Arkin, R. C., «Governing Lethal Behavior: Embedding Ethics in a Hybrid Deliberative/Reactive Robot Architecture», *op. cit.*; Marchant, G., Allenby, B. y otros, «International governance of autonomous military robots», *Columbia Science and Technology Law Review*, vol. xxii, 2011, pp. 272-315, disponible en: *https://papers.ssrn.com/sol3/papers.cfm?abstract_id=1778424*; y Winfield, A. y Jirotka, M., «The case for an ethical black box», en Gao, Y., Fallah, S., Jin, Y. y Lekakou, C. (eds.), *Towards Autonomous Robotic Systems: 18th Annual Conference* (Guildford, Reino Unido, 19-21 de julio de 2017), Berlín, Springer, disponible en: *https://www.researchgate.net/publication/318277040_The_Case_for_an_Ethical_Black_Box*

arma no entorpecerá el cumplimiento efectivo del derecho internacional armamentista.

Por otro lado, es cierto que los robots carecen de emociones humanas y capacidad de compasión. Sin embargo, una objeción en contra de los SAAL basada en una inferencia como esta podría resultar contradictoria o engañosa, ya que un sistema autónomo —por definición— es una máquina diseñada y programada por seres humanos que, basados en la premisa central de esa objeción, tendrían tanta emoción y capacidad de compasión como un soldado que esté en medio de la batalla. En segundo lugar, entre los que realmente combaten en los conflictos armados no solo hay emociones positivas —como se contempla en este argumento en contra—, sino también emociones muy negativas en una guerra, como la ira, el miedo, la envidia, la soberbia, la culpa, la venganza, los celos, entre otras[898].

Por último, y de manera realista, se debe tener presente que el DIH no busca promover el «amor», la «misericordia» o la «empatía humana», sino el respeto, basado en criterios objetivos al momento de la ejecución de una focalización[899]. Si el humanitarismo benevolente fuera el único factor que pesara en las hostilidades, probablemente a lo largo de la historia los conflictos armados no hubieran traído como consecuencia tanto derramamiento de sangre, sufrimiento humano y destrucción de bienes. El DIH debe basarse en un equilibrio sutil, y en un compromiso, entre consideraciones humanitarias, por un lado, y las exigencias propias de la necesidad militar, por el otro[900]. En ese

---

898 Schmitt, M. y Thurnher, J., «"Out of the loop": Autonomous weapon systems and the law of armed conflict», *op. cit.*, *véase página 249.*

899 Sassòli, M., «Autonomous weapons and International Humanitarian Law: Advantages, open technical questions and legal issues to be clarified», *op. cit.*, *véase página 318.*

900 Dinstein, Y., «The principle of proportionality», *op. cit.*, *véase página 73*; Schmitt, M., «Military necessity and humanity in International Humanitarian Law: Preserving the delicate balance», *op. cit.*; Wagner, M., «The deshumanization of International Humanitarian Law: Legal, ethical, and political implications of autonomous weapon systems», *op. cit.*, *véase página 1387*; Schmitt, M., «Autonomous weapon systems and International Humanitarian Law: A reply to the critics», *op. cit.*, *véase página 35*; y Schmitt, M. y Thurnher, J., «"Out of the loop": Autonomous weapon systems and the law of armed conflict», *op. cit.*, *véase página* 258.

sentido, el derecho internacional armamentista exige que los combatientes no maten o lesionen a civiles basándose en meras razones sentimentales (como el odio, por ejemplo), ni tampoco que dejen de cumplir su misión de ataque solo por considerar que el objetivo militar aparenta ser lindo o enternecedor. Por tanto, si la «empatía humana» fuera decisiva en la guerra, probablemente se comprometerían pocos objetivos, la guerra finalmente desaparecería y únicamente persistirían los casos de defensa propia y de los demás en tiempos de paz. Sin embargo, la realidad demuestra que no es así.

Precisado lo anterior, vale la pena hacer algunas consideraciones puntuales en torno a la aplicación de los dictados de la conciencia pública en el área de los SAAL. Según HRW, la cláusula Martens hace referencia a la «conciencia pública» con el objeto de infundir moralidad al derecho y exigir además que las revisiones o exámenes de los medios y métodos de guerra tengan en cuenta siempre las opiniones de los ciudadanos y los expertos, así como de los Gobiernos[901]. Esto significa que la cláusula evoca, entre otros aspectos, una suerte de pautas morales compartidas que dan forma a las acciones de los Estados y los individuos.

A lo largo de la historia, muchos académicos y expertos médicos, científicos y militares, especialmente de instituciones no gubernamentales, han desempeñado un papel clave para llamar la atención de los Estados sobre el daño inaceptable que puede ser causado por ciertas armas. Sin embargo, el problema que subyace en todo esto es que para tomar en cuenta todos los sentires del público y de las instituciones pertinentes, hay que valorar antes sus actitudes, algo notoriamente complicado teniendo en cuenta que las opiniones públicas sobre la moral y la ética siempre variarán alrededor del mundo, según la religión, la historia, los medios de comunicación e incluso la cultura pop[902].

Como se pudo ver en capítulos anteriores, los debates en foros internacionales han demostrado que las AW no son un tema fácil de

---

[901] Human Rights Watch, «Heed the call a moral and legal imperative to ban killer robots», *op. cit.*, *véase página 28*.

[902] Scharre, P., *Army of none: Autonomous weapons and the future of war*, *op. cit.*, *véase página 263*.

abordar, por lo que alcanzar algún día la consolidación de una conciencia pública homogénea, con un único relato sólido, claro y unísono sobre las ventajas y desafíos de estos sistemas es poco probable. A través de algunas encuestas de opinión, cartas abiertas, declaraciones orales y escritas, publicaciones detalladas y directrices autoimpuestas, miembros de la comunidad internacional han compartido su angustia e indignación ante la perspectiva de estas armas[903]. Sin embargo, muchas veces estos instrumentos públicos de recolección de datos pueden contener información y respuestas producto de la influencia de sujetos *priming*[904] *que poseen información muy bien gestionada para inducir a que gran parte de la sociedad —por no decir toda— esté en contra de los SAAL.*

El ejemplo claro de esto son las encuestas de opinión y su legitimidad como medio para medir el grado de aceptación o de rechazo dentro de la conciencia pública acerca del uso de AW en conflictos armados internacionales. Hay encuestas de opinión pública realizadas en el mundo que documentan una oposición aparentemente generalizada contra el desarrollo, la producción y el uso de SAAL, en tanto que no se puede «delegar las decisiones de vida o muerte» en máquinas armamentísticas «completamente autónomas». Muestra de ello se puede ver en la encuesta de mayo de 2013, hecha por la University of Massachusetts Amherst, en donde el 55 % de los encuestados dijo que se opone al desarrollo de AW, mientras que el 39 % estuvo «muy en contra». Del resto, casi el 20 % no estuvo seguro sobre el tema, aunque el estudio encontró que las personas que no tenían una opinión firme, al parecer tendían a favorecer un acercamiento precauto-

---

903 Human Rights Watch, «Heed the call a moral and legal imperative to ban killer robots», *op. cit.*, *véase página 29*.

904 El *priming* es un efecto relacionado con la memoria implícita por el cual la exposición a determinados estímulos influye en la respuesta que se da a estímulos presentados con posterioridad. En el área de los medios y su uso en la psicología social, es una teoría que establece que las imágenes emitidas por los medios son capaces de estimular la relación entre pensamientos en la mente de su audiencia. Al respecto, Molden, D. C., «Understanding priming effects in social psychology», *Social Cognition*, vol. 32, 2014, supl., pp. 1-11, disponible en:

https://www.researchgate.net/publication/270539134_Understanding_Priming_Effects_in_Social_Psychology_What_is_Social_Priming_and_How_does_it_Occur

rio sobre esa tecnología emergente. Esta encuesta se convirtió en un arma —por excelencia— de los defensores de una prohibición de los SAAL, que con mucha frecuencia citan sus resultados[905]*. Luego, en 2019, una encuesta hecha en línea por la empresa de investigación de mercado Ipsos, en nombre de la CSKR, arrojó como resultado que el 61 % de los adultos en 26 países diferentes dice que se oponen al uso de sistemas de armas autónomas letales. El estudio fue hecho nuevamente por Ipsos en diciembre de 2020, y sus resultados arrojaron para ese momento que un 72% de los encuestados rechazaban el empleo de los SAAL, mientras que el 21% sí apoyó su uso y el 17 dijo que no estaba seguro*[906]*.*

A pesar de esos resultados tan positivos para aquellos que critican el uso de estos sistemas, no se debe olvidar que las AW son un área donde el conocimiento público es bajo y en la que no hay preferencias claras de líderes de opinión en el área política, científica y militar. Ante este panorama, cualquier mención de una palabra o muestra de imagen al principio de una encuesta, sobre todo en un tema donde la ciencia ficción juega —a menudo— un rol importante, puede colocar ideas preconcebidas, estereotipos o clichés en la mente inconsciente de los encuestados e inducir a que estos cambien de manera mensurable sus respuestas ante las preguntas de la encuesta.

Una muestra de ello se puede ver en un estudio que lanzó en 2016 el politólogo Michael Horowitz, profesor de la Universidad de Pennsylvania. En dicho estudio Horowitz le preguntó a los encuestados por sus opiniones sobre las AW, y en una primera fase se encontró con resultados similares a la encuesta que en 2013 hiciese la University of

---

905 Calderón, W. F., *US public opinion on autonomous weapons*, University of Massachusetts Amherst, 2013 [en línea], disponible en: *https://www.academia.edu/3785762/US_Public_Opinion_on_Autonomous_Weapons*, fecha de revisión: 09/08/2019.

906 Al respecto, Campaign to Stop Killer Robots, «Global poll shows 61 % oppose Killer Robots», 22/01/2019 [en línea], disponible en: *https://www.stopkillerrobots.org/2019/01/global-poll-61-oppose-killer-robots/*, fecha de revisión: 09/08/2019. También ver Campaign to Stop Killer Robots, «Opposition to killer robots remains strong — poll», 28/01/2021 [en línea], disponible en: *https://www.stopkillerrobots.org/2021/01/poll-opposition-to-killer-robots-strong/*, fecha de revisión: 04/02/2021.

Massachusetts Amherst[907]*. Luego, Horowitz varió el contexto de las preguntas y comenzó a plantearlas haciendo referencia al uso potencial de AW para ayudar a proteger a las tropas amigas. Una vez hecho esto, el resultado cambió diametralmente a favor de los SAAL. Así las cosas, el estudio comprobó como las opiniones del público sobre las AW siempre dependerán del contexto en que sean abordadas. Al final del experimento, Horowitz concluyó lógicamente que «es demasiado pronto para argumentar que [los sistemas de armas autónomas] violan la disposición de la conciencia pública de la cláusula Martens debido a la oposición pública»*[908]*.*

Casos como los anteriores sugieren que medir la conciencia pública es una tarea realmente ardua. La utilización de los resultados de las encuestas de opinión para justificar argumentos en pro o en contra de los SAAL en el marco de la cláusula Martens es contraproducente, porque tiende a confundir la «conciencia pública» (que es a lo que realmente se refiere la cláusula) con lo que se conoce en otras ciencias como «opinión pública». La palabra «conciencia» tiene una inflexión moral explícita de la que carece el término «opinión». Por tanto, es un perjuicio reducir los «dictados de la conciencia pública» a una mera opinión pública[909]*. En cambio, la manera apropiada para discernir la conciencia pública relativa al uso de SAAL debe ser a través de la discusión pública, abierta y sincera, así como de las disertaciones académicas, las expresiones artísticas y culturales, la reflexión individual, la acción colectiva y otros medios por los que la comunidad internacional delibera y pone sobre la mesa sus percepciones morales y éticas sobre el tema. Este enfoque no solo es más completo sino tam-*

---

907 El 48 % se oponía a las armas autónomas y el 38 % las apoyaba, mientras que el resto estaba indeciso. Al respecto, Horowitz, M. C., «Public opinion and the politics of the killer robot's debate», *Research and Politics*, 2016, pp. 1-8 [en línea], disponible en: *https://journals.sagepub.com/doi/pdf/10.1177/2053168015627183*, fecha de revisión: 09/08/2019, *véase página 5*.

908 *Ibid., véase página 7.*

909 Asaro, P., «Jus nascendi, robotic weapons and the Martens Clause», en Calo, R., Froomkin, M. y Kerr, I. (eds.), *Robot Law*, Edward Elgar [en prensa], disponible en: *https://pdfs.semanticscholar.org/5706/1ce20febb4c58ab7e41c-7e1463d352ba496b.pdf?_ga=2.111144581.1200126094.1565388133-59867966.1562663397*, fecha de revisión: 09/08/2019, *véanse páginas 11 y 12.*

bién más complejo, lento y profundo, y ello es lógico, ya que pretender hablar en nombre de la humanidad, por definición, es una tarea tremendamente difícil —pero no imposible— de hacer.

A título de reflexión final, es importante precisar lo siguiente: la ética, la humanidad y los dictados de la conciencia pública están en el centro del debate sobre la aceptabilidad de los SAAL. Además, se entiende que la cláusula Martens representa un referente importante a la hora de revisar si un arma autónoma permite a los combatientes cumplir —o no— con los principios básicos del derecho internacional armamentista. En ese sentido, tanto las consideraciones jurídicas y técnicas, como las reflexiones morales y éticas en el marco de la aplicación del principio de humanidad y los dictados de la conciencia pública, deben servir como vías para determinar el tipo y el grado necesario de control humano que debe mantenerse en los SAAL, sobre todo cuando sean utilizados por los Estados en la ejecución del uso de la fuerza armada en conflictos armados internacionales[910].

Así las cosas, la cláusula Martens brinda, por un lado, consideraciones éticas de orientación antropocéntrica a las discusiones sobre los SAAL y, por otro, conecta dicho enfoque con las evaluaciones jurídicas que sean pertinentes[911]. *En ese sentido, cualquier reflexión ética y jurídica que se haga sobre los SAAL ha de valorar muy seriamente la necesidad de que los Estados establezcan restricciones a la autonomía en esos sistemas de armas de tal forma que se permita el ejercicio de un control humano significativo, efectivo o apropiado sobre sus funciones, en especial mediante la supervisión humana y la capacidad de intervenir y desactivar el arma una vez que ha sido desplegada, definiendo requisitos técnicos sobre la predictibilidad y la fiabilidad del sistema, e imponiendo restricciones operativas en la ejecución de cualquier ataque armado llevado a cabo por el sistema autónomo*[912].

---

910 *Ethics and autonomous weapon systems: An ethical basis for human control?* (documento de trabajo del Comité Internacional de la Cruz Roja), *op. cit.*, *véase página 20.*

911 Meron, T., *The humanization of International Law*, *op. cit.*, *véase página 28.*

912 Es importante precisar que este enfoque restrictivo de la autonomía de los SAAL no necesariamente excluye la autonomía en los sistemas de armas. La idea es que se mantenga una conexión lo suficientemente directa entre la intención humana

Por último, ha quedado claro también que los intentos de medir o cuantificar a través de encuestas de opinión (u otro instrumento de recolección de datos) el nivel de conciencia pública acerca de las AW es, cuando menos, un contrasentido. Solo la manifestación real de esa concienciación existirá cuando los ciudadanos realmente se organicen y generen la suficiente presión en sus Gobiernos para que los políticos se vean obligados a tomar acciones concretas y de impacto en el área, sobre todo elaborando planes o alternativas de una potencial regulación o —al menos— establecimiento de buenas prácticas relativas a la investigación, el desarrollo y la innovación de las tecnologías emergentes en el área de los SAAL.

7.1.2. La decisión de matar en los conflictos armados internacionales: ¿tiene que ser humana?

En capítulos anteriores se ha podido destacar cómo algunos países, organizaciones y expertos en el área militar, de seguridad y de defensa consideran que los SAAL podrían garantizar un respeto a los valores éticos amparados en el derecho internacional armamentista, incluso mejor que cuando se usan armas controladas directamente por los humanos para ejecutar un ataque. El argumento principal de dicha afirmación es que los sistemas de armas autónomas serían mucho más precisos y fiables en cualquier focalización. En ese sentido, la actuación de la máquina autónoma tendría consecuencias humanitarias menos adversas para los civiles que cualquier arma automatizada[913]. Otro argumento a favor de las AW que se une a todo esto es que, en teoría, son tecnologías armamentistas que podrían ayudar a que los Estados cumplan efectivamente con su deber de proteger a sus solda-

del comandante y del operador, con las consecuencias eventuales de la operación del sistema en un ataque en concreto.

913 Por ejemplo, Arkin, R., «Lethal Autonomous Systems and the Plight of the Non-combatant», *AISB Quarterly*, 2013, núm. 137, pp. 1-9 [en línea], disponible en: *https://www.unog.ch/80256EDD006B8954/%28httpAssets%29/54B-1B7A616EA1D10C1257CCC00478A59/%24file/Article_Arkin_LAWS.pdf*, fecha de revisión: 09/08/2019. Sobre el cumplimiento legal, *Autonomy in Weapon Systems* (documento de trabajo de EE.UU.), *op. cit.*

dos al alejarlos de todo peligro inminente propio de los campos de batalla[914].

Por otro lado, claro está, hay expertos y observadores, e incluso algunos Estados quienes, al contrario de todo lo anterior, se encuentran muy concienciados y preocupados acerca del peligro potencial que trae consigo la reducción o pérdida del control humano sobre las armas y el uso de la fuerza armada, sobre todo cuando se trata del uso de SAAL en conflictos armados, algo que para muchos incluso no debe ni suceder basado en razones jurídicas, éticas, militares u operativas[915]. Como se indicó en capítulos anteriores, a lo largo de esta línea argumental, uno de los aspectos más polémicos del debate en contra de los SAAL ha sido, hasta ahora, el tema de la «autonomía» en las funciones letales de los sistemas armamentísticos, lo cual implica el diseño y uso de robots como herramientas programadas no solo para destruir o dañar objetos, sino también para matar o herir a humanos. En razón de esa preocupación, la mayoría de las objeciones acerca de las AW se dividen en dos grandes grupos: por un lado, quienes apuestan —en general— por la imposición de límites o prohibiciones a las tecnologías emergentes en el área de los SAAL basándose en normas y principios de derecho internacional pertinentes (asunto que será abordado *in extenso* en las próximas secciones). Por otro, hay objeciones que son independientes de la capacidad tecnológica, y que parten de la siguiente cuestión: ¿los SAAL plantean alguna preocupación moral y de ética universal?

Con respecto a las argumentaciones morales y éticas, algunos críticos de los SAAL piensan que esos sistemas aumentarían el distanciamiento humano (a nivel físico y psicológico) del campo de batalla, agudizando así las asimetrías ya existentes y haciendo que el uso de la violencia sea cada vez más fácil —o menos controlado—. Bajo este

---

914 *Ethics and autonomous weapon systems: An ethical basis for human control?* (documento de trabajo del Comité Internacional de la Cruz Roja), *op. cit.*, *véase párrafo 20*.

915 Por ejemplo, más de 30 Estados durante las reuniones del GEG sobre los SAAL en la CCW, la Relatoría Especial de la ONU sobre ejecuciones extrajudiciales, sumarias o arbitrarias del Consejo de Derechos Humanos, HRW en nombre de la CSKR, el CICR, el Instituto de Naciones Unidas para la Investigación del Desarme (UNIDIR), académicos y grupos de reflexión entre las comunidades científica y técnica.

enfoque, se podría llegar a pensar que, con el uso de SAAL, se estaría socavando la dignidad humana de los combatientes y los potenciales civiles que corren el riesgo de sufrir lesiones y/o la muerte como consecuencia de ataques armados ejecutados con esos sistemas. Además, habrán quienes afirmen —como en efecto los hay— que las AW, por definición, eliminan la agencia humana de la toma de decisiones de matar, herir y destruir en una guerra, lo que lleva, en definitiva, a una brecha de responsabilidad muy delicada[916].

Habida cuenta de todo este panorama, la presente sección tiene como objetivo aclarar algunas ideas conceptuales que, probablemente, abonen el camino para desmitificar ciertas cuestiones subyacentes en las críticas morales y éticas acerca de los SAAL. No se trata de presentar argumentos en favor de estos sistemas, sino —en concreto— de conectar el debate sobre la investigación, el desarrollo y uso de las AW en conflictos armados internacionales con una narrativa que sea rigurosa de los supuestos establecidos por el DICA en cuanto a si solo un ser humano puede decidir herir o matar a otro ser humano en una guerra, y si, al final, este tipo de decisiones tiene una naturaleza puramente subjetiva.

Para llevar a cabo todas estas reflexiones es importante plantear preliminarmente una cuestión clave: a lo largo de esta obra se puede observar cómo la decisión se ha convertido un término «polémico» comúnmente empleado por expertos a la hora de debatir acerca de los SAAL. En la mayoría de los casos —por no decir en todos— se desconoce incluso cuál es el significado que dichos expertos le quieren dar a ese concepto. Teniendo en cuenta esto, metodológicamente resulta oportuno explicar el sentido y alcance con que se emplea la palabra decisión en la presente obra, para luego abordar en detalle la cuestión principal a analizar en esta sección.

Marco de referencia conceptual. Uno de los asuntos centrales de la actividad humana es la toma de decisiones. Esta realidad es espe-

---

916 Por ejemplo, Sparrow, R., «Killer robots», *op. cit.*; y Roff, H., «Killing in war: Responsibility, liability and lethal autonomous robots», *op. cit.;* También ver Sharkey, A., «Autonomous weapons systems, killer robots and human dignity», *Ethics and Information Technology,* 2019 [en línea], disponible en: *https://link.springer.com/article/10.1007/s10676-018-9494-0*, fecha de revisión: 13/03/2021, *veáse desde la página 76 a la 79.*

cialmente evidente en los procesos de focalización durante cualquier conflicto armado[917]. Por ello, ha sido necesario en esta investigación recurrir a algún marco normativo que sirva de referencia conceptual a la hora de poder entender lo que significa la palabra «decisión» cuando se estudian los potenciales desafíos que las AW representan para el derecho internacional armamentista. Luego de una búsqueda sobre este asunto, se optó por seguir las premisas generales de la teoría de la decisión de Herbert Simon[918] en tanto que se acerca significativamente a ese enfoque que, como luego se verá, ha caracterizado por años al proceso de toma de decisiones en operaciones militares. A tal fin, se revisó la bibliografía más importante del autor y, luego, se seleccionó y utilizó como guía instrumental para su abordaje y reflexión el estudio de María Bonome[919].

Precisado lo anterior, es importante destacar los principales rasgos definitorios de la teoría de la decisión de Simon, a saber, su carácter transversal e interdisciplinar. A través de esta teoría se pueden superar barreras temáticas tradicionales y con ello armonizar las aportaciones

---

917 Por ejemplo, a la hora de planear una operación militar, seleccionar el medio y el método de guerra a emplear, determinar cómo, cuándo y dónde ejecutar el ataque, etc.

918 Economista, politólogo y teórico de las ciencias sociales estadounidense, fue uno de los investigadores más importantes en el terreno interdisciplinario. Su trabajo contribuyó a la creación de la teoría de la racionalidad en el proceso de toma de decisiones. A través de sus esfuerzos científicos hizo contribuciones pioneras en el área de la IA, la psicología de la cognición humana y el procesamiento de listas.

919 Las razones de haber elegido el estudio de Bonome como una guía operativa de trabajo y reflexión son varias: primero, todo el trabajo de la teoría de la decisión de Simon, aunque es muy rico en contenido, no deja de ser tremendamente disperso y poco ordenado; segundo, la investigación de Bonome precisamente sistematiza la importante aportación de Simon al campo de la racionalidad en la toma de decisiones; tercero, la autora ofrece una mirada crítica sobre este tema, de modo que en su libro *La racionalidad en la toma de decisiones: análisis de la teoría de la decisión de Herbert A. Simon*, se observa la preocupación de la autora por pensar qué más debería haber tenido en cuenta Simon en su enfoque, o dónde cabría apreciar que este no ha acertado. Al respecto, Bonome, M. G., *La racionalidad en la toma de decisiones: análisis de la teoría de la decisión de Herbert A. Simon*, La Coruña (España), Netbiblo, 2009.

que provengan de diversas disciplinas[920]. En ella se plantean, entre otros cometidos: a) poder llegar a todos los ángulos del problema de la toma de decisiones; b) lograr analizar cómo deciden los agentes humanos en las circunstancias del mundo social y artificial (en mercados, organizaciones, etc.); y, c) intentar explicar cómo deberían decidir esos agentes según pautas plenamente racionales. A tales efectos, la teoría de Simon insiste en una línea «descriptiva» que comienza con la observación de la conducta humana.

Bajo esta perspectiva, Simon sugiere tres modelos sucesivos e interrelacionados[921] de pensamiento del agente humano que inciden directamente en cuestiones como las decisiones y el papel en ellas de la racionalidad:

Un *modelo administrativo (metas-medios),* conectado con la ciencia política (en concreto, ligado a la gestión municipal). Según este modelo, quien toma decisiones ha de buscar alcanzar unas metas, para lo que ha de seleccionar los medios que le permitan llegar a estas. En ese sentido, si los medios que selecciona aquel quien toma las decisiones conducen a la obtención de las metas, entonces ese decisor ha actuado racionalmente[922]. Se trata así de un modelo que advierte la existencia de cuatro potenciales limitaciones:

---

920 Simon relaciona a la filosofía, las ciencias sociales y las ciencias de lo artificial en el empeño de aclarar la toma de decisiones en cuanto tarea racional. En ese sentido, la filosofía se refleja en el uso de un modelo universal de racionalidad que —a su juicio— se encuentra empíricamente en el *homo economicus*. Las ciencias sociales, por otro lado, están representadas por la economía, la ciencia política y la psicología, disciplinas usadas por el autor para estudiar las organizaciones y la toma de decisiones de los agentes individuales. Y, luego, están las ciencias de lo artificial, un terreno de toma de decisiones que afecta propiamente a las ciencias de la computación (en especial a la IA), pero que también atañe a las disciplinas aplicadas que trabajan en el marco de las ciencias de la documentación y las ciencias del diseño.

921 Esto se puede apreciar en el conjunto de trabajos reunidos en Egidi, M. y Marris, R. (eds.), *Economics, bounded rationality and the cognitive revolution*, Aldershot (Reino Unido), Edward Elgar, 1992. De los cuatro trabajos reimpresos de Simon en el volumen, tres pertenecen al tercer modelo: «Thinking by Computers», 1966, pp. 55-75; «Information Processing in Computer and Man», 1964, pp. 76-99; y «Scientific Discovery as Problem Solving», 1988, pp. 102-119.

922 Dasgupta, S., «Multidisciplinary creativity: The case of Herbert A. Simon», *Cognitive Science*, vol. 27, 2003, pp. 683-707, *véase página 694*.

i) La conexión entre medios y fines puede llegar a no ser clara;
ii) Quien toma decisiones ha podido pasar por alto metas alternativas;
iii) Los medios utilizados han podido dar lugar a consecuencias no intencionadas; y/o,
iv) El conocimiento mismo del decisor puede ser defectuoso.

La existencia de estos límites hace que el «agente administrativo» deba intentar superar todos los condicionantes posibles, tanto en el plano cognitivo —mediante el uso de la memoria, la habilidad para planificar, etc.— como en el entorno social (buscando vías para superar dichos condicionantes y rebasar así las expectativas de la organización a la que pertenece).

Luego está el *modelo universal de toma de decisiones*[923], *enraizado en el homo economicus* («agente individual o económico» que toma decisiones[924]), en el que se incluyen las principales posiciones de Simon sobre la «racionalidad humana»[925]. Al respecto, el autor

---

923 También conocido como «modelo de toma de decisiones correspondiente a la razón que aborda asuntos humanos».

924 Es decir, un sujeto que tiene una estructura cognitiva limitada y una conducta enmarcada en un entorno social de organizaciones. En ese sentido, Simon considera que la conducta de los agentes económicos se desenvuelve más en «organizaciones» que en un genérico «mercado». A su juicio, la toma de decisiones racional se lleva a cabo en organizaciones, que es lo real, frente a la insistencia habitual en el mercado. Simon, H. A., «Organizations and markets», *Journal of Economic Perspectives*, vol. 5, 1991, núm. 2, pp. 25-44, compilado en Simon, H. A., *Models of Bounded Rationality*, vol. 3: *Empirically grounded economic reason*, Cambridge (EE.UU.), The MIT Press, 1997, pp. 217-240; y Simon, H. A., «Rational decision making in business organizations», *The American Economic Review*, vol. 69, 1979, núm. 4, pp. 493-513.

925 Hay tres planos epistemológicos sucesivos de la racionalidad humana que tienen incidencia metodológica en la propuesta de Simon: a) la *racionalidad científica* como tal (desde el campo más general posible, Simon se refiere a las disciplinas científicas que poseen una índole empírica, como son las ciencias de la naturaleza, las ciencias sociales, y las ciencias de lo artificial); b) la *racionalidad propia de los rasgos estudiados por cada disciplina científica* (concretamente en la economía, entendida como una actividad científica en el ámbito humano y social —incluida en el dominio de las ciencias de lo artificial—); y, c) *la racionalidad del quehacer económico en casos concretos/casos particulares de la actividad de los agentes concretos* (en tanto que el agente económico ha de tomar decisiones en un determinado entorno, en el ámbito donde desarrolla su comportamiento).

asume una posición crítica hacia la racionalidad maximizadora de utilidades, toda vez que está a favor de la idea de que existan niveles de aspiración que comporten «satisfacción» en el agente decisor, en vez de que haya un techo de «maximización»[926].

La teoría de Simon acepta que «racionalidad» es un término filosófico cuyo origen no solo es anterior a la aparición de las ciencias sociales —como disciplinas independientes—, sino también a lo que denomina «ciencias de lo artificial». Reconoce que la racionalidad ha sido un importante tema de estudio y debate, al menos, desde tiempos clásicos; y ya fuera en el área de la «lógica» o en cualquier otro ámbito de las obras de los filósofos griegos, en su opinión, la racionalidad siempre fue vista como un aspecto del proceso de razonar[927].

Ahora bien, a lo largo de sus estudios, Simon plantea la racionalidad como un término que gira en torno a la idea de proceso, y no solo de sus resultados, sobre todo en virtud de su carácter instrumental. En ese sentido, la racionalidad denota la existencia de un estilo de conducta (el medio) que es apropiado para la obtención de determinados fines dados, dentro de los límites impuestos por las condiciones dadas y las restricciones[928]. Esta propuesta se centra en dos tipos de racionalidad: por un lado, aquella con condiciones y restricciones ob-

---

926 Su propuesta descansa en que hay varios usos de racionalidad especializados en lo que atañe al modo de conseguir los fines o metas: por un lado, está la *racionalidad maximizadora* —que a su vez se divide en racionalidad de optimización y racionalidad de adaptabilidad o funcionalidad—. Luego está un tipo de *racionalidad en términos dualistas* basada en la premisa de «todo o nada», es decir, que cuando existe un nivel de aspiración —porque los fines están dados— este se obtiene o no se logra —por lo que lo importante es seleccionar los medios adecuados para llegar a alcanzar esos fines ya establecidos—. Por último, una *racionalidad a nivel de los fines o metas* propiamente (*racionalidad evaluadora*), en la que esta puede tomar forma en relación con: a) los fines del individuo que elige; b) los fines de un sistema social al que pertenece una persona o entidad; y c) los fines atribuidos por un observador. Al respecto, *cfr.* Simon, H. A., «Rationality», en Simon, H. A., *Models of bounded rationality*, vol. 2: *Behavioral economics and business organization*, Cambridge (EE.UU.), The MIT Press, 1997, *véase página 405*.

927 Simon, H. A., «Racionalidad limitada en ciencias sociales: Hoy y mañana», en González, W. J. (ed.), *Racionalidad, historicidad y predicción en Herbert A. Simon*, La Coruña (España), Netbiblio, 2003, p. 97-112, *véase página 98*.

928 Simon, H. A., «Theories of Bounded Rationality», en McGuire, C. B. y Radner, R. (eds.), *Decision and organization*, Ámsterdam (Países Bajos), North-Holland,

jetivas —*racionalidad objetiva*—, la cual se da cuando hay elementos objetivos del entorno externo al agente que toma decisiones; y, en segundo término, *la racionalidad subjetiva* —también llamada limitada *per se*—[929], que tiene lugar cuando se considera que las características percibidas o los rasgos del agente que toma decisiones son fijos o están fuera de control del propio agente decisor.

Este último tipo de racionalidad es el que constituye el rasgo central del enfoque epistemológico de Simon acerca de la racionalidad humana. Para el autor, tanto el proceso de toma de decisiones como su resultado (las elecciones) son compatibles en su conjunto con la idea de los límites en la racionalidad humana[930]. En ese sentido, aun cuando los seres humanos empleen razones para justificar, explicar o, simplemente, hacer aquello que hacen, normalmente esas razones no son las que realmente guían la gama de sus elecciones. Es decir, la racionalidad limitada lo que resalta es la idea de que existe un proceso de elección —el seleccionar o distinguir una opción entre varias—, que requiere además el empleo de una facultad intelectiva (esto es, el pensar sobre medios y fines) que no es al cien por cien libre de límites. En términos planteados por Simon, la racionalidad limitada significa que:

> «[...] las elecciones realizadas por la gente están determinadas no solo por un objetivo general consistente y por las propiedades del mundo externo, sino también por el conocimiento del mundo que tienen o dejan de tener quienes toman decisiones, de su habili-

---

1972, pp. 161-176, *véase página 161*; *cfr.* Simon, H. A., «Rationality», *op. cit.*, *véase página 405*.

929 La *subjective rationality* sería la denominación de esta racionalidad en la primera edición de *Administrative Behavior* de Simon, fechada en 1947. *Cfr.* Dasgupta, S., «Multidisciplinary creativity: The case of Herbert A. Simon», *op. cit.*, *véase página 691*. Un tratamiento detallado sobre este tipo de racionalidad subjetiva/limitada se encuentra en Simon, H. A., «Bounded rationality in social science: Today and tomorrow», *Mind and Society*, vol. 1, 2000, núm. 1, pp. 25-39.

930 Esta premisa parte de la idea de que la racionalidad limitada se ocupa tanto de la racionalidad procesal —la calidad de los procesos de decisión— como de la racionalidad sustantiva propiamente dicha —la calidad del resultado—. Para entender la primera y la segunda, se ha de tener una teoría de la psicología de quien toma decisiones, y otra de la meta buscada (la función de utilidad) y del entorno externo, respectivamente. Al respecto, Simon, H. A., «Racionalidad limitada en ciencias sociales: Hoy y mañana», *op. cit.*, *véase página 97*.

dad o falta de esta para recordar ese conocimiento en el momento en que sea relevante, de saber sacar las consecuencias de sus acciones, de tener presentes las distintas posibilidades de actuación, de la capacidad para afrontar la incertidumbre (incluida la incertidumbre que surja de las posibles respuestas de otros actores), y de lograr la armonía entre sus múltiples deseos en competencia»[931].

Bajo este enfoque, la racionalidad humana ha de considerarse limitada en tanto que muchas de las habilidades indicadas *supra* ya están limitadas de por sí. Es decir, la conducta racional en el mundo real está severamente determinada tanto por el «entorno interno» de las mentes propias de las personas, como por el «entorno externo» del mundo en el que actúan —y que les afecta también—[932]. Por todo ello, para Simon, el modelo universal de toma de decisiones que propone se articula entonces en tres componentes principales:

i) *Un postulado prescriptivo* que entiende que la conducta dentro de las organizaciones se concibe como una red o entramado de procesos de decisión;

ii) *Proposiciones descriptivas* en torno a la toma de decisiones en sí mismas consideradas. Entre ellas se encuentran:

- El referido principio de racionalidad limitada, que establece lindes para la capacidad humana de formular problemas y de resolverlos de manera plenamente racional y objetiva.
- El criterio de satisfacción, por el que quien toma decisiones establece determinadas metas como sus aspiraciones —en lugar de maximizaciones— y selecciona medios para llegar a esas metas.

---

931 *Ibid., véase página 97.*

932 Según Simon, hay dos tipos de factores que suponen limitaciones para los agentes que toman decisiones: a) las características de su mente, que atañen a las capacidades cognitivas (de computación, memoria, etc.); y, b) los contornos exteriores o «entorno objetivo» —el mundo natural, social y artificial— que rodean las decisiones humanas. El agente sigue entonces dos pautas cuando toma decisiones: la heurística y la adaptativa. En otras palabras, el agente decisor busca seleccionar los procesos adecuados, para lo que utiliza sus limitadas capacidades, y ha de adaptarse al entorno en el que se encuentra, donde hay una serie de factores que vienen dados. Al respecto, Bonome, M. G., *La racionalidad en la toma de decisiones: análisis de la teoría de la decisión de Herbert A. Simon, op. cit., véase página 29.*

- La pauta de búsqueda heurística, que lleva a considerar las diversas opciones antes de decidir por aquellas que sean satisfactorias y escoge una para alcanzar la meta a la que se aspira.
- La concepción de la conducta adaptativa, que rige a los organismos y a las organizaciones al enfrentarse con la incertidumbre respecto del futuro y la dificultad de predecir el futuro con exactitud (*accuracy*).

iii) Las características «operacional» y «empírica» de toda teoría que desee abordar la toma de decisiones.

Por último, está el *modelo solucionador de problemas complejos de tipo simbólico*[933], en donde la psicología cognitiva se entrecruza con la IA[934]. Según Simon, este tipo de modelo es el típico que se puede observar en procesos donde hay presencia de IA, una tecnología que utiliza ordenadores para procesar información y solucionar problemas, permitiendo procedimientos de decisión con pautas determinadas («sistemas expertos»). Básicamente, con esta propuesta, Simon trata de retrotraer la solución de problemas a formas de expresión y representación a partir de sistemas de símbolos, de modo que los procesos de decisión —como sucede en los «sistemas expertos»— puedan seguir pautas bien establecidas, que incluso pueden llegar a ser algorítmicas. De hecho, en la formulación inicial de este modelo —englobado dentro de la denominada IA en sentido fuerte *(strong AI)*—, Simon describió al pensamiento racional como idéntico al procesamiento de símbolos a veces, incluso, aislado de factores de

---

933 También conocido como «modelo de toma de decisiones como resolución de problemas».

934 *Cfr.* Langley, P., Simon, H. A., Bradshaw, G. L. y Zytkow, J. M., *Scientific discovery: Computational explorations of the creative processes*, Cambridge (EE.UU.), The MIT Press, 1987; y Simon, H. A., «Scientific Discovery as Problem Solving», *International Studies in the Philosophy of Science*, vol. 6, 1992, núm. 1, pp. 3-14.

contexto[935] (reducible, en el fondo, a la computación efectiva)[936]. En ese sentido, el autor considera que tanto la máquina como la mente procesan problemas y soluciones como series estructuradas de signos (que llama «símbolos»). Al final, Simon llegó a creer «[...] que los estudios detallados de la psicología de la toma de decisiones podían proporcionar pruebas empíricas para sus teorías acerca de la toma de decisiones y que la IA basada en el ordenador ofrecería un instrumento para comprender y mejorar la resolución de problemas humanos»[937]. En ese sentido, la toma de decisiones y la solución de problemas serían esencialmente lo mismo.

En todo caso, según la teoría de Simon, los tres modelos del pensamiento humano descritos *supra* aparecen perfectamente interrelacionados. En ese sentido, se entiende que los seres humanos toman decisiones para solucionar problemas sobre la base de una racionalidad limitada en razón a circunstancias o aspectos deterministas endógenos y exógenos propios del agente decisor y en un contexto en concreto, respectivamente. Esto significa que quien toma decisiones lo hace para alcanzar metas (solucionar problemas), y para ello ha de seleccionar los medios que le permitan llegar a esas metas, empleando su propia facultad intelectiva basada en su racionalidad limitada por

---

935 Para Herbert Simon, los programas de ordenador son modelos de procesos mentales. En ese sentido, establece que las máquinas son «mente» y que «piensan», es decir, que no meramente imitan, simulan o amplían el pensamiento humano (haciéndolo más rápido y versátil). Al respecto, *cfr.* Simon, H. A. y Newell, A., «Information processing in computer and man», *American Scientist*, vol. 52, 1964, núm. 3, pp. 76-99, reimpreso en Crosson, F. J. (ed.), *Human and Artificial Intelligence*, Nueva York, AppletonCentury-Crofts, 1970, pp. 39-64; Newell, A. y Simon, H. A., «Computer science as empirical enquiry: Symbols and search», en Boden, M. (ed.), *The philosophy of artificial intelligence*, Oxford, Oxford University Press, 1990, pp. 105-132; y Simon, H. A., «Machine as Mind», en Ford, K. M., Glymour, C. y Hayes, P. J. (eds.), *Android Epistemology*, Menlo Park (EE. UU.), AAAI/MIT Press, 1995, pp. 23-40.

936 *Cfr.* Floridi, L., *Philosophy and Computing*, Londres, Routledge, 1999, *véase página 134*.

937 Simon se esforzó en intentar mostrar que el agente racional del homo economicus y el solucionador de problemas complejos a través de sistemas de símbolos estarían conectados entre sí. Augier, M. y March, J. G., «A model scholar: Herbert A. Simon (1916-2001)», *Journal of Economic Behavior and Organization*, vol. 29, 2002, pp. 1-17, *véase página 13*.

pautas determinadas por el entorno interno —mente— y externo —mundo de actuación— de esa persona que ha de decidir.

Si aplicamos las premisas fundamentales de esta teoría al objeto de análisis de la presente sección, se podría deducir lo siguiente: un comandante operacional, en el marco de cualquier conflicto armado, no actúa con total libertad y discrecionalidad al momento de planear la ejecución de operaciones militares. Por el contrario, este oficial deberá tomar decisiones que son clave a lo largo de todo un proceso de focalización que, por definición, está sometido a restricciones determinadas por una serie de objetivos estratégicos preestablecidos (probablemente junto a —o por— políticos y/u oficiales de mayor rango en la cadena de mando y control), por un conjunto de principios y valores básicos propios del derecho (nacional e internacional) aplicable y, especialmente, por el entorno operativo caracterizado por «[...] condiciones, circunstancias e influencias que afectan al empleo de las capacidades y a la toma de decisiones, en relación con la operación»[938] correspondiente.

---

938 Por ejemplo, los cambios sobrevendidos de las circunstancias estratégicas de la misión, los contratiempos en la ejecución táctica de la operación, las acciones del adversario o la misma evolución del entorno de combate que, a menudo, afecta las percepciones y los rasgos del combatiente. Esto significa, sin más, que los responsables del planeamiento y de la toma de decisiones en operaciones militares deben analizar y comprender todos estos factores externo e interno (ámbito cognitivo, inherente al ser humano, considerado de forma individual, socializada u organizada) que son consustanciales y, por tanto, condicionan su capacidad de juicio a la hora de ponderar y decidir la forma de proceder en el combate. Ministerio de Defensa del Reino de España, *Doctrina para el empleo de las FAS*, *op. cit.*, *véanse las páginas 81, 85, 99 y 100*. Todo esto ilustra la complejidad del proceso de toma de decisiones que conduce al uso de la fuerza letal en las operaciones militares actuales. En sí mismo el uso de la fuerza, cuando se lleva a cabo en estricto cumplimiento de las normas jurídicas aplicables, nunca es aleatorio o arbitrario. Incluso, en el caso de un entorno más dinámico, el uso de la fuerza sigue moldeado y limitado por una serie de decisiones políticas y operativas informadas por factores legales, militares y tecnológicos aplicables en todas las etapas del «targeting process». Al respecto, Persi, G., Spazian, A. y Anand, A., *Table-Top Exercises on the Human Element and Autonomous Weapons Systems,* Ginebra, Instituto de las Naciones Unidas para la Investigación del Desarme, 2021, [en línea], disponible en: *https://www.unidir.org/publication/table-top-exercises-human-element-and-autonomous-weapons-system*, fecha de revisión 30/09/2021, *véanse las páginas 2, 4 y 17.*

Sendas consideraciones son aplicables a cualquiera de los tres niveles principales de mando que guían la toma de decisiones castrenses en las operaciones contemporáneas y que se pueden utilizar como marco para mapear las diferentes tareas, acciones y elecciones que conducen al uso de la fuerza en contra de objetivos militares: a) mando estratégico, que traduce el fin político en objetivos militares; b) mando operativo, que traduce los objetivos y la dirección amplios de nivel estratégico en tareas concretas para las fuerzas tácticas; y, c) mando táctico, que dirige el uso específico de las fuerzas militares (en concreto, el despliegue de unidades, plataformas, personal individual y sistemas de armas que pueden entrar en contacto directo con las partes en conflicto) en las operaciones para implementar el plan elaborado a nivel operativo.

Tan es así lo anterior que, hoy en día, las fuerzas militares de la mayoría de los países del mundo entienden la importancia de la descentralización de la toma de decisiones en mandos subordinados, ya que, ante diversas circunstancias, el proceso de toma de decisiones debe adaptarse en tiempo real a cada situación particular y sin que ello impida alcanzar los objetivos preestablecidos a nivel estratégico. Esto significa que, en ocasiones, con la finalidad de aprovechar una oportunidad táctica, los oficiales subordinados pueden llegar a tomar decisiones trascendentes para el resultado del combate y, frecuentemente, para la supervivencia propia y ajena, a veces —según corresponda—informando a sus superiores, proponiéndoles medidas de coordinación o solicitándoles apoyos, siempre y cuando los elementos objetivos del contexto en sí —*racionalidad objetiva*— se los permita[939].

A esto se suma el hecho de que, a menudo, los enfrentamientos pueden someter al combatiente a situaciones extremas, bajo intensa presión psicológica, técnica y física. En situaciones como estas solo a través de su *racionalidad subjetiva* podrá tomar las decisiones correspondientes, es decir, en un ámbito interno cognitivo que no es del todo libre, sino que estará sometido a los rasgos del propio agente decisor, a saber, su rectitud moral, solvencia técnica, fortaleza física y, sobre todo, al adiestramiento o preparación a la que ha sido sometido

---

939 *Ibid., véanse las páginas*

o sometida como militar que debe observar y respetar disciplinadamente los valores de la institución a la que pertenece.

Así las cosas, el tomador de decisiones en un combate podrá seleccionar aquellos medios que sean más apropiados para alcanzar los objetivos propuestos en la misión, haciendo uso —claro está— de su facultad intelectiva —basada en una racionalidad limitada—. Entre esos medios podrían hallarse, por ejemplo, los SAAL como uno de los tipos de arma de guerra que podrían ser útiles para cumplir con la misión correspondiente.

Sin embargo, hay quienes piensan que la sola idea de que un robot autónomo pueda matar a un ser humano ya es pavorosa. Peter Singer, por ejemplo, es uno de los filósofos más críticos de los SAAL y afirma que la decisión de matar a una persona debe ser hecha por un humano en virtud de ser un requisito implícito en el DIH[940]. Otros expertos se preguntan además si es desatinado permitir que los autómatas "decidan" sin más a quién y cuándo matar en una guerra, ya que, si se excluye al ser humano de la adopción de las decisiones, se corre el riesgo de no aplicar el principio de humanidad establecido en la cláusula Martens[941].

Teniendo en cuenta la naturaleza propia del derecho internacional armamentista, resulta difícil estar de acuerdo con ambos planteamientos. La razón de ello es doble: por un lado, seguir por esa línea crítica acerca de los SAAL significaría, entonces, considerar que deberían prohibirse —tal vez— muchas armas que hoy en día existen y ya se están utilizando[942]. Por otro, si la "exigencia moral" —que no legal—

100, 150 y 151, 158 y 159.

940 Al respecto, Singer afirma que «se puede encontrar un requisito implícito para el juicio humano en el derecho internacional humanitario que rige los conflictos armados», Singer, P., *Wired for war. The robotics revolution and conflict in the 21st Century*, *op. cit.*, *véanse páginas 124 y 125*; Sparrow, R., «Robots and respect: Assessing the case against autonomous weapon systems», *op. cit.*; y Leveringhaus, A., *Ethics and autonomous weapons*, *op. cit.*

941 Heyns, C., *Informe del Relator Especial sobre las ejecuciones extrajudiciales, sumarias o arbitrarias, Christof Heyns* (informe), *op. cit.*, *véase párrafos 89 y 92*; y *Working Paper on Lethal Autonomous Weapons Systems* (documento de trabajo de Polonia), *op. cit.*

942 Por ejemplo, hay misiles que pueden dirigirse contra un objetivo militar, y que el comandante u operador no saben quiénes serán asesinados exactamente. Co-

de la participación humana en el proceso de toma de decisiones simplemente se reduce a que un ser humano deba elegir a qué categorías de personas pueden dirigirse la fuerza letal, los SAAL podrían cumplir con dicho requerimiento en tanto que, por definición, son máquinas que están programadas por los seres humanos.

Tal y como se ha explicado a lo largo de esta obra, los SAAL son sistemas cuyas funciones se encuentran determinadas a través de programas computacionales creados por los humanos, por lo que el nivel de autosuficiencia y autodirección del arma dependerá en gran medida del grado de control humano ejercido a través del diseño de esos programas. Esto significa que la autonomía en el sistema debe ser vista como un amplio espectro que va desde las máquinas con funciones automáticas hasta aquellas que —en un futuro poco probable— lleguen a ser completamente autónomas. Hoy, dentro de la comunidad internacional, hay un consenso generalizado (cuando menos en las reuniones del GEG sobre los SAAL en la CCW) en que un sistema de arma totalmente autónomo con la capacidad de poder cambiar los códigos de actuación preprogramados por los humanos es un tipo de arma que no puede ser permitida jamás conforme al derecho internacional.

Salvo el caso extremo de los FAWS, actualmente existen sistemas armamentísticos que pueden ser —o ya están— dotados de programas computacionales que les permitirían llevar a cabo funciones con altos grados de autonomía y que están sometidas a un control humano (no solo en el diseño, sino también en su empleo), por lo que cualquier acción ejecutada por estas máquinas sería consecuencia de

---

mo se vio en capítulos previos, tal sería el caso de las computadoras que hoy en día ya abren las bahías que contienen las bombas de los aviones bombarderos o deciden qué objetivos utilizar cuando se usan de manera autónoma (tal es el caso del sistema de defensa naval *Aegis*, un sistema de armas naval integrado desarrollado en EE.UU., que utiliza potentes radares y computadoras para rastrear y guiar misiles para destruir blancos enemigos). Al respecto, Sassòli, M., «Autonomous weapons and International Humanitarian Law: Advantages, open technical questions and legal issues to be clarified», *op. cit.*, *véase página 314*; America's Navy, *AEGIS Weapon System* (ficha técnica), *op. cit.*; Scharre, P. y Horowitz, M., *An introduction to autonomy in weapon systems*, *op. cit.*, *véanse páginas 12 y 21*; y Scharre, P., *Army of none: Autonomous weapons and the future of war*, *op. cit.*, *véanse páginas 45, 89, 97 y 162-164.*

la programación y el uso que de ellas hagan los humanos, cumpliéndose así con esa "exigencia moral" de parte de algunos críticos de los SAAL quienes plantean que solo los humanos son quienes deben decidir contra qué categorías de personas se pueden dirigir estas armas.

Otro asunto completamente diferente que pudiera llegar a representar un desafío para el derecho internacional aplicable es el tipo de interacción hombre-máquina que puede existir entre un usuario (comandante de operaciones o mando subordinado) y el sistema de armas autónomo empleado como un medio apropiado para alcanzar los objetivos propuestos de su misión, sobre todo cuando ese agente humano (el usuario u operador del sistema) se encuentre en un conflicto armado internacional cuyas circunstancias especiales le lleven a tener que tomar una decisión en tiempo real sobre la vida o muerte de una persona, a veces sin la posibilidad de consultar con sus mandos superiores.

Ante situaciones como estas, por muy complejas que sean, no se puede olvidar que los SAAL son instrumentos o medios para lograr un fin y que habrían de ejecutar sus tareas o funciones en atención a una situación dada basándose en programaciones algorítmicas hechas por los humanos. Evidentemente, como se destacó en secciones anteriores, para que un control humano en el diseño y uso de un arma autónoma se considere realmente significativo es necesario que los niveles de predictibilidad y fiabilidad del sistema programado sean lo suficientemente altos como para cumplir con las exigencias y estándares de cualquier revisión jurídica conforme al artículo 36 del API.

Ahora bien, todo lo anterior no significa que exista una norma jurídica internacional que en sí misma exija que la decisión de matar —o no— a una persona en un conflicto armado deba hacerla un humano. La cláusula Martens, y el DICA en general, lo que plantea es la necesidad de que haya un juicio humano (racionalidad subjetiva) en el proceso de toma de decisiones en un conflicto armado como una cuestión no solo ética, sino también operacional. Indubitablemente, la rápida evolución científica, tecnológica y social derivadas, entre otros aspectos, por el desarrollo de la robótica, la IA y los sistemas autónomos, afectan cada vez más las operaciones, las tácticas y los códigos de actuación de los combatientes y, por tanto, sus procesos de toma de decisiones. Teniendo en cuenta esta realidad, lo que se deduce del marco jurídico internacional aplicable al objeto de esta investigación son dos aspectos clave que están conectados entre sí: por un lado, la interacción hombre-maquina que surja entre un operador/usuario y su SAAL debe darse bajo una orientación libre de antropomorfismos; y, por otro, las normas y los principios del derecho que regule esa interacción deben interpretarse bajo un enfoque antropocéntrico.

A esto se suma un elemento más, y es que el DIH no abre espacios a juicios éticos sobre la guerra *per se* y el empleo de la fuerza que en ella se dé en contra de algún objetivo militar. En realidad, como se ha explicado a lo largo de esta obra, se trata de un marco jurídico que establece reglas claras de actuación —*racionalidad objetiva*— que deben ser observadas y puestas en práctica por los combatientes haciendo uso, como se señaló en párrafos previos, de su rectitud moral, solvencia técnica, fortaleza física y, sobre todo, al adiestramiento o preparación militar —*racionalidad subjetiva o limitada*—.

Está claro que imaginar a un ser humano matando deliberadamente a otro en ausencia de una amenaza inmediata provocada por este último, es igual de impactante como lo sería pensar que una máquina haga eso mismo. Sin embargo, en ambos casos, si se cumplen las premisas o exigencias objetivas del DIH, el ataque sería legal, ya que la guerra —al final— de lo que trata es de eso, la posibilidad de poder matar a otra persona (un combatiente, por ejemplo), incluso en ausencia de una amenaza en contra del atacante[943], eso sí, siempre que la ejecución del ataque cumpla con pautas bien establecidas por

---

943 Muchas veces a los soldados humanos no les es fácil identificar qué está pasando en todas y cada una de las situaciones que subyacen en los campos de batalla. A veces, incluso, las barreras lingüísticas y culturales pueden jugar muy malas pasadas a los combatientes. Por eso un proceso lógico de toma de decisiones en combate debe saber enfrentar las complejidades que subyacen en el conflicto para así lograr que todas las acciones, tareas, acciones y decisiones tomadas a nivel político, estratégico, operacional y táctico sean —entre sí— lógicas, racionales y ajustadas a derecho. Al respecto, ver Ekelhof, M. y Persi, G., *Swarm Robotics Technical and Operational Overview of the Next Generation of Autonomous Systems,* Ginebra, Instituto de las Naciones Unidas para la Investigación del Desarme, 2020, [en línea], disponible en: ***https://unidir.org/publication/swarm-robotics-technical-and-operational-overview-next-generation-autonomous-systems***, fecha de revisión 23/02/2021, *véase de la página 9 a la 17*. También, ver: Ekelhof, M. y Persi, G., *The human element in decisions about the use of force,* Ginebra, Instituto de las Naciones Unidas para la Investigación del Desarme,

los principios de distinción, proporcionalidad, precaución, necesidad militar, etc.

Por todo ello, se insiste una vez más que, al final, el DIH no establece en sus reglas una norma que exija que la decisión concreta de matar a alguien en un conflicto armado debe tomarla un humano, y menos aún que lo deba hacer en atención a sus valoraciones individuales y personales sobre si ese "alguien" merece —o no—morir. Como advierte Sassòli, si una persona puede ser objeto de ataque en un conflicto armado, ello dependerá de su estado (combatiente/civil) y/o de la impresión objetiva resultante de su conducta (por ejemplo, si siendo civil participa directamente en las hostilidades, o si es una persona que se rindió, o si esta indica su disposición a rendirse y el atacante se da cuenta de esa indicación), no así de si esa persona es inocente o culpable de algún delito[944], si es buena o mala, o simplemente si es justa o no la causa detrás de su accionar.

Está claro que no es fácil para los combatientes tomar decisiones sobre el uso de la fuerza en operaciones militares, sobre todo cuando se trata de conflictos armados internacionales. Ello es lógico ya que un proceso de toma de decisiones en combate se torna complejo en razón de los diferentes tipos de tareas, acciones y decisiones involucradas llevadas a cabo por diversos actores y a distintos niveles, pasando por el liderazgo político que toma la decisión de que se requiere una intervención militar, el operador o sistema que ejecuta materialmente un ataque y la estructura del mando militar que es la encargada de determinar las reglas, condiciones y parámetros que configuran una operación o misión. Para procurar que todas estas decisiones se tomen en observancia a la dirección o guía política, las obligaciones legales y otros factores, deben contar con el apoyo de asesores especializados —a nivel científico y técnico— a lo largo de todo un *iter* procesal, lógico y racional, que —al menos— conste de cuatro pasos básicos y sucesivos:

2020, [en línea], disponible en: *https://unidir.org/publication/human-element-decisions-about-use-force*, fecha de revisión 23/02/2021.

944 Sassòli, M., «Autonomous weapons and International Humanitarian Law: Advantages, open technical questions and legal issues to be clarified», *op. cit.*, *véase página 315*.

- *Primero*, enumerar las alternativas disponibles para el tomador de decisiones.
- *Segundo*, tomar cada una de las alternativas disponibles y definir, por cada una de ellas, los posibles resultados relevantes.
- *Tercero,* hacer una estimación de probabilidad condicional, o una estimación de la probabilidad de cada uno de esos resultados relevantes asumiendo una alternativa dada.
- *Cuarto*, identificar cuán importante es para el tomador de la decisión cada dimensión del valor que está en juego en la elección por la que finalmente se decante, que en términos prácticos se traduce en hacer un diagnóstico del beneficio que para la misión aportaría la alternativa elegida y sus posibles resultados relevantes. A tal efecto, es necesario que el tomador de la decisión ponga en la balanza el beneficio y costo de su decisión[945] y bajo una única métrica común (utilidad), de modo que el valor del alcanzar una ventaja militar (beneficio) pueda compensarlo (juicio de proporcionalidad[946]) directamente con el del "costo" necesario para lograrlo (perdidas civiles, por ejemplo)[947]. Se trata así de una "compensación" del combatiente (tomador

945 Al respecto, resulta interesante cómo la propia CPI deja entrever en sus decisiones la importancia de la racionalidad humana en los procesos de toma de decisión en el área militar, sobre todo a la hora de prevenir un crimen. De hecho, ha llegado a afirmar que los «comandantes» (extensible, por lógica, al resto de combatientes subordinados según corresponda) son quienes deben hacer un análisis de costo/beneficio al decidir qué medidas tomar, teniendo en cuenta su responsabilidad general de prevenir y reprimir los delitos en su misión. Esto significa que pueden tomar en consideración el impacto de las medidas para prevenir o reprimir el comportamiento delictivo, por ejemplo, en operaciones en curso o planificadas y pueden elegir la medida menos perturbadora siempre que se pueda esperar razonablemente que esta medida prevenga o reprima violaciones al derecho internacional. Al respecto, ver Corte Penal Internacional (CPI), *El Fiscal vs. Jean-Pierre Bemba Gombo,* Caso núm. ICC-01/05-01/08/A (08 de junio de 2018), disponible en: *https://www.icc-cpi.int/courtrecords/cr2018_02984.pdf*, fecha de revisión: 21/01/202, *véase el párrafo 170.*

946 Véase el capítulo 6 de esta obra.

947 Brown, B., « The Proportionality Principle in the Humanitarian Law of Warfare: Recent Efforts at Codification», *Cornell International Law Journal,* vol. 10, 1976, asunto 1, artículo 5, pp. 134-155, disponible en: *https://scholarship.law.cornell.edu/cgi/viewcontent.cgi?article=1027&context=cilj*, fecha de revisión: 21/01/2021, *véanse las páginas 146 y 147.*

de la decisión) que es a la vez un juicio ético y militar porque «[…] pone precio a la vida y, al mismo tiempo, se lo hace a un objetivo militar»[948].

Ante un proceso de toma de decisiones de este tipo pueden darse diferentes formas de interacción entre el SAAL y su usuario/operador en razón de los niveles de autonomía en las funciones del propio sistema empleado[949]. En una guerra, hay quienes pueden decantarse por una mayor, menor, o ninguna participación de la tecnología en la toma de decisiones de los combatientes. Sin embargo, a la hora de

---

948 Dewees, B., Umphres, Ch. y Tung, M., «Decisions on the battlefield», *War on the Rocks,* 11/01/2021 [en línea], disponible en: *https://warontherocks.com/2021/01/machine-learning-and-life-and-death-decisions-on-the-battlefield/*, *fecha de revisión: 21/01/2021.*

949 Sharkey, por ejemplo, es uno de los expertos que —pensando en los SAAL— ofrece una comparación de las fortalezas y debilidades de los procesos de toma de decisiones humanas y mecánicas, prestando especial atención a las implicaciones de la robótica autónoma en las aplicaciones militares, ofreciendo así una taxonomía clara de las posibles formas de asociación entre humanos y armas. Para más información al respecto *véase* Sharkey, N., «Staying in the loop: human supervisory control of weapons», en Bhuta, N., Beck, S., Geib, R., Liu, G.-Y. y Kreb, C. (eds.), *Autonomous weapons systems. Law, ethics, policy,* Cambridge (EE.UU.), Cambridge University Press, 2016, pp. 23-38. Igualmente autores como Pasaruraman, Sheridan y Wickens, han planteado la posibilidad de un modelo en el que reflejan diferentes tipos y niveles de interacción hombre-maquina en razón del mayor o menor grado de «automatización» de la máquina, sobre todo, en cuatro funciones: 1) adquisición de información; 2) análisis de información; 3) selección de decisiones y acciones; y 4) implementación de acciones. Al respecto, ver: Parasuraman, R., Sheridan, B., y Wickens, Ch., «A Model for Types and Levels of Human Interaction with Automation», *IEEE transactions on systems, man, and cybernetics—part a: systems and humans,* vol. 30, 2000, núm. 3, pp. 286-297, disponible en: *https://www.ida.liu.se/~729A71/Literature/Automation/Parasuraman,%20Sheridan,%20Wickens_2000.pdf*, fecha de revisión: 21/01/2021. Asimismo, como se explicó en el capítulo 1 de esta obra, están quienes piensan que la capacidad operativa de los equipos hombre-máquina va a depender más de cómo se relacionan los humanos y las máquinas, planteando así varios modos de equipo en un continuo o espectro que va desde el control manual hasta la autonomía total (*human in-on-out the loop*). No obstante, también reconocen que, cada vez más, se está produciendo un tipo de interacción «*machine-to-machine*», aparentemente útil en las acciones de campo de batalla de alta velocidad para lograr efectos de combate más rápidos. Para más información, véase Layton, P., «Algorithmic Warfare. Applying Artificial Intelligence to Warfighting», *op. cit.*, *véase desde la página 28 a la 30.*

pensar sobre este asunto, lo clave sería hacerlo teniendo menos en mente la idea del "*Terminator*" hollywoodense y reflexionando más sobre una interacción hombre-máquina en la que exista una mezcla de intuición y lógica que supere a cualquiera de los dos, es decir, en la que se dé una simbiosis de dos entidades que tienen éxito juntas gracias a sus diferencias[950].

Partiendo de este enfoque, las fuerzas armadas de los países podrían optar por un proceso de toma de decisiones en combate que sea asistido o apoyado por los SAAL, siempre que las circunstancias los permitan y los responsables de esa toma de decisiones y los desarrolladores de la tecnología aplicada al sistema comprendan muy bien la naturaleza de la simbiosis de trabajo cooperativo entre humanos y máquinas[951]. Bajo la égida de esta forma de interacción, el *primer* y *segundo* paso del proceso descrito *supra* podría llevarlos a cabo un

---

950 Efectivamente, las tecnologías computacionales podrían desempeñar un papel importante en el área de la seguridad y la defensa de un país, mejorando o asistiendo los procesos de toma de decisiones humanas de cara a atravesar la niebla y fricción habituales en los conflictos. Dado el alto grado de tensión y emoción que generalmente rodea a las guerras, por ejemplo, los sistemas habilitados con IA podrían desplegarse para aliviar las cargas logísticas de la misión, optimizando la recopilación e interpretación de datos, garantizando la superioridad tecnológica militar y mejorando los tiempos de reacción en el combate. Por lo tanto, combinando las capacidades de los seres humanos y las computadoras se podría, como mínimo, comprender mucho mejor el contexto y con ello beneficiar la toma de decisiones y análisis de la situación en combate. Case, N., «How To Become A Centaur», *JoDS,* 08/01/2018 [en línea], disponible en: *https://jods.mitpress.mit.edu/pub/issue3-case/release/6?version=c847d892-97dc-40a7-a412-315d255b9b2d*, fecha de revisión: 21/01/2021. También, ver Warren, A. y Hillas, A., «Friend or frenemy? The role of trust in human-machine teaming and lethal autonomous weapons systems», *Small Wars & Insurgencies,* vol. 31, núm. 4, 2020, pp. 822-850, disponible en: *https://www.tandfonline.com/doi/abs/10.1080/09592318.2020.1743485?journalCode=fswi20*, fecha de revisión: 21/01/2021, *véanse las páginas 822 y 823*; y, Fiott, D. y Lindstrom, G., *Artificial Intelligence What implications for EU security and defence?,* París, European Union Institute for Security Studies (EUISS), noviembre, 2018, disponible en: *https://www.iss.europa.eu/sites/default/files/EUISSFiles/Brief%2010%20AI.pdf*, fecha de revisión: 21/01/202, *véanse las páginas 2, 3, 4 y 7.*

951 A efectos del modelo propuesto, se emplearán las palabras máquina, sistema, tecnología, arma, ciencias computacionales, computadora, IA y «sistema de IA» de manera intercambiable, sin que ello desdibuje el sentido real de cada término utilizado.

sistema de arma autónomo en sí, generando alternativas disponibles con sus posibles resultados relevantes, todo ello en estricta observancia a las reglas programadas y debidamente entrenadas por los humanos (he aquí, por cierto, una oportunidad en la que la creatividad e imaginación humanas podrían jugar un papel clave agregando valor a las funciones del arma autónoma, eso sí, siempre que los avances tecnológicos lo permitan[952]). Todo esto facilitaría que el sistema explore

---

[952] La evidencia científica de hoy muestra que, por ahora, la emisión de juicios de valor es una tarea que solo podrían hacer los humanos. Para que algún día las máquinas puedan llegar a emitir por sí mismas este tipo de juicios axiológicos, previamente los investigadores y especialistas en ética de la IA deberán formular valores éticos como parámetros cuantificables. Científicos en este campo reconocen que esto no será una tarea fácil. Ello significa entonces que, por ahora, son los humanos quienes deberán proporcionar a los robots respuestas y reglas de decisión explícitas a cualquier dilema ético potencial que puedan encontrar. Sin embargo, incluso, el mero hecho de poder llegar a esto ya representa de por sí problemas importantes: por un lado, se requiere antes que los humanos estuvieran de acuerdo entre ellos sobre cuál debería ser el curso de acción más ético en una situación dada, una tarea difícil —aunque no imposible—. Para tal fin, los ingenieros deberían recopilar datos suficientes sobre medidas éticas explícitas para capacitar adecuadamente a los algoritmos de IA. Luego, por otro, un sistema de IA, aún en condiciones como esas, podría tener dificultades para recoger las métricas específicas de los valores éticos humanos si no hay suficientes datos imparciales para entrenar a los modelos del sistema. Obtener los datos adecuados para ello es un desafío, porque las normas éticas no siempre pueden estandarizarse claramente. Diferentes situaciones requieren diferentes enfoques éticos, y en algunas situaciones puede que no haya un único curso de acción ético. Una forma de resolver esto, tal vez, sería mediante la colaboración colectiva de posibles soluciones a los dilemas morales de millones de seres humanos. Y por último, y no menos importante, los Estados deberán implementar pautas que hagan que las decisiones de IA con respecto a la ética sean más transparentes, especialmente con respecto a los marcadores y resultados éticos. En ese sentido, por ejemplo, hay iniciativas como la de Alemania quien ha recomendado programar específicamente valores éticos en coches que conducen «autónomamente» para priorizar la protección de la vida humana por encima de todo. Otro ejemplo sería el proyecto Moral Machine del Instituto de Tecnología de Massachusetts (MIT, por sus siglas en inglés *Massachusetts Institute of Technology*), que muestra cómo se pueden usar los datos de una multitud para capacitar efectivamente a las máquinas para tomar mejores decisiones morales en el contexto de los coches «autónomos». Al respecto, Ministerio de Transporte e Infraestructura Digital de Alemania, «Ethics Commission on Automated Driving presents report», *Ministerio de Transporte e Infraestructura Digital de Alemania*, 28/08/2017 [en línea], disponible en: *https://www.bmvi.de/SharedDocs/*

numerosas soluciones e ilumine más opciones que, tal vez, a los combatientes no les sea tan fácil considerar. Luego de ello, el *tercer* paso lo podría hacer también el sistema —incluso, hay quienes afirman que hasta mejor que los humanos— para estimar las diferentes probabilidades de todos los posibles resultados relevantes identificados en los primeros pasos[953].

Finalmente, en cuanto al *cuarto* paso, la situación es diferente. Se trata de una fase del proceso cuya ejecución debe seguir estando bajo el dominio exclusivo de la racionalidad subjetiva del juicio humano[954]

EN/PressRelease/2017/084-ethic-commission-report-automated-driving.html, fecha de revisión: 09/08/2019; *http://moralmachine.mit.edu/*; y Vallor, S., *The real risks of artificial intelligence* (presentación de Powerpoint), Swiss Re Centre for Global Dialogue (Zúrich, 27 de noviembre de 2017) [en línea], disponible en: *https://www.swissre.com/dam/jcr:015010ac-8a0d-481e-a8f9-710d64ec8c15/Presentation+Shannon+Vallor.pdf*, fecha de revisión: 09/08/2019; y Cet, «¿Es posible enseñar ética a una máquina?», *op. cit.*

953 Según algunos expertos en el área, la probabilidad es un campo en el que son mejores las máquinas, ya que los juicios humanos de probabilidad tienden a basarse en heurísticas. Además, las personas son aún peores para esa tarea cuando se trata de comprender las probabilidades de una cadena de eventos. Incluso una combinación relativamente simple de dos probabilidades condicionales está fuera del alcance de la mayoría de las personas. Por tanto, como cuestión de práctica y de decisiones individuales, el aumento de la autonomía y la heteronomía fusionada puede contribuir a la eliminación de aquellos errores que se puedan dar en el proceso de toma de decisiones en combate en razón al propio juicio humano que *per se*, a menudo, tiende a ser limitado, defectuoso y hasta poco fiable cuando actúa bajo presión. Tversky, A. y Kahneman, D., «Judgment under Uncertainty: Heuristics and Biases», *Science,* vol. 185, 1974, asunto 4157, pp. 1124-1131, disponible en: *https://science.sciencemag.org/content/185/4157/1124*, fecha de revisión: 21/01/2021. También ver Kalpouzos, I., «Double elevation: Autonomous weapons and the search for an irreducible law of war», *Leiden Journal of International Law,* vol. 33, asunto 2, 2020, pp. 1-24, disponible en: *https://papers.ssrn.com/sol3/papers.cfm?abstract_id=3545332*, fecha de revisión: 21/01/2021, véanse las páginas 14, 15, 23 y 24.

954 Tal y como ha explicado Brasil en las reuniones del GEG sobre los SAAL, «juicio humano» es un concepto amplio y subjetivo que se refiere a la capacidad de discernimiento de los individuos bajo la cadena de mando y control (comandantes, supervisores, operadores) relacionada con el despliegue de las armas, tomando en cuenta la doctrina, la habilitación de los diversos modos de operación, las reglas de enfrentamiento, el entrenamiento y los contextos de combate. Al respecto, véase *LAWS and human control: Brazilian proposals for working definitions* (documento de trabajo de Brasil), núm. CCW/GGE.1/2020/WP.4, 19/08/2020, *op. cit.*

(incluyendo sus capacidades como la intuición, la empatía, el pensamiento crítico, los rasgos propios del tomador, entre otras). Ello es así ya que las ponderaciones de valor propias del juicio de proporcionalidad que subyace en este paso, capturan las complejidades ética y militar del proceso de toma de decisión, en especial a la hora de que el agente decisor tenga que priorizar en aquellos objetivos militares que conducirían de una manera más eficiente al éxito de la misión, sobre todo en atención a la ventaja militar esperada que, en razón de la dinámica tan efervescente del conflicto, podría incluso llegar a cambiar y con ello afectar la planeación de la operación[955].

Así las cosas, el mantenimiento del juicio humano en un proceso de toma de decisiones asistido o apoyado por un SAAL se convierte en el elemento clave para lograr que la responsabilidad moral, ética y legal por la decisión final de matar o herir a alguien en una guerra (por ejemplo) recaiga en su tomador. Es este individuo, y no otra entidad, quien debe operar como el agente moral en observancia al principio de respeto a la dignidad humana y a los criterios que definen la

---

955 Hay autores que piensan que, una vez que se completen estos cuatro pasos básicos, la elección racional de un humano sería más una cuestión de matemáticas bastante simple, en donde las utilidades se ponderan según la probabilidad de un resultado («[...] los resultados de alta probabilidad obtienen más peso y es más probable que impulsen la elección final tomada»). A esto se suma quienes consideran que en un juicio de proporcionalidad existen parámetros susceptibles de ser cuantificables, sobre todo para calcular conceptos como la «ventaja militar» (que de por sí ni es una ciencia matemática), de manera que un comandante, junto a su Estado Mayor, puedan en todo momento ordenar los objetivos a abatir de acuerdo con su valor, y por ende logren deducir el margen de daño colateral y lesiones incidentales aceptables por cada ataque. Al respecto, Guisández, J., «El principio de proporcionalidad y los daños colaterales, un enfoque pragmático», en Prieto, R. (ed.), *Conducción de hostilidades y derecho internacional humanitario. A propósito del centenario de las convenciones de La Haya de 1907, op. cit., véanse páginas 227-237;* y Dewees, B., Umphres, Ch. y Tung, M., «Decisions on the battlefield, *op. cit.* Sin embargo, es poco probable que este tipo de enfoques tengan recorrido —a efectos prácticos— ante todas las situaciones diversas, polémicas, críticas y cambiantes que pueden surgir en un conflicto armado internacional. Por ello resulta lógico, tal y como se indicó en capítulos anteriores, que el esfuerzo explícito en lograr un equilibrio entre la necesidad militar y los requisitos humanitarios, propio del principio de proporcionalidad conforme al DIH, no comprende la apuesta por una comparación matemática estricta, ni tampoco una prueba de balance con escalas que descansen en el deseo de un equilibrio exacto.

simbiosis de su trabajo con el sistema, asegurando que las decisiones que afecten la vida, integridad física y propiedad de las personas involucradas en los conflictos armados no sean tomadas por la agencia artificial no moral (el SAAL)[956].

Ahora bien, todo esto no es óbice para que en un futuro, cuando los avances tecnológicos realmente lo permitan, los sistemas de armas autónomas puedan asistir o facilitar también los cálculos de beneficio-coste propio del juicio de proporcionalidad que deben hacer los combatientes[957]. En supuestos como estos, por inciertos que parezcan,

---

956 *Ethics and autonomous weapon systems: An ethical basis for human control?* (documento de trabajo del Comité Internacional de la Cruz Roja), *op. cit.*, *véanse las páginas 2, 5, 6, 9, 10 y 11;* y Amoroso, D. y Tamburrini, G., «Autonomous Weapons Systems and Meaningful Human Control: Ethical and Legal Issues», *Springer*, agosto de 2020, pp. 187-194, disponible en: *https://link.springer.com/article/10.1007/s43154-020-00024-3*, fecha de revisión: 21/01/2021, *véase página 189.*

957 Expertos en el área científica y militar han reconocido que, por ahora, no existe una tecnología avanzada que pueda superar del todo a un humano en enfrentamientos de alta velocidad y gravedad. La IA de hoy, por ejemplo, puede dominar habilidades de combate cada vez más difíciles y de forma vertiginosa, pero ello no quita que sigan existiendo limitaciones y riesgos importantes que deben ser superados por el desarrollo tecnológico. Hoy, programas gubernamentales de simulaciones de combates aéreos en un entorno sintético han demostrado la capacidad que tienen los algoritmos de IA de poder ganar en peleas virtuales (también conocidas como "virtual dogfights" o "peleas de perros"). Estos resultados podrían expandir sin duda las capacidades militares de los Estados. El gran desafío con todo esto será cómo desarrollar una autonomía fiable, escalable, a nivel humano e impulsada por la IA para el combate, utilizando la colaboración real entre humanos y máquinas. En cualquier caso, ante situaciones como estas, no se puede obviar que los SAAL, al final, son instrumentos de los humanos combatientes, armas que —normalmente— están encaminadas a gestionar datos, información y conocimiento gracias a las capacidades que le proporciona la IA. Esto significa que, a partir de una gran cantidad de información acumulada, pueden que tengan la función de procesar esos datos hasta el punto de encontrar una solución aceptable dentro de las alternativas posibles, pero ello no implica que puedan llegar a sustituir o reemplazar por completo al humano en el proceso de toma de decisiones en combate. En este sentido, tal vez, en un escenario futuro, estos sistemas puedan llevar a cabo el proceso material de toma de decisiones en sí, pero incluso en esos casos, no se puede negar que lo harían sobre la base de ciencias computacionales producto de la labor humana. Ya quedará por ver qué tanto esas ciencias podrán llegar a ser explicables, fiables y predictibles conforme a estándares que realmente cumplan con los parámetros del DICA, sobre todo en lo que tiene que ver con los principios de distinción, proporcionalidad y

los humanos deberán seguir teniendo la última palabra en la focalización. Obviamente, la cuestión a dilucidar es en qué momento y de qué manera podría manifestarse esa palabra. Apartando por un momento todas la cuestiones operativas importantes que puedan surgir (y que son muchas), lo deseable es que se manifieste en tiempo real durante la ejecución de la misión, tal vez aprobando o reversando el cálculo de proporcionalidad y la elección final hecha por el sistema. No obstante, puede darse el caso de que un combatiente, haciendo uso de su juicio humano opte por ir un poco más allá, permitiendo que la máquina desplegada para la ejecución material de un ataque lleve a cabo por sí misma, pero en nombre de ese combatiente, todos los pasos del proceso de toma de decisiones en combate. Por polémico que sea, incluso en este caso, dicho combatiente seguiría siendo el responsable del resultado final alcanzado (incluyendo el cálculo de proporcionalidad y la elección hecha por la máquina), en tanto que se debe a acciones ejecutadas por el agente artificial bajo delegación (juicio humano) del propio combatiente. Indubitablemente, se trataría de situaciones donde se da por supuesto que el funcionamiento del sistema ha de estar sometido a un control humano (en su diseño y uso), porque de lo contrario el funcionamiento de ese sistema debería estar prohibido.

Obviamente todo lo anterior no está libre de desafíos y cuestionamientos importantes, en especial a nivel tecnológico y operativo[958].

---

precaución en el ataque. Al respecto, véase Roblin, S., «Military AI vanquishes human fighter pilot in F-16 simulation. How scared should we be?» *NBC News*, 31/08/2020 [en línea], disponible en: *https://www.nbcnews.com/think/opinion/military-ai-vanquishes-human-fighter-pilot-f-16-simulation-how-ncna1238773*, fecha de revisión: 04/02/2021. También, véase Wareham, M., «Robots aren't better soldiers than humans», *The Boston Globe*, 26/10/2021 [en línea], disponible en: *https://www.bostonglobe.com/2020/10/26/opinion/robots-arent-better-soldiers-than-humans/*, fecha de revisión: 13/02/2021; y, Newdick, T., «AI-Controlled F-16s Are Now Working As A Team In DARPA's Virtual Dogfights» *The Drive*, 22/03/2021 [en línea], disponible en: *https://www.thedrive.com/the-war-zone/39899/darpa-now-has-ai-controlled-f-16s-working-as-a-team-in-virtual-dogfights*, fecha de revisión: 07/05/2021.

958 Por ejemplo, sesgos algorítmicos y de automatización, desperfectos o malfuncionamiento del sistema, perdida de red o conexión entre el operador y el sistema, bajos niveles de predictibilidad y fiabilidad en la máquina en razón del efecto «caja negra» producto de la IA aplicada al sistema, sorpresas (cuando un ser

Sin embargo, siendo perfectible, no deja de ser también un enfoque alternativo que pone el foco de atención en la interacción hombre-máquina y no así en la falsa dicotomía de quién (un SAAL o su usuario/operador) debe decidir sobre la vida o muerte de una persona en una guerra[959]. Se trata de un planteamiento realista, constructivo y metodológico en el que las tecnologías juegan un rol activo, apoyando o asistiendo al proceso de toma de decisiones de los combatientes quienes, a menudo, necesitan herramientas útiles para superar las dificultades propias de la niebla de la guerra, en especial cuando se trate de situaciones en las que se produzca en tiempo real una descentralización de la toma de decisiones en mandos subordinados sobre asuntos que conciernen al uso de la fuerza armada en contra de objetivos militares. Ahora bien, para que todo esto tenga un éxito razonable, los militares al menos deberían:

- Instruirse acerca de la ciencia de la decisión en el marco de una relación (simbiosis de trabajo) hombre-máquina.
- Aprender a reconocer y controlar los sesgos inherentes a este proceso de toma de decisiones asistido por la tecnología, no

humano no es plenamente consciente de cómo funciona una máquina a tal punto en que necesita recuperar el control), piratería, suplantación de identidad o ciberataques deliberados, entre otros. Al respecto, Cummings, M., «Automation and Accountability in Decision Support System Interface Design», *The Journal of Technology Studies,* vol. XXXII, núm. 1, 2006, pp. 23-31, disponible en: *https://www.semanticscholar.org/paper/Automation-and-Accountability-in-Decision-Support-Cummings/aebf3ac74a325a99b2f2d68a8c115b5ecf7e82c8*, fecha de revisión: 21/01/2021, *véanse las páginas 29 y 30.*

959 Una mejor manera de interpretar el DIH para gobernar a los SAAL es cambiando hacia una perspectiva que abandone el error de antropomorfizar a estos sistemas. Pensar en términos de quién (un hombre o la máquina) debe decidir la muerte de un humano en la guerra puede aportar muy poco al debate los desafíos que implican las armas autónomas. Lo mejor es entender a los seres humanos dentro de una relación "hombre-maquina" en la que son el principal sujeto de atención, ello en lugar de mirar exclusivamente las características de las plataformas tecnológicas y cómo esas características se "apoderan cada vez más" de los procesos de decisión en los conflictos armados. Al respecto, ver: Van Rompaey, L., «Shifting from Autonomous Weapons to Military Networks», *Journal of International Humanitarian Legal Studies,* vol. 10, asunto 1, 2019, pp. 111-128, disponible en: *https://www.researchgate.net/publication/334158338_Shifting_from_Autonomous_Weapons_to_Military_Networks*, fecha de revisión: 21/01/202, *véanse las páginas 119 y 127.*

solo con respecto a las personas (por ejemplo, el sesgo de automatización), sino también con relación a los algoritmos de la IA y el aprendizaje automático[960].

- Establecer una gobernanza eficaz y sólida de la IA aplicada a los sistemas armamentísticos. Esto pasa por desarrollar herramientas que permitan comprender mejor por qué los "sistemas de IA" se comportan como lo hacen[961].
- Entrenar a los usuarios y operadores de la tecnología armamentista sobre las capacidades reales de esta.
- Considerar a la tecnología como una herramienta asesora fiable, y nunca como un líder de la simbiosis de trabajo hombre-máquina. Esto pasa porque no se siga a las maquinas sin cuestionarlas, ni alentar a las personas a pensar como máquinas.
- Diseñar la tecnología de tal manera que tenga la capacidad de presentar datos de forma que permita al ser humano realizar

---

960 Por ejemplo, sesgos de enfoque y procesamiento algorítmico, datos de entrenamiento, emergentes, contexto de transferencia e interpretación. Al respecto, ver: *Autonomy, artificial intelligence and robotics: Technical aspects of human control* (informe del Comité Internacional de la Cruz Roja), *op. cit.*, *véanse las páginas 18 y 19.* También véase: Instituto de las Naciones Unidas para la Investigación del Desarme, *Algorithmic Bias and the Weaponization of Increasingly Autonomous Technologies* (documento de trabajo), núm. 9, 2018 [en línea], disponible en: *https://unidir.org/sites/default/files/publication/pdfs/algorithmic-bias-and-the-weaponization-of-increasingly-autonomous-technologies-en-720.pdf*, fecha de revisión: 13/02/2021, *véase desde la página 9 a la 11.*

961 Efectivamente, uno de los grandes desafíos que tiene la aplicación de altas tecnologías, como la IA, en el área militar, de seguridad y defensa es la dificultad de conocer siempre cuál es la base de la decisión de un algoritmo de IA para evitar sesgos en su elección y estar seguros de cómo llegó a una decisión en concreto. Eso es especialmente evidente en aquellos casos en los que el sistema aprende sobre datos y comportamientos de forma automática y no siguiendo un algoritmo fijo predeterminado por los humanos, produciéndose así el efecto «caja negra». Holland, A., *The Black Box, Unlocked. Predictability and understandability in military AI, op. cit., véanse las páginas 21 y 22.* También, ver León, G., *Capítulo Segundo: Ejemplos de tecnologías y sistemas emergentes y disruptivos con relevancia estratégica,* Madrid, IEEE, 2021 (Cuaderno de estrategia, 207), *véanse las páginas 119 y 125*; y, Holland, A., *Known Unknowns: Data Issues and Military Autonomous Systems, op. cit., véanse las páginas 7, 10, 11, 12, 13 y 26.*

un análisis adecuado de la información[962]. Para ello, la maquina debe estar desarrollada y entrenada de una manera tal que garantice el mayor estándar posible de seguridad, fiabilidad y predictibilidad en sus funciones[963]. El gran reto en todo esto será cómo el humano receptor de los datos enviados por la máquina podrá analizar esa información cuando se trate de grandes cantidades de datos. A todo ello se suma la dificultad de que se lleve a cabo ese análisis de una forma que evite, en la media de lo posible, el riesgo de la piratería, la suplantación de identidad o los ciberataques deliberados por parte de terceros. Mientras todo esto no se resuelva técnicamente, probablemente los militares habrán de limitar el empleo de este modelo de toma de decisiones a misiones muy específicas donde los datos proporcionados por la máquina puedan ser gestionados y analizados humanamente a través de las capacidades más seguras existentes.

- Emplear métricas eficaces para cuantificar el nivel de madurez aproximado de una tecnología con la intención de valorar su posible incorporación en un sistema más complejo que sirva de apoyo al proceso de toma de decisiones de los combatientes en una misión, tanto a nivel estratégico, operativo como táctico.

Reflexiones finales:

Como se ha destacado en capítulos anteriores, muchos expertos consideran que existen una variedad de formas en las que los SAAL pueden ser considerados contrario a la dignidad humana, siendo —en opinión de ellos— un argumento suficiente como para promover que la comunidad internacional apoye una prohibición de estas

---

962 Scheltema, H., «Lethal Automated Robotic Systems and Automation Bias», *EJIL: Talk*, 11/06/2015 [en línea], disponible en: *https://www.ejiltalk.org/lethal-automated-robotic-systems-and-automation-bias/*, fecha de revisión: 21/01/2021.

963 Sobre todo en lo que se refiere a la forma en que los algoritmos del sistema de la máquina aprenderá y luego realizará una tarea después de su implementación/activación. Al respecto, *Autonomy, artificial intelligence and robotics: Technical aspects of human control* (informe del Comité Internacional de la Cruz Roja), *op. cit., véase desde la página 16 a la 19.*

tecnologías. El mero planteamiento de que algo va en contra de la dignidad humana provoca sin más una fuerte respuesta visceral, sobre todo cuando se trata de la idea de que las máquinas tengan el poder de tomar decisiones de vida o muerte sobre los humanos en las guerras. Aunque la preservación de la dignidad humana se reconoce generalmente como esencial, la dificultad subyacente en este tipo de planteamientos contrario a las armas autónomas es, principalmente, la falta de consenso sobre el significado de dignidad, un concepto jurídicamente indeterminado cuyo sentido y alcance puede variar entre culturas, contextos, época histórica y posición filosófica. Por tanto, reiterando lo ya expresado en esta sección a la luz de lo dispuesto por el DICA, en lugar de caer en dilemas que pueden desviarnos hacia espacios de pensamiento para el análisis y cuestionamiento de la guerra en sí, lo clave de todo esto es reflexionar e investigar más sobre cómo garantizar que se mantenga un control humano significativo en el diseño y uso de las armas autónomas para así garantizar que los humanos (como agentes morales) sigan siendo responsables y rindan cuentas por el empleo de este tipo de máquinas en misiones militares, de seguridad y defensa.

Partiendo de lo anterior, y siguiendo—en líneas generales— los postulados de la teoría de la decisión de Simon, la elección de focalización de un objetivo militar en un conflicto armado internacional, hoy en día, se ajusta más a las premisas del modelo universal de pensamiento del agente humano que incide directamente en el proceso de toma de decisiones racionales expuesto en esta sección[964]. Esto significa que si en una guerra, por ejemplo, un combatiente está sien-

[964] No obstante, dependiendo del rápido avance de las ciencias computacionales, no sorprendería que en algunos años estemos en presencia de decisiones de este tipo que se acerquen más al modelo de pensamiento del agente humano solucionador de problemas complejos de tipo simbólico propuesto por Simon. De todas formas, no se puede negar que este tipo de ciencias, aunque puedan superar en términos cuantitativos a la capacidad de almacenamiento de información y de cálculo de los seres humanos, sin embargo, cualitativamente, es difícil que puedan superar la versatilidad y la riqueza relacional de la mente humana. Al respecto, ver Bonome, M. G., *La racionalidad en la toma de decisiones: análisis de la teoría de la decisión de Herbert A. Simon, op. cit., véase página 124*; Roblin, S., «Military AI vanquishes human fighter pilot in F-16 simulation. How scared should we be?» *op. cit.*; y, Newdick, T., «AI-Controlled F-16s Are Now Working As A Team In DARPA's Virtual Dogfights» *op. cit.*

do atacado por su enemigo, la decisión de defensa y/o contrataque del combatiente-atacado es, por un lado, *racionalmente objetiva* en tanto que el combatiente-atacante (dadas las circunstancias fácticas) es un objetivo militar y, por tanto, debe ser atacado; y, por otro, la percepción y los rasgos de dicho combatiente-atacado responde, entre otros aspectos, a unos condicionantes basados en los valores de la institución militar a la cual pertenece (*racionalidad subjetiva* o *limitada*)[965]. En situaciones como estas un SAAL (dada su tecnología para procesar información y solucionar problemas con pautas determinadas) puede —bajo control humano en su diseño y uso— asistir o apoyar al combatiente-atacado, por ejemplo, proveyéndole —a través de la fusión de sensores y demás tecnologías para la gestión de datos— información útil en tiempo real que le permita superar los riegos propios de la niebla de la guerra, pero no así podrá reemplazar el juicio humano de ese combatiente-atacado en el proceso de toma de decisiones en combate.

También se pueden dar situaciones, para algunos «polémicas», en las que un SAAL apoye al combatiente ejecutando materialmente y por sí misma la selección y el ataque de un objetivo militar (sea, o no, una persona) siempre bajo control humano. En estos supuestos, incluso, la decisión de selección y ataque a ese objetivo ha de seguir siendo una elección que debe surgir de un proceso lógico y racional de toma de decisión en el que esté presente el juicio humano del comandante de la misión, operador o usuario del SAAL, sobre todo en aquellos casos especiales y excepcionales en los que ya de por sí es complejo para los combatientes cumplir con las reglas del DIH durante la ejecución de un ataque armado[966]. Por tanto, nada impide jurídicamente que los combatientes sean desplazados temporal y geográficamente del ataque y que sea el SAAL quien de manera autónoma lo lleve a cabo

---

965 Este enfoque aplica también a nivel de dirección de la ejecución de operaciones militares, indistintamente de si son ofensivas o defensivas. Como se indicó en párrafos previos, el DIH exige también que las decisiones de un comandante acerca —por ejemplo— de matar a una persona en el marco de un proceso de focalización deben basarse, exclusivamente, en una categorización de la persona a atacar, teniendo en cuenta —a través del empleo de una facultad intelectiva limitada— el estatus o conducta de la persona en la mira, para así poder considerarla un objetivo militar legítimo que deba comprometerse.

966 Al respecto, véase el capítulo 6 de esta monografía.

físicamente por ellos, eso sí, siempre que los militares comprendan las capacidades reales del sistema, sepan cómo, cuándo, dónde y de qué manera pueden usarlo en una misión, definan los parámetros según los cuales ha de atacar y se aseguren de que dichos sistemas cumplan con todas las instrucciones programadas. Por tanto, la exigencia de que el juicio humano esté involucrado en las decisiones sobre la vida o muerte de las personas en un conflicto armado no implica necesariamente que exista siempre una participación física de los humanos combatientes en la ejecución material de la focalización correspondiente. Una vez que un ser humano (el comandante de operaciones, en principio) autoriza un enfrentamiento contra un objetivo o un grupo de objetivos, los pasos subsiguientes en la secuencia física del ataque pueden completarse de forma autónoma por el SAAL, bajo medidas eficaces de control humano (en el diseño y uso del sistema), sin que ello signifique la renuncia a la responsabilidad humana por las acciones llevadas a cabo por el arma[967].

Además de lo anterior, es importante que exista siempre un enlace físico y/o de comunicación que permita al operador o usuario del sistema poder ajustar —cuantas veces sea necesario— no solo los criterios de la focalización y la capacidad de cancelar la ejecución de las funciones del arma, sino también el tiempo suficiente para dicha intervención[968]. A falta de dicho control será muy difícil imaginar cómo los comandantes, operadores y/o usuarios del SAAL podrían tener en cuenta toda la información que —en tiempo real— posee el sistema sobre la situación de la misión, algo que es clave a la hora

---

967 Efectivamente, en supuestos de este tipo, el número exacto de pasos en la secuencia de acción depende más de las capacidades técnicas del sistema y del contexto, por lo que se deben considerar factores como la incertidumbre asociada con el comportamiento del sistema y los resultados potenciales, la magnitud de la amenaza y el tiempo disponible para la acción. Al respecto, ver Congreso de los Estados Unidos de Norteamérica, *Final Report*, Comisión de Seguridad Nacional de Inteligencia Artificial, *op. cit, véase desde la página 92 a la 96*. Layton, P., «Algorithmic Warfare. Applying Artificial Intelligence to Warfighting», *op. cit., véanse las páginas 64 y 65*.

968 Comité Internacional de la Cruz Roja, *Statement of the International Committee of the Red Cross (ICRC) under agenda item 5(b) further consideration of the human element in the use of lethal force; aspects of human-machine interaction in the development, deployment and use of emerging technologies in the area of lethal autonomous weapon systems* (declaración), *op. cit., véanse páginas 1 y 2*.

de que ejerzan el juicio humano apropiadamente en la toma de decisiones sobre la ejecución de cualquier ataque conforme al DIH[969]. Por ende, hasta tanto este tipo de cuestiones no sean resueltas por los expertos militares, el empleo de los SAAL como una herramienta de colaboración o apoyo a los combatientes —sobre todo— en el proceso de toma de decisiones y ejecución de focalizaciones en las guerras quedará restringido a circunstancias muy concretas, que sean lo más controlables y menos cambiantes posible[970].

7.2. Posibles marcos de responsabilidad por el uso de SAAL en conflictos armados internacionales

Como se ha destacado en capítulos anteriores, no existen convenciones internacionales que regulen directamente los SAAL. A pesar de ello, estas armas deben, como todos los medios de guerra, usarse de conformidad con el DIH. De este modo, los Estados y los individuos pueden ser considerados responsables de las violaciones a las obligaciones de ese marco normativo, dependiendo siempre del contexto en cada caso en particular. Otra posibilidad es que ciertas armas puedan clasificarse como ilegítimas en el marco del *Weapons Law* y el *Targeting Law*. En este último caso, los Estados tendrían prohibido de-

---

969 Human Rights Watch, «Making the case the dangers of killer robots and the need for a preemptive ban», *op. cit.véanse páginas 38-40*; e International Committee for Robot Arms Control, *Guidelines for the human control of weapons* (documento de trabajo), *op. cit.*

970 Ciertamente, tal y como señala el Ministerio de Defensa español en su ETID-2020, hoy en día necesario optimizar la relación hombre-máquina/sistema dentro del área de seguridad y defensa, en especial cuando las ciencias computacionales prometen aportar capacidades muy importantes en aplicaciones como el análisis automático de datos de sensores, el mantenimiento de plataformas, los sistemas de apoyo a la decisión. Por tanto, es clave explorar nuevas tecnologías que faciliten la comunicación entre los combatientes y sus medios de combate altamente tecnificados. No obstante, se entiende también que el uso de esas nuevas tecnologías introduce a su vez incertidumbres y vulnerabilidades relativas tanto a aspectos puramente técnicos, como operativos, legales y éticos que deben ser superados a través de la investigación, la experimentación y el desarrollo adecuados de las tecnologías emergentes. Al respecto, ver: Ministerio de Defensa del Reino de España, *Estrategia de Tecnología e Innovación para la Defensa ETID-2020*, *op. cit.*, *véanse las páginas 17, 18. 91, 97, 102, 128, 129 y 148.*

splegar tales armas en cualquier circunstancia porque serían ilegales *per se*.

También se ha visto hasta ahora que, conforme con las obligaciones del derecho internacional consuetudinario, y especialmente en virtud del API a los Convenios de Ginebra de 1949, cualquier Estado que estudie, desarrolle, adquiera o adopte una nueva arma, medio o método de guerra debe determinar si el despliegue de esa arma estaría, en algunas o en todas las circunstancias, prohibido. En aquellos países que no son parte del API, igualmente sus departamentos militares siempre requieren —mediante legislación interna— que cualquier nueva arma esté sometida una revisión jurídica. Ahora bien, en cuanto al tema de la responsabilidad y la rendición de cuentas sí que existen aún cuestiones sin resolver.

Como se destacó al inicio de este capítulo, actualmente no existe consenso en la comunidad internacional acerca de cuál debería ser el régimen jurídico de responsabilidad y de rendición de cuentas ante el uso de AW en conflictos armados internacionales. Evidentemente, si nadie puede ser responsable de las acciones de tales armas, su uso no sería ético[971].

Hay expertos que sostienen que, aunque no existiera una manera justa y efectiva de asignar responsabilidad por los hechos internacionalmente ilícitos cometidos por AW, igual no sería excusa para que los humanos cedan a tales armas el control completo sobre las decisiones de focalización[972]. Lo curioso, sin embargo, es que en contraste a esta visión, también hay quienes argumentan que no existe un requisito en el DIH que exija que «un humano sea personalmente responsable de cualquier error o violación que pueda ocurrir en el campo de batalla»[973].

---

971 Sparrow, R., «Killer robots», *op. cit., véase página 67*.

972 Human Rights Watch and Harvard Law School's International Human Rights Clinic, *Losing Humanity: The Case against Killer Robots, op. cit., véase página 42*.

973 Thurnher, J. S., «No one at the controls: Legal implications of fully autonomous targeting», *Joint Force Quarterly*, vol. 67, 2012, pp. 77-84, disponible en: *https://ndupress.ndu.edu/Portals/68/Documents/jfq/jfq-67/JFQ-67_77-84_Thurnher.pdf, véase página 82*; y Schmitt, M. y Thurnher, J., «"Out of the loop": Autonomous weapon systems and the law of armed conflict», *op. cit., véanse páginas 277 y 278*.

En ese sentido, resulta crucial entonces poder analizar cuál debería ser el régimen o marco de atribución de responsabilidad y rendición de cuentas por el despliegue de SAAL. Así pues, a continuación se empezará analizar la posible aplicabilidad de la responsabilidad penal individual por la comisión de CDI, un régimen jurídico que ilumina cuestiones importantes que, junto con una evaluación cuidadosa de la responsabilidad de mando y la responsabilidad estatal por el cumplimiento de los principios del DIH, ayudarían a definir cuáles deberían ser los límites jurídicamente permisibles con relación al uso de AW.

Indudablemente, parte del abordaje de esta sección se desarrollará haciendo referencia a casos hipotéticos, supuestos de hecho en los que podrían verse involucradas varias personas potencialmente responsables por la comisión de cualquier hecho internacionalmente ilícito realizado a través de un SAAL. No obstante, dada la extensa variedad de casos que podrían surgir en ese contexto, a efectos de la presente investigación solo se hará referencia a un número no taxativo de situaciones complejas que sirvan para retratar el estado de la cuestión.

7.2.1. Desafíos que plantean los SAAL para la aplicación de un régimen de responsabilidad penal individual

La responsabilidad penal de los individuos, a nivel general, no es un concepto jurídico novedoso. Su alcance se extiende a lo largo del derecho interno, el DIH y el DIP[974]. Este régimen de responsabilidad es una amalgama compleja de derecho, que implica un amplio espectro de procesos de sanción que trasciende las divisiones ortodoxas de los sujetos de derecho internacional[975]. Asimismo, forma parte del derecho internacional consuetudinario, siendo un mecanismo idóneo para determinar la responsabilidad de aquellos individuos que

974 Sassòli, M., «Humanitarian Law and International Criminal Law», en Cassese, A. (ed.), *The Oxford companion to international criminal justice*, Oxford, Oxford University Press, 2009, pp. 111-122, *véanse páginas 112 y 113*.

975 Ratner, S. R. y Abrams, J. S., *Accountability for human rights atrocities in international law: beyond the Nuremberg legacy*, Oxford, Oxford University Press, 2001, *véase página 3*.

cometen los CDI[976] (a saber, genocidio, crímenes de lesa humanidad, crímenes de guerra y crímenes de agresión[977]), ya sea en conflictos armados internacionales como no internacionales[978].

Habida cuenta de lo anterior, es importante destacar entonces algunas consideraciones acerca de cómo podría aplicarse este régimen de responsabilidad penal individual en aquellas circunstancias en las que se comete alguno de los crímenes internacionales *supra* indicados a través del uso de SAAL en conflictos armados internacionales.

En primer lugar, hay que destacar que los crímenes internacionales pueden, como cuestión del DIP, ser procesados ante tribunales nacionales. En términos generales, sin embargo, también se requeriría una legislación nacional de implementación antes de que los juicios

---

976 Los crímenes de guerra, los crímenes de lesa humanidad, el genocidio y el crimen de agresión son crímenes internacionales que pueden ocurrir en relación con las operaciones militares. Los crímenes de guerra solo pueden ocurrir en conflictos armados, mientras que los crímenes de lesa humanidad, genocidio y agresión pueden ocurrir dentro o fuera de los conflictos armados.

977 En relación con el crimen de agresión, es importante destacar lo siguiente: la definición del delito fue hecha en 2010 a través de una enmienda aprobada en una conferencia de revisión del Estatuto de Roma de la CPI en Kampala. Después, el 15 de diciembre de 2017, los Estados parte del Estatuto de Roma acordaron activar la jurisdicción de la corte sobre este delito internacional (su cuarto crimen «principal»). Así, solo desde el 17 de julio de 2018, la CPI podrá procesar a los líderes responsables de librar una guerra agresiva, pero con condiciones, ya que ese tribunal internacional no tendrá jurisdicción sobre los Estados miembros del Estatuto de Roma, o sus nacionales, que no hayan ratificado o aceptado la enmienda que incluye el tipo penal de crimen de agresión, en el caso de una remisión estatal o una investigación *motu proprio* (iniciada por el fiscal de la corte). International Coalition for the International Criminal Court, *The crime of aggression* [en línea], disponible en: *http://coalitionfortheicc.org/explore/icc-crimes/crime-aggression*, fecha de revisión: 20/07/2019.

978 Como ha destacado la jurisprudencia internacional, las violaciones al DIH conllevan la atribución de responsabilidad penal individual, independientemente de que la violación se cometa en conflictos armados internos o internacionales. (Por ejemplo, Tribunal Penal Internacional para la Antigua Yugoslavia (TPIY), *El Fiscal vs. Dusko Tadić a/k/a «DULE», op. cit., véase párrafo 129.*) Ahora bien, como se ha señalado a lo largo de esta investigación, los ejes centrales de este estudio se abordan en relación con el uso de los SAAL en el contexto de los conflictos armados internacionales. En ese sentido, aunque el enfoque de análisis se dé bajo esa perspectiva, igual cualquier reflexión o análisis que sobre la responsabilidad individual sea expuesto aquí, será perfectamente aplicable a aquellos casos en los que se haga uso de SAAL en conflictos armados no internacionales.

ante tribunales nacionales sean factibles[979]. No obstante, en ciertas circunstancias, las personas acusadas de cualquiera de estos crímenes pueden ser procesadas también ante un tribunal internacional que posea jurisdicción especial[980], o ante jurisdicciones híbridas o mixtas[981].

---

979 Fenrick, W. J., «The prosecution of international crimes in relation to the conduct of military operations», en Gill, T. y Fleck, D. (eds.), *The handbook of the International Law of Military Operations*, Londres, 2.ª edición, Oxford University Press, 2015, pp. 546-558, *véanse páginas 546 y 547*.

980 Hoy en día el tribunal especial en materia de CDI es, por excelencia, la Corte Penal Internacional. Su jurisdicción se extiende solo a la determinación de la responsabilidad penal de los individuos. Cuando esas personas también son funcionarios o agentes de los Estados, pueden plantearse preguntas sobre si es posible atribuir responsabilidad al Estado por los actos cometidos por esos funcionarios o agentes. De hecho, cuando un CDI dentro de la jurisdicción de la CPI es cometido por un órgano estatal o una persona cuyos actos están vinculados a un Estado, por lo general también habrá un caso de responsabilidad estatal por incumplimiento del derecho internacional, aunque el mismo seguirá otros procesos diferentes y fuera de la CPI. Todo esto se debe a que los crímenes que están dentro de la jurisdicción de la CPI reflejan el concepto de lo que se conoce como «obligaciones dobles». Esto quiere decir que, en principio, las prohibiciones que subyacen en esos «graves crímenes» no se dirigen simplemente a individuos, sino que también se relacionan con las propias obligaciones impuestas a los Estados de los cuales formen parte esos individuos. Al respecto, Bonafè, B. I., «Reassessing dual responsibility for international crimes», *Sequência*, vol. 37, 2016, núm. 73, pp. 19-36, disponible en: *http://www.scielo.br/pdf/seq/n73/0101-9562-seq-73-00019.pdf*, fecha de revisión: 20/07/2019.

981 Jurisdicciones híbridas o mixtas: se dan cuando la estructura jurisdiccional de un Estado se encuentra seriamente afectada por una guerra civil o internacional, y para garantizar el juzgamiento de los graves crímenes internacionales cometidos, se crean nuevos tribunales o se integran los ya existentes con jueces internacionales quienes actúan en conjunción con los estatales. Estos órganos comparten elementos nacionales e internacionales en tres ámbitos: su creación (a través de un acuerdo del Estado implicado, y con la participación de la comunidad internacional), su estructura (tribunales integrados por jueces tanto nacionales como internacionales) y el derecho que aplican (una mezcla de CDI y delitos tipificados en el ordenamiento jurídico interno del Estado implicado). Algunos ejemplos de estos tipos de tribunales pueden ser: el Tribunal Especial de Sierra Leona (creado por el Tratado de Freetown en 2002, entre UN y Sierra Leona) y el Tribunal Especial de Camboya (creado en 2003 entre UN y Camboya). Al respecto, Dobovsek, J., «La jurisdicción internacional penal», *Aequitas Virtual*, 2004 [en línea], disponible en: *http://www.corteidh.or.cr/tablas/r27453.pdf*, fecha de revisión: 12/08/2019, *véase página 11*; y Bonet, J. y Alija, A., *Impunidad, derechos humanos y justicia transicional*, Bilbao, Instituto de Derechos Humanos de la Universidad de Deusto, 2009 (Cuadernos de Deusto

Por otro lado, es crucial tener presente que, históricamente, el surgimiento del régimen de responsabilidad penal individual por la comisión de graves crímenes internacionales se debió, concretamente, a un profundo deseo de responsabilizar a las personas por las atrocidades sucedidas durante la Segunda Guerra Mundial y desalentar los acontecimientos futuros[982]. Así, el DIP ha resultado ser muy útil no solo para crear prohibiciones penales sino, además, para crear un régimen de responsabilidad apropiado para este tipo de delitos.

La responsabilidad penal individual tiene como principal enfoque aquellos casos en los que la comisión de un CDI ha sido ejecutada directamente por una persona («el perpetrador»)[983]. No obstante, ese

---

de Derechos Humanos, 53) [en línea], disponible en: *http://www.deusto-publicaciones.es/deusto/pdfs/cuadernosdcho/cuadernosdcho53.pdf*, fecha de revisión: 12/08/2019, *véase página 151.*

982 Greppi, E., «The evolution of individual criminal responsibility under international law», *International Review of the Red Cross*, vol. 81, 1999, núm. 835, pp. 531-553, disponible en: *https://www.icrc.org/en/doc/resources/documents/article/other/57jq2x.htm*

983 Según el artículo 25, numeral 3, letra «a» del Estatuto de Roma de la CPI, existen tres tipos de perpetración o autorías a la hora de que se lleve a cabo la comisión de un CDI: por un lado, aquel que comete el delito por sí solo (autoría individual directa o autoría única); luego quien ejecute el crimen con otro (supuesto de coautoría); y, por último, el que realice el crimen por conducto de otro, sea este o no penalmente responsable (autoría mediata, o también conocida como «coautoría indirecta», la cual tiene especial incidencia en cuanto a la responsabilidad de mando que se verá luego en otras secciones). Es lógico que el Estatuto de la CPI haya establecido tres tipos de autorías, ya que es poco probable que un CDI se lleve a cabo por la acción de un único perpetrador. En este sentido, puede haber uno o más perpetradores en relación con el mismo delito cuando la conducta de cada perpetrador satisfaga como principio los elementos requeridos en la ofensa sustantiva. Al respecto, Rodríguez-Villasante, J., «Los principios generales de derecho penal y la responsabilidad penal individual en el Estatuto de Roma de la Corte Penal Internacional», *Revista del Instituto de Ciencias Penales y Criminológicas*, vol. 21, 2000, núm. 69, pp. 13-36, disponible en: *https://dialnet.unirioja.es/descarga/articulo/5319410.pdf*, *véanse páginas 29-33*; Hernández Suárez-Llanos, F., «Autoría y participación en el crimen internacional», *Revista Jurídica de la Universidad Autónoma de Madrid*, 2004, núm. 11, pp. 171-208, disponible en: *https://repositorio.uam.es/handle/10486/3038*, *véanse páginas 182-189*; Fenrick, W. J., «The prosecution of international crimes in relation to the conduct of military operations», *op. cit.*, *véanse páginas 548-551*; Swart, B., «Modes of international criminal liability, in the oxford companion to international criminal justice», en Cassese, A. (ed.), *The Oxford compan-*

régimen de responsabilidad también se aplica cuando la persona acusada contribuye/interviene/participa de manera directa en un crimen dando órdenes[984], planeando, instigando, induciendo, siendo miembro de una empresa criminal conjunta (en adelante, ECC), actuando en complicidad, colaborando y encubriendo[985]. Todos estos modos

---

ion to international criminal justice, Oxford, Oxford University Press, 2009, pp. 82-96, *véase página 91*; International Criminal Law Services, «Module 10: Modes of Liability: Superior Responsibility», parte del proyecto OSCE-ODIHR/ICTY/UNICRI titulado «Supporting the Transfer of Knowledge and Materials of War Crimes Cases from the ICTY to National Jurisdictions», bajo el auspicio de la Unión Europea, disponible en: *https://iici.global/0.5.1/wp-content/uploads/2018/03/icls-training-materials-sec-10-superior-responsibility.pdf*, fecha de revisión: 13/07/2019, *véanse páginas 5 y 6*; y Tribunal Penal Internacional para Ruanda (TPIR), *El Fiscal vs. Kamuhanda*, Caso núm. ICTR-99-54A (22 de enero de 2003), disponible en: *https://www.legal-tools.org/doc/4ac346/pdf/*, fecha de revisión: 13/07/2019, *véase párrafo 595*.

984 Es importante destacar que dar una orden, como forma de participación criminal punible, está establecida en el artículo 25, numeral 3, letra «b» del Estatuto de Roma de la CPI. Sin embargo, en determinadas circunstancias, dar una orden también podría implicar una forma de autoría mediata —o lo que la jurisprudencia de la CPI ha denominado «coautoría indirecta»— a tenor de lo establecido en el tercer supuesto del artículo 25, numeral 3, letra «a» *eiusdem*. Para una mayor aproximación acerca de este último asunto, véase la nota al pie de página núm. 1031 del presente capítulo. Al respecto, Corte Penal Internacional (CPI), *El Fiscal vs. William Samoei Ruto y Joshua Arap San* (Decision on the Confirmation of Charges), Caso núm. ICC 01/09-01/11 (23 de enero de 2012), disponible en: *http://www.worldcourts.com/icc/eng/decisions/2012.01.23_Prosecutor_v_Ruto.pdf*, fecha de revisión: 31/08/2019, *véase párrafo 292*; Corte Penal Internacional (CPI), *El Fiscal vs. Germain Katanga and Mathieu Ngudjolo Chui* (Decision on the Confirmation of Charges), Caso núm. ICC-01/04-01/07-717 (30 de septiembre de 2008), disponible en: *https://www.icc-cpi.int/CourtRecords/CR2008_05172.PDF*, fecha de revisión: 31/08/2019, *véase párrafos 491-499*; y Corte Penal Internacional (CPI), *El Fiscal vs. Muthaura, Kenyatta y Ali* (Decision on the Confirmation of Charges), Caso núm. ICC-01/09-02/11 (23 de enero de 2012), disponible en: *http://www.worldcourts.com/icc/eng/decisions/2012.01.23_Prosecutor_v_Muthaura.pdf*, fecha de revisión: 31/08/2019, *véase párrafos 407-410*.

985 Al respecto, Jefatura de Estado del Gobierno español, «Instrumento de Ratificación del Estatuto de Roma de la Corte Penal Internacional, hecho en Roma el 17 de julio de 1998», *op. cit.*, *véase artículo 25*; Swart, B., «Modes of international criminal liability, in the oxford companion to international criminal justice», *op. cit.*, *véase página 89*; Werle, G. y Bung, J., *Summary (Indiv. Crim. Responsibility) International Criminal Justice*, Berlín, Humboldt University, 2010 [en línea], disponible en: *http://werle.rewi.hu-berlin.de/07_Individual%20Crim-*

de participación —que en su mayoría se encuentran enumerados y clasificados hoy en el artículo 25.3 del Estatuto de Roma de la Corte Penal Internacional (en adelante, CPI)— han sido sistematizados mediante criterios jurisprudenciales[986] emitidos por tribunales penales internacionales[987].

Ahora bien, de manera general, para que se establezca la responsabilidad penal individual es necesario que se pruebe de antemano la ejecución de una acción injusta o ilegal (*actus reus*) junto con la existencia de un estado de ánimo criminal culpable (*mens rea*) del perpetrador, es decir, de la persona que comete el CDI[988]. En conflictos armados, *grosso modo*, sendos elementos se dan cuando un combatiente, consciente de que cierta conducta o arma está prohibida por el derecho internacional, igual participa en esa conducta o hace uso de esa arma en particular[989]. No obstante, como luego se verá en esta sección, pueden darse algunas particularidades adicionales relacionadas con el modo concreto de participación que se le atribuya

---

inal%20Responsibility-Summary.pdf, fecha de revisión: 08/08/2019, *véanse páginas 2 y 3*; y Fenrick, W. J., «The prosecution of international crimes in relation to the conduct of military operations», *op. cit.*, *véase página 550*.

986 Por ejemplo, Tribunal Penal Internacional para la Antigua Yugoslavia (TPIY), *El Fiscal vs. Furundzija*, Caso núm. IT-95-17/1-T (10 de diciembre de 1998), disponible en: *http://www.icty.org/x/cases/furundzija/tjug/en/fur-tj981210e.pdf*, fecha de revisión: 31/08/2019, *véase párrafo 189*; Hola, B., Smeulers, A. y Bijleveld, C., «International sentencing facts and figures sentencing practice at the ICTY and ICTR», *Journal of International Criminal Justice*, vol. 9, 2011, núm. 2, pp. 411-439, disponible en: *https://www.legal-tools.org/doc/4ba8ff/pdf/*, *véanse páginas 415 y 417*; y Van Sliedregt, E., *The criminal responsibility of individuals for violations of International Humanitarian Law*, La Haya, TMC Asser Press, 2003, *véanse páginas 61-67*.

987 A lo largo del presente apartado, se hará mención de muchos criterios jurisprudenciales dictados por varios tribunales penales internacionales que han sido un referente en el DIP. Sin embargo, cuando se trate de analizar el sentido y el alcance de cualquier artículo del Estatuto de la CPI, el criterio que prevalecerá siempre será el establecido en las decisiones emitidas por este tribunal internacional especializado.

988 Martin, J. y Storey, T., *Unlocking Criminal Law*, Londres, 5.ª edición, Routledge, 2015, *véanse páginas 18 y 19*.

989 Jones, J. y Powles, S., *International criminal practice*, Leiden (Países Bajos), 3.ª edición, Martinus Nijhoff, 2003, *véanse páginas 414-424*; y Chengeta, T., «Accountability gap: Autonomous weapon systems and modes of responsibility in International Law», *op. cit.*, *véanse las páginas 16, 17 y 19*.

al individuo acusado, condiciones extra que deberán ser satisfechas también para así poder considerar —en supuestos específicos— que se ha cumplido —o no— con el *mes rea* y el *actus reus*.

No obstante, lo que ya debe quedar sentado es que, por definición, para que un CDI dé lugar a una responsabilidad penal individual debe haber sido cometido por una persona que actúe «voluntariamente», es decir, que lo haga de manera intencional o imprudente. Ello permite inferir entonces que solo los humanos, y no las máquinas, son a quienes puede aplicárseles este régimen de responsabilidad penal[990].

---

990 Efectivamente, tal y como han afirmado Austria, Australia, Brasil, Canadá, Chile, Irlanda, Japón, Luxemburgo, México, Nueva Zelanda, Reino Unido, UE y EE.UU., respectivamente, el derecho internacional (particularmente el DIH, el DIDH y el DIPenal, incluidas las reglas de atribución de responsabilidad válidas en cada caso) aplica al uso de cualquier sistema armamentístico. Bajo esa premisa, dicho cuerpo normativo impone obligaciones al respecto a los Estados, a las partes de un conflicto y a los individuos, pero nunca a las máquinas *per se*. Por tanto, el juicio humano siempre será esencial para garantizar el uso potencial de los sistemas de armas basados en tecnologías emergentes en el área de los SAAL. Ello es así, dado que la aplicación y el cumplimiento del derecho internacional requieren un juicio basado en valores y específico del contexto por parte de los seres humanos, y este requisito no puede ser sustituido por máquinas o sistemas autónomos. Por lo tanto, la responsabilidad humana y la rendición de cuentas no pueden, bajo ninguna circunstancia, transferirse a las máquinas. Weizmann, N. y Costas Trascasas, M., «Autonomous weapon systems under International Law», *Academy briefing for the Geneva Academy of International Humanitarian Law and Human Rights*, 2014, núm. 8 [en línea], disponible en: *https://www.geneva-academy.ch/joomlatools-files/docman-files/Publications/Academy%20Briefings/Autonomous%20Weapon%20Systems%20under%20International%20Law_Academy%20Briefing%20No%208.pdf*, fecha de revisión: 13/07/2019, *véase página 21*. También véase: Gobiernos de Australia, Canadá, Japón, Reino Unido y Estados Unidos, «Building on Chile's Proposed Four Elements of Further Work for the Convention on Certain Conventional Weapons (CCW) Group of Governmental Experts (GGE) on Emerging Technologies in the Area of Lethal Autonomous Weapons Systems (LAWS)», sin número ni fecha, presentado ante el Grupo de Expertos Gubernamentales sobre los sistemas de armas autónomas letales de la CCW, junio de 2021 [en línea], disponible en: *https://documents.unoda.org/wp-content/uploads/2021/06/Australia-Canada-Japan-United-Kingdom-United-States.pdf*, fecha de revisión: 01/07/2021; Gobiernos de Austria, Brasil, Chile, Irlanda, Luxemburgo, México y Nueva Zelanda, «Joint Submission on possible consensus recommendations in relation to the clarification, consideration and development of aspects of the normative and operational framework on emerging technologies in the area of lethal autonomous weapons systems», sin número ni fecha, presentado ante el

En ese sentido, cuando se esté en presencia de la comisión de un CDI realizada a través de un SAAL, en principio será el individuo que desplegó el sistema autónomo quien deberá ser considerado penalmente responsable por la ejecución de ese delito, siempre y cuando lo haya hecho de manera intencional. Además, si el acusado lleva a cabo el despliegue junto a otra persona física más, o por conducto de otra, sea esta o no penalmente responsable, el régimen de responsabilidad aplicable a ambos supuestos también será la responsabilidad penal individual, aunque a título de coautores según corresponda[991].

Así las cosas, pareciera que, cuando se trata de casos en los que hay que determinar la autoría, coautoría o coautoría indirecta de un CDI, es bastante claro a quién debería responsabilizarse por la comisión de ese delito, independientemente de si se ejecutó a través de un SAAL. No obstante, dado el alto grado de autonomía en las funciones de esos sistemas, sí que surgen dos hipótesis que la doctrina no ha resuelto aún, con respecto a la atribución de la responsabilidad penal individual por el uso de AW con las cuales se cometan hechos ilícitos:

a. Cuando se trata del uso de SAAL, se pueden dar casos en los que las personas que despliegan el arma autónoma no lo hacen con la intención de hacer daño o cometer un CDI. No obstante, dado su alto nivel de autosuficiencia y autodirección, el sistema armamentístico autónomo podría llevar a cabo por sí solo un ataque de una manera no prevista por el operador o

Grupo de Expertos Gubernamentales sobre los sistemas de armas autónomas letales de la CCW, junio de 2021 [en línea], disponible en: *https://documents.unoda.org/wp-content/uploads/2021/06/Austria-Brazil-Chile-Ireland-Luxembourg-Mexico-and-New-Zealand.pdf*, fecha de revisión: 01/07/2021; y, Unión Europea, *Nota verbal s/n con las contribuciones sobre posibles recomendaciones consensuadas en relación con la aclaración, consideración y el desarrollo de aspectos del marco normativo y operativo sobre tecnologías emergentes en el área de los SAAL*, dirigida al embajador belga Marc Pecsteen, de fecha 16 de junio de 2021, [en línea], disponible en: *https://documents.unoda.org/wp-content/uploads/2021/06/European-Union.pdf*, última fecha de revisión: 01/07/2021.

991 En principio, y dependiendo del caso en concreto, en estos supuestos tendría cabida la atribución de responsabilidad penal individual a título de «coautoría» o «coautoría indirecta», respectivamente. Para una mayor aproximación a estos conceptos, véanse las notas al pie de página núm. 983 y 984 de este capítulo.

comandante, y que además degenere en un CDI. En este tipo de situaciones, ¿sería posible responsabilizar por ese delito a quien desplegó el arma con la cual se cometió el crimen?

Como se señaló en párrafos previos, para que se pueda atribuir responsabilidad penal individual se requiere la presencia de un elemento volitivo. No obstante, este elemento no solo se representa a través del dolo directo (en primer y segundo grado[992]). Según algunos criterios interpretativos emitidos por tribunales internacionales *ad hoc*, así como por decisiones puntuales de la CPI, el elemento volitivo podría abarcar, *inter alia*, situaciones de dolo eventual en las que el acusado es consciente del riesgo de que los elementos objetivos del tipo del delito pueden resultar de sus acciones u omisiones y, pese a ello, acepta el resultado criminal al reconciliarse con este, o simplemente consentirlo[993]. Esta corriente jurisprudencial internacional, últimamente en desuso por la CPI, señala que, cuando se trata de dolo eventual, se pueden distinguir dos escenarios:

---

992 Dolo directo en primer grado (intención directa) requiere que una persona sepa que sus actos u omisiones provocarán los elementos materiales del crimen y los lleva a cabo con la voluntad (intención) o el deseo de hacerlo. El elemento volitivo prevalece sobre el elemento cognitivo, ya que la persona voluntariamente pretende/desea alcanzar el resultado prohibido. En cambio, el dolo directo de segundo grado es una situación en la que el sospechoso, sin tener la intención concreta de lograr los elementos objetivos del crimen, es consciente de que dichos elementos serán el resultado casi inevitable de sus acciones u omisiones. En este contexto, la intensidad del elemento volitivo está anulada por el elemento cognitivo de la conciencia de que sus actos u omisiones «causarán» las consecuencias prohibidas no deseadas. Al respecto, Marchuk, I., *The fundametal concept of crime in International Criminal Law,* Berlín, Springer, 2014, *véanse páginas 130 y 131*; y Corte Penal Internacional (CPI), *El Fiscal vs. Jean-Pierre Bemba Gombo*, Caso núm. ICC-01/05-01/08 (15 de junio de 2009), disponible en: *https://www.icc-cpi.int/CourtRecords/CR2009_04528.PDF*, fecha de revisión: 31/08/2019, *véase párrafo 359*.

993 Por ejemplo, Tribunal Penal Internacional para la Antigua Yugoslavia (TPIY), *El Fiscal vs. Dusko Tadić*, Caso núm. IT-94-1-A (15 de julio de 1999), disponible en: *http://www.icty.org/x/cases/tadic/acjug/en/tad-aj990715e.pdf*, fecha de revisión: 31/08/2019, *véase párrafos 219 y 220*; Tribunal Penal Internacional para la Antigua Yugoslavia (TPIY), *El Fiscal vs. Milomir Stakic*, Caso núm. IT-97-24-T (31 de julio de 2003), disponible en: *http://www.icty.org/x/cases/stakic/tjug/en/stak-tj030731e.pdf*,

Por un lado, se puede dar el caso en el que el riesgo objetivo de producir los elementos objetivos del tipo sea sustancial, en tanto que existe una probabilidad importante de que dichos elementos se producirán «en el curso normal de los acontecimientos»). En este escenario, el hecho de que el imputado acepte la idea de que tales elementos se podrían producir es algo que se puede deducir cuando: a) el acusado conozca la probabilidad sustancial de que sus acciones u omisiones resultarán en la ejecución de los elementos objetivos del tipo; y, b) decida igualmente proceder con sus acciones u omisiones a pesar de este conocimiento. Por otro lado, están aquellos casos en los que el riesgo de producir los elementos objetivos del tipo es bajo. En estos escenarios, la aceptación del riesgo no se puede inferir. Por tanto, el imputado debe haber aceptado expresamente la producción de dichos elementos como resultado de sus acciones u omisiones, sin que ello signifique que haya tenido la intención o dolo directo en cometer un crimen[994].

Aplicando estos criterios jurisprudenciales al caso de los SAAL, se podría colegir que cuando una persona decide desplegar un arma autónoma para llevar a cabo una focalización en un conflicto armado internacional, y lo hace además con pleno conocimiento de que existe un margen de probabilidad de que esa arma —dado su alto nivel de sofisticación y autonomía, junto a las condiciones contextuales propias del ataque planeado— puede cometer una acción impredecible que degenere en la realización de los elementos objetivo de un tipo penal internacional (por ejemplo, violando gravemente los principios básicos del DIH), se entiende que esa persona aceptó el riesgo que todo ello involucraba al desplegar esa arma autónoma —pese a su

---

fecha de revisión: 01/08/2019, véase párrafo 587; y Corte Penal Internacional (CPI), *El Fiscal vs. Thomas Lubanga Dyilo* (Decision on the Confirmation of Charges), Caso núm. ICC-01/04-01/06-803 (29 de enero de 2007), disponible en: *https://www.icc-cpi.int/CourtRecords/CR2007_02360.PDF*, fecha de revisión: 31/08/2019, *véase párrafos 350-353*.

994 Tribunal Penal Internacional para la Antigua Yugoslavia (TPIY), *El Fiscal vs. Dusko Tadić, op. cit., véase párrafos 219 y 220*; Tribunal Penal Internacional para la Antigua Yugoslavia (TPIY), *El Fiscal vs. Milomir Stakic, op. cit., véase párrafo 587*; y Corte Penal Internacional (CPI), *El Fiscal vs. Thomas Lubanga Dyilo* (Decision on the Confirmation of Charges), *op. cit., véase párrafos 350-353*.

impredecibilidad—, y por tanto asumió las consecuencias por todas las acciones llevadas a cabo por el SAAL aun cuando no hubieren sido previstas por esta[995]. Si dichas acciones, al final, resultaren en la comisión de un CDI, aquel que desplegó el arma en esas condiciones, sin duda, será responsable penal individual a título de dolo eventual por el delito cometido[996].

Precisado lo anterior, es importante subrayar también que, en la última década, aproximadamente, la CPI —concretamente— ha venido cambiando su criterio acerca del dolo eventual establecido en 2007. En 2009, por ejemplo, la Sala de Cuestiones Preliminares II de ese tribunal no estuvo de acuerdo con los hallazgos previos en cuanto a la inclusión del dolo eventual bajo la regla predeterminada establecida en el artículo 30 del Estatuto de Roma de la CPI[997]. En opinión de la Sala, dicho artículo textualmente no se ajusta a un estándar más bajo que el dolo directo en segundo grado. Lo curioso de todo es que, en 2012, la Cámara de Primera Instancia de la CPI[998], por un lado, reconoció que la interpretación de 2007 acerca del dolo eventual había sido errónea, pero por otro, explicó que el término conciencia, conforme al artículo 30 *eiusdem*, hace referencia a que una persona, basándose en su conocimiento de cómo se desarrollan los eventos en general, anticipa que «una consecuencia» se producirá en el futuro. Este pronóstico implica así la consideración de los conceptos de «posibilidad» y «probabilidad», que son inherentes a las nociones de «riesgo» y «peligro». El riesgo, según la sentencia, se define a su vez

---

995 En el caso concreto de los SAAL, el conocimiento de la existencia de un margen de probabilidad también debería venir determinado en función de la información real que la persona que desplegó el arma autónoma tenía a su disposición.

996 Igualmente sucedería en aquellos casos en los que la probabilidad de riesgo de que un SAAL pueda cometer un delito es baja, y formalmente la persona que despliega el arma igual acepta de antemano y de forma expresa ese riesgo probable, queda claro que la producción de los elementos de cualquier tipo penal internacional por parte del arma —en situaciones no previstas— será imputable a esa persona que desplegó el SAAL como resultado de su acción temeraria.

997 Corte Penal Internacional (CPI), *El Fiscal vs. Jean-Pierre Bemba Gombo*, Caso núm. ICC-01/05-01/08 (15 de junio de 2009), *op. cit.*, *véase párrafo 360.*

998 Que es la Sala que llevaba el caso de Thomas Lubanga Dyilo en el que se interpretó por primera vez que el dolo eventual se podía deducir del artículo 30 *eiusdem.*

como peligro, exposición a la posibilidad de pérdida, lesión u otra circunstancia adversa[999].

Así las cosas, y a pesar del cambio jurisprudencial planteado en los últimos años recientes por la CPI[1000], es forzoso concluir que la mera acción de despliegue de un arma autónoma, que de antemano se sabe que es altamente impredecible y sus acciones difíciles de evitar, implica un alto nivel de riesgo, asumido de antemano por la persona que realiza ese despliegue. Por tanto, dependiendo de los elementos probatorios que estén disponibles en cada caso en concreto, *a priori*, el individuo que desplegó el arma autónoma en tales condiciones podrá ser considerado penalmente responsable, a título de dolo eventual o dolo directo en segundo grado, por la ejecución de cualquier crimen no previsto que haya sido ejecutado por el SAAL.

Probablemente hay quienes pueden llegar a considerar que la conclusión anterior es injusta, sobre todo porque las personas que despliegan armas (estén dotadas —o no— de autonomía) para llevar a cabo un ataque en un conflicto armado internacional, lo hacen —generalmente— siguiendo una orden emitida por su Gobierno o su superior —sea este militar o civil—. Al respecto, se debe indicar que, más allá de lo que disponga la legislación nacional de cada país, en el campo del DIP las órdenes superiores no son, en principio, una eximente de responsabilidad[1001]. Por tanto, si el usuario final —combatiente—

---

999 Corte Penal Internacional (CPI), *El Fiscal vs. Thomas Lubanga Dyilo*, Caso núm. ICC-01/04-01/06-2842 (14 de marzo de 2012), disponible en: *https://www.icc-cpi.int/CourtRecords/CR2012_03942.PDF*, fecha de revisión: 31/08/2019, *véase párrafos 1011 y 1012*.

1000 No obstante, algunos comentaristas y jueces continúan sosteniendo que el dolo eventual sí se encuentra dentro de la norma predeterminada del artículo 30 del Estatuto de Roma de la CPI. Para más información sobre este debate, Ohlin, J. D., «Targeting and the concept of intent», *Cornell Law Faculty Publications*, paper núm. 774, 2013 [en línea], disponible en: *https://scholarship.law.cornell.edu/cgi/viewcontent.cgi?article=2354&context=facpub*, fecha de revisión: 08/08/2019, *véanse páginas 100-103*.

1001 Por ejemplo, el artículo 33 del Estatuto de Roma de la CPI establece como principio que, cuando a un soldado, obligado por la ley a obedecer a sus superiores, se le ordena cometer un acto que equivalga a un CDI, será considerado responsable penal individual si llega a acatar la orden y comete el delito instruido. No obstante, ese mismo artículo establece dos premisas necesarias para que el soldado que cometió el crimen pueda invocar la obediencia a órdenes superiores

despliega un SAAL sabiendo que es un arma impredecible, asume el riesgo y se le atribuye responsabilidad como tal por cualquier crimen cometido por ese sistema, independientemente de que la acción de despliegue del arma la hubiera llevado a cabo el combatiente siguiendo una orden superior.

b. Otra de las cuestiones que pueden plantearse cuando se despliega un SAAL es ¿se puede atribuir responsabilidad penal individual a alguna persona cuando un arma autónoma ha sido desplegada para llevar a cabo una operación militar conforme a derecho, pero en el decurso de la misión comete un CDI debido a un mal funcionamiento producto de un desperfecto técnico en la propia arma? Generalmente, a este tipo de planteamientos lo más idóneo sería responder con un «depende», sobre todo porque siempre estarán supeditados a elementos probatorios. Sin embargo, dadas las circunstancias antes descritas, se puede señalar —*a priori* y de manera general— que en casos como estos no se podrá aplicar el régimen de responsabilidad penal individual, porque la acción injusta o ilícita (*actus reus*) se ejecutó en ausencia de un estado de ánimo criminal culpable (*mens rea*).

Cuando una persona despliega un arma autónoma lo deseable es que lo haga estando consciente de que, como cualquier tecnología

---

como eximente de responsabilidad: a) el soldado deberá demostrar, por un lado, que estuvo obligado por ley a obedecer las órdenes emitidas por el Gobierno o el superior de que se trate; asimismo, que no supo que la orden era ilícita; y, por último, que la orden no era manifiestamente ilícita; b) los requisitos anteriores deben cumplirse de manera acumulativa. Sin embargo, es importante tener presente que esta excepción no se aplica cuando las órdenes superiores hubieran sido dadas para cometer genocidio o crímenes de lesa humanidad. Así pues, la manera como ha sido redactado el artículo *in comento* representa un compromiso entre los dos enfoques, un primero (enfoque de responsabilidad condicional) que se aplica para los crímenes de guerra y de agresión, y un segundo enfoque (principio de responsabilidad absoluta) que fue elegido para el genocidio y los crímenes de lesa humanidad. Al respecto, Hajdin, N., «Commentary on the ICC statute», *Case Matrix Network*, 30/06/2016 [en línea], disponible en: *https://www.casematrixnetwork.org/cmn-knowledge-hub/icc-commentary-clicc/commentary-rome-statute/commentary-rome-statute-part-3/*, fecha de revisión: 21/07/2019.

sofisticada, el SAAL puede de manera excepcional no funcionar correctamente debido a algún desperfecto técnico[1002]. De ser así, en esos casos habrá un individuo que es consciente de la existencia de un riesgo (potencial mal funcionamiento por un error técnico eventual) de generar los elementos objetivos del tipo (*actus reus*) como consecuencia de su acción (desplegar el arma autónoma), pero ese individuo no necesariamente ha de estar reconciliado con la idea de que realmente se producirán dichos elementos sino, todo lo contrario, ha de confiar en que al final no se va a producir ningún crimen.

Este tipo de situaciones podrían encajar en lo que la jurisprudencia internacional ha denominado imprudencia consciente, es decir, la aceptación de un riesgo de tal generalidad que no posee la entidad suficiente como para ser considerada parte del elemento volitivo necesario para entender que sí se puede aplicar en esas circunstancias el régimen de responsabilidad penal individual por la ejecución de un CDI[1003].

1002 Evidentemente ninguna tecnología es a prueba de fallos. Aun cuando un diseño y operación de desarrollo tecnológico puedan ser muy cuidadosos, el fallo catastrófico siempre es un riesgo persistente. Por tanto, es lógico que la complejidad y el estrecho acoplamiento en los sistemas, periódicamente, lleven a que existan «accidentes» que están fuera de las intenciones de los diseñadores y operadores del sistema. En el caso de los SAAL esto se torna más complejo aún, ya que dichos sistemas probablemente lleguen a ser complejos y estarán estrechamente acoplados, pero también habrá otros que estarán integrados dentro de sistemas más complejos, amplios y estrechamente acoplados, lo cual hace que el grado de riesgo de que se produzca un accidente aumente en razón de los altos niveles de improductividad y poco fiabilidad del sistema de sistemas. Al respecto, Instituto de las Naciones Unidas para la Investigación del Desarme, *Safety, unintentional risk and accidents in the weaponization of increasingly autonomous technologies* (documento de investigación), núm. 5, 2016 [en línea], disponible en: *http://www.unidir.org/files/publications/pdfs/safety-unintentional-risk-and-accidents-en-668.pdf*, fecha de revisión: 21/07/2019, *véase página 3*. Para profundizar más sobre cómo la inherente impredecibilidad e inevitabilidad de accidentes de los SAAL dificultaría la atribución de responsabilidad individual por aquellos crímenes internacionales cometidos a través de estos sistemas, Crootof, R., «War torts: accountability for autonomous weapons», *op. cit.*, *véanse páginas 1373-1375*.

1003 La imprudencia consciente es una especie de equivalente a lo que en algunas jurisdicciones se conoce como culpa consciente. En consecuencia, el problema de distinguir entre intención e imprudencia consciente surge porque en ambos casos el imputado es consciente de que puede generar el resultado prohibido. Al

Ahora bien, una vez precisado todo lo anterior, es importante destacar también que, dada la naturaleza tan grave y compleja de los CDI, es poco factible que su comisión se dé solo en virtud de la acción de un único perpetrador. Por tanto, se puede inferir que, en la mayoría de los delitos de esta clase lo habitual es que haya una pluralidad de sujetos. Este tipo de situaciones es lo que a nivel normativo y jurisprudencial internacional penal se conoce como *coautoría* del crimen[1004].

En párrafos previos se señaló que, ante la comisión de un CDI, se pueden dar supuestos en los que el perpetrador de ese delito lo lleve a cabo por sí solo (*autoría individual directa* o *autoría única*), junto con otro individuo (supuesto de *coautoría*) o por conducto de otra persona, sea esta o no penalmente responsable (*autoría mediata*, o también conocida como *coautoría indirecta*)[1005]. Sin embargo, existen otros tipos de casos en los que un individuo podría ser coautor de un CDI en razón a un tipo de participación particular y diferente.

---

respecto, Corte Penal Internacional (CPI), *El Fiscal vs. Thomas Lubanga Dyilo* (Decision on the Confirmation of Charges), *op. cit.*, *véase párrafo 355*.

1004 Corte Penal Internacional (CPI), *El Fiscal vs. Thomas Lubanga Dyilo*, *op. cit.*, *véase párrafos 980-1006 y 1018*; Tribunal Penal Internacional para la Antigua Yugoslavia (TPIY), *El Fiscal vs. Kunarac, Kovac y Vukovic*, Casos núms. IT-96-23-T e IT-96-23/1-T (22 de febrero de 2001), disponible en: *http://www.icty.org/x/cases/kunarac/tjug/en/kun-tj010222e.pdf*, fecha de revisión: 31/08/2019, *véase párrafo 390*; Tribunal Penal Internacional para Ruanda (TPIR), *El Fiscal vs. Kayishema y Ruzindana*, Caso núm. ICTR-95-1-A (1 de junio de 2001), disponible en: *http://www.worldcourts.com/ictr/eng/decisions/2001.06.01_Prosecutor_v_Kayishema.pdf, fecha de revisión: 01/08/2019, véase párrafos 187 y 192*. Los hallazgos esenciales de la jurisprudencia internacional acerca de los elementos sustantivos requeridos del crimen (especialmente vinculados a las formas de participación) se pueden encontrar resumidos en Tribunal Penal Internacional para la Antigua Yugoslavia (TPIY), *El Fiscal vs. Krstic*, Caso núm. IT-98-33-T (2 de agosto de 2001), disponible en: *http://www.icty.org/x/cases/krstic/tjug/en/krs-tj010802e.pdf*, fecha de revisión: 31/08/2019, *véase párrafo 601*. En ese sentido, también International Criminal Court, *Elements of crimes*, La Haya, International Criminal Court, 2013 [en línea], disponible en: *https://www.icc-cpi.int/resource-library/Documents/ElementsOfCrimesEng.pdf*, fecha de revisión: 08/08/2019.

1005 Para una mayor aproximación sobre estos conceptos, véanse las notas al pie de página núm. 983, 984 y 991 de este capítulo.

En primer lugar, están aquellos quienes hayan instigado planes y ordenado la comisión del crimen en cuestión[1006]. Para que este supuesto se dé el coautor debe participar del hecho criminal, de conformidad con un acuerdo o plan común, llevando a cabo contribuciones esenciales que, de forma coordinada, resulten en la realización de los elementos materiales del delito[1007] o la implementación del acuerdo o plan criminal[1008]. Por tanto, las actividades de esa persona deberán tener un efecto directo y sustancial en la comisión del hecho delictual. Además, por supuesto, la conducta del coautor debe realizarse con *mens rea*, es decir, con pleno conocimiento e intención de que a través de su participación colaboraría con el perpetrador principal en la comisión del crimen[1009].

1006 Tribunal Penal Internacional para la Antigua Yugoslavia (TPIY), *El Fiscal vs. Delalić et al.*, Caso núm. IT-96-21-T (16 de noviembre de 1998), disponible en: *http://www.icty.org/x/cases/mucic/tjug/en/981116_judg_en.pdf*, fecha de revisión: 31/08/2019, *véase párrafos 326, 328 y 345*; Tribunal Penal Internacional para la Antigua Yugoslavia (TPIY), *El Fiscal vs. Dusko Tadić*, *op. cit.*, *véase párrafos 185-192 y 220*; Tribunal Penal Internacional para la Antigua Yugoslavia (TPIY), *El Fiscal vs. Furundzija*, *op. cit.*, *véase párrafo 216*; y Swart, B., «Modes of international criminal liability, in the oxford companion to international criminal justice», *op. cit.*, *véanse páginas 83-88.*

1007 Según la CPI, la tarea asignada a un coautor (contribución esencial) no siempre ha de implicar la realización directa de algún elemento material del crimen. Por el contrario, también se considerará que alguien ha cometido un crimen de manera conjunta cuando solo asistió en la formulación de la estrategia o plan, participó en la dirección o control de otros participantes o determinó las funciones de los involucrados en el delito. Obviamente, en estos casos, se hace más necesario que nunca que se establezca un vínculo directo o físico entre la contribución del acusado y la comisión de los delitos de que se le acusan. Al respecto, Corte Penal Internacional (CPI), *El Fiscal vs. Thomas Lubanga Dyilo*, *op. cit.*, *véase párrafo 1004.*

1008 *ibid.*, *véase párrafos 980-1006 y 1018*; y Corte Penal Internacional (CPI), *El Fiscal vs. Thomas Lubanga Dyilo* (Decision on the Confirmation of Charges), *op. cit.*, *véase párrafo 347.*

1009 Téngase en cuenta que, en lo que respecta a la coautoría, todos los participantes pueden tener la misma intención criminal mientras uno o más de ellos ejecutan el acto criminal. Además, la intención criminal está presente cuando los participantes hayan tenido conocimiento de la supuesta conducta criminal o de su planificación y la promovieron intencionalmente. Incluso, la jurisprudencia ha precisado que, cuando uno de los participantes actúe fuera del plan común, si sus acciones eran predictibles, se considerará que los otros participantes han poseído la intención criminal.

Aplicando estas premisas a los casos en los que se cometa un CDI a través de un SAAL, es importante tener en cuenta lo siguiente: por un lado, tal y como se señaló en párrafos previos, si el despliegue de un SAAL con el que se cometió un CDI se llevó a cabo por un individuo junto con otra persona, cada uno de ellos es individualmente responsable por el crimen a título de coautor[1010]. Evidentemente, todas las condiciones propias del *actus reus* y del *mens rea* deben darse a tal efecto.

El problema se complica cuando se trata de personas que directamente (en sentido material) no han cometido el crimen (es decir, que no desplegaron el arma autónoma), pero igual se les podría considerar coautores del hecho dado que su participación ha tenido un efecto directo y sustancial en la comisión del delito. Por ejemplo, las personas involucradas en la producción, la fabricación, la programación o los diseños de este tipo de sistemas solo se considerarían coautores bajo esta premisa, en tanto que hubieran sido conscientes de que el sistema en particular se iba a utilizar para cometer un delito específico y que, pese a ello, igual tomaron la decisión consciente de proporcionar esa arma al perpetrador principal del crimen[1011]. El problema aquí estará en cómo establecer —a nivel probatorio— el estado de ánimo criminal.

En relación con la planeación, como parte de la coautoría, se podría considerar que el fabricante y el programador de un SAAL, por ejemplo, son coautores de cualquier delito cometido a través de esta arma, en la medida que cada uno de ellos haya ayudado, respecti-

---

[1010] Efectivamente, en párrafos previos se indicó que hay tres tipos de autorías que se pueden dar en la comisión de un CDI llevado a cabo a través del despliegue de un SAAL (autoría directa, coautoría y autoría mediata o coautoría indirecta). Ahora bien, a lo largo de esta sección, se analizará también si es posible atribuir responsabilidad criminal individual por la comisión de un delito ejecutado con un SAAL a personas que hayan actuado como participantes del hecho criminal. En especial, se valorará si hay cabida a supuestos en los que se pueda atribuir responsabilidad individual —a título de participación— a los fabricantes, los programadores, los diseñadores y las demás personas clave en el desarrollo de un SAAL por la comisión del delito ejecutado por ese sistema.

[1011] Téngase en cuenta que este supuesto aplica no solo al fabricante o al programador, sino también al diseñador o cualquier otra persona clave en el desarrollo de cualquier SAAL que, a través de su despliegue, haya sido una herramienta para la comisión de un crimen.

vamente, en la preparación de la comisión de ese delito específico mediante la fabricación o la programación del arma autónoma que, de una manera determinada, sirvió para la ejecución del crimen. No obstante, lo que pudiera volverse confuso en este tipo de supuestos es ver cómo demostrar que la colaboración de ambos individuos (fabricante y programador) se dio como parte de la planeación del diseño de la comisión del delito, tanto en su fase preparatoria como ejecutiva[1012]. De cualquier forma, lo crucial siempre será establecer, de alguna manera, la existencia de un vínculo directo o físico entre la contribución del coautor (fabricante, programador, diseñador o cualquier persona clave en el desarrollo del SAAL) y la ejecución de los delitos cometidos a través de ese sistema.

Aunado a lo anterior, es importante recordar que la responsabilidad penal individual puede plantearse en varios niveles. Por lo tanto, no es obligatorio que solo quien despliega directamente el arma en cuestión sea el único al que se le atribuya responsabilidad penal individual por el crimen cometido. Hay casos en los que la jurisprudencia señala que los líderes políticos pueden ser considerados individualmente responsables por haber influenciado directamente en la comisión de crímenes internacionales[1013].

Este supuesto, tal vez, podría abrir la posibilidad de que se llegue a considerar que una persona, por el hecho de haber participado en la producción, la programación o el diseño de un SAAL, ha sido una parte influyente en la comisión de cualquier CDI ejecutado a través de ese sistema. En ese caso, a esa persona influyente podría atribuírsele una responsabilidad criminal individual por el delito cometido con el SAAL. Además, bajo esta misma premisa, tal vez se podría llegar a pensar, incluso, que a los líderes que toman decisiones sobre el despliegue de un sistema autónomo con el que luego se comete un CDI

1012 Tribunal Penal Internacional para Ruanda (TPIR), *El Fiscal vs. Akayesu*, Caso núm. ICTR-96-4-T (2 de septiembre de 1998), disponible en: *http://www.worldcourts.com/ictr/eng/decisions/1998.09.02_Prosecutor_v_Akayesu.pdf*, fecha de revisión: 31/08/2019, *véase párrafo 480*; y Tribunal Penal Internacional para la Antigua Yugoslavia (TPIY), *El Fiscal vs. Kordid y Erkez*, Caso núm. IT-95-14/2-T (26 de febrero de 2001), disponible en: *http://www.icty.org/x/cases/kordic_cerkez/tjug/en/kor-tj010226e.pdf*, fecha de revisión: 31/08/2019, *véase párrafo 386*.

1013 Jones, J. y Powles, S., *International criminal practice*, *op. cit.*, *véase página 410*.

debería considerárseles también responsables penales individuales por los delitos ejecutados a través de esa arma autónoma.

De cualquier forma, tal y como sucede cuando se despliegan «soldados ordinarios» en el terreno[1014], es importante tener presente que la eventual atribución de responsabilidad a líderes políticos o miembros del Alto Mando de los Gobiernos no exime de responsabilidad individual criminal a aquellas personas que, siendo parte de esos Estados, hayan desplegado el SAAL con el que se cometió el crimen. Esto aplica también al resto de individuos que hubieran participado directamente en la ejecución de ese mismo delito.

Ahora bien, en los casos de categorías de criminalidad colectiva que la doctrina y la jurisprudencia denomina *finalidad criminal común* y *empresa criminal conjunta* (ECC), la jurisprudencia ha dejado claro además que, para que se configure el elemento del *actus reus* de parte de los coautores, no es necesario que haya una estructura militar, política o administrativa organizada[1015]. Bajo la doctrina de la finalidad criminal común o del ECC, solo se necesita la existencia de un plan, diseño o propósito común que equivalga o implique la comisión de un delito para que así el *actus reus* se encuentre satisfecho. Tampoco es necesario que el plan haya existido antes de la comisión del delito, ya que un plan o fin común puede materializarse de manera improvisada[1016].

Además de lo anterior, en este tipo de supuestos de participación criminal, el requisito del *mens rea* se dará por cumplido una vez que se compruebe que los acusados han actuado con la intención de perpetrar un delito común, o perseguir un diseño criminal común más la previsión de que cualquier hecho delictual fuera de la finalidad criminal común probablemente se hubiera cometido para alcanzar ese

---

1014 Tribunal Penal Internacional para la Antigua Yugoslavia (TPIY), *El Fiscal vs. Delalić et al., op. cit., véase párrafos 1280-1283.*

1015 Tribunal Penal Internacional para la Antigua Yugoslavia (TPIY), *El Fiscal vs. Dusko Tadić, op. cit., véase párrafos 196-229.*

1016 Ello es lógico, ya que a veces, el plan o fin común criminal puede llegar a inferirse del mero hecho de que una pluralidad de personas haya actuado al unísono para poner en práctica una empresa criminal conjunta.

mismo fin común[1017]. Así las cosas, aplicando todos estos criterios al uso de SAAL, tal vez se podría dar el supuesto en el que un fabricante o un desarrollador —por ejemplo— terminen siendo considerados individualmente responsables por haber contribuido —cada uno desde su posición— en la ejecución de un plan criminal común una vez que se haya establecido que el delito objeto de ese plan fue cometido a través del arma autónoma fabricada o desarrollada por estos individuos, respectivamente.

Finalmente, con relación a la *complicidad* o el *encubrimiento*, es importante destacar que el elemento del *actus reus* solo se dará cuando el acusado haya ejecutado actos dirigidos específicamente a colaborar, incentivar o prestar apoyo moral de efecto sustancial a la comisión de un determinado CDI. Esto significa que, a diferencia de la doctrina de la finalidad criminal común o ECC, el cómplice y el encubridor siempre actúan de manera accesoria al crimen perpetrado por otra persona (actor principal), por lo que no se requiere ninguna

---

[1017] Como ya se señaló, el concepto de coautoría en general permite que un individuo sea considerado como coautor de un delito a pesar de no haber llevado a cabo directamente los elementos de su tipo objetivo, en tanto que la ejecución física y material de estos se le atribuye a las acciones u omisiones de terceros. No obstante, para demostrar esa coautoría, se debe establecer que el coautor (i) actuó de manera coordinada en ejecución de un plan común; y (ii) compartió la intención de que se cometiera el delito de que se trate. Ahora bien, la situación en la variante amplia de ECC es distinta, ya que a pesar de la existencia de un plan común: (i) los delitos predictibles no son considerados parte de ese plan, en cuanto que solo constituyen una consecuencia posible de su ejecución; y (ii) no existe una intención compartida entre los miembros de la ECC de que se cometan tales delitos predictibles. Tribunal Penal Internacional para la Antigua Yugoslavia (TPIY), *El Fiscal vs. Dusko Tadić*, *op. cit., véase párrafos 228 y 229*; Corte Penal Internacional (CPI), *El Fiscal vs. Thomas Lubanga Dyilo* (Decision on the Confirmation of Charges), *op. cit.*, *véase párrafo 326*; Corte Penal Internacional (CPI), *El Fiscal vs. Germain Katanga and Mathieu Ngudjolo Chui* (Decision on the Confirmation of Charges), *op. cit.*, *véase párrafo 520*; y Olásolo, H., «Reflexiones sobre la doctrina de la empresa criminal común en Derecho internacional penal», *InDret, Revista para el Análisis del Derecho*, 2009, núm. 3 [en línea], disponible en: *http://www.indret.com/pdf/648_es.pdf*, fecha de revisión: 10/08/2019, *véanse páginas 15-18*.

prueba de la existencia de un plan concertado común entre el actor accesorio y el principal, y menos aún de la preexistencia de este[1018].

Empleando estos criterios al uso de SAAL, indudablemente no sería necesario demostrar si hubo un plan común, por ejemplo, entre los fabricantes, los programadores u otros actores clave vinculados al desarrollo del sistema autónomo y la persona que desplegó dicho sistema para cometer algún CDI. Además, puede darse el caso en el que la persona que despliega el SAAL —el perpetrador principal— incluso no conozca nada acerca de la contribución del cómplice o encubridor. Por lo tanto, el hecho de fabricar, programar o diseñar un arma autónoma que, después, sea desplegada por otra persona para cometer un CDI, podría —dependiendo de las circunstancias— ser considerado un hecho suficiente como para pensar que cualquiera de estos individuos son cómplices o encubridores del perpetrador principal.

A modo de reflexión final, es importante entonces precisar lo siguiente: cuando un individuo despliega por sí solo, junto con otro, o por conducto de otro —sea este o no penalmente responsable— un arma autónoma con la clara intención y conocimiento de cometer un CDI, es claro que el régimen de responsabilidad penal individual sería efectivo para poder definir quiénes deberían ser penalmente responsables por ese crimen.

En el resto de los modos de participación criminal, solo se podría aplicar este mismo régimen de responsabilidad penal individual, en tanto que se logren establecer las condiciones especiales que son propias de cada modo de participación en concreto. El problema con esto es que no será una tarea fácil, sobre todo a nivel probatorio.

Las AW, dado su alto nivel de sofisticación tecnológica, pueden llegar a ser muy complejas, sobre todo para aquellos quienes las despliegan. Entender cómo funcionan no es algo fácil. Sin embargo, teniendo en cuenta que muchas armas de hoy, aunque no sean SAAL, igual son

---

1018 Según la jurisprudencia, lo que realmente se necesita establecer es que hubo una contribución de parte del cómplice o del encubridor en la comisión del crimen, y con el conocimiento de que sus actos realizados ayudarían a la comisión de ese delito específico ejecutado por el perpetrador principal. Tribunal Penal Internacional para la Antigua Yugoslavia (TPIY), *El Fiscal vs. Dusko Tadić*, *op. cit.*, *véase párrafos 227-229*.

complejas en su diseño, ¿cuánto debería conocer entonces un comandante o un operador —por ejemplo— acerca de un SAAL antes de que dicha arma sea desplegada en un conflicto armado?

Hay quienes consideran que los combatientes que usan un arma autónoma no tienen por qué saber cómo esta ha sido programada, y menos aún de qué forma se producen todas las interacciones computacionales dentro del sistema en sí[1019]. En su lugar, únicamente lo que necesitan entender antes de su despliegue es el resultado de lo que puede y no puede hacer el SAAL.

El problema con este tipo de inferencias es que, como se dijo en capítulos previos, un arma autónoma no es cien por cien predecible ni fiable. Así pues, *a priori*, exigir que un comandante u operador conozcan qué es «lo que puede o no puede hacer» el sistema puede convertirse en una obligación casi imposible de cumplir por parte de esos individuos.

Indudablemente, dada su capacidad destructiva y su impredecibilidad inherente, si los SAAL continúan siendo utilizados, inevitablemente estarán involucrados en un accidente con consecuencias devastadoras y mortales. Suponiendo que, en un caso hipotético de un CDI ejecutado por un SAAL, nadie hubiera pretendido que el accidente ocurriera o actuara de manera imprudente, es poco probable que una persona pueda ser considerada individualmente responsable en virtud del DIP. La impredecibilidad propia de las AW hace difícil poder controlar, pero sobre todo comprender, todo lo que puede —o no— hacer el arma autónoma.

Por todo ello, cualquier combatiente, al momento de seleccionar un SAAL para luego desplegarlo como instrumento de ataque, debe tener plena conciencia de cuáles son las capacidades militares que ofrece el arma en sí, saber qué es lo que técnicamente el sistema es capaz de hacer y, sobre todo, conocer cuál es el margen de probabilidad de que pueda existir el riesgo o peligro de que el arma autónoma llegue a actuar de modo impredecible y tener un mal funcionamiento técnico.

1019 Sassòli, M., «Autonomous weapons and International Humanitarian Law: Advantages, open technical questions and legal issues to be clarified», *op. cit.*, *véase página 324*.

Esta información, en su conjunto, será clave para aquella persona que realiza (o colabora/contribuye con) el despliegue del arma autónoma, porque así tendrá todas las herramientas necesarias para ejercer un control humano eficaz en las funciones del sistema. Por tanto, aun cuando los combatientes estén muy bien formados como para saber qué puede —o no— hacer un SAAL, igual deberán conocer qué probabilidad real existe de que el sistema autónomo, en virtud de su propia naturaleza y las condiciones contextuales del ataque en sí, y una vez activado y desplegado, lleve a cabo sus funciones de una manera ilegal no prevista por estos[1020].

Así pues, tal y como se señaló en párrafos previos, la impredecibilidad de los SAAL, salvo los casos del artículo 25.3 letra «a» del Estatuto de Roma de la CPI, dificulta establecer con claridad el *mens rea* y, por lo tanto, puede conllevar la relativización o disminución de la culpabilidad del individuo que la implementa[1021]. Tal vez si un individuo —que no sea comandante de misión— despliega un arma sabiendo de antemano la probabilidad del riesgo o del peligro de que esta podría actuar de manera impredecible y poco fiable, dicho individuo podría —dependiendo del caso— llegar a ser responsable penalmente a título de dolo eventual o dolo directo en segundo grado[1022], en caso de que esa arma autónoma cometa un crimen luego de haber sido desplegada.

La segunda cuestión relacionada con el uso de SAAL en conflictos armados internacionales y el concepto de responsabilidad penal individual se relaciona con la reducción del poder de disuasión en lo que se refiere a la responsabilidad penal individual de los soldados en el terreno[1023]. Evidentemente, la atribución de responsabilidad penal

---

1020 Weizmann, N. y Costas Trascasas, M., «Autonomous weapon systems under International Law», *op. cit.*, *véase página 24*.

1021 Chengeta, T., «Accountability gap: Autonomous weapon systems and modes of responsibility in International Law», *op. cit.*, *véase página 24*.

1022 Corte Penal Internacional (CPI), *El Fiscal vs. Thomas Lubanga Dyilo*, *op. cit.*, *véase párrafo 1012*.

1023 En un conflicto armado, la disuasión de cometer crímenes opera a dos niveles: por un lado, a *nivel de mando*, donde los comandantes no dan órdenes criminales o ilegales por temor a ser responsables individualmente. Además, los comandantes deben asegurar también que sus subordinados no cometan delitos al prevenir, detener o castigar a los que han cometido crímenes. Por otro lado,

individual —al menos teóricamente— debería disuadir a los soldados combatientes a nivel particular, porque saben que, en principio, son responsables por los crímenes que ellos cometan (como autor, coautor o partícipe), y no podrán argumentar como eximentes de su responsabilidad el haber seguido órdenes superiores[1024], o simplemente esconderse detrás de un grupo comando.

Sin embargo, cuando físicamente un soldado es reemplazado por un SAAL en la zona de combate, el robot no tiene por qué percibir ese poder de disuasión en su contra y que, en otras circunstancias, sí podría sentir un combatiente humano en el terreno. Es cierto que, a lo largo de la historia, los CDI han sido cometidos por humanos en conflictos armados, y en esos contextos no ha habido un poder suficiente que los disuadiera a ellos de cometer sendos delitos. Obviamente, en la mayoría de esos casos, el poder de disuasión vinculado a la advertencia de una atribución de responsabilidad individual a cada persona que hubiera colaborado en la ejecución de esos crímenes tal vez quedó diluido en virtud de las condiciones estructurales del propio estado de excepción y barbarie en el que se desarrollaron esos conflictos. Pero pese a ello, al menos a nivel de principios, la justicia penal internacional tiene como cometido que los soldados en un conflicto armado piensen bien lo que hacen, valoren realmente el impacto de sus actuaciones y, de tal manera, entiendan que, si no se ciñen al cumplimiento estricto de los principios básicos del DIH, tarde o temprano les será atribuida la responsabilidad penal correspondiente por los crímenes que ellos cometan, todo esto aparejado con las sanciones penales correspondientes.

---

a un *nivel primario*, donde el combatiente individual —no comandante— en el campo de batalla se abstiene de cometer un crimen porque sabe que puede ser responsabilizado individualmente. Para profundizar más sobre este tema, Jenks, C. y Acquaviva, G., «Debate: The role of international criminal justice in fostering compliance with international humanitarian law», *International Review of the Red Cross*, vol. 96, 2014, núm. 895/896, pp. 775-794, disponible en: *https://www.icrc.org/en/international-review/article/debate-role-international-crimina-justice-fostering-compliance*, fecha de revisión: 21/07/2019.

1024 Jefatura de Estado del Gobierno español, «Instrumento de Ratificación del Estatuto de Roma de la Corte Penal Internacional, hecho en Roma el 17 de julio de 1998», *op. cit.*, *véase artículo 33*.

No obstante, cuando se trata del uso de SAAL en conflictos armados internacionales, esa disuasión no es fácil de garantizar; ya no solo porque el robot —evidentemente— no la percibe, sino además porque el estándar actual de disuasión probablemente no sea tan efectivo frente a aquellos individuos que fabriquen, programen o diseñen específicamente al robot para que cometa los delitos internacionales. Además, como ya se advirtió en este apartado, el establecimiento del *mens rea* y el *actus reus* no es del todo claro en estos supuestos especiales en los que el coautor o partícipe del hecho criminal es un tercero que físicamente no colaboró en el despliegue del SAAL con el que se cometió el delito. Además, desde una visión pragmática, no hay garantía de que esos supuestos no se den, porque a medida que las tecnologías precursoras de las AW se sigan desarrollando, solo la conciencia humana será la garantía moral de que el uso de estas sea pacífico, y la verdad, la historia ha demostrado que, a los humanos, paradójicamente, les falta muchas veces esa conciencia.

Por lo tanto, desde las personas involucradas en la producción de SAAL hasta el usuario final del sistema pueden ser individualmente responsables, aunque todo ello dependerá siempre —claro está— de las circunstancias del caso. Probablemente, el procesamiento jurídico de los fabricantes, los diseñadores, los programadores y otros actores vinculados al desarrollo de AW —cuando a través de estas se cometa un crimen— se plantee más ante tribunales nacionales. Sin embargo, en el caso de que alguno de estos individuos sea coautor o partícipe de la comisión de algún CDI, y su actuación satisfaga todos los elementos constitutivos del tipo correspondientes[1025], más allá de los límites propios de la naturaleza complementaria de la jurisdicción de la CPI, no habría obstáculos entonces para que esos coautores o partícipes puedan ser juzgados a nivel internacional.

Para finalizar, es importante recordar que la responsabilidad de una persona en particular no afecta a la responsabilidad de otra. Eso significa que el hecho de que cualquier persona que esté vinculada al desarrollo de un SAAL —con el que luego se comete un crimen— ten-

[1025] Especialmente en los modos de participación de complicidad y encubrimiento. Al respecto, Tribunal Penal Internacional para la Antigua Yugoslavia (TPIY), *El Fiscal vs. Dusko Tadić*, *op. cit., véase párrafos 227-229.*

ga cierta responsabilidad por la ejecución de ese delito, no conlleva que los usuarios finales del sistema estén exentos de responsabilidad, y viceversa. Igual sucede cuando se establezca responsabilidad a los comandantes o superiores, una vez que se cumplimenten los requisitos jurídicos de ese régimen particular de responsabilidad, el cual se analiza a continuación de esta sección. Por tanto, el usuario final —operador o combatiente— que despliega un arma autónoma nunca deberá hacerlo cuando, debido al propio sistema o a las circunstancias del ataque en sí, no pueda este ejercer un control humano significativo y esencial sobre las funciones del arma[1026]. En caso contrario, ese usuario final será penalmente responsable por cualquier crimen ejecutado por medio del SAAL.

7.2.2. La responsabilidad de mando ante la comisión de CDI realizados a través de SAAL

La doctrina de la responsabilidad de mando forma parte del derecho internacional consuetudinario, y se aplica tanto a los comandantes militares como a los superiores (civiles o militares)[1027]. Este tipo de

---

1026 Para una mayor aproximación acerca de cuándo existe un control significativo en las funciones de un SAAL, véase el tercer apartado del capítulo 1 de esta monografía.

1027 *Trials of War Criminals before the Nuremberg Military Tribunals under Control Council Law No. 10*, vol. VI: *The Flick case*, Washington, United Estates Printing Office, 1952, disponible en: *https://www.loc.gov/rr/frd/Military_Law/pdf/NT_war-criminals_Vol-VI.pdf*, fecha de revisión 22/07/2019, *véanse páginas 11-16*; Tribunal Penal Internacional para la Antigua Yugoslavia (TPIY), *El Fiscal vs. Delalić et al.*, *op. cit.*, *véase párrafos 355-363*; y Henckaerts, J. M. y Doswald-Beck, L., *El Derecho internacional humanitario consuetudinario*, *op. cit.*, *véase reglas 152 y 153*. A efectos de la presente sección, se usará la expresión «comandante», «superior» (sea civil o militar) o «individuo(s) de alto rango» de manera intercambiable. Sin embargo, queda claro que la responsabilidad de mando es aplicable no solo a comandantes militares sino también a superiores (civiles o militares), aunque como se verá en esta sección, sí que existen algunas variantes muy puntuales, sobre todo a la hora de poder cumplir con el establecimiento del *mens rea*. De igual forma, la palabra «mando» se utilizará de manera intercambiable con la palabra «autoridad», aunque se debe destacar que conforme a la redacción del artículo 28 del Estatuto de Roma de la CPI, «mando» corresponde al ejercicio de control de los comandantes, mientras que «autoridad» al de los superiores (civiles o militares).

responsabilidad es la otra cara de la moneda del deber de obediencia a las órdenes superiores. Es decir, como se explicó en la sección anterior, el soldado que obedece una orden manifiestamente ilegal es culpable de cualquier crimen resultante de ello. A su vez, el superior que dio la orden ilegal es igualmente culpable por la violación que cometió el subordinado acatando la orden ilegal que le dio.

Así pues, al nivel conceptual más básico, se puede indicar que es posible atribuir responsabilidad penal a individuos de alto rango por los crímenes cometidos por sus subordinados, y para ello se deberá establecer que estos individuos mantuvieron al momento de la comisión del crimen una relación de superioridad-subordinación con los perpetradores directos del delito (subordinados), así como también que ellos (individuos de alto rango) no hicieron nada para impedir la ejecución del delito, a pesar de que supieron —o deberían haber sabido— que los crímenes se estaban cometiendo, o se habían cometido[1028].

Todos estos criterios básicos han sido codificados de diversas maneras en distintos tratados internacionales[1029], como formas de disciplina militar en el DICA, en un modo de responsabilidad penal

[1028] Case Matrix Network, *International Criminal Law Guidelines: Command Responsibility*, Bruselas, Centre for International Law Research and Policy, 2016 [en línea], disponible en: *https://www.casematrixnetwork.org/fileadmin/documents/reports/CMN_ICL_Guidelines_Command_Responsibility_En.pdf*, fecha de revisión: 22/07/2019, *véase página 17.*

[1029] Esta doctrina figura, por ejemplo *vid.*, en Protocolo Adicional I (API) a los Convenios de Ginebra de 1949 relativo a la protección de las víctimas de los conflictos armados internacionales, *op. cit.*, *véase artículo 86, párrafo* 2 (aprobado por consenso), así como en los estatutos de la CPI de 1998 (artículo 28, letra «a» —comandantes militares— y letra «b» —superiores (civiles o militares)— en Jefatura de Estado del Gobierno español, «Instrumento de Ratificación del Estatuto de Roma de la Corte Penal Internacional, hecho en Roma el 17 de julio de 1998», *op. cit.*) y del Tribunal Penal Internacional para la Antigua Yugoslavia (art. 7, párr. 3).

individual (a título de coautoría indirect[1030] o autoría mediata[1031])

[1030] Corte Penal Internacional (CPI), *El Fiscal vs. Charles Blé Goudé* (Decision on the Confirmation of Charges), Caso núm. ICC-02/11-02/11 (11 de diciembre de 2014), disponible en *https://www.icc-cpi.int/CourtRecords/CR2015_05444.PDF*, fecha de revisión: 31/08/2019, *véase párrafo 136*; Corte Penal Internacional (CPI), *El Fiscal vs. William Samoei Ruto y Joshua Arap San* (Decision on the Confirmation of Charges), *op. cit., véase párrafo 292*; Corte Penal Internacional (CPI), *El Fiscal vs. Omar Hassan Ahmad Al Bashir* (Warrant of arrest), Caso núm. ICC-02/05-01/09-1 (4 de marzo de 2009), disponible en *http://www.legal-tools.org/doc/814cca/pdf/,* fecha de revisión: 31/08/2019, *véase párrafos 209-223*; Corte Penal Internacional (CPI), *El Fiscal vs. Germain Katanga and Mathieu Ngudjolo Chui* (Decision on the Confirmation of Charges), *op. cit., véase párrafos 491-499;* y Corte Penal Internacional (CPI), *El Fiscal vs. Muthaura, Kenyatta y Ali* (Decision on the Confirmation of Charges), *op. cit., véase párrafos 407-410.*

[1031] Hay quienes afirman que la tercera alternativa del artículo 25.3 letra «a» supone la consagración legislativa en el DIP de la propuesta de Claus Roxin acerca de la «autoría mediata» con aparatos organizados de poder. Faraldo Cabana, P., «Formas de autoría y participación en el estatuto de la Corte Penal Internacional y su equivalencia en el derecho penal español», *Revista de Derecho Penal y Criminología,* 2.ª época, 2005, núm. 16, pp. 29-78, *véanse páginas 33-45*; y Jain, N., «Autonomous weapons systems: New frameworks for individual responsibility», en Bhuta, N., Beck, S., Geib, R., Liu, G.-Y. y Kreb, C. (eds.), *Autonomous weapons systems. Law, ethics, policy*, Cambridge (EE.UU.), Cambridge University Press, 2016, pp. 303-324, *véanse páginas 308-310.* Otros subrayan que la tercera alternativa del artículo 25.3 letra «a» pudiera ser una forma de autoría mediata (se comete el crimen por conducto de otro) solo si se comparte la teoría del dominio del hecho, puesto que la orden despliega su eficacia dentro de una estructura de poder organizado y jerarquizado, cuyo ejecutor sería el subordinado destinatario de la orden (a veces no conocido siquiera por quien imparte el mandato). Rodríguez-Villasante, J., «Los principios generales de derecho penal y la responsabilidad penal individual en el Estatuto de Roma de la Corte Penal Internacional», *Revista del Instituto de Ciencias Penales y Criminológicas,* vol. 21, 2000, núm. 69, pp. 13-36, disponible en: *https://dialnet.unirioja.es/descarga/articulo/5319410.pdf*, fecha de revisión: 22/07/2019, *véanse páginas 29-31.* Por último, hay quienes concluyen que la expresión «quien... ordene» del artículo 25.3 letra «b» del Estatuto de la CPI complementa el artículo 28 *eiusdem.* En ese sentido, la «responsabilidad de los jefes y otros superiores» se trataría de una culpabilidad por omisión y el supuesto de la orden de comisión de un crimen se trataría de una culpabilidad por acción, en tanto que los superiores resultan responsables, aunque por haber ordenado la comisión de un crimen. Además, bajo este último enfoque, la primera alternativa de la letra «b» del artículo 25.3 del Estatuto de la CPI, en realidad, integraría una de las formas de perpetración previstas en la letra «a», siendo así una forma más de comisión «por conducto de otro». Ambos, K. y Bock, S. (eds.), *The Elgar Companion to the International*

aplicable a los líderes militares de los Estados. Así, los comandantes y superiores son juzgados por un estándar de culpabilidad potencial más alto que el resto de los miembros de las Fuerzas Armadas, debido a la expectativa de que cumplan con sus deberes en ciertos estándares de conducta, tomen precauciones y se aseguren de que sus subordinados sigan lo mismo. Evidentemente, en caso de que los comandantes y los superiores no cumplan adecuadamente con sus funciones, tendrán que soportar la atribución de responsabilidad penal por su incumplimiento.

Además de lo anterior, es importante destacar que, conforme al artículo 28 del Estatuto de la CPI, debe cumplimentarse un elemento de causalidad entre el incumplimiento del deber de un comandante/superior y los delitos subyacentes[1032]. Al respecto, se debe tener presente que el artículo bajo estudio hace referencia a tres deberes diferentes que deben cumplir los comandantes militares y superiores (civiles o militares): a) el deber de prevenir delitos; b) el deber de reprimirlos; y, c) el deber de presentar el asunto a las autoridades competentes para que se realice su investigación y procesamiento. A diferencia del primer deber, el segundo y el tercero surgen durante o después de la comisión de los delitos cometidos por los subordinados. Por tanto, es lógico considerar que el elemento de la causalidad solo se relaciona con el deber del comandante de evitar la comisión de futuros delitos[1033].

Criminal Tribunal for Rwanda, Cheltenham (Reino Unido), Edward Elgar, 2015, *véanse páginas 996-1002.*

1032 Robinson, D., «How command responsibility got so complicated: a culpability contradiction, its obfuscation, and a simple solution», *Melbourne Journal of International Law*, vol. 13, 2012, núm. 1, pp. 1-57, disponible en: *https://law.unimelb.edu.au/__data/assets/pdf_file/0003/1687242/Robinson.pdf*, *véanse páginas 1, 45, 54 y 55.*

1033 No obstante, la jurisprudencia ha señalado que el hecho de que un comandante militar o superior no cumpla con sus deberes durante y después de la comisión de los delitos, igual puede tener también un impacto causal en la comisión de nuevos delitos. Como la sanción o penalización es una parte inherente de la prevención de delitos futuros, es probable que el hecho de que un comandante o superior no castigue los delitos aumente el riesgo de que sus subordinados cometan otros delitos en el futuro. Al respecto, Corte Penal Internacional (CPI), *El Fiscal vs. Jean-Pierre Bemba Gombo*, Caso núm. ICC-01/05-01/08 (15 de junio de 2009), *op. cit.*, *véase párrafos 423-425.*

Si bien la doctrina y la jurisprudencia han sufrido varios cambios en el derecho nacional e internacional relacionados a la doctrina de la responsabilidad de mando, igual sus variaciones comparten ciertas características o elementos comunes[1034]. Así, a continuación, se analizará cada uno de estos elementos a la luz de las consideraciones jurisprudenciales y doctrinarias más importantes en la materia[1035], y luego se reflexionará acerca de su potencial aplicación al uso de los SAAL:

Primer elemento. Debe demostrarse la existencia de una relación de «superioridad-subordinación», donde el superior tiene mando y control efectivo sobre el subordinado. Esa relación puede ser de derecho (comandantes/superiores nombrados oficialmente) o de hecho (personas que actúen efectivamente como comandantes/superiores) entre el comandante/superior y los subordinados (en el caso de conflictos internacionales serían los miembros de las Fuerzas Armadas).

El comandante debe tener también un control efectivo sobre sus subordinados, lo que significa «la habilidad material» para prevenir y castigar la comisión de delitos[1036]. Por tanto, si un comandante tiene autoridad jurídica, pero carece de control efectivo sobre los subordinados, no incurrirá en responsabilidad penal. Además, siempre debe haber una coincidencia temporal entre el control efectivo y la conducta criminal perseguida[1037].

1034 Jain, N., «Autonomous weapons systems: New frameworks for individual responsibility», *op. cit.*, *véanse páginas 310-312.*

1035 Un trabajo de recopilación de criterios jurisprudenciales y doctrinales que son clave en esta materia se encuentra en Case Matrix Network, *International Criminal Law Guidelines: Command Responsibility*, *op. cit.*

1036 Tribunal Penal Internacional para la Antigua Yugoslavia (TPIY), *El Fiscal vs. Delalić et al.*, *op. cit.*, *véase párrafos 377 y 378*; y Tribunal Penal Internacional para la Antigua Yugoslavia (TPIY), *El Fiscal vs. Delalić et al.*, Caso núm. IT-96-21-A (20 de febrero de 2001), disponible en: *http://www.icty.org/x/cases/mucic/acjug/en/cel-aj010220.pdf*, fecha de revisión: 31/08/2019, *véase párrafos 197 y 198.*

1037 La Sala de Cuestiones Preliminares II de la CPI ha señalado que el «control efectivo» del superior sobre los subordinados debe probarse, al menos, en el momento en que los crímenes iban a ser cometidos; es decir, antes de su consumación. Se exige, por tanto, que coincidan en el tiempo el ejercicio del control efectivo y el momento de la comisión del crimen. Corte Penal Internacional (CPI), *El Fiscal*

Ahora bien, en relación con los SAAL, probablemente la gama de subordinados debería extenderse más allá de los meros operadores que despliegan el sistema. Teniendo en cuenta las complejidades de estas tecnologías autónomas, tal vez se podrían incluir como subordinados a diseñadores, ingenieros, programadores, fabricantes y demás actores clave en el desarrollo y el mantenimiento de estos sistemas operacionalmente autónomos. Este planteamiento sugeriría que los comandantes y/o los superiores tengan la capacidad material de ejercer su control en una etapa previa al despliegue de mando y control[1038], en la que los diseñadores, ingenieros, programadores y fabricantes, por ejemplo, operarían bajo órdenes superiores para al estricto cumplimiento del DIH.

También hay quienes han llegado a sugerir que los superiores deberían ejercer su control sobre el SAAL porque son los que al final reemplazarían las funciones humanas[1039]. Sin embargo, tal inferencia es poco acertada, toda vez que resultaría bastante problemático poder establecer, *mutatis mutandis* y por «analogía», una relación «superior-subordinado» bajo la responsabilidad de mando entre un comandante o superior humano y el arma autónoma propiamente dicha.

Como se señaló en secciones previas, los SAAL son objetos, instrumentos o armas de guerra. Así, los deberes del comandante según el DIH están relacionados con los subordinados humanos (combatientes[1040]), y existen deberes que claramente no pueden cumplirse en

---

vs. Jean-Pierre Bemba Gombo, Caso núm. ICC-01/05-01/08 (15 de junio de 2009), *op. cit.*, *véase párrafos 418 y 419*.

1038 *Chair's summary of the discussion on agenda item 6 (a) 9 and 10 April 2018, agenda item 6 (b) 11 April 2018 and 12 April 2018, agenda item 6 (c) 12 April 2018, and agenda item 6 (d) 13 April 2018*, *op. cit.*, *véase página 4*.

1039 En ese sentido, este tipo de planteamientos dejan entrever que los individuos que despliegan SAAL deberían ser vistos como «comandantes militares», mientras que la propia arma pasaría a ser una especie de «agente» o «combatiente». Al respecto, *A «compliance-based» approach to Autonomous Weapon Systems* (documento de trabajo de Suiza), *op. cit.*, *véase párrafo 23*; Roff, H., «Killing in war: Responsibility, liability and lethal autonomous robots», *op. cit.*, *véase página 14*; y Schmitt, M., «Autonomous weapon systems and International Humanitarian Law: A reply to the critics», *op. cit.*, *véase página 33*.

1040 Como se señaló en apartados anteriores, combatientes son seres humanos y no máquinas. Esto es así porque en el DIP y en el DIH, la responsabilidad de mando como un modo de computar la responsabilidad penal se ha introduci-

relación con los sistemas autónomos *per se*[1041]. Además, en la medida que sigan avanzando los desarrollos de las ciencias de la computación y aumente cada vez más el grado de autonomía en las funciones de los SAAL, probablemente llegará un día en que estos sistemas se escapen del mando y control humano que exige el estándar del régimen jurídico de responsabilidad de mando y, por tanto, los comandantes no podrán emitir las órdenes sobre el objetivo, el momento y la ubicación del ataque[1042]. En ese caso, tal vez, para ese entonces, lo que podrá conservarse en los humanos es la decisión original de emplear el uso de la fuerza y, por tanto, decidir solo acerca de la activación y el despliegue del arma autónoma[1043]. Así las cosas, aquel que activare el arma completamente autónoma será responsable conforme al régimen de responsabilidad penal individual, mientras que el comandante de la misión en la que se use el SAAL —por ejemplo— seguirá siendo, en su caso, responsable en razón del mando que ostenta.

---

do y desarrollado como un concepto que rige la relación entre un comandante humano y un subordinado humano. Al respecto, Protocolo Adicional I (API) a los Convenios de Ginebra de 1949 relativo a la protección de las víctimas de los conflictos armados internacionales, *op. cit.*, *véase artículo 43*; Chengeta, T., «Accountability gap: Autonomous weapon systems and modes of responsibility in International Law», *op. cit.*, *véase página 31*; Werle, G. y Bung, J., *Summary (Indiv. Crim. Responsibility) International Criminal Justice*, *op. cit.*, *véanse páginas 2 y 3*; y Fenrick, W. J., «The prosecution of international crimes in relation to the conduct of military operations», *op. cit.*, *véase página 550*.

1041 Por ejemplo, iniciar una acción disciplinaria o penal por violaciones del DIH (Protocolo Adicional I (API) a los Convenios de Ginebra de 1949 relativo a la protección de las víctimas de los conflictos armados internacionales, *op. cit.*, *véase artículo 87.3*); o, en el contexto del castigo, reportar crímenes a las autoridades competentes según el artículo 87.1 *eiusdem*.

1042 *Ethics and autonomous weapon systems: An ethical basis for human control?* (documento de trabajo del Comité Internacional de la Cruz Roja), *op. cit.*, *véase párrafo 35*.

1043 Este tipo de control humano tan amplio se acercaría más al enfoque que propone EE.UU. con su concepto estratégico de que los Estados ejerzan «apropiados niveles de control humano sobre el uso de la fuerza», vinculándolo a las directivas de uso que maneja ese país acerca de los SAAL. Al respecto, *Human-Machine Interaction in the Development, Deployment and Use of Emerging Technologies in the Area of Lethal Autonomous Weapons Systems* (documento de trabajo de EE.UU.), *op. cit.*, *véase página 2*.

Segundo elemento. Debe cumplimentarse un elemento mental (*mens rea*) que a menudo requiere que el superior supiera, o hubiera tenido razón de saber[1044], o hubiera debido saber, acerca del crimen (o de los crímenes) cometido por el subordinado.

Sobre este elemento es importante destacar que, según el artículo 28 del Estatuto de la CPI, existe una clara distinción entre el *mens rea* exigible a los comandantes militares y a los superiores. Ciertamente, a ambos tipos de superiores (comandantes militares y superiores propiamente dichos) se les exige tener «conocimiento» de que las fuerzas bajo su mando o autoridad estaban cometiendo crímenes o se proponían cometerlos[1045]. En ese sentido, si el comandante militar o el superior posee alguna información que lo pondría en aviso acerca de posibles actos ilegales que cometerían, o cometieron, sus subordinados, esto sería suficiente como para probar que el comandante/superior «tenía motivos» para saber de esos actos ilegales.

Sin embargo, en aquellos casos en los que se trate la potencial responsabilidad de mando de los comandantes militares, el estándar para considerar que se ha cumplimentado el elemento mental necesario será suficiente estableciendo que el comandante, al menos, «hubiere debido saber»[1046] que las fuerzas bajo su mando estaban cometiendo

---

1044 Lo que un comandante «sabía o tenía razón para saber» se refiere a un conocimiento real o constructivo. El conocimiento real se establece a través de evidencia directa o circunstancial de que los subordinados cometían o estaban a punto de cometer delitos. Como ha señalado la jurisprudencia internacional, a un comandante no se le permite «permanecer ciego» voluntariamente ante los actos de sus subordinados, y se produce un conocimiento constructivo cuando «tenía en su poder información de una naturaleza tal que, al menos, lo pondría en conocimiento del riesgo de esas ofensas, indicando la necesidad de una investigación adicional para determinar si tales delitos fueron cometidos o estaban a punto de ser cometidos por sus subordinados». Tribunal Penal Internacional para la Antigua Yugoslavia (TPIY), *El Fiscal vs. Delalić et al.*, *op. cit.*, *véase párrafos 383, 387 y 393*; y Tribunal Penal Internacional para la Antigua Yugoslavia (TPIY), *El Fiscal vs. Delalić et al.*, *op. cit.*, *véase párrafo 238.*

1045 Ese «conocimiento» va muy vinculado al sentido y alcance del artículo 30 del Estatuto de Roma de la CPI. Jain, N., «Autonomous weapons systems: New frameworks for individual responsibility», *op. cit.*, *véase página 315.*

1046 Aunque la traducción oficial al español es «hubiere debido saber», la versión original en idioma inglés (operativo en la CPI) del estatuto de Roma emplea el término «should have known» (*debería haber sabido* o, siguiendo a parte de la doctrina especializada, *hubiera tenido que saber*) en tanto que representa un

crímenes o se proponían cometerlos (un *mens rea* que está más próximo a la negligencia[1047]). Además, de acuerdo con la jurisprudencia más reciente sobre el tema, el estándar del elemento mental exige que el comandante militar debe mantenerse enterado siempre, e inquirir más información según corresponda, sobre la conducta de sus subordinados, independientemente de si la información hubiera estado disponible en el momento preciso en que estos cometieron los delitos[1048].

---

estándar más estricto de conocimiento (*mens rea*) exigible para los comandantes militares, según corresponda caso por caso. Al respecto, véase Rocha-Herrera, M., *¿Cuáles son las obligaciones de un comandante militar en campo? Evolución Jurídica de la Doctrina de la Responsabilidad del Superior Jerárquico: De Yamashita a Bemba Gombo en la Corte Penal Internacional*, Anuario Iberoamericano de Derecho Internacional Penal, vol. 2, septiembre, 2018, disponible en: *https://revistas.urosario.edu.co/index.php/anidip/article/view/7150*, fecha de revisión: 21/01/2021, *véanse las páginas 30, 31 y 32*.

1047 Aunque la negligencia no está propiamente aceptada en el DIP, este tipo de situaciones donde se puede apreciar más el estándar mínimo aplicable al *mens rea* de los comandantes militares se conoce en la doctrina y la jurisprudencia como «responsabilidad por imprudencia». Este tipo de responsabilidad de mando, de acuerdo con el art. 28 a) del Estatuto de Roma de la CPI, es asimilable a lo que se conoce en España como «culpa inconsciente», en tanto que el jefe militar puede ser castigado sin tan siquiera haber advertido la lesión o el peligro típico para el bien jurídico, y que igual estaba obligado a conocer. Así, en este tipo de casos lo que se reprocha a los jefes militares es haber desconocido aquello que debían saber al haber incumplido ciertos deberes de cuidado sobre las operaciones de sus tropas. Al respecto, Fenrick, W. J., «Article 28-Responsibility of commanders and other superiors», en Triffterer, O. (ed.), *Commentary on the Rome Statute*, Baden Baden, Nomos, 1999, *véase página 517*; Van Sliedregt, E., *The criminal responsibility of individuals for violations of International Humanitarian Law*, *op. cit.*, *véanse páginas 187 y 188*; Garrocho Salcedo, A. M., «Imprudencia y Derecho penal internacional Algunas consideraciones sobre su previsión en el Estatuto de la Corte Penal Internacional», *Revista Electrónica de Ciencia Penal y Criminología*, 2017, núm. 19-14, pp. 1-27 [en línea], disponible en: *http://criminet.ugr.es/recpc/19/recpc19-14.pdf*, fecha de revisión: 22/07/2019, *véanse páginas 10 y 11*; y Corte Penal Internacional (CPI), *El Fiscal vs. Jean-Pierre Bemba Gombo*, Caso núm. ICC-01/05-01/08 (15 de junio de 2009), *op. cit.*, *véase párrafos 429 y 432*.

1048 *Ibid.*, *véase en la decisión de la CPI los párrafos 429, 432 y 433*. Obviamente para que se le pueda atribuir responsabilidad de mando a algún comandante militar, solo será posible en razón de las particularidades de cada caso en concreto y, a tal efecto, se deben valorar una serie de factores adicionales tales que como: las órdenes dadas para cometer los crímenes; el hecho de que el acusado haya sido informado personalmente de que sus fuerzas estaban involucradas en ac-

Además, en cualquier supuesto relativo a comandantes militares, la información no tiene que ser específica sobre los actos ilegales cometidos o por cometer por sus subordinados[1049]. Por tanto, el mero hecho de que un comandante militar haya recibido información general, por ejemplo, de que algunos de los soldados bajo su mando tienen un carácter violento o inestable, o han estado bebiendo, antes de ser enviados a una misión, se puede considerar suficiente como para establecer que el comandante militar tiene el conocimiento requerido conforme al *mens rea* del artículo 28 del Estatuto de la CPI[1050].

En cambio, a los superiores (civiles o militares) se les exige un estándar mucho más alto de información acerca de los delitos que sus subordinados estaban cometiendo o se planteaban cometer, una información detallada que además el superior debe haber ignorado

---

tividades criminales; el número, la naturaleza, el alcance, los lugares y el tiempo en los que los actos criminales se sucedieron; otras circunstancias prevalecientes (como el tipo y el número de fuerzas involucradas, por ejemplo); los medios de comunicación disponibles; el modus operandi (o actos similares); el alcance y la naturaleza de la posición que ocupa el comandante y su responsabilidad en la estructura jerárquica; la ubicación del cuartel general o lugar de mando y la hora; la notoriedad que los actos criminales hayan alcanzado, como puede ser el resultado de la difusión de los medios de los crímenes y de los cuales el acusado tenía conciencia. El estar consciente de todo esto se debe establecer a través de la evidencia que sugiera que, como resultado de estos reportes, el comandante tomó algún tipo de acción; la irrelevancia del conocimiento del comandante de la identidad de los individuos que cometieron los crímenes; y, la irrelevancia de si el comandante conocía los detalles de los crímenes. Al respecto, ver: Corte Penal Internacional (CPI), *El Fiscal vs. Jean-Pierre Bemba Gombo,* Caso núm. ICC-01/05-01/08 (21 de marzo de 2016), disponible en: *https://www.icc-cpi.int/courtrecords/cr2016_02238.pdf*, fecha de revisión: 21/01/2021, *véanse los párrafos del 191 al 196*. También, véase Rocha-Herrera, M., *¿Cuáles son las obligaciones de un comandante militar en campo? Evolución Jurídica de la Doctrina de la Responsabilidad del Superior Jerárquico: De Yamashita a Bemba Gombo en la Corte Penal Internacional*, *op. cit.*, *véanse las páginas 37 y 38*.

1049 Para que la responsabilidad de mando de los comandantes sea procedente, es necesario que como mínimo se establezca que el comandante había tenido información general de la posibilidad de que ocurrieran actos ilegales por parte de sus subordinados; una información disponible que fuera suficiente para justificar que ese comandante debería haber indagado más acerca de los hechos que luego degeneraron en un CDI. Al respecto, Corte Penal Internacional (CPI), *El Fiscal vs. Jean-Pierre Bemba Gombo*, Caso núm. ICC-01/05-01/08 (15 de junio de 2009), *op. cit.*, *véase párrafo 434*.

1050

«conscientemente». Así pues, en aquellos casos donde se pretenda atribuir responsabilidad a superiores por los delitos cometidos por sus subordinados, es importante que se establezca de antemano que esos superiores habían tenido conocimiento, o deliberadamente hicieron caso omiso, de una información disponible y minuciosa que indicase claramente que sus subordinados estaban cometiendo crímenes o se proponían cometerlos. Por tanto, el nivel de *mens rea* exigido en estos supuestos se acerca más al concepto de imprudencia[1051].

Ahora bien, planteado de manera general este segundo requisito, vale la pena referir algunas consideraciones generales sobre su aplicabilidad en los casos en que se usen SAAL.

En primer lugar, cuando el artículo 28 del Estatuto de la CPI hace uso del verbo «conocer», por definición, significa que debe haber conciencia de que una circunstancia existe, o una consecuencia ocurrirá en el curso normal de los acontecimientos[1052]. Por tanto, dicha conciencia puede ser bastante problemática de cumplir cuando se trate de la comisión de un CDI ejecutado a través de un SAAL porque, al igual como sucede con el régimen de responsabilidad penal individual, es poco probable que la ofensa causada por las acciones de un arma autónoma se ajuste a estos estándares mentales *supra* indicados, debido a la naturaleza intrínsecamente impredecible y poco fiable de los sistemas armamentísticos autónomos.

Por otro lado, como se ha destacado en esta sección, en la responsabilidad de mando se reduce considerablemente el requisito del *mens rea*. Ello significa que, si se emplea ese estándar al uso de SAAL, un superior —por ejemplo— debe haber sabido —o haber ignorado conscientemente— información detallada que claramente le indicara que sus subordinados estaban cometiendo —o por cometer— uno o más

---

1051 Ambos, K., «Joint criminal enterprise and command responsibility», *Journal of International Criminal Justice*, vol. 5, 2007, núm. 1, pp. 159-183, disponible en: *https://pdfs.semanticscholar.org/41b7/ba3f1e867335586e65f268d628a3ca69b75b.pdf?_ga=2.151880944.818196014.1563836229-59867966.1562663397, véase página 179.*

1052 Jefatura de Estado del Gobierno español, «Instrumento de Ratificación del Estatuto de Roma de la Corte Penal Internacional, hecho en Roma el 17 de julio de 1998», *op. cit., véase artículo 30.2, letra «b».*

crímenes a través del uso de SAAL. Entonces, ¿significa que una autoridad civil debe conocer muy bien qué es capaz de hacer —o no— técnicamente un arma autónoma y además tener conciencia detallada del nivel de probabilidad de riesgo que existe acerca de que el sistema pueda actuar de manera impredecible en el terreno? La verdad, no está tan claro que eso realmente pueda llegar a ser factible. Por tanto, a falta de cualquiera de estos detalles —y probablemente muchos más— el superior puede fácilmente excusarse de su responsabilidad alegando que no se cumple en su caso el elemento del *mens rea*.

Asimismo, cuando se trate de un supuesto que involucre el potencial establecimiento de responsabilidad de mando a comandantes militares, el estándar correspondiente (a saber, «en razón de las circunstancias del momento, hubiere debido saber»[1053]) es aún más bajo, con lo cual, en principio se puede inferir que, conforme a este estándar, un comandante militar casi siempre podrá ser considerado culpable si sus subordinados hubieran estado cometiendo —o por cometer— uno o más crímenes a través de SAAL. En este tipo de situaciones, lo que podría ser complejo —aunque no imposible de alcanzar— es establecer que el comandante militar conocía, no solo las probabilidades de riesgo y los peligros que subyacen cuando se haga uso de un SAAL para ejecutar un ataque en un conflicto armado internacional, sino también que no se dio cuenta o ignoró conscientemente las razones específicas de tal peligrosidad. Esto último es básico, porque solo así se podrá dar por probado que existió, de parte del comandante militar, el supuesto de comisión por omisión especialmente regulado[1054].

1053 Jefatura de Estado del Gobierno español, «Instrumento de Ratificación del Estatuto de Roma de la Corte Penal Internacional, hecho en Roma el 17 de julio de 1998», *op. cit.*, *véase artículo 28, letra «a» apartado «i»*.

1054 No obstante, es importante subrayar que el supuesto de «comisión por omisión especialmente regulado» es una forma sui géneris de «responsabilidad de omisión» aplicable tanto a comandantes militares como a superiores (civiles o militares). Así, el principio de la responsabilidad del superior jerárquico —en general— no es una responsabilidad objetiva. Como se está señalando a lo largo de esta sección, se tienen que dar siempre una serie de circunstancias, características o elementos que, al final, constituyen los estándares a partir de los cuales se miden las obligaciones de los superiores jerárquicos (comandantes militares o superiores —civiles o militares—). Al respecto, Garrocho Salcedo, A. M., «Imprudencia y Derecho penal internacional Algunas consideraciones sobre su previsión en el Estatuto de la Corte Penal Internacional», *op. cit.*, *véanse páginas*

Así las cosas, salvo en el caso de los superiores (civiles o militares), es posible argumentar que si un comandante militar tiene una actitud que denota una preocupación insuficiente, podría bastar por sí misma para garantizar la aplicabilidad de la responsabilidad de mando por el resultado de cualquier conducta inherentemente impredecible del SAAL desplegado por los subordinados de dicho comandante.

Si un arma autónoma está dotada de técnicas de aprendizaje automático —por ejemplo— cuando focaliza a una determinada persona u objeto, esta acción estaría vinculada a la decisión humana previa sobre la configuración del programa y el despliegue de ese sistema armamentístico en particular para llevar a cabo una tarea determinada. Por ende, lo deseable sería que el comandante militar que pretenda usar un SAAL en las misiones que dirija, se haya preocupado en conocer más sobre cómo ha sido el desarrollo, la prueba, la evaluación, la verificación, la validación y la revisión jurídica del arma autónoma, sobre todo en las cuestiones que tengan que ver con la probabilidad o riesgo de daños no previstos, así como con las capacidades del sistema en sí y sus limitaciones operacionales (en razón del contexto de la misión de que se trate), porque todo ello, evidentemente, tendrá un impacto directo en la naturaleza y el alcance del daño que pueda llegar a causar el SAAL.

Tercer elemento. Debe establecerse que el comandante o superior (civil o militar) no tomó las medidas necesarias y razonables para controlar, prevenir y sancionar la comisión del delito, o de los delitos, según corresponda.

5-9; Beard, J. M., «Autonomous weapons and human responsibilities», *Georgetown Journal of International Law*, vol. 45, 2014, pp. 617-681, disponible en: *https://digitalcommons.unl.edu/cgi/viewcontent.cgi?referer=https://www.google.com/&httpsredir=1&article=1196&context=lawfacpub, véase página 656*; y Rocha-Herrera, M., *El principio del superior jerárquico ante la Corte Penal Internacional* (conferencia), Centro de Estudios Superiores Navales de la Marina Armada de México (Ciudad de México, 9 de mayo del 2018), México DF, Instituto de Investigaciones Estratégicas de la Armada de México, 2018, disponible en: *https://www.researchgate.net/publication/327351239_El_principio_de_la_Responsabilidad_del_Superior_Jerarquico_ante_la_CPI, véanse páginas 1 y 2.*

Al respecto, es importante insistir, primeramente, que el principio de la responsabilidad de mando —en general— no es una responsabilidad objetiva. Esto significa que un comandante o superior (civil o militar) —por el mero hecho de su posición— ha de tener responsabilidad automática por todos y cada uno de los crímenes que sus hombres materialmente cometan. Para que la responsabilidad de mando proceda, el comandante o superior en cuestión tiene que haber incumplido en su responsabilidad de mando y control, dejando de hacer aquello que en concreto hubiera sido necesario y razonable en atención a las particularidades del caso en sí[1055]. En ese sentido, la consideración de lo que son «medidas necesarias y razonables» dependerá, por un lado, de las circunstancias del hecho investigado y, por otro, de si se encuentran dentro de la «posibilidad» o la «capacidad» material del comandante militar y el superior (civil o militar). Por supuesto, la falta de competencia jurídica formal para tomar estas medidas para prevenir o reprimir el delito o la ofensa en cuestión no necesariamente excluye la responsabilidad penal del comandante[1056].

Ahora bien, según la jurisprudencia internacional, el cumplimiento del deber de prevenir de los comandantes o los superiores puede implicar, *inter alia*: a) asegurar una capacitación adecuada de los subordinados en temas vinculados al DIH; b) obtener informes de que las acciones que llevaron a cabo sus subordinados fueron hechas de conformidad con el derecho internacional; c) emitir órdenes con el objetivo de armonizar las prácticas relevantes con las reglas de la guerra; y, d) tomar medidas disciplinarias para evitar la comisión de atrocidades por parte de las tropas bajo su mando[1057].

1055 Corte Penal Internacional (CPI), *El Fiscal vs. Jean-Pierre Bemba Gombo,* Caso núm. ICC-01/05-01/08/A (08 de junio de 2018), *op. cit., véanse los párrafos 168 y 170.*

1056 Se puede dar el caso en que esa competencia sea de *facto* y, por tanto, la responsabilidad penal del comandante procesa. Tribunal Penal Internacional para la Antigua Yugoslavia (TPIY), *El Fiscal vs. Delalić et al., op. cit., véase párrafo 395*; y Tribunal Penal Internacional para la Antigua Yugoslavia (TPIY), *El Fiscal vs. Blaškić*, Caso núm. IT-95-14-A (29 de julio de 2004), disponible en: *http://www.icty.org/x/cases/blaskic/acjug/en/bla-aj040729e.pdf*, fecha de revisión: 31/08/2019, *véase párrafo* 417.

1057 Corte Penal Internacional (CPI), *El Fiscal vs. Jean-Pierre Bemba Gombo*, Caso núm. ICC-01/05-01/08 (15 de junio de 2009), *op. cit., véase párrafos 429 y 438.*

Por su parte, el hecho de que los comandantes militares y superiores (civiles o militares) cumplan con su deber de castigar puede implicar la imposición de medidas disciplinarias o la denuncia de delitos a las autoridades competentes. Así, cuanto más grave sea el delito, más probable será que se tome una acción penal como una medida necesaria y razonable[1058]. Los castigos administrativos tales como entradas de «antecedentes de servicio negativos» u otras medidas no judiciales que sean tomadas no serán suficientes para tales delitos[1059]. Además, el deber de denunciar los delitos está presente incluso en circunstancias en las que el comandante militar o el superior no pueda ejercer un control efectivo sobre los perpetradores para poder así castigarlos[1060].

Aplicando el tercer elemento de la responsabilidad de mando al uso de SAAL, se podría considerar que un comandante o superior ha ejercido un buen mando y control cuando haya tomado las medidas necesarias y razonables para controlar, prevenir y sancionar la comisión de un delito, o más, hecha por sus subordinados mediante AW. Ciertamente, como se colige de todo lo anterior, lo que constituye taxativamente esas «medidas necesarias y razonables» no está definido en ningún acuerdo internacional. Además, el derecho internacional, específicamente, no proporciona mucha orientación en cuanto a lo que un comandante o superior debe hacer concretamente, dejan-

---

1058 Según la jurisprudencia internacional, la base del deber de un comandante de castigar es crear y mantener un ambiente de disciplina y respeto al derecho entre los que están bajo su mando. Al no tomar las medidas adecuadas para castigar los delitos más graves, un comandante adopta entonces un patrón de conducta que puede alentar a sus subordinados a cometer nuevos actos criminales y, como resultado, puede implicarle responsabilidad. Tribunal Penal Internacional para la Antigua Yugoslavia (TPIY), *El Fiscal vs. Enver Hadžihasanović y Amir Kubura*, Caso núm. IT-01-47-T (15 de marzo de 2006), disponible en: *http://www.icty.org/x/cases/hadzihasanovic_kubura/tjug/en/had-judg060315e.pdf*, fecha de revisión: 31/08/2019, *véase párrafo 1778*.

1059 *Ibid., véase párrafo 1777*.

1060 Tribunal Penal Internacional para la Antigua Yugoslavia (TPIY), *El Fiscal vs. Blaškić*, *op. cit., véase párrafos 68 y 632*; y Corte Penal Internacional (CPI), *El Fiscal vs. Jean-Pierre Bemba Gombo*, Caso núm. ICC-01/05-01/08 (15 de junio de 2009), Caso núm. ICC-01/05-01/08 (15 de junio de 2009), *op. cit., véase párrafo 440*.

do gran parte de esta tarea a las leyes y reglamentos nacionales[1061]. Sin embargo, basadas en los criterios jurisprudenciales señalados en párrafos previos, probablemente en el tema de los SAAL esas medidas podrían abarcar, entre otros aspectos, el entrenamiento, la supervisión, el ordenamiento sobre las capacidades reales (y los riesgos —como el nivel de fiabilidad o predictibilidad— en el funcionamiento del SAAL) y, cuando sea necesario, la disciplina y el castigo por la mala utilización de ese sistema.

A modo de consideraciones finales, es importante destacar lo siguiente: si se recurre a las reglas de responsabilidad de mando para resolver muchas de las cuestiones que pueden plantear los SAAL, no se puede caer en la trampa de inferir incorrectamente que la persona que implementa el sistema autónomo en un conflicto armado internacional debe ser tratada como un comandante militar o superior (civil o militar). Esta precisión es importante, ya que aceptar lo contrario significaría asentir que las AW son a su vez los «agentes» o «combatientes» en el terreno, algo por demás erróneo, habida cuenta de que los SAAL son entes artificiales que no tienen agencia moral y, por razones obvias, no pueden ser castigados.

Por lo tanto, a día de hoy, la instancia en la que el tema de la responsabilidad de mando podría ser relevante en el caso de los SAAL es cuando el comandante o superior que supervisa la programación individual —o el despliegue— del sistema «sabía» o «hubiera debido saber» (según corresponda) que su subordinado estaba programando o usando (desplegando) esa arma autónoma de manera ilegal, y no hizo nada para prevenir o detener a su subordinado, o castigarlo después del hecho criminal[1062].

Lo anterior se extiende además —como con cualquier otra arma— al supuesto de responsabilidad de un comandante o de un superior (civil o militar) por la comisión de un delito internacional llevado a cabo por un subordinado suyo usando un arma autónoma. En este caso, obviamente, se deberá demostrar que ese comandante/superior

---

1061 Beard, J. M., «Autonomous weapons and human responsibilities», *op. cit.*, *véase página 657*.

1062 Schmitt, M., «Autonomous weapon systems and International Humanitarian Law: A reply to the critics», *op. cit.*, *véase página 33*.

no solo tuvo conocimiento (o «hubiera debido saber», según corresponda) que sus subordinados estaban cometiendo ese crimen o se proponían cometerlo, sino además que razonablemente tenía capacidad e influencia real para haber frustrado el delito y castigar luego a los perpetradores del mismo.

El típico caso que podría darse en este contexto es considerar como responsable individual bajo régimen de responsabilidad de mando al comandante militar o al superior (civil o militar) que autoriza el despliegue del SAAL y además retiene el control general sobre la operación militar en la que el sistema estaría siendo utilizado por sus subordinados[1063]. Este supuesto de atribución de responsabilidad de mando es lógico, ya que lo común es que el desempeño de los soldados en el campo de batalla —que va aparejado al uso que estos les den a sus armas disponibles— suele estar bastante limitado por las decisiones de esos comandantes y superiores[1064]. Por lo tanto, en este caso, es natural pensar que los comandantes o los superiores puedan llegar a ser los responsables de las acciones ejecutadas por el arma autónoma empleada, ya que son ellos quienes han establecido las condiciones operativas que traen consigo la conducta ilegal del sistema, o incluso simplemente por el hecho de que han sido incapaces de establecer los límites apropiados para el SAAL.

Ya en relación a la segunda forma de responsabilidad de mando («hubiera debido saber»), también es posible responsabilizar a los comandantes o los superiores de aquellas violaciones del DIH que hayan sido llevadas a cabo a través de un arma autónoma, y que, razonablemente, se esperaría que hubieran sabido de ello, incluso si no tuvieran un papel que desempeñar en provocar favorablemente —o pasar por alto— las violaciones cometidas por el arma autónoma[1065].

1063 En caso de que el comandante no retuviera el control, igual seguirá siendo responsable de cualquier CDI que cometa el SAAL bajo el régimen de responsabilidad de mando, a menos que ese comandante hubiera advertido previamente a sus superiores que *de facto* no estaba ejerciendo el control debido de la misión u operación militar.

1064 Jain, N., «Autonomous weapons systems: New frameworks for individual responsibility», *op. cit.*, *véase página 313*.

1065 Corn, G. S., «Autonomous Weapon Systems: Managing the Inevitability of "Taking the Man out of the Loop"», en Bhuta, N., Beck, S., Geib, R., Liu, G.-Y. y Kreb, C. (eds.), *Autonomous weapons systems. Law, ethics, policy*, Cambridge

Obviamente, para que todo esto proceda, deberán demostrarse qué medidas necesaria o razonable en concreto debería haber hecho ese comandante o superior para prevenir o evitar la violación en cuestión.

Por último, hay autores que sugieren que, para facilitar una mejor aplicación del régimen de responsabilidad de mando en el área de los SAAL, los Estados deberían elaborar normas jurídicas que trasladen la responsabilidad de los comandantes militares y de los superiores (civiles o militares) a los funcionarios de los Estados que están encargados de la compra o adquisición de las tecnologías armamentísticas (incluidas las AW) que luego serán incorporadas al inventario real del arsenal militar y de defensa de los Gobiernos[1066]. Este cambio podría asegurar —tal vez— que los funcionarios responsables de la toma de decisiones que respaldan el desarrollo de las tecnologías emergentes en el área de los SAAL sean los individuos responsables de las acciones ilegales que surjan del uso de AW.

Bajo este enfoque, un nuevo régimen de responsabilidad de esa magnitud probablemente garantizaría que haya niveles más altos de fiabilidad en el producto (arma autónoma) antes de que el mismo sea entregado al cliente (usuario final) y, en particular, permitiría establecer con mayor detalle y cuidado que el arma cumpla con el DIH. Igualmente, los Estados podrían aprovechar esta iniciativa de traslado de responsabilidad para considerar la imposición de requisitos específicos de responsabilidad del producto a los desarrolladores, los fabricantes y los vendedores de dichos sistemas para ayudar a cubrir los costos de reparación en caso de violaciones de las obligaciones jurídicas internacionales[1067].

(EE.UU.), Cambridge University Press, 2016, pp. 209-242, *véanse páginas 233 y 234*.

1066 Malik, S., «Autonomous weapon systems: The possibility and probability of accountability», *Wisconsin International Law Journal*, vol. 35, 2018, núm. 3, 609-642, *véase página 637*; y Corn, G. S., «Autonomous Weapon Systems: Managing the Inevitability of "Taking the Man out of the Loop"», *op. cit.*, *véanse páginas 234 y 235*.

1067 McFarland, T. y McCormack, T., «Mind the gap: can developers of autonomous weapons systems be liable for war crimes?», *International Law Studies US Naval War College*, vol. 90, 2014, pp. 361-385, disponible en: *https://digital-commons.usnwc.edu/ils/vol90/iss1/2/*, *véanse páginas 381-385*.

De cualquier forma, es significativo tener en cuenta que un comandante militar o un superior (civil o militar) que ordena el despliegue de AW, debe saber cómo funcionan estas y entender cuáles son los riesgos que involucraría hacer uso de ellas en la ejecución de un ataque dentro de un conflicto armado internacional, al igual que como debería suceder con cualquier otro medio y método de guerra. Por tanto, si un arma autónoma, al final, comete un CDI bajo este supuesto, dicho comandante o superior podría ser incluso responsable penalmente a título de coautor indirecto. Además, como se señaló en la sección anterior, si el comandante o superior conoce de antemano la impredecibilidad inherente del SAAL —y los riesgos probables que ello implica—, y pese a ello ordena el despliegue del sistema para cumplir con una misión en un conflicto armado, está claro que ese comandante o superior podría ser penalmente responsable por cualquier acción ilegal que no hubiera previsto y que haya sido ejecutada por la máquina; una responsabilidad que le sería atribuida, tal vez, por su condición de coautor indirecto (a título de dolo eventual o dolo directo en segundo grado, según corresponda) del hecho criminal.

Ahora bien, si nos encontráramos en un supuesto diferente, en el que los subordinados del comandante o del superior son quienes despliegan el SAAL para ejecutar un ataque, probablemente, si esa arma autónoma llegare a cometer algún crimen, la responsabilidad penal por dicho crimen podrá establecerse para los comandantes militares —y de ser posible para los superiores (civiles o militares)— sobre la base de la responsabilidad de mando[1068], aunque teniendo en cuenta siempre las particularidades de cada caso, y sin que ello obstaculice la imposición de cualquier otro tipo de responsabilidad a que hubiere lugar.

Todas estas cuestiones son importantes de considerar en virtud del impacto que tienen en los asuntos vinculados a la eficacia del mando y control efectivo sobre el arma, aspectos que son decisivos determinar en la evaluación de cualquier proceso de focalización. En principio, el

---

[1068] Marauhn, T., «An analysis of the potential impact of lethal autonomous weapons systems on responsibility and accountability for violations of International Law» (presentación), *op. cit.*, *véase página 5*.

lanzamiento de un ataque, en el sentido del artículo 49 del API[1069], es el instante decisivo en el tiempo para el establecimiento de responsabilidades penales. Ahora bien, tal vez con el uso de SAAL, aquello que se considera hoy como «el momento de lanzamiento» simplemente cambie, a tal punto que se llegue a considerar que ese lanzamiento se produce en el mismo instante en que el arma ha sido activada y desplegada, lo cual podría significar la cesión al arma autónoma de la posibilidad física y material de realizar el ataque[1070].

Por tanto, en resumen, cuando se dé un mal uso intencional del SAAL, siempre se podrá atribuir la responsabilidad penal. Establecer un deber sobre el comandante o superior para prevenir los delitos cometidos a través del sistema siempre dependerá de que se demuestre —principalmente— el elemento *mens rea*, lo que sigue siendo muy difícil —aunque no imposible— de hacer. A tal efecto, siempre será básico que en las fases de pruebas existan indicios suficientes que proporcionen la base necesaria para definir una distribución de probabilidades sobre el conjunto de resultados en un escenario futuro de implementación del sistema. Esto significa que, para cada resultado posible, son los comandantes o superiores —según proceda— quienes deberían estimar el impacto que probablemente generaría —sobre todo en los civiles— el uso de esa arma autónoma en un conflicto armado internacional[1071]. Ello es lógico, ya que los comandantes y

---

1069 Protocolo Adicional I (API) a los Convenios de Ginebra de 1949 relativo a la protección de las víctimas de los conflictos armados internacionales, *op. cit.*, *véase artículo 49*; Sandoz, Y., Swinarski, C. y Zimmermann, B. (eds.), *Comentario sobre los Protocolos adicionales del 8 de junio de 1977 a los Convenios de Ginebra del 12 de agosto de 1949*, *op. cit.*, *véase párrafo 1877*; y Marauhn, T., «An analysis of the potential impact of lethal autonomous weapons systems on responsibility and accountability for violations of International Law» (presentación), *op. cit.*, *véase página 5*.

1070 Bothmer, F. von, *Missing Man: Contextualising Legal Reviews for Autonomous Weapon Systems* (disertación para obtener el título de doctor en Filosofía en Derecho), *op. cit.*, *véanse páginas 74 y 75*; y Departamento de Defensa de los Estados Unidos de Norteamérica, *Autonomy in Weapons Systems* (directiva), *op. cit.*, *véase página 3*.

1071 El rango de acción de un SAAL debería ser limitado y estimado de forma probabilística. Si esto no se hace, se produciría lo que algunos autores denominan «una incertidumbre de segundo nivel», es decir, sobre el rango de acción del arma que crearía riesgos o peligros imposibles de estimar, por lo que el uso de esa arma autónoma podría considerarse ilegal. Al respecto, Kalmanovitz, P., «Judgment,

superiores son los primeros que están llamados a cumplir con el deber de detectar y medir los riesgos y los peligros no despreciables cuando se hace uso de la fuerza —especialmente de efectos letales—. Esto conlleva a que los comandantes o los superiores jurídicamente deban tener confianza epistémica, muy bien fundamentada, en relación con el rango de acción y capacidades reales del SAAL, sobre todo si se utiliza para ejecutar un ataque en un conflicto armado internacional.

7.2.3. Responsabilidad estatal por los hechos internacionalmente ilícitos cometidos a través de SAAL

Como refiere gran parte de la doctrina especializada, efectivamente el régimen de responsabilidad estatal tiene el potencial de servir para superar los desafíos que pudieran plantear los SAAL a la hora de tener que rendir cuentas o atribuir responsabilidad por cualquier hecho ilícito llevado a cabo por un SAAL en un conflicto armado internacional[1072]. Una de las principales razones es que en el derecho internacional está bien establecido que el incumplimiento de una norma de derecho internacional implica la responsabilidad del Estado por un hecho internacionalmente ilícito que le sea atribuible. Así pues, la responsabilidad internacional del Estado es el conjunto de relaciones jurídicas que nacen en el DIP del hecho internacionalmente ilícito cometido por un Estado. Es una materia regulada fundamentalmente por el derecho consuetudinario[1073], y ha sido objeto de atención de la

---

liability and risks of riskless warfare», en Bhuta, N., Beck, S., Geib, R., Liu, G.-Y. y Kreb, C. (eds.), *Autonomous weapons systems. Law, ethics, policy*, Cambridge (EE.UU.), Cambridge University Press, 2016, pp. 145-163, *véanse páginas 154-156*.

[1072] Hammond, D. N., «Autonomous weapons and the problem of state accountability», *Chicago Journal of International Law,* vol. 15, 2015, núm. 2, art. 8, pp. 652-687, *véase página 668*; Marauhn, T., «An analysis of the potential impact of lethal autonomous weapons systems on responsibility and accountability for violations of International Law» (presentación), *op. cit.*, *véase página 5*; y Comité Internacional de la Cruz Roja, *Autonomous weapon systems. Implications of increasing autonomy in the critical functions of weapons* (informe), *op. cit.*, *véase página 45*.

[1073] Henckaerts, J. M. y Doswald-Beck, L., *El Derecho internacional humanitario consuetudinario*, *op. cit.*, *véase reglas 149 y 150*.

Comisión de Derecho Internacional (en adelante, ILC, por las siglas en inglés de International Law Commission)[1074].

Concretamente, la ILC articuló en 2001 el «proyecto de artículos sobre la responsabilidad del Estado por hechos internacionalmente ilícitos» (en adelante, los «artículos de responsabilidad estatal»)[1075], que establecen que todo hecho internacionalmente ilícito de un Estado conlleva la responsabilidad internacional de ese Estado. Así pues, un Estado se involucra en una acción internacionalmente ilícita cuando un acto u omisión[1076] (a) es atribuible al Estado según el derecho internacional; y (b) constituye una violación de una obligación internacional del Estado. Una acción es atribuible a un Estado cuando es conducida por un «órgano» suyo[1077], entre los cuales están tanto los militares como las agencias de inteligencia. Bajo el amparo de estas premisas, las dos principales posibilidades de perseguir esta respons-

---

1074 La Comisión de Derecho Internacional fue creada el 21 de noviembre de 1947 por la Asamblea General de Naciones Unidas, y tiene como misión favorecer el desarrollo progresivo y la codificación del derecho internacional. Comisión de Derecho Internacional (en inglés International Law Commission), página web creada el 21/11/1947 por la Asamblea General de Naciones Unidas, disponible en: *http://legal.un.org/ilc/*, fecha de revisión: 25/07/2019.

1075 Proyecto de artículos sobre la responsabilidad del Estado por hechos internacionalmente ilícitos; Naciones Unidas, *Anuario de la Comisión de Derecho Internacional* (informe de la Comisión de Derecho Internacional sobre la labor realizada en su 53.° período de sesiones), Nueva York y Ginebra, Naciones Unidas, 2007, vol. 2 (A/CN.4/SER.A/2001/Add.1), [en línea], disponible en: *http://legal.un-.org/ilc/publications/yearbooks/spanish/ilc_2001_v2_p2.pdf*, fecha de revisión: 24/07/2019.

1076 En todos los casos, el punto de partida es la violación de una obligación internacional a través de actos u omisiones. Es importante tener en cuenta que los Estados son capaces de cometer delitos como personas jurídicas. Al respecto, Bothmer, F. von, *Missing Man: Contextualising Legal Reviews for Autonomous Weapon Systems* (disertación para obtener el título de doctor en Filosofía en Derecho), *op. cit., véase página 60.*

1077 Los órganos de un Estado son cualquier persona o entidad que tenga ese estatus de acuerdo con la ley interna del Estado del que formen parte. Sus acciones, por definición, se consideran hechos de ese Estado. Además, las violaciones cometidas por soldados humanos se atribuyen al Estado, aunque se exceda en su competencia o contravenga sus instrucciones. Al respecto, Naciones Unidas, *Anuario de la Comisión de Derecho Internacional* (informe de la Comisión de Derecho Internacional sobre la labor realizada en su 53.° período de sesiones), *op. cit., véase artículos 4, 5 y 7.*

abilidad será a través de los medios y procedimientos determinados por el DIP[1078].

Precisado lo anterior, es importante plantear algunas consideraciones sobre este régimen de responsabilidad y su potencial aplicabilidad al uso de SAAL.

De acuerdo con el artículo 3 de la Convención de La Haya (IV) de 1907[1079] y reiterado en el artículo 91 del API[1080], cada Estado parte es responsable de todos los actos cometidos por las personas que hagan parte de su fuerza armada, en tanto que son un órgano de ese Estado, como cualquier otra entidad del poder ejecutivo, legislativo o judicial del Gobierno. Esta norma es una aplicación de la norma general de la responsabilidad del Estado por hechos internacionalmente ilícitos, hoy recogida en los «artículos de responsabilidad estatal». Concretamente, el artículo 7 *eiusdem* establece que el comportamiento de un órgano del Estado (por ejemplo, sus Fuerzas Armadas) se considerará hecho de ese Estado según el derecho internacional siempre que tal órgano actúe en esa condición, independientemente de si se hubiera excedido en su competencia o contravenido sus instrucciones[1081]. Teniendo en cuenta todo esto, queda claro que, si un arma autónoma llegare a operar en conflictos armados internacionales bajo la autoridad de las Fuerzas Armadas de un Estado, la comisión de cualquier hecho ilícito internacional realizada por dicha arma sería atribuible a ese Estado.

También se puede dar el caso en el que, con la autorización, la aquiescencia, la complicidad o el reconocimiento de las Fuerzas Armadas de un Estado (órganos estatales), un actor no estatal implemente un

---

1078 Hammond, D. N., «Autonomous weapons and the problem of state accountability», *op. cit., véase de la página 677 a la 681.*

1079 *Convenio IV de La Haya relativo a las leyes y costumbres de la guerra terrestre,* 1907 [en línea], disponible en: *http://www.cruzroja.es/principal/documents/1750782/1851920/Convenio_IV_de_la_Haya_de_1907.pdf/816306c0-6008-4959-972b-c07d84ea51b1*, fecha de revisión: 25/07/2019, *véase artículo 3.*

1080 Protocolo Adicional I (API) a los Convenios de Ginebra de 1949 relativo a la protección de las víctimas de los conflictos armados internacionales, *op. cit.*

1081 Naciones Unidas, *Anuario de la Comisión de Derecho Internacional* (informe de la Comisión de Derecho Internacional sobre la labor realizada en su 53.º período de sesiones), *op. cit., véase artículo 7.*

arma autónoma y viole derechos protegidos[1082]. En este supuesto, el Estado que autorizó, aceptó o sirvió de cómplice del comportamiento ilícito del actor no estatal será considerado responsable por el hecho internacionalmente ilícito realizado por el arma. Luego están aquellos supuestos en los que una parte privada (actor no estatal), como las corporaciones en la producción de SAAL, sin autorización del Estado, se involucra en la producción ilegal de sistemas de armas autónomas, contraviniendo normas jurídicas especiales. Aquí, el Estado todavía tiene el deber de tomar medidas diligentes para proteger a sus ciudadanos de las acciones de partes privadas y, como tal, debe tomar todas las medidas para prevenir, investigar, castigar y reparar esos abusos mediante políticas adecuadas, actividades de reglamentación y sometimiento a la justicia a esas corporaciones (o incluso, si se diera el caso, a grupos rebeldes)[1083].

Otro caso que pudiera plantearse es cuando un Estado pone a disposición de otro Estado a un órgano suyo para llevar a cabo una operación militar a través de un SAAL. En ese supuesto, el órgano, inicialmente perteneciente a un Estado, actúa exclusivamente para los fines del otro Estado y en su nombre (vínculo funcional), y su comportamiento se atribuye solamente a este Estado. Por tanto, si con esa arma autónoma se llegare a cometer una violación del DIH, por ejemplo, será el Estado a cuya disposición se encuentra el órgano el que será responsable de ese hecho ilícito[1084].

1082 *Ibid.*, *véase artículos 7, 8 y 11*; y Comisión Internacional de Juristas, *The Right to a Remedy and Reparation for Gross Human Rights Violations*, Ginebra, Comisión Internacional De Juristas, 2018 [en línea], disponible en: *https://www.icj.org/wp-content/uploads/2018/11/Universal-Right-to-a-Remedy-Publications-Reports-Practitioners-Guides-2018-ENG.pdf*, fecha de revisión: 25/07/2019, *véase página 29*.

1083 Oficina del Alto Comisionado de las Naciones Unidas para los Derechos Humanos, *Principios rectores sobre las empresas y los derechos humanos*, Nueva York y Ginebra, Naciones Unidas, 2011 [en línea], disponible en: *https://www.ohchr.org/documents/publications/guidingprinciplesbusinesshr_sp.pdf*, fecha de revisión: 25/07/2019, *véase página 3*; y el artículo 1 común a los Convenios de Ginebra, disponible en: *https://www.icrc.org/es/international-review/article/el-articulo-1-comun-los-convenios-de-ginebra-y-la-obligacion-de*, fecha de revisión: 08/08/2019.

1084 Naciones Unidas, *Anuario de la Comisión de Derecho Internacional* (informe de la Comisión de Derecho Internacional sobre la labor realizada en su 53.º período de sesiones), *op. cit.*, *véase artículo 6*.

Por otro lado, es importante destacar que los tratados, los principios generales y el derecho internacional consuetudinario establecen de manera independiente que las empresas no son inmunes a la responsabilidad según los estándares internacionales[1085]. En ese sentido,

---

1085 Por ejemplo, artículo 10 del Convenio del Consejo de Europa para la prevención del terrorismo. «Convenio del Consejo de Europa para la prevención del terrorismo», *Diario Oficial de la Unión Europea,* 16/05/2005, vol. 159, pp. 3-14, disponible en: *https://eur-lex.europa.eu/legal-content/ES/TXT/PDF/?uri=CELEX-:22018A0622(01)&from=ES,* fecha de revisión 24/07/2019; artículo 10 de la Convención de Naciones Unidas contra la Delincuencia Organizada Transnacional: *Convención de las Naciones Unidas contra la Delincuencia Organizada Transnacional,* Oficina de las Naciones Unidas contra la Droga y el Delito, Nueva York, Naciones Unidas, 2014 [en línea], disponible en: *https://www.unodc.org/documents/middleeastandnorthafrica/organised-crime/UNITED_NATIONS_CONVENTION_AGAINST_TRANSNATIONAL_ORGANIZED_CRIME_AND_THE_PROTOCOLS_THERETO.pdf,* fecha de revisión 24/07/2019; artículo 2 de la Convención sobre la lucha contra el soborno de funcionarios públicos extranjeros en transacciones comerciales internacionales: disponible en: *Convention on Combating Bribery of Foreign Public Officials in International Business Transactions,* OECD, 2011 [en línea], disponible en: *https://www.oecd.org/daf/anti-bribery/ConvCombatBribery_ENG.pdf,* fecha de revisión: 24/07/2019; artículo 1.2 de la Convención Internacional sobre la Represión y el Castigo del Crimen de Apartheid: *Convención Internacional sobre la Represión y el Castigo del Crimen de Apartheid,* Asamblea General de Naciones Unidas, Resolución 3068 (XXVIII), de 30/11/1973 [en línea], disponible en *https://www.acnur.org/fileadmin/Documentos/BDL/2002/1426.pdf,* fecha de revisión 24/07/2019. Incluso hay tratados que proscriben el desarrollo, la transferencia y el almacenamiento de ciertas armas, y además trascienden al sector privado, incluyendo a las corporaciones propiamente. Al respecto, *Convención sobre la Prohibición del Desarrollo, la Producción, el Almacenamiento y el Empleo de Armas Químicas y sobre su Destrucción (Convenio de París de 1993),* Asamblea General de Naciones Unidas [en línea], disponible en: *http://www.cruzroja.es/principal/documents/1750782/1851920/Convencion_sobre_armas_quimicas.pdf/ec7be1d6-a715-4a6e-8352-688b2ed448c8,* fecha de revisión: 24/07/2019; y *Convención sobre la Prohibición del Desarrollo, la Producción y el Almacenamiento de Armas Bacteriológicas (Biológicas) y Toxínicas y sobre su Destrucción, op. cit.* Aunque no tenga un carácter vinculante, Departamento Federal de Relaciones Exteriores de la Confederación Suiza, *Documento de Montreux sobre las obligaciones jurídicas internacionales pertinentes y las buenas prácticas de los Estados en lo que respecta a las operaciones de las empresas militares y de seguridad privadas durante los conflictos armados* (informe), Ginebra, Comité Internacional de la Cruz Roja [en línea], disponible en: *https://shop.icrc.org/icrc/pdf/view/id/755?_*

si una corporación diseña, fabrica, vende, transfiere y/o usa AW de tal manera que incumpla el DIH, el Estado a cuya jurisdicción esté sometida esa empresa tendrá el deber de atribuirle a esta la responsabilidad a que hubiere lugar.

Ello es lógico, ya que el Estado tiene la obligación general de establecer medidas que rijan tanto a las personas físicas como a las jurídicas, con miras a garantizar que estas no actúen de una manera tal que sea incompatible con las obligaciones internacionales del Estado[1086]. Así, la mayoría de los tratados sobre armas, especialmente aquellos que prohíben ciertos tipos de armas, responsabilizan a los Estados parte de garantizar que las personas dentro de su jurisdicción no violen el estándar internacional en la materia[1087]. Los medios nacionales para implementar estas obligaciones estatales pueden tomar una variedad de formas, incluidos los regímenes de licencias, los controles de exportación, las sanciones administrativas (incluida la exclusión de contratistas del Gobierno), el enjuiciamiento penal y la responsabilidad civil.

Varios de los países que hoy lideran la investigación, el desarrollo y la innovación de las tecnologías emergentes en el área de las AW tienen, en su mayoría, leyes nacionales que imponen sanciones a las entidades corporativas. Esas sanciones pueden incluir multas,

---

ga=2.208306258.1989890786.1563988860-233208038.1554455314, fecha de revisión: 24/07/2019. Para más información al respecto, Torroja Mateu, H. (ed.), *Public International Law and human rights violations by private military and security companies*, Berlín, Springer, 2017.

1086 Naciones Unidas, *Anuario de la Comisión de Derecho Internacional* (informe de la Comisión de Derecho Internacional sobre la labor realizada en su 53.º período de sesiones), *op. cit.*, *véase artículo 5*.

1087 Por ejemplo, *Convención sobre la Prohibición del Desarrollo, la Producción y el Almacenamiento de Armas Bacteriológicas (Biológicas) y Toxínicas y sobre su Destrucción*, *op. cit.*; *Convención sobre la Prohibición del Desarrollo, la Producción, el Almacenamiento y el Empleo de Armas Químicas y sobre su Destrucción (Convenio de París de 1993)*, *op. cit.*; y *Tratado sobre el Comercio de Armas de 2013*, Naciones Unidas, disponible en: *https://unoda-web.s3-accelerate.amazonaws.com/wp-content/uploads/2013/06/Espa%C3%B1ol1.pdf*, fecha de revisión: 24/07/2019. Incluso hay disposiciones internacionales que señalan que los Estados tienen el deber de garantizar que en su jurisdicción ciertos tipos de armas no se vendan ni se transporten. Al respecto, *ibid.*, *véase las disposiciones del Tratado*.

inhabilitación, pérdida de licencia, restitución, decomiso y otras medidas[1088]. Por lo tanto, los Estados tienen un rol importantísimo para asegurar que las empresas sometidas a sus jurisdicciones diseñen, fabriquen, vendan, transfieran y/o usen tecnologías armamentísticas de una manera que no violen el estándar internacional en la materia.

Así las cosas, desde una perspectiva jurídica, se puede colegir que el régimen de responsabilidad de los Estados es una opción útil y viable para resolver todos los asuntos que sobre rendición de cuentas y responsabilidad pueden plantear los SAAL. Ello es así, ya que los Estados, una vez que se percaten de que podrían ser uno de los principales responsables de los crímenes ejecutados materialmente por AW, probablemente se animen a sopesar mejor los posibles costos (políticos, sociales e institucionales) que les traería soportar la responsabilidad civil por los daños causados, frente a los beneficios de usar esos sistemas en un conflicto armado. Por otro lado, responsabilizar a los Estados por los hechos ilícitos cometidos a través de SAAL les impulsaría a asegurar que las AW que utilicen en la guerra sean menos riesgosas, peligrosas y tentativamente violatorias del DIH.

Otro efecto positivo de la aplicación del régimen de responsabilidad estatal al uso de SAAL es que el Estado podría verse obligado a incentivar a las empresas armamentísticas a producir AW fiables, más predecibles y seguras. Esa iniciativa podría llevarse a cabo además a nivel multilateral entre los Estados, aprovechando espacios como las reuniones del GEG sobre los SAAL en la CCW, todo ello con miras a establecer estándares para la consolidación de un comercio aceptable de esos sistemas[1089]. Al mismo tiempo, los Estados podrían valorar

---

1088 A pesar de esto, es importante señalar también que ciertas jurisdicciones solo permiten que la conducta de los ejecutivos de alto nivel sea imputada a la corporación. Por tanto, las condenas no serían posibles si las actividades en cuestión fueran llevadas a cabo por empleados de nivel medio o bajo, sin conocimiento —o sanción— de los altos directivos. Asimismo, algunas jurisdicciones no permiten reclamos relacionados con actividades militares, o funciones públicas específicas que planteen cuestiones más amplias de política pública. Al respecto, Weizmann, N. y Costas Trascasas, M., «Autonomous weapon systems under International Law», *op. cit.*, *véase página 22*.

1089 Como se destacó en capítulos previos, Argentina propuso este año ante el GEG sobre los SAAL en la CCW un documento de trabajo, de 29 de marzo de 2019, en el que plantea un cuestionario sobre los mecanismos de revisión jurídica de

límites normativos a la discrecionalidad de los comandantes a la hora de ordenar el despliegue de estas armas en un conflicto armado.

Por último, aplicar un régimen de responsabilidad a los Estados por el uso de SAAL es clave, porque así se podría equilibrar un poco la balanza de riesgos versus beneficios no recíprocos que representa el despliegue de cualquier arma autónoma en un conflicto armado internacional. Ciertamente, si un Estado despliega un SAAL en una guerra, normalmente lo hace por interés estratégico y necesidad militar propia. En cambio, con toda probabilidad, los individuos que se encuentran en la zona de combate en donde fue desplegado ese sistema son quienes correrán el riesgo de sufrir físicamente los efectos de cualquier acto ilícito que eventualmente cometa el arma autónoma.

Esas circunstancias, en sí mismas, plantean un desequilibrio injusto a favor del Estado, porque es él quien disfruta de las muchas ventajas tácticas y de recursos que ofrecen los SAAL; ventajas de las que las víctimas posiblemente no sacarán beneficio alguno. En cambio, con la imposición de responsabilidad al Estado por el uso de estas armas, se equilibraría un poco más la situación, mejoraría la distribución de la carga y los beneficios, ya que —en el peor de los escenarios— obligaría al Estado a compensar a las víctimas de los hechos internacionalmente ilícitos ocasionados por el SAAL.

De cualquier forma, lo importante es tener presente que el Estado siempre tendrá la obligación de actuar con la diligencia debida para controlar las AW, además de que deberá cumplir con la obligación

---

nuevas armas, medios y métodos de guerra, aplicable al área de los SAAL. La idea de este instrumento es ayudar a mitigar las diferencias existentes entre los Estados parte acerca de las armas autónomas, y la manera de hacerlo sería alcanzando una cierta estandarización de la naturaleza más universal de los mecanismos de revisión de armas. Un primer paso en esta dirección sería la elaboración de un compendio de buenas prácticas nacionales en la materia. *Questionnaire on the Legal Review Mechanisms of New Weapons, Means and Methods of Warfare* (documento de trabajo de Argentina), *op. cit.*; *Fortalecimiento de los mecanismos de revisión de una nueva arma, o nuevos medios o métodos de guerra* (documento de trabajo de Argentina), *op. cit.*; y Nissel, A., «The ILC articles on state responsibility: Between self-help and solidarity», *NYU International Law and Politics*, vol. 38, 2006, pp. 355-371, disponible en: *http://nyujilp.org/wp-content/uploads/2013/02/38.1_2-Nissel.pdf*, fecha de revisión: 25/07/2019, *véanse páginas 368-370.*

de abstenerse de cometer hechos ilícitos. La obligación de diligencia debida exige así los mejores esfuerzos del Estado para hacer lo que sea razonablemente posible dentro de su poder[1090]. Por tanto, teniendo en cuenta lo dispuesto en el artículo 1 común a los Convenios de Ginebra de 1949, los Estados tienen la obligación de garantizar el respeto del DICA. En ese sentido, deberán tomar todas las medidas diligentes para garantizar que el uso de AW cumpla con ese marco normativo, porque la inacción ante estas obligaciones les acarreará la atribución de responsabilidad. Ello significa que, el mero hecho de que un arma desplegada por un Estado cause una violación al DIH, en sí mismo, será suficiente para hacer que ese Estado sea considerado responsable de dicha vulneración.

1090 Berke, A., «The standard of "due diligence" as a result of interchange between the Law of armed conflict and General International Law», *Journal of Conflict & Security Law Oxford University Pres*, vol. 23, 2018, núm. 3, pp. 433-460, disponible en: *https://academic.oup.com/jcsl/article-abstract/23/3/433/5236612*, fecha de revisión: 25/07/2019; y Marauhn, T., «An analysis of the potential impact of lethal autonomous weapons systems on responsibility and accountability for violations of International Law» (presentación), *op. cit.*, *véanse páginas 3 y 5*.

CONCLUSIONES

A lo largo de la presente investigación se ha podido evidenciar cómo la investigación, el desarrollo y la innovación de las tecnologías emergentes en el área de los SAAL, y su potencial utilización en conflictos armados internacionales, plantean dudas en gran parte de la comunidad internacional acerca de si estas pueden llegar a convertirse en un serio obstáculo para que los Estados puedan cumplir con los principios básicos del DIH. La inquietud generalizada, a veces producto de una visión distópica acerca de la tecnología, no solo conduce a moldear la forma en que los seres humanos perciben los beneficios y riesgos de las innovaciones tecnológicas futuristas, como las armas autónomas, sino que puede aumentar las presiones sobre los Gobiernos para que intervengan en esta área de desarrollo a través de una legislación preventiva.

Teniendo en cuenta toda esa realidad, esta investigación llega a las siguientes conclusiones:

Primera: las tecnologías emergentes en el área de los SAAL no son ciencia ficción. Son una prioridad real en la política de seguridad y de defensa de aquellos Estados y organizaciones internacionales que más invierten en desarrollos e innovaciones armamentísticas.

Con relación al alcance de esta afirmación, debe tenerse en cuenta lo siguiente:

El desarrollo tecnológico armamentista previsto por las principales potencias mundiales en temas de armamento avanza hacia el establecimiento de redes entre máquinas, sin manipulador u operador humano, que podrían «percibir hechos y actuar» con más rapidez que los humanos. A través de la robótica y la IA aplicada al área de los SAAL, la industria armamentista estatal y privada tiene como objetivo cambiar, progresivamente, el conjunto de conceptos, principios y prácticas que guían el modo actual de empleo de la fuerza militar, a tal punto que podrán transformar drásticamente la manera de utilizar los medios y métodos de combate.

Hoy en día las estrategias estatales de seguridad y defensa, en su mayoría, apuestan por iniciativas encaminadas a aprovechar los principios y las tecnologías de la «era de la información» para el desarrollo de operaciones militares. Esto se traduce en dar un valor estratégico al uso extensivo de las tecnologías de la información y la comunicación en el diseño de redes de conexión comunes a todos los sistemas armamentísticos (como los SAAL) y fuerzas propias que participan en esas operaciones, de forma tal que cada oficial-usuario pueda conocer, aprovechar y difundir la información que resulte de interés en cada momento.

Por tanto, la investigación y el desarrollo militar armamentista transitan hoy por un largo proceso evolutivo, que madura progresivamente, y que va desde tener soldados muy bien equipados con sistemas de visión, radio y comunicación de última generación, pasando por la posibilidad de contar con equipos mixtos conformados por humanos y robots (interconectados), hasta llegar a la eventual creación de robots humanoides dotados de altos grados de autonomía en sus funciones. Todo esto, aunque parezca una aventura hacia la especulación y la ciencia ficción, es una tendencia real y factible.

Segunda: en el ámbito internacional no existe unanimidad acerca de qué son los SAAL. En la actualidad, los Estados, algunas organizaciones internacionales, ONG e instituciones académicas no se ponen de acuerdo acerca de cuáles son las características básicas que debería incluir cualquier definición de trabajo acerca de estos sistemas.

En relación con esta afirmación, es importante tener presentes algunas consideraciones:

Hoy no existe un concepto unívoco sobre los SAAL. Habida cuenta de ello, la presente investigación si bien se decanta por conceptualizar estos sistemas siguiendo un enfoque más jurídico que tecnológico, también pone énfasis en la naturaleza de las tareas o funciones que los sistemas realizan de manera autónoma.

Así las cosas, los SAAL son armas con capacidad mortífera que pueden ejecutar por sí mismas funciones ofensivas y/o defensivas en todo el ciclo de focalización, en reemplazo parcial o total de un ser humano, especialmente en las tareas de seleccionar (buscar, detectar, identificar, localizar o rastrear) y/o comprometer (utilizar la fuerza para neutralizar, impedir, dañar o eliminar/matar) objetivos.

Esta definición de trabajo describe a los SAAL como objetos, instrumentos o medios de combate, no como personas, y como tal deben ser considerados. Asimismo, la autonomía no se concibe como un espacio lineal y maniqueo que va de lo humano a la máquina. En su lugar, la autonomía se entiende como un amplio espectro con respecto a cada una de las funciones específicas que posean los SAAL. Dicho espectro va desde las limitadas funciones autónomas de los sistemas ya existentes, a aquellas que son propias de los sistemas del futuro cuyo nivel de sofisticación será mucho mayor (por ejemplo, los sistemas de armas completamente autónomos —hoy inexistentes—).

Así, el grado de autonomía en las funciones de los SAAL siempre será proporcional al nivel de control humano que se ejerza sobre ellas. Esto significa que, a mayor autonomía en cada una de las funciones del sistema, menor será el control humano que puede ejercerse sobre estas y, por ende, el nivel de reemplazo del ser humano en la ejecución de las tareas aumentará respectivamente. Por el contrario, a menor autonomía en cada función del sistema, mayor será el control humano ejercido en este y, por tanto, la posibilidad de reemplazo del ser humano disminuirá.

Por su parte, el control humano, sea cual fuere el adjetivo o nombre sucedáneo que algunos expertos quisieran darle (a saber, significativo, efectivo, apropiado, entre otros), debería ser considerado el límite correlativo natural a la autonomía en las funciones de los SAAL, un control que deberá existir durante el desarrollo, la activación y la operación de estos sistemas. En ese sentido, dos modelos de control humano, interdependientes entre sí, deben ejercerse sobre las funciones de cualquier SAAL: por un lado, el *control a través del diseño*, enfocado en la necesaria presencia de un *hardware* y un *software* específicos que permitan a un operador humano ejercer control durante toda la operación del sistema.

Por otro lado, está el *control en el uso*, un modo de intervención que implica el mantenimiento del control humano sobre el SAAL durante la planeación, la ejecución y la operación de sus tareas o funciones. Asegurar este modelo de control humano, especialmente en las etapas de activación y operación del sistema, es crucial para que realmente se pueda garantizar el cumplimiento de las normas del DIH.

La interdependencia entre ambos modelos de control exige además que el humano tenga la habilidad para entender la situación o el contexto general, que conozca el estado de funcionamiento del SAAL y del entorno en el cual será desplegada esa máquina, porque solo así ese humano podrá tener las herramientas necesarias para intervenir apropiadamente, si fuere necesario, en la ejecución de la tarea correspondiente.

Esta definición de trabajo además es inclusiva, ya que representa una amplia gama de configuraciones del arma y permite una reflexión más diferenciada basada en el cumplimiento del marco jurídico internacional vigente, sin perjuicio de que en el futuro se puedan desarrollar respuestas reguladoras más novedosas y/o apropiadas que las actuales. Así, es un enfoque conceptual que toma en cuenta el papel del ser humano en el proceso de focalización y en la interfaz hombre-máquina, proporcionando una hoja de ruta valiosa para profundizar en la comprensión de todas las preocupaciones y desafíos que pueden plantear los SAAL.

Tercera: el DIH es el marco jurídico idóneo para regular la investigación, el desarrollo y el uso de los SAAL en conflictos armados internacionales. Sin embargo, es útil que se establezcan directrices generales, estándares internacionales o códigos de buenas prácticas relativos al uso pacífico de la IA, sobre todo cuando se trata de su potencial aplicación en el área militar, de seguridad y de defensa. Esto es clave para prevenir muchos de los riesgos que hoy en día se les adjudican a las armas autónomas.

En apoyo a esta afirmación cabe observar lo siguiente:

En la actualidad no existe un marco jurídico que regule específicamente los SAAL. Habida cuenta de ello, esta investigación entiende que los SAAL, al ser un arma o medio de combate, su investigación, desarrollo e innovación, así como también su uso potencial en conflictos armados internacionales, son regulados conforme a un grupo de normas jurídicas denominado por la doctrina como «derecho internacional armamentista», cuyas obligaciones se derivan principalmente del DIH. Así, sobre la base de este marco jurídico, se admite la posibilidad de que los Estados puedan recurrir a los SAAL, como a cualquier otra arma o método de combate, para usar legítima y legalmente su fuerza armada militar en conflictos armados. No obstante, debido a las características técnicas que estas armas poseen, no deberían ser tratadas como una mera innovación tecnológica armamentista.

Los SAAL son sistemas armamentísticos altamente tecnológicos, en donde la relación humano-máquina no tendría por qué seguir los mismos parámetros que podrían darse en el uso de cualquier otra arma convencional. Todo esto se debe, fundamentalmente, a la aplicación de los avances en IA en el desarrollo de armas autónomas. Varias características de los sistemas de IA tienen un impacto en los SAAL y deberían considerarse seriamente a la hora de examinar las implicaciones jurídicas que traería consigo el uso de armas autónomas en conflictos armados internacionales.

Por ejemplo, hoy en día existen máquinas o sistemas de aprendizaje basados en *deep learning* que no siguen un conjunto de reglas programadas, sino que aprenden de los datos programados, y que para los diseñadores son efectivamente una «caja negra». En casos como esos, aplicados al área de los SAAL, los programadores de computadoras podrían verificar el *output* de la red y, de esa manera, ver si esta trabaja correctamente; pero entender por qué el sistema armamentístico llegó a una cierta conclusión y, lo que es más importante, predecir las inferencias que este hará o cuáles serán sus fallas con anticipación, es bastante difícil (por no decir casi imposible)[1091].

Ante ese escenario, es poco factible que los combatientes puedan predecir qué hará un SAAL cuando sea desplegado por un Estado para ejecutar un ataque. El nivel de impredecibilidad y la poca fiabilidad que pueden tener los SAAL, sobre todo cuando son dotados de IA, rompen los esquemas tradicionales con los que venían examinándose las implicaciones jurídicas de las tecnologías emergentes en conflictos armados. Por ende, es necesario que los Estados aprovechen las reuniones que se están llevando a cabo en la CCW acerca de los SAAL para establecer directrices generales, estándares internacionales o códigos de buenas prácticas relativos al uso seguro y pacífico de la

---

[1091] Holland, A., *The Black Box, Unlocked. Predictability and understandability in military AI, op. cit., véanse las páginas 21 y 22;* y, Holland, A., *Known Unknowns: Data Issues and Military Autonomous Systems, op. cit., véanse las páginas 7, 10, 11, 12, 13 y 26.*

IA, sobre todo en lo que tiene que ver con la inclusión del elemento humano en el potencial desarrollo y uso de las armas autónomas destinadas al área militar, de seguridad y de defensa[1092].

En ese sentido, resulta necesario que la comunidad internacional dirija parte de sus discusiones hacia la búsqueda de la mejor manera de gestionar jurídicamente los riesgos asociados con la IA en el área de los SAAL, sin que ello represente un obstáculo a la libertad de investigación e innovación. Estos esfuerzos de negociación internacional deberían incluir, entre otros aspectos, los siguientes:

- La creación de una agencia internacional encargada de certificar la seguridad de los sistemas de IA, sobre todo con relación a su predictibilidad, fiabilidad y, especialmente, capacidad de explicar la lógica detrás de cualquier interacción, recomendación y/o acción hecha por ellos. Esta agencia, que podría establecerse en el marco de la CCW —por ejemplo—, crearía un sistema de responsabilidad bajo el cual los diseñadores, fabricantes y vendedores de programas de IA certificados por ella estarían sujetos a una responsabilidad civil limitada, por ejemplo.
- El establecimiento de unas directrices generales que amparen el uso pacífico de la IA. Esto pasa por la prohibición de crear armas que alcancen un nivel de superinteligencia, es decir, una inteligencia en las máquinas que supere la inteligencia humana en cualquier tarea. Ello garantizaría que jamás se puedan desarrollar, fabricar, adquirir, transferir, vender o usar a nivel internacional armas completamente autónomas.
- La adopción de una directriz general a través de la cual se establezca el requisito obligatorio de la participación humana en el uso de la fuerza armada en conflictos armados. Esto pasa por establecer con carácter vinculante la existencia de un control humano en el diseño y el uso de cualquier arma autónoma. Asimismo, la incorporación de principios éticos como los derechos humanos, la responsabilidad y la protección civil en el proceso de toma de decisiones militares en las que se halle inmersa en

---

1092 *Autonomy, artificial intelligence and robotics: Technical aspects of human control* (informe del Comité Internacional de la Cruz Roja), *op. cit.*, *véase de la página 22 a la 24.*

IA. Por lo tanto, los Estados deberán tomar todas las medidas apropiadas y fiables para asegurar que la decisión de iniciar una secuencia de acciones que puedan resultar en el uso de la fuerza letal durante el despliegue de un arma autónoma sea tomada sólo por un operador humano (a saber, la persona —agente moral— responsable en la cadena de mando militar que es autorizada por un superior para usar el SAAL en un conflicto armado internacional).

- Al igual como ha sucedido con la regulación específica de otro tipo de armas (por ejemplo, en el protocolo sobre las prohibiciones o las restricciones del empleo de minas, armas trampa y otros artefactos), sería importante que se estableciera alguna otra directriz general en la que se exigiera que los SAAL, por ejemplo, dejen un rastro digital que facilite su ubicación exacta en tiempo real y, del mismo modo, que dichos sistemas tengan algún método de autodestrucción o autoneutralización activable por el operador humano en caso de emergencia o de situaciones imprevistas. Una disposición como esta abriría la posibilidad de garantizar que, en caso de mal funcionamiento del SAAL, el Estado usuario del arma pueda localizar o desactivar el arma y evitar así daños mayores.
- También debería considerarse la posibilidad de aprobar alguna otra directriz general relativa al monitoreo del SAAL que incluya un método, tal vez, similar al organismo de monitoreo previsto en la Convención sobre la prohibición del desarrollo, la producción, el almacenamiento y el empleo de armas químicas y sobre su destrucción (Convenio de París de 1993). Así pues, cada Estado debería presentar a la agencia internacional encargada de certificar la seguridad de los sistemas de IA un informe que revele el inventario real de todas las armas autónomas que ese país posee o que están bajo su jurisdicción. Ese informe debería incluir además los planes para la destrucción de aquellos SAAL que en su funcionamiento no se ajustan a la programación ni a las expectativas razonables de actuación derivadas de esa programación. Una vez que hayan presentado todos estos datos, la agencia internacional estaría autorizada a realizar inspecciones *in situ*, especialmente para examinar si los sistemas de armas han sido desarrollados, o están por de-

sarrollarse, con el *software* adecuado para llevar a cabo sus funciones conforme al derecho internacional. Esto significa que los Estados parte estarían obligados a admitir inspectores en el país para examinar las existencias armamentísticas.

- Por último, todo lo anterior deberá establecerse sobre la base de una premisa fundamental: las obligaciones del DICA jamás serán aplicables directamente a las máquinas como sujetos destinatarios de estas.

Cuarta: cualquier reflexión jurídica sobre el uso de las tecnologías emergentes en el área de los SAAL en conflictos armados internacionales debe hacerse bajo un enfoque antropocéntrico.

Con relación al alcance de esta afirmación, debe tomarse en cuenta lo siguiente:

La cláusula Martens brinda, por un lado, consideraciones éticas de orientación antropocéntrica a las discusiones sobre los SAAL y, por otro, conecta dicho enfoque con las evaluaciones jurídicas que sean pertinentes. En ese sentido, todo examen jurídico acerca de los SAAL debe hacerse teniendo en cuenta como marco de referencial el estándar jurídico de aplicabilidad exigido a cualquier combatiente en los términos y las condiciones definidas por el DIH.

Partiendo de esta premisa, queda claro que el derecho internacional no impide que aquellos humanos que planean y toman decisiones en un proceso de focalización sean desplazados temporal y geográficamente de la ejecución material del ataque armado. Lo que se exige conforme al DIH es que esos humanos definan todos los parámetros según los cuales los robots han de atacar, asegurándose de que estos los cumplan y tengan la información necesaria para aplicarlos bajo el mismo nivel de exigencia que se le requiere a cualquier combatiente en un conflicto armado internacional.

A tal efecto, los Estados deberán establecer restricciones a la autonomía en las funciones de esos sistemas de armas, de tal forma que se garantice el ejercicio de un control humano significativo, efectivo o apropiado sobre las tareas que lleve a cabo el arma autónoma, en especial mediante la supervisión humana y la capacidad de intervenir y desactivar el SAAL una vez que ha sido desplegado, definiendo requisitos técnicos sobre la predictibilidad, la fiabilidad y la capacidad de explicación del propio sistema, e imponiendo restricciones operativas en la ejecución de cualquier ataque armado llevado a cabo por el sistema autónomo.

Quinta: las armas autónomas, en sí mismas, no tienen por qué ser consideradas ilegales. Donde puede haber ilegalidad es en su uso, sobre todo a la hora de cumplir con las normas básicas del DIH, a saber, los principios de distinción, de proporcionalidad y de precaución en el ataque, la prohibición de no dar cuartel y la protección de las personas fuera de combate.

En relación con esta afirmación, es importante tener presentes algunas consideraciones:

Como se explicó en el capítulo 1 de esta monografía, el derecho internacional armamentista se divide en dos grupos normativos: por un lado, están las normas sustantivas del DIH, que engloban tanto el derecho de las armas (*Weapons Law/Law of Weaponry*) —concernientes a la legalidad o no de cualquier tipo de arma particular como tal—, como el derecho de focalización (*Targeting Law/Law of Targeting*) —relativo a la legalidad de la forma en que se utilizan dichas armas, lo cual abarca, entre otros aspectos, la observancia de los principios de distinción, proporcionalidad, precaución, la prohibición de no dar cuartel y la protección de las personas fuera de combate—. Por otro lado, está la norma procedimental del DIH relativa a la revisión de nuevas armas, medios y métodos de guerra de conformidad con el artículo 36 del API.

Concretamente, de acuerdo con el *Weapons Law*, la naturaleza autónoma de las funciones de un SAAL no comporta en sí misma la ilegalidad del sistema armamentístico. Lo que podría, eventualmente, suponer la ilegalidad de un arma autónoma sobre la base del *Weapons Law* sería la propia naturaleza y diseño del arma (o de las armas) que en estos sistemas hubiera(n) sido integrada(s), siempre que esta(s) cause(n) daños superfluos y/o sufrimientos innecesarios, o sea(n) arma(s) indiscriminada(s) *per se*.

En cambio, con respecto al *Targeting Law* la situación es diferente.

En primer lugar, a la pregunta de si los SAAL podrían ser considerados ilegales por no permitir que los combatientes puedan, a través de su uso, cumplir con el principio de distinción, la respuesta forzosamente no puede ser, por ahora, absoluta. Aclarar una incógnita como esta dependerá del sistema de armas específico y del contexto de su uso. Puede haber situaciones en las que el uso de un sistema de armas autónomas satisfaga la regla de la distinción, de una manera considerablemente precisa y eficaz. Sin embargo, hay otras circunstancias en las que es poco probable que un SAAL pueda cumplimentar los requerimientos del principio de distinción, sobre todo cuando se trata de situaciones en las que existe una participación directa de personas civiles en las hostilidades, o en el uso de escudos humanos en un conflicto armado.

En segundo lugar, las partes en un conflicto armado internacional no podrían cumplir operativamente con el principio de proporcionalidad en la mayoría de los ataques que se lleven a cabo mediante el uso de los SAAL, sobre todo si se trata de operaciones que deban ser ejecutadas durante períodos de tiempo considerables. Ello es así, ya que la norma de la proporcionalidad a menudo entraña juicios más cualitativos que cuantitativos que son, en la actualidad, operativamente difíciles de traducir en códigos de programación. Sin duda, es un gran desafío traducir en códigos programables en los SAAL todos y cada uno de los elementos que abraza el principio de proporcionalidad (por ejemplo, líneas operativas y estratégicas que son propias de los planes militares que estén en curso, variables de los contextos geopolíticos, supuestos impredecibles relacionados con el resto de los principios del DIH, etc.), y que no son, por naturaleza, estáticos, sino potencialmente cambiantes.

En tercer lugar, el principio de precaución en el ataque requiere que aquellos que planean o deciden un ataque tomen todas las precauciones factibles para evitar daños colaterales o lesiones incidentales a personas u objetos civiles. Por lo tanto, similar a la proporcionalidad, la dificultad de cumplir con este requisito a través del uso de los SAAL dependerá de varios parámetros operacionales vinculados, de una u otra manera, al entorno. Así pues, la observancia de las precauciones evaluativas puede, debido a las circunstancias propias del contexto en cada ataque, plantear desafíos cuando se desplieguen armas autónomas. Si los avances tecnológicos no permiten que los SAAL puedan facilitar el cumplimiento del principio de precaución en la ejecución de un ataque, el uso de ese sistema deberá considerarse ilegal para ese proceso de focalización en concreto. Por tanto, la comunidad internacional debería plantearse la posibilidad de idear métodos de combate en los que se impongan restricciones en cuanto a las circunstancias de utilización de los SAAL, de manera tal que se coadyuve a los comandantes y combatientes a cumplir siempre con el DIH.

En cuarto lugar, es importante destacar que, en la actualidad, uno de los desafíos que plantean las nuevas tecnologías emergentes en el área de los SAAL es la dificultad de poder cumplir con la prohibición de no dar cuartel y con la protección de las personas fuera de combate, ajenas al combate, o no combatientes. Ello es así, ya que los avances tecnológicos de hoy no podrían permitir que un SAAL tenga la capacidad para reconocer cuándo realmente un combatiente se está rindiendo o está incapacitado y no puede luchar más. Por lo tanto, los Estados deben preocuparse por establecer que un sistema de armas autónomas, en la forma en que se pretenda utilizar, tenga la capacidad de detectar que una persona u objeto se encuentra dentro de una de las categorías protegidas por el DIH y, en consecuencia, se abstenga de atacarlo. Queda por ver si en el futuro se podrán desarrollar *softwares* lo suficientemente sofisticados para que un SAAL cumpla con dicho cometido.

En relación con la aplicación a los SAAL de la norma procedimental del DIH relativa a la revisión de nuevas armas, medios y métodos de guerra se ha de precisar lo siguiente: teniendo en cuenta la tendencia de los avances que —hasta ahora— se están dando en el área de la IA y la robótica aplicada a la investigación, el desarrollo y la innovación de armas autónomas, resulta poco factible que los Estados puedan llegar a demostrar que el uso de estos sistemas sí cumplirá con todos los componentes del control humano que son necesarios para satisfacer las exigencias del mecanismo de revisión de nuevas armas, medios y métodos de guerra conforme al DIH.

En principio, las máquinas actúan de acuerdo con algoritmos y, por tanto, según un plan establecido por los humanos, aun cuando ese plan pudiera indicarles que se adapten de determinada manera o a ciertas circunstancias. Sin embargo, predecir el resultado del uso de SAAL será cada vez más difícil si tales sistemas se vuelven muy complejos en su funcionamiento y/o se les dota de una gran autosuficiencia y autodirección —en tiempo y espacio— a la hora de ejecutar sus funciones. Por lo tanto, los Estados deben seguir buscando alternativas para poder garantizar la existencia de un control significativo en el diseño y el uso de cualquier tecnología emergente en el área de los SAAL, porque solo así las armas autónomas podrían llegar a actuar de una manera más predecible en circunstancias imprevistas y, con ello, superar positivamente cualquier revisión jurídica conforme al DIH.

Sexta: el régimen jurídico de la responsabilidad penal individual, conectado a su vez con la responsabilidad de mando, y el régimen de la responsabilidad estatal son aplicables ante cualquier violación al DIH que haya sido cometida a través del uso de los SAAL en un conflicto armado internacional.

En apoyo a esta afirmación, cabe observar lo siguiente:

Como se destacó en el capítulo 7 de esta monografía, cuando un individuo despliega por sí solo, junto con otro, o por conducto de otro —sea este o no penalmente responsable— un arma autónoma con la clara intención y conocimiento de cometer un CDI, está claro que el régimen de responsabilidad penal individual sería efectivo para poder definir quiénes deberían ser penalmente responsables por ese crimen. En el resto de los modos de participación criminal (a saber, cuando la persona acusada contribuye/interviene/participa dando órdenes, planeando, instigando, induciendo, siendo miembro de una empresa criminal conjunta, actuando en complicidad, colaborando o encubriendo), solo se podría aplicar este mismo régimen de responsabilidad siempre y cuando se logre establecer antes las condiciones especiales que son propias de cada modo de participación en concreto. El problema con esto es que no será una tarea fácil, sobre todo a nivel probatorio.

Por otro lado, si se recurre específicamente a las reglas de responsabilidad de mando para resolver muchas de las cuestiones que pueden plantear los SAAL, es importante dejar claro que no se puede caer en la trampa de inferir que la persona que implemente un sistema autónomo en un conflicto armado internacional debe ser tratada como un comandante militar o superior (civil o militar). Esta precisión es clave, ya que aceptar lo contrario significaría asentir que las armas autónomas son a su vez los «agentes» o «combatientes» en el terreno, algo por demás erróneo, habida cuenta de que los SAAL son entes artificiales que no tienen agencia moral y, por razones obvias, no pueden ser responsables de sus propias acciones.

Aunado a lo anterior, la única instancia en la que el tema de la responsabilidad de mando podría ser relevante en el caso de los SAAL se da en aquellas situaciones en las que el comandante o superior que supervisa la programación individual —o el despliegue— del sistema «sabía» o «hubiera debido saber» (según corresponda) que su subordinado estaba programando o usando (desplegando) esa arma autónoma de manera ilegal y, pese a ello, el comandante o superior no hizo nada para prevenir o detener a su subordinado, o sancionarlo después del hecho criminal. Así pues, se entiende que la responsabilidad de un comandante o de un superior (civil o militar) en el contexto de los SAAL incluye —como con cualquier otra arma— la responsabilidad penal del operador del sistema (usuario final que despliega el arma). Esto significa que para aplicar este régimen de responsabilidad se deberá establecer antes que los subordinados del comandante militar o superior (civil o militar) hayan cometido un CDI a través de un arma autónoma.

Por último, desde una perspectiva jurídica, se puede colegir que el régimen de responsabilidad de los Estados por hechos internacionalmente ilícitos es una opción útil y viable para resolver los desafíos que pudieren existir a la hora de que se deba establecer rendición de cuentas y atribuir responsabilidad por la violación al DIH cometida a través de SAAL en un conflicto armado internacional. Ello es así ya que los Estados, una vez que se percaten de que podrían ser uno de los principales responsables de las violaciones al DIH ejecutadas materialmente por armas autónomas, probablemente se animen a sopesar mejor los posibles costos (políticos, sociales e institucionales) que les traería soportar la responsabilidad civil por los daños causados, frente a los beneficios de usar esos sistemas en un conflicto armado. Por otro lado, responsabilizar a los Estados por los hechos ilícitos cometidos a través de los SAAL les impulsaría a asegurar que las armas autónomas que utilicen en la guerra sean menos riesgosas, peligrosas y tentativamente violatorias del DIH.

Asimismo, otro efecto positivo de la aplicación del régimen de responsabilidad estatal al uso de los SAAL es que el Estado podría verse obligado a incentivar a las empresas armamentísticas a producir armas autónomas fiables, más predecibles y seguras. Esa iniciativa podría llevarse a cabo además a nivel multilateral entre los Estados, aprovechando espacios como las reuniones del GEG sobre los SAAL en la CCW, todo ello con miras a establecer estándares para la consolidación de un comercio aceptable de esos sistemas.

Glosario de términos

Los términos aquí incluidos se utilizan tal y como se indica a continuación:

Accidente (en el contexto de los SAAL): son fallos que derivan en consecuencias lógicas no intencionales y dañinas para los humanos. Los accidentes constituyen eventos en los que estos sistemas causan daño a humanos a los cuales no estaba pretendido causárselo, o que se causa en un momento o lugar que no estaban previstos. Por ende, accidente es un término más restringido que «fallo». Accidente es también un término más restringido que «riesgo inadvertido».
Actores no estatales: toda autoridad, organismo e, incluso, toda persona capaz de desempeñar una función en el campo político, social y económico; entre los no estatales se encuentran: organizaciones internacionales (intergubernamentales), las organizaciones regulatorias transgubernamentales, las organizaciones no gubernamentales o las empresas transnacionales. También lo son los grupos humanos armados y organizados, dirigidos a lograr objetivos políticos y de otra naturaleza (por ejemplo: delictivos).
Agentes tecnocientíficos: son aquellos individuos (científicos, ingenieros, técnicos, empresarios, industriales, políticos y, en muchos casos, militares) que se aglutinan en torno a programas interdisciplinarios e interprofesionales de investigación, como parte de una alianza estratégica común que les permita alcanzar en pocos años grandes avances en el conocimiento, hitos tecnológicos e innovaciones. Cada uno de esos agentes está interesado en el conocimiento científico, pero desde muy diferentes perspectivas.
Algoritmo de guerra: Se define como cualquier algoritmo que se expresa en un código de computadora, que se efectúa a través de un sistema construido, y que es capaz de ser aplicado en relación con un conflicto armado. Esos algoritmos parecen ser un ingrediente clave, y quizás el más importante, de lo que discuten la mayoría de las personas y los Estados cuando se abordan a los sistemas de armas autónomas.
Algoritmo: es cualquier procedimiento computacional bien definido que toma algún valor, o conjunto de valores, como entrada (*input*) y produce algún valor, o conjunto de valores, como salida (*output*). En consecuencia, es una secuencia de pasos computacionales que transforman el *input* en *output*. Sin embargo, también puede verse como una herramienta para resolver un problema computacional bien especificado. En este segundo enfoque, la declaración del problema especifica en términos generales la relación de entrada/salida deseada. Así, el algoritmo describe un procedimiento computacional específico para lograr esa relación.

Antropomorfizar: atribuir formas y comportamientos humanos a cosas o a un ser sobrenatural, sobre todo en el uso del lenguaje.
***Automation bias* / sesgo de automatización (en el contexto de los SAAL):** es la propensión a que el humano favorezca o confíe más en las sugerencias dadas por el sistema autónomo, e ignore la información contradictoria que tenga disponible por sí mismo y sin apoyo del sistema, incluso si esta última fuere la correcta. Este sesgo existe porque los humanos siempre tienden a pensar que la máquina hace —o sabe hacer— mejor cualquier tarea que ellos mismos, apoyándose en la idea de que la máquina ha sido diseñada por ingenieros muy inteligentes y, además, posee una gran masa de datos (*big data*) que un humano jamás sería capaz de manejar.
Autonomía (en el contexto de los SAAL): capacidad de un robot o de un sistema de IA de llevar a cabo funciones o tareas con poco o ningún control o influencia externos; esta autonomía es puramente tecnológica y será mayor cuanto mayor sea el grado de sofisticación con que se haya diseñado el robot para interactuar con su entorno. Por lo tanto, es la capacidad de un sistema inteligente para componer de forma independiente y seleccionar entre diferentes cursos de acción para alcanzar objetivos basados en su conocimiento del mundo, de sí mismo y de la situación. Así, la autonomía se entiende como un amplio espectro con respecto a cada una de las funciones específicas que posea un robot o un sistema de IA. Dicho espectro va desde las limitadas funciones autónomas de los sistemas ya existentes a aquellas que son propias de los sistemas del futuro cuyo nivel de sofisticación será mucho mayor (por ejemplo, en los casos de los SAAL, serían los sistemas de armas completamente autónomos, hoy inexistentes).
Bienes culturales: a tenor del DIH, son bienes de carácter civil consistentes en edificios dedicados a la religión, la educación, las artes, las ciencias o la beneficencia o los monumentos históricos; los bienes de gran importancia cultural no pueden ser objeto de ataque salvo en caso de necesidad militar imperiosa. Existen reglas específicas en el DIH que, adicionalmente, piden que se protejan los bienes culturales y que obligan a la potencia ocupante a impedir la exportación ilícita de bienes culturales de un territorio ocupado y devolver los bienes ilícitamente exportados a las autoridades competentes de ese territorio.
Bienes de carácter civil: conforme al DIH, se corresponden con aquellos bienes que no son objetivos militares, por lo que no deben ser atacados. Ahora bien, «un ataque que afecte a bienes de carácter civil no será ilícito siempre y cuando se dirija contra un objetivo militar y los daños causados incidentalmente a los bienes civiles no sean excesivos». En el API, junto a la protección general, se incluyen referencias a categorías específicas de bienes protegidos: bienes culturales y de los lugares de culto, bienes indispensables para la supervivencia de la población civil, bienes relacionados con el medio ambiente natural, y obras e instalaciones que contienen fuerzas peligrosas.

Bots: programa informático que efectúa automáticamente tareas repetitivas a través de Internet, cuya realización por parte de una persona sería imposible o muy tediosa. Es un *software* que sirve para comunicarse con el usuario, imitando un comportamiento humano (aunque a veces sea el de un humano de pocas palabras).
Brecha de responsabilidad (en el contexto de los SAAL): se produce cuando los mecanismos existentes para la responsabilidad jurídica no son adecuados para procesar el daño que pueden causar los robots autónomos letales. Por tanto, el sistema está diseñado para adaptar su comportamiento a su entorno, por lo que su funcionamiento no es completamente predecible.
Ciclo de focalización: representa una función de comando tanto a nivel operativo como a nivel de componente y ayuda a determinar los efectos necesarios para lograr los objetivos del comandante, identificar las acciones necesarias para crearlas en función de los medios disponibles, seleccionar y priorizar objetivos, alcanzar capacidades de sincronización, y luego evaluar su eficacia acumulada, tomando medidas correctivas si fuere necesario.
Ciencia de la computación/ciencia computacional: de manera general, es el estudio de las computadoras, sus principios, usos subyacentes y demás fenómenos asociados. Comprende temas como: programación; estructuras de información; ingeniería de *softwares* (especialmente métodos computacionales); lenguajes de programación; compiladores y sistemas operativos; diseño y prueba de *hardware;* arquitectura de sistemas informáticos; redes informáticas y sistemas distribuidos; análisis y diseño de sistemas; teorías de información, sistemas y computación; matemática y electrónica aplicables; técnicas informáticas (por ejemplo: gráficos, simulación, IA y redes neuronales); aplicaciones; aspectos sociales, económicos, organizativos, políticos, jurídicos e históricos de la informática. No es una ciencia en el sentido estricto de ser una disciplina que emplea un método científico para explicar fenómenos en la naturaleza o la sociedad (aunque tiene conexiones con la física, la psicología y la ciencia del comportamiento), sino más bien en el sentido más flexible por ser un cuerpo sistemático de conocimiento con fundamento teórico. Sin embargo, dado que en última instancia se trata de problemas prácticos relacionados con el diseño y la construcción de sistemas útiles, dentro de las limitaciones de costo y aceptabilidad, es tanto una rama de la ingeniería como una ciencia.
Ciencias de lo artificial: aparecen como el dominio de lo «hecho por humanos». Dados sus elementos epistemológicos, metodológicos y ontológicos, se enfocan en aquellos saberes desarrollados teleológicamente mediante el uso de diseños, y se enmarcan en la esfera de la dimensión aplicada en cuanto están orientadas a metas y buscan la solución de problemas concretos. Esto se puede apreciar, especialmente, en las ciencias computacionales o ciencias de la computación (y, dentro de ellas, en el área de la IA).

Circuito/*loop*: proceso de toma de decisiones para seleccionar y comprometer/atacar/combatir objetivos. Se ha convertido en un término muy familiar en las discusiones internacionales acerca de los SAAL y que comprende tres categorías distintas: (a) armas con intervención de un humano «en el circuito»: se describe como la capacidad de una máquina para tomar alguna medida, pero luego se detiene y espera a que un ser humano realice una acción positiva antes de continuar; (b) armas con intervención de un humano «en frente del circuito»: significa que los humanos tienen control de supervisión, permaneciendo capaces de intervenir y detener la operación continua de una máquina; y (c) armas con un humano «fuera del circuito»: se definen generalmente como la capacidad de la máquina para ejecutar una tarea o misión sin intervención humana directa o incluso la posibilidad de intervenir directamente.
Circuito más amplio (más allá del)/*beyond the wider loop*: se refiere a que los seres humanos están excluidos del proceso de selección de objetivos. En este contexto, las armas decidirían según las reglas que aprendan o creen ellas mismas, atacarían y podrían —o no— molestarse en dejar que los humanos lo sepan.
Circuito más amplio/*wider loop*: comprende el continente del circuito más estrecho. A menudo se usa como sinónimo de proceso de focalización, por lo que los humanos juegan en él un rol decisivo al ser responsables de la toma decisiones sobre el uso de la fuerza armada (especialmente en la formulación de objetivos y su selección, la selección de armas y la planificación de su implementación para la ejecución de una operación militar). Por lo tanto, proporciona la oportunidad suficiente para ejercer el control humano, lo que facilita el cumplimiento del DIH.
Circuito más estrecho/*narrow loop*: se refiere a los procesos críticos (selección y ataque de objetivos) que llevan a cabo las armas.
Comandante del mando de operaciones: es aquel que ejercerá la autoridad y será responsable del planeamiento y la ejecución o el seguimiento de las operaciones conjuntas, combinadas y específicas excepto las correspondientes a las misiones permanentes en tiempo de paz que tengan asignadas los jefes de Estado Mayor de los Ejércitos y la Armada.
Comandante militar: categoría comprendida entre las de capitán y teniente coronel. Su rango, en algunos cuerpos específicos de la Armada, corresponde a capitán de corbeta. El empleo de comandante es un oficial superior perteneciente a las escalas de oficiales de los Ejércitos, cuerpo de infantería de marina y guardia civil. Los batallones pueden estar al mando de un comandante o un teniente coronel. En las Fuerzas Armadas de otros países, normalmente de influencia anglosajona, su equivalente es el grado de mayor.

Comando y control: *Comando,* en general, se refiere al ejercicio de la autoridad recaída en un individuo de las fuerzas armadas para la dirección, coordinación y control de las fuerzas militares. *Control* es la autoridad ejercida por un comandante sobre parte de las actividades de organizaciones subordinadas u otras organizaciones que normalmente no están bajo su mando, que abarca la responsabilidad de implementar órdenes o directivas. Toda o parte de esta autoridad puede ser transferida o delegada.
Combatiente enemigo: aquel individuo que es tratado como miembros de una fuerza militar en el contexto de un tipo de conflicto armado no reconocido legalmente (no a través del DIH). Este término suele ser identificado como parte de la llamada «guerra global contra el terrorismo», con el fin de aplicarles medidas extremas de detención o prisión. Teniendo muy en cuenta lo anterior, es importante precisar que, en la presente investigación, se hace uso de la expresión «combatiente enemigo» en un sentido diferente, a saber: aquel combatiente que es miembro de las fuerzas armadas del bando contrario (parte contendiente) a otro combatiente en un conflicto armado internacional.
Combatiente: en un sentido genérico, combatiente (intercambiable con soldado o persona que lucha) es un miembro de las Fuerzas Armadas o de cualquier otro grupo armado bajo las órdenes de una de las partes en conflicto. Conforme al DIH, en principio, solo en un conflicto armado con carácter internacional hace referencia a los miembros de las Fuerzas Armadas de las partes en conflicto (excepto personal sanitario y religioso) que participan directamente en las hostilidades, entendidas las Fuerzas Armadas como: «todas las fuerzas, agrupaciones y unidades armadas y organizadas que estén bajo un mando responsable de la conducta de sus subordinados ante esa parte». No obstante, aun cuando la regulación convencional de los conflictos armados sin carácter internacional no emplee el término combatiente, ocasionalmente, se utiliza este término para identificar a quienes participan directamente en las hostilidades como parte de las Fuerzas Armadas disidentes.
Conflicto armado internacional: conflicto armado entre dos o más Estados.
Conflicto armado no internacional: conflicto armado en que participen uno o más grupos armados no gubernamentales, de modo que pueda haber hostilidades entre las Fuerzas Armadas gubernamentales y grupos armados no gubernamentales o entre esos grupos únicamente, siempre que estos sean grupos armados organizados. El conflicto armado sin carácter internacional existirá si las hostilidades alcanzan un nivel mínimo de intensidad.
Conflicto armado: de manera general, son hostilidades en las que debe existir un recurso a la fuerza armada entre los Estados, o la violencia armada prolongada entre las autoridades gubernamentales y los grupos armados organizados o entre dichos grupos dentro de un Estado.

Control de armas: acuerdos internacionales sobre medidas para limitar el efecto y la capacidad de las armas, y el testeo, la producción, el almacenamiento, el despliegue, la transferencia y el uso de las armas. Estas medidas se encuentran en muchos tratados y convenios internacionales, y se introducen cuando se adoptan embargos contra los Estados que participan en un conflicto armado. Allí, el concepto de control de armamentos también se usa a nivel nacional en relación con medidas adoptadas para regular los derechos de los ciudadanos a poseer armas de fuego.

Control humano significativo/determinante: es una formulación política recogida y utilizada de diferentes maneras por diferentes actores. Su término se basa en la idea de que las preocupaciones con respecto a la creciente autonomía de las armas están enraizadas en el aspecto humano que «la autonomía» elimina y, por lo tanto, describe ese elemento humano como un punto de partida necesario a la hora de examinar si las tecnologías actuales o futuras lo desafían. Este concepto implica, de manera general, tres requisitos: (a) información: un operador humano y otros responsables de la planificación de los ataques deben tener información contextual adecuada o precisa sobre el área que será objetivo de un ataque, información sobre por qué se ha sugerido un objeto específico como objetivo de ataque, información sobre los objetivos de la misión e información acerca de los efectos mediatos e inmediatos del arma que se crearán a partir de un ataque en ese contexto; (b) acción: el inicio del ataque debería requerir una acción positiva por parte de un operador humano; (c) rendición de cuentas: a los responsables de evaluar la información y de ejecutar el ataque debe serle jurídicamente atribuida la responsabilidad por los resultados del ataque.

***Deep learning*/aprendizaje profundo:** es un conjunto de algoritmos de aprendizaje automático que intenta modelar abstracciones de alto nivel en datos, usando arquitecturas computacionales que admiten transformaciones no lineales, múltiples e iterativas de datos expresados en forma matricial o tensorial.

Derecho internacional armamentista: es una propuesta doctrinal útil en esta investigación, ya que hace referencia a un conjunto de normas jurídicas que admite la posibilidad de que los Estados puedan recurrir a las tecnologías armamentísticas (armas y medios) y métodos de combate para usar legalmente su fuerza militar en las hostilidades. Sus normas se nutren del Derecho internacional de los conflictos armados, y sus obligaciones se derivan, principalmente, del DIH. Así, tiene como objetivo al establecimiento de un balance entre necesidad militar y consideraciones humanitarias. Por ende, el Derecho internacional armamentista —en virtud del DIH— busca garantizar la protección de la persona humana bajo un enfoque diferente a lo que podría suceder con el DIDH.

Derecho internacional de desarme: las reglas y normas de Derecho internacional que se aplican al desarme, al control de armamentos y a la no proliferación. Estas normas, que generalmente están consagradas en tratados y convenciones o se aplican en las normas del derecho internacional consuetudinario, pueden contener disposiciones sobre prohibiciones o, en su caso, reglas relativas a la reducción, la limitación, el control y la destrucción de armas.
Derecho internacional de los derechos humanos (DIDH): conjunto de normas jurídicas internacionales cuyo objeto es el reconocimiento jurídico internacional de un catálogo de derechos humanos, como un derecho de estándares mínimos, así como la implementación de mecanismos de garantía internacionales destinados a proteger su respecto efectivo.
Desarme: a menudo se utiliza como un término genérico para el desarme, el control de armamentos y la no proliferación; es la reducción o la limitación cuantitativa y la destrucción de las fuerzas militares y los inventarios de armas y equipos militares para detener el rearme y una carrera de armamentos, y reducir el número de las fuerzas militares y los inventarios de armas. Dentro de este marco conceptual, la reducción de armas se refiere a la reducción de la cantidad máxima de armas y equipos permitidos.
Desplegar: mover sus fuerzas (personal o equipamiento militar) dentro y fuera de un área operacional durante un período de tiempo.
Desvío de armas: prácticas de riesgo dirigidas a la transferencia a través del mercado ilícito hacia usos y usuarios finales no autorizados —incluidos actores no estatales—, en particular para la comisión de actos terroristas u otras actividades que pongan en peligro la paz y la seguridad internacionales o incrementen el sufrimiento humano.
Diligencia debida: actividad o conducta que es generalmente considerada por la gente que se espera que se realice para prevenir un riesgo (por ejemplo: al diseñar, fabricar o programar un robot) o evitar un accidente (por ejemplo: al dirigir las actividades del robot). Por lo tanto, la obligación de diligencia debida exige los mejores esfuerzos del Estado para hacer lo que sea razonablemente posible dentro de su capacidad de control.
Drone**:** tipo específico de robot no tripulado, a saber, vehículos aéreos no tripulados (UAV). Cuando están armados, los drones también se conocen como «vehículos aéreos de combate no tripulados» (UCAV). Algunos prefieren llamarlos «sistemas de aeronaves pilotadas remotamente» (RPAS) porque pueden estar bajo el control de un piloto al mando remoto durante todo el vuelo en condiciones normales y movimientos en tierra.

Empresas privadas de seguridad y/o militares: empresa que presta servicios militares o de seguridad remunerados por medio de personas físicas o personas jurídicas y que suelen ser contratados por los Estados para actividades internas y externas. Los servicios militares referidos son servicios especializados vinculados con actividades militares, como planificación estratégica, inteligencia, investigación, reconocimiento terrestre, marítimo o aéreo, vuelos de todo tipo, tripulados o no, vigilancia por satélite, cualquier tipo de transferencia de conocimientos con aplicaciones militares, apoyo material y técnico a las Fuerzas Armadas y otras actividades conexas, mientras que los servicios de seguridad son la guardia y protección armadas de edificios, instalaciones, propiedades y personas, cualquier tipo de transferencia de conocimientos con aplicaciones en los ámbitos de la seguridad y la policía, el desarrollo y la aplicación de medidas de seguridad de la información y otras actividades conexas.
Examen/revisión jurídica de los armamentos (art. 36 API): es un mecanismo de verificación interdisciplinario, sistémico y nacional establecido en el artículo 36 del API, mediante el cual cada Estado parte debe determinar si el empleo de una nueva arma, medio o método de guerra que estudia, desarrolla, adquiere o adopta, en algunas o todas las circunstancias, podría estar prohibido por el derecho internacional. Las revisiones jurídicas de las nuevas armas, incluidas las nuevas tecnologías de guerra, son una medida crítica para que los estados garanticen el respeto por el DIH.
Fallo (en el contexto de los SAAL): se refiere a la degradación (o pérdida) real o percibida de la funcionalidad prevista (o la incapacidad del sistema) para funcionar según lo previsto o diseñado. Los fallos pueden deberse a una serie de causas, entre ellas, el error humano, los fallos en la interacción hombre-máquina, el mal funcionamiento, la degradación de las comunicaciones, los errores de codificación del *software,* los ciberataques enemigos o la infiltración en la cadena de suministro industrial, el bloqueo, la falsificación, los señuelos, otras contramedidas o acciones enemigas o las situaciones imprevistas en el campo de batalla. El fallo puede no significar que un sistema no funciona; aún podría hacerlo, pero de una manera muy alterada.

Inteligencia artificial (IA): en su sentido más amplio, la IA ha sido descrita como «el estudio de los cálculos que permiten percibir, razonar y actuar» o «la automatización del comportamiento inteligente», que es impulsado por un «estudio general de agentes inteligentes» biológicos y artificiales. En términos concretos, y en la mayoría de las aplicaciones, la IA se define como inteligencia no humana que se mide por su capacidad para replicar las habilidades mentales humanas, como el reconocimiento de patrones, la comprensión del lenguaje natural, el aprendizaje adaptativo de la experiencia, la estrategia o el razonamiento sobre otros. Así, se entiende que la IA se refiere a máquinas que son capaces de realizar tareas que, si las realiza un humano, se podría decir que requieren inteligencia humana (por ejemplo, percepción, conversación, toma de decisiones). En aras de distinguir entre IA como concepto e IA como tecnología tangible, esta investigación utilizará ocasionalmente el término «sistema de IA» para referirse a este último. Para la IA basada en la informática digital moderna, un sistema de IA incluye componentes de *hardware* y *software*. Por lo tanto, puede referirse a un robot, a un programa que se ejecuta en una sola computadora, a un programa que se ejecuta en computadoras en red o cualquier otro conjunto de componentes que alberga una IA.
IA estrecha: inteligencia de una máquina que iguala o excede la inteligencia humana para tareas específicas. Los ejemplos existentes de tales sistemas serían IBM *Deep Blue* (*Chess*) & *Watson* («*Jeopardy*»), *GoogleGo* (Go), algoritmos de negociación de alta frecuencia o, de hecho, cualquier sistema automático especializado que funcione fuera del alcance humano (por ejemplo: *Google Translate,* filtros *spam,* los sistemas de guía de armamentos, etc.).
Inteligencia (en el contexto de los SAAL): es la parte computacional de la capacidad para lograr metas en un amplio rango de entornos. Esta definición de inteligencia se refiere tanto a los procesos internos («parte computacional...») que actúan al servicio de lograr resultados externos («...la capacidad para lograr metas...») a través de «entornos» complejos y dinámicos.
Inteligencia general artificial: inteligencia de una máquina que cumple con el rango completo de desempeño humano en cualquier tarea.
Lex robótica: conjunto regulatorio, de origen público o privado, cuyo objeto es la regulación de la producción y el uso de la IA y la robótica.

***Machine learning*/aprendizaje automático:** una rama de la IA relacionada con la construcción de programas que aprenden de la experiencia. El aprendizaje puede tomar muchas formas, desde aprender de ejemplos y aprender por analogía hasta el aprendizaje autónomo de conceptos y el aprendizaje por descubrimiento. El *incremental learning*, por ejemplo, implica una mejora continua o gradual a medida que llegan nuevos datos. Mientras el *one-shot learning* o el *batch learning* se distinguen por tener una fase de capacitación de la fase de aplicación, cuyo objetivo es aprender información sobre categorías de objetos de una, o solo unas pocas, muestras/imágenes de entrenamiento. El *supervised learning* ocurre cuando la entrada de capacitación ha sido explícitamente marcada con las clases a ser aprendidas. La mayoría de los métodos de aprendizaje tienen como objetivo demostrar la generalización mediante la cual el sistema desarrolla representaciones eficientes y efectivas que abarcan grandes fragmentos de datos estrechamente relacionados.
Métodos computacionales: se refiere a técnicas como la IA o el *machine learning*, ya que implican un significado más profundo detrás de los métodos lógicos y estadísticos, y que pueden dar lugar a la falsa impresión de la intención y el propósito de la máquina.
Naturaleza de doble uso de las tecnologías: el término «doble uso» tiene múltiples significados. En el contexto de las adquisiciones de defensa, se refiere a tecnologías que tienen aplicaciones tanto civiles como militares. En la comunidad de control de armamentos el «doble uso» tiene experiencia significativa en regímenes de control de tecnología, donde un grupo de Estados controla el acceso a artículos o materiales particulares por razones de seguridad internacional o no proliferación armamentista. Sin embargo, en un contexto de desarrollo tecnológico vinculado a los SAAL, el «doble uso» debe entenderse además a los materiales, al *hardware*, al *software* y al conocimiento que se tiene de aplicaciones pacíficas, pero que también podrían aplicarse para el desarrollo de actividades ilícitas.
Necesidad militar: es un concepto estratégico, relativo por definición, cambiante y necesariamente adaptativo a las circunstancias del conflicto armado, que debe ser representado de forma restrictiva, en tanto que una parte en un conflicto armado deberá limitarse a hacer lo necesario conforme al DIH para lograr un objetivo militar previsto.

No-proliferación: es un término que se usa comúnmente en conexión con los esfuerzos para prevenir la propagación de armas nucleares. Hay dos tipos de proliferación: (a) proliferación horizontal: prever la diseminación/propagación/extensión de armas y materiales y tecnologías de armas a estados que no los han poseído previamente o sino a los denominados actores no estatales (por ejemplo: organizaciones terroristas, movimientos insurgentes y pandillas o individuos delictivos); y (b) proliferación vertical: el aumento en el número, la calidad o la capacidad destructiva de las armas existentes. La no proliferación vertical significa eliminar o reducir el número de armas mediante prohibiciones y restricciones.
Objetivos militares: bienes que por su naturaleza, ubicación, finalidad o utilización contribuyan eficazmente a la acción militar y cuya destrucción total o parcial, captura o neutralización ofrezca, en las circunstancias del caso, una ventaja militar definida.
Operación militar: secuencia o secuencias de acciones coordinadas con un propósito definido, con implicaciones militares ofensivas o de defensa y realizadas por o en la que participan las Fuerzas Armadas (personal militar).
Peligro (en el sentido de las ciencias computacionales): un mal funcionamiento potencial o real de un circuito lógico durante los cambios de estado de las variables del *input*. Los peligros resultan del comportamiento no ideal de los elementos de conmutación reales.
Principio de discriminación: tiene un sentido diferente y más amplio que el alcance del «principio de distinción», sobre todo debido a su carácter bifurcado. Por un lado, dicho principio pretende limitar las armas que son indiscriminadas por su naturaleza, es decir, incapaces de discriminar entre objetivos legales (combatientes y objetivos militares) y objetivos ilegales (no combatientes y civiles), además de no poder limitar sus propios efectos. Luego, por otro lado, está un segundo aspecto del principio, el cual excluye el uso indiscriminado de las armas, independientemente de que estas tengan por naturaleza o diseño la habilidad innata para poder discriminar. Esta otra faceta de la discriminación consta de tres componentes: el principio de distinción propiamente dicho, la proporcionalidad y la precaución en el ataque con la intención de minimizar daños colaterales y lesiones incidentales.
Principio de distinción: norma del DIH que exige a las partes de un conflicto distinguir siempre entre civiles y combatientes, y entre objetivos civiles y militares cuando planean o ejecutan un ataque.
Principio de proporcionalidad: de acuerdo con el DIH «proporcionalidad en el ataque» es un principio según el cual queda prohibido atacar en un conflicto armado cuando se prevea que dicho ataque podría causar incidentalmente muertos y heridos entre la población civil, daños a bienes de carácter civil o ambas cosas, que sean excesivos en relación con la ventaja militar concreta y directa prevista; asimismo, debe elegirse el objetivo militar cuyo ataque represente, previsiblemente, menos peligro para las personas civiles y los bienes de carácter civil.

Proceso de autoadaptación/*self-adapting process*: también conocido como proceso de autoaprendizaje o *self-learning process,* es un proceso adaptativo de realización de cálculos sobre un conjunto de datos medidos o presentados desde una fuente física, y que puede ser «entrenado» acerca de datos representativos, no solo para proporcionar un mejor modelo para esos datos, sino, además, para poder «reconocer» datos similares.
Riesgo inadvertido: es aquel que puede abarcar fenómenos distintos a los accidentes, tales como las presunciones, los procesos o los sistemas sociotécnicos que pueden elevar la probabilidad o las consecuencias de los fallos o los accidentes sin ser estos fenómenos la causa directa.
Riesgos (evaluación de): metodología y procesos para determinar, particularmente con fines preventivos o normativos, la naturaleza y grado del riesgo al analizar posibles peligros y evaluar condiciones existentes de vulnerabilidad que en conjunto pudieran perjudicar a las personas, la propiedad, servicios, medios de subsistencia y ambiente expuestos. Es un proceso que, a la vez, consta de tres procesos: identificación, análisis y evaluación del riesgo. Por ejemplo, los riesgos específicos del desarrollo de la IA y de la robótica en cada ámbito.
Riesgos (gestión de): se refiere a un conjunto coordinado de actividades y métodos que se usan para dirigir una organización humana y controlar efectivamente los riesgos que pueden afectar no solo a su capacidad para lograr sus objetivos, sino además el impacto que se puede derivar de su actuación. Se hace con ello referencia también a la arquitectura empleada para gestionar el riesgo. Esta arquitectura incluye principios de gestión de riesgos, una estructura de gestión de riesgos y un proceso de gestión de riesgos.
***Risk*/riesgo:** una cantidad derivada tanto de la probabilidad de que ocurra un peligro particular como de la magnitud de la consecuencia de los efectos indeseables de ese peligro. El término riesgo a menudo se usa informalmente para referirse a la probabilidad de que ocurra un peligro.
Robot: es una máquina que, a través de control remoto o basada en patrones preprogramados, puede llevar a cabo tareas de cierta complejidad con diversos grados de autonomía de la supervisión humana. Si estas tareas implican el uso de la fuerza armada, pueden describirse como «armas robóticas» o «sistemas de armas no tripuladas».
Robótica: una disciplina que superpone la IA y la ingeniería mecánica. Se trata así de la construcción de robots: dispositivos programables que actúan de manera mecánica y que poseen órganos sensoriales que están conectados a una computadora. La estructura mecánica puede involucrar manipuladores, como en la robótica industrial, o puede referirse al movimiento del robot como vehículo, como en la robótica móvil. La investigación en robótica se utiliza en IA como marco para explorar problemas y técnicas clave a través de una aplicación bien definida.

Singularidad tecnológica computacional: es un acontecimiento futuro en el que se predice que el progreso tecnológico y el cambio social se acelerarán debido al desarrollo de la IA general que llegará a niveles superiores al control y la capacidad intelectual humana. Es un escenario futuro e hipotético en el que la tecnología dominará los métodos de la biología hasta dar lugar a una era en que se impondrá la inteligencia no biológica frente a los seres humanos.
Sistema construido: es una máquina, aparato, planta o plataforma fabricada que puede utilizarse para recopilar información y realizar una «elección» o «decisión» que, en todo o en parte, se deriva a través de un algoritmo expresado en código de computadora, pero que no está vivo en el sentido biológico. Entre los sensores más comunes utilizados para recopilar información en este tipo de sistemas se incluyen los métodos para detectar la distancia a la que están los objetos transmitiendo ciertas ondas y monitoreando sus reflejos, como el radar (ondas de radio), el sonar (ondas de sonido) y el *lidar* (detección de luz y rango), así como cámaras. El sistema puede ser teleoperado (también conocido como operado por control remoto) o no. Puede tener un manipulador (es decir, un componente que proporciona la capacidad de interactuar en el entorno construido) o no. Sin embargo, si no tiene un manipulador, el sistema necesitará otra vía para efectuar la «elección» o «decisión» derivada algorítmicamente. Estos sistemas pueden venir en una variedad de formas, como vehículos marinos, terrestres, aéreos o espaciales, sistemas de misiles o robots bípedos o cuadrúpedos.
Sistema de armas autónomas letales (SAAL): armas con capacidad mortífera que pueden ejecutar por sí mismos funciones ofensivas o defensivas en todo el ciclo de focalización, en reemplazo parcial o total de un ser humano, especialmente en las tareas de seleccionar (buscar, detectar, identificar, localizar o rastrear) o comprometer (utilizar la fuerza para neutralizar, impedir, dañar o eliminar/matar) objetivos.
Sistema de armas: es una combinación de una o más armas con todos los equipos, materiales, servicios, personal y medios de entrega y despliegue relacionados (si corresponde) necesarios para la autosuficiencia. Por tanto, un sistema de armas ha de ser entendido como un dispositivo o conjunto coordinado de dispositivos u objetos que consta de una o más armas y un medio de entrega, así como equipos y materiales integrales. Un sistema de armas se distingue de un arma porque, aunque incorpora una o más armas en muchos casos, también puede usarse para otros fines distintos a matar, herir, desorientar o amenazar a una persona o infligir daño a un objeto físico.

Sistemas en reposo: son aquellos que no están directamente acoplados a una munición, pero se usan para apoyar decisiones sobre el uso de la fuerza, como la selección de conjuntos de objetivos, la realización de cálculos de proporcionalidad y cursos de acción potenciales para el juego de la guerra. Estos sistemas procesan grandes cantidades de datos sensoriales y de inteligencia con el fin de ayudar a la toma de decisiones militares y la planificación logística, por lo que tienen un atractivo obvio para lograr una ventaja militar.

Sistemas inteligentes: son aquellos que tienen como objetivo aplicar la IA a un problema o dominio en particular, lo que implica que el sistema está programado o capacitado para operar dentro de los límites de una base de conocimiento definida. Por tanto, en términos generales, las categorías de sistemas inteligentes podrían ser: (a) aquellos que emplean o incorporan autonomía en reposo, es decir, que operan virtualmente, en *software*, e incluyen planificación y sistemas de asesoramiento de expertos; y (b) aquellos que emplean o incorporan autonomía en movimiento, por lo que tienen presencia en el mundo físico e incluyen robótica y vehículos autónomos.

***Soft-law*:** regulación fruto de decisiones de organizaciones internacionales u otros foros intergubernamentales no formales de decisión (por ejemplo, las Organizaciones Regulatorias Transnacionales) que no tiene carácter vinculante, pero que pretende condicionar la conducta de sus destinatarios; influye también en la creación de las normas jurídicas internacionales y estatales.

Superinteligencia: IA que excede la inteligencia humana en cualquier tarea.

***Targeting*/focalización/ataque**: acto de violencia contra el adversario, que puede ser ofensivo o defensivo, que implica, por un lado, la selección (mediante búsqueda, detección, identificación, localización o rastreo) y la priorización de objetivos, y, por otro, la búsqueda de una respuesta correspondiente y adecuada que los comprometa (neutralice, impida, dañe o elimine) a través del uso de la fuerza armada.

***Targeting law*/derecho de focalización:** comprende normas y principios fundamentales del derecho consuetudinario, como la humanidad, la distinción y la necesidad militar, las normas consuetudinarias más amplias y de los tratados. Sus reglas se aplican a ataques desde plataformas terrestres, marítimas o aéreas que pueden afectar a la población civil, civiles individuales u objetos civiles en tierra. Es un conjunto normativo que está en el corazón del DIH. Se basa, en su raíz, en el requisito de distinguir entre combatientes y civiles que no participan en las hostilidades y entre objetos que legalmente pueden ser objeto de ataques u objetos civiles. Este marco jurídico pretende equilibrar la necesidad militar o el interés que tienen los combatientes en poder conducir el conflicto armado de manera efectiva y eficiente, con las preocupaciones humanitarias como el sufrimiento de las víctimas y el daño a los bienes civiles, lo cual es crítico para el derecho de los conflictos armados en general, y para esta rama legal —ley/reglas de focalización— en particular.

***Targeting process*/proceso de focalización:** vincula la dirección y orientación a nivel estratégico con las actividades de determinación táctica a través del ciclo de focalización a nivel operacional de una manera enfocada y sistémica para crear efectos específicos con miras a lograr objetivos militares y alcanzar el estado final deseado. En este proceso se definen qué objetivos deben ser comprometidos, bajo qué valor estratégico militar, qué método se debe usar para ello y en qué orden de prioridad. En él se especifican también los objetivos que están restringidos o que no se pueden comprometer en absoluto. Así, lo ideal es que todos los involucrados en ese proceso sean completamente conscientes de sus responsabilidades y de limitaciones de focalización y coordinación, en tiempo y espacio.
Tecnología disruptiva: se refiere al desarrollo tecnológico que en un corto periodo de tiempo es susceptible de provocar cambios sustanciales en la doctrina operativa de la fuerza, especialmente en lo que se refiere a las reglas de enfrentamiento, generando con ello un nuevo paradigma en los objetivos a largo plazo, a nivel conceptual y estratégico, con un serio impacto en la planeación militar.
Tecnología emergente: puede caracterizarse como una nueva tecnología que se encuentra en una etapa temprana de su desarrollo o tecnologías relativamente maduras combinadas de nuevas maneras. La financiación, trayectoria y adopción en uso de una tecnología emergente está conformada por una variedad de actores. En el contexto del control de armas, por lo general, se entiende que una tecnología emergente es aquella que tiene nuevos elementos que muestran un potencial disruptivo, pero aún no ha desarrollado todo su potencial. El «potencial disruptivo» depende de la tecnología y la industria específicas, ya que puede significar una variedad de cambios. Estos incluyen ofrecer nuevas capacidades que antes no estaban disponibles, reemplazar máquinas existentes o mano de obra, cambiar las cadenas de suministro globales, reestructurar industrias, revolucionar o hacer obsoletas ciertas clases de sistemas de armas. Generalmente, representa un cambio de un paradigma prevaleciente. Las tecnologías ubicadas habitualmente en esta categoría incluyen tecnologías de fabricación por adición (por ejemplo, impresión en 3D), IA, biotecnología, tecnología cuántica y robótica.
Ventaja militar: concepto a tomar en consideración al aplicar los principios de distinción, precaución y proporcionalidad. Es la superioridad o mejora de situación que se prevé obtener con un ataque militar considerado en su conjunto y no con una parte aislada o concreta del ataque, tratándose entonces de una expectativa de buena fe de que el ataque contribuiría de forma pertinente y proporcional al objetivo del ataque militar en cuestión.

***Weapons law*/derecho de las armas:** normas jurídicas restrictivas relativas a la legalidad *per se* de cualquier tipo de arma en particular. Es un marco jurídico esencialmente prohibitivo de ciertas armas o tecnologías asociadas y restringe además las circunstancias en las que otras armas o tecnologías podrían ser utilizadas legalmente. Muchas de sus reglas forman parte, fundamentalmente, del DIH, aunque algunos de sus elementos pueden clasificarse con mayor precisión doctrinal como tratados de control de armamentos.

Bibliografía

1. Referencias bilbiográficas

Aguiar, P., Alcalde, J., Baqués, J. y otros, *El arma de moda: impacto del uso de los drones en las relaciones internacionales y el derecho internacional contemporáneo,* Barcelona, Institut Català Internacional per la Pau, 2014, disponible en: *http://icip.gencat.cat/web/.content/continguts/publicacions/arxius_icip_research/ICIP_RESEARCH-4_WEB.pdf*, fecha de revisión: 31/07/2019.

Akerson, D., «The Illegality of Offensive Lethal Autonomy», en Saxon, D. (eds.), *International Humanitarian Law and the changing technology of war,* Leiden, Martinus Nijhoff, 2015, pp. 65-98.

Alston, P., «Lethal robotic technologies: the implications for human rights and International Humanitarian Law», *Journal of Law, Information & Science,* vol. 21, 2012, núm. 2, pp. 35-60.

Ambos, K. y Bock, S. (eds.), *The Elgar Companion to the International Criminal Tribunal for Rwanda,* Cheltenham (Reino Unido), Edward Elgar, 2015.

Ambos, K., «Joint criminal enterprise and command responsibility», *Journal of International Criminal Justice,* vol. 5, 2007, núm. 1, pp. 159-183, disponible en: *https://pdfs.semanticscholar.org/41b7/ba3f1e867335586e65f268d628a3ca69b75b.pdf?_ga=2.151880944.818196014.1563836229-59867966.1562663397,* fecha de revisión: 10/06/2019.

Ambos, K., *Treatise on International Criminal Law,* Oxford, Oxford University Press, 2013.

Amoroso, D. y Tamburrini, G., «Autonomous Weapons Systems and Meaningful Human Control: Ethical and Legal Issues», *Springer,* agosto de 2020, pp. 187-194, disponible en: *https://link.springer.com/article/10.1007/s43154-020-00024-3,* fecha de revisión: 21/01/2021.

Anderson, K., Reisner, D. y Waxman, M., «Adapting the Law of Armed Conflict to Autonomous Weapon Systems», *International Law Studies of the Stockton Center,* vol. 90, 2014, pp. 386-411.

Arkin, R. C., «Governing Lethal Behavior: Embedding Ethics in a Hybrid Deliberative/Reactive Robot Architecture», *CSE Technical reports,* 2008, núm. 162 [en línea], disponible en: *https://www.cc.gatech.edu/ai/robot-lab/online-publications/formalizationv35.pdf*, fecha de revisión: 10/06/2019.

Arkin, R., «Lethal Autonomous Systems and the Plight of the Non-combatant», *AISB Quarterly*, 2013, núm. 137, pp. 1-9 [en línea], disponible en: *https://www.unog.ch/80256EDD006B8954/%28httpAssets%29/54B1B7A616EA1D10C1257CCC00478A59/%24file/Article_Arkin_LAWS.pdf*, fecha de revisión: 09/08/2019.

Arkin, R., *Governing lethal behaviour in autonomous robots,* Boca Ratón: CRC Press, 2009.

Arkin, R., Wager, A. y Duncan, B., *Responsibility and lethality for unmanned systems: ethical pre-mission responsibility advisement,* GVU Technical Report GIT-GVU-09-01, GVU Center, Instituto de Tecnología de Georgia, 2009 [en línea], disponible en: *https://pdfs.semanticscholar.org/0335/45a014cdc2ba527b591ad7b2d912f1db8d86.pdf?_ga=2.212694996.1132308187.1554996212-894390214.1554996212*, fecha de revisión: 11/04/2019.

Arnold, R., «The legal implications of the use of systems with autonomous capabilities in Military operations», en Williams, A. P. y Scharre, P. D. (eds.), *Autonomous systems. Issues for defence policymakers,* La Haya, NATO Communications and Innovations Agency, 2015.

Artega, F. y Fojón, E., *El planteamiento de la política de defensa y seguridad en España,* Madrid, Instituto Universitario «General Gutiérrez Mellado», 2007, disponible en: *https://iugm.es/wp-content/uploads/2016/07/LIBRO__planeamiento.pdf*, fecha de revisión: 10/06/2019.

Asaro, O., «On banning autonomous weapon systems: human rights, automation, and the deshumanization of lethal decision-making», *Revista del Comité Internacional de la Cruz Roja,* vol. 94, 2012, núm. 886, pp. 687-709, disponible en: *https://www.cambridge.org/core/journals/international-review-of-the-red-cross/article/on-banning-autonomous-weapon-systems-human-rights-automation-and-the-dehumanization-of-lethal-deci-*

sionmaking/992565190BF2912AFC5AC0657AFECF07, fecha de revisión: 22/06/2019.

Asaro, P., «Ethical issues raised by autonomous weapon systems», en *Autonomous weapon systems technical, military, legal and humanitarian aspects: Informe de* la *reunión de expertos celebrada en Ginebra,* Comité Internacional de la Cruz Roja (Ginebra, 26-28 de marzo de 2014), disponible en: *https://www.icrc.org/en/document/report-icrc-meeting-autonomous-weapon-systems-26-28-march-2014*, fecha de revisión: 23/05/2019.

Asaro, P., «Jus nascendi, robotic weapons and the Martens Clause», en Calo, R., Froomkin, M. y Kerr, I. (eds.), *Robot Law,* Edward Elgar [en prensa], disponible en: *https://pdfs.semanticscholar.org/5706/1ce20febb4c58ab7e41c7e1463d352ba496b.pdf?_ga=2.111144581.1200126094.1565388133-59867966.1562663397*, fecha de revisión: 09/08/2019.

Augier, M. y March, J. G., «A model scholar: Herbert A. Simon (1916-2001)», *Journal of Economic Behavior and Organization,* vol. 29, 2002, pp. 1-17.

Beard, J. M., «Autonomous weapons and human responsibilities», *Georgetown Journal of International Law,* vol. 45, 2014, pp. 617-681, disponible en: *https://digitalcommons.unl.edu/cgi/viewcontent.cgi?referer=https://www.google.com/&httpsredir=1&article=1196&context=lawfacpub,* fecha de revisión: 10/06/2019.

Bejamin, M., *Las guerras de los drones. Matar por control remoto,* Barcelona, Anagrama, 2014.

Berke, A., «The standard of "due diligence" as a result of interchange between the Law of armed conflict and General International Law», *Journal of Conflict & Security Law Oxford University Pres,* vol. 23, 2018, núm. 3, pp. 433-460, disponible en: *https://academic.oup.com/jcsl/article-abstract/23/3/433/5236612*, fecha de revisión: 25/07/2019.

Bhuta, N., Beck, S. y Geib, R., «Present futures: concluding reflections and open questions on autonomous weapons systems», en Bhuta, N., Beck, S., Geib, R., Liu, G.-Y. y Kreb, C. (eds.), *Autonomous weapons systems. Law, ethics, policy,* Cambridge (EE.UU.), Cambridge University Press, 2016, pp. 347-383.

Blaker, J., *Transforming military force: the legacy of arthur cebrowski and network centric warfare,* Westport, Connecticut (EE.UU.), Praeger, 2007.

Bogdanowicz, Z. y Patel, K., «Quick collateral damage estimation based on weapons assigned to targets», *IEEE Transactions on Systems, Man, and Cybernetics: Systems,* vol. 45, 2015, núm. 5, pp. 762-769, disponible en: *https://ieeexplore.ieee.org/document/6923445*, fecha de revisión: 06/08/2019.

Bommakanti, K. y Gowdara, A., «China's Military Modernisation: Recent Trends», *ORF Occasional Paper,* Observer Research Foundation, vol. 314, 2021, pp. 1-38, disponible en: *https://orfonline.org/wp-content/uploads/2021/05/ORF_OccasionalPaper_314_ChinaMilitary.pdf,* fecha de revisión: 01/07/2021.

Bonafè, B. I., «Reassessing dual responsibility for international crimes», *Sequência,* vol. 37, 2016, núm. 73, pp. 19-36, disponible en: *http://www.scielo.br/pdf/seq/n73/0101-9562-seq-73-00019.pdf*, fecha de revisión: 20/07/2019.

Bonet Pérez, J., «El Tribunal Europeo de Derechos Humanos y la existencia de una amenaza excepcional en el Reino Unido tras los atentados del 11-S de 2001: ¿Continuidad o evolución en su jurisprudencia frente a la violencia terrorista?», *Revista General de Derecho Europeo,* vol. 19, 2009, núm. 3, pp. 1-42.

Bonet Pérez, J. y Alija, A., *Impunidad, derechos humanos y justicia transicional,* Bilbao, Instituto de Derechos Humanos de la Universidad de Deusto, 2009 (Cuadernos de Deusto de Derechos Humanos, 53) [en línea], disponible en: *http://www.deusto-publicaciones.es/deusto/pdfs/cuadernosdcho/cuadernosdcho53.pdf*, fecha de revisión: 12/08/2019.

Bonome, M. G., *La racionalidad en la toma de decisiones: análisis de la teoría de la decisión de Herbert A. Simon,* La Coruña (España), Netbiblo, 2009.

Boothby, W. H., «Weapons under the law of military operations», en Gill, T. y Fleck, D. (eds.), *The handbook of the International Law of Military Operations,* Londres, 2.ª edición, Oxford University Press, 2015, pp. 307-331.

Boothby, W. H., *Conflict Law. The influence of new weapons technology, human rights and emerging actors,* La Haya, Springer, 2014.

Boothby, W. H., «Differences in the Law of Weaponry When Applied to Non-International Armed Conflicts», en Watking, K. y Norris, J. (eds.), *Non-international armed conflict in the Twenty-First Century,* Luton (Reino Unido), Military Bookshop, 2012, pp. 197-210 (International Law Studies, 88), disponible en: *https://digital-commons.usnwc.edu/cgi/viewcontent.cgi?referer=https://www.google.com/&httpsredir=1&article=1060&context=ils*, fecha de revisión: 04/06/2019.

Boothby, W. H., «Methods and means of cyber warfare», *International Law Studies US Naval War College,* vol. 89, 2013, pp. 387-405, disponible en: *https://digital-commons.usnwc.edu/cgi/viewcontent.cgi?referer=https://www.google.com/&httpsredir=1&article=1035&context=ils*, fecha de revisión: 11/06/2019.

Boothby, W. H., «Some legal challenges posed by remote attack», *International Review of the Red Cross,* vol. 94, 2012, núm. 886, pp. 579-595, disponible en: *http://e-brief.icrc.org/wp-content/uploads/2016/08/5-some-legal-challenges-posed-by-remote-attack.pdf*, fecha de revisión: 10/06/2019.

Boothby, W. H., *Weapons and the Law of armed conflict,* Nueva York, 2.ª edición, Oxford University Press, 2016.

Boothby, W. H., *The Law of targeting,* Londres, Oxford University Press, 2012.

Borenstein, J., *The Ethics of Autonomous Military Robots», Studies in Ethics, Law and Technology,* vol. 2, 2008, núm. 1, art. 2 [en línea], disponible en: *http://www8.cs.umu.se/kurser/5DV173/VT17/Downloads/References/Military%20Robots%20Exercise/The%20Ethics%20of%20Autonomous%20Military%20Robots%202008.pdf*, fecha de revisión 09/04/2019.

Bostrom, N., *Superinteligencia: Caminos, peligros, estrategias,* Zaragoza, Teell, 2016.

Boulanin, V., Davison, N., Goussac, N. y Peldán, M., *Limits on Autonomy in Weapon Systems,* Estocolmo, Stockholm International Peace Research Institute, 2020, [en línea], disponible en:

https://www.icrc.org/en/document/limits-autonomous-weapons#:~:text=Limits%20on%20Autonomy%20in%20Weapon%20Systems%3A%20Identifying%20Practical%20Elements%20of,legal%2C%20ethical%20and%20operational%20concerns., fecha de revisión 21/01/2021.

Boulanin, V., Goussac, N., Bruun, L y richards, L., *RESPONSIBLE MILITARY USE OF ARTIFICIAL INTELLIGENCE. Can the European Union Lead the Way in Developing Best Practice?*, Estocolmo, Stockholm International Peace Research Institute, 2020, [en línea], disponible en: *https://www.sipri.org/sites/default/files/2020-11/responsible_military_use_of_artificial_intelligence.pdf*, fecha de revisión 07/05/2021.

Boulanin, V., Saalman, L., Topychkanov, P., Su, F. y Peldán, M., *ARTIFICIAL INTELLIGENCE, STRATEGIC STABILITY AND NUCLEAR RISK*, Estocolmo, Stockholm International Peace Research Institute, 2020, [en línea], disponible en: *https://www.sipri.org/sites/default/files/2020-06/artificial_intelligence_strategic_stability_and_nuclear_risk.pdf*, fecha de revisión 07/05/2021.

Boulanin, V. y Verbruggen, M., *Article 36 Reviews. Dealing with the challenges posed by emerging technologies*, Estocolmo, Stockholm International Peace Research Institute, 2017, [en línea], disponible en: *https://www.sipri.org/publications/2017/other-publications/article-36-reviews-dealing-challenges-posed-emerging-technologies*, fecha de revisión 21/01/2021.

Boulanin, V. y Verbruggen, M., *Mapping the development of autonomy in weapon systems*, Estocolmo, Stockholm International Peace Research Institute, 2017, disponible en: *https://www.sipri.org/sites/default/files/2017-11/siprireport_mapping_the_development_of_autonomy_in_weapon_systems_1117_1.pdf*, fecha de revisión: 03/04/2019.

Bradshaw, J., Hoffman, R., Johnson, M. y Woods, D., «The seven deadly myths of "autonomous systems"», *IEEE Intelligent Systems*, vol. 28, 2013, núm. 3, pp. 54-61, disponible en: *http://www.jeffreymbradshaw.net/publications/IS-28-03-HCC_1.pdf*, fecha de revisión: 31/05/2016.

Brehm, M., «Defending the boundary. Constraints and requirements on the use of autonomous weapon systems under International Humanitarian and Human Rights Law», *Academy Briefing*, 2017, núm. 9 [en línea], disponible en: *https://www.geneva-academy.ch/joomlatools-files/docman-files/Briefing9_interactif.pdf*, fecha de revisión: 09/08/2019.

Brown, B., « The Proportionality Principle in the Humanitarian Law of Warfare: Recent Efforts at Codification», *Cornell International Law Journal*, vol. 10, 1976, asunto 1, artículo 5, pp. 134-155, disponible en: *https://scholarship.law.cornell.edu/cgi/viewcontent.cgi?article=1027&context=cilj*, fecha de revisión: 21/01/2021.

Brundage, M., Avin, S., Clark, J. y otros, *The malicious use of artificial intelligence: Forecasting, prevention, and mitigation*, Future of Humanity Institute y otros, 2018 [en línea], disponible en: *https://img1.wsimg.com/blobby/go/3d82daa4-97fe-4096-9c6b-376b92c619de/downloads/MaliciousUseofAI.pdf?ver=1553030594217*, fecha de revisión: 01/05/2019.

Calderón, W. F., *US public opinion on autonomous weapons*, University of Massachusetts Amherst, 2013 [en línea], disponible en: *https://www.academia.edu/3785762/US_Public_Opinion_on_Autonomous_Weapons*, fecha de revisión: 09/08/2019.

Capella, J., *Entrada en la barbarie*, Madrid, Trotta, 2007.

Carrillo, J., *Soberanía del Estado y Derecho internacional*, Madrid, Tecnos, 1969.

Carvajal, J., *Moral, derecho y política en Immanuel Kant*, Cuenca, Ediciones de la Universidad de Castilla de la Mancha, 1999.

Case Matrix Network, *International Criminal Law Guidelines: Command Responsibility*, Bruselas, Centre for International Law Research and Policy, 2016 [en línea], disponible en: *https://www.casematrixnetwork.org/fileadmin/documents/reports/CMN_ICL_Guidelines_Command_Responsibility_En.pdf*, fecha de revisión 22/07/2019.

Cassese, A., «The Martens Clause: half a loaf or simply pie in the sky?», *European Journal of International Law*, vol. 11, 2000, núm. 1, pp. 187-216, disponible en: *http://www.ejil.org/pdfs/11/1/511.pdf*, fecha de revisión: 10/06/2019.

Cavallaro, J., Sonnenberg, S. y Knuckey, S., *Living under drones. Death, injury, and trauma to civilians. From US drone practic-*

es in Pakistan, Stanford y Nueva York, Stanford Law School y NYU School of Law, Global Justice Clinic, 2012 [en línea], disponible en: *https://www-cdn.law.stanford.edu/wp-content/uploads/2015/07/Stanford-NYU-Living-Under-Drones.pdf*, fecha de revisión: 06/04/2019.

Cebrowski, A. y Garstka, J., «Network-centric warfare: Its origin and future», *Proceedings,* vol. 124, 1998, núm. 1139, pp. 28-35.

Chengeta, T., «Accountability gap: Autonomous weapon systems and modes of responsibility in International Law», *Denver Journal of International Law and Policy,* vol. 45, 2016, núm. 1, pp. 1-50.

Cohen, G., *Origins of U.S. public opinion for drone strikes: the intersection of elite rhetoric, media coverage, and american public opinion, 2000-2015* (tesis doctoral), Universidad de Miami, 2018, disponible en: Open Access Dissertations (núm. 2068), *https://scholarlyrepository.miami.edu/cgi/viewcontent.cgi?article=3092&context=oa_dissertations*, fecha de revisión: 06/04/2019.

Comisión Internacional de Juristas, *The Right to a Remedy and Reparation for Gross Human Rights Violations,* Ginebra, Comisión Internacional De Juristas, 2018 [en línea], disponible en: *https://www.icj.org/wp-content/uploads/2018/11/Universal-Right-to-a-Remedy-Publications-Reports-Practitioners-Guides-2018-ENG.pdf*, fecha de revisión: 25/07/2019.

Connolly, R. y Boulègue, M., *Russia's New State Armament Programme Implications for the Russian Armed Forces and Military Capabilities to 2027,* Londres, Chatham House the Royal Institute of International Affairs, 2018 [en línea], disponible en: *https://www.chathamhouse.org/sites/default/files/publications/research/2018-05-10-russia-state-armament-programme-connolly-boulegue-final.pdf*, fecha de revisión: 21/04/2019.

Corn, G. P. y Corn. G. S., «The Law of Operational Targeting: Viewing the LOAC through an operational Lens», *Texas International Law Journal,* vol. 47, 2011, núm. 2, pp. 337-380, disponible en: *https://papers.ssrn.com/sol3/papers.cfm?abstract_id=1913962*, fecha de revisión: 13/06/2019.

Corn, G. S., «Autonomous Weapon Systems: Managing the Inevitability of "Taking the Man out of the Loop"», en Bhuta, N., Beck, S., Geib, R., Liu, G.-Y. y Kreb, C. (eds.), *Autonomous weapons systems. Law, ethics, policy,* Cambridge (EE.UU.), Cambridge University Press, 2016, pp. 209-242.

Cortright, D., Fairhurst, R. y Wall, K. (eds.), *Drones and the future of armed conflict. Ethical, Legal and Strategic Implications,* Chicago, University of Chicago Press, 2017.

Cózar, J. M. de, *Tecnología, civilización y barbarie,* Barcelona, Anthropos, 2002.

Crabtree, J., *On air defense,* Westport, Connecticut (EE.UU.), Praeger, 1994.

Crawford, E., «The enduring legacy of the St Petersburg Declaration: Distinction, military necessity, and the prohibition of causing unnecessary suffering and superfluous injury in IHL», *Journal of the History of International Law,* vol. 20, 2018, núm. 4, pp. 544-566.

Crootof, R., «A meaningful floor for "Meaningful Human Control"», *Temple International & Comparative Law Journal,* vol. 30, 2016, pp. 53-62, disponible en: *https://papers.ssrn.com/sol3/papers.cfm?abstract_id=2705560*, fecha de revisión: 23/05/2019.

Crootof, R., «The killer robots are here: Legal and policy implications», *Cardozo Law Review,* vol. 36, 2015, pp. 1837-1915, disponible en: *https://www.researchgate.net/publication/288825550_The_Killer_Robots_Are_Here_Legal_and_Policy_Implications*, fecha de revisión: 03/08/2019.

Crootof, R., «War torts: accountability for autonomous weapons», *University of Pennsylvania Law Review,* vol. 164, 2016, núm. 6, pp. 1347-1402.

Crosson, F. J. (ed.), *Human and Artificial Intelligence,* Nueva York, AppletonCentury-Crofts, 1970, pp. 39-64.

Crowe, J. y Weston-Scheuber, K., *Principles of International Humanitarian Law,* Gloucestershire (Reino Unido), Edward Elgar, 2013.

Cummings, M., «Automation and Accountability in Decision Support System Interface Design», *the Journal of Technology Studies,* vol. XXXII, núm. 1, 2006, pp. 23-31, disponible en: *https://www.semanticscholar.org/paper/Automation-and-Accountability-in-Decision-Support-Cummings/aebf3ac74a325a99b2f2d68a8c115b5ecf7e82c8*, fecha de revisión: 21/01/2021.

Daoust, I., Coupland, R. y Ishoey, R., «New wars, new weapons? The obligation of States to assess the legality of means and methods of warfare», *International Review of the Red Cross,* vol. 84, 2002, núm. 846, pp. 359-361, disponible en: *https://www.icrc.org/en/doc/assets/files/other/345_364_daoust.pdf*, fecha de revisión: 08/09/2019.

Dasgupta, S., «Multidisciplinary creativity: The case of Herbert A. Simon», *Cognitive Science,* vol. 27, 2003, pp. 683-707.

Davison, N., «A legal perspective: autonomous weapon systems under international humanitarian law», *UNODA Occasional Papers,* 2017, núm. 30 [en línea], disponible en: *https://www.icrc.org/en/download/file/65762/autonomous_weapon_systems_under_international_humanitarian_law.pdf*, fecha de revisión: 10/06/2019.

Dias, M., Kannan, B. y Browing, B., *Sliding autonomy for peer-to-peer human-robot teams,* Pittsburgh, Robotics Institute, 2008, disponible en: *https://www.researchgate.net/publication/251798804_Sliding_Autonomy_for_Peer-To-Peer_Human-Robot_Teams1*, fecha de revisión: 21/05/2019.

Dinstein, Y., «The principle of proportionality», en Mujezinović, K., Guldahl, C. y Nystuen, G. (eds.), *Searching for a «Principle of Humanity» in International Humanitarian Law,* Cambridge (EE. UU.), Cambridge University Press, 2013, pp. 72-85.

Dinstein, Y., *The conduct of hostilities under the law of international armed conflict,* Cambridge (EE.UU.), Cambridge University Press, 2004.

Doméneche, J., «Los sujetos combatientes», en Rodríguez-Villasante, J. y López Sánchez, J. (coords.), *Derecho Internacional Humanitario,* Madrid, 3.ª edición, Tirant lo Blanch, 2017, pp. 175-204.

Dörmann, K. y Serralvo, J., «Common Article 1 to the Geneva Conventions and the obligation to prevent international humanitarian law violations», *International Review of the Red Cross,* vol. 96, 2015, núms. 895-896, pp. 707-736.

Echeverría, J., *La revolución tecnocientífica,* Madrid, Fondo de Cultura Económica de España, 2003.

Egidi, M. y Marris, R. (eds.), *Economics, bounded rationality and the cognitive revolution,* Aldershot (Reino Unido), Edward Elgar, 1992.

Ekelhof, M. y Persi, G., *Swarm Robotics Technical and Operational Overview of the Next Generation of Autonomous Systems,* Ginebra, Instituto de las Naciones Unidas para la Investigación del Desarme, 2020, [en línea], disponible en: *https://unidir.org/publication/swarm-robotics-technical-and-operational-overview-next-generation-autonomous-systems*, fecha de revisión 23/02/2021.

Ekelhof, M. y Persi, G., *The human element in decisions about the use of force,* Ginebra, Instituto de las Naciones Unidas para la Investigación del Desarme, 2020, [en línea], disponible en: *https://unidir.org/publication/human-element-decisions-about-use-force*, fecha de revisión 23/02/2021.

Ekelhof, M. y Struyk, M., *DEADLY Decisions. 8 objections to killer robots,* Utrecht, Pax for Peace, 2014 [en línea], disponible en: *https://www.paxforpeace.nl/media/files/deadlydecisionsweb.pdf*, fecha de revisión: 10/06/2019.

Esteve Pardo, J., *El desconcierto del Leviatán. Política y derecho ante las incertidumbres de la ciencia*, Madrid, Marcial Pons, 2009.

Faraldo Cabana, P., «Formas de autoría y participación en el estatuto de la Corte Penal Internacional y su equivalencia en el derecho penal español», *Revista de Derecho Penal y Criminología*, 2.ª época, 2005, núm. 16, pp. 29-78.

Federal Foreign Office, *Lethal Autonomous Weapons Systems. Technology, Definition, Ethics, Law & Security,* Berlín, Division Conventional Arms Control, Gobierno de Alemania, 2016.

Fenrick, W. J., «Article 28-Responsibility of commanders and other superiors», en Triffterer, O. (ed.), *Commentary on the Rome Statute,* Baden Baden, Nomos, 1999.

Fenrick, W. J., «The prosecution of international crimes in relation to the conduct of military operations», en Gill, T. y Fleck, D. (eds.), *The handbook of the International Law of Military Operations,* Londres, 2.ª edición, Oxford University Press, 2015, pp. 546-558.

Fenrick, W., «The Conventional Weapons Convention: A modest but useful treaty», *International Review of the Red Cross,* vol. 30, 1990, núm. 279, pp. 498-509, disponible en: *https://www.loc.gov/rr/frd/Military_Law/pdf/RC_Nov-Dec-1990.pdf*, fecha de revisión: 05/06/2019.

Finnemore, M. y Fikkink K., «International norm dynamics and political change», *Cambridge University Press,* vol. 52, 2005, núm. 52(4), pp. 887-917, disponible en: *https://www.cambridge.org/core/journals/international-organization/article/abs/international-norm-dynamics-and-political-change/0A55ECBCC9E87EA49586E776EED8DB57*, fecha de revisión: 21/01/2021.

Fiott, D., «Strategic autonomy: Towards "European sovereignty" in defence?», *European Union Institute for Security Studies,* vol. 12, 2018 [en línea], disponible en: *https://www.iss.europa.eu/sites/default/files/EUISSFiles/Brief%2012__Strategic%20Autonomy.pdf*, fecha de revisión: 26/04/2019.

Fiott, D. y Lindstrom, G., *Artificial Intelligence What implications for EU security and defence?,* París, European Union Institute for Security Studies (EUISS), noviembre, 2018, disponible en: *https://www.iss.europa.eu/sites/default/files/EUISSFiles/Brief%2010%20AI.pdf*, fecha de revisión: 21/01/2021.

Fleck, D. (ed.), *The handbook of International Humanitarian Law,* Oxford, 3.ª edición, Oxford University Press, 2013.

Floridi, L., *Philosophy and Computing,* Londres, Routledge, 1999.

Freedman, L., *La guerra futura. Un estudio sobre el pasado y el presente,* Barcelona, Planeta, 2019.

Frew, J., *Drone Wars. The Next Generation. An overview of new armed drone operators,* Oxford (Reino Unido), Drone Wars UK, 2018 [en línea], disponible en: *https://dronewarsuk.files.wordpress.com/2018/05/dw-nextgeneration-web.pdf*, fecha de revisión: 10/06/2019.

Gagnon, A. y Keating, M. (eds.), *Political autonomy and divided societies: Imagining democratic alternatives in complex settings,* Londres, Palgrave Macmillan, 2012 (Comparative Territorial Politics).

Galliot, J., *Military robots. Mapping the moral landscape,* Surrey (Reino Unido), Ashgate, 2015.

Galliott, J., «Artificial Intelligence and Space Robotics: Questions of Responsibility», en Galliott, J. C., Plaw, A. y Michael, K., *Emerging technologies, ethics and international affairs,* Surrey (Reino Unido), Ashgate, 2015, pp. 211-226.

Garrocho Salcedo, A. M., «Imprudencia y Derecho penal internacional Algunas consideraciones sobre su previsión en el Estatuto de la Corte Penal Internacional», *Revista Electrónica de Ciencia Penal y Criminología,* 2017, núm. 19-14, pp. 1-27 [en línea], disponible en: *http://criminet.ugr.es/recpc/19/recpc19-14.pdf*, fecha de revisión: 22/07/2019.

Gill, T. y Fleck, D. (eds.), *The handbook of the International Law of Military Operations,* Londres, 2.ª edición, Oxford University Press, 2015.

Gogarty, B. y Hagger, M., «The laws of man over vehicles unmanned: The legal response to robotic revolution on sea, land and air», *Journal of Law, Information and Science,* vol. 19, 2008, pp. 73-145.

Gómez de Ágreda, Á., *Mundo Orwell: Manual de supervivencia para un mundo hiperconectado,* Madrid, Planeta, 2019.

Gómez Isa, F., «Los ataques armados con drones en derecho internacional», *Revista Española de Derecho Internacional,* vol. lxvii, 2015, núm. 1, pp. 61-92, disponible en: *http://dx.doi.org/10.17103/redi.67.1.2015.1.02*, fecha de revisión: 31/07/2019.

Gordillo, J. L., «La guerra contra el terrorismo en perspectiva», en Brunet, P., Gordillo, J. L., Lleixà, J., Mojal, X. y Ortega, P. (auts.), *Pau i desarmament. És una guerra? Gihadisme i terrorismo,* Barcelona, Centre Delàs d'Estudis per la Pau, 2018, disponible en: *http://www.centredelas.org/images/INFORMES_i_altres_PDF/PD_2_TerrorismeIGihadisme_web_CAT.pdf*, fecha de revisión: 06/04/2019.

Gordillo, J. L., «Los límites de la guerra contra el terrorismo», en *Anuario de Movimientos Sociales 2013,* Vizcaya, Fundación Betiko, 2014, disponible en *http://fundacionbetiko.org/wp-content/uploads/2014/02/LOS-L%C3%8DMITES-DE-LA-GUER-*

RA-CONTRA-EL-TERRORISMO.pdf, fecha de revisión: 06/04/2019.

Gorenburg, D., «Russia's military modernization plans: 2018-2027», *PONARS Eurasia*, Policy Memo núm. 495, 2017 [en línea], disponible en: *http://www.ponarseurasia.org/sites/default/files/policy-memos-pdf/Pepm495_Gorenburg_Nov2017.pdf*, fecha de revisión: 21/04/2019.

Graham, S., *Cities under siege. The new military urbanism,* Londres, Verso, 2010, disponible en: *https://libcom.org/files/Graham,%20Stephen%20-%20Cities%20Under%20Siege.%20The%20New%20Military%20Urbanism_0.pdf*, fecha de revisión: 07/04/2019.

Greppi, E., «The evolution of individual criminal responsibility under international law», *International Review of the Red Cross,* vol. 81, 1999, núm. 835, pp. 531-553, disponible en: *https://www.icrc.org/en/doc/resources/documents/article/other/57jq2x.htm*, fecha de revisión: 10/06/2019.

Griffin, J., *The 9/11 Commission report: Omissions and distortions,* Northampton (Reino Unido), Olive Branch Press, 2004.

Grupo Europeo sobre Ética de la Ciencia y las Nuevas Tecnologías, *Inteligencia artificial, robótica y sistemas «autónomos»,* Luxemburgo, Dirección General de Investigación e Innovación de la Unión Europea, 2018.

Grut, C., «The challenge of autonomous lethal robotics to International Humanitarian Law», *Journal of Conflict and Security Law,* vol. 18, 2013, núm. 1, pp. 5-23, disponible en: *https://academic.oup.com/jcsl/article-abstract/18/1/5/812510*, fecha de revisión: 10/06/2019.

Guisández, J., «El principio de proporcionalidad y los daños colaterales, un enfoque pragmático», en Prieto, R. (ed.), *Conducción de hostilidades y derecho internacional humanitario. A propósito del centenario de las convenciones de La Haya de 1907*, Bogotá, Pontificia Universidad Javeriana, 2007, pp. 197-243.

Gutiérrez Espada, C. y Cervell Hortal, M. J., «Sistemas de armas autónomas, drones y Derecho internacional», *Revista del Instituto Español de Estudios Estratégicos,* 2013, núm. 2, pp. 27-57, disponible en: *http://revista.ieee.es/article/view/338*, fecha de revisión: 31/07/2019.

Gutter, J., *Thematic procedures of the United Nations Commission on Human Rights and International Law: In search of a sense of community,* Amberes y Oxford, Intersentia, 2006 (School of Human Rights Research, 21).

Hammond, D. N., «Autonomous weapons and the problem of state accountability», *Chicago Journal of International Law,* vol. 15, 2015, núm. 2, art. 8, pp. 652-687.

Haner, H. y Garcia, D., «The Artificial Intelligence Arms Race: Trends and World Leaders in Autonomous Weapons Development», *Global Policy,* vol. 10, asunto 3, 2019, pp. 331-337, disponible en: *https://onlinelibrary.wiley.com/doi/epdf/10.1111/1758-5899.12713*, fecha de revisión: 21/01/2021.

Hass, M. y Fischer S., «The evolution of targeted killing practices: Autonomous weapons, future conflict, and the international order», *Contemporary Security Policy,* vol. 38, 2017, núm. 38(2), pp. 281-306, disponible en: *https://www.tandfonline.com/doi/full/10.1080/13523260.2017.1336407,* fecha de revisión: 21/01/2021.

Heger, F. y Singh, S., *Sliding autonomy for complex coordinated multi-robot tasks: Analysis & experiments* (conferencia), University of Pennsylvania (Philadelphia: «Robotics: Science and Systems», 16-19 de agosto de 2006), disponible en: *http://www.roboticsproceedings.org/rss02/p03.pdf*, fecha de revisión: 21/05/2019.

Heinl, C., «Maturing autonomous cyber weapons systems: Implications for international security cyber and autonomous weapons systems regimes», en Cornish, P. (ed.), *Oxford Handbook of Cyber Security,* Oxford, Oxford University Press, 2018, disponible en: *https://ssrn.com/abstract=3255104*, fecha de revisión: 01/05/2019.

Henckaerts, J. M. y Doswald-Beck, L., *El Derecho internacional humanitario consuetudinario,* vol. 1: *Normas,* Buenos Aires, Comité Internacional de la Cruz Roja, 2017, disponible en: *https://www.icrc.org/es/doc/assets/files/other/icrc_003_pcustom.pdf*, fecha de revisión: 06/06/2019.

Henderson, I., *The Contemporary Law of Targeting,* Leiden (Países Bajos), Martinus Nijhoff, 2009.

Herbach, J., «Into the caves of steel: Precaution, cognition and robotic weapon systems under the International Law of armed conflict», *Amsterdam Law Forum,* vol. 4, 2012, núm. 3, pp. 3-20, disponible en: *http://amsterdamlawforum.org/article/view/277/458*, fecha de revisión: 12/04/2019.

Hernández Suárez-Llanos, F., «Autoría y participación en el crimen internacional», *Revista Jurídica de la Universidad Autónoma de Madrid,* 2004, núm. 11, pp. 171-208, disponible en: *https://repositorio.uam.es/handle/10486/3038*, fecha de revisión: 10/06/2019.

Heyns, C., «Autonomous weapons in armed conflict and the right to a dignified life», *South African Journal on Human Rights,* vol. 33, 2017, núm. 1, pp. 46-71.

Heyns, C., «Autonomous weapons systems: Living a dignified life and dying a dignified death», en Bhuta, N., Beck, S., Geib, R., Liu, G.-Y. y Kreb, C. (eds.), *Autonomous weapons systems. Law, ethics, policy,* Cambridge (EE.UU.), Cambridge University Press, 2016, pp. 3-20.

Heyns, C., *Autonomous weapon systems: Human rights and ethical issues* (conferencia), Palacio de las Naciones (Ginebra: «Meeting of High Contracting Parties to the Convention on Certain Conventional Weapons», 14 de abril de 2016) [en línea], disponible en: *http://www.reachingcriticalwill.org/images/documents/Disarmament-fora/ccw/2016/meeting-experts-laws/statements/heyns.pdf*, fecha de revisión: 31/05/2016.

Heyns, C., *Autonomous weapons systems and human rights law* (presentación), Palacio de las Naciones (Ginebra: «Convention on Certain Conventional Weapons», 13-16 de mayo de 2014), disponible en: *https://www.unog.ch/80256EDD006B8954/(httpAssets)/DDB079530E4FFDDBC1257CF3003FFE4D/$file/Heyns_LAWS_otherlegal_2014.pdf*, fecha de revisión: 11/04/2019.

Hinsley, F., *Sovereignty*, Cambridge (EE.UU.), 2.ª edición, Cambridge University Press, 1986.

Hola, B., Smeulers, A. y Bijleveld, C., «International sentencing facts and figures sentencing practice at the ICTY and ICTR», *Journal of*

International Criminal Justice, vol. 9, 2011, núm. 2, pp. 411-439, disponible en: *https://www.legal-tools.org/doc/4ba8ff/pdf/*, fecha de revisión: 10/06/2019.

Holland, A., *Known Unknowns: Data Issues and Military Autonomous Systems,* Ginebra, Instituto de las Naciones Unidas para la Investigación del Desarme, 2021, [en línea], disponible en: *https://unidir.org/known-unknowns* , fecha de revisión 1/07/2021.

Holland, A., *The Black Box, Unlocked. Predictability and understandability in military AI,* Ginebra, Instituto de las Naciones Unidas para la Investigación del Desarme, 2020, [en línea], disponible en: *https://unidir.org/sites/default/files/2020-09/BlackBoxUnlocked.pdf*, fecha de revisión 21/01/2021.

Hoppe, C., «Passing the buck: State responsibility for private military companies», *European Journal of International Law,* vol. 19, 2008, núm. 5, pp. 989-1014.

Horowitz, M. C., «Public opinion and the politics of the killer robot's debate», *Research and Politics,* 2016, pp. 1-8 [en línea], disponible en: *https://journals.sagepub.com/doi/pdf/10.1177/2053168015627183*, fecha de revisión: 09/08/2019.

Hughes, J. y Meza, M., *Autonomy in future military and security technologies: Implications for law, peace, and conflict,* Lancaster, The Richardson Institute, 2018.

Human Rights Watch and Harvard Law School's International Human Rights Clinic, *Losing Humanity: The Case against Killer Robots,* EE.UU., Human Rights Watch, 2012 [en línea], disponible en: *https://www.hrw.org/sites/default/files/reports/arms1112_ForUpload.pdf*, fecha de revisión: 02/05/2019.

Husniaux, A., «Looking forward. A research Agenda for NATO», en Williams, A. P. y Scharre, P. D. (eds.), *Autonomous systems. Issues for defence policymakers,* La Haya, NATO Communications and Information Agency, 2015, disponible en: *https://www.act.nato.int/images/stories/media/capdev/capdev_02.pdf*, fecha de revisión: 07/04/2019.

Jacobson, B. R., «Lethal autonomous weapons systems: mapping the GGE debate», *Policy Papers and Briefs,* 2017, núm. 8 [en línea], disponible en: *https://www.diplomacy.edu/sites/default/files/Policy_papers_briefs_08_BRJ.pdf*, fecha de revisión: 23/05/2019.

Jain, N., «Autonomous weapons systems: New frameworks for individual responsibility», en Bhuta, N., Beck, S., Geib, R., Liu, G.-Y. y Kreb, C. (eds.), *Autonomous weapons systems. Law, ethics, policy,* Cambridge (EE.UU.), Cambridge University Press, 2016, pp. 303-324.

Jenkins, R. y Purves, D., «Robots and respect: A response to Robert Sparrow», *Ethics & International Affairs,* vol. 30, 2016, núm. 3, pp. 391-400.

Jenks, C. y Acquaviva, G., «Debate: The role of international criminal justice in fostering compliance with international humanitarian law», *International Review of the Red Cross,* vol. 96, 2014, núm. 895/896, pp. 775-794, disponible en: *https://www.icrc.org/en/international-review/article/debate-role-international-crimina-justice-fostering-compliance*, fecha de revisión: 21/07/2019.

Jonas, A., McCann, E. y Thomas, M., *Urban geography: A critical introduction,* Oxford (Reino Unido), Wiley Blackwell, 2015.

Jones, J. y Powles, S., *International criminal practice,* Leiden (Países Bajos), 3.ª edición, Martinus Nijhoff, 2003.

Jordán, J. y Baqués, J., *Guerra de drones. Política, tecnología y cambio social en los nuevos conflictos,* Madrid, Biblioteca Nueva, 2014.

Kalmanovitz, P., «Judgment, liability and risks of riskless warfare», en Bhuta, N., Beck, S., Geib, R., Liu, G.-Y. y Kreb, C. (eds.), *Autonomous weapons systems. Law, ethics, policy,* Cambridge (EE.UU.), Cambridge University Press, 2016, pp. 145-163.

Kalpouzos, I., «Double elevation: Autonomous weapons and the search for an irreducible law of war», *Leiden Journal of International Law,* vol. 33, asunto 2, 2020, pp. 1-24, disponible en: *https://papers.ssrn.com/sol3/papers.cfm?abstract_id=3545332*, fecha de revisión: 21/01/2021.

Kalshoven, F., *Arms, armaments and international law,* Leiden (Países Bajos), Martinus Nijhoff, 1985.

Kane, A., *Lethal autonomous weapons systems: Can the international community agree on an approach?* (conferencia), Oxford Uehiro Centre for Practical Ethics (Nueva York, 16-18 mayo de 2018), disponible en: *https://vcdnp.org/wp-content/uploads/2018/09/Carnegie-Conference-May-2018.pdf*, fecha de revisión: 19/04/2019.

Kania, E., «New frontiers of Chinese defense innovation: Artificial intelligence and quantum technologies», *SITC Research Briefs,* 2018, núm. 10 [en línea], disponible en: *https://cloudfront.escholarship.org/dist/prd/content/qt66n8s5br/qt66n8s5br.pdf?t=p9k9xh&v=lg*, fecha de revisión: 22/04/2019.

Karock, U., «Drones: Engaging in debate and accountability», *Departamento de Política de la Dirección General de Políticas Externas de la Comisión Europea,* DG EXPO/B/PolDep/Note/2013_144, 2013, pp. 491-497 [en línea], disponible en: *http://www.europarl.europa.eu/meetdocs/2014_2019/documents/sede/dv/sede210915policyinsightdrones_/sede210915policyinsightdrones_en.pdf*, fecha de revisión: 04/04/2019.

Kasapoğlu, C. y Kirdemir, B., «Artificial intelligence and the future of conflict», Valášek, T. (ed.), *New perspectives on shared security: NATO's next 70 years,* Washington, Carnegie Endowment for International Peace, 2019, disponible en: *https://carnegieendowment.org/files/NATO_int_final1.pdf*, fecha de revisión: 21/01/2021.

Kashin, V. y Raska, M., «Countering the U.S. Third Offset Strategy: Russian Perspectives, Responses and Challenges» [Policy Report], *Rajaratnam School of International Studies,* 2017 [en línea], disponible en: *https://www.rsis.edu.sg/wp-content/uploads/2017/01/PR170124_Countering-the-U.S.-Third-Offset-Strategy.pdf*, fecha de revisión: 21/04/2019.

Kayser, D. y Denk, S., *Keeping control. European position on lethal autonomous weapon systems,* Utrecht (Países Bajos), Pax for Peace, 2017, disponible en: *https://www.paxforpeace.nl/publications/all-publications/keeping-control*, fecha de revisión: 30/07/2019.

Kierulf, J., *Disarmament under International Law,* Quebec, McGill-Queen's University Press, 2016.

Killion, T. H., *Disruptive technology for defence transformation 2019 Agenda* (presentación), Defence Academy of the United Kingdom (Londres: «Disruptive Technology for Defence Transformation

Conference», 24-26 de septiembre de 2018) [en línea], disponible en: *https://disruptivetechdefence.iqpc.co.uk/landing/disruptive-technology-for-defence-transformation-conference-2018*, fecha de revisión 10/06/2019.

Krishnan, A., *Killer robots. Legality and ethicality of autonomous weapons,* Londres, Routledge, 2009.

Kritikos, M., «Artificial intelligence ante portas: Legal & ethical reflections», *Servicio de Investigación del Parlamento Europeo,* 2019 [en línea], disponible en: *http://www.europarl.europa.eu/RegData/etudes/BRIE/2019/634427/EPRS_BRI(2019)634427_EN.pdf*, fecha de revisión: 25/04/2019.

Krupiy, T., «Of souls, spirits and ghosts: transposing the application of the rules of targeting to lethal autonomous robots», *Melbourne Journal of International Law,* vol. 16, 2015, núm. 1, pp. 145-202 [en línea], disponible en: *http://classic.austlii.edu.au/au/journals/MelbJIL/2015/6.html* y *https://search.informit.com.au/documentSummary;dn=418668361616227;res=IELHSS*, fecha de revisión: 10/06/2019.

Langley, P., Simon, H. A., Bradshaw, G. L. y Zytkow, J. M., *Scientific discovery: Computational explorations of the creative processes,* Cambridge (EE.UU.), The MIT Press, 1987.

Lawand, K., *Guía para el examen jurídico de las armas, los medios y los métodos de guerra nuevos medidas para aplicar el artículo 36 del protocolo adicional de 1977,* Ginebra, Comité Internacional de la Cruz Roja, 2006 [en línea], disponible en: *https://www.icrc.org/es/doc/assets/files/other/icrc_003_0902.pdf*, fecha de revisión: 09/08/2019.

Layton, P., «Algorithmic Warfare. Applying Artificial Intelligence to Warfighting», *National Library of Australia,* 2018, pp. 1-76 [en línea], disponible en: *https://airpower.airforce.gov.au/APDC/media/PDF-Files/Contemporary%20AirPower/AP33-Algorithmic-Warfare-Applying-Artificial-Intelligence-to-Warfighting.pdf*, fecha de revisión: 21/01/2021.

León, G., *Capítulo Segundo: Ejemplos de tecnologías y sistemas emergentes y disruptivos con relevancia estratégica,* Madrid, IEEE, 2021 (Cuaderno de estrategia, 207).

Lesperance, R. J., «Civilians taking direct part in hostilities: Why the "revolving door" must become a one-way turnstile», *Colegio de las Fuerzas Canadienses, Departamento de Defensa Nacional de Canadá,* 2013 [en línea], disponible en: *https://www.cfc.forces.gc.ca/259/290/299/286/lesperance.pdf*, fecha de revisión: 15/06/2019.

Leveringhaus, A., *Ethics and autonomous weapons,* Oxford (Reino Unido), Palgrave Macmillan, 2016.

Lewis, D., Blum, G. y Modirzadeh, N., «War-algorithm accountability», 8/2016 [en línea], disponible en: *https://papers.ssrn.com/sol3/papers.cfm?abstract_id=2832734*, fecha de revisión: 03/04/2019.

Lewis, L., *Insights for the third offset: Addressing challenges of autonomy and artificial intelligence in military operations,* Arlington, Center for Naval Analysis, 2017 [en línea], disponible en: *https://www.cna.org/CNA_files/PDF/DRM-2017-U-016281-Final.pdf*, fecha de revisión: 19/04/2018.

Lieblich, E. y Benvenisti, E., «The obligation to exercise discretion in warfare: why autonomous weapons systems are unlawful», en Bhuta, N., Beck, S., Geib, R., Liu, G.-Y. y Kreb, C. (eds.), *Autonomous weapons systems. Law, ethics, policy,* Cambridge (EE.UU.), Cambridge University Press, 2016, pp. 245-283.

Lin, P., Abney, K. y Bekey, G., *Robot ethics: the ethical and social implications of robotics,* Cambridge (EE.UU.), The MIT Press, 2012 (Intelligent Robotics and Autonomous Agents series).

Lin, P., Bekey, G. y Abney, K., «Robots in war: Issues of risk and ethics», en Capurro, R. y Nagenborg, M. (eds.), *Ethics and robotics,* Heidelberg (Alemania), IOS Press, 2009, pp. 49-67, disponible en: *https://digitalcommons.calpoly.edu/cgi/viewcontent.cgi?referer=https://www.google.com/&httpsredir=1&article=1010&context=phil_fac*, fecha de revisión: 22/06/2019.

Lin, P., Bekey, G. y Abney, K., *Autonomous military robotics: Risk, ethics, and design,* San Luis Obispo, California Polytechnic State University, 2008 [en línea], disponible en: *http://ethics.calpoly.edu/ONR_report.pdf*, fecha de revisión: 09/04/2019.

Lindley, R., *Autonomy,* Londres, Pelgrave Macmillan, 1986.

Liu, H., «Categorization and legality of autonomous and remote weapons systems», *International Review of the Red Cross,* vol. 94, 2012, núm. 886, pp. 627-652, disponible en: *https://www.icrc.org/en/doc/resources/documents/article/review-2012/irrc-886-liu.htm*, fecha de revisión: 10/04/2019.

Llandres Cuesta, B., «El desafío de la integración de los RPAS», *IEEE,* 11/9/2015 [en línea], disponible en: *http://www.ieee.es/Galerias/fichero/docs_opinion/2015/DIEEEO98-2015_DesafioIntegracion_RPAS_BorjaLLandres.pdf*, fecha de revisión: 31/05/2016.

Lokhorst, G. J. y van den Hoven, J., «Responsibility for military robots», en Lin, P., Abney, K. y Bekey, G. (eds.), *Robot ethics. The ethical and social implications of robotics,* Cambridge (EE.UU.), The MIT Press, 2012, pp. 145-156.

López de Mántaras, R., «Algunas reflexiones sobre el presente y futuro de la inteligencia artificial», *Novática,* vol. XLI, 2015, núm. 234, pp. 97-101, disponible en: *https://digital.csic.es/handle/10261/136978.*

López-Sánchez, M., «Some insights on artificial intelligence autonomy in military technologies», en Hughes, J. y Meza, M. (eds.), *Autonomy in future military and security technologies: Implications for law, peace, and conflict,* Lancaster, The Richardson Institute, 2018, pp. 5-17.

Lucas, G. R., «Legal and ethical precepts governing emerging military technologies. Research and use», *Utah Law Review,* 2014, núm. 5, pp. 1271-1281, disponible en: *https://mipt.ru/education/chairs/theor_cybernetics/government/upload/80d/LEGAL-AND-ETHICAL-PRECEPTS-GOVERNING-EMERGING-MILITARY-TECHNOLOGIES.pdf*, fecha de revisión: 10/06/2019.

Malik, S., «Autonomous weapon systems: The possibility and probability of accountability», *Wisconsin International Law Journal,* vol. 35, 2018, núm. 3, 609-642.

Marauhn, T., «An analysis of the potential impact of lethal autonomous weapons systems on responsibility and accountability for violations of International Law» (presentación), Ginebra (reunión de expertos sobre los SAAL en la CCW, 13-16 de mayo de 2014) [en línea], disponible en: *https://www.unog.ch/80256EDD006B8954/*

(httpAssets)/35FEA015C2466A57C1257CE4004BCA51/$file/Marauhn_MX_Laws_SpeakingNotes_2014.pdf, fecha de revisión: 09/07/2019.

Marchant, G., Allenby, B. y otros, «International governance of autonomous military robots», *Columbia Science and Technology Law Review,* vol. xxii, 2011, pp. 272-315, disponible en: *https://papers.ssrn.com/sol3/papers.cfm?abstract_id=1778424*, fecha de revisión: 10/06/2019.

Marchuk, I., *The fundametal concept of crime in International Criminal Law,* Berlín, Springer, 2014.

Margulies, P., «Making autonomous weapons accountable: Command responsibility for computer-guided lethal force in armed conflicts», en Ohlin, J. D. (ed.), *Research handbook on remote warfare,* Nothampton (EE.UU.), Edward Elgar, 2017, pp. 405-442.

Martin, J. y Storey, T., *Unlocking Criminal Law,* Londres, 5.ª edición, Routledge, 2015.

Martinage, R., *Toward a new offset strategy exploiting U.S. long-term advantages to restore U.S. global power projection capability,* Washington, Center for Strategic and Budgetary Assessments, 2014 [en línea], disponible en: *https://csbaonline.org/uploads/documents/Offset-Strategy-Web.pdf*, fecha de revisión: 20/04/2019.

Matthias, A., «The responsibility gap: Ascribing responsibility for the actions of learning automata», *Ethics and Information Technology,* vol. 6, 2004, núm. 3, pp. 175-183, disponible en: *https://link.springer.com/article/10.1007/s10676-004-3422-1*, fecha de revisión: 10/06/2019.

May, L., *Crimes against humanity: A normative account,* Cambridge (EE.UU.), Cambridge University Press, 2005.

McClelland, J., «The review of weapons in accordance with Article 36 of Additional Protocol I», *International Review of the Red Cross,* vol. 85, 2003, núm. 850, pp. 397-415, disponible en: *https://www.icrc.org/en/doc/assets/files/other/irrc_850_mcclelland.pdf*, fecha de revisión: 03/08/2019.

McFarland, T. y McCormack, T., «Mind the gap: can developers of autonomous weapons systems be liable for war crimes?», *International Law Studies US Naval*

War College, vol. 90, 2014, pp. 361-385, disponible en: *https://digital-commons.usnwc.edu/ils/vol90/iss1/2*, fecha de revisión: 10/06/2019.

McNeal, G., «Targeted Killing and Accountability», *Georgetown Law Journal,* vol. 102, 2014, pp. 681-794, disponible en: *https://papers.ssrn.com/sol3/papers.cfm?abstract_id=1819583*, fecha de revisión: 06/08/2019.

Meier, M., «The strategic implications of lethal autonomous weapons», en Ohlin, J. D. (ed.), *Research handbook on remote warfare,* Nothampton (EE.UU.), Edward Elgar, 2017, cap. 14.

Melzer, N., «Targeted killings in operational law perspective», en Gill, T. y Fleck, D. (eds.), *The handbook of the International Law of Military Operations,* Londres, 2.ª edición, Oxford University Press, 2015, pp. 307-331.

Melzer, N., *Guía para interpretar la noción de participación directa en las hostilidades según el Derecho internacional humanitario,* Ginebra, Comité Internacional de la Cruz Roja, 2008.

Melzer, N., *Human rights implications of the usage of drones and unmanned robots in warfare,* Bruselas, Unión Europea, 2013, disponible en: *http://www.europarl.europa.eu/RegData/etudes/etudes/join/2013/410220/EXPO-DROI_ET(2013)410220_EN.pdf*, fecha de revisión: 24/04/2019.

Melzer, N., *Targeted killing in International Law,* Oxford, Oxford University Press, 2009.

Meron, T., *The humanization of International Law,* Leiden (Países Bajos), Martinus Nijhoff, 2006, disponible en: *http://www.corteidh.or.cr/tablas/r32567.pdf*, fecha de revisión: 04/08/2019.

Meza, M., «Graham, Stephen. Cities under siege. The new military urbanism. (Londres: Editorial verso, 2010)» [recensión], *Cuadernos Electrónicos de Filosofía del Derecho,* 2016, núm. 34, pp. 336-345.

Meza, M., «Los sistemas de armas autónomos: crónica de un debate internacional y prospectivo dentro de Naciones Unidas» (documento de trabajo), *IEEE,* núm. 41/2018, 2018 [en línea], disponible en: *http://www.ieee.es/Galerias/fichero/docs_opinion/2018/*

DIEEEO41-2018_SistArmas_Autonomos_NNUU_MiltonMeza.pdf, fecha de revisión: 07/05/2019.

Meza, M., «Los sistemas de armas completamente autónomos: un desafío para la comunidad internacional en el seno de las Naciones Unidas» (documento de trabajo), *IEEE*, núm. 85/2016 [en línea], disponible en: *http://www.ieee.es/Galerias/fichero/docs_opinion/2016/DIEEEO85-2016_SistemasArmas_ONU_MiltonMeza.pdf*, fecha de revisión: 07/05/2019.

Mindell, D. A., *Our robots, ourselves: Robotics and the myths of autonomy,* Nueva York, Viking, 2015.

Ministerio de Defensa de España, *Network Centric Warfare/Network Enabled Capability,* Madrid, Secretaría Técnica del Ministerio de Defensa, 2009 (Monografías del SOPT, 3) [en línea], disponible en: *https://publicaciones.defensa.gob.es/media/downloadable/files/links/P/D/PDF229.pdf*, fecha de revisión: 18/04/2019.

Ministerio de Defensa del Reino Unido, *Joint Doctrine Publication 0-30.2 Unmanned Aircraft Systems,* Wiltshire, Development, Concepts and Doctrine Centre, 2017 [en línea], disponible en : *https://assets.publishing.service.gov.uk/government/uploads/system/uploads/attachment_data/file/673940/doctrine_uk_uas_jdp_0_30_2.pdf*, fecha de revisión: 21/05/2019.

Mish, F. C., *Merriam-Webster's Collegiate Dictionary,* Londres, 10.ª ed., Merriam-Webster, 1993.

Molden, D. C., «Understanding priming effects in social psychology», *Social Cognition,* vol. 32, 2014, supl., pp. 1-11, disponible en: *https://www.researchgate.net/publication/270539134_Understanding_Priming_Effects_in_Social_Psychology_What_is_Social_Priming_and_How_does_it_Occur*, fecha de revisión: 10/06/2019.

Montoya, R., *Drones, la muerte por control remoto,* Madrid, Akal, 2014.

Mosier, K., Sktika, L. Heers, S. y Burdik, M., «Automation bias: Decision making and performance in high-tech cockpits», *International Journal of Aviation Psychology,* vol. 8, 1998, núm. 1, pp. 47-63, disponible en: *https://www.researchgate.net/publi-*

cation/11805395_Automation_Bias_Decision_Making_and_Performance_in_High-Tech_Cockpits, fecha de revisión: 27/05/2019.

Mouloua, M. y Parasuraman, R., *Automation and human performance - theory and applications,* Boca Ratón (EE.UU.), CRC Press, 2009 (Human Factors in Transportation Series).

Mujezinović, K., Guldahl, C. y Nystuen, G. (eds.), *Searching for a «Principle of Humanity» in International Humanitarian Law,* Cambridge (EE.UU.), Cambridge University Press, 2013.

Naciones Unidas, *Anuario de la Comisión de Derecho Internacional* (informe de la Comisión de Derecho Internacional sobre la labor realizada en su 53.º período de sesiones), Nueva York y Ginebra, Naciones Unidas, 2007, vol. 2 (A/CN.4/SER.A/2001/Add.1), [en línea], disponible en: *http://legal.un.org/ilc/publications/yearbooks/spanish/ilc_2001_v2_p2.pdf*, fecha de revisión: 24/07/2019.

Newell, A. y Simon, H. A., «Computer science as empirical enquiry: Symbols and search», en Boden, M. (ed.), *The philosophy of artificial intelligence,* Oxford, Oxford University Press, 1990, pp. 105-132.

Nissel, A., «The ILC articles on state responsibility: Between self-help and solidarity», *NYU International Law and Politics,* vol. 38, 2006, pp. 355-371, disponible en: *http://nyujilp.org/wp-content/uploads/2013/02/38.1_2-Nissel.pdf*, fecha de revisión: 25/07/2019.

Nolan, A., Freedman, R. y Murphy, T., *The United Nations special procedures system,* Leiden, Brill-Nijhoff, 2017 (Nottingham Studies on Human Rights, 6).

Nurkin, T., *China's advanced weapons systems* [informe], preparado para U.S.-China Economic and Security Review Commission, Jane's Information Group, 2018 [en línea], disponible en: *https://www.uscc.gov/sites/default/files/Research/Jane%27s%20by%20IHS%20Markit_China%27s%20Advanced%20Weapons%20Systems.pdf*, fecha de revisión: 22/04/2019.

O'Connell, M. E., «Banning autonomous killing. The legal and ethical requirement. That humans make near-time lethal decisions», en Evangelista, M. y Shue, H. (eds.), *Way of bombing. Changing eth-*

ical and legal norms, from flying fortresses to drones, Ithaca (EE. UU.), Cornell University Press, 2014, pp. 224-236.

Oeter, S., «Methods and means of combat», en Fleck, D. (ed.), *The handbook of International Humanitarian Law,* Oxford, 3.ª edición, Oxford University Press, 2013, pp. 105-208, disponible en: *https://opil.ouplaw.com/view/10.1093/law/9780199658800.001.0001/law-9780199658800-chapter-4*, fecha de revisión: 05/06/2019.

Ohlin, J. D., «Targeting and the concept of intent», *Cornell Law Faculty Publications,* paper núm. 774, 2013 [en línea], disponible en: *https://scholarship.law.cornell.edu/cgi/viewcontent.cgi?article=2354&context=facpub*, fecha de revisión: 08/08/2019.

Olásolo, H., «Aspectos prácticos relativos al análisis de proporcionalidad en las operaciones de combate», en Prieto, R. (ed.), *Conducción de hostilidades y derecho internacional humanitario. A propósito del centenario de las convenciones de La Haya de 1907,* Bogotá, Pontificia Universidad Javeriana, 2007, pp. 157-198.

Olásolo, H., «Los fines del Derecho internacional penal», *Revista Colombiana de Derecho Internacional,* 2016, núm. 29, pp. 93-146, disponible en: *http://www.scielo.org.co/pdf/ilrdi/n29/1692-8156-ilrdi-29-00093.pdf*, fecha de revisión: 07/08/2019.

Olásolo, H., «Reflexiones sobre la doctrina de la empresa criminal común en Derecho internacional penal», *InDret, Revista para el Análisis del Derecho,* 2009, núm. 3 [en línea], disponible en: *http://www.indret.com/pdf/648_es.pdf*, fecha de revisión: 10/08/2019.

Ortega García, J., *Capítulo Sexto: armas de tecnología avanzada,* Madrid, IEEE, 2011 (Cuaderno de estrategia, 153).

Owens, W., «The emerging US system-of-systems», *Strategic Forum,* 1996, núm. 63, pp. 1-6, disponible en: *https://apps.dtic.mil/dtic/tr/fulltext/u2/a394313.pdf*, fecha de revisión: 19/04/2019.

Parasuraman, R., Sheridan, B., y Wickens, Ch., «A Model for Types and Levels of Human Interaction with Automation», *IEEE transactions on systems, man, and cybernetics—part a: systems and humans,* vol. 30, 2000, núm. 3, pp. 286-297, disponible en: *https://www.ida.liu.se/~729A71/Literature/Automation/Parasur-*

aman,%20Sheridan,%20Wickens_2000.pdf, fecha de revisión: 21/01/2021.

Parks, W. H., «Conventional weapons and weapons reviews», *Yearbook of International Humanitarian Law,* 2005, núm. 8, pp. 55-142.

Payne, K., «Artificial intelligence: A revolution in strategic affairs?», *Survival,* vol. 60 2018, núm. 5, pp. 7-32, disponible en: *https://www.tandfonline.com/doi/pdf/10.1080/00396338.2018.1518374?needAccess=true*, fecha de revisión: 20/04/2019.

Pérez, M., «Fundamentos del Derecho Internacional Humanitario: la cláusula Martens y el artículo 3 común a los convenios de Ginebra», en Rodríguez-Villasante, J. y López Sánchez, J. (coords.), *Derecho internacional humanitario,* Madrid, 3.ª edición, Tirant lo Blanch, 2017.

Persi, G., Spazian, A. y Anand, A., *Table-Top Exercises on the Human Element and Autonomous Weapons Systems,* Ginebra, Instituto de las Naciones Unidas para la Investigación del Desarme, 2021, [en línea], disponible en: *https://www.unidir.org/publication/table-top-exercises-human-element-and-autonomous-weapons-system*, fecha de revisión 30/09/2021.

Pertusio, R., *Estrategia operacional,* Buenos Aires (Argentina), Instituto de Publicaciones Navales del Centro Naval de Argentina, 2000.

Petman, J., *Autonomous weapons systems and international humanitarian law: «out of the loop»?,* Helsinki, Erik Castrén Institute of International Law and Human Rights, 2017.

Pisarello, G., *Constitucionalismo, mundialización y crisis del concepto de soberanía: algunos efectos en América Latina y en Europa,* Alicante, Servicio de Publicaciones de la Universidad de Alicante, 2000.

Quéguiner, J. F., «The principle of distinction: Beyond an obligation of Customary International Humanitarian Law», Hensel, H. (ed.), *Legitimate use of military force. the just war tradition and the customary law of armed conflict,* Farnham (Reino Unido), Ashgate, 2008, pp. 161-187.

Rabkin, J. y Yoo, J., *Striking power. How cyber, robots, and space weapons change the rules of war*, Nueva York, Encounter Books, 2017.

Ratner, S. R. y Abrams, J. S., *Accountability for human rights atrocities in international law: beyond the Nuremberg legacy,* Oxford, Oxford University Press, 2001.

Riola Rodríguez, J. M., *La situación actual de las tecnologías de doble uso,* Madrid, IEEE, 2014 (Cuaderno de Estrategia, 169).

Ripley, T., *Middle East air power in the 21st Century,* Barnsley (Reino Unido), Pen & Sword Books, 2010.

Robinson, D., «How command responsibility got so complicated: a culpability contradiction, its obfuscation, and a simple solution», *Melbourne Journal of International Law,* vol. 13, 2012, núm. 1, pp. 1-57, disponible en: *https://law.unimelb.edu.au/__data/assets/pdf_file/0003/1687242/Robinson.pdf*, fecha de revisión: 21/05/2019.

Rocha-Herrera, M., *El principio del superior jerárquico ante la Corte Penal Internacional* (conferencia), Centro de Estudios Superiores Navales de la Marina Armada de México (Ciudad de México, 9 de mayo del 2018), México DF, Instituto de Investigaciones Estratégicas de la Armada de México, 2018, disponible en: *https://www.researchgate.net/publication/327351239_El_principio_de_la_Responsabilidad_del_Superior_Jerarquico_ante_la_CPI*, fecha de revisión: 21/05/2019.

Rocha-Herrera, M., *¿Cuáles son las obligaciones de un comandante militar en campo? Evolución Jurídica de la Doctrina de la Responsabilidad del Superior Jerárquico: De Yamashita a Bemba Gombo en la Corte Penal Internacional*, Anuario Iberoamericano de Derecho Internacional Penal, vol. 2, septiembre, 2018, disponible en: *https://revistas.urosario.edu.co/index.php/anidip/article/view/7150*, fecha de revisión: 21/01/2021.

Rodríguez-Villasante, J., «Ámbito de aplicación del derecho internacional humanitario. Tipología y delimitación de los conflictos armados», en Rodríguez-Villasante, J. y López Sánchez, J. (coords.), *Derecho Internacional humanitario,* Madrid, 3.ª edición, Tirant lo Blanch, 2017, pp. 151-190.

Rodríguez-Villasante, J., «Los principios generales de derecho penal y la responsabilidad penal individual en el Estatuto de Roma de la Corte Penal Internacional», *Revista del Instituto de Ciencias Penales y Criminológicas,* vol. 21, 2000, núm. 69, pp. 13-36, disponible en: *https://dialnet.unirioja.es/descarga/articulo/5319410.pdf*, fecha de revisión: 22/07/2019.

Rodríguez-Villasante, J., «Los principios generales de derecho penal y la responsabilidad penal individual en el Estatuto de Roma de la Corte Penal Internacional», *Derecho Penal y Criminología,* vol. 21, 2000, núm. 69, pp. 13-36.

Rodríguez-Villasante, J., «Participación directa de las personas civiles en las hostilidades», en Rodríguez-Villasante, J. y López Sánchez, J. (coords.), *Derecho internacional humanitario,* Madrid, 3.ª edición, Tirant lo Blanch, 2017.

Roff, H., «Killing in war: Responsibility, liability and lethal autonomous robots», en Allhoff, F., Evans, N. y Henschke, A. (eds.), *Routledge handbook of ethics and war: Just war theory in the 21st Century,* Londres, Routledge, 2014, disponible en: *www.academia.edu/2606840/Killing_in_War_Responsibility_Liability_and_Lethal_Autonomous_Robots*, fecha de revisión: 21/08/2019.

Roff, H., *Cybersecurity, artificial intelligence, and autonomous weapons: Critical intersections* (conferencia), Sede de Naciones Unidas (Nueva York: «Cyber and autonomous weapons: Potential overlap, interaction and vulnerabilities», 14/10/2015) [en línea], disponible en: *http://www.unidir.ch/files/conferences/pdfs/cybersecurity-artificial-intelligence-and-autonomous-weapons-critical-intersections-en-1-1086.pdf*, fecha de revisión: 01/05/2019.

Roorda, M., «NATO's targeting process: ensuring human control over (and lawful use of) "autonomous" weapons», en Williams, A. P. y Scharre, P. D. (eds.), *Autonomous systems. Issues for defence policymakers,* La Haya, NATO Communications and Innovations Agency, 2015, disponible en: *https://www.act.nato.int/images/stories/media/capdev/capdev_02.pdf*, fecha de revisión: 21/05/2019.

Rosenblad, E., *International Humanitarian Law of armed conflict: Some aspects of the principle of distinction and related problems,* Ginebra, Instituto Henry Dunant, 1979.

Rosert, E. y Sauer, F., « How (not) to stop the killer robots: A comparative analysis of humanitarian disarmament campaign strategies», *Contemporary Security Policy,* 42:1, 2020, pp. 4-29, disponible en: *https://www.tandfonline.com/doi/full/10.1080/13523260.2020.1771508*, fecha de revisión: 21/01/2021.

Sandoz, Y., Swinarski, C. y Zimmermann, B. (eds.), *Comentario sobre los Protocolos adicionales del 8 de junio de 1977 a los Convenios de Ginebra del 12 de agosto de 1949,* Ginebra, Comité Internacional de la Cruz Roja, 1987, disponible en: *http://www.loc.gov/rr/frd/Military_Law/pdf/Commentary_GC_Protocols.pdf*, fecha de revisión: 03/05/2019.

Sassòli, M., «Autonomous weapons and International Humanitarian Law: Advantages, open technical questions and legal issues to be clarified», *International Law Studies US Naval War College,* vol. 90, 2014, pp. 308-340, disponible en: *https://digital-commons.usnwc.edu/cgi/viewcontent.cgi?article=1017&context=ils*, fecha de revisión: 21/05/2019.

Sassòli, M., «Humanitarian Law and International Criminal Law», en Cassese, A. (ed.), *The Oxford companion to international criminal justice,* Oxford, Oxford University Press, 2009, pp. 111-122.

Sassòli, M., *International Humanitarian Law Rules, controversies, and solutions to problems arising in warfare,* Cheltenham (Reino Unido), Edward Elgar, 2019, disponible en: *https://www.e-elgar.com/shop/international-humanitarian-law-15699*, fecha de revisión: 21/05/2019.

Saura, J., «On the implications of the use of drones in international law», *Journal of International Law and International Relations,* vol. 12, 2016, núm. 1, pp. 120-150.

Saxon, D., «A human touch: autonomous weapons, DoD Directive 3000.09 and the interpretation of "appropriate levels of human judgment over the use of force"», en Bhuta, N., Beck, S., Geib, R., Liu, G.-Y. y Kreb, C. (eds.), *Autonomous weapons systems. Law, ethics, policy,* Cambridge (EE.UU.), Cambridge University Press, 2016.

Sayler, K., *A world of proliferated drones: A technology primer,* Washington, Center for a New American Security, 2015 [en línea], disponible en: *https://www.files.ethz.ch/isn/191911/CNAS%20World%20of%20Drones_052115.pdf*, fecha de revisión 30/07/2019.

Scharre, P. y Horowitz, M., «Meaningful human control in weapon systems: a primer», Washington, Center for a New American Security, 2015 [en línea], disponible en: *https://s3.amazonaws.com/files.cnas.org/documents/Ethical_Autonomy_Working_Paper_031315.pdf?mtime=20160906082316*, fecha de revisión: 23/05/2019.

Scharre, P. y Horowitz, M., *An introduction to autonomy in weapon systems,* Washington, Center for a New American Security, 2015 [en línea], disponible en: *https://www.files.ethz.ch/isn/188865/Ethical%20Autonomy%20Working%20Paper_021015_v02.pdf*, fecha de revisión: 21/05/2019.

Scharre, P., *Army of none: Autonomous weapons and the future of war,* Londres, WW Norton & Co, 2018.

Scharre, P., *Autonomous weapons and operational risk. Ethical autonomy project,* Washington, Center for a New American Security, 2016 [en línea], disponible en: *https://s3.amazonaws.com/files.cnas.org/documents/CNAS_Autonomous-weapons-operational-risk.pdf?mtime=20160906080515*, fecha de revisión: 08/04/2019.

Schmitt, M. y Thurnher, J., «"Out of the loop": Autonomous weapon systems and the law of armed conflict», *Harvard National Security Journal,* vol. 4, 2013, núm. 231, pp. 231-281, disponible en: *https://papers.ssrn.com/sol3/papers.cfm?abstract_id=2212188*, fecha de revisión: 05/06/2019.

Schmitt, M., «Targeting in operational law», en Gill, T. y Fleck, D. (eds.), *The handbook of the International Law of Military Operations,* Londres, 2.ª edición, Oxford University Press, 2015, pp. 269-306.

Schmitt, M. y Widmar, E., «The Law of Targeting», en Ducheine, P., Schmitt, M. y Osinga, F. (eds.), *Targeting: The challenges of modern warfare,* Berlín, Springer, 2016, pp. 121-146.

Schmitt, M., «Autonomous weapon systems and International Humanitarian Law: A reply to the critics», *Harvard Law School National Security Journal,* 2013, núm. 4 [en línea], disponible en: *https://harvardnsj.org/2013/02/autonomous-weapon-systems-and-international-humanitarian-law-a-reply-to-the-critics*, fecha de revisión: 11/06/2019.

Schmitt, M., «Human shields in International Humanitarian Law», *Columbia Journal of Transnational Law,* vol. 47, 2009, núm. 2, pp. 17-59, disponible en: *https://papers.ssrn.com/sol3/papers.cfm?abstract_id=1600258*, fecha de revisión: 11/06/2019.

Schmitt, M., «Military necessity and humanity in International Humanitarian Law: Preserving the delicate balance», *Virginia Journal of International Law,* vol. 50, 2010, núm. 4, pp. 795-839, disponible en: *https://papers.ssrn.com/sol3/papers.cfm?abstract_id=1600241*, fecha de revisión: 05/06/2019.

Schmitt, M., «The principle of discrimination in 21st Century Warfare», *Yale Human Rights and Development Journal,* vol. 2, 1999, núm. 3, pp. 143-182, disponible en: *https://pdfs.semanticscholar.org/b9c1/575650a508b243aed727d5e2250cb05bc310.pdf*, fecha de revisión: 09/06/2019.

Schmitt, M., *Tallinn manual on the International Law applicable to cyber warefare,* Cambridge (EE.UU.), Cambridge University Press, 2013.

Schneider, J. y MacDonald, J., *US public support for drone strikes. When do Americans prefer unmanned over manned platforms?,* Washington, Center for a New American Security, 2016 [en línea], disponible en: *https://s3.amazonaws.com/files.cnas.org/documents/CNAS-Report-DronesandPublicSupport-Final2.pdf?mtime=20160929153710*, fecha de revisión: 06/04/2019.

Schroeder, T., *Lethal autonomous weapon systems in future conflicts,* s. l., s. e., 2017.

Schulzke, M., *The morality of drone warfare and the politics of regulation,* Londres, Palgrave Macmillan, 2017.

Sharkey, A., «Autonomous weapons systems, killer robots and human dignity», *Ethics and Information Technology,* 2019 [en línea], disponible en: *https://link.springer.com/article/10.1007/s10676-018-9494-0*, fecha de revisión: 13/03/2021.

Sharkey, A., «¿Can we program or train robots to be good?», *Ethics and Information Technology,* 2017 [en línea], disponible en: doi.org/10.1007/s10676-017-9425-5, fecha de revisión: 09/04/2019.

Sharkey, N., «Automated killers and the computing profession», *Computer Journal,* vol. 40, 2007, núm. 11, pp. 123-124.

Sharkey, N., «Death strikes from the sky: The calculus of proportionality», *IEEE Technology and Society,* vol. 28, 2009, núm. 1, pp. 16-19, disponible en: *http://www.sevenhorizons.org/docs/Sharkey-DeathStrikesfromtheSky.pdf*, fecha de revisión: 09/04/2019.

Sharkey, N., «Killing made easy: From joysticks to politics», en Lin, P., Abney, K. y Bekey, G. (eds.), *Robot ethics. The ethical and social implications of robotics,* Cambridge (EE.UU.), The MIT Press, 2012, pp. 111-128.

Sharkey, N., «Staying in the loop: human supervisory control of weapons», en Bhuta, N., Beck, S., Geib, R., Liu, G.-Y. y Kreb, C. (eds.), *Autonomous weapons systems. Law, ethics, policy,* Cambridge (EE.UU.), Cambridge University Press, 2016, pp. 23-38.

Sharkey, N., «The evitability of autonomous robot warfare», *International Review of the Red Cross,* vol. 94, 2012, núm. 886, pp. 787-799, disponible en: *https://www.icrc.org/en/international-review/article/evitability-autonomous-robot-warfare*, fecha de revisión: 11/06/2019.

Shaw, I., «Predator Empire: The Geopolitics of US Drone Warfare», *School of Geographical and Earth Sciences, The University of Glasgow,* 2013, pp. 1-24, disponible en: *http://www.unice.fr/crookall-cours/iup_geopoli/docs/predator-drones.pdf*, fecha de revisión: 21/01/2021.

Sifton, J., *Violence all around,* Cambridge y Londres, Harvard University Press, 2015.

Simon, H. A. y Newell, A., «Information processing in computer and man», *American Scientist,* vol. 52, 1964, núm. 3, pp. 76-99.

Simon, H. A., «Bounded rationality in social science: Today and tomorrow», *Mind and Society,* vol. 1, 2000, núm. 1, pp. 25-39.

Simon, H. A., «Machine as Mind», en Ford, K. M., Glymour, C. y Hayes, P. J. (eds.), *Android Epistemology,* Menlo Park (EE.UU.), AAAI/MIT Press, 1995, pp. 23-40.

Simon, H. A., «Organizations and markets», *Journal of Economic Perspectives,* vol. 5, 1991, núm. 2, pp. 25-44.

Simon, H. A., «Rationality», en Simon, H. A., *Models of bounded rationality,* vol. 2: *Behavioral economics and business organization,* Cambridge (EE.UU.), The MIT Press, 1997.

Simon, H. A., «Racionalidad limitada en ciencias sociales: Hoy y mañana», en González, W. J. (ed.), *Racionalidad, historicidad y predicción en Herbert A. Simon,* La Coruña (España), Netbiblio, 2003, p. 97-112.

Simon, H. A., «Rational decision making in business organizations», *The American Economic Review,* vol. 69, 1979, núm. 4, pp. 493-513.

Simon, H. A., «Scientific discovery as problem solving» [1988], en Egidi, M. y Marris, R. (ed.), *Economics, bounded, rationality and the cognitive revolution,* Aldershot (Reino Unido), Edward Elgar, 1992, pp. 102-119.

Simon, H. A., «Scientific discovery as problem solving», *International Studies in the Philosophy of Science,* vol. 6, 1992, núm. 1, pp. 3-14.

Simon, H. A., «Theories of bounded rationality», en McGuire, C. B. y Radner, R. (eds.), *Decision and organization,* Ámsterdam (Países Bajos), North-Holland, 1972, pp. 161-176.

Simon, H. A., «Thinking by computers» [1966], en Egidi, M. y Marris, R. (ed.), *Economics, Bounded, Rationality and the Cognitive Revolution,* Aldershot (Reino Unido), Edward Elgar, 1992, pp. 55-75.

Simon, H. A., *Models of bounded rationality,* vol. 2: *Behavioral economics and business organization,* Cambridge (EE.UU.), The MIT Press, 1997.

Simon, H. A., *Models of Bounded Rationality,* vol. 3: *Empirically grounded economic reason,* Cambridge (EE.UU.), The MIT Press, 1997.

Simpson, T. W. y Müller, V. C., «Just war and robot's killings», *Philosophical Quarterly,* vol. 66, 2016, núm. 263, pp. 302-322, disponible en: *https://www.researchgate.net/publication/282485360_Just_War_and_Robots'_Killings*, fecha de revisión: 12/07/2019.

Singer, P., *Wired for war. The robotics revolution and conflict in the 21st Century,* Nueva York, Penguin Books, 2009.

Slijper, F., *Slippery Slope – The arms industry and increasingly autonomous weapons,* Utrecht (Países Bajos), Pax for Peace, 2019, disponible en: *https://www.paxforpeace.nl/publications/all-publications/slippery-slope*, fecha de revisión: 21/01/2021.

Slijper, F., *Where to draw the line. Increasing autonomy in weapon systems – Technology and trends,* Utrecht (Países Bajos), Pax for Peace, 2017, disponible en: *https://www.paxforpeace.nl/publications/all-publications/where-to-draw-the-line*, fecha de revisión: 01/05/2019.

Solheim, S., *Either you are with us, or you are with the terrorists. A discourse analysis of President George W. Bush's declared war on terrorism,* Tromsø (Noruega), Universitetet I Tromsø, 2006.

Solis, G., *The Law of armed conflict: International Humanitarian Law in war,* Nueva York, Cambridge University Press, 2010.

Sparrow, R., «Building a better Warbot: Ethical issues in the design of unmanned systems for military applications», *Science and Engineering Ethics,* vol. 15, 2009, núm. 2, pp. 169-187, disponible en: *https://link.springer.com/article/10.1007/s11948-008-9107-0*, fecha de revisión: 08/08/2019.

Sparrow, R., «Killer robots», *Journal of Applied Philosophy,* vol. 24, 2009, núm. 1, pp. 62-77.

Sparrow, R., «Predators or plowshares? Arms control of robotic weapons», *IEEE Technology and Society,* vol. 28, 2009, núm. 1, pp. 25-29, disponible en: *http://www.sevenhorizons.org/docs/SparrowPredatorsorPlowshares.pdf*, fecha de revisión: 09/04/2019.

Sparrow, R., «Robotic weapons and the future of war», en Wolfendale, J. y Tripodi, P. (eds.), *New wars and new soldiers: Military ethics in the contemporary World*, Surrey (Reino Unido): Ashgate, 2011, pp. 117-133, disponible en: *https://mini-symposium-tokyo.info/robotic-weapons.pdf*, fecha de revisión: 09/04/2019.

Sparrow, R., «Robots and respect: Assessing the case against autonomous weapon systems», *Ethics & International Affairs,* vol. 30, 2016, núm. 1, pp. 93-116.

Sparrow, R., «Twenty seconds to comply: Autonomous weapon systems and the recognition of surrender», *International Law Studies US Naval War College,* vol. 91, 2015, pp. 699-728, disponible en: *https://digital-commons.usnwc.edu/cgi/viewcontent.cgi?referer=https://www.google.com/&httpsredir=1&article=1413&context=ils*, fecha de revisión: 11/06/2019.

Steinhardt, R. G., «Weapons and the human rights responsibilities of multinational corporations», en Casey-Maslen, S. (ed.), *Weapons under International Human Rights Law,* Nueva York, Cambridge University Press, 2014, pp. 507-541.

Suksi, M., *Autonomy: Applications and implications,* Dordrecht (Países Bajos), Kluwer Law International, 1998.

Surber, R., *Artificial intelligence: Autonomous technology (AT), lethal autonomous weapons systems (LAWS) and peace time threats*, Zúrich, ICT4 Peace Foundation y Zurich Hub for Ethics and Technology, 2018 [en línea], disponible en: *https://ict4peace.org/wp-content/uploads/2018/02/2018_RSurber_AI-AT-LAWS-Peace-Time-Threats_final.pdf*, fecha de revisión: 02/04/2019.

Swart, B., «Modes of international criminal liability, in the oxford companion to international criminal justice», en Cassese, A. (ed.), *The Oxford companion to international criminal justice,* Oxford, Oxford University Press, 2009, pp. 82-96.

The Program on Humanitarian Policy and Conflict Research at Harvard University, *Commentary on the HPCR manual on international law applicable to air and missile warfare,* Nueva York, Cambridge University Press, 2010, disponible en: *https://georgetown.instructure.com/files/900391/download?download_frd=1*, fecha de revisión: 03/08/2019.

Thurnher, J. S., «No one at the controls: Legal implications of fully autonomous targeting», *Joint Force Quarterly,* vol. 67, 2012, pp. 77-84, disponible en: *https://ndupress.ndu.edu/Portals/68/Documents/jfq/jfq-67/JFQ-67_77-84_Thurnher.pdf*, fecha de revisión: 09/04/2019.

Ticehurst, R., «La cláusula de Martens y el derecho de los conflictos armados», *Revista Internacional de la Cruz Roja,* 1997 [en línea], disponible en: *https://www.icrc.org/es/doc/resources/documents/misc/5tdlcy.htm*, fecha de revisión: 14/04/2019.

Ticehurst, R., «The advisory opinion of the International Court of Justice on the legality of the threat or use of nuclear weapons», *War Studies Journal,* vol. 2, 1996, núm. 1, pp. 107-118.

Torroja Mateu, H. (ed.), *Public International Law and human rights violations by private military and security companies,* Berlín, Springer, 2017.

Tumin, Z., Oelstrom, T., Fritzson, A. y Mechling, J., *Unmanned and Robotic Warfare: Issues, Options And Futures* (Summary of Harvard Executive Session of June 2008), 2008 [en línea], disponible en: *https://www.academia.edu/3465074/UNMANNED_AND_ROBOTIC_WA_RF_A_RE_Issues_Options_And_Futures?auto=download* («2008 Harvard Session»), fecha de revisión: 09/04/2019.

Tversky, A. y Kahneman, D., «Judgment under Uncertainty: Heuristics and Biases», *Science,* vol. 185, 1974, asunto 4157, pp. 1124-1131, disponible en: *https://science.sciencemag.org/content/185/4157/1124*, fecha de revisión: 21/01/2021.

Van Rompaey, L., «Shifting from Autonomous Weapons to Military Networks», *Journal of International Humanitarian Legal Studies,* vol. 10, asunto 1, 2019, pp. 111-128, disponible en: *https://www.researchgate.net/publication/334158338_Shifting_from_Autonomous_Weapons_to_Military_Networks*, fecha de revisión: 21/01/2021.

Van Sliedregt, E., *The criminal responsibility of individuals for violations of International Humanitarian Law,* La Haya, TMC Asser Press, 2003.

Wagner, M., «The deshumanization of International Humanitarian Law: Legal, ethical, and political implications of autonomous weapon systems», *Vanderbilt Journal of Transnational Law,* vol. 47, 2014, pp. 1371-1424, disponible en: *https://papers.ssrn.com/sol3/papers.cfm?abstract_id=2541628*, fecha de revisión: 09/04/2019.

Wallace, R., *Carl von Clausewitz, the fog-of-war, and the AI revolution: The real World is not a game of go,* Berlín, Springer, 2018.

Wallach, W. y Allen, C., *Moral machines. Teaching robot rights from wrong,* Nueva York, Oxford University Press, 2009.

Walzer, M., *Just and unjust wars: A moral argument with historical illustrations,* Nueva York, 4.ª ed., Basic Books, 1977.

Warren, A. y Hillas, A., «Friend or frenemy? The role of trust in human-machine teaming and lethal autonomous weapons systems», *Small Wars & Insurgencies,* vol. 31, núm. 4, 2020, pp. 822-850, disponible en: *https://www.tandfonline.com/doi/abs/10.1080/09592318.2020.1743485?journalCode=fswi20*, fecha de revisión: 21/01/2021.

Watts, B., *The maturing revolution in military affairs*, Washington, Center for Strategic and Budgetary Assessments, 2011 [en línea], disponible en: *https://csbaonline.org/uploads/documents/2011.06.02-Maturing-Revolution-In-Military-Affairs1.pdf*, fecha de revisión: 19/04/2019.

Weizmann, N. y Costas Trascasas, M., «Autonomous weapon systems under International Law», *Academy briefing for the Geneva Academy of International Humanitarian Law and Human Rights,* 2014, núm. 8 [en línea], disponible en: *https://www.geneva-academy.ch/joomlatools-files/docman-files/Publications/Academy%20Briefings/Autonomous%20Weapon%20Systems%20under%20International%20Law_Academy%20Briefing%20No%208.pdf*, fecha de revisión: 13/07/2019.

Werle, G. y Bung, J., *Summary (Indiv. Crim. Responsibility) International Criminal Justice,* Berlín, Humboldt University, 2010 [en línea], disponible en: *http://werle.rewi.hu-berlin.de/07_Individual%20Criminal%20Responsibility-Summary.pdf*, fecha de revisión: 08/08/2019.

Werle, G., *Tratado de Derecho penal internacional,* 2.ª ed., Valencia (España), Tirant lo Blanch, 2010.

White, S. E., «Brave new world: Neurowarfare and the limits of International Humanitarian Law», *Cornell International Law Journal,* vol. 41, 2008, núm. 1, pp. 177-210.

Williams, A., «Defining autonomy in systems: challenges and solutions», Williams, A. P. y Scharre, P. D. (eds.), *Autonomous systems. Issues for defence policymakers,* La Haya, NATO Communications and Innovations Agency, 2015, disponible en: *https://www.act.nato.int/images/stories/media/capdev/capdev_02.pdf*, fecha de revisión: 21/05/2019.

Williams, A. P. y Scharre, P. D. (eds.), *Autonomous systems. Issues for defence policymakers*, La Haya, NATO Communications and Innovations Agency, 2015.

Winfield, A. y Jirotka, M., «The case for an ethical black box», en Gao, Y., Fallah, S., Jin, Y. y Lekakou, C. (eds.), *Towards Autonomous Robotic Systems: 18th Annual Conference* (Guildford, Reino Unido, 19-21 de julio de 2017), Berlín, Springer, disponible en: *https://www.researchgate.net/publication/318277040_The_Case_for_an_Ethical_Black_Box*, fecha de revisión: 09/04/2019.

Wright, J. D., «"Excessive" ambiguity: Analysing and refining the proportionality standard», *International Review of the Red Cross*, vol. 94, 2012, núm. 886, pp. 819-833.

Yudkowsky, E., «Artificial intelligence as a positive and negative factor in global risk», en Bostrom, N. y Ćirković, M. M. (eds.), *Global catastrophic risks*, Nueva York, Oxford University Press, 2008, pp. 308-345, disponible en: *https://intelligence.org/files/AIPosNegFactor.pdf*, fecha de revisión: 04/05/2019.

Zetter, K., *Countdown to zero day: Stuxnet and the launch of the World's first digital weapon*, Nueva York, Crown, 2014.

Zolo, D., *La justicia de los vencedores: de Nuremberg a Bagdad*, Madrid, Trotta, 2007.

Zwijnenburg, W. y Postma, F., *Unmanned ambitions. Security implications of growing proliferation in emerging military drone markets*, Utrecht (Países Bajos), Pax for Peace, 2018, disponible en: *https://www.paxforpeace.nl/media/files/pax-report-unmanned-ambitions.pdf*, fecha de revisión: 30/07/2019.

2. Resoluciones judiciales

Corte Internacional de Justicia (CIJ)

Legality of the Threat or Use of Nuclear Weapons, Advisory Opinion, I. C. J. Reports 1996, p. 226, disponible en: *https://www.icj-cij.org/files/case-related/95/095-19960708-ADV-01-00-EN.pdf*, fecha de revisión: 14/04/2019.

Legal Consequences of the Construction of a Wall in the Occupied Palestinian Territory, Advisory Opinion, I. C. J. Reports 2004, documento núm. A/ES-10/273 (13/07/2004), p. 136, disponible en: *https://www.icj-cij.org/files/advisory-opinions/advisory-opinions-2004-es.pdf*, fecha de revisión: 05/08/2019.

Corte Penal Internacional (CPI)

Corte Penal Internacional (CPI), *El Fiscal vs. Thomas Lubanga Dyilo* (Decision on the Confirmation of Charges), Caso núm. ICC-01/04-01/06-803 (29 de enero de 2007), disponible en: *https://www.icc-cpi.int/CourtRecords/CR2007_02360.PDF*, fecha de revisión: 31/08/2019.

Corte Penal Internacional (CPI), *El Fiscal vs. Germain Katanga and Mathieu Ngudjolo Chui* (Decision on the Confirmation of Charges), Caso núm. ICC-01/04-01/07-717 (30 de septiembre de 2008), disponible en: *https://www.icc-cpi.int/CourtRecords/CR2008_05172.PDF*, fecha de revisión: 31/08/2019.

Corte Penal Internacional (CPI), *El Fiscal vs. Omar Hassan Ahmad Al Bashir* (Warrant of arrest), Caso núm. ICC-02/05-01/09-1 (4 de marzo de 2009), disponible en *http://www.legal-tools.org/doc/814cca/pdf/*, fecha de revisión: 31/08/2019.

Corte Penal Internacional (CPI), *El Fiscal vs. Jean-Pierre Bemba Gombo,* Caso núm. ICC-01/05-01/08 (15 de junio de 2009), disponible en: *https://www.icc-cpi.int/CourtRecords/CR2009_04528.PDF*, fecha de revisión: 31/08/2019.

Corte Penal Internacional (CPI), *El Fiscal vs. Muthaura, Kenyatta y Ali* (Decision on the Confirmation of Charges), Caso núm. ICC-01/09-02/11 (23 de enero de 2012), disponible en: *http://www.worldcourts.com/icc/eng/decisions/2012.01.23_Prosecutor_v_Muthaura.pdf*, fecha de revisión: 31/08/2019.

Corte Penal Internacional (CPI), *El Fiscal vs. William Samoei Ruto y Joshua Arap San* (Decision on the Confirmation of Charges), Caso núm. ICC 01/09-01/11 (23 de enero de 2012), disponible en: *http://www.worldcourts.com/icc/eng/decisions/2012.01.23_Prosecutor_v_Ruto.pdf*, fecha de revisión: 31/08/2019.

Corte Penal Internacional (CPI), *El Fiscal vs. Thomas Lubanga Dyilo*, Caso núm. ICC-01/04-01/06-2842 (14 de marzo de

2012), disponible en: *https://www.icc-cpi.int/CourtRecords/CR2012_03942.PDF*, fecha de revisión: 31/08/2019.

Corte Penal Internacional (CPI), *El Fiscal vs. Charles Blé Goudé* (Decision on the Confirmation of Charges), Caso núm. ICC-02/11-02/11 (11 de diciembre de 2014), disponible en *https://www.icc-cpi.int/CourtRecords/CR2015_05444.PDF*, fecha de revisión: 31/08/2019.

Corte Penal Internacional (CPI), *El Fiscal vs. Jean-Pierre Bemba Gombo,* Caso núm. ICC-01/05-01/08 (21 de marzo de 2016), disponible en: *https://www.icc-cpi.int/courtrecords/cr2016_02238.pdf*, fecha de revisión: 21/01/2021.

Corte Penal Internacional (CPI), *El Fiscal vs. Jean-Pierre Bemba Gombo,* Caso núm. ICC-01/05-01/08/A (08 de junio de 2018), disponible en: *https://www.icc-cpi.int/courtrecords/cr2018_02984.pdf*, fecha de revisión: 21/01/2021.

Tribunal Europeo de Derechos Humanos

McCann y otros c. el Reino Unido (GS), núm. 18984/91, TEDH 1995 (27/09/1995), disponible en: *http://iusgentium.ufsc.br/wp-content/uploads/2017/08/Texto-Cmpl-McCANN-AND-OTHERS-v-UK.pdf*, fecha de revisión: 05/06/2019.

Tribunal Penal Internacional para la Antigua Yugoslavia (TPIY)

Tribunal Penal Internacional para la Antigua Yugoslavia (TPIY), *El Fiscal vs. Karadzic, Ratko Mladic y Mico Stanisic*, Caso núm. IT-95-5-D (16 de mayo de 1995), disponible en: *http://www.icty.org/x/cases/karadzic/tdec/en/50516DF1.htm*, fecha de revisión: 31/08/2019.

Tribunal Penal Internacional para la Antigua Yugoslavia (TPIY), *El Fiscal vs. Dusko Tadić a/k/a «DULE»* (Decision on the defence motion for interlocutory appeal on jurisdiction), Caso núm. IT-94-1-T (2 de octubre de 1995), disponible en: *http://www.icty.org/x/cases/tadic/acdec/en/51002.htm*, fecha de revisión: 31/08/2019.

Tribunal Penal Internacional para la Antigua Yugoslavia (TPIY), *El Fiscal vs. Delalić et al.*, Caso núm. IT-96-21-T (16 de noviembre de 1998), disponible en: *http://www.icty.org/x/cases/mucic/tjug/en/981116_judg_en.pdf*, fecha de revisión: 31/08/2019.

Tribunal Penal Internacional para la Antigua Yugoslavia (TPIY), *El Fiscal vs. Furundzija*, Caso núm. IT-95-17/1-T (10 de diciembre de 1998), disponible en: *http://www.icty.org/x/cases/furundzija/tjug/en/fur-tj981210e.pdf*, fecha de revisión: 31/08/2019.

Tribunal Penal Internacional para la Antigua Yugoslavia (TPIY), *El Fiscal vs. Dusko Tadić*, Caso núm. IT-94-1-A (15 de julio de 1999), disponible en: *http://www.icty.org/x/cases/tadic/acjug/en/tad-aj990715e.pdf*, fecha de revisión: 31/08/2019.

Tribunal Penal Internacional para la Antigua Yugoslavia (TPIY), *El Fiscal vs. Zoran Kupre et al.*, Caso núm. IT-95-16-T (14 de enero de 2000), disponible en: *http://www.icty.org/x/cases/kupreskic/tjug/en/kup-tj000114e.pdf*, fecha de revisión: 11/06/2019.

Tribunal Penal Internacional para la Antigua Yugoslavia (TPIY), *El Fiscal vs. Delalić et al.*, Caso núm. IT-96-21-A (20 de febrero de 2001), disponible en: *http://www.icty.org/x/cases/mucic/acjug/en/cel-aj010220.pdf*, fecha de revisión: 31/08/2019.

Tribunal Penal Internacional para la Antigua Yugoslavia (TPIY), *El Fiscal vs. Kunarac, Kovac y Vukovic*, Casos núms. IT-96-23-T e IT-96-23/1-T (22 de febrero de 2001), disponible en: *http://www.icty.org/x/cases/kunarac/tjug/en/kun-tj010222e.pdf*, fecha de revisión: 31/08/2019.

Tribunal Penal Internacional para la Antigua Yugoslavia (TPIY), *El Fiscal vs. Kordid y Erkez*, Caso núm. IT-95-14/2-T (26 de febrero de 2001), disponible en: *http://www.icty.org/x/cases/kordic_cerkez/tjug/en/kor-tj010226e.pdf*, fecha de revisión: 31/08/2019.

Tribunal Penal Internacional para la Antigua Yugoslavia (TPIY), *El Fiscal vs. Krstic*, Caso núm. IT-98-33-T (2 de agosto de 2001), disponible en: *http://www.icty.org/x/cases/krstic/tjug/en/krs-tj010802e.pdf*, fecha de revisión: 31/08/2019.

Tribunal Penal Internacional para la Antigua Yugoslavia (TPIY), *El Fiscal vs. Milomir Stakic*, Caso núm. IT-97-24-T (31 de julio de 2003), disponible en: *http://www.icty.org/x/cases/stakic/tjug/en/stak-tj030731e.pdf, fecha de revisión: 01/08/2019.*

Tribunal Penal Internacional para la Antigua Yugoslavia (TPIY), *El Fiscal vs. Blaškić*, Caso núm. IT-95-14-A (29 de julio de 2004), disponible en: *http://www.icty.org/x/cases/blaskic/acjug/en/bla-aj040729e.pdf*, fecha de revisión: 31/08/2019.

Tribunal Penal Internacional para la Antigua Yugoslavia (TPIY), *El Fiscal vs. Enver Hadžihasanović y Amir Kubura*, Caso núm. IT-01-47-T (15 de marzo de 2006), disponible en: *http://www.icty.org/x/cases/hadzihasanovic_kubura/tjug/en/had-judg060315e.pdf*, fecha de revisión: 31/08/2019.

Tribunal Penal Internacional para Ruanda (TPIR)

Tribunal Penal Internacional para Ruanda (TPIR), *El Fiscal vs. Akayesu*, Caso núm. ICTR-96-4-T (2 de septiembre de 1998), disponible en: *http://www.worldcourts.com/ictr/eng/decisions/1998.09.02_Prosecutor_v_Akayesu.pdf*, fecha de revisión: 31/08/2019.

Tribunal Penal Internacional para Ruanda (TPIR), *El Fiscal vs. Kayishema y Ruzindana*, Caso núm. ICTR-95-1-A (1 de junio de 2001), disponible en: *http://www.worldcourts.com/ictr/eng/decisions/2001.06.01_Prosecutor_v_Kayishema.pdf, fecha de revisión: 01/08/2019.*

Tribunal Penal Internacional para Ruanda (TPIR), *El Fiscal vs. Kamuhanda*, Caso núm. ICTR-99-54A (22 de enero de 2003), disponible en: *https://www.legal-tools.org/doc/4ac346/pdf/*, fecha de revisión: 13/07/2019.

3. Documentos oficiales

Advisory Council on International Affairs y del Advisory Committee on Issues of Public International Law of the Netherlands, *Autonomous Weapon Systems. The Need for Meaningful Human Control,* núm. 97 AIV/núm. 26 CAVV, octubre de 2015 [en línea], disponible en: *https://aiv-advice.nl/download/606cb3b1-a800-4f8a-936f-af61ac991dd0.pdf*, fecha de revisión: 08/04/2019.

Agencia de Inteligencia de Defensa de los Estados Unidos de Norteamérica, *China military power. Modernizing a force to fight and win,* Washington DC, Defense Intelligence Agency, 2019 [en línea], disponible en: *https://www.dia.mil/Portals/27/Documents/News/Military%20Power%20Publications/China_Military_Power_FINAL_5MB_20190103.pdf*, fecha de revisión: 22/04/2019.

Agencia Europea de Defensa, *2018 CDP REVISION. The EU Capability Development Priorities,* Bruselas, Agencia Europea de Defensa, 2018 [en línea], disponible en: *https://www.eda.europa.eu/docs/default-source/eda-publications/eda-brochure-cdp*, fecha de revisión: 26/04/2019.

Alston, P., *Civil and political rights, including the questions of disappearances and summary executions: Report of the Special Rapporteur on extrajudicial, summary or arbitrary executions* (informe), UN Doc E/CN.4/2005/7, 22/12/2004 [en línea], disponible en: *https://undocs.org/E/CN.4/2005/7*, fecha de revisión: 08/08/2019.

Alston, P., *Informe del entonces relator especial sobre ejecuciones extrajudiciales, sumarias o arbitrarias Philip Alston,* Consejo de Derechos Humanos de las Naciones Unidas, núm. A/HRC/14/24/Add.6, 28/10/2010 [en línea], disponible en: *https://undocs.org/en/A/HRC/14/24/Add.6*, fecha de revisión: 06/04/2019.

Alston, P., *Informe provisional del entonces relator especial sobre ejecuciones extrajudiciales, sumarias o arbitrarias del Consejo de Derechos Humanos de las Naciones Unidas, Philip Alston,* núm. A/65/321, 23/08/2010 [en línea], disponible en: *https://undocs.org/es/A/65/321*, fecha de revisión: 08/04/2019.

Alston, P., *Interim report of the Special Rapporteur on extrajudicial, summary or arbitrary executions* (informe), A/61/311, 05/09/2006 [en línea], disponible en: *https://undocs.org/en/A/61/311*, fecha de revisión: 08/08/2019.

Altas partes contratantes de la CCW, *Documento Final de la Quinta Conferencia de Examen,* aprobado en la reunión anual celebrada en Ginebra el 12-16 de diciembre de 2016, núm. CCW/CONF.V/10, de 23/12/2016 [en línea], disponible en: *https://undocs.org/es/CCW/CONF.V/10*, fecha de revisión: 07/05/2019.

Altas partes contratantes de la CCW, *Final report*, aprobado en la reunión anual celebrada en Ginebra el 13-15 de noviembre de 2019, núm. CCW/MSP/2019/9, de 13/12/2019 [en línea], disponible en: *https://undocs.org/en/CCW/MSP/2019/9*, fecha de revisión: 21/01/2021.

Altas partes contratantes de la CCW, *Final report*, aprobado en la reunión anual celebrada en Ginebra el 21-23 de noviembre de 2018, núm. CCW/MSP/2018/11, de 28/12/2018 [en línea], disponible en: *https://www.unog.ch/80256EDD006B8954/(httpAssets)/904C791C77CFEDC3C12583DE00463A64/$file/Final+report+CCW_MSP_2018_11.pdf*, fecha de revisión: 09/05/2019.

Altas partes contratantes de la CCW, *Informe final,* aprobado en la reunión anual celebrada en Ginebra el 22-24 de noviembre de 2017, núm. CCW/MSP/2017/8, de 11/12/2017 [en línea], disponible en: *https://undocs.org/es/CCW/MSP/2017/8*, fecha de revisión: 09/05/2019.

Altas partes contratantes de la CCW, *Informe final,* aprobado en la reunión anual celebrada en Ginebra el 14-15 de noviembre de 2013, núm. CCW/MSP/2013/10, de 16/12/2013 [en línea], disponible en: *https://undocs.org/es/CCW/MSP/2013/10*, fecha de revisión: 17/04/2019.

Altas partes contratantes de la CCW, *Programa de trabajo provisional,* aprobado en la reunión anual celebrada en Ginebra el 14-15 de noviembre de 2013, núm. CCW/MSP/2013/2, de 02/09/2013 [en línea], disponible en: *https://documents-dds-ny.un.org/doc/UNDOC/GEN/G13/627/61/PDF/G1362761.pdf?OpenElement*, fecha de revisión: 17/04/2019.

Asamblea General de la Onu, *Resolución 43/77A,* de 7/12/1988, aprobada en la centésima tercera sesión plenaria del cuadragésimo tercer período de sesiones de la Asamblea General de la ONU [en línea], disponible en: *https://undocs.org/es/A/RES/43/77*, fecha de revisión: 27/04/2019.

Asamblea General de la Onu, *Resolución A/RES/50/245*, del 17/09/1996, aprobada en el quincuagésimo período de sesiones de la Asamblea General de la ONU [en línea], disponible en: *https://undocs.org/A/RES/50/245*, fecha de revisión: 04/05/2019.

Asamblea General de la Onu, *Resolución A/RES/72/28,* de 11/12/2017, sobre la función de la ciencia y la tecnología en el contexto de la seguridad internacional y el desarme [en línea], disponible en: *https://www.un.org/en/ga/search/view_doc.asp?symbol=A/RES/72/28&Lang=S*, fecha de revisión: 27/04/2019.

ASD Reports, *Global Military UAV-Market and Technology Forecast to 2027,* núm. ASDR-478950, febrero 2019 [en línea], disponible en: *https://www.asdreports.com/ASDR-478950*, fecha de revisión: 06/04/2019.

Biontino, M., *Informe de la reunión oficiosa de expertos de 2015 sobre sistemas de armas autónomas letales (SAAL)* (informe), núm. CCW/MSP/2015/3, 02/06/2015 (presentado por el embajador alemán, en su condición de presidente de la reunión de expertos, ante la reunión anual de 2014 de las Altas Partes contratantes de la CCW sobre los SAAL) [en línea], disponible *https://undocs.org/es/ccw/msp/2015/3*, fecha de revisión: 07/05/2019.

Biontino, M., *Informe de la reunión oficiosa de expertos de 2016 sobre sistemas de armas autónomas letales (SAAL)* (informe), núm. CCW/CONF.V/2, 10/06/2016 (presentado por el embajador alemán, en su condición de presidente de la reunión de expertos, ante la reunión anual de 2014 de las Altas Partes contratantes de la CCW sobre los SAAL) [en línea], disponible en: *https://undocs.org/es/CCW/CONF.V/2*, fecha de revisión: 07/05/2019.

Biontino, M., *Technical Issues–Summary* (resumen), Palacio de las Naciones (Ginebra, «Convention on Certain Conventional Weapons. Expert Meeting Lethal Autonomous Weapons Systems [LAWS]», 13-16 de mayo de 2014) [en línea], disponible en: *https://www.unog.ch/80256EDD006B8954/(httpAssets)/6035B96DE2BE0C59C1257CDA00553F03/$file/Germany_LAWS_Technical_Summary_2014.pdf*, fecha de revisión: 20/04/2019.

Comando de Operaciones Especiales de Estado Unidos, «White paper: the gray zone», *Public Intelligence,* 09/09/2015 [en línea], disponible en: *https://info.publicintelligence.net/USSOCOM-GrayZones.pdf*, fecha de revisión: 20/04/2019.

Comisión de Derecho Internacional (en inglés International Law Commission), página web creada el 21/11/1947 por la Asamblea General de Naciones Unidas, disponible en: *http://legal.un.org/ilc/*, fecha de revisión: 25/07/2019.

Comisión Europea, *Alianza Europea sobre IA* (información institucional) [en línea], disponible en: *https://ec.europa.eu/knowledge4policy/european-ai-alliance_en*, fecha de revisión: 25/04/2019.

Comisión Europea, *Coordinated Plan on Artificial Intelligence* (communication from the Commission to the European Parliament, the European Council, the Council, the European Economic and Social Committee and the Committee of the Regions), núm. COM(2018) 795 final, 07/12/2018 [en línea], disponible en: *https://ec.europa.eu/digital-single-market/en/news/coordinated-plan-artificial-intelligence*, fecha de revisión: 25/04/2019.

Comisión Europea, *Digital Single Market Mid-term Review: Commission calls for swift adoption of key proposals and maps out challenges ahead* (nota de prensa), Bruselas, 10/05/2017 [en línea], disponible en: *https://ec.europa.eu/digital-single-market/en/news/digital-single-market-mid-term-review*, fecha de revisión: 25/04/2019.

Comisión Europea, *Inteligencia artificial para Europa* (comunicación de la Comisión al Parlamento Europeo, al Consejo Europeo, al Consejo, al Comité Económico y Social Europeo y al Comité de las Regiones), núm. COM(2018) 237 final {SWD (2018) 137 final}, 25/04/2018, [en línea], disponible en: *http://ec.europa.eu/transparency/regdoc/rep/1/2018/ES/COM-2018-237-F1-ES-MAIN-PART-1.PDF*, fecha de revisión: 25/04/2019.

Comisión Europea, *Inteligencia Artificial: La Comisión continúa su trabajo sobre directrices éticas* (comunicado de prensa), Bruselas, 8/04/2019 [en línea], disponible en: *http://europa.eu/rapid/press-release_IP-19-1893_es.htm*, fecha de revisión: 25/04/2019.

Comisión Europea, *Fondo Europeo de Defensa: 205 millones EUR para reforzar la autonomía estratégica y la competitividad industrial de la UE* (comunicado de prensa), Bruselas, 15/06/2020 [en línea], disponible en: *https://ec.europa.eu/commission/presscorner/detail/es/ip_20_1053*, fecha de revisión: 21/01/2021.

Comisión Europea, *Stakeholder Consultation on Guidelines' first draft*, información institucional disponible en: *https://ec.europa.eu/futurium/en/ethics-guidelines-trustworthy-ai/stakeholder-consultation-guidelines-first-draft#Top*, fecha de revisión: 25/04/2019.

Comisión Nacional sobre Ataques Terroristas de los Estados Unidos de Norteamérica, *The 9/11 Commission Report,* 2004 [en línea], disponible en: *https://www.9-11commission.gov/report/911Report.pdf*, fecha de revisión: 07/04/2019.

Comité Central del Partido Comunista de China, *The 13th five-year plan for economic and social development of the people's Republic of China 2016-2020*, Pekín, Central Compilation & Translation Press, 2016 [en línea], disponible en: *http://en.ndrc.gov.cn/newsrelease/201612/P020161207645765233498.pdf*, fecha de revisión: 22/04/2019.

Comité Económico y Social Europeo, *Artificial intelligence* (dictamen), núm. INT/806-EESC-2016-05369-00-00-AC-TRA, 31/05/2017 [en línea], disponible en: *https://www.eesc.europa.eu/en/our-work/opinions-information-reports/opinions/artificial-intelligence*, fecha de revisión: 25/04/2019.

Comité Internacional de la Cruz Roja, *Autonomous weapon systems. Implications of increasing autonomy in the critical functions of weapons* (informe), (reunión de expertos celebrada en Versoix, Suiza, de 15-16 de marzo de 2016) [en línea], disponible en: *https://www.icrc.org/en/publication/4283-autonomous-weapons-systems*, fecha de revisión: 04/05/2019.

Comité Internacional de la Cruz Roja, *Informe de seguimiento sobre la aplicación del Plan de Acción para los años 2000-2003 aprobado por la XXVII Conferencia Internacional de la Cruz Roja y de la Media Luna Roja* (celebrada en Ginebra del 31 de octubre al 6 de noviembre de 1999) [en línea], disponible en: *https://www.icrc.org/es/doc/assets/files/other/report_follow-up_final_esp_15.10.2003.pdf*, fecha de revisión: 09/08/2019.

Comité Internacional de la Cruz Roja, *International humanitarian law and the challenges of contemporary armed conflicts* (informe), núm. 31IC/11/5.1.2, octubre de 2011, Centro Internacional de Conferencias de Ginebra (Ginebra, «31st International Conference of the Red Cross and Red Crescent», 28 de noviembre-1 diciembre de 2011), [en línea], disponible en: *http://e-brief.icrc.org/wp-content/uploads/2016/08/4-international-humanitarian-law-and-the-challenges-of-contemporary-armed-conflicts.pdf*, fecha de revisión: 31/05/2016.

Comité Internacional de la Cruz Roja, *Proposal for consensus recommendations in relation to the clarification, consideration and development of aspects of the normative and operational framework* (documento de trabajo), Nro. CCW/GGE.1/2021/WP.6, 27 de septiembre de 2021, presentado ante el quinto período de reuniones de la GEG sobre los SAAL en la CCW, celebrada en los meses de agosto, septiembre, octubre y diciembre de 2021 en la ciudad de Ginebra (Suiza), [en línea], disponible en: *https://undocs.org/ccw/gge.1/2021/wp.6*, fecha de revisión: 30/09/2021.

Comité Internacional de la Cruz Roja, *Proyecto de declaración concerniente a las leyes y costumbres de la guerra en Bruselas 1874, según acuerdo alcanzado en la Conferencia realizada el 24/08/1874 en Bruselas (Bélgica)*, 27/08/1874 [en línea], disponible en: *https://ihl-databases.icrc.org/applic/ihl/ihl.nsf/INTRO/135?OpenDocument*, fecha de revisión: 06/06/2019.

Comité Internacional de la Cruz Roja, *Report on the Work of the Conference* (informe), julio de 1972 (Ginebra, «Conference of Government Experts on the Reaffirmation and Development of International Humanitarian Law Applicable in Armed Conflicts», 3 de mayo-3 de junio de 1972), vol. 1 [en línea], disponible en: *https://www.loc.gov/rr/frd/Military_Law/pdf/RC-Report-conf-of-gov-experts-1972_V-1.pdf*, fecha de revisión: 06/08/2019.

Comité Internacional de la Cruz Roja, *Views of the International Committee of the Red Cross on autonomous weapon system* (informe), Palacio de las Naciones (reunión de expertos sobre los SAAL en la CCW, celebrada en Ginebra de 11-15 de abril de 2016) [en línea], disponible en: *http://www.unog.ch/80256EDD006B8954/(httpAssets)/B3834B2C62344053C1257F9400491826/$file/2016_LAWS+MX_CountryPaper_ICRC.pdf*, fecha de revisión: 31/05/2016.

Congressional Research Service (Congreso de los Estados Unidos), *Artificial Intelligence and National Security,* Congreso de los Estados Unidos de Norteamérica, noviembre de 2020 [en línea], disponible en: *https://fas.org/sgp/crs/natsec/R45178.pdf*, fecha de revisión: 21/01/2021.

Congressional Research Service (Congreso de los Estados Unidos), *Defense Primer: U.S. Policy on Lethal Autonomous Weapon Systems,* Congreso de los Estados Unidos de Norteamérica, marzo de 2019 [en línea], disponible en: *https://fas.org/sgp/crs/natsec/IF11150.pdf*, fecha de revisión: 31/07/2019.

Congreso de los Estados Unidos de Norteamérica, *Audiencia sobre los albores de la inteligencia artificial,* Subcomité Senatorial de Espacio, Ciencia y Competitividad, Comité de Comercio, Ciencia y Transporte, Cong. 114, 2da sesión, noviembre de 2016 [en línea], disponible en: *https://www.govinfo.gov/content/pkg/CHRG-114shrg24175/pdf/CHRG-114shrg24175.pdf*, fecha de revisión: 21/01/2021.

Congreso de los Estados Unidos de Norteamérica, *Final Report,* Comisión de Seguridad Nacional de Inteligencia Artificial, marzo de 2021 [en línea], disponible en: *https://www.nscai.gov/wp-content/uploads/2021/03/Full-Report-Digital-1.pdf*, fecha de revisión: 03/03/2021.

Consejo de Derechos Humanos en la ONU, 9.ª reunión del 23.º período ordinario de sesiones (vídeo), Ginebra, 30 de mayo de 2013 [en línea], disponible en: *http://webtv.un.org/meetings-events/human-rights-council/watch/clustered-id-on-executions-and-idps-9th-meeting-23rd-regular-session-of-human-rights-council/2419860355001#full-text*, fecha de revisión: 25/04/2019.

Consejo de la Unión Europea y Mogherini, F., *Implementation Plan on Security and Defence* (memorando), núm. 14392/16, 14/11/2016 [en línea], disponible en: *https://eeas.europa.eu/sites/eeas/files/eugs_implementation_plan_st14392.en16_0.pdf*, fecha de revisión: 26/04/2019.

Consejo de la Unión Europea, «Council Decision (Cfsp) 2015/1835, of 12 October 2015, defining the statute, seat and operational rules of the European Defence Agency», *Official Journal of the European Union,* 2015, núm. 266, pp. 55-74 [en línea], disponible en: *https://www.eda.europa.eu/docs/default-source/documents/eda-council-decision-2015-1835-dated-13-10-2015.pdf*, fecha de revisión: 26/04/2019.

Consejo de Ministros de la UE, *Conclusions on the coordinated plan on artificial intelligence – Adoption* (memorando), núm. 6177/19, 11/02/2019 [en línea], disponible en: *https://data.consilium.europa.eu/doc/document/ST-6177-2019-INIT/en/pdf*, fecha de revisión: 25/04/2019.

Consejo Europeo, *Conclusions from European Council meeting (19/10/2017)* (comunicación oficial), núm. EUCO 14/17,

19/10/2017 [en línea], disponible en: *https://www.consilium.europa.eu/media/21620/19-euco-final-conclusions-en.pdf*, fecha de revisión: 25/04/2019.

Council of the European Union, *Multiannual financial framework for 2021-2027: negotiations*, sin fecha ni número, disponible en: *https://www.consilium.europa.eu/en/policies/eu-budgetary-system/multiannual-financial-framework/mff-negotiations/*, fecha de revisión: 26/04/2019.

Defense Science Board, *Seven Defense Priorities for the New Administration* (informe), diciembre 2016 [en línea], disponible en: *https://www.acq.osd.mil/dsb/reports/2010s/Seven_Defense_Priorities.pdf*, fecha de revisión: 20/04/2019.

Defense Science Board de Estados Unidos, «Summer Study on Autonomy», *Defense Science Board,* junio de 2016 [en línea], disponible en: *https://fas.org/irp/agency/dod/dsb/autonomy-ss.pdf*, fecha de revisión: 20/04/2019.

Departamento de Defensa de los Estados Unidos de Norteamérica, *Autonomy in Weapons Systems* (directiva), núm. 30009.09, 21/11/2012, actualizada el 08/05/2017 [en línea], disponible en: *https://www.esd.whs.mil/Portals/54/Documents/DD/issuances/dodd/300009p.pdf*, fecha de revisión: 31/07/2019.

Departamento de Defensa de los Estados Unidos de Norteamérica, *Technical assessment: autonomy*, Washington, Office of Technical Intelligence, Office of the Assistant Secretary for Research and Engineering, 2015 [en línea], disponible en: *https://apps.dtic.mil/dtic/tr/fulltext/u2/a616999.pdf*, fecha de revisión: 20/04/2019.

Departamento de Defensa de los Estados Unidos de Norteamérica, *DoD Law of War manual,* Washington, Oficina del Consejo General, 2016 [en línea], disponible en: *https://dod.defense.gov/Portals/1/Documents/pubs/DoD%20Law%20of%20War%20Manual%20-%20June%202015%20Updated%20Dec%202016.pdf?ver=2016-12-13-172036-190*, fecha de revisión: 06/06/2019.

Departamento de Defensa de los Estados Unidos de Norteamérica, *Summary of the 2018 National Defense Strategy. Sharpening the American Military's Competitive Edge,* 2018 [en línea], disponible en: *https://dod.defense.gov/Portals/1/Documents/*

pubs/2018-National-Defense-Strategy-Summary.pdf, fecha de revisión: 20/04/2019.

Departamento de Defensa de los Estados Unidos de Norteamérica, *AI Principles: Recommendations on the Ethical Use of Artificial Intelligence by the Department of Defense,* 2019 [en línea], disponible en: *https://media.defense.gov/2019/Oct/31/2002204459/-1/-1/0/DIB_AI_PRINCIPLES_SUPPORTING_DOCUMENT.PDF*, fecha de revisión: 21/01/2021.

Departamento de Defensa de los Estados Unidos de Norteamérica, *Military and Security Developments Involving the People's Republic of China 2020* (Informe anual ante el Congreso), sin núm., 01/09/2020, [en línea], disponible en: *https://media.defense.gov/2020/Sep/01/2002488689/-1/-1/1/2020-DOD-CHINA-MILITARY-POWER-REPORT-FINAL.PDF*, fecha de revisión: 21/01/2021.

Departamento de Defensa de los Estados Unidos de Norteamérica, *Counter-Small Unmanned Aircraft Systems Strategy,* 2021 [en línea], disponible en: *https://media.defense.gov/2021/Jan/07/2002561080/-1/-1/0/DEPARTMENT-OF-DEFENSE-COUNTER-SMALL-UNMANNED-AIRCRAFT-SYSTEMS-STRATEGY.pdf?source=GovDelivery*, fecha de revisión: 21/01/2021.

Departamento de Guerra de los Estados Unidos de Norteamérica, *Instructions for the government of armies of the United States in the field (Lieber Code)* (orden general), núm. 100, Oficina del General Adjunto, 1983 [en línea], disponible en: *https://archive.org/details/governarmies00unitrich/page/n3*, fecha de revisión: 11/06/2019.

Departamento Federal de Relaciones Exteriores de la Confederación Suiza, *Documento de Montreux sobre las obligaciones jurídicas internacionales pertinentes y las buenas prácticas de los Estados en lo que respecta a las operaciones de las empresas militares y de seguridad privadas durante los conflictos armados* (informe), Ginebra, Comité Internacional de la Cruz Roja [en línea], disponible en: *https://shop.icrc.org/icrc/pdf/view/id/755?_ga=2.208306258.1989890786.1563988860-233208038.1554455314*, fecha de revisión: 24/07/2019.

Dirección General de Armamento y Material del Ministerio de Defensa de España, *Plan Director de RPAS. Remotely piloted Aircraft Systems,* Madrid, Ministerio de Defensa, 2015 [en línea], disponible en: *http://www.defensa.gob.es/Galerias/dgamdocs/plan-director-RPAS.pdf*, fecha de revisión: 04/04/2019.

Fuerza Aérea de los Estados Unidos de Norteamérica, Proyecto United States Air Force Unmanned Aircraft Systems Flight Plan 2009-2047» (informe), Washington, Fuerza Aérea de los Estados Unidos de Norteamérica, 18/05/2009 [en línea], disponible en: *https://fas.org/irp/program/collect/uas_2009.pdf*, fecha de revisión: 30/04/2019.

Gobierno de los Estados Unidos de Norteamérica, *Doctrine for the Armed Forces of the United States, the DOD Dictionary of Military and Associated Terms (DOD Dictionary),* 2019 [en línea], disponible en: *https://www.jcs.mil/Portals/36/Documents/Doctrine/pubs/dictionary.pdf*, fecha de revisión: 04/04/2019.

Gobierno de los Estados Unidos de Norteamérica, *Joint Publication 3-60/Joint Targeting,* de 13/04/2007, [en línea], disponible en: *http://stopthecrime.net/Target_Analysis_for_Joint_Targeting_(Joint_Publication_3-60)drone_dod_jp3_60.pdf*, fecha de revisión: 04/04/2019.

Grupo de Alto Nivel sobre IA, *A definition of AI: main capabilities and disciplines. Definition developed for the purpose of the AI HLEG's deliverables,* Bruselas, Comisión Europea, 8 de abril de 2019 [en línea], disponible en: *https://ec.europa.eu/digital-single-market/en/news/definition-artificial-intelligence-main-capabilities-and-scientific-disciplines*, fecha de revisión: 25/04/2019.

Grupo de Alto Nivel sobre IA, disponible en: *https://ec.europa.eu/digital-single-market/en/high-level-expert-group-artificial-intelligence*, fecha de revisión: 25/04/2019.

Grupo de Alto Nivel sobre IA, *Ethics guidelines for trustworthy AI,* Bruselas, Comisión Europea, 8 de abril de 2019 [en línea], disponible en: *https://ec.europa.eu/digital-single-market/en/news/ethics-guidelines-trustworthy-ai*, fecha de revisión: 25/04/2019.

Grupo de Expertos Gubernamentales sobre las tecnologías emergentes en el ámbito de los sistemas de armas autónomas letales, *Contributions on possible consensus recommendations in relation to the clarification, consideration and development of aspects of the normative and operational framework,* [en línea], disponible en: *https://meetings.unoda.org/section/ccw-gge-2021_documents_14090_documents_14570/*, fecha de revisión: 21/01/2021.

Grupo de Expertos Gubernamentales sobre las tecnologías emergentes en el ámbito de los sistemas de armas autónomas letales, *Non-paper by the GGE Chair,* sin número ni fecha (presentado en la reunión del GEG, celebrada en Ginebra de 21-25 de septiembre de 2020) [en línea], disponible en: *https://reachingcriticalwill.org/images/documents/Disarmament-fora/ccw/2020/gge/documents/non-paper-chair.pdf*, fecha de revisión: 21/01/2021.

Grupo de Expertos Gubernamentales sobre las tecnologías emergentes en el ámbito de los sistemas de armas autónomas letales, *Overview,* [en línea], disponible en: *https://meetings.unoda.org/meeting/ccw-gge-2021/*, fecha de revisión: 01/07/2021.

Grupo de Expertos Gubernamentales sobre las tecnologías emergentes en el ámbito de los sistemas de armas autónomas letales, *Overview – working papers 2021,* [en línea], disponible en: *https://meetings.unoda.org/section/documents_documents_14091/*, fecha de revisión: 30/09/2021.

Grupo de Expertos Gubernamentales sobre las tecnologías emergentes en el ámbito de los sistemas de armas autónomas letales, *Report of the 2019 session of the Group of Governmental Experts on Emerging Technologies in the Area of Lethal Autonomous Weapons Systems, Addendum, Chair's summary of the discussion of the 2019 Group of Governmental Experts on emerging technologies in the area of lethal autonomous weapons systems,* núm. CCW/GGE.1/2019/3/Add.1, 08/11/2019 [en línea], disponible en: *https://documents.unoda.org/wp-content/uploads/2020/09/1919338E.pdf*, fecha de revisión: 21/01/2021.

Grupo de Expertos Gubernamentales sobre las tecnologías emergentes en el ámbito de los sistemas de armas autónomas letales, *Draft Report of the 2019 session,* núm. CCW/GGE.1/2019/3, 25/09/2019 [en línea], disponible en: *https://undocs.org/en/CCW/GGE.1/2019/3*, fecha de revisión: 21/01/2021.

Grupo de Expertos Gubernamentales sobre las tecnologías emergentes en el ámbito de los sistemas de armas autónomas letales, *In-*

forme del período de sesiones de 2018, núm. CCW/GGE.1/2018/3, 23/10/2018 [en línea], disponible en: *https://undocs.org/es/CCW/GGE.1/2018/3*, fecha de revisión: 06/05/2019.

Grupo de Expertos Gubernamentales sobre las tecnologías, *Informe de 2017*, núm. CCW/GGE.1/2017/3, 22/12/2017 [en línea], disponible en: *https://undocs.org/es/CCW/GGE.1/2017/3*, fecha de revisión: 09/05/2019.

Grupo directivo europeo sobre los RPAS, *Roadmap for the integration of civil Remotely-Piloted Aircraft Systems into the European Aviation System* (informe final), junio de 2013 [en línea], disponible en: *https://uvs-international.org/wp-content/uploads/2016/04/European-RPAS-Roadmap_130620.pdf*, fecha de revisión: 04/04/2019.

Grupo Europeo de Ética en la Ciencia y las Nuevas Tecnologías, *Statement on artificial intelligence, robotics and «autonomous» systems,* Bruselas, Comisión Europea, marzo de 2018 [en línea], disponible en: *https://ec.europa.eu/research/ege/pdf/ege_ai_statement_2018.pdf*, fecha de revisión: 25/04/2019.

Hagel, C., *Declaración de Chuck Hagel como Secretario de Defensa de Estados Unidos* (Reagan National Defense Forum Keynote del año 2014) [en línea], disponible en: *https://dod.defense.gov/News/Speeches/Speech-View/Article/606635/*, fecha de revisión: 19/04/2019.

Heyns, C., *Informe del Relator Especial sobre las ejecuciones extrajudiciales, sumarias o arbitrarias, Christof Heyns* (informe), Consejo de Derechos Humanos de las Naciones Unidas, núm. A/HRC/23/47, 09/03/2013 [en línea], disponible en: *https://undocs.org/es/A/HRC/23/47*, fecha de revisión: 04/04/2019.

Human Rights Watch, *Declaración de Steve Goose* (reunión del período de sesiones del 2013 de las Altas Partes contratantes en la CCW, celebrada en Ginebra, de 14-15 de noviembre de 2013) [en línea] disponible en: *https://www.unog.ch/80256EDD006B8954/(httpAssets)/D01802CA8C91E410C1257CE500389173/$file/NGOHRW_MSP_GenStatement_2013.pdf*, fecha de revisión: 04/05/2019.

IEEE Standards Association, *The IEEE Global Initiative on Ethics of Autonomous and Intelligent Systems* [en línea], disponible en: *https://standards.ieee.org/industry-connections/ec/autonomous-systems.html*, fecha de revisión: 04/05/2019.

Instituto de Derecho Internacional, *Manual de Oxford de 1880* [en línea], disponible en: *https://ihl-databases.icrc.org/ihl/INTRO/140?OpenDocument*, fecha de revisión: 22/08/2019.

International Criminal Court, *Elements of crimes*, La Haya, International Criminal Court, 2013 [en línea], disponible en: *https://www.icc-cpi.int/resource-library/Documents/ElementsOfCrimesEng.pdf*, fecha de revisión: 08/08/2019.

International Panel on the Regulation of Autonomous Weapons (IPRAW), *Focus on technology and application of autonomous weapons* (informe), núm. 1, 2017 [en línea], disponible en: *https://www.ipraw.org/wp-content/uploads/2017/08/2017-08-17_iPRAW_Focus-On-Report-1.pdf*, fecha de revisión: 21/05/2019.

International Panel on the Regulation of Autonomous Weapons (IPRAW), *Building Blocks for a Regulation on LAWS and Human Control. Updated Recommendations to the GGE on LAWS* (informe), Berlín, julio de 2021 [en línea], disponible en: *https://www.ipraw.org/wp-content/uploads/2021/07/iPRAW-Report_Building-Blocks_July2021.pdf*, fecha de revisión: 30/09/2021.

International Panel on the Regulation of Autonomous Weapons (IPRAW), *Focus on the Human-Machine Relation in LAWS* (informe), núm. 3, Berlín, 2018 [en línea], disponible en: *https://www.ipraw.org/wp-content/uploads/2018/03/2018-03-29_iPRAW_Focus-On-Report-3.pdf*, fecha de revisión: 21/05/2019.

Jefatura de Estado del Gobierno español, «Instrumento de Ratificación del Estatuto de Roma de la Corte Penal Internacional, hecho en Roma el 17 de julio de 1998», *BOE,* núm. 126, 27/05/2002, pp. 18824-18860 [en línea], disponible en: *https://www.boe.es/buscar/doc.php?id=BOE-A-2002-10139*, fecha de revisión: 07/08/2019.

Junta Consultiva en Asuntos de Desarme de la ONU, *Informe del Secretario General,* núm. A/68/206, 26/07/2013 (para el Sexagésimo Octavo período de sesiones de la Asamblea General de la ONU) [en línea], disponible en: *https://undocs.org/A/68/206*, fecha de revisión: 15/04/2019.

Junta de Investigación de Accidentes de Aviones de la Armada de Estados Unidos, *US Army UH60 Black Hawk Helicopters Vol I Executive Summary* (informe), núm. UH-60 Blackhawk Helicopters 87-26000 y 88-26060, vol. 1 (resumen ejecutivo) 3, 27/05/1994 [en línea], disponible en: *https://archive.org/stream/USArmyUH60BlackHawkHelicoptersVolIExecutiveSummary/US%20Army%20UH60%20Black%20Hawk%20Helicopters%20Vol%20I%20Executive%20Summary.pdf_djvu.txt*, fecha de revisión: 11/06/2019.

Ley Federal Rusa, núm. 172-FZ, «Sobre planificación estratégica en la Federación Rusa», de 28/06/2014.

Ley Federal Rusa, núm. 390-FZ «Sobre Seguridad», de 28/12/2010.

Ley Orgánica 14/2015, de 14 de octubre, del Código Penal Militar, *BOE* núm. 247, de 15 de octubre de 2015.

Majumdar, L., Aoun, A., Badawy, D., de Alburquerque, L., Marjane, Y. y Wilkinson, A. *Final report of the Panel of Experts on Libya established pursuant to Security Council resolution 1973 (2011)*, Consejo de Seguridad de las Naciones Unidas, núm. S/2021/229, 08/03/2021 [en línea], disponible en: *https://documents-dds-ny.un.org/doc/UNDOC/GEN/N21/037/72/PDF/N2103772.pdf?OpenElement*, fecha de revisión: 01/07/2021.

Marina de los Estados Unidos de Norteamérica, *The commander's handbook on the law of naval operations,* núm. NWP 1-14M/MCTP 11-10B/COMDTPUB P5800.7A, agosto de 2017 [en línea] disponible en: *https://www.jag.navy.mil/distrib/instructions/CDRs_HB_on_Law_of_Naval_Operations_AUG17.pdf*, fecha de revisión: 09/08/2019.

Marshal, A., *Some Thoughts on Military Revolutions. Second Version* (ONA memorandum for record), Washington, Oficina de la Secretaría de Defensa de los Estados Unidos de Norteamérica, 23/08/1993 [en línea], disponible en: *https://stacks.stanford.edu/file/druid:yx275qm3713/yx275qm3713.pdf*, fecha de revisión: 19/04/2019.

Ministerio de Asuntos Exteriores del Reino Unido, *Letter dated 16 June 1995 from the Legal Adviser to the Foreign and Commonwealth Office of the United Kingdom of Great Britain and Northern Ireland, together with Written Comments of the United King-*

dom, 1995 [en línea], disponible en: *https://www.icj-cij.org/files/case-related/95/8802.pdf*, fecha de revisión: 11/06/2019.

Ministerio de Defensa de Francia, *opinion on the integration of autonomy into lethal weapon systems,* Comité de Ética de Defensa, abril de 2021 [en línea], disponible en: *https://www.defense.gouv.fr/content/download/613450/10268422/Defence%20ethics%20committee%20-%20Opinion%20on%20the%20integration%20of%20autonomy%20into%20lethal%20weapon%20systems.pdf*, fecha de revisión: 09/05/2021.

Ministerio de Defensa del Reino de España, *Doctrina para el empleo de las FAS*, catálogo general de publicaciones oficiales, Madrid, núm. PDC-01 (A), febrero de 2018 [en línea], disponible en: *https://www.defensa.gob.es/ceseden/en/Galerias/ccdc/documentos/02_PDC-01_xAx_Doctrina_empleo_FAS.pdf*, fecha de revisión: 21/01/2021.

Ministerio de Defensa del Reino de España, *Estrategia de Tecnología e Innovación para la Defensa ETID - 2020*, Dirección General de Armamento y Material, Subdirección General de Planificación, Tecnología e Innovación, Madrid, diciembre de 2020, [en línea], disponible en: *https://publicaciones.defensa.gob.es/estrategia-de-tecnologia-e-innovacion-para-la-defensa-etid-2020-libros-pdf.html*, fecha de revisión: 04/02/2021.

Ministerio de Defensa de Reino Unido, *Defence secures largest investment since the Cold War* (comunicado de prensa), Londres, 19/11/2020 [en línea], disponible en: *https://www.gov.uk/government/news/defence-secures-largest-investment-since-the-cold-war*, fecha de revisión: 21/01/2021.

Ministerio de Transporte e Infraestructura Digital de Alemania, «Ethics Commission on Automated Driving presents report», *Ministerio de Transporte e Infraestructura Digital de Alemania,* 28/08/2017 [en línea], disponible en: *https://www.bmvi.de/SharedDocs/EN/PressRelease/2017/084-ethic-commission-report-automated-driving.html*, fecha de revisión: 09/08/2019.

Ministerio Federal de Defensa de Alemania, *Informe del Ministerio Federal de Defensa al Parlamento Federal alemán. Debate sobre la posible adquisición de drones armados para las Fuerzas Armadas*, (texto original en alemán), 03/07/2020 [en línea], disponible en: *https://www.bmvg.de/resource/blob/274160/f5d26b7af1a024551e4aafc7b587a01d/20200703-download-bericht-drohnendebatte-data.pdf*, fecha de revisión: 21/01/2021.

Ministerio Nacional de Defensa del Pueblo de la República China, *Defense Policy* (documento informativo), sin número ni fecha [en línea], disponible en: *http://eng.mod.gov.cn/Database/DefensePolicy/index.htm*, fecha de revisión: 22/04/2019.

Nolin, P. C., *Unmanned Aerial Vehicles: Opportunities and Challenges for the Alliance* (ⁱnforme especial de la OTAN), núm. 157 STC 12 E rev. 1, 19/11/2012 [en línea], disponible en: *https://www.nato-pa.int/document/2012-157-stc-12-e-rev-1-uavs-special-report-nolin*, fecha de revisión: 30/07/2019.

North Atlantic Treaty Organization, *NATO 2030; United for a New Era*, noviembre 2020 [en línea], disponible en: *https://www.nato.int/nato_static_fl2014/assets/pdf/2020/12/pdf/201201-Reflection-Group-Final-Report-Uni.pdf*, fecha de revisión: 07/05/2021.

North Atlantic Treaty Organization, *Science & Technology Trends 2020-2040*, marzo 2020 [en línea], disponible en: *https://www.nato.int/nato_static_fl2014/assets/pdf/2020/4/pdf/190422-ST_Tech_Trends_Report_2020-2040.pdf*, fecha de revisión: 21/01/2021.

North Atlantic Treaty Organization, *NATO glossary of terms and definitions*, núm. AAP-06, 2018 [en línea], disponible en: *https://standard.di.mod.bg/pls/mstd/MSTD.blob_upload_download_routines.download_blob?p_id=281&p_table_name=d_ref_documents&p_file_name_column_name=file_name&p_mime_type_column_name=mime_type&p_blob_column_name=contents&p_app_id=600*, fecha de revisión: 04/04/2019.

North Atlantic Treaty Organization, *NATO Science & Technology Strategy Sustaining Technological Advantage*, 27/07/2018 [en línea], disponible en: *https://www.nato.int/nato_static_fl2014/assets/pdf/pdf_2018_07/20181107_180727-ST-strategy-eng.pdf*, fecha de revisión: 22/04/2019.

North Atlantic Treaty Organization, *Robots Underpinning Future. NATO Operations*, The NATO Science and Technology Organization, informe técnico núm. STO-TR-SAS-097, 2018 [en línea], disponible en: *https://apps.dtic.mil/dtic/tr/fulltext/u2/1062079.pdf*, fecha de revisión: 22/04/2019.

North Atlantic Treaty Organization, *The NATO Science for Peace and Security (SPS) Programme* (Informe Anual 2017, Edición Especial del 60.º Aniversario), División de Desafíos de Seguridad Emergentes, 2017 [en línea], disponible en: *https://www.nato.int/nato_static_fl2014/assets/pdf/pdf_2018_11/20181126_SPS-Annual-Report-2017.pdf*, fecha de revisión: 23/04/2019.

North Atlantic Treaty Organization, *The Secretary General's Annual Report 2015* (informe), Bruselas, 07/01/2016 [en línea], disponible en: *http://www.nato.int/nato_static_fl2014/assets/pdf/pdf_2016_01/20160128_SG_AnnualReport_2015_en.pdf*, fecha de revisión: 31/05/2019.

North Atlantic Treaty Organization, *2018 highlights. Empowering the Alliance's Technological Edge,* 2017 [en línea], disponible en: *https://www.nato.int/nato_static_fl2014/assets/pdf/pdf_topics/20180522_STO_Annual_Report_2017.pdf*, fecha de revisión: 23/04/2019.

North Atlantic Treaty Organization, *Strategic Concept For the Defence and Security of The Members of the North Atlantic Treaty Organisation* (adoptado por los Jefes de Estado y de Gobierno de la Alianza en Lisboa), 2010 [en línea], disponible en: *https://www.nato.int/lisbon2010/strategic-concept-2010-eng.pdf*, fecha de revisión: 22/04/2019.

Oficina de Asuntos de Desarme de la Onu, *Securing our common future. An Agenda for Disarmament,* Nueva York, United Nations, 2018, disponible en: *https://front.un-arm.org/documents/SG+disarmament+agenda_1.pdf*, fecha de revisión: 26/04/2019.

Oficina de Información del Consejo de Estado de la República Popular China, *China's military strategy* [versión en inglés], Pekín, Oficina de Información del Consejo de Estado de la República Popular China, 2015 [en línea], disponible en: *http://www.ieee.es/Galerias/fichero/OtrasPublicaciones/Internacional/2015/150526_Chinaxs_Military_Strategy.pdf*, fecha de revisión: 22/04/2019.

Oficina del Alto Comisionado de Naciones Unidas, *Special Rapporteur on extrajudicial, summary or arbitrary executions,* sin fecha [en línea], disponible en: *https://www.ohchr.org/en/*

issues/executions/pages/srexecutionsindex.aspx, fecha de revisión: 10/04/2019.

Oficina del Alto Comisionado de las Naciones Unidas para los Derechos Humanos, *Principios rectores sobre las empresas y los derechos humanos,* Nueva York y Ginebra, Naciones Unidas, 2011 [en línea], disponible en: *https://www.ohchr.org/documents/publications/guidingprinciplesbusinesshr_sp.pdf*, fecha de revisión: 25/07/2019.

Oficina del Alto Comisionado de Naciones Unidas, *Ejecuciones Extrajudiciales, Sumarias o Arbitrarias* (hoja informativa), núm. 11 (Rev.1), sin fecha, [en línea], disponible en: *https://www.ohchr.org/Documents/Publications/FactSheet11rev.1en.pdf*, fecha de revisión: 10/04/2019.

Oficina del Director de Inteligencia Nacional de los Estados Unidos de Norteamérica, *Principles of artificial intelligence ethics for the Intelligence Community*, Office of the Director of National Intelligence, julio de 2020 [en línea], disponible en: *https://www.intelligence.gov/principles-of-artificial-intelligence-ethics-for-the-intelligence-community*, fecha de revisión: 21/01/2021.

Oficina del Director de Inteligencia Nacional de los Estados Unidos de Norteamérica, *Artificial intelligence ethics framework for the Intelligence Community*, Office of the Director of National Intelligence, julio de 2020 [en línea], disponible en: *https://www.intelligence.gov/artificial-intelligence-ethics-framework-for-the-intelligence-community*, fecha de revisión: 21/01/2021.

Oficina del Primer Ministro de Canadá, *Minister of Foreign Affairs Mandate Letter*, diciembre de 2019 [en línea], disponible en: *https://pm.gc.ca/en/mandate-letters/2019/12/13/minister-foreign-affairs-mandate-letter*, fecha de revisión: 21/01/2021.

Parlamento Europeo, *In-depth analysis Russia's national security strategy and military doctrine and their implications for the EU,* Departamento de Políticas, Dirección General de Políticas Exteriores, 2017 [en línea], disponible en: *http://www.europarl.europa.eu/RegData/etudes/IDAN/2017/578016/EXPO_IDA%282017%29578016_EN.pdf*, fecha de revisión: 21/04/2019.

Parlamento Europeo, *Informe de la Comisión de Asuntos Jurídicos bajo el procedimiento de comisiones asociadas, de 04 de enero de 2021, sobre inteligencia artificial: cuestiones de interpretación y aplicación del derecho internacional en la medida en que la UE se ve afectada en los ámbitos de los usos civiles y militares y de la autoridad estatal fuera del ámbito de la justicia penal (2020/2013(INI))*, núm. A9-0001/2021, 04/01/2021 [en línea], disponible en: *http://www.europarl.europa.eu/doceo/document/TA-8-2019-0081_ES.pdf*, fecha de revisión: 21/01/2021.

Parlamento Europeo, *Resolución del Parlamento Europeo, de 12 de febrero de 2019, sobre una política industrial global europea en materia de inteligencia artificial y robótica (2018/2088[INI])*, núm. P8_TA-PROV(2019)0081, 12/02/2019 [en línea], disponible en: *http://www.europarl.europa.eu/doceo/document/TA-8-2019-0081_ES.pdf*, fecha de revisión: 26/04/2019.

Parlamento Europeo, *Resolución del Parlamento Europeo, de 12 de septiembre de 2018, sobre los sistemas armamentísticos autónomos (2018/2752[RSP])*, núm. P8_TA(2018)0341, 12/09/2018 [en línea], disponible en: *http://www.europarl.europa.eu/doceo/document/TA-8-2018-0341_ES.pdf*, fecha de revisión: 25/04/2019.

Parlamento Europeo, *Resolución del Parlamento Europeo, de 16 de febrero de 2017, con recomendaciones destinadas a la Comisión sobre normas de Derecho civil sobre robótica (2015/2103[INL])*, núm. P8_TA(2017)0051, 16/02/2017 [en línea], disponible en: *http://www.europarl.europa.eu/sides/getDoc.do?pubRef=-//EP//NONSGML+TA+P8-TA-2017-0051+0+DOC+PDF+V0//ES*, fecha de revisión: 25/04/2019.

Parlamento Europeo, *Resolución, de 12 de septiembre de 2018 sobre «autonomous weapon systems»*, núm. 2018/2752(RSP), 12/09/2018 [en línea], disponible en: *http://www.europarl.europa.eu/sides/getDoc.do?pubRef=-//EP//NONSGML+TA+P8-TA-2018-0341+0+DOC+PDF+V0//EN*, fecha de revisión: 03/04/2019.

Presidencia de la Federación Rusa, *Decreto del presidente de la federación de rusia sobre el desarrollo de la inteligencia artificial en la Federación de Rusia* (edicto presidencial en ruso), núm. 0001201910110003, de 11/10/2019 [en línea], disponible en: *http://publication.pravo.gov.ru/Document/View/0001201910110003*, fecha de revisión: 21/01/2021.

Presidencia de la Federación Rusa, *Указ Президента Российской Федерации «О Стратегии национальной безопасности Российской Федерации [Decreto del presidente de la Federación Rusa sobre la estrategia de seguridad nacional. Federación de Rusia]* (edicto presidencial), núm. 683, de 31/12/2015 [en línea], disponible en: *http://static.kremlin.ru/media/events/files/ru/l8iXkR8XLAtxeilX7JK3XXy6Y0AsHD5v.pdf*, fecha de revisión: 21/04/2019 (traducción del texto en inglés disponible en: *http://www.ieee.es/Galerias/fichero/OtrasPublicaciones/Internacional/2016/Russian-National-Security-Strategy-31Dec2015.pdf*, fecha de revisión: 21/04/2019.

Presidencia de la Federación Rusa, *La lista de instrucciones después de la reunión del consejo de supervisión de la Agencia para Iniciativas Estratégicas* (texto en ruso), 2019 [en línea], disponible en: *http://kremlin.ru/acts/assignments/orders/59758*, fecha de revisión: 21/04/2019.

Presidencia de los Estados Unidos de Norteamérica, *American artificial intelligence initiative: year one annual report*, White House, febrero de 2020 [en línea], disponible en: *https://trumpwhitehouse.archives.gov/wp-content/uploads/2020/02/American-AI-Initiative-One-Year-Annual-Report.pdf*, fecha de revisión: 21/01/2021.

Presidencia de los Estados Unidos de Norteamérica, *National Security Strategy of the United States of America,* Whasington, White House, diciembre de 2017 [en línea], disponible en: *https://trumpwhitehouse.archives.gov/wp-content/uploads/2017/12/NSS-Final-12-18-2017-0905-2.pdf*, fecha de revisión: 21/01/2021.

Secretaría de Defensa de Estados Unidos de Norteamérica, *Memorando sobre la «Iniciativa de Innovación en Defensa»,* 15/11/2014 [en línea], disponible en: *https://archive.defense.gov/pubs/OSD013411-14.pdf*, fecha de revisión: 20/04/2019.

Secretaría de Estado de Estados Unidos de Norteamérica, *Remarks at the High-Level Segment of the Conference on Disarmament,* 22/02/2021 [en línea], disponible en: *https://geneva.usmission.gov/2021/02/22/secretary-blinken-cd/*, fecha de revisión: 23/02/2021.

Secretaría de Estado de Estados Unidos de Norteamérica, *U.S.-EU Trade and Technology Council Inaugural Joint Statement,* 29/09/2021 [en línea], disponible en: *https://www.whitehouse.gov/briefing-room/statements-releases/2021/09/29/u-s-eu-trade-and-technology-council-inaugural-joint-statement/*, fecha de revisión: 30/09/2021.

Secretaría general de la ONU, *Estrategia del secretario general de las naciones unidas en materia de nuevas tecnologías*, septiembre de 2018 [en línea], disponible en: *https://www.un.org/en/new-technologies/images/pdf/SGs-Strategy-on-New-Technologies-ES.pdf*, fecha de revisión: 29/04/2019.

Secretaría General de la Onu, *Informe del Secretario General de la ONU, António Guterres* (documento de trabajo), núm. A/73/177, 17/07/2013 [en línea], disponible en: *https://undocs.org/es/a/73/177*, fecha de revisión: 29/04/2019.

Secretaría General de Política de Defensa del Ministerio de Defensa de España, *Revisión estratégica de la Defensa,* sin fecha [en línea], disponible en: *http://www.defensa.gob.es/Galerias/defensa-docs/revision-estrategica.pdf*, fecha de revisión: 04/08/2019.

Simon-Michel, J.-H., *Report of the 2014 informal Meeting of Experts on Lethal Autonomous Weapons Systems (LAWS)* (informe), núm. CCW/MSP/2014/3, 11/06/2014 (presentado por el embajador francés, en su condición de presidente de la reunión de expertos, ante la reunión anual de 2014 de las Altas Partes contratantes de la CCW sobre los SAAL) [en línea], disponible en: *https://undocs.org/ccw/msp/2014/3*, fecha de revisión: 07/05/2019.

Unión Europea, *Implementing the EU Global Strategy Year 2*, junio de 2018 [en línea], disponible en: *https://eeas.europa.eu/sites/eeas/files/eugs_annual_report_year_2.pdf*, fecha de revisión: 26/04/2019.

Unión Europea, *Shared Vision, Common Action: A Stronger Europe. A Global Strategy for the European Union's Foreign and Security Policy,* junio de 2016 [en línea], disponible en: *https://eeas.europa.eu/sites/eeas/files/eugs_review_web_0.pdf*, fecha de revisión: 26/04/2019.

UNODA, *Securing Our Common Future: An Agenda for Disarmament* (plan de implementación),

04/12/2018 [en línea], disponible en: *https://www.un.org/disarmament/sg-agenda/en/#actions*, fecha de revisión: 27/04/2019.

4. Tratados internacionales

Conferencias de La Haya de 1899 y 1907, disponible en: *https://oll.libertyfund.org/titles/higgins-the-hague-peace-conferences-concerning-the-laws-and-usages-of-war*, fecha de revisión: 06/06/2019.

«Convenio del Consejo de Europa para la prevención del terrorismo», *Diario Oficial de la Unión Europea,* 16/05/2005, vol. 159, pp. 3-14, disponible en: *https://eur-lex.europa.eu/legal-content/ES/TXT/PDF/?uri=CELEX:22018A0622(01)&from=ES*, fecha de revisión 24/07/2019.

Convención sobre Ciertas Armas Convencionales, *enmienda al artículo 1*, [en línea], disponible en: *https://www.unog.ch/80256EDD006B8954/(httpAssets)/B20A03F9D7163A5BC12571DC0064F843/$file/AMENDED+ARTICLE+1.pdf*, fecha de revisión: 07/05/2019.

Convención sobre Ciertas Armas Convencionales, suscrita el 10/10/1980 [en línea], disponible en: *https://www.unog.ch/80256EE600585943/(httpPages)/4F0DEF093B4860B4C1257180004B1B30?OpenDocument*, fecha de revisión: 07/05/2019.

Convención sobre la Prohibición del Desarrollo, la Producción, el Almacenamiento y el Empleo de Armas Químicas y sobre su Destrucción (Convenio de París de 1993), Asamblea General de Naciones Unidas [en línea], disponible en: *http://www.cruzroja.es/principal/documents/1750782/1851920/Convencion_sobre_armas_quimicas.pdf/ec7be1d6-a715-4a6e-8352-688b2ed448c8*, fecha de revisión: 24/07/2019.

Convención sobre la Prohibición del Desarrollo, la Producción y el Almacenamiento de Armas Bacteriológicas (Biológicas) y Toxínicas y sobre su Destrucción, Oficina de Asuntos de Desarme de Naciones Unidas, 1972 [en línea], disponible en: *https://www.un.org/disarmament/es/adm/armas-biologicas/*, fecha de revisión: 24/07/2019.

Convención sobre la prohibición del empleo, almacenamiento, producción y transferencia de minas antipersonales y sobre su destrucción, Asamblea General de Naciones Unidas, 1997 (en vigor el 1/03/1999) [en línea], disponible en: *https://www.unog.ch/80256EDD006B8954/(httpAssets)/B9A95DEB6541532BC12571C7002E56DA/$file/Convencion_d_Ottawa_Espanol.pdf*, fecha de revisión: 04/05/2019.

Convención sobre Municiones en Racimo, Comité Internaciones de la Cruz Roja, 30/05/2008 (en vigor el 01/08/2010) [en línea], disponible en: *https://www.icrc.org/es/doc/assets/files/other/icrc_003_0961.pdf*, fecha de revisión: 04/05/2019.

Convención Internacional sobre la Represión y el Castigo del Crimen de Apartheid, Asamblea General de Naciones Unidas, Resolución 3068 (XXVIII), de 30/11/1973 [en línea], disponible en: *https://www.acnur.org/fileadmin/Documentos/BDL/2002/1426.pdf*, fecha de revisión 24/07/2019.

Convención sobre la prohibición de utilizar técnicas de modificación ambiental con fines militares u otros fines hostiles (ENMOD), Asamblea General de Naciones Unidas, 1976 [en línea], disponible en: *http://www.cruzroja.es/principal/documents/1750782/1851920/Conve_tecnicas_modificacion_ambiental.pdf/e4e14837-93b2-4206-9551-09c05032f20c*, fecha de revisión: 04/06/2019.

Convención II de La Haya de 1899 relativo a las leyes y costumbres de la guerra terrestre [en línea], disponible en: *http://www.cruzroja.es/principal/documents/1750782/1851920/II_convenio_de_la_haya_de_1899.pdf/960c50ec-3f1f-45f0-898d-333790694de9*, fecha de revisión: 04/06/2019.

Convenio IV de La Haya relativo a las leyes y costumbres de la guerra terrestre, 1907 [en línea], disponible en: *http://www.cruzroja.es/principal/documents/1750782/1851920/Convenio_IV_de_la_Haya_de_1907.pdf/816306c0-6008-4959-972b-c07d84ea51b1*, fecha de revisión: 25/07/2019.

Convention on Combating Bribery of Foreign Public Officials in International Business Transactions, OECD, 2011 [en línea], disponible en: *https://www.oecd.org/daf/anti-bribery/ConvCombatBribery_ENG.pdf*, fecha de revisión: 24/07/2019.

Conferencias de La Haya de 1899 y 1907, cuyo texto están disponibles en: *https://oll.libertyfund.org/titles/higgins-the-hague-peace-conferences-concerning-the-laws-and-usages-of-war*, fecha de revisión: 06/06/2019.

Convención sobre la Prohibición del Desarrollo, la Producción y el Almacenamiento de Armas Bacteriológicas (Biológicas) y Toxínicas y sobre su Destrucción, Oficina de Asuntos de Desarme de Naciones Unidas, 1972 [en línea], disponible en: *https://www.un.org/disarmament/es/adm/armas-biologicas/*, fecha de revisión: 24/07/2019.

Convención de las Naciones Unidas contra la Delincuencia Organizada Transnacional, Oficina de las Naciones Unidas contra la Droga y el Delito, Nueva York, Naciones Unidas, 2014 [en línea], disponible en: *https://www.unodc.org/documents/middleeastandnorthafrica/organised-crime/UNITED_NATIONS_CONVENTION_AGAINST_TRANSNATIONAL_ORGANIZED_CRIME_AND_THE_PROTOCOLS_THERETO.pdf*, fecha de revisión 24/07/2019.

Convention on the Prohibition of Military or Any Other Hostile Use of Environmental Modification Techniques, 1978 [en línea], disponible en: *http://www.cruzroja.es/principal/documents/1750782/1851920/Conve_tecnicas_modificacion_ambiental.pdf/e4e14837-93b2-4206-9551-09c05032f20c*, fecha de revisión: 04/06/2019.

Pacto Internacional de Derechos Civiles y Políticos, Oficina del Alto Comisionado de Naciones Unidas, 16/12/1966 [en línea], disponible en: *https://www.ohchr.org/SP/ProfessionalInterest/Pages/CCPR.aspx*, fecha de revisión 05/06/2019.

Protocolo Adicional I (API) a los Convenios de Ginebra de 1949 relativo a la protección de las víctimas de los conflictos armados internacionales, 1977, disponible en: *https://www.icrc.org/es/document/protocolo-i-adicional-convenios-ginebra-1949-proteccion-victimas-conflictos-armados-internacionales-1977*, fecha de revisión: 23/05/2019.

Protocolo Adicional II (APII) a los Convenios de Ginebra de 1949 relativo a la protección de las víctimas de los conflictos armados internacionales, 1977, disponible en: *https://www.icrc.org/es/doc/*

resources/documents/misc/protocolo-ii.htm, fecha de revisión: 23/05/2019.

Protocolo I de la Convención sobre Ciertas Armas Convencionales sobre fragmentos no localizables, disponible en: *https://www.unog.ch/80256EDD006B8954/(httpAssets)/DF84B4D8659283DAC12571DE005B93C5/$file/Protocol+I.pdf*, fecha de revisión: 09/08/2019.

Protocolo II de la Convención sobre Ciertas Armas Convencionales sobre prohibiciones o restricciones del empleo de uso de minas, armas trampa y otros artefactos, disponible en: *https://www.unog.ch/80256EDD006B8954/(httpAssets)/7607D6493EAC5819C12571DE005BA57D/$file/PROTOCOL+II.pdf*, fecha de revisión: 09/08/2019.

Protocolo III Convención sobre Ciertas Armas Convencionales sobre prohibiciones o restricciones del empleo de armas incendiarias, disponible en: *https://www.unog.ch/80256EDD006B8954/(httpAssets)/B409BC0DCFA0171CC12571DE005BC1DD/$file/PROTOCOL+III.pdf*, fecha de revisión: 02/05/2019.

Protocolo IV de la Convención sobre Ciertas Armas Convencionales sobre láseres cegadores, disponible en: *https://www.unog.ch/80256EDD006B8954/(httpAssets)/8463F2782F711A13C12571DE005BCF1A/$file/PROTOCOL+IV.pdf*, fecha de revisión: 07/05/2019.

Protocolo V de la Convención sobre Ciertas Armas Convencionales sobre los restos explosivos de guerra, disponible en: *https://www.unog.ch/80256EDD006B8954/(httpAssets)/5484D315570AC857C12571DE005D6498/$file/Protocol+on+Explosive+Remnants+of+War.pdf*, fecha de revisión: 07/05/2019.

Protocolo sobre Prohibiciones o Restricciones del Empleo de Minas, Armas Trampa y Otros Artefactos según fue enmendado el 3 de mayo de 1996 (Protocolo II según fue enmendado el 3 de mayo de 1996), disponible en: *https://www.icrc.org/es/doc/resources/documents/misc/treaty-1980-cccw-protocol-2-amended-1996-5tdl6g.htm*, fecha de revisión: 04/05/2019.

Tratado sobre el Comercio de Armas del 2013, Naciones Unidas, disponible en: *https://unoda-web.s3-accelerate.amazonaws.com/*

wp-content/uploads/2013/06/Espa%C3%B1ol1.pdf, fecha de revisión: 24/07/2019.

Tratado sobre la no proliferación de las armas nucleares, Asamblea General de la ONU, resolución núm. A/RES/2373(XXII), del 12/06/1968 (abierto a la firma el 01/07/1968), disponible en: *https://undocs.org/es/A/RES/2373(XXII)&Lang=S*, fecha de revisión: 25/04/2019.

Tratado de Prohibición Completa de los Ensayos Nucleares (TPCE) y texto sobre el establecimiento de una Comisión Preparatoria de la Organización del Tratado de Prohibición Completa de los Ensayos Nucleares, Viena, Comisión Preparatoria de la Organización del Tratado de Prohibición Completa de los Ensayos Nucleares, 1996 [en línea], disponible en: *https://www.ctbto.org/fileadmin/user_upload/legal/treaty_text_Spanish.pdf*, fecha de revisión: 04/05/2019.

5. *Documentos de consulta*

5.1. Documentos de trabajo

A «compliance-based» approach to Autonomous Weapon Systems (documento de trabajo de Suiza), núm. CCW/GGE.1/2017/WP.9, 10/11/2017, Palacio de las Naciones (reunión de expertos sobre los SAAL en la CCW, celebrada en Ginebra de 13-17 de noviembre de 2017) [en línea], disponible en: *https://www.unog.ch/80256EDD006B8954/(httpAssets)/6B80F9385F6B505FC12581D4006633F8/$file/2017_GGEonLAWS_WP9_Switzerland.pdf*, fecha de revisión: 22/05/2019.

Australia's System of Control and applications for Autonomous Weapon Systems (documento de trabajo de Australia), núm. CCW/GGE.1/2019/WP.2/Rev.1, 26/03/2018, Palacio de las Naciones (reunión de expertos sobre los SAAL en la CCW, celebrada en Ginebra de 25-29 de marzo de 2019 y de 20-21 de agosto de 2019) [en línea], disponible en: *https://www.unog.ch/80256EDD006B8954/(httpAssets)/16C9F75124654510C12583C9003A4EBF/$file/CCWGGE.12019WP.2Rev.1.pdf*, fecha de revisión: 09/08/2019.

Autonomy in Weapon Systems (documento de trabajo de EE.UU.), núm. CCW/GGE.1/2017/WP.6, 10/11/2017, Palacio de las Naciones (reunión de expertos sobre los SAAL en la CCW, celebrada en Ginebra de 13-17 de noviembre de 2017) [en línea], disponible en: *https://www.unog.ch/80256EDD006B8954/(httpAssets)/99487114803FA99EC12581D40065E90A/$file/2017_GGEonLAWS_WP6_USA.pdf*, fecha de revisión: 09/05/2019.

Autonomy, artificial intelligence and robotics: Technical aspects of human control (informe del Comité Internacional de la Cruz Roja), sin número, agosto 2019, presentado para la reunión del GEG sobre los SAAL en la CCW, celebrada en 21 al 25 de septiembre de 2020, [en línea], disponible en: *https://www.icrc.org/en/document/autonomy-artificial-intelligence-and-robotics-technical-aspects-human-control*, fecha de revisión: 21/01/2021.

Berlin Forum for Supporting the 2020 Group of Governmental Experts on Lethal Autonomous Weapons Systems (1-2 April 2020) (documento de trabajo de Alemania), núm. CCW/GGE.1/2020/WP.2, 25/06/2020, Palacio de las Naciones (reunión de expertos sobre los SAAL en la CCW, celebrada en Ginebra de 21-25 de septiembre de 2020) [en línea], disponible en: *https://undocs.org/en/CCW/GGE.1/2020/WP.2*, fecha de revisión: 21/01/2021.

Cartographie des developpements techniques (documento de trabajo presentado por Francia), sin número ni fecha, Palacio de las Naciones (reunión de expertos sobre los SAAL en la CCW, celebrada en Ginebra de 11-15 de abril de 2016) [en línea], disponible en: *http://www.unog.ch/80256EDD006B8954/(httpAssets)/FAC3FC270C9E918EC1257F8F003FF520/$file/2016_LAWSMX_CountryPaper_France+MappingofTechnicalDevelopments.pdf*, fecha de revisión: 31/05/2016.

Categorizing lethal autonomous weapons systems - A technical and legal perspective to understanding LAWS (documento de trabajo de Finlandia y Estonia), núm. CCW/GGE.2/2018/WP.2, 24/08/2018, Palacio de las Naciones (reunión de expertos sobre los SAAL en la CCW, celebrada en Ginebra de 27-31 de agosto de 2018) [en línea], disponible en: *https://www.unog.ch/80256EDD006B8954/(httpAssets)/FD148A6783DAC304C12582F30032F633/$file/2018_GGE+LAWS_August_*

Working+Paper_Estonia+and+Finland.pdf, fecha de revisión: 22/05/2019.

Commonalities in national commentaries on guiding principles, (documento de trabajo del presidente del GEG), sin núm., 15/09/2020 (presentado para la sesión de reuniones del grupo, celebrada en Ginebra de 21-25 de septiembre de 2020) [en línea], disponible en: *https://documents.unoda.org/wp-content/uploads/2020/09/Commonalities-paper-on-operationalization-of-11-Guiding-Principles.pdf*, fecha de revisión: 21/01/2021.

Compliance Measures for an Autonomous Weapons Convention (documento de trabajo del Comité internacional para el control de armas robóticas), núm. 2, mayo de 2013 [en línea], disponible en: *https://www.icrac.net/wp-content/uploads/2018/04/Gubrud-Altmann_Compliance-Measures-AWC_ICRAC-WP2.pdf*, fecha de revisión: 02/05/2019.

Consideration of the human element in the use of lethal force; aspects of human-machine interaction in the development, deployment and use of emerging technologies in the area of lethal autonomous weapons systems (documento reflexivo del presidente del GEG), sin número ni fecha (presentado en la reunión del GEG de abril de 2018) [en línea], disponible en: *https://www.unog.ch/80256EDD006B8954/(httpAssets)/A37FBECB28CF7D7FC125826C00495E97/$file/Chart.2.pdf*, fecha de revisión: 09/05/2019.

Considerations for the report of the Group of Governmental Experts of the High Contracting Parties to the Convention on Certain Conventional Weapons on emerging technologies in the area of Lethal Autonomous Weapons Systems on the outcomes of the work undertaken in 2017-2021 (documento de la Federación Rusa), sin núm, junio de 2021, presentado ante el Grupo de Expertos Gubernamentales sobre tecnologías emergentes en el área de los sistemas de armas autónomas letales en la CCW, [en línea], disponible en: *https://documents.unoda.org/wp-content/uploads/2021/06/Russian-Federation_ENG1.pdf*, fecha de revisión: 01/07/2021.

Context, Complexity and LAWS (documento de trabajo de Canadá), sin número ni fecha, Palacio de las Naciones (reunión de expertos sobre los SAAL en la CCW, celebrada en Ginebra de 11-15 de abril de 2016) [en línea], disponible en: *https://www.unog.ch/80256EDD006B8954/(httpAssets)/C6F73401FA55F58FC1257F850043AB3A/$file/2016_LAWS+MX_CountryPaper+Canada+FFTP2.pdf*, fecha de revisión: 07/05/2019.

Chairperson's Summary (informe elaborado por la presidencia del GEG, con el apoyo técnico de la secretaría de la CCW), núm. CCW/GGE.1/2020/WP.7, 19 de abril de 2021 (presentado como cierre del cuarto período de reuniones del GEG), [en línea], disponible en: *https://documents.unoda.org/wp-content/uploads/2020/07/CCW_GGE1_2020_WP_7-ADVANCE.pdf*, fecha de revisión: 30/09/2021.

Chair's summary of the discussion on agenda item 6 (a) 9 and 10 April 2018, agenda item 6 (b) 11 April 2018 and 12 April 2018, agenda item 6 (c) 12 April 2018, and agenda item 6 (d) 13 April 2018 [en línea], disponible en: *https://www.unog.ch/80256EDD006B8954/(httpAssets)/DF486EE2B556C8A6C125827A00488B9E/$file/Summary+of+the+discussions+during+GGE+on+LAWS+April+2018.pdf*, fecha de revisión: 20/04/2019.

Characteristics of Lethal Autonomous Weapons Systems (documento de trabajo de EE.UU.), núm. CCW/GGE.1/2017/WP.7, de 10 de noviembre de 2017, Palacio de las Naciones (reunión de expertos sobre los SAAL en la CCW, celebrada en Ginebra de 13-17 de noviembre de 2017) [en línea], disponible en: *https://www.unog.ch/80256EDD006B8954/(httpAssets)/A4466587B0DABE6CC12581D400660157/$file/2017_GGEonLAWS_WP7_USA.pdf*, fecha de revisión: 09/05/2019.

Characterization of a LAWS (documento de trabajo de Francia), sin número ni fecha, Palacio de las Naciones (reunión de expertos sobre los SAAL en la CCW, celebrada en Ginebra de 11-15 de abril de 2016) [en línea], disponible en: *https://www.unog.ch/80256EDD006B8954/(httpAssets)/5FD844883B46FEACC1257F8F00401FF6/$file/2016_LAWSMX_CountryPaper_France+CharacterizationofaLAWS.pdf*, fecha de revisión: 07/05/2019.

Characterization of the systems under consideration in order to promote a common understanding on concepts and characteristics rel-

evant to the objectives and purposes of the Convention (documento de trabajo del presidente del GEG), núm. CCW/GGE.1/2017/WP.3, sin fecha (presentado en la reunión del GEG de abril de 2018) [en línea], disponible en: *https://www.unog.ch/80256EDD006B8954/(httpAssets)/C43B731506CE4D35C1258272003399DB/$file/Chart.1+Updated.pdf*, fecha de revisión: 09/05/2019.

Documents Reflecting U.S. Practice Related to Emerging Technologies in the Area of Lethal Autonomous Weapons Systems, (documento de trabajo de EE.UU.), sin núm, Palacio de las Naciones, presentado ante el grupo de expertos gubernamentales sobre los sistemas de armas autónomas letales en la CCW, 11 de junio de 2021 [en línea], disponible en: *https://documents.unoda.org/wp-content/uploads/2021/06/United-States-submission-on-national-practice.pdf*, fecha de revisión: 01/07/2021.

Documento de trabajo de Bélgica, Irlanda y Luxemburgo, sin título ni número ni fecha, Palacio de las Naciones (reunión de expertos sobre los SAAL en la CCW, celebrada en Ginebra de 25-29 de marzo de 2019) [en línea], disponible en: *https://www.unog.ch/80256EDD006B8954/(httpAssets)/36CE9B9E072FA0AAC12583C5004D9DD8/$file/LAWS+-+Food+for+Thought+Paper+-BEL-IRL-LUX.pdf*, fecha de revisión: 22/05/2019.

Draft elements on possible consensus recommendations in relation to the clarification, consideration and development of aspects of the normative and operational framework on emerging technologies in the area of lethal autonomous weapons systems, (documento de trabajo del presidente del GEG), sin núm., agosto de 2021 (presentado para la primera sesión de reuniones del grupo, celebrada en Ginebra de 3-13 de agosto de 2021) [en línea], disponible en: *http://www.apc.org.nz/pma/ch-gge12aug21.pdf*, fecha de revisión: 30/09/2021.

Elements supporting the prohibition of lethal autonomous weapons systems (documento de trabajo de la Santa Sede), sin número ni fecha, Palacio de las Naciones (reunión de expertos sobre los SAAL en la CCW, celebrada en Ginebra del 11 al 15 de abril de 2016 2016 sobre los SAAL) [en línea], disponible en: *https://www.unog.ch/80256EDD006B8954/(httpAssets)/752E16C-*

02C9AECE4C1257F8F0040D05A/$file/2016_LAWSMX_CountryPaper_Holy+See.pdf, fecha de revisión: 07/05/2019.

Ethics and autonomous weapon systems: An ethical basis for human control? (documento de trabajo del Comité Internacional de la Cruz Roja), núm. CCW/GGE.1/2018/WP.5, 29 de marzo de 2018, Palacio de las Naciones (reunión de expertos sobre los SAAL en la CCW, celebrada en Ginebra de 9-13 de abril de 2018) [en línea], disponible en: *https://www.unog.ch/80256EDD006B8954/(httpAssets)/42010361723DC854C1258264005C3A7D/$file/CCW_GGE.1_2018_WP.5+ICRC+final.pdf*, fecha de revisión: 03/05/2019.

Examination of various dimensions of emerging technologies in the area of lethal autonomous weapons systems, in the context of the objectives and purposes of the Convention (documento de trabajo de Países Bajos), núm. CCW/GGE.1/2017/WP.2, 9 de octubre de 2017, Palacio de las Naciones (reunión de expertos sobre los SAAL en la CCW, celebrada en Ginebra de 13-17 de noviembre de 2017) [en línea], disponible en: *https://undocs.org/ccw/gge.1/2017/WP.2*, fecha de revisión: 09/05/2019.

Examination of various dimensions of emerging technologies in the area of lethal autonomous weapons systems, in the context of the objectives and purposes of the Convention (documento de trabajo de la Federación Rusa), núm. CCW/GGE.1/2017/WP.8, 10 de noviembre de 2017, Palacio de las Naciones (reunión de expertos sobre los SAAL en la CCW, celebrada en Ginebra de 13-17 de noviembre de 2017) [en línea] disponible en: *https://admin.govexec.com/media/russia.pdf*, fecha de revisión: 04/07/2021.

For consideration by the Group of Governmental Experts on Lethal Autonomous Weapons Systems (LAWS) (documento de trabajo de Alemania y Francia), núm. CCW/GGE.1/2017/WP.4, 7 de noviembre de 2017, Palacio de las Naciones (reunión de expertos sobre los SAAL en la CCW, celebrada en Ginebra de 13-17 de noviembre de 2017) [en línea], disponible en: *https://undocs.org/ccw/gge.1/2017/WP.4*, fecha de revisión: 09/05/2019.

Fortalecimiento de los mecanismos de revisión de una nueva arma, o nuevos medios o métodos de guerra (documento de trabajo de Argentina), núm. CCW/GGE.1/2018/WP.2, de 28 de marzo de 2018,

Palacio de las Naciones (reunión de expertos sobre los SAAL en la CCW, celebrada en Ginebra de 9-13 de abril de 2018) [en línea], disponible en: *https://www.unog.ch/80256EDD006B8954/(httpAssets)/9D40986EAE8C70E5C125825F004AD572/$file/CCW_GGE_1_2018_WP.2.pdf*, fecha de revisión: 09/08/2019.

Gobierno de Canadá, «Canadian Food for Thought Paper: Mapping Autonomy» (documento de trabajo de Canadá) sin número ni fecha, Palacio de las Naciones (reunión de expertos sobre los SAAL en la CCW, celebrada en Ginebra de 11-15 de abril de 2016), 2016 [en línea], disponible en: *http://www.unog.ch/80256EDD006B8954/(httpAssets)/C3EFCE5F7BA8613BC1257F8500439B9F/$file/2016_LAWS+MX_CountryPaper+-Canada+FFTP1.pdf*, fecha de revisión: 31/05/2016.

Gobierno de Canadá, «Canadian response to the Chair's request for input on potential consensus recommendations», sin número ni fecha, presentado ante el Grupo de Expertos Gubernamentales sobre los sistemas de armas autónomas letales de la CCW, junio de 2021 [en línea], disponible en: *https://documents.unoda.org/wp-content/uploads/2021/06/Canada_Commentary-on-potential-consensus-recommendations.pdf*, fecha de revisión: 01/07/2021.

Gobiernos de Australia, Canadá, Japón, Reino Unido y Estados Unidos, «Building on Chile's Proposed Four Elements of Further Work for the Convention on Certain Conventional Weapons (CCW) Group of Governmental Experts (GGE) on Emerging Technologies in the Area of Lethal Autonomous Weapons Systems (LAWS)», sin número ni fecha, presentado ante el Grupo de Expertos Gubernamentales sobre los sistemas de armas autónomas letales de la CCW, junio de 2021 [en línea], disponible en: *https://documents.unoda.org/wp-content/uploads/2021/06/Australia-Canada-Japan-United-Kingdom-United-States.pdf*, fecha de revisión: 01/07/2021.

Gobiernos de Austria, Brasil, Chile, Irlanda, Luxemburgo, México y Nueva Zelanda, «Joint Submission on possible consensus recommendations in relation to the clarification, consideration and development of aspects of the normative and operational framework on emerging technologies in the area of lethal autonomous weapons systems», sin número ni fecha, presentado ante el Grupo de Expertos Gubernamentales sobre los sistemas de armas autónomas letales de la CCW, junio de 2021 [en línea], disponible en: *https://documents.unoda.org/wp-content/uploads/2021/06/Austria-Brazil-Chile-Ireland-Luxembourg-Mexico-and-New-Zealand.pdf*, fecha de revisión: 01/07/2021.

Human Machine Touchpoints: The United Kingdom's perspective on human control over weapon development and targeting cycles (documento de trabajo de Reino Unido), núm. CCW/GGE.2/2018/WP.1, 8 de agosto de 2018, Palacio de las Naciones (reunión de expertos sobre los SAAL en la CCW, celebrada en Ginebra de 27-31 de agosto de 2018) [en línea], disponible en: *https://www.unog.ch/80256EDD006B8954/(httpAssets)/050CF806D90934F5C12582E5002EB800/$file/2018_GGE+LAWS_August_Working+Paper_UK.pdf*, fecha de revisión: 23/05/2019.

Human-Machine Interaction in the Development, Deployment and Use of Emerging Technologies in the Area of Lethal Autonomous Weapons Systems (documento de trabajo de EE.UU.), núm. CCW/GGE.2/2018/WP.4, 28/08/2018, Palacio de las Naciones (reunión de expertos sobre los SAAL en la CCW, celebrada en Ginebra de 25 al 31 de agosto de 2018) [en línea], disponible en: *https://www.unog.ch/80256EDD006B8954/(httpAssets)/D1A2BA4B7B71D29FC12582F6004386EF/$file/2018_GGE+LAWS_August_Working+Paper_US.pdf*, fecha de revisión: 12/05/2019.

Human-Machine Interaction in the Development, Deployment and Use of Emerging Technologies in the Area of Lethal Autonomous Weapons Systems (documento de trabajo de Francia), núm. CCW/GGE.2/2018/WP.3, 28/08/2018, Palacio de las Naciones (reunión de expertos sobre los SAAL en la CCW, celebrada en Ginebra de 27-31 de agosto de 2018) [en línea], disponible en: *https://www.unog.ch/80256EDD006B8954/(httpAssets)/2E16E59C0AB73F2FC12582F30055113C/$file/2018_GGE+LAWS_August_Working+Paper_France.pdf*, fecha de revisión: 03/05/2019.

Humanitarian benefits of emerging technologies in the area of lethal autonomous weapon systems (documento de trabajo de EE.UU.), núm. CCW/GGE.1/2018/WP.4, 28/03/2018, Palacio de las Naciones (reunión de expertos sobre los SAAL en la CCW, celebrada en Ginebra de 9-13 de abril de 2018) [en línea], disponible en: *https://www.unog.ch/80256EDD006B8954/*

(httpAssets)/7C177AE5BC10B588C125825F004B06BE/$file/CCW_GGE.1_2018_WP.4.pdf, fecha de revisión: 12/05/2019.

Implementing International Humanitarian Law in the Use of Autonomy in Weapon Systems (documento de trabajo de EE.UU.), sin número ni fecha, Palacio de las Naciones (reunión de expertos sobre los SAAL en la CCW, celebrada en Ginebra de 25-29 de marzo de 2019) [en línea], disponible en: *https://www.unog.ch/80256EDD006B8954/(httpAssets)/518CBFEFDDE93C21C12583C8005FC9FA/$file/US+Working+Paper+on+Implementing+IHL+in+the+Use+of+Autonomy+in+Weapon+Systems.pdf*, fecha de revisión: 12/05/2019.

LAWS and human control: Brazilian proposals for working definitions (documento de trabajo de Brasil), núm. CCW/GGE.1/2020/WP.4, 19/08/2020, Palacio de las Naciones (reunión de expertos sobre los SAAL en la CCW, celebrada en Ginebra de 21-25 de septiembre de 2020) [en línea], disponible en: *https://undocs.org/en/ccw/gge.1/2020/wp.4*, fecha de revisión: 21/01/2021.

Legal framework for any potential development and operational use of a future lethal autonomous weapons system (LAWS) (documento de trabajo de Francia), si número ni fecha, Palacio de las Naciones (reunión de expertos sobre los SAAL en la CCW, celebrada en Ginebra de 11-15 de abril de 2016) [en línea], disponible en: *https://www.unog.ch/80256EDD006B8954/(httpAssets)/C4D88A9E3530929EC1257F8F005A226C/$file/2016_LAWSMX_CountryPaper_France+LegalFramework+EN.pdf*, fecha de revisión: 07/05/2019.

Mapping of technological developments (documento de trabajo de Francia), sin número ni fecha, Palacio de las Naciones (reunión de expertos sobre los SAAL en la CCW, celebrada en Ginebra de 11-15 de abril de 2016) [en línea], disponible en: *https://www.unog.ch/80256EDD006B8954/(httpAssets)/B9E3E8041CE4D326C1257F8F005A31E2/$file/2016_LAWSMX_CountryPaper_France+MappingofTechnicalDevelopments+EN.pdf*, fecha de revisión: 07/05/2019.

Outline for a normative and operational framework on emerging technologies in the area of LAWS (documento de trabajo de Alemania y Francia), núm. CCW/GGE.1/2021/WP.5, 27 de septiembre de 2021, Palacio de las Naciones (quinto período de reuniones del GEG sobre los SAAL en la CCW, celebrada en Ginebra), [en línea], disponible en: *https://undocs.org/ccw/gge.1/2021/wp.5*, fecha de revisión: 30/09/2021.

Position Paper (documento de trabajo de China), núm. CCW/GGE.1/2018/WP.7, 11/04/2018, Palacio de las Naciones (reunión de expertos sobre los SAAL en la CCW, celebrada en Ginebra de 9-13 de abril de 2018) [en línea], disponible en: *https://www.unog.ch/80256EDD006B8954/(httpAssets)/E42AE83BDB3525D0C125826C0040B262/$file/CCW_GGE.1_2018_WP.7.pdf*, fecha de revisión: 04/04/2019.

Possible outcome of 2019 Group of Governmental Experts and future actions of international community on Lethal Autonomous Weapons Systems (documento de trabajo de Japón), núm. CCW/GGE.1/2019/WP.1, 22/03/2019, Palacio de las Naciones (reunión de expertos sobre los SAAL en la CCW, celebrada en Ginebra de 25-29 de marzo de 2019 y del 20 al 21 de agosto de 2019) [en línea], disponible en: *https://www.unog.ch/80256EDD006B8954/(httpAssets)/B0F30B3F69F5F2EEC12583C8003F3145/$file/CCW_+GGE+.1_+2019_+WP3+JAPAN.pdf*, fecha de revisión: 23/05/2019.

Possible recommendations in relation to the clarification, consideration and development of aspects of the normative and operational framework on emerging technologies in the area of lethal autonomous weapons systems (documento de Países Bajos), sin núm, de junio de 2021, presentado ante el Grupo de Expertos Gubernamentales sobre tecnologías emergentes en el área de los sistemas de armas autónomas letales en la CCW, [en línea], disponible en: *https://documents.unoda.org/wp-content/uploads/2021/06/The-Netherlands.pdf*, fecha de revisión: 01/07/2021.

Potential opportunities and limitations of military uses of lethal autonomous weapons systems (documento de trabajo de la Federación Rusa), núm. CCW/GGE.1/2019/WP.1, 15/03/2019, Palacio de las Naciones (reunión de expertos sobre los SAAL en la CCW, celebrada en Ginebra de 25-29 de marzo de 2019) [en línea], disponible en: *https://www.unog.ch/80256EDD006B8954/(httpAs-*

sets)/B7C992A51A9FC8BFC12583BB00637BB9/$file/CCW.GGE.1.2019.WP.1_R+E.pdf, fecha de revisión: 12/05/2019.

Proposal for a Mandate to Negotiate a Legallybinding Instrument that addresses the Legal, Humanitarian and Ethical Concerns posed by Emerging Technologies in the Area of Lethal Autonomous Weapons Systems (LAWS) (documento de trabajo de Austria, Brasil y Chile), núm. CCW/GGE.2/2018/WP.7, 30/08/2018, Palacio de las Naciones (reunión de expertos sobre los SAAL en la CCW, celebrada en Ginebra de 27-31 de agosto de 2018) [en línea], disponible en: *https://www.unog.ch/80256EDD006B8954/(httpAssets)/3BDD5F681113EECEC12582FE0038B22F/$file/2018_GGE+LAWS_August_Working+paper_Austria_Brazil_Chile.pdf*, fecha de revisión: 12/05/2019.

Operationalizing the Guiding Principles: a roadmap for the GGE on LAWS (documento de trabajo de Brasil), núm. CCW/GGE.1/2020/WP.3, 06/08/2020, Palacio de las Naciones (reunión de expertos sobre los SAAL en la CCW, celebrada en Ginebra de 21-25 de septiembre de 2020) [en línea], disponible en: *https://documents.unoda.org/wp-content/uploads/2020/08/CCW-GGE.1-2020-WP.3-.pdf*, fecha de revisión: 21/01/2021.

Questionnaire on the Legal Review Mechanisms of New Weapons, Means and Methods of Warfare (documento de trabajo de Argentina), núm. CCW/GGE.1/2019/WP.6, 28/03/2019, Palacio de las Naciones (reunión de expertos sobre los SAAL en la CCW, celebrada en Ginebra de 25-29 de marzo de 2019) [en línea], disponible en: *https://www.unog.ch/80256EDD006B8954/(httpAssets)/52C72D09DCA60B8BC125841E003579D8/$file/CCW_GGE.1_2019_WP.6.pdf*, fecha de revisión: 12/05/2019.

Russia's Approaches to the Elaboration of a Working Definition and Basic Functions of Lethal Autonomous Weapons Systems in the Context of the Purposes and Objectives of the Convention (documento de trabajo de la Federación Rusa), núm. CCW/GGE.1/2018/WP.6, 04/04/2018, Palacio de las Naciones (reunión de expertos sobre los SAAL en la CCW, celebrada en Ginebra de 9-13 de abril de 2018) [en línea], disponible en: *https://www.unog.ch/80256EDD006B8954/(httpAssets)/FC3CD73A32598111C1258266002F6172/$file/CCW_GGE.1_2018_WP.6_E.pdf*, fecha de revisión: 04/04/2019.

Recommendations on the Normative and Operational Framework for Autonomous Weapon Systems (documento de la CSKR), sin núm, de junio de 2021, presentado ante el Grupo de Expertos Gubernamentales sobre tecnologías emergentes en el área de los sistemas de armas autónomas letales en la CCW, [en línea], disponible en: *https://documents.unoda.org/wp-content/uploads/2021/06/Campaign-to-Stop-Killer-Robots.pdf*, fecha de revisión: 01/07/2021.

Sistemas de armas autónomas letales. Material de reflexión para la reunión oficiosa de expertos sobre los sistemas de armas autónomas letales (documento de trabajo de Alemania), núm. CCW/MSP/2015/WP.2, 20/03/2015, Palacio de las Naciones (reunión de expertos sobre los SAAL en la CCW, celebrada en Ginebra del 13 al 17 de abril de 2015 [en línea], disponible en: *https://documents-dds-ny.un.org/doc/UNDOC/GEN/G15/061/33/PDF/G1506133.pdf?OpenElement*, fecha de revisión: 07/05/2019.

Switzerland's food for thought as requested by the Chair of the Group of Governmental Experts (GGE) on Emerging Technologies in the Area of Lethal Autonomous Weapons Systems (LAWS) within the Convention on Certain Conventional Weapons (CCW), (documento de trabajo de Suiza), sin núm, Palacio de las Naciones, presentado ante el grupo de expertos gubernamentales sobre los sistemas de armas autónomas letales en la CCW, junio de 2021 [en línea], disponible en: *https://documents.unoda.org/wp-content/uploads/2021/06/Switzerland.pdf*, fecha de revisión: 01/07/2021.

The concept of «meaningful human control» (documento de trabajo de Austria), Palacio de las Naciones (reunión oficiosa de expertos sobre los SAAL en la CCW, celebrada en Ginebra del 13 al 17 de abril de 2015) [en línea], disponible en: *https://www.unog.ch/80256EDD006B8954/(httpAssets)/8D3B4C00FEFCA54CC1257E22004D14A4/$file/Working+Paper+by+Austria.pdf*, fecha de revisión: 07/05/2019.

The element of human control (documento de trabajo del Comité Internacional de la Cruz Roja), núm. CCW/MSP/2018/WP.3, 20 de noviembre de 2018 (presentado a la consideración del informe del grupo de expertos gubernamentales en sistemas letales de armas autónomas en la CCW por las reuniones celebradas en Ginebra de 21 al 23 de noviembre de 2018) [en línea], disponible en: *https://undocs.org/en/CCW/MSP/2018/WP.3*, fecha de revisión: 03/05/2019.

The Future We Want, the United Nations We Need Reaffirming our Joint Commitment through Multilateralism (declaración oficial del Papa Francisco), sin núm, del 25 de septiembre de 2020, Palacio de las Naciones (la septuagésima quinta reunión de la asamblea general de las Naciones Unidas) [en línea], disponible en: *https://reachingcriticalwill.org/images/documents/Disarmament-fora/unga/2020/25Sept_HolySee.pdf*, fecha de revisión: 01/07/2021.

The Netherlands opening statement (documento de Países Bajos), sin número ni fecha, Palacio de las Naciones (reunión de expertos sobre los SAAL en la CCW, celebrada en Ginebra de 11-15 de abril de 2016) [en línea], disponible en: *https://www.unog.ch/80256EDD006B8954/(httpAssets)/FC2E59B32F14D791C1257F920057CAE6/$file/2016_LAWS+MX_GeneralExchange_Statements_Netherlands.pdf*, fecha de revisión: 02/04/2019.

Towards a «compliance-based» approach to LAWS, sin número ni fecha, Palacio de las Naciones (reunión oficiosa de expertos sobre los SAAL en la CCW, celebrada en Ginebra de 11-15 de abril de 2016) [en línea], disponible en: *https://www.unog.ch/80256EDD006B8954/(httpAssets)/D2D66A9C427958D6C1257F8700415473/$file/2016_LAWS+MX_CountryPaper+Switzerland.pdf*, fecha de revisión: 07/05/2019.

Towards a definition of lethal autonomous weapons systems (documento de trabajo de Bélgica), núm. CCW/GGE.1/2017/WP.3, 07/11/2017, Palacio de las Naciones (reunión de expertos sobre los SAAL en la CCW, celebrada en Ginebra de 13-17 de noviembre de 2017) [en línea], disponible en: *https://undocs.org/en/ccw/gge.1/2017/WP.3*, fecha de revisión: 09/05/2019.

Towards a working definition of LAWS (documento de Italia), sin número ni fecha, Palacio de las Naciones (reunión de expertos sobre los SAAL en la CCW, celebrada en Ginebra de 11-15 de abril de 2016) [en línea], disponible en: *https://www.unog.ch/80256EDD006B8954/(httpAssets)/06A06080E6633257C1257F9B002BA3B9/$file/2016_LAWS_MX_toward-*

saworkingdefinition_statements_Italy.pdf, fecha de revisión: 02/04/2019.

United Kingdom Expert paper: The human role in autonomous warfare (documento de trabajo de Reino Unido), núm. CCW/GGE.1/2020/WP.6, 18/11/2020, Palacio de las Naciones (reunión de expertos sobre los SAAL en la CCW, celebrada en Ginebra en 2020) [en línea], disponible en: *https://undocs.org/en/CCW/GGE.1/2020/WP.6*, fecha de revisión: 21/01/2021.

U.S. Proposals on the Application of IHL, Human Responsibility, Human-Machine Interaction and Weapons Reviews, (documento de trabajo de EE.UU.), sin núm, Palacio de las Naciones, presentado ante el grupo de expertos gubernamentales sobre los sistemas de armas autónomas letales en la CCW, 11 de junio de 2021 [en línea], disponible en: *https://documents.unoda.org/wp-content/uploads/2021/06/United-States.pdf*, fecha de revisión: 01/07/2021.

Views of the International Committee of the Red Cross (ICRC) on autonomous weapon system (documento de trabajo de Comité Internacional de la Cruz Roja), sin número ni fecha, Palacio de las Naciones (reunión de expertos sobre los SAAL en la CCW, celebrada en Ginebra de 11-15 de abril de 2016) [en línea], disponible en: *https://www.unog.ch/80256EDD006B8954/(httpAssets)/B3834B2C62344053C1257F9400491826/$file/2016_LAWS+MX_CountryPaper_ICRC.pdf*, fecha de revisión: 07/05/2019.

Weapons review mechanisms (documento de trabajo de Suiza y Países Bajos), núm. CCW/GGE.1/2017/WP.5, 07/11/2017, Palacio de las Naciones (reunión de expertos sobre los SAAL en la CCW, celebrada en Ginebra de 13-17 de noviembre de 2017) [en línea], disponible en: *https://undocs.org/en/ccw/gge.1/2017/WP.5*, fecha de revisión: 09/08/2019.

Wollenmann, R., *A purpose-oriented working definition for autonomous weapons systems* (carta del Gobierno de Suiza presentada ante la reunión informal del grupo de expertos gubernamentales en sistemas letales de armas autónomas en la CCW, celebrada en Ginebra el 12 de abril de 2016) [en línea], disponible en: *http://www.unog.ch/80256EDD006B8954/(httpAssets)/A204A142AD3E3E29C1257F9B004FB74B/$-*

file/2016.04.12+LAWS+Definitions_as+read.pdf, fecha de revisión: 31/05/2016.

Working Paper on Lethal Autonomous Weapons Systems (documento de trabajo de Polonia), núm. CCW/GGE.1/2018/WP.3, 28/03/2018, Palacio de las Naciones (reunión de expertos sobre los SAAL en la CCW, celebrada en Ginebra de 9-13 de abril de 2018) [en línea], disponible en: *https://www.unog.ch/80256EDD006B8954/(httpAssets)/DD887E725A1AF8B3C125825F004AF1E3/$file/CCW_GGE.1_2018_WP.3.pdf*, fecha de revisión: 12/05/2019.

Written contribution from International Committee for Robot Arms Control to the CCW GGE on LAWS, (documento de trabajo del ICRAC), sin núm, Palacio de las Naciones, presentado ante el grupo de expertos gubernamentales sobre los sistemas de armas autónomas letales en la CCW, junio de 2021 [en línea], disponible en: *https://documents.unoda.org/wp-content/uploads/2021/06/International-Committee-for-Robot-Arms-Control-.pdf*, fecha de revisión: 01/07/2021.

Written contributions on possible consensus recommendations in relation to the clarification, consideration and development of aspects of the normative and operational framework on emerging technologies in the area of lethal autonomous weapons systems, (documento de trabajo de Reino Unido), sin núm, Palacio de las Naciones, presentado ante el grupo de expertos gubernamentales sobre los sistemas de armas autónomas letales en la CCW, junio de 2021 [en línea], disponible en: *https://documents.unoda.org/wp-content/uploads/2021/06/United-Kingdom.pdf*, fecha de revisión: 01/07/2021.

5.2. Documentos de investigación y análisis

Anderson, K. y Waxman, M., *Law and Ethics for Autonomous weapon systems: Why a ban won't work and how the laws of war can* (documento de investigación), Stanford University, The Hoover Institution Jean Perkins Task Force on National Security & Law Essay Series, 2013; American University, WCL Research Paper 2013-11; Columbia Public Law Research Paper núm. 13-351 [en línea], disponible en: *http://media.hoover.org/sites/default/*

files/documents/Anderson-Waxman_LawAndEthics_r2_FINAL.pdf, fecha de revisión: 09/08/2019.

Anderson, K. y Waxman, M., *Law and Ethics for Robots Soldiers* (documento de investigación), Policy Review, 2012; Columbia Public Law Research Paper núm. 12-313; American University, WCL Research Paper núm. 2012-32 [en línea], disponible en: *https://papers.ssrn.com/sol3/papers.cfm?abstract_id=2046375*, fecha de revisión: 08/04/2019.

Bothmer, F. von, *Missing Man: Contextualising Legal Reviews for Autonomous Weapon Systems* (disertación para obtener el título de doctor en Filosofía en Derecho), San Galo, Universidad de St. Gallen, School of Management, Economics, Law, Social Sciences and International Affairs, 2018 [en línea], disponible en: *http://www1.unisg.ch/www/edis.nsf/SysLkpByIdentifier/4804/$FILE/dis4804.pdf*, fecha de revisión 08/08/2019.

Human Rights Watch, «Shaking the foundations. The human rights implications of killer robots», *Human Rights Watch,* mayo de 2014 [en línea], disponible en: *https://www.hrw.org/sites/default/files/reports/arms0514_ForUpload_0.pdf*, fecha de revisión: 02/05/2019.

Human Rights Watch, «Advancing the debate on killer robots: 12 key arguments for a preemptive ban on fully autonomous weapons», *Human Rights Watch,* mayo de 2014 [en línea], disponible en: *https://www.hrw.org/sites/default/files/related_material/Advancing%20the%20Debate_8May2014_Final.pdf*, fecha de revisión: 02/05/2019.

Human Rights Watch, «Mind the gap: the lack of accountability for killer robots», *Human Rights Watch,* abril de 2015 [en línea], disponible en: *https://www.hrw.org/sites/default/files/reports/arms0415_ForUpload_0.pdf*, fecha de revisión: 02/05/2019.

Human Rights Watch, «Making the case the dangers of killer robots and the need for a preemptive ban», *Human Rights Watch,* diciembre de 2016 [en línea], disponible en: *https://www.hrw.org/sites/default/files/report_pdf/arms1216_web.pdf*, fecha de revisión: 02/05/2019.

Human Rights Watch, «Heed the call a moral and legal imperative to ban killer robots», *Human Rights Watch,* agosto de 2018 [en línea], disponible en: *https://www.hrw.org/sites/default/files/report_pdf/arms0818_web.pdf*, fecha de revisión: 03/05/2019.

Human Rights Watch, « New Weapons, Proven Precedent. Elements of and Models for a Treaty on Killer Robots», *Human Rights Watch,* octubre de 2020 [en línea], disponible en: *https://www.hrw.org/sites/default/files/media_2020/10/arms1020_web.pdf*, fecha de revisión: 21/01/2021.

Instituto de las Naciones Unidas para la Investigación del Desarme, *Framing discussions on the weaponization of increasingly autonomous technologies,* documento de investigación, núm. 1, Ginebra, 2014 [en línea], disponible en: *http://www.unidir.ch/files/publications/pdfs/framing-discussions-on-the-weaponization-of-increasingly-autonomous-technologies-en-606.pdf*, fecha de revisión: 23/05/2019.

Instituto de las Naciones Unidas para la Investigación del Desarme, *The weaponization of increasingly autonomous technologies: considering how meaningful human control might move the discussion forward,* documento de investigación, núm. 2, Ginebra, 2014 [en línea], disponible en: *http://www.unidir.ch/files/publications/pdfs/considering-how-meaningful-human-control-might-move-the-discussion-forward-en-615.pdf*, fecha de revisión: 23/05/2019.

Instituto de las Naciones Unidas para la Investigación del Desarme, *The weaponization of increasingly autonomous technologies: considering ethics and social values,* documento de investigación, núm. 3, 2015 [en línea], disponible en: *http://www.unidir.org/en/publications/the-weaponization-of-increasingly-autonomous-technologies-considering-ethics-and-social-values*, fecha de revisión: 31/07/2019.

Instituto de las Naciones Unidas para la Investigación del Desarme, *Safety, unintentional risk and accidents in the weaponization of increasingly autonomous technologies* (documento de investigación), núm. 5, 2016 [en línea], disponible en: *http://www.unidir.org/files/publications/pdfs/safety-unintentional-risk-and-accidents-en-668.pdf*, fecha de revisión: 21/07/2019.

Instituto de las Naciones Unidas para la Investigación del Desarme, *The Weaponization of increasingly autonomous technologies: Artificial intelligence* (documento de trabajo), núm. 8, 2018 [en línea], disponible en: *http://www.unidir.ch/files/publications/pdfs/the-weaponization-of-increasingly-autonomous-technologies-artificial-intelligence-en-700.pdf*, fecha de revisión: 01/05/2019.

Instituto de las Naciones Unidas para la Investigación del Desarme, *Algorithmic Bias and the Weaponization of Increasingly Autonomous Technologies* (documento de trabajo), núm. 9, 2018 [en línea], disponible en: *https://unidir.org/sites/default/files/publication/pdfs/algorithmic-bias-and-the-weaponization-of-increasingly-autonomous-technologies-en-720.pdf*, fecha de revisión: 13/02/2021.

International Committee for Robot Arms Control, *Guidelines for the human control of weapons* (documento de trabajo), Palacio de las Naciones (reunión de expertos sobre los SAAL en la CCW, celebrada en Ginebra de 27-31 de agosto de 2018) [en línea], disponible en: *https://www.icrac.net/wp-content/uploads/2018/04/Sharkey_Guideline-for-the-human-control-of-weapons-systems_ICRAC-WP3_GGE-April-2018.pdf*, fecha de revisión: 02/05/2019.

International Committee for Robot Arms Control, «LAWS: Ten Problems For Global Security» (memorando), Palacio de las Naciones (reunión de expertos sobre los SAAL en la CCW, celebrada en Ginebra de 13-17 de abril de 2015), disponible en: *https://www.icrac.net/wp-content/uploads/2018/03/LAWS-10-Problems-for-Global-Security.pdf*, fecha de revisión: 02/05/2019.

International Criminal Law Services, «Module 10: Modes of Liability: Superior Responsibility», parte del proyecto OSCE-ODIHR/ICTY/UNICRI titulado «Supporting the Transfer of Knowledge and Materials of War Crimes Cases from the ICTY to National Jurisdictions», bajo el auspicio de la Unión Europea, disponible en: *https://iici.global/0.5.1/wp-content/uploads/2018/03/icls-training-materials-sec-10-superior-responsibility.pdf*, fecha de revisión: 13/07/2019.

Marischka, Ch., *Artifi cial Intelligence in European Defence: Autonomous Armament?* (informe), The Left in the European Parliament, enero de 2021, [en línea], disponible en: *https://www.guengl.eu/issues/publications/artificial-intelligence-in-european-defence-autonomous-armament/*, fecha de revisión: 07/05/2021.

Roff, H. M. y Moyes, R., *Meaningful human control, artificial intelligence and autonomous weapons* (*briefing paper*), Palacio de las Naciones (reunión de expertos sobre los SAAL en la CCW, celebrada en Ginebra de 11-15 de abril de 2016) [en línea], disponible en: *http://www.article36.org/wp-content/uploads/2016/04/MHC-AI-and-AWS-FINAL.pdf*, fecha de revisión: 23/05/2019.

Sassòli, M., *Legitimate targets of attacks under International Humanitarian Law* (background paper), Harvard University (Cambridge: «Informal High-Level Expert Meeting on the Reaffirmation and Development of International Humanitarian Law», 27-29 de enero de 2003) [en línea], disponible en: *https://hhi.harvard.edu/publications/legitimate-targets-attacks-under-international-humanitarian-law*, fecha de revisión: 06/08/2019.

5.3 Discursos y declaraciones públicas

An international ban on the weaponization of artificial intelligence (AI) (carta dirigida al entonces primer ministro de Australia, Malcolm Turnbull), 2/11/2017 [en línea], disponible en: *https://www.dropbox.com/sh/ujslcvq7224c1gw/AADADLoJV_NCbw-cOsfI9n6wba?dl=0&preview=7+Nov+AI+Letter.pdf*, fecha de revisión: 04/05/2019.

Belgian scientists letter on autonomous weapons (carta dirigida al Gobierno y Parlamento belgas), diciembre de 2017 [en línea], disponible en: *https://docs.google.com/document/d/e/2PACX-1vQU8W-mpdjBqLHlA4Xgbe1BhKI4scm2Uy-Qg3cPpylpjnOVF81OmPSE7QmzaXNDfqBeLGrNFS4ozRL8-/pub*, fecha de revisión: 04/05/2019.

Comité Internacional de la Cruz Roja, *Contribution by the International Committee of the Red Cross submitted to the Chair of the Convention on Certain Conventional Weapons(CCW)Group of Governmental Experts on Emerging Technologies in the Area of Lethal Autonomous Weapons Systems as a proposal for consensus recommendations in relation to the clarification, consideration and development of aspects of the normative and operational framework*, declaración presentada ante el GEG sobre los SAAL en la CCW, del 12/06/2021, [en línea], disponible en: *https://doc-*

uments.unoda.org/wp-content/uploads/2021/06/ICRC.pdf, fecha de revisión: 01/07/2021.

Comité Internacional de la Cruz Roja, *Statement of the International Committee of the Red Cross (ICRC) Agenda item 5(a) – An exploration of the potential challenges posed by emerging technologies in the area of lethal autonomous weapon systems to international humanitarian law* (declaración), (presentada ante la reunión del grupo de expertos gubernamentales en sistemas letales de armas autónomas en la CCW, celebrada en Ginebra, de 25-29 de marzo de 2019) [en línea], disponible en: *https://www.unog.ch/80256EDD006B8954/(httpAssets)/5C76B1301CEC4BE6C12583CC002F6A15/$file/CCW+GGE+LAWS+ICRC+statement+agenda+item+5a+26+03+2019.pdf*, fecha de revisión: 24/05/2019.

Comité Internacional de la Cruz Roja, *Statement of the International Committee of the Red Cross (ICRC) Agenda Item 5 (c): CHARACTERISATION. The importance of critical functions* (declaración), (presentada ante la reunión del grupo de expertos gubernamentales en sistemas letales de armas autónomas en la CCW, celebrada en Ginebra, de 25-29 de marzo de 2019) [en línea], disponible en: *https://www.unog.ch/80256EDD006B8954/(httpAssets)/7EA110E50853887DC12583CC003032E7/$file/ICRC+GGE+LAWS+ICRC+statement+agenda+item+5c+25+03+2019.pdf*, fecha de revisión: 03/05/2019.

Comité Internacional de la Cruz Roja, *Statement of the International Committee of the Red Cross (ICRC) under agenda item 5(e) Possible options for addressing the humanitarian and international security challenges posed by emerging technologies in the area of lethal autonomous weapon systems in the context of the objectives and purposes of the Convention without prejudicing policy outcomes and taking into account past, present and future proposals* (declaración), (presentada ante la reunión del grupo de expertos gubernamentales en sistemas letales de armas autónomas en la CCW, celebrada en Ginebra, de 25-29 de marzo de 2019) [en línea], disponible en: *https://www.unog.ch/80256EDD006B8954/(httpAssets)/59013C15951CD355C12583CC002FDAFC/$file/CCW+G-*

GE+LAWS+ICRC+statement+agenda+item+5e+27+03+2019.pdf, fecha de revisión: 03/05/2019.

Comité Internacional de la Cruz Roja, *Statement of the International Committee of the Red Cross (ICRC) under agenda item 5(b) further consideration of the human element in the use of lethal force; aspects of human-machine interaction in the development, deployment and use of emerging technologies in the area of lethal autonomous weapon systems* (declaración), (presentada ante la reunión del grupo de expertos gubernamentales en sistemas letales de armas autónomas en la CCW, celebrada en Ginebra, de 25-29 de marzo de 2019) [en línea], disponible en: *https://www.unog.ch/80256EDD006B8954/(httpAssets)/A8474F2C2ED6CD48C12583CC00300940/$file/CCW+GGE+LAWS+ICRC+statement+agenda+item+5b+26+03+2019.pdf*, fecha de revisión: 03/05/2019.

Comentarios de España sobre la implementación nacional de los principios rectores de los SAAL, julio de 2020 [en línea], disponible en: *https://documents.unoda.org/wp-content/uploads/2020/07/20200706-Spain.pdf*, fecha de revisión: 21/01/2021.

Comentarios de España sobre "possible consensus recommendations in relation to the clarification, consideration and development of aspects of the normative and operational framework on emerging technologies in the area of lethal autonomous weapons systems", junio de 2021 [en línea], disponible en: *https://documents.unoda.org/wp-content/uploads/2021/06/Spain1.pdf*, fecha de revisión: 01/07/2021.

Declaración de Austria durante la reunión anual del 2013 de las Altas Partes contratantes de la CCW, celebrada en Ginebra, 15 de noviembre de 2013 [en línea], disponible en: *https://www.unog.ch/80256EDD006B8954/(httpAssets)/EF325AD171DD684DC1257CE5004DA3CA/$file/Austria_MSP+2013_statement.pdf*, fecha de revisión: 19/04/2019.

Declaración de Brasil durante la reunión anual del 2013 de las Altas Partes contratantes de la CCW, celebrada en Ginebra, 15 de noviembre de 2013 [en línea], disponible en: *https://www.unog.ch/80256EDD006B8954/(httpAssets)/2886300DB0B86E06C-*

1257CE5004DB49E/$file/Brazil_MSP+2013_statement.pdf, fecha de revisión: 19/04/2019.

Declaración de Francia ante la Primera Comisión de la Asamblea General de la ONU, 30 de octubre de 2013 [en línea], disponible en: *https://onu.delegfrance.org/30-October-2013-General-Assembly*, fecha de revisión: 15/04/2019.

Declaración de Grecia ante el cuarto grupo sobre «Armas convencionales» de la Primera Comisión de la Asamblea General de la ONU, sin fecha [en línea], disponible en: *http://reachingcriticalwill.org/images/documents/Disarmament-fora/1com/1com13/statements/29Oct_Greece.pdf*, fecha de revisión: 15/04/2019.

Declaración de Japón ante la Conferencia de Desarme en la Primera Comisión de la Sexta sesión de la Asamblea General de la ONU, en el debate temático sobre «Armas convencionales», 29 de octubre de 2013 [en línea], disponible en: *http://www.reachingcriticalwill.org/images/documents/Disarmament-fora/1com/1com13/statements/29Oct_Japan.pdf*, fecha de revisión: 15/04/2019.

Declaración de la ONG «Article 36» ante la reunión anual del 2013 de las Altas Partes contratantes de la CCW, celebrada en Ginebra, 14 de noviembre de 2013 [en línea], disponible en: *https://www.unog.ch/80256EDD006B8954/(httpAssets)/EDD2339875855360C1257CE8003BDBDD/$file/NGOarticle36_MSP_GenStatement_2013.pdf*, fecha de revisión: 19/04/2019.

Declaración de la Unión Europea ante la 23.ª sesión del Consejo de Derechos Humanos de la ONU, en el marco del diálogo interactivo son el relator especial sobre ejecuciones extrajudiciales, sumarias o arbitrarias, de 30 de mayo de 2013 [en línea], disponible en: *http://stopkillerrobots.org/wp-content/uploads/2013/11/HRC_EU_09_30May2013.pdf*, fecha de revisión: 24/04/2019.

Declaración de la Unión Europea, 69.ª sesión del Primer Comité de la Asamblea General de la ONU en la discusión temática sobre «armas convencionales», de 21 de octubre de 2014 [en línea], disponible en: *http://reachingcriticalwill.org/images/documents/Disarmament-fora/1com/1com14/statements/21Oct_EU.pdf*, fecha de revisión: 24/04/2019.

Declaración de la Unión Europea, reunión anual de 2013 de las Altas Partes contratantes de la CCW, 14 de noviembre de 2013 [en línea], disponible en: *https://www.unog.ch/80256EDD006B8954/(httpAssets)/64E999B619A08087C1257CE5004E12F7/$file/EU_MSP+2013_statement.pdf*, fecha de revisión: 24/04/2019.

Declaración de los Estados Unidos de América, 68.ª Discusión Temática de la Primera Comisión de la AGNU sobre Armas Convencionales, 28 de octubre de 2013 [en línea], disponible en: *http://reachingcriticalwill.org/images/documents/Disarmament-fora/1com/1com13/statements/29Oct_US.pdf*, fecha de revisión: 15/04/2019.

Declaración de Países Bajos, Conferencia de Desarme, con motivo del sexagésimo octavo período de sesiones de la Asamblea General en la Primera Comisión y ante un debate temático sobre armas convencionales, 28 de octubre de 2013 [en línea], disponible en: *http://reachingcriticalwill.org/images/documents/Disarmament-fora/1com/1com13/statements/29Oct_Netherlands.pdf*, fecha de revisión: 15/04/2019.

Declaración de Pakistán ante las Naciones Unidas, en el Debate General de la Primera Comisión (68 período de sesiones de la Asamblea General de las Naciones Unidas) en Ginebra, 16 de octubre de 2013 [en línea], disponible en: *http://www.reachingcriticalwill.org/images/documents/Disarmament-fora/1com/1com13/statements/16Oct_Pakistan.pdf*, fecha de revisión: 15/04/2019.

Declaración de Suiza, 68.º período de sesiones de la Asamblea General, Primera Comisión, en el debate temático sobre armas convencionales, Nueva York, 28 de octubre de 2013 [en línea], disponible en: *http://reachingcriticalwill.org/images/documents/Disarmament-fora/1com/1com13/statements/29Oct_Switzerland.pdf*, fecha de revisión: 15/04/2019.

Declaración del Comité Internacional de la Cruz Roja, reunión anual del 2013 de las Altas Partes contratantes de la CCW, celebrada en Ginebra, 15 de noviembre de 2013 [en línea], disponible en: *https://www.unog.ch/80256EDD006B8954/(httpAssets)/B16B653E13D12B26C1257CE5004E5A90/$file/ICRC_MSP+2013_statement.pdf*, fecha de revisión: 19/04/2019.

Declaración del Secretario General de la ONU, António Guterres, Reunión Plenaria de Alto Nivel de la Asamblea General de ese organismo internacional, para conmemorar y promover el Día

Internacional para la Eliminación Total de las Armas Nucleares, 26 de septiembre de 2018 [en línea], disponible en: *https://www.un.org/sg/en/content/sg/statement/2018-09-26/secretary-generals-statement-high-level-plenary-meeting-general*, fecha de revisión: 27/04/2019.

Declaración formal de la delegación de Brasil, diálogo interactivo celebrado en el Consejo de Derechos Humanos de la ONU, en el que fue presentado el informe núm. A/HRC/23/47 de la Relatoría especial sobre ejecuciones extrajudiciales, sumarias o arbitrarias, 30 de mayo de 2013 [en línea], disponible en: *http://stopkillerrobots.org/wp-content/uploads/2013/05/HRC_Brazil_09_30May2013.pdf*, última fecha de revisión: 15/04/2019.

Declaración formal de la delegación de Francia, diálogo interactivo celebrado en el Consejo de Derechos Humanos de la ONU, en el que fue presentado el informe núm. A/HRC/23/47 de la Relatoría especial sobre ejecuciones extrajudiciales, sumarias o arbitrarias, 30 de mayo de 2013 [en línea], disponible en: *http://stopkillerrobots.org/wp-content/uploads/2013/05/HRC_France_10_30May2013.pdf*, última fecha de revisión: 15/04/2019.

Declaración oficial de Suiza, reunión del período de sesiones del 2013 de las Altas Partes contratantes en la CCW, celebrada el 14-15 de noviembre de 2013, en Ginebra [en línea], disponible en: *https://www.unog.ch/80256EDD006B8954/(httpAssets)/4F3832326C7026C1C1257CE500358B17/$file/Switzerland_MSP_GenStatement_2013.pdf*, fecha de revisión: 04/05/2019.

Declaración sobre armas convencionales emitida por el Reino Unido, 68.ª Comisión de la UNGA, Nueva York, 28 de octubre de 2013 [en línea], disponible en: *http://www.reachingcriticalwill.org/images/documents/Disarmament-fora/1com/1com13/statements/29Oct_UK.pdf*, fecha de revisión: 15/04/2019.

Declaración sobre cooperación en IA (firmada entonces por solo 25 países de la UE aunque hoy ya está suscrita por todos los estados miembros de la organización), 10 de abril de 2018 [en línea], disponible en: *https://ec.europa.eu/digital-single-market/en/news/eu-member-states-sign-cooperate-artificial-intelligence*, fecha de revisión: 25/04/2019.

Declaración suscrita en San Petersburgo, del 29/11/1868, *con el objeto de prohibir el uso de determinados proyectiles en tiempo de guerra*, disponible en: *https://ihl-databases.icrc.org/applic/ihl/ihl.nsf/Article.xsp?action=openDocument&documentId=568842C2B-90F4A29C12563CD0051547C*, fecha de revisión: 06/06/2019.

Declaraciones hechas por los Estados Parte de la CCW, reunión anual de los Estados Parte de CCW, Ginebra, 14-15 de noviembre de 2013 [en línea], disponibles en: *https://www.unog.ch/unog/website/disarmament.nsf/(httpPages)/fb0c-58380d75a460c125831300392d34?OpenDocument&Expand-Section=3%2C1#_Section3*, fecha de revisión: 17/04/2019.

Future of Life Institute, «Lethal autonomous weapons pledge», *Future of Life Institute,* 2018 [en línea], disponible en: *https://futureoflife.org/lethal-autonomous-weapons-pledge/?cn-reloaded=1&cn-reloaded=1*, fecha de revisión: 04/05/2019.

Future of Life Institute, *An open letter to the United Nations Convention on Certain Conventional Weapons* (carta abierta dirigida a la CCW), 21/08/2017 [en línea], disponible en: *https://futureoflife.org/autonomous-weapons-open-letter-2017/*, fecha de revisión: 04/05/2019.

Future of Life Institute, *Autonomous weapons: an open letter from AI & robotics researchers* (carta abierta en el marco de la conferencia conjunta internacional sobre la IA celebrada en Buenos Aires), 28/07/2015 [en línea], disponible en: *https://futureoflife.org/open-letter-autonomous-weapons/*, fecha de revisión: 04/05/2019.

Guozhi, L., *La inteligencia artificial acelerará el proceso de transformación militar* (declaración, texto en chino mandarín), Asamblea Popular Nacional de China, 07/03/2017 [en línea], disponible en: *http://jz.chinamil.com.cn/zhuanti/content/2017-03/07/content_7517615.htm*, fecha de revisión: 22/04/2019.

Herraiz, J., *Intervención del Embajador de España D. Julio Herraiz, Delegado ante la Conferencia de Desarme* (carta), 11/04/2016 [en línea] disponible en: *https://www.unog.ch/80256EDD006B8954/(httpAssets)/11D5559FF34EE280C1257F9A004436F3/$-file/2016_LAWS+MX_GeneralExchange_Statements_Spain.pdf*, fecha de revisión: 02/04/2019.

Jinping, X. *Discurso de apertura del presidente Xi Jinping en la Cumbre de CEO de APEC* [texto en chino mandarín], Ministerio de Asuntos Exteriores de la República Popular China, 11/11/2017 [en línea], disponible en: *https://www.fmprc.gov.cn/web/zyxw/t1509676.shtml*, fecha de revisión: 22/04/2019.

Ki-moon, B., *Mensaje del ex secretario general de las Naciones Unidas, Ban Ki-moon, a las Altas Partes contratantes de la CCW* (reunión anual del 2013, al que dio lectura el entonces director de la Subdivisión de Ginebra de la Oficina de Asuntos de Desarme de las Naciones Unidas, Jarmo Sareva) [en línea], disponible en: *https://www.unog.ch/80256EDD006B8954/(httpAssets)/B713D4C966D13D36C1257CE8003BDB92/$file/DGS_MSP_GenStatement_2013.pdf*, fecha de revisión: 17/04/2019.

Mogherini, F., *Discurso de la Alta Representante de la Unión para Asuntos Exteriores y Política de Seguridad, vicepresidenta de la Comisión Europea y jefa de la Agencia Europea de Defensa, Federica Mogherini,* sede en la EDA (Bruselas: «*European Defence Agency's 2018 Annual Conference*», 29 de noviembre de 2018) [en línea], disponible en: *https://eeas.europa.eu/headquarters/headquarters-homepage/54646/speech-high-representativevice-president-federica-mogherini-annual-conference-european-defence_en*, fecha de revisión: 26/04/2019.

Robotics, *Open letter to the European Commission. Artificial intelligence and robotics,* 05/04/2018 [en línea], disponible en: *http://www.robotics-openletter.eu/*, fecha de revisión: 25/04/2019.

Statement to the Informal Meeting of Experts on Lethal Autonomous Weapons Systems (documento del Reino Unido), sin número ni fecha (presentado a la reunión del GEG sobre los SAAL en la CCW celebrada en Ginebra de 11-15 de abril de 2016), [en línea] disponible en: *http://www.unog.ch/80256EDD006B8954/(httpAssets)/44E4700A0A8CED0EC1257F940053FE3B/$-file/2016_LAWS+MX_Towardaworkingdefinition_Statements_United+Kindgom.pdf*, fecha de revisión: 31/05/2016.

Unión Europea, *Nota verbal s/n con las contribuciones sobre posibles recomendaciones consensuadas en relación con la aclaración, consideración y el desarrollo de aspectos del marco normativo y operativo sobre tecnologías emergentes en el área de los SAAL,* dirigida al embajador belga Marc Pecsteen, de fecha 16 de junio de 2021, [en línea], disponible en: *https://documents.unoda.org/wp-content/uploads/2021/06/European-Union.pdf*, última fecha de revisión: 01/07/2021.

Vignard, K., *Statement of the UN Institute for Disarmament Research* (declaración del Instituto de las Naciones Unidas para la Investigación de Desarme), sin número, 12/04/2016 (presentada ante la reunión informal del grupo de expertos gubernamentales en sistemas letales de armas autónomas en la CCW, celebrada en Ginebra el 12 de abril de 2016) [en línea], disponible en: *https://www.unog.ch/80256EDD006B8954/(httpAssets)/86C96CC8C7A932DCC1257F930057C0E3/$file/2016_LAWS+MX_GeneralExchange_Statements_UNIDIR.pdf*, fecha de revisión: 10/08/2019.

5.4. Otros recursos en línea

America's Navy, *AEGIS Weapon System* (ficha técnica), sin fecha [en línea], disponible en: *https://www.navy.mil/navydata/fact_display.asp?cid=2100&tid=200&ct=2*, fecha de revisión: 01/05/2019.

Army Technology, *Iron Dome* (ficha técnica descriptica del sistema móvil de defensa aérea), sin fecha [en línea], disponible en: *https://www.army-technology.com/projects/irondomeairdefence-mi/*, fecha de revisión: 30/04/2019.

Army Technology, *NBS Mantis* (descripción técnica del sistema de defensa de protección aérea), sin fecha [en línea], disponible en: *https://www.army-technology.com/projects/mantis/*, fecha de revisión: 01/05/2019.

BAE Systems Military Air & Information, *Taranis* (ficha técnica), sin fecha [en línea], disponible en: *https://www.baesystems.com/en/product/taranis*, fecha de revisión: 30/04/2019.

Brehm, M., *Role of private companies in creating/maintaining meaningful human control over the use of force in relation to the AWS debate* (conferencia), Universidad de Barcelona (Barcelona: «Regulación de los sistemas de armas autónomas: implicaciones legales y éticas en el contexto de una sociedad global», 18 de junio de 2018) [en línea], disponible en: *https://uboc.ub.edu/portal/*

Play/8e8df1d55a984d059542867532b686c01d, fecha de revisión: 04/05/2019.

Campaign to Stop Killer Robots, *The Convention on Conventional Weapons and Fully Autonomous Weapons* (documento de antecedentes), sin número, 26/09/2013 [en línea], disponible en: *http://stopkillerrobots.org/wp-content/uploads/2013/09/KRC_BackgrounderCCW_26Sep2013.pdf*, fecha de revisión: 07/05/2019.

Centre for Law, Technology and Society, «Call for an international ban on the weaponization of Artificial Intelligence» (carta dirigida al Primer Ministro de Canadá, Justin Trudeau), 2/11/2017 [en línea], disponible en: *https://techlaw.uottawa.ca/bankillerai*, fecha de revisión: 04/05/2019.

Chatila, R., *Autonomous Weapon Systems: technological issues and recommendations* (conferencia), Universidad de Barcelona (Barcelona: «Regulación de los sistemas de armas autónomas: implicaciones legales y éticas en el contexto de una sociedad global», 18 de junio de 2018) [en línea], disponible en: *https://uboc.ub.edu/portal/Play/8e8df1d55a984d059542867532b686c01d*, fecha de revisión: 04/05/2019.

Comité Internacional de la Cruz Roja, «ICRC position on autonomous weapon systems», *International Committee of the Red Cross*, 12/5/2021 [en línea], disponible en: *https://www.icrc.org/en/document/icrc-position-autonomous-weapon-systems*, fecha de revisión: 01/07/2021.

Comité Internacional de la Cruz Roja, «Protocolos adicionales I y II de los Convenios de Ginebra», *International Committee of the Red Cross*, 1/1/2009 [en línea], disponible en: *https://www.icrc.org/es/doc/resources/documents/misc/additional-protocols-1977.htm*, fecha de revisión: 07/05/2019.

Comité Internacional de la Cruz Roja, *Protocol Additional to the Geneva Conventions of 12 August 1949, and relating to the Protection of Victims of International Armed Conflicts (Protocol I), 8 June 1977,* sección de tratados, Estados parte y comentarios [en línea], disponible en: *https://ihl-databases.icrc.org/applic/ihl/ihl.nsf/Treaty.xsp?doc-*

umentId=D9E6B6264D7723C3C12563CD002D6CE4&action=openDocument, fecha de revisión: 13/06/2019.

Departamento de Defensa de los Estados Unidos, Research & Engineering Enterprise, información institucional [en línea], disponible en: *https://www.acq.osd.mil/dsb/*, fecha de revisión: 20/04/2019.

Fundación de Investigación Avanzada de la Federación Rusa, información institucional de proyectos en curso [en línea], disponible en: *https://fpi.gov.ru/projects*, fecha de revisión: 21/04/2019.

General Dynamics Corporation, *Phalanx Close-In Weapon System* (ficha técnica de la empresa División Pomona, actualmente *Raytheon*), sin fecha [en línea], disponible en: *https://www.raytheon.com/capabilities/products/phalanx*, fecha de revisión: 30/04/2019.

Geneva Academy of International Humanitarian Law and Human Rights, *Enciclopedia de Derecho de Armas de la Academia de Derecho Internacional Humanitario y Derechos Humanos de Ginebra* [en línea], disponible en: *http://www.weaponslaw.org/glossary/weapons-system*, fecha de revisión: 03/08/2019.

Global Security, *Mohajer (UAV)* (ficha técnica) [en línea], disponible en: *https://www.globalsecurity.org/military/world/iran/mohajer.htm*, fecha de revisión: 05/04/2019.

Grupo Europeo de Ética en la Ciencia y las Nuevas Tecnologías, Comisión Europea, información institucional [en línea], disponible en: *https://ec.europa.eu/info/research-and-innovation/strategy/support-policy-making/scientific-support-eu-policies/european-group-ethics-science-and-new-technologies-ege_en,* fecha de revisión: 25/04/2019.

Industria Aeroespacial Israelí, *Harpy NG* (ficha técnica del arma) [en línea], disponible en: *https://www.iai.co.il/p/harpy*, fecha de revisión: 30/04/2019.

Industria Aeroespacial Israelí, *The Guardium* (ficha técnica del vehículo de seguridad no tripulado) [en línea], disponible en: *http://www.iai.co.il/2013/37287-31663-en/Business_Areas_HomelandDefense.aspx*, fecha de revisión: 30/04/2019.

Industry Day for the Advanced Targeting and Lethality Automated System (ATLAS) Program (proyecto de la Armada de los Estados Unidos de Norteamérica), información disponible en: *https://www.fbo.gov/index.php?s=opportunity&mode=-form&id=29a4aed941e7e87b7af89c46b165a091&tab=core&_cview=0*, fecha de revisión: 01/05/2019.

Institute of Electrical and Electronics Engineers, *Ethically aligned design. A vision for prioritizing human well-being with autonomous and intelligent systems,* 1.ª y 2.ª versiones, 2017 [en línea], disponible en: *https://standards.ieee.org/content/dam/ieee-standards/standards/web/documents/other/ead_v2.pdf*, fecha de revisión: 04/05/2019.

Institute of Electrical and Electronics Engineers, *The IEEE Global Initiative on Ethics of Autonomous and Intelligent Systems,* información institucional [en línea], disponible en: *https://standards.ieee.org/industry-connections/ec/ead-v1.html*, fecha de revisión: 04/05/2019

Instituto de las Naciones Unidas para la Investigación del Desarme, información institucional [en línea], disponible en: *http://www.unidir.org*, fecha de revisión: 23/05/2019.

International Coalition for the International Criminal Court, *the crime of aggression,* [en línea], disponible en: *http://coalitionfortheicc.org/explore/icc-crimes/crime-aggression*, fecha de revisión: 20/07/2019.

MBDA, *Brimstone* (ficha técnica con especificaciones concretas de la Royal Air Force inglesa), sin fecha [en línea], disponible en: *https://www.mbda-systems.com/product/brimstone/*, fecha de revisión: 01/05/2019.

MBDA, *Brimstone 3* (ficha técnica), sin fecha [en línea], disponible en: *https://www.mbda-systems.com/press-releases/mbda-conducts-first-brimstone-3-firing/*, fecha de revisión: 01/05/2019.

Misión Permanente de Francia ante la Oficina de las Naciones Unidas en Ginebra, «Séminaire sur les systèmes d'armes entièrement autonomes» (nota de prensa), 03/09/2013 [en línea], disponible en: *https://cd-geneve.delegfrance.org/03-09-2013-Seminaire-sur-les,692*, fecha de revisión: 24/04/2019.

Multinational Capability Development Campaign, *Focus Area «Role of Autonomous Systems in Gaining Operational Access. Policy guidance autonomy in defence systems»*, Norfolk (EE.UU.),

29/10/2014 [en línea], disponible en: *https://innovationhub-act.org/sites/default/files/u4/Policy%2520Guidance%2520Autonomy%2520in%2520Defence%2520Systems%2520MCDC%25202013-2014%2520final.pdf*, fecha de revisión: 21/05/2019.

North Atlantic Treaty Organization, *2016 NATO Science & Technology Priorities,* 2016 [en línea], disponible en: *https://www.sto.nato.int/NATODocs/NATO%20Documents/Public/2016-NATO-Science-and-Technology-Priorities-Public-Release.pdf*, fecha de revisión: 23/04/2019.

Northrop Grumman, *Sistema Aéreo de Combate No Tripulado, modelo X-47B* (ficha técnica), sin fecha [en línea], disponible en: *http://www.northropgrumman.com/Capabilities/X47BUCAS/Pages/default.aspx*, fecha de revisión: 30/04/2019.

OACI, *Remotely piloted aircraft system (RPAS) concept of operations (CONOPS) for international IFR operations,* 2017 [en línea], disponible en: *https://www.icao.int/safety/ua/documents/rpas%20conops.pdf*, fecha de revisión: 04/04/2019.

Presidente del GEG, *Agenda item 6b. Human-Machine touchpoints in the context of emerging technologies in the area of lethal autonomous weapons systems* (presentación de PowerPoint), abril de 2018 (presentado en la reunión del GEG) [en línea], disponible en: *https://www.unog.ch/80256EDD006B8954/(httpAssets)/026AE767E3591BC5C125826D0046D41E/$file/Chair's+slides.pdf*, fecha de revisión: 09/05/2019.

Primera Comisión de la Asamblea General de las Naciones Unidas, *Action on draft resolutions and decisions under disarmament and international security agenda items (items 89 to 107 and 122)*, programa de trabajo del 68.º período de sesiones de la Asamblea General, núm. A/C.1/68/CRP.3, de 18/10/2013 [en línea], disponible en: *https://www.un.org/en/ga/first/68/PDF/CRP.3%20Programme%20for%20action.pdf*, fecha de revisión: 16/04/2019.

Raytheon, *Global Patriot (*ficha técnica del sistema de misiles de defensa), sin fecha [en línea], disponible en: *https://www.raytheon.com/capabilities/products/patriot*, fecha de revisión: 01/05/2019.

RoboLaw, *Regulating Emerging Robotic Technologies in Europe: Robotics facing Law and Ethics* (proyecto), núm. 289092,

22/09/2014 (SSSA y Comisión Europea) [en línea], disponible en: *http://www.robolaw.eu/RoboLaw_files/documents/robolaw_d6.2_guidelinesregulatingrobotics_20140922.pdf*, fecha de revisión: 24/04/2019.

Servicio Público Federal de Relaciones Exteriores, Comercio Exterior y Cooperación al Desarrollo del Reino de Bélgica, «Belgium to chair group of experts on the normative framework of Killer Robots» (nota de prensa), 15/04/2021 [en línea], disponible en: *https://diplomatie.belgium.be/en/newsroom/news/2021/belgium_chair_group_experts_normative_framework_killer_robots*, fecha de revisión: 07/05/2021.

Sharkey, N., *Sin título* (presentación de PowerPoint), Sheffield Centre for Robotics (Sheffield, «Reunión informal de expertos sobre los SAAL de la CCW», 13-16 de mayo de 2014) [en línea], disponible en: *https://www.unog.ch/80256EDD006B8954/(httpAssets)/78C4807FEE4C27E5C1257CD700611800/$file/Sharkey_MX_LAWS_technical_2014.pdf*, fecha de revisión: 23/05/2019.

Scharre, P., *The Terminator and the Roomba: What is autonomy?* (presentación, vídeo), Facultad de Derecho (Barcelona: «Sense and scope of autonomy in emerging military and security technologies», 27 de febrero de 2017) [en línea], disponible en: *http://uboc.ub.edu/portal/Play/2f6fd071941e4f72a0d2dc32fed-a825b1d* y *http://uboc.ub.edu/portal/Play/f246bfa7809f4113ad-1f68e6608354cf1d*, fecha de revisión: 21/05/2019.

Schmidt, E. y Work, R., *opening remarks*, the National Security Commission on Artificial Intelligence (Washington: «virtual public plenary session to formally vote on the approval of the NSCAI's final report», 01 de marzo de 2021) [en línea], disponible en: *https://youtu.be/NEi9OwIWPss*, fecha de revisión: 03/03/2021.

Slaughterbots (vídeo), disponible en: *https://autonomousweapons.org/slaughterbots*, fecha de revisión: 07/04/2019.

STM, *KARGU* (ficha técnica), sin fecha [en línea], disponible en: *https://www.stm.com.tr/en/kargu-autonomous-tactical-multi-rotor-attack-uav*, fecha de revisión: 01/07/2021.

Stop Killer Robots, disponible en: *https://www.stopkillerrobots.org*, fecha de revisión 03/08/2019.

The Science and Technology Organization (STO) (página web), disponible en: *https://www.sto.nato.int/Pages/default.aspx*, fecha de revisión: 23/04/2019.

Trusted Autonomous Systems (TAS) (página web), disponible en: *https://tasdcrc.com.au/*, fecha de revisión: 30/09/2021.

US Army Acquisition Support Center, *Counter-rocket, artillery, mortar (C-RAM) intercept land-based phalanx weapon system (LPWS)* (ficha técnica), sin fecha [en línea], disponible en: *https://asc.army.mil/web/portfolio-item/ms-c-ram_lpws*, fecha de revisión: 30/04/2019.

Vallor, S., *The real risks of artificial intelligence* (presentación de Powerpoint), Swiss Re Centre for Global Dialogue (Zúrich, 27 de noviembre de 2017) [en línea], disponible en: *https://www.swissre.com/dam/jcr:015010ac-8a0d-481e-a8f9-710d64ec8c15/Presentation+Shannon+Vallor.pdf*, fecha de revisión: 09/08/2019.

Wellbrink, J., *Roboter Am Abzug* (presentación), semanario de discusión en Zebis (Berlín, Seminario de Discusión, 4 de septiembre de 2013) [en línea], información disponible en: *http://www.zebis.eu/veranstaltungen/archiv/podiumsdiskussion-roboter-am-abzug-sind-soldaten-ersetzbar/*, fecha de revisión: 09/08/2019.

Work, R., *Chapter 4: Autonomous Weapon Systems and Risks Associated with AI-Enabled Warfare* (presentación), the National Security Commission on Artificial Intelligence (Washington: «Plenary for NSCAI Commissioners to deliberate and review the final report 'National Security Commission on Artificial Intelligence', due to Congress and the President in March 2021», 25 de enero de 2021) [en línea], disponible en: *https://youtu.be/gov6_qWxWsQ*, fecha de revisión: 03/03/2021.

Zawieska, K., *Do robots equal humans? Anthropomorphic terminology in Laws* (*presentación* de PowerPoint), Palacio de las Naciones (Ginebra, «Meeting of Experts on Lethal Autonomous Weapons Systems», 13-17 de abril de 2015) [en línea], disponible en: *https://www.unog.ch/80256EDD006B8954/(httpAssets)/BA93E017841619C2C1257E290041C0B9/$file/K+Zawieska_CCW2015.pdf*, fecha de revisión: 10/08/2019.

5.5. Artículos no académicos en páginas web

Alston, P., «Statement by Professor Philip Alston, Special Rapporteur on Extrajudicial, Summary or Arbitrary Executions», *Consejo de Derechos Humanos de la ONU,* sin fecha [en línea], disponible en: *https://www.un.org/webcast/unhrc/11th/statements/Alston_STMT.pdf*, fecha de revisión: 10/04/2019.

Atherton, K., «Industry Starts Work On Weapons That Can See; Autonomy Comes Next», *Breaking Defense,* 2020 [en línea], disponible en: *https://breakingdefense.com/2020/10/industry-starts-work-on-weapons-that-can-see-autonomy-comes-next/*, fecha de revisión: 21/01/2021.

Asaro, P., «How just could a robot war be?», *Cybersophe,* sin fecha [en línea], disponible en: *http://cybersophe.org/writing/Asaro%20Just%20Robot%20War.pdf*, fecha de revisión 09/04/2019.

Asaro, P., «ICRAC statement at the March 2019 CCW GGE», *International Committee for Robot Arms Control*, 26/03/2019 [en línea], disponible en: *https://www.icrac.net/icrac-statement-at-the-march-2019-ccw-gge/*, fecha de revisión: 02/05/2019.

Bajema, N., «To Protect Against Weaponized Drones, We Must Understand Their Key Strengths», *IEEE Spectrum,* 24/05/2021 [en línea], disponible en: *https://spectrum.ieee.org/robotics/military-robots/to-protect-against-weaponized-drones-we-must-understand-their-key-strengths*, fecha de revisión: 01/07/2021.

Bayley, J., «Transforming ISR capabilities through AI, Machine Learning and Big Data Insights from Dr. Thomas Killion, Chief Scientist, NATO», *Defence IQ,* 2018 [en línea], disponible en: *https://www.defenceiq.com/defence-technology/news/transforming-isr-capabilities-through-ai-machine-learning-and-big-data*, fecha de revisión: 10/06/2019.

Bendett, S., «204. Major Trends in Russian Military Unmanned Systems Development for the Next Decade», *Mad Scientist Laboratory,* 23/01/2020 [en línea], disponible en: *https://madsciblog.tradoc.army.mil/204-major-trends-in-russian-military-unmanned-systems-development-for-the-next-decade/,* fecha de revisión: 21/01/2021.

Bendett, S., «Putin Orders Up a National AI Strategy», *Defense One,* 2019 [en línea], disponible en:

https://www.defenseone.com/technology/2019/01/putin-orders-national-ai-strategy/154555/, fecha de revisión: 21/04/2019.

Bendett, S., «In AI, Russia is hustling to catch up», *Defense One,* 2018 [en línea], disponible en: *https://www.defenseone.com/ideas/2018/04/russia-races-forward-ai-development/147178/*, fecha de revisión: 21/04/2019.

Bendett, S., «Russia Presses Ahead With Combat Robots. In the air and on land», *War is Boring,* 08/11/2017 [en línea], disponible en: *https://warisboring.com/russia-presses-ahead-with-armed-military-robots/, f*echa de revisión: 21/01/2021.

Bendett, S., «Should the U.S. Army Fear Russia's Killer Robots?», *National Interest,* 08/11/2017 [en línea], disponible en: *https://nationalinterest.org/blog/the-buzz/should-the-us-army-fear-russias-killer-robots-23098, f*echa de revisión: 21/01/2021.

Blinde, L., «Army posts HSA-DM RFI», *Intelligence Community News,* 17/04/2020 [en línea], disponible en: *https://intelligencecommunitynews.com/army-posts-hsa-dm-rfi/*, *f*echa de revisión: 09/05/2021.

Borrell, J., «La doctrina Sinatra», *Política Exterior,* vol. 197, 22/06/2020 [en línea], disponible en: *https://www.politicaexterior.com/articulo/la-doctrina-sinatra/, f*echa de revisión: 07/05/2021.

Bowcott, O., «UK opposes international ban on developing "killer robots"», *The Guardian,* 2015 [en línea], disponible en: *https://www.theguardian.com/politics/2015/apr/13/uk-opposes-international-ban-on-developing-killer-robots*, fecha de publicación: 13/04/2015.

Brands, H. y Feaver, P., «After ISIS: U.S. political-military strategy in the global war on terror», *Center for Strategic and Budgetary Assessments (CSBA),* 2017 [en línea], disponible en: *https://csbaonline.org/uploads/documents/After_ISIS_US_Politico-Military_Strategy_in_the_Global_War_on_Terror.pdf*, fecha de revisión: 06/04/2019.

Brown, A. y Newport, F., «In U.S., 65% support drone attacks on terrorists abroad. Less than half of Americans are closely following news on drones», *Gallup,* 25/03/2013 [en línea], disponible en:

https://news.gallup.com/poll/161474/support-drone-attacks-terrorists-abroad.aspx, fecha de revisión: 06/04/2019.

Campaign to Stop Killer Robots, «Global poll shows 61 % oppose Killer Robots», 22/01/2019 [en línea], disponible en: *https://www.stopkillerrobots.org/2019/01/global-poll-61-oppose-killer-robots/*, fecha de revisión: 09/08/2019.

Campaign to Stop Killer Robots, «Opposition to killer robots remains strong — poll», 28/01/2021 [en línea], disponible en: *https://www.stopkillerrobots.org/2021/01/poll-opposition-to-killer-robots-strong/*, fecha de revisión: 04/02/2021.

Campaign to Stop Killer Robots, *Steering Committee members. As of October 2018*, octubre de 2018 [en línea], disponible en: *https://www.stopkillerrobots.org/wp-content/uploads/2018/10/KRC_SCmembers_Oct2018rev.pdf*, fecha de revisión: 02/05/2019.

Carey, B., «Boeing phantom works develops "Dominator" UAV», *AIN online,* 2/11/2012 [en línea], disponible en: *https://www.ainonline.com/aviation-news/defense/2012-11-02/boeing-phantom-works-develops-dominator-uav*, fecha de revisión: 30/04/2019.

Carrasco, B., «El Ministerio de Defensa elabora nueva estrategia de I+D+i hasta 2025», *infodefensa,* 03/12/2020 [en línea], disponible en: *https://www.infodefensa.com/es/2020/12/03/noticia-ministerio-defensa-elabora-nueva-estrategia.html*, fecha de revisión: 21/01/2021.

Case, N., «How To Become A Centaur», *JoDS,* 08/01/2018 [en línea], disponible en: *https://jods.mitpress.mit.edu/pub/issue3-case/release/6?version=c847d892-97dc-40a7-a412-315d255b9b2d*, fecha de revisión: 21/01/2021.

Cavanaugh, D., «Robot guns guard the borders of some countries, and more might follow their lead», *Offiziere,* 12/04/2016 [en línea], disponible en: *https://www.offiziere.ch/?p=27012*, fecha de revisión: 30/04/2019.

Centro de Comando de Combate Conjunto de la Comisión Militar Central China, *Acelerar la construcción de un sistema de comando operacional conjunto con las características de nuestros militares* [texto en chino mandarín] (estudio en profundidad e implementación del discurso del Presidente Xi Jinping al inspeccionar el Comité Central Conjunto del Partido Comunista Chino), 15/08/2016 [en línea] disponible en: *http://www.qstheory.cn/dukan/qs/2016-08/15/c_1119374690.htm*, fecha de revisión: 22/04/2019.

Cet, «¿Es posible enseñar ética a una máquina?», *El País,* 26/11/2019 [en línea] disponible en: *https://elpais.com/economia/2019/11/18/thinkbig_empresas/1574073755_622020.html*, fecha de revisión: 21/01/2021.

Cole, C., Dobbing, M. y Hailwood, A., «Convenient Killing. Armed Drones and the "Playstation" Mentality», *Fellowship of Reconciliation,* 2010, [en línea], disponible en: *https://dronewarsuk.files.wordpress.com/2010/10/conv-killing-final.pdf*, fecha de revisión: 06/04/2019.

Comité Internacional de la Cruz Roja, «Los Convenios de Ginebra de 1949 y sus Protocolos adicionales», *International Committee of the Red Cross,* 1/1/2014 [en línea], en: *https://www.icrc.org/es/document/los-convenios-de-ginebra-de-1949-y-sus-protocolos-adicionales*, fecha de revisión: 07/05/2019.

Comité Internacional de la Cruz Roja, *Glossary Terms used in EHL,* 2009 [en línea], disponible en: *https://www.icrc.org/en/doc/what-we-do/building-respect-ihl/education-outreach/ehl/ehl-other-language-versions/ehl-english-glossary.pdf*, fecha de revisión: 06/06/2019.

Comité Internacional de la Cruz Roja, *New technologies and IHL* (blog) [en línea], disponible en: *https://www.icrc.org/en/war-and-law/weapons/ihl-and-new-technologies*, fecha de revisión: 03/05/2019.

Comité Internacional para el Control de Armas Robóticas [ICRAC por sus siglas en inglés, *International Committee for Robot Arms Control*], página web, disponible en: *https://www.icrac.net/*, fecha de revisión: 11/04/2019.

Courtland, R., «DARPA's self-driving submarine hunter steers like a human», *IEEE Spectrum,* 07/04/2016 [en línea], disponible en: *https://spectrum.ieee.org/automaton/robotics/military-robots/darpa-actuv-self-driving-submarine-hunter-steers-like-a-human*, fecha de revisión: 01/05/2019.

Cox, M., «Army's next infantry weapon could have facial-recognition technology», *Military,* 01/06/2019 [en línea], disponible en: *https://www.military.com/daily-news/2019/06/01/armys-next-infantry-weapon-could-have-facial-recognition-technology.html*, fecha de revisión: 10/06/2019.

Cózar, C., «El ejército de los drones: Defensa apuesta por el negocio de los 127.000 M», *El español,* 09/05/2018 [en línea], disponible en: *https://www.elespanol.com/economia/empresas/20180509/ejercito-drones-defensa-apuesta-negocio/305720474_0.html*, fecha de revisión: 06/04/2019.

Chalabov, K., «El Estado Mayor de la Federación Rusa calificó las principales características de la futura guerra», *Iz,* 24/03/2018 [en línea], disponible en: *https://iz.ru/724146/2018-03-24/genshtab-rf-nazval-glavnye-osobennosti-voiny-budushchego*, fecha de revisión: 21/04/2019.

Chaudhary, S., «Japan To Deploy Unmanned Fighter Jets By 2035 With Aim To Counter Rising Chinese Military Might», *The Eurasian Times,* 01/01/2021 [en línea], disponible en: *https://eurasiantimes.com/japan-to-deploy-unmanned-fighter-jets-by-2035-with-aim-to-counter-rising-chinese-military-might/*, fecha de revisión: 21/01/2021.

Dahm, M., «CHINESE DEBATES ON THE MILITARY UTILITY OF ARTIFICIAL INTELLIGENCE», *War on the Rocks,* 05/06/2020 [en línea], disponible en: *https://warontherocks.com/2020/06/chinese-debates-on-the-military-utility-of-artificial-intelligence/, fecha de revisión: 01/07/2021.*

Dastin, J. y Dave, P., «U.S. commission cites 'moral imperative' to explore AI weapons», *Reuters,* 26/01/2021 [en línea], disponible en: *https://www.reuters.com/article/us-usa-military-ai-idUSKBN29V2M0*, fecha de revisión: 30/01/2021.

Davis, D., «Who decides: Man or machine?», *Armed Forces Journal,* 01/11/2007 [en línea], disponible en: *http://armedforcesjournal.com/who-decides-man-or-machine*, fecha de revisión: 14/04/2019.

Defense Industry Daily, «Israel Deploying «See-Shoot» RWS Along Gaza», *Defense Industry Daily*, 07/06/2007 [en línea], disponible en: *https://www.defenseindustrydaily.com/israel-deploying-see-shoot-rws-along-gaza-03354/*, fecha de revisión: 30/04/2019.

Defense World, «Russian Su-35 Fighter Equipped With "Artificial Intelligence"», *Defense World,* 13/11/2017 [en línea], disponible en: *https://www.defenseworld.net/news/21257/Russian_Su_35_Fighter_Equipped_With__Artificial_Intelligence_#.XM12yY4zZ-PY, fecha de revisión: 15/08/2019.*

Dewees, B., Umphres, Ch. y Tung, M., «Decisions on the battlefield», *War on the Rocks,* 11/01/2021 [en línea], disponible en: *https://warontherocks.com/2021/01/machine-learning-and-life-and-death-decisions-on-the-battlefield/, fecha de revisión: 21/01/2021.*

Dilda, L., «Artificial Intelligence: The European Parliament's New Guidelines», *European Army Interoperability Centrel,* 22/12/2020 [en línea], disponible en: *https://finabel.org/artificial-intelligence-the-european-parliaments-new-guidelines*, fecha de revisión: 21/01/2021.

Dobovsek, J., «La jurisdicción internacional penal», *Aequitas Virtual,* 2004 [en línea], disponible en: *http://www.corteidh.or.cr/tablas/r27453.pdf*, fecha de revisión: 12/08/2019.

Dreazen, Y., «The next Arab-Israeli war will be fought with drones. Hezbollah, weaponized robots, and a future that's already here», *The New Republic,* 27/03/2014 [en línea], disponible en: *https://newrepublic.com/article/117087/next-arab-israeli-war-will-be-fought-drones*, fecha de revisión: 05/04/2019.

ScienceDuuude, «Automating Death and Destruction. The future of drones, robots, AI, and humanity», *Medium,* 10/12/2020 [en línea], disponible en: *https://medium.com/datadriveninvestor/automating-death-and-destruction-816d9f824683*, fecha de revisión: 21/01/2021.

Eliasson, J. y Smith, D., «Joe Biden's arms control ambitions are welcome—but delivering on them will not be easy», *Stockholm International Peace Research Institute (SIPRI),* 2021 [en línea], disponible en: *https://www.sipri.org/commentary/essay/2021/joe-bidens-arms-control-ambitions-are-welcome-delivering-them-will-not-be-easy*, fecha de revisión: 21/01/2021.

Emondi, A., «Next-Generation Nonsurgical Neurotechnology», *Defense Advanced Research Projects Agency (DARPA),* 2021 [en línea], disponible en: *https://www.darpa.mil/program/next-generation-nonsurgical-neurotechnology*, fecha de revisión: 21/01/2021.

Etzioni, A. y Etzioni, O., «Pros and cons of autonomous weapons systems», *Army University Press,* 2018 [en línea], disponible en: *https://www.armyupress.army.mil/Portals/7/military-review/Archives/English/pros-and-cons-of-autonomous-weapons-systems.pdf*, fecha de revisión: 04/08/2019.

Flir, «Robot de tamaño medio compatible con IOP. FLIR Centaur», *Flir,* 2020 [en línea], disponible en: *https://www.flir.es/products/centaur/*, fecha de revisión: 21/01/2021.

Fourtané, S., «Autonomous Military Robots as Warfighters», *Interest Ingengineering,* 2020 [en línea], disponible en: *https://interestingengineering.com/autonomous-military-robots-as-warfighters*, fecha de revisión: 21/01/2021.

Foster, G., «The National Defense Strategy Is No Strategy», *Defense One,* 04/04/2019 [en línea], disponible en: *https://www.defenseone.com/ideas/2019/04/national-defense-strategy-no-strategy/156068*, fecha de revisión: 20/04/2019.

Frantzman, S., «Israeli drones in Azerbaijan raise questions on use in the battlefield», *The Jerusalem Post,* 01/10/2020 [en línea], disponible en: *https://www.jpost.com/middle-east/israeli-drones-in-azerbaijan-raise-questions-on-use-in-the-battlefied-644161*, fecha de revisión: 01/07/2021.

Fryer-Biggs, Z., «Coming Soon to a Battlefield: Robots That Can Kill», *The Atlantic Daily,* 03/09/2019 [en línea], disponible en: *https://www.theatlantic.com/technology/archive/2019/09/killer-robots-and-new-era-machine-driven-warfare/597130/*, fecha de revisión: 07/05/2021.

Freedberg, S., «Centaur Army: Bob work, robotics, and the third offset strategy», *Breaking Defense,* 09/11/2015 [en línea], disponible en: *https://breakingdefense.com/2015/11/centaur-army-bob-work-robotics-the-third-offset-strategy*, fecha de revisión: 20/04/2019.

Garamone, J., «Exercise Reveals Advantages Artificial Intelligence Gives in All-Domain Ops», *U.S. Dep of Defense,* 01/04/2021 [en línea], disponible en: *https://www.defense.gov/Explore/News/Article/Article/2558696/exercise-reveals-advantages-artificial-intelligence-gives-in-all-domain-ops/*, fecha de revisión: 09/05/2021.

Gobierno de Canada, *Innovations militaires de l'armée chinoise dans le secteur des nouvelles technologies,* 11/05/2018 [en línea], disponible en: *https://www.canada.ca/fr/service-renseignement-securite/organisation/publications/la-chine-a-lere-de-la-rivalite-strategique/innovations-militaires-de-larmee-chinoise-dans-le-secteur-des-nouvelles-technologies.html*, fecha de revisión: 22/04/2019.

Goldhill, O., «Can we trust robots to make moral decisions?», *Quartz,* 3/4/2016 [en línea], disponible en: *https://qz.com/653575/can-we-trust-robots-to-make-moral-decisions*, fecha de revisión: 26/06/2019.

Greene, T., «Russia is developing AI missiles to dominate the new arms race», *Qrius,* 01/08/2017 [en línea], disponible en: *https://qrius.com/russia-developing-ai-missiles/*, fecha de revisión: 21/01/2021.

Groll, E., «Iran is deploying drones in Iraq. Wait, What? Iran has drones?», *Foreign Policy,* 25/06/2014 [en línea], disponible en: *https://foreignpolicy.com/2014/06/25/iran-is-deploying-drones-in-iraq-wait-what-iran-has-drones/*, fecha de revisión: 05/04/2019.

Guetlein, M., «Lethal autonomous weapons - ethical and doctrinal implications», *Departamento Conjunto de Operaciones Militares de la Escuela Naval de EE UU,* febrero de 2005 [en línea], disponible en: *https://apps.dtic.mil/dtic/tr/fulltext/u2/a464896.pdf*, fecha de revisión: 31/05/2019.

Haj-Saleh, A., «Qué son exactamente los "bots" y cómo funcionan», *Revista electrónica GQ,* 05/03/2017 [en línea], disponible en: *https://www.revistagq.com/noticias/tecnologia/articulos/que-son-exactamente-los-bots-y-como-funcionan/25633*, fecha de revisión: 03/04/2019.

Hajdin, N., «Commentary on the ICC statute», *Case Matrix Network,* 30/06/2016 [en línea], disponible en: *https://www.casematrixnetwork.org/cmn-knowledge-hub/icc-commentary-clicc/commentary-rome-statute/commentary-rome-statute-part-3/*, fecha de revisión: 21/07/2019.

Heinrichs, R., «How Israel's iron dome anti-missile system works», *Business Insider,* 30/07/2014 [en línea], disponible en: *https://www.businessinsider.com/how-israels-iron-dome-anti-missile-system-works-2014-7?IR=T*, fecha de revisión: 30/04/2019.

Hitchens, T., «Army's 'Team Ignite' Sets Futuristic R&D Targets: AI, Robotics, Autonomy», *Breaking Defense,* 2020 [en línea], disponible en: *https://breakingdefense.com/2020/10/armys-team-ignite-sets-futuristic-rd-targets-ai-robotics-autonomy/*, fecha de revisión: 21/01/2021.

Homeland Security News Wire, «Autonomous see-shoot systems drawing interest», *Homeland Security News Wire,* 15/06/2007 [en línea], disponible en: *http://www.homelandsecuritynewswire.com/autonomous-see-shoot-systems-drawing-interest*, fecha de revisión: 30/04/2019.

Hughes, R. y Ben-David, A., «IDF deploys sentry tech on Gaza Border», *Jane's Defence Weekly,* 06/06/2007 [en línea], disponible en: *https://www.researchgate.net/publication/291483334_IDF_deploys_Sentry_Tech_on_Gaza_border*, fecha de revisión: 30/04/2019.

Human Rights Watch, «Killer robots», *Human Rights Watch,* 2010 [en línea], disponible en: *https://www.hrw.org/topic/arms/killer-robots*, fecha de revisión: 02/05/2019.

Human Rights Watch, «Review of the 2012 US Policy on Autonomy in Weapons Systems. US Policy on Autonomy in Weapons Systems is First in the World», *Human Rights Watch,* 15/04/2013 [en línea], disponible en: *https://www.hrw.org/news/2013/04/15/review-2012-us-policy-autonomy-weapons-systems*, fecha de revisión: 02/05/2019.

Human Rights Watch, «Stopping Killer Robots. Country Positions on Banning Fully Autonomous Weapons and Retaining Human Control», *Human Rights Watch,* 2020 [en línea], disponible en: *https://www.hrw.org/report/2020/08/10/stopping-killer-robots/country-positions-banning-fully-autonomous-weapons-and#*, fecha de revisión: 30/09/2021.

Husseini, T., «US Army clarifies rules on autonomous armed robots», *Army Technology,* 13/03/2019 [en línea], disponible en: *https://*

www.army-technology.com/digital-disruptions/us-army-armed-robots/, fecha de revisión: 01/05/2019.

Iddon, P., «These Israeli Weapons Systems Can Go A Long Way On The Modern Battlefield», *Forbes,* 28/04/2021 [en línea], disponible en: *https://www.forbes.com/sites/pauliddon/2021/04/28/these-israeli-systems-can-give-their-operator-a-decisive-edge-on-the-modern-battlefield/?sh=238b30ca13df*, fecha de revisión: 01/07/2021.

Jeangène, J-B., «A FRENCH OPINION ON THE ETHICS OF AUTONOMOUS WEAPONS», *War on the Rocks,* 02/06/2021 [en línea], disponible en: *https://warontherocks.com/2021/06/the-french-defense-ethics-committees-opinion-on-autonomous-weapons/, fecha de revisión: 01/07/2021.*

JI, J., «Talks on rules for AI-based weapons hit snags», *The Japan Times,* 2020 [en línea], disponible en: *https://www.japantimes.co.jp/news/2020/07/24/national/ai-weapons-negotiations/*, fecha de revisión: 21/01/2021.

Jordán, J., «Innovación y revolución en los asuntos militares: una perspectiva no convencional», *GESI,* 09/06/2014 [en línea], disponible en: *http://www.seguridadinternacional.es/?q=es/content/innovaci%C3%B3n-y-revoluci%C3%B3n-en-los-asuntos-militares-una-perspectiva-no-convencional*, fecha de revisión: 19/04/2019.

Judson, J., «From Multi-Domain Battle to Multi-Domain Operations: Army evolves its guiding concept», *Defense News,* 2018 [en línea], disponible en: *https://www.defensenews.com/digital-show-dailies/ausa/2018/10/09/from-multi-domain-battle-to-multi-domain-operations-army-evolves-its-guiding-concept/*, fecha de revisión: 21/01/2021.

Kallenborn, Z., «Meet the future weapon of mass destruction, the drone swarm», *The Bulletin,* 05/04/2021 [en línea], disponible en: *https://thebulletin.org/2021/04/meet-the-future-weapon-of-mass-destruction-the-drone-swarm/*, fecha de revisión: 07/05/2021.

Kallenborn, Z., «SWARMS OF MASS DESTRUCTION: THE CASE FOR DECLARING», *The Modern War Institute at Westpoint,* 28/05/2020 [en línea], disponible en: *https://mwi.usma.edu/*

swarms-mass-destruction-case-declaring-armed-fully-autonomous-drone-swarms-wmd/, fecha de revisión: 07/05/2021.

Kania, E., «The pla's trajectory from informatized to "intelligentized" warfare», *The Strategy Bridge,* 08/06/2017 [en línea], disponible en: *https://thestrategybridge.org/the-bridge/2017/6/8/-chinas-quest-for-an-ai-revolution-in-warfare#_ednref6*, fecha de revisión: 22/04/2019.

Klimentyev, M., «For Superpowers, Artificial Intelligence Fuels New Global Arms Race. Russia, China, US are rushing to weaponize artificial intelligence», *Wired,* 09/08/2017 [en línea], disponible en: *https://www.wired.com/story/for-superpowers-artificial-intelligence-fuels-new-global-arms-race/*, fecha de revisión: 21/01/2021.

Kokalitcheva, K., «Pentagon makes its Silicon Valley unit permanente», *Axios,* 10/08/2018 [en línea], disponible en: *https://www.axios.com/the-pentagon-makes-its-silicon-valley-unit-permanent-236d4fa0-4f50-4955-8385-558cc62da7dc.html*, fecha de revisión: 19/04/2019.

Laird, B., «The Risks of Autonomous Weapons Systems for Crisis Stability and Conflict Escalation in Future US-Russia Confrontations», *Russia Matters,* 02/06/2020 [en línea], disponible en: *https://russiamatters.org/analysis/risks-autonomous-weapons-systems-crisis-stability-and-conflict-escalation-future-us-russia*, fecha de revisión: 21/01/2021.

Lang, J., van Munster, R. y Schott, R. M., «Failure to define killer robots means failure to regulate them. States disagree on definition of lethal autonomous weapons», *Danish Institute for International Studies,* 02/02/2018 [en línea], disponible en: *https://www.diis.dk/en/research/failure-to-define-killer-robots-means-failure-to-regulate-them*, fecha de revisión: 03/08/2019.

Lewis, D., «An Enduring Impasse on Autonomous Weapons», *Just Security,* 28/09/2020 [en línea], disponible en: *https://www.justsecurity.org/72610/an-enduring-impasse-on-autonomous-weapons/*, fecha de revisión: 21/01/2021.

Lopez, T., «Defense Official Discusses Unmanned Aircraft Systems, Human Decision-Making, AI», *U.S. Dep of Defense,* 03/02/2021 [en línea], disponible en: *https://www.defense.gov/Explore/News/Article/Article/2491512/defense-official-discusses-unmanned-air-*

craft-systems-human-decision-making-ai/, fecha de revisión: 08/05/2021.

Marijan, B., «Canada's deafening silence on the creation of autonomous weapons», *Toronto Star,* 08/10/2020 [en línea], disponible en: *https://www.thestar.com/opinion/contributors/2020/10/09/canadas-deafening-silence-on-the-creation-of-autonomous-weapons.html*, fecha de revisión: 21/01/2021.

Masunaga, S., «The Navy is starting to put up real money for robot submarines», *Los Angeles Times,* 2019 [en línea], disponible en: *https://www.latimes.com/business/la-fi-boeing-undersea-drones-navy-contract-20190419-story.html*, fecha de revisión: 21/01/2021.

Mckinney, W., «Russia is building war robots: a fully-automated kalashnikov neural network gun», *Edgy,* 07/07/2017 [en línea], disponible en: *https://edgy.app/war-robots-automated-kalashnikov-neural-network-gun/*, fecha de revisión: 01/05/2019.

Mcleary, P., «The Pentagon's Third Offset May Be Dead, But No One Knows What Comes Next», *Foreign Policy,* 18/12/2017 [en línea], disponible en: *https://foreignpolicy.com/2017/12/18/the-pentagons-third-offset-may-be-dead-but-no-one-knows-what-comes-next/*, fecha de revisión: 19/04/2019.

Mizokami, K., «Kalashnikov Will Make an A.I.-Powered Killer Robot. What could possibly go wrong?», *Popular Mechanics,* 19/07/2017 [en línea], disponible en: *https://www.popularmechanics.com/military/weapons/news/a27393/kalashnikov-to-make-ai-directed-machine-guns/*, fecha de revisión: 21/01/2021.

Mortiner, C., «China's security boss planning to use AI to stop crime before it even happens», *Independent,* 22/09/2017 [en línea], disponible en: *https://www.independent.co.uk/news/world/asia/china-ai-crimes-before-happen-artificial-intelligence-security-plans-beijing-meng-jianzhu-a7962496.html*, fecha de revisión: 22/04/2019.

Navi Recognition, «US Navy wants to develop and procure three types of large naval unmanned vehicles for Fiscal Year 2021», *Navy Recognition,* 27/12/2020 [en línea], disponible en: *https://www.navyrecognition.com/index.php/focus-analysis/naval-technology/9474-us-navy-wants-to-develop-and-procure-three-types-*

of-large-naval-unmanned-vehicles-for-fiscal-year-2021.html, fecha de revisión: 21/01/2021.

Newdick, T., «AI-Controlled F-16s Are Now Working As A Team In DARPA's Virtual Dogfights» *The Drive,* 22/03/2021 [en línea], disponible en: *https://www.thedrive.com/the-war-zone/39899/darpa-now-has-ai-controlled-f-16s-working-as-a-team-in-virtual-dogfights*, fecha de revisión: 07/05/2021.

Newsroom, «Collaborating with UAVTEK to develop nano 'Bug' drone», *BAE Systems,* 2020 [en línea], disponible en: *https://www.baesystems.com/en/collaborating-with-uavtek-to-develop-nano-bug-drone*, fecha de revisión: 21/01/2021.

New America, «Who Has What: Countries with Armed Drones», *World of Drones,* 2021 [en línea], disponible en: *https://www.newamerica.org/international-security/reports/world-drones/who-has-what-countries-with-armed-drones/*, fecha de revisión: 21/01/2021.

Noticias ONU, «Acabar con el COVID-19 y luchar contra el cambio climático entre las 10 prioridades del Secretario General de la ONU para 2021», *Noticias ONU,* 28/01/2021 [en línea], disponible en: *https://news.un.org/es/story/2021/01/1487222*, fecha de revisión: 07/02/2021.

O'Hanlon, K., «The best defense? An alternative to all-out war or nothing», *Brookings,* 21/05/2021 [en línea], disponible en: *https://www.brookings.edu/blog/order-from-chaos/2021/05/21/the-best-defense-an-alternative-to-all-out-war-or-nothing/*, fecha de revisión: 1/07/2021.

Osborn, K., «6th-gen stealth fighter likely to include lasers, AI and drone control», *Fox News,* 2021 [en línea], disponible en: *https://www.foxnews.com/tech/6th-gen-stealth-fighter-lasers-ai-drone-control*, fecha de revisión: 21/01/2021.

Page, L., «South Korea to field gun-cam robots on DMZ», *The Register,* 14/03/2007 [en línea], disponible en: *https://www.theregister.co.uk/2007/03/14/south_korean_gun_bots*, fecha de revisión: 30/04/2019.

Pearson, L., «Developing the flying bomb», *The Naval History and Heritage Command,* sin fecha [en línea], disponible en:

https://www.history.navy.mil/content/dam/nhhc/research/histories/naval-aviation/naval-aviation-in-world-war-i/pdfs/ww1-10.pdf, fecha de revisión: 04/04/2019.

Pew Research Center, «Public Continues to Back U.S. Drone Attacks», *Pew Research Center,* 28/05/2015 [en línea], disponible en: *https://www.people-press.org/2015/05/28/public-continues-to-back-u-s-drone-attacks/*, fecha de revisión: 06/04/2019.

Pleasance, C., «It's 20 years ahead of the West - and it WON'T blow up "like its predecessor": Brains behind Russia's new robotic tank reveals secrets of machine at centre of $500BILLION military upgrade», *Daily Mail,* 12/06/2015 [en línea], disponible en: *https://www.dailymail.co.uk/news/article-3121195/20-years-ahead-West-WON-T-blow-like-predecessor-Brains-Russia-s-new-robotic-tank-reveals-secrets-machine-forefront-country-s-250BILLION-military-modernisation.html*, fecha de revisión: 01/05/2019.

Rabiroff, J., «Machine gun-toting robots deployed on DMZ», *Stripes,* 12/07/2010 [en línea], disponible en: *https://www.stripes.com/news/pacific/korea/machine-gun-toting-robots-deployed-on-dmz-1.110809*, fecha de revisión: 30/04/2019.

Raibagui, K., «Military Robots To Watch Out For In 2021», *Analytics India Magazine,* 2021 [en línea], disponible en: *https://analyticsindiamag.com/military-robots-to-watch-out-for-in-2021/*, fecha de revisión: 21/01/2021.

Raytheon, «Iron Dome Weapon System», *Raytheon,* 2016 [en línea], disponible en: *https://www.raytheon.com/capabilities/products/irondome*, fecha de revisión: 30/04/2019.

Real Instituto Elcano, «Towards A New Technology Foreign Policy Line In Spain And The EU–Analysis», *Eurasia review news & analysis,* 28/03/2021 [en línea], disponible en: *https://www.eurasiareview.com/20032021-towards-a-new-technology-foreign-policy-line-in-spain-and-the-eu-analysis/*, fecha de revisión: 07/05/2021.

Roblin, S., «Military AI vanquishes human fighter pilot in F-16 simulation. How scared should we be?» *NBC News,* 31/08/2020 [en línea], disponible en: *https://www.nbcnews.com/think/opinion/military-ai-vanquishes-human-fighter-pilot-f-16-simulation-how-ncna1238773*, fecha de revisión: 04/02/2021.

RT, «¿Puede la inteligencia artificial ser presidente? Putin responde y evalúa la posibilidad de una rebelión de las máquinas» *RT*, 04/12/2020 [en línea], disponible en: *https://actualidad.rt.com/actualidad/375791-poder-inteligencia-artificial-presidente-putin-responder*, fecha de revisión: 21/01/2021.

RT, «Inteligencia artificial a velocidades supersónicas: se está desarrollando un nuevo caza MiG-41 en Rusia» [texto en ruso], *RT*, 23/08/2017 [en línea], disponible en: *https://russian.rt.com/russia/article/422319-istrebitel-iskusstvennyi-intellekt*, fecha de revisión: 01/05/2019.

RT, «Prepare to be Terminated: Russia readies first robot tank, shows off Armata at arms expo», *RT*, 10/09/2015 [en línea], disponible en: *https://www.rt.com/news/314963-armata-autonomous-combat-system/*, fecha de revisión: 01/05/2019.

Russell, S., «Of myths and moonshine», *Edge*, 2014 [en línea], disponible en: *https://www.edge.org/conversation/the-myth-of-ai#26015*, fecha de revisión: 04/05/2019.

Russell, S., Aguirre, A., Javorsky, E. y Tegmark, M., «Lethal Autonomous Weapons Exist; They Must Be Banned», *IEEE Spectrum*, 16/06/2021 [en línea], disponible en: *https://spectrum.ieee.org/automaton/robotics/military-robots/lethal-autonomous-weapons-exist-they-must-be-banned*, fecha de revisión: 01/07/2021.

Sanger, D., «Obama order sped up wave of cyberattacks against Iran», *New York Times*, 01/06/2012 [en línea], disponible en: *https://www.nytimes.com/2012/06/01/world/middleeast/obama-ordered-wave-of-cyberattacks-against-iran.html?pagewanted=all&_r=0*, fecha de revisión: 01/05/2019.

Sauer, F., «Memorandum for delegates at the Convention on Certain Conventional Weapons (CCW) Group of Governmental Experts (GGE) Meeting on Lethal Autonomous Weapons Systems (LAWS)», *Comité Internacional para el Control de Armas Robóticas*, 2017 [en línea], disponible en: *https://www.icrac.net/frequently-asked-questions-on-laws/*, fecha de revisión: 11/06/2019.

Sawicki, V., «Shoigu instó a los científicos militares y civiles a desarrollar conjuntamente robots y drones», *Tass (servicio de prensa del Ministerio de Defensa de la Federación Rusa)*, 2019 [en línea, texto en ruso], disponible en: *https://tass.ru/armiya-i-opk/5028777*, fecha de revisión: 21/04/2019

Shelbourne, M., «HII Purchases Autonomy Company to Bolster Unmanned Surface Business», *USNI News,* 2021 [en línea], disponible en: *https://news.usni.org/2021/01/04/hii-purchases-autonomy-company-to-bolster-unmanned-surface-business*, fecha de revisión: 21/01/2021.

Shelbourne, M., «New Counter-Drone Strategy Calls for 'Holistic' Approach Across Services», *USNI News,* 2021 [en línea], disponible en: *https://news.usni.org/2021/01/08/new-counter-drone-strategy-calls-for-holistic-approach-across-services*, fecha de revisión: 21/01/2021.

Scheltema, H., «Lethal Automated Robotic Systems and Automation Bias», *EJIL: Talk,* 11/06/2015 [en línea], disponible en: *https://www.ejiltalk.org/lethal-automated-robotic-systems-and-automation-bias/*, fecha de revisión: 21/01/2021.

Sola, D., «Boeing to evaluate CSS for Dominator – IHS Jane's», *Archangel Aerospace,* 01/11/12 [en línea], disponible en: *http://archangelaerospace.com/boeing-to-evaluate-css-for-dominator-ihs-janes*, fecha de revisión: 30/04/2019.

Sprenger, S., «NATO tees up negotiations on artificial intelligence in weapons», *c4isrnet,* 27/04/21 [en línea], disponible en: *https://www.c4isrnet.com/artificial-intelligence/2021/04/27/nato-tees-up-negotiations-on-artificial-intelligence-in-weapons/*, fecha de revisión: 07/05/2021.

Stella, R., «Ghost ship: Stepping aboard Sea Hunter, the Navy's unmanned drone ship», *Digital Trend,* 04/11/2016 [en línea], disponible en: *https://www.digitaltrends.com/cool-tech/darpa-officially-christens-the-actuv-in-portland/*, fecha de revisión: 01/05/2019.

Tagilcity, «La inteligencia artificial entrará en servicio con el ejército ruso en 2018» [texto en ruso], *Tagilcity*, 04/04/2017 [en línea], disponible en: *https://tagilcity.ru/news/society/04-04-2017/iskusstvennyy-intellekt-postupit-na-vooruzhenie-rossiyskoy-armii-v-2018-godu?type=NewsItem*, fecha de revisión: 01/05/2019.

Tucker, P., « Russia Says It Will Field a Robot Tank that Outperforms Humans», *Defense One,* 2017 [en línea], disponible en: *https://www.defenseone.com/technology/2017/11/russia-robot-tank-outperforms-humans/142376/*, fecha de revisión: 21/01/2021.

UN News, «Security Council fails to adopt three resolutions on chemical weapons use in Syria», *Un News,* 10/04/2018 [en línea], disponible en: *https://news.un.org/en/story/2018/04/1006991*, fecha de revisión: 27/04/2019.

United World International, «Drones after Karabakh: The age of permanent war is coming», *uwidata,* 11/01/2021 [en línea], disponible en: *https://uwidata.com/15106-drones-after-karabakh-the-age-of-permanent-war-is-coming/*, fecha de revisión: 21/01/2021.

Vogel, S. y Pincus, W., «Weather obstructing survey of missile strike site», *Washington Post,* 08/02/2002 [en línea], disponible en: *https://www.washingtonpost.com/archive/politics/2002/02/08/weather-obstructing-survey-of-missile-strike-site/33f741d3-4d10-4a78-a5b8-5fb023df37f3/?noredirect=on&utm_term=.405a5ed204ef*, fecha de revisión: 06/04/2019.

Wakabayashi, D. y Shane, S., « Google Will Not Renew Pentagon Contract That Upset Employees», *The New York Times,* 2018 [en línea], disponible en: *https://www.nytimes.com/2018/06/01/technology/google-pentagon-project-maven.html*, fecha de revisión: 21/01/2021.

Walan, A., «Anti-submarine warfare (ASW) Continuous Trail Unmanned Vessel (ACTUV)», *DARPA,* sin fecha [en línea], disponible en: *https://www.darpa.mil/program/anti-submarine-warfare-continuous-trail-unmanned-vessel*, fecha de revisión: 01/05/2019.

Walker, R., «Germany warns: AI arms race already underway» *DW,* 07/06/2021 [en línea], disponible en: *https://www.dw.com/en/artificial-intelligence-cyber-warfare-drones-future/a-57769444, f*echa de revisión: 01/07/2021.

Wareham, M., «Robots aren't better soldiers than humans», *The Boston Globe,* 26/10/2021 [en línea], disponible en: *https://www.bostonglobe.com/2020/10/26/opinion/robots-arent-better-soldiers-than-humans/*, fecha de revisión: 13/02/2021.

Warrick, J. y Nakashima, E., «Stuxnet was work of U.S. and Israeli experts, officials say», *Washington Post,* 02/06/2012 [en línea], disponible en: *https://www.washingtonpost.com/world/national-security/stuxnet-was-work-of-us-and-israeli-experts-officials-say/2012/06/01/gJQAlnEy6U_story.html?utm_term=.5e1c-5c85f820*, fecha de revisión: 01/05/2019.

Welsh, S., «Machines with guns: Debating the future of autonomous weapons systems», *The Conversation,* 12/04/2015 [en línea], disponible en: *https://theconversation.com/machines-with-guns-debating-the-future-of-autonomous-weapons-systems-39795*, fecha de revisión: 21/05/2019.

Werner, B., «Navy Awards Boeing $43 Million to Build Four Orca XLUUVs», *USNI News,* 2019 [en línea], disponible en: *https://news.usni.org/2019/02/13/41119*, fecha de revisión: 21/01/2021.

Wezeman, S., «Russia's military spending: Frequently asked questions», *Stockholm International Peace Research Institute (SIPRI),* 21/04/2020 [en línea], disponible en: *https://www.sipri.org/commentary/topical-backgrounder/2020/russias-military-spending-frequently-asked-questions*, fecha de revisión: 21/01/2021.

Wood, G., «Will John Bolton bring on armageddon. Or stave it off?» *The Atlantic,* 08/03/2019 [en línea], disponible en: *https://www.theatlantic.com/magazine/archive/2019/04/john-bolton-trump-national-security-adviser/583246, f*echa de revisión: 20/04/2019.

Work, R. Winnefeld, J. y O'Sullivan, S., «STEERING IN THE RIGHT DIRECTION IN THE MILITARY-TECHNICAL REVOLUTION» *War on the Rocks,* 23/03/2021 [en línea], disponible en: *https://warontherocks.com/2021/03/steering-in-the-right-direction-in-the-military-technical-revolution/, f* echa de revisión: 07/05/2021.

Yonhap News Agency, «South Korea's Army tests machine-gun sentry robots in DMZ», *Yonhap News Agency,* 13/07/2010 [en línea], disponible en: *https://www.tactical-life.com/firearms/south-koreas-army-tests-machine-gun-sentry-robots-in-dmz/*, fecha de revisión: 30/04/2019.

Yudina, A., «Armen Isahakyan: Rusia crea inteligencia artificial para los UAV» [texto en ruso], *Tass (servicio de prensa del Ministerio de Defensa de la Federación Rusa),* 15/05/2017 [en línea], disponible en: *https://tass.ru/interviews/4247953*, fecha de revisión: 01/05/2019.

Zetter, K., «An unprecedented look at Stuxnet, the world's first digital weapon», *Wired,* 11/03/2014 [en línea], disponible en: *https://www.wired.com/2014/11/countdown-to-zero-day-stuxnet/*, fecha de revisión: 13/02/2021.